生物物理学ハンドブック

石渡信一　桂　勲　桐野　豊　美宅成樹【編】

朝倉書店

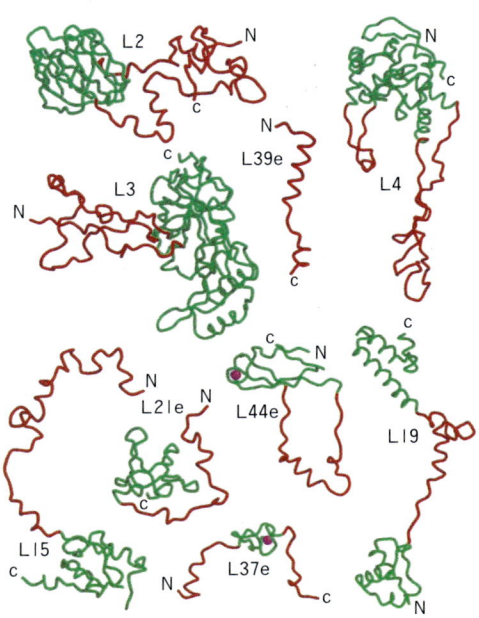

口絵 1 古細菌 50S サブユニットに含まれるリボソーム蛋白質の構造（電荷的には中性の球状ドメイン（緑色）と塩基性のテール（赤色）からなる）（図 1.16.7）(Reprinted with permission from AAAS. Ban, N., *et al.*: Science **289**, 905–920, 2000 より)

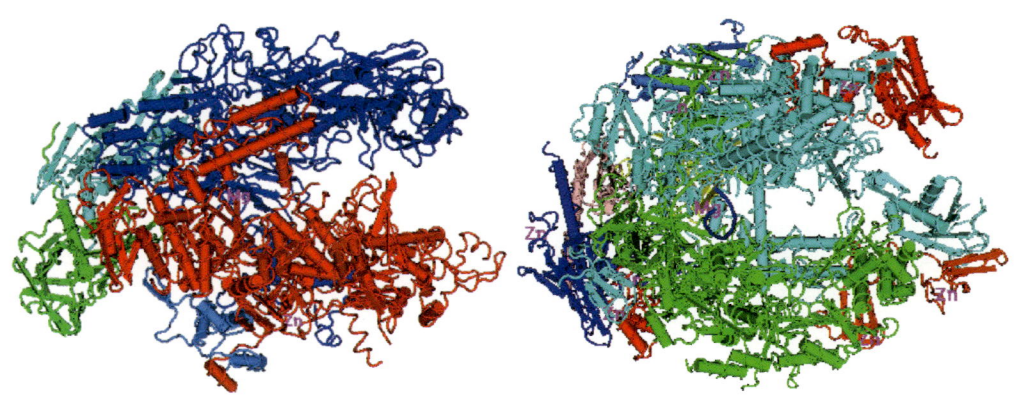

口絵 2 原核生物 *T. aquaticus* RNA polymerase コア酵素（左）と真核生物の *S. cerevisiae* RNA polymerase II（右）の構造（PDB 1HQM, 1I6H より）（図 2.5.1）

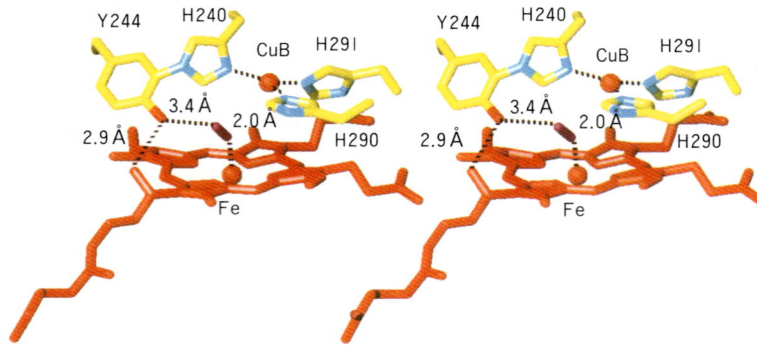

口絵3　ウシ心筋チトクロム酸化酵素の還元型 2.35 Å 分解能での O_2 還元中心のX線構造（ステレオ図，図 4.8.1）

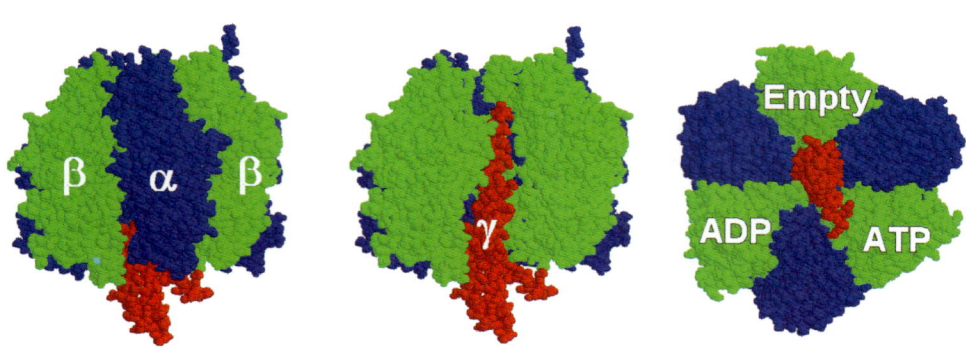

口絵4　F_1 モーターの結晶構造（図 6.6.1）

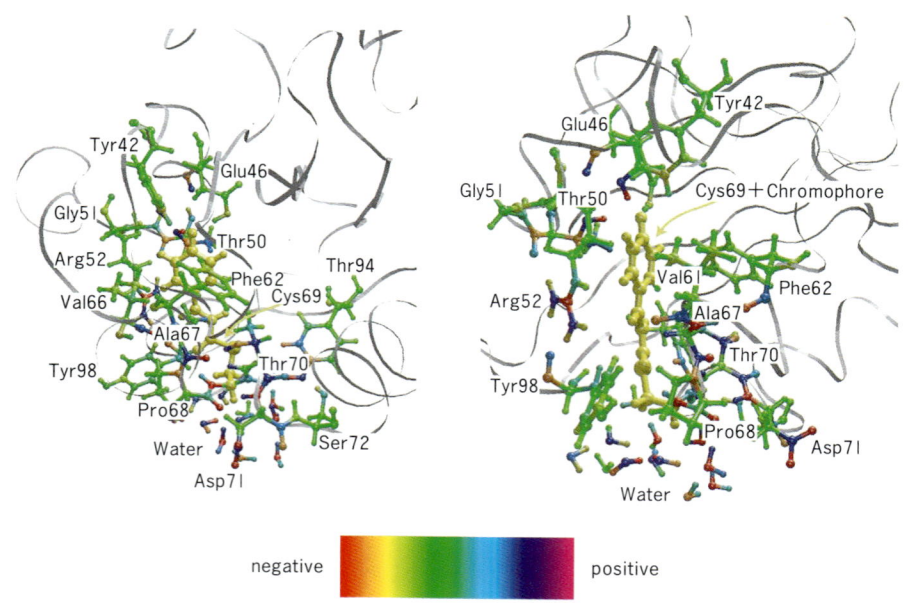

口絵5　イエロープロテインと発色団の相互作用（図 7.2.5）

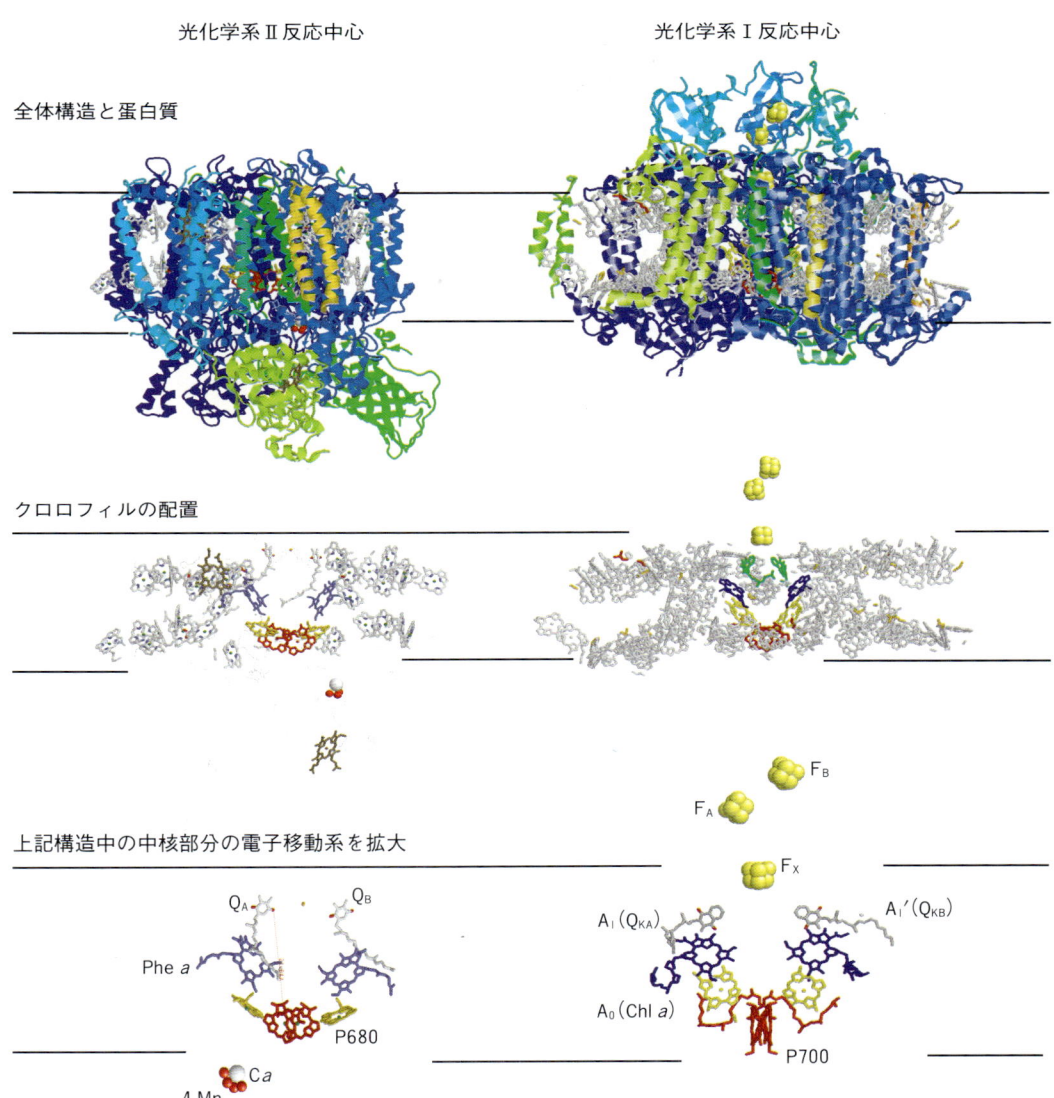

口絵6 光化学系Ⅰ, Ⅱ光合成反応中心の膜断面側からみた構造（上），内部のクロロフィルやキノンの配置（中），中核部分の電子移動成分（下）（図7.4.2）

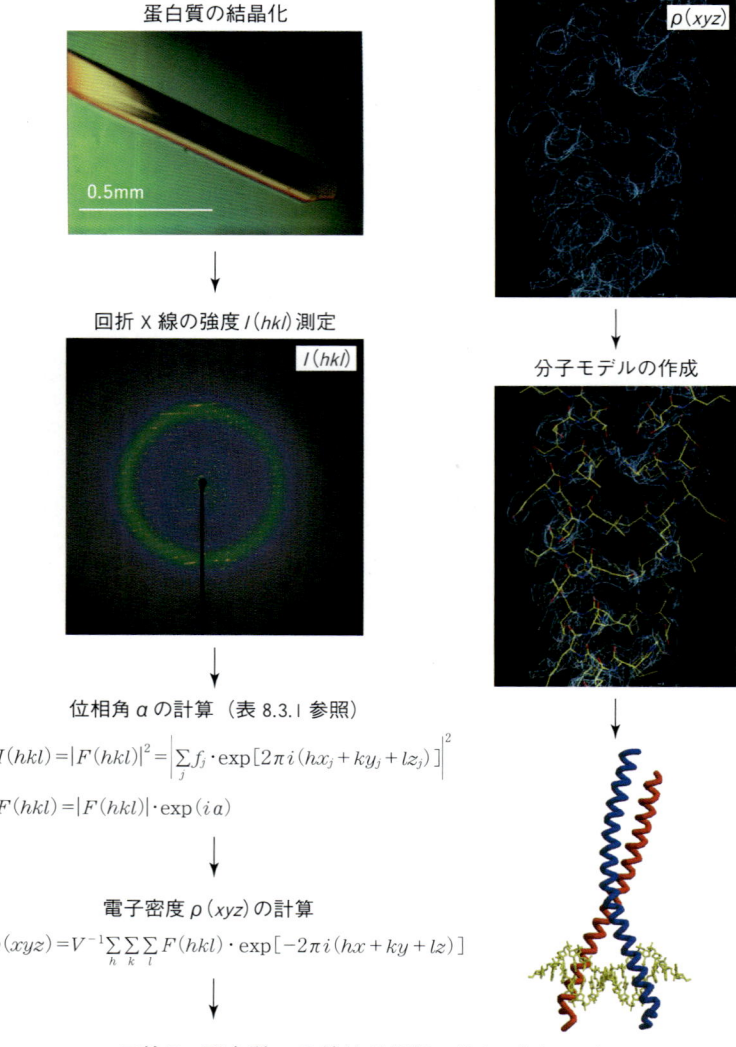

口絵 7 蛋白質の X 線結晶解析の流れ（図 8.3.1）

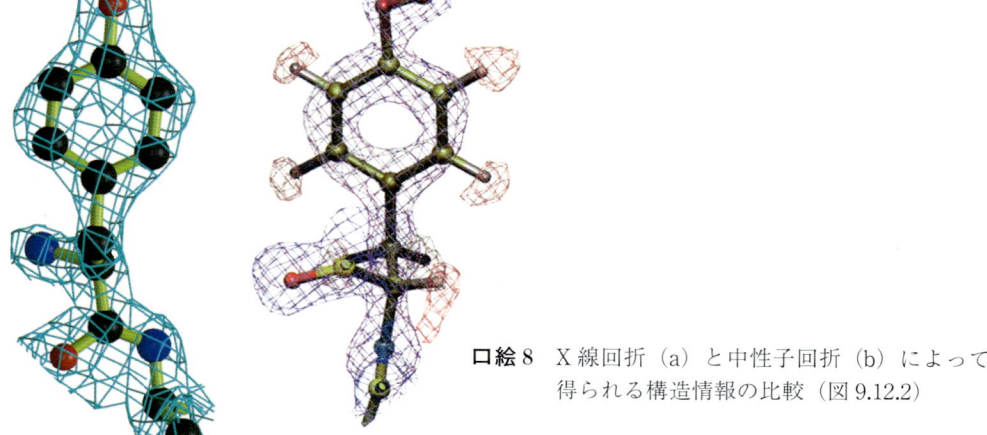

口絵 8 X 線回折 (a) と中性子回折 (b) によって得られる構造情報の比較（図 9.12.2）

序

　「生物物理学とは何か」，これは，物理学と生物学という，2つの巨大な学問領域の境界に誕生した新しい学問領域が背負うべき，永遠の問いであるかもしれない．

　従来の物理学は，非生物界にみられるあらゆる自然現象を研究対象とし，そこに潜む普遍的な法則性を明らかにしてきた．一方，生物学の研究対象は，地球環境という限られた条件下で，進化という歴史を背負って生み出されてきた多種多様な生物と生命現象であり，したがって，何世紀にもわたって物理学と生物学とは別々の道を歩んできたといえる．

　ところが，今から半世紀前にワトソンとクリックによって遺伝子 DNA の二重らせん構造が解明されたことにより，遺伝子機能の物質的基盤が与えられた．それとともに，DNA のもつ遺伝情報に従って生合成される蛋白質の構造と機能が明らかになり，多彩にみえる生命現象も，蛋白質をはじめとする多くの生体高分子，有機・無機物質と，それらの集合体が織り成す自然現象の1つであると認識されるに至った．したがって，一見複雑そうにみえる生命現象の中に，それを司る一般的な法則性，共通のメカニズム（しくみ）が存在すると期待されるようになった．ここに，生命現象の物理的基盤を明らかにすることを目指す新しい学問領域が生まれた．

　では具体的に，「生物物理学」は生命現象の何を，どのように明らかにしようとしている学問なのか．「生物物理学」が芽生えてから半世紀が経とうとするのに，いまだに標準的な教科書といえるものはない．この点では，「生化学」が生物学と化学の接点に位置するという点で「生物物理学」と対等の立場にありながら，世界的にみていくつもの標準的な教科書をもっていることと対照的である．この事実は，「生物物理学」がいまだに確立した学問領域ではないこと，言い換えれば，いまだに発展途上にあるということを端的に示している．数年の努力の末に教科書をつくってみても，すぐに改訂しなければならなくなる．それほど，この学問領域は動いてきた，といえる．

　「生物物理学」が芽生えてしばらくの間は，この学問分野は方法論を中心とする分野であるとみなされていたように思う．そして，新しい研究手法の開拓という点で生物学，生命科学に貢献してきた．しかし，この学問分野が本来志向すると

ころは，方法論，実験手法の開拓だけにあるのではなく，生物と生命現象とを物理学的な基礎のもとに解明したいということにあった．そのことが，ヒトゲノム解析に象徴される生命科学それ自体の発展と，構造解析技術や1分子解析手法などの生物物理学的手法の開発によって，現実のものとなりつつある．すなわち，地球環境という限られた条件を越えて，生物物理学が本来の目標を掲げて，新しい生物科学を生み出しうる可能性が現実のものとなりつつあるのである．

このようなときに，朝倉書店から『生物物理学ハンドブック』刊行のお誘いを受けた．上で述べたように，躍動する「生物物理学」の，ある瞬間を切り取ったとしても，それは数年のうちに省みられなくなるかもしれない．しかし「生物物理学」は，うぶ声を上げてからすでに50年にもなろうとしている．生物物理学会がわが国に発足してからでも40年が経過した．新たに開拓され広がりを見せている分野がある一方で，確立した分野もあるはずである．この機会をとらえて，教科書に準じる「ハンドブック」という形での出版物を刊行し，「生物物理学」という学問領域全体を一度俯瞰してみたい．そして，21世紀での飛躍が期待される，この魅力あふれる学問領域の一層の発展にいくらかでも寄与したい，編者一同そのように考えた次第である．

本書の刊行の機会を与えてくださり，5年にもわたって辛抱強く編集にあたられた朝倉書店編集部には心から感謝申し上げます．同じく，執筆から刊行まで，何度かにわたる改訂に辛抱強くお応えいただいた多くの執筆者の方々にも，編集委員一同，心から感謝いたします．

2007年3月

編集委員
石渡信一
桂　　勲
桐野　豊
美宅成樹

編　者

石渡信一　早稲田大学
桂　　勲　国立遺伝学研究所・総合研究大学院大学
桐野　豊　徳島文理大学・東京大学名誉教授
美宅成樹　名古屋大学

執　筆　者（執筆順）

郷　信広	日本原子力研究開発機構	美宅成樹	名古屋大学
小林憲正	横浜国立大学	北川禎三	豊田理化学研究所
颯田葉子	総合研究大学院大学	西村善文	横浜市立大学
曽田邦嗣	長岡技術科学大学	濡木　理	東京工業大学
垣谷俊昭	名城大学	櫻井　実	東京工業大学
大沢文夫	名古屋大学名誉教授・大阪大学名誉教授・愛知工業大学	小島正樹	東京薬科大学
鈴木良次	金沢工業大学	田之倉優	東京大学
桂　　勲	国立遺伝学研究所・総合研究大学院大学	吉田賢右	東京工業大学
神田大輔	九州大学	小林祐次	大阪大学名誉教授・大阪薬科大学
松本友治	岐阜大学	林　利彦	帝京平成大学
永山國昭	岡崎統合バイオサイエンスセンター・総合研究大学院大学	神藤平三郎	東京薬科大学名誉教授・農業生物資源研究所
桑島邦博	岡崎統合バイオサイエンスセンター・総合研究大学院大学	片平正人	横浜市立大学
油谷克英	理化学研究所	伊藤建夫	信州大学
由良　敬	日本原子力研究開発機構	藤堂　剛	京都大学
南方　陽	浜松医科大学名誉教授	嶋本伸雄	国立遺伝学研究所・総合研究大学院大学
嶋田一夫	東京大学	谷　時雄	熊本大学
木寺詔紀	横浜市立大学	杉本直己	甲南大学
中村春木	大阪大学	大道達雄	株式会社 I.S.T
今井清博	法政大学	渡辺公綱	産業技術総合研究所
横沢英良	北海道大学	品川日出夫	大阪大学名誉教授・バイオアカデミア株式会社

深川竜郎	国立遺伝学研究所・総合研究大学院大学	関口清俊	大阪大学
五斗　進	京都大学	佐藤元康	獨協医科大学
奥野恭史	京都大学	芳賀達也	学習院大学
金久　實	京都大学	田中聡一	東京福祉大学
八田一郎	高輝度光科学研究センター	白尾智明	群馬大学
亀山啓一	岐阜大学	飯野正光	東京大学
安西和紀	放射線医学総合研究所	林　秀則	愛媛大学
米勢政勝	名古屋市立大学	桐野　豊	東京大学名誉教授・徳島文理大学
日比野政裕	室蘭工業大学	髙橋國太郎	東京大学名誉教授・明治薬科大学名誉教授
荒磯恒久	北海道大学	宮川博義	東京薬科大学
大木和夫	東北大学	老木成稔	福井大学
松﨑勝巳	京都大学	小倉明彦	大阪大学
井出　徹	大阪大学	曽我部正博	名古屋大学
宝谷紘一	科学技術振興機構	葛西道生	大阪大学名誉教授
北里　宏	滋賀医科大学名誉教授	渡辺　恵	東京大学
加茂直樹	北海道大学	山口和彦	理化学研究所
大西俊一	京都大学名誉教授	杉山博之	九州大学
吉久　徹	名古屋大学	市川一寿	金沢工業大学
遠藤斗志也	名古屋大学	柏柳　誠	旭川医科大学
宮田英威	東北大学	谷口郁雄	東京医科歯科大学名誉教授
楠見明弘	京都大学	榊原　学	東海大学
阪口雅郎	兵庫県立大学	立花政夫	東京大学
太田善浩	東京農工大学	多賀厳太郎	東京大学
川崎一則	産業技術総合研究所	柴田重信	早稲田大学
伊藤　繁	名古屋大学	川原茂敬	東京大学
吉川信也	兵庫県立大学	吉岡　亨	早稲田大学名誉教授
村田昌之	東京大学	亀山未帆	オリンパス株式会社
阿部輝雄	新潟大学	小野武年	富山大学
佐藤　智	京都大学	上野照子	富山大学

山口陽子	理化学研究所	臼倉治郎	名古屋大学
石渡信一	早稲田大学	七田芳則	京都大学
樋口秀男	東北大学	吉永壮佐	熊本大学
徳永万喜洋	国立遺伝学研究所・総合研究大学院大学・理化学研究所	稲垣冬彦	北海道大学
広瀬恵子	産業技術総合研究所	斉藤肇	広島大学
豊島陽子	東京大学	佐藤衛	横浜市立大学
原田慶恵	東京都臨床医学総合研究所	米倉功治	University of California, San Francisco
野地博行	大阪大学	豊島近	東京大学
前田雄一郎	名古屋大学	岡本祐幸	名古屋大学
須藤和夫	東京大学	西川建	国立遺伝学研究所・総合研究大学院大学
三木正雄	福井大学	藤博幸	九州大学
御橋廣眞	日本福祉大学	富井健太郎	産業技術総合研究所
藤目杉江	前・名古屋大学	城所俊一	長岡技術科学大学
浜口幸久	東京工業大学	黒田裕	東京農工大学
馬渕一誠	学習院大学	喜多村和郎	大阪大学
田代朋子	青山学院大学	辰巳仁史	名古屋大学
笹川千尋	東京大学	安藤敏夫	金沢大学
神谷律	東京大学	藤吉好則	京都大学
相沢慎一	県立広島大学	吉村英恭	明治大学
伊藤知彦	名古屋大学	船津高志	東京大学
前田章夫	University of Illinois	喜多村祐里	大阪大学
倭剛久	名古屋大学	神山勉	名古屋大学
神取秀樹	名古屋工業大学	古谷祐詞	名古屋工業大学
三木邦夫	京都大学	赤坂一之	近畿大学
丹羽治樹	電気通信大学	難波啓一	大阪大学
蟻川謙太郎	総合研究大学院大学	窪田健二	群馬大学
津田基之	兵庫県立大学	加藤晃一	名古屋市立大学・自然科学研究機構
徳永史生	大阪大学	栗本英治	名古屋市立大学
三室守	京都大学	佐野孝之	大分大学

鈴木　誠	東北大学	山岸明彦	東京薬科大学
有坂文雄	東京工業大学	伏見　譲	埼玉大学
児玉孝雄	九州工業大学名誉教授	熊谷　泉	東北大学
谷口寿章	徳島大学	津本浩平	東京大学
相澤洋二	早稲田大学	小山行一	桐蔭横浜大学
吉川研一	京都大学	陶山　明	東京大学
金子邦彦	東京大学	白木原康雄	国立遺伝学研究所・総合研究大学院大学
本多久夫	兵庫大学	本間道夫	名古屋大学
上田哲男	北海道大学	古野忠秀	愛知学院大学
重定南奈子	同志社大学	中西　守	愛知学院大学
冨田　勝	慶應義塾大学	香川弘昭	岡山大学
池上高志	東京大学		

目　次

第0章　生物物理学の問うもの
生命科学の基本的課題

0.0 〈総論〉生物物理学（生物理学）とは ……………………〔郷　信広〕… 1
0.1 生命の起源 …………………………………………………〔小林憲正〕… 5
0.2 進　化 ………………………………………………………〔颯田葉子〕… 8
0.3 水と水和 ……………………………………………………〔曽田邦嗣〕… 12
0.4 生体エネルギーの形態と変換 ……………………………〔垣谷俊昭〕… 15
0.5 分子機械 ……………………………………………………〔大沢文夫〕… 19
0.6 生物と情報 …………………………………………………〔鈴木良次〕… 23

第1章　蛋白質
〔桂　勲〕

1.0 〈総論〉蛋白質 ……………………………………………〔郷　信広〕… 27

I. 蛋白質

1.1 蛋白質の化学構造 …………………………………………〔桂　勲〕… 31
1.2 蛋白質の立体構造 …………………………………………〔神田大輔〕… 34
1.3 蛋白質の物性 ………………………………〔松山友治・永山國昭〕… 39
1.4 蛋白質のアンフォールディングとフォールディング ……〔桑島邦博〕… 42
1.5 蛋白質の安定性 ……………………………………………〔油谷克英〕… 48
1.6 ドメイン，モチーフ，モジュール ………………………〔由良　敬〕… 51
1.7 高分子電解質 ………………………………………………〔南方　陽〕… 54

II. 蛋白質の相互作用

1.8 蛋白質低分子相互作用 ……………………………………〔嶋田一夫〕… 57
1.9 蛋白質間相互作用 …………………………………………〔木寺詔紀〕… 59
1.10 蛋白質核酸相互作用 ………………………………………〔中村春木〕… 61
1.11 アロステリック蛋白質 ……………………………………〔今井清博〕… 65

1.12　蛋白質の分解 ……………………………………………〔横沢英良〕… 69

III. さまざまな蛋白質
1.13　膜 蛋 白 質 ………………………………………………〔美宅成樹〕… 72
1.14　ヘム蛋白質，金属結合蛋白質 …………………………〔北川禎三〕… 75
1.15　DNA 結合蛋白質 …………………………………………〔西村善文〕… 77
1.16　RNA 結合蛋白質 …………………………………………〔濡木　理〕… 82
1.17　糖 蛋 白 質 ………………………………………………〔櫻井　実〕… 86
1.18　酵　　　素 ………………………………〔小島正樹・田之倉優〕… 88
1.19　シャペロン ………………………………………………〔吉田賢右〕… 91
1.20　生理活性ペプチド ………………………………………〔小林祐次〕… 94
1.21　細胞外マトリクス ………………………………………〔林　利彦〕… 96

第2章　核酸と遺伝情報系
〔桂　　勲〕

2.0　〈総論〉核酸と遺伝情報系 ………………………………〔西村善文〕… 101

I. 核　　酸
2.1　DNA …………………………………………………………〔神藤平三郎〕… 104
2.2　RNA …………………………………………………………〔片平正人〕… 109

II. 遺伝情報系
2.3　DNA 複製 …………………………………………………〔伊藤建夫〕… 112
2.4　DNA の修復と変異 ………………………………………〔藤堂　剛〕… 116
2.5　転　　写 …………………………………………………〔嶋本伸雄〕… 119
2.6　スプライシング …………………………………………〔谷　時雄〕… 122
2.7　リボザイム ………………………………………〔杉本直己・大道達雄〕… 126
2.8　翻　　訳 …………………………………………………〔渡辺公綱〕… 130
2.9　ウイルス，プラスミド，トランスポゾン ……………〔品川日出夫〕… 134

III. 染色体とゲノム
2.10　染 色 体 …………………………………………………〔深川竜郎〕… 136
2.11　ゲノムデータベース ……………………………………〔五斗　進〕… 140
2.12　ゲノム解析 ………………………………………〔奥野恭史・金久　實〕… 142

第3章　脂質二重層，モデル膜
〔美宅成樹〕

3.0 〈総論〉膜のモデルシステム ……………………………〔八田一郎〕… 147

I. 脂質膜の構造

3.1 界面活性剤 …………………………………………………〔亀山啓一〕… 150
3.2 脂　　質 ……………………………………………………〔安西和紀〕… 154
3.3 コロイド，ミセル，エマルション，逆ミセル ……………〔米勢政勝〕… 157
3.4 脂質二重層 …………………………………………………〔日比野政裕〕… 160
3.5 脂質膜相転移 ………………………………………………〔荒磯恒久〕… 163
3.6 相　分　離 …………………………………………………〔大木和夫〕… 166

II. 脂質膜の機能

3.7 脂質膜低分子相互作用 ……………………………………〔八田一郎〕… 169
3.8 脂質膜ポリペプチド相互作用 ……………………………〔松﨑勝巳〕… 172
3.9 平　面　膜 …………………………………………………〔井出　徹〕… 175
3.10 膜研究の技術としてのリポソーム ………………………〔宝谷紘一〕… 178
3.11 膜のイオン透過性 …………………………………………〔北里　宏〕… 180
3.12 膜　電　位 …………………………………………………〔加茂直樹〕… 184

第4章　細胞と生物物理
〔桐野　豊〕

4.0 〈総論〉細胞と生体膜 ……………………………………〔大西俊一〕… 189

I. 細胞の構造

4.1 細胞の構造：概論 …………………………………〔吉久　徹・遠藤斗志也〕… 193
4.2 細　胞　骨　格 ……………………………………………〔宮田英威〕… 197
4.3 生体膜の動的構造 …………………………………………〔楠見明弘〕… 200
4.4 小胞体での膜蛋白質の生合成と膜結合型リボソーム ……〔阪口雅郎〕… 205
4.5 ミトコンドリア ……………………………………………〔太田善浩〕… 208
4.6 赤　血　球　膜 ……………………………………………〔川崎一則〕… 211

II. 細胞のエネルギー

- 4.7　生体エネルギー論 …………………………………………〔伊藤　繁〕… 214
- 4.8　電子伝達系 ………………………………………………〔吉川信也〕… 218
- 4.9　ATP 合成 …………………………………………………〔吉田賢右〕… 222

III. 膜動輸送

- 4.10　細胞内トラフィック ……………………………………〔村田昌之〕… 225
- 4.11　エキソサイトーシス ……………………………………〔阿部輝雄〕… 229
- 4.12　エンドサイトーシス ……………………………………〔佐藤　智〕… 232

IV. 細胞の情報

- 4.13　細胞間認識・接着 ………………………………………〔関口清俊〕… 234
- 4.14　膜の受容体 ………………………………………〔佐藤元康・芳賀達也〕… 236
- 4.15　シグナルトランスダクション－レセプターと細胞内情報伝達カスケード
  　　　　　　　　　　　　　　　　　　　　　　　　〔田中総一・白尾智明〕… 240
- 4.16　Ca^{2+} シグナルと細胞機能 …………………………………〔飯野正光〕… 244
- 4.17　ストレス応答 ……………………………………………〔林　秀則〕… 249

第5章　神経生物物理学
〔桐野　豊〕

5.0　〈総論〉神経生物物理学 …………………………………〔桐野　豊〕… 255

I. イオンチャネル

- 5.1　イオンチャネルの生物物理学と細胞の電気的性質 ………〔高橋國太郎〕… 258
- 5.2　電位依存性イオンチャネル－Na チャネル, Ca チャネル …〔宮川博義〕… 263
- 5.3　電位依存性イオンチャネル－K チャネル ………………〔老木成稔〕… 267
- 5.4　神経伝達物質受容体イオンチャネル ……………………〔小倉明彦〕… 272
- 5.5　機械刺激受容チャネル …………………………………〔曽我部正博〕… 276
- 5.6　その他のイオンチャネル ………………………………〔葛西道生〕… 279

II. シナプス伝達

- 5.7　ニューロン ………………………………………………〔渡辺　恵〕… 282
- 5.8　シナプス伝達（1）－プレシナプス ……………………〔山口和彦〕… 285
- 5.9　シナプス伝達（2）－ポストシナプス …………………〔杉山博之〕… 289

5.10 シナプス可塑性……………………………………………〔市川一寿〕…293

III. 感覚系と運動系

5.11 化学感覚……………………………………………………〔柏柳　誠〕…297
5.12 聴　　覚……………………………………………………〔谷口郁雄〕…301
5.13 体性感覚……………………………………………………〔榊原　学〕…304
5.14 視　　覚……………………………………………………〔立花政夫〕…308
5.15 運　　動……………………………………………………〔多賀厳太郎〕…312

IV. 脳高次機能

5.16 生物時計……………………………………………………〔柴田重信〕…315
5.17 学習と記憶…………………………………………………〔川原茂敬〕…318
5.18 認　　知…………………………………………〔吉岡　亨・亀山未帆〕…321
5.19 情動と動機付け…………………………………〔小野武年・上野照子〕…325
5.20 脳の計算論モデルの研究…………………………………〔山口陽子〕…333

第6章　生体運動
〔石渡信一〕

6.0 〈総論〉生体運動の生物物理………………………………〔石渡信一〕…337

I. 生体分子モーター

6.1 分子モーター概論……………………………………………〔樋口秀男〕…340
6.2 アクチン・ミオシン分子モーター系………………………〔徳永万喜洋〕…343
6.3 キネシン・微小管分子モーター系…………………………〔広瀬恵子〕…348
6.4 ダイニン・微小管分子モーター系…………………………〔豊島陽子〕…350
6.5 DNAモーター………………………………………………〔原田慶恵〕…353
6.6 F_1モーターの回転メカニズム……………………………〔野地博行〕…356

II. 筋収縮運動系

6.7 筋収縮・制御の分子機構……………………………………〔石渡信一〕…361
6.8 筋フィラメントの格子構造…………………………………〔前田雄一郎〕…366
6.9 ミオシンの構造と機能………………………………………〔須藤和夫〕…372
6.10 アクチンの構造と機能………………………………………〔三木正雄〕…376
6.11 アクチンの重合・脱重合ダイナミクス……………………〔御橋廣眞〕…380

III. 細胞運動系

6.12 いろいろな細胞運動系 ……………………………〔藤目杉江〕… 382
6.13 細 胞 分 裂
  a. 核 分 裂 ……………………………………〔浜口幸久〕… 385
  b. 細胞質分裂 …………………………………〔馬渕一誠〕… 387
6.14 細胞内物質輸送 ……………………………………〔田代朋子〕… 389
6.15 細胞内バクテリア運動 ……………………………〔笹川千尋〕… 393
6.16 鞭毛・繊毛運動系 …………………………………〔神谷 律〕… 396
6.17 バクテリアのべん毛運動系 ………………………〔相沢慎一〕… 399
6.18 細胞骨格のダイナミクス …………………………〔伊藤知彦〕… 403

第7章 光生物学
〔美宅成樹〕

7.0 〈総論〉光生物学 …………………………………〔前田章夫〕… 407

I. 光エネルギーの利用

7.1 電子移動, 励起移動 ………………………………〔倭 剛久〕… 409
7.2 生体の発色団 ………………………………………〔倭 剛久〕… 412
7.3 光駆動ポンプ ………………………………………〔神取秀樹〕… 416
7.4 光 合 成 ……………………………………………〔伊藤 繁〕… 419
7.5 光合成反応中心と光捕捉蛋白質複合体 …………〔三木邦夫〕… 424

II. 光による情報伝達

7.6 生 物 発 光 …………………………………………〔丹羽治樹〕… 427
7.7 視細胞の分光感度 …………………………………〔蟻川謙太郎〕… 433
7.8 光受容におけるシグナル伝達 ……………………〔津田基之〕… 436
7.9 視 物 質 ……………………………………………〔徳永史生〕… 440
7.10 カロテノイド蛋白質 ………………………………〔三室 守〕… 444
7.11 視 細 胞 ……………………………………………〔臼倉治郎〕… 446
7.12 色 覚 ………………………………………………〔七田芳則〕… 449

第8章 構造生物物理，計算生物物理
〔美宅成樹・桐野 豊〕

8.0 〈総論〉構造生物学の展開 ……………………………〔中村春木〕… 453

I. 構造生物物理

8.1 溶液のNMR ………………………………〔吉永壮佐・稲垣冬彦〕… 455
8.2 固体のNMR ………………………………………………〔斉藤 肇〕… 459
8.3 X 線 回 折 …………………………………………………〔佐藤 衛〕… 463
8.4 電子顕微鏡と画像再構成 …………………〔米倉功治・豊島 近〕… 467

II. 計算生物物理

8.5 蛋白質立体構造の第1原理からの予測法 ………………〔岡本祐幸〕… 470
8.6 蛋白質構造予測法 ………………………………………〔西川 建〕… 475
8.7 蛋白質の類似度の解析
    a. 配列のホモロジー ……………………………………〔藤 博幸〕… 480
    b. 構造のホモロジー …………………………………〔富井健太郎〕… 481
8.8 エネルギー計算，基準振動解析 …………………………〔倭 剛久〕… 482
8.9 蛋白質の電子状態 ………………………………………〔垣谷俊昭〕… 485
8.10 蛋白質の改変と熱力学的解析 …………………………〔城所俊一〕… 488
8.11 蛋白質の人工設計 ………………………………………〔黒田 裕〕… 491
8.12 蛋白質立体構造データベース …………………………〔中村春木〕… 493

第9章 生物物理化学・方法論
〔石渡信一〕

9.0 〈総論〉生物物理的手法 …………………………………〔美宅成樹〕… 497

I. 顕微鏡法－1分子の構造と機能を見る

9.1 分子計測，微小操作 ……………………………………〔喜多村和郎〕… 499
9.2 多機能光学顕微鏡 ………………………………………〔辰巳仁史〕… 504
9.3 走査型プローブ顕微鏡 …………………………………〔安藤敏夫〕… 509
9.4 電子顕微鏡 ………………………………………………〔藤吉好則〕… 513
9.5 X 線顕微鏡 ………………………………………………〔吉村英恭〕… 517

9.6 バイオイメージング………………………………………〔船津高志〕… 520
9.7 脳機能イメージング………………………………………〔喜多村祐里〕… 522

II. 分光法－多分子の平均的性質を探る

9.8 紫外，可視，蛍光，りん光，CD，ORD……………………〔神山　勉〕… 530
9.9 赤外・ラマン分光法…………………………〔古谷祐詞・神取秀樹〕… 537
9.10 高速分光法…………………………………………………〔三室　守〕… 540
9.11 磁気共鳴法…………………………………………………〔赤坂一之〕… 542
9.12 回　折　法…………………………………………………〔難波啓一〕… 546
9.13 光散乱法……………………………………………………〔窪田健二〕… 549

III. 緩和測定法

9.14 ストップトフロー法…………………………〔加藤晃一・栗本英治〕… 552
9.15 温度ジャンプ法……………………………………………〔佐野孝之〕… 556
9.16 誘電緩和法…………………………………………………〔鈴木　誠〕… 559
9.17 超音波技術…………………………………………………〔美宅成樹〕… 562

IV. 物理化学的方法

9.18 超遠心分析法………………………………………………〔有坂文雄〕… 564
9.19 熱測定法……………………………………………………〔児玉孝雄〕… 567
9.20 質量分析法…………………………………………………〔谷口寿章〕… 570

第10章　概念，アプローチ，方法
〔石渡信一・桂　勲〕

10.0 〈総論〉 生物物理学の新生－新しい科学のパラダイムの上に
　　　………………………………………………………………〔永山國昭〕… 573

I. 生物物理の諸概念

10.1 非線形・非平衡……………………………………………〔相澤洋二〕… 576
10.2 自己組織化…………………………………………………〔吉川研一〕… 585
10.3 複　雑　系…………………………………………………〔金子邦彦〕… 589
10.4 形態形成モデル……………………………………………〔本多久夫〕… 592
10.5 生物のパターン形成と情報機能－反応拡散カップリング…〔上田哲男〕… 597
10.6 数理生態学…………………………………………………〔重定南奈子〕… 600

10.7　細胞シミュレーション……………………………〔冨田　勝〕…602
10.8　人 工 生 命………………………………………〔池上高志〕…605

II.　工学的アプローチ

10.9　蛋白質工学………………………………………〔山岸明彦〕…607
10.10　進化分子工学……………………………………〔伏見　譲〕…611
10.11　抗 体 工 学………………………………〔熊谷　泉・津本浩平〕…613
10.12　バイオセンサー，バイオエレクトロニクス………〔小山行一〕…616
10.13　DNAコンピューティング………………………〔陶山　明〕…619

III.　実　験　法

10.14　蛋白質精製法……………………………………〔白木原康雄〕…621
10.15　蛋白質分析法……………………………………〔有坂文雄〕…623
10.16　分子生物学／遺伝子工学的手法………………〔本間道夫〕…626
10.17　細胞工学的手法………………………〔古野忠秀・中西　守〕…632
10.18　免疫学的手法……………………………………〔香川弘昭〕…634

索　引……………………………………………………………………639

第0章　生物物理学の問うもの
生命科学の基本的課題

0.0 〈総論〉生物物理学（生物理学）とは

　生物物理学は，言葉が示すように生物学と物理学の接点に生まれた学問・研究分野である．この分野の研究はいくつかの異なる歴史的源流をもち，また研究の現状も生物のもつ多様な側面を反映して多様である．この多様な側面をもち，現状もダイナミックに動いているこの分野の簡潔な概観を試みる．

a. 3つの歴史的源流

　第1は，生理学の流れを汲む潮流である．カエルの足の皮をむき，電気刺激を与えると筋肉が痙攣することは古くから知られていた．これは運動という動物にとっての基本機能に物理的な電気現象が関連していることを示している．このような人工的な現象をもち出すまでもなく，生物はいろいろな物理的現象と深くかかわっている．植物は光を受けて，エネルギー源としている．動物も植物も，温度，圧力，光等の物理的環境パラメータに関する多様な感覚器をもっている．生物はこのように物理的世界との間に多くの接点をもって生きている．生理学はそのような接点のそれぞれのしくみを解明しようとする研究分野として生まれ育ってきた．なかでも電気生理学の流れは，ホジキン（Hodgkin）とハクスレー（Huxley）の研究を生み，その後，いろいろなチャネルの構造生物学へ向かう研究の流れと，脳研究へ向かう研究の流れを生み出した．筋収縮の研究は，ハクスレーの研究を生み，その後さまざまなモーター蛋白質の構造生物学的研究へ向かう流れを生み出した．植物生理学の光合成の研究や動物の視覚の研究も，現在では関係する細胞内器官の構造生物学的知見にもとづく研究へと向かっている．このように，個別の生理現象を対象としていた生理学は，一方では関与する細胞内小器官や分子を同定し，それらの構造を解明することにより，機能発現のしくみを解明しようとする研究の流れを生み，他方では，脳のようなより高次の生命現象へ向かう研究の流れを生み出してきた．

　第2は，X線結晶学を主な研究手段として主にイギリスにおいて始まった構造生物学の流れである．最初のインパクトのある研究成果は，ワトソン（Watson）とクリック（Crick）のDNA二重らせん構造の解明，ペルツ（Perutz）とケンドルー（Kendrew）による蛋白質ミオグロビンとヘモグロビンの構造解明であろう．とくにワトソン-クリックの二重らせん構造は，遺伝現象の分子的基盤を明快に示し，その後のDNAの塩基配列情報とその操作にもとづく分子遺伝学の爆発的展開を導いた．その流れは，いまやゲノムの完全読み取りに至り，あらゆる生物・生命科学はゲノム情報の上に再構築されようとしている．蛋白質の構造研究は，爆発的というよりはじわじわと発展してきて，現在では，一方では生理学研究

の基礎を成し，他方では，後述するゲノム科学的視野の研究の方向を目指している．

第3の流れは，量子力学の展開の結果，物理学が化学を概念上取り込むのをみて，生物学も取り込めないかと考えた一群の物理学者によってつくられた．一部の研究者は生物を研究することによって，量子力学のようなまったく新しい物理学の原理が発見されることを期待していたようだが，その期待の正しくないことは徐々に認識されていった．しかし，物理学者の生物への関心の流れの中から，シュレーディンガー (Schrödinger) の遺伝情報が分子の共有結合構造に書き込まれていることの予想や，デルブリュック (Delbrück) のファージの研究が産み出された．

b. 情報 → 分子 → 構造 → ダイナミクス

現在の生物物理学の位置づけを考えるには，20世紀前半に生物学に起こった2つの潮流に着目することが必要であろう．

(1) 情報

1900年にド・フリース (de Vries) らはメンデル (Mendel) の遺伝法則を再発見し，モーガン (Morgan) によるショウジョウバエの遺伝子地図作成等の研究を経て，遺伝学は遺伝子概念を確立していった．生物は個々の遺伝子に対応する要素機能を単位としてできあがっているというのである．この概念は，並行して進展していた代謝生化学の成果と結びついて，遺伝子－酵素対応説を生み出した．

(2) 分 子

もう1つは生物学が分子レベルに突き進んで行った生物学の分子化，化学化である．そこに生化学あるいは生物化学の分野が拓かれた．数千万種あるといわれる種レベルの生物の多様性にもかかわらず，分子レベルで見ると，そこにはいちじるしい一般性が見られる．多くの基本代謝経路とそこに登場する分子が同定された．この分子レベルの一般性こそが，生物学の分子化が見出した最大の発見である．この発見は，今となっては当然のことだが，生物が分子進化の所産であり，分子レベルの現象に立脚して生きていることを示している．生物学の分子化の成功は勢いを得て，細胞をすりつぶして新しい生体分子を探す研究がどんどん繰り広げられた．ただし，この研究パラダイムには前提があり，重要な生物学的な現象のエッセンスが，すりつぶされた個々の分子に多く残っていなければ成功しない．じつは上述の20世紀前半の生物学の第1の潮流－遺伝学の展開－が，このパラダイムの前提に基礎を与えている．

(3) セントラルドグマ

20世紀前半に準備されたこれら2つの潮流は，20世紀後半に至って，セントラルドグマを言葉通り中心ドグマとする分子生物学として一気に展開した．そのセントラルドグマが明らかにした次の2つの事実が，その後のまた現在の生物学研究のあり方に大きな影響を与えてきたと思われる．第1は，生物が情報と物質（分子）との対構造の基盤の上に存在していることであり，第2は，その情報が遺伝子という比較的大きな単位を要素として構成されていることである．

第1の点は20世紀前半の遺伝学が徐々に明らかにしてきた点であるが，分子遺伝学はそれに明確な分子的基盤を与えた．情報という概念は素朴にはもちろん古くからあったが，情報の内容や情報担体の物理的性質から分離された現代的な純粋な情報概念が明確に意識されだしたのは，約半世紀前のシャノン (Shannon) の情報理論やチューリング (Turing) の計算理論あたりからと思われる．人類は半世紀前になってやっと「情報」概念を発見したのに対して，生物は四十数億年の進化の歴史の初期の段階で物質と情報の対構造からなる存在形態を確立したのである．生物は自己複製能をもつ化学反応系の進化した姿と捉えることができると思われるが，そのような反応系が外界からの擾乱に対する安定性を増して

行く過程で，反応系の実体相と情報相の分離－物質と情報の分離－を果たしたのであろう．情報は生物にとって基本的な側面である．

セントラルドグマは，第2に，遺伝情報の構成単位である遺伝子の産物が，具体的には生体高分子－RNA あるいは蛋白質－であることを明らかにした．情報としての遺伝子に対応する物質が，RNA あるいは蛋白質分子なのである．これらの生体高分子は，1つ1つがすでにかなり高級な分子機械としての性格をもっている．その数は，バクテリアで数千，ヒトのような高等生物で数万種類である．わずか数千種の部品で，バクテリアといえども完全な1つの生物ができあがっているのは，驚きではないだろうか．ヒトといえども，その種類の数は1桁しか多くない．われわれが素朴に生命に神秘を感じることの内容は，その奥深さにあるように思われるが，その生命を支えている部品の種類の数が意外に少ないことは，結局1つ1つの部品がすでにかなり高級な機能をもっていることを意味している．これは，物性物理学の対象であるいろいろな固体における事情と対照的ではなかろうか．固体の場合は，構成要素は，せいぜい数十種類の原子核と後はただ1種類の電子のみで，それが集まり方の違いで，多様な性質を示す．生物を構成している生体高分子は少数種類のアミノ酸や塩基からできており，さらにアミノ酸や塩基は原子からできているから，生物の場合は構成が2段構えになっていると見るべきであろう．生化学と生理学の流れは，分子生物学の時代に入って，関心をもつ生物機能を担う蛋白質分子を探索・同定することが主要な課題となった．そこにはトータルな生命体を要素機能の統合体と捉える態度があり，要素機能の担体である生体高分子が，生物らしさのかなりの部分を担っているとの暗黙の理解がある．

(4) 構造

生体高分子は高級な分子機械であり，究極的には原子からできている生物個体のもつ生物らしさのかなりの部分はすでに個々の生体高分子が担っている．したがって，個々の生体高分子の機能発現のしくみを解明することは，現在の生物学にとっての主要な課題の1つである．それに向けての第1歩は，対象となる生体高分子の立体構造を実験的に明らかにすることである．それを追究するのが構造生物学である．そこで中心的に用いられるX線結晶解析では，生体高分子の静的なあるいは平均の構造に関する知見が得られるが，それが機能発現のしくみの理解にどれだけ結びつくかは，場合による．構造生物学の最大の成果は，やはり DNA の二重らせん構造の解明であろう．この立体構造だけから遺伝の分子的なしくみの大筋が見えたのである．平均構造情報がただちには機能発現のしくみの解明につながらない場合も多い．その場合には，構造のダイナミクス解明に進まなければならない．

生体高分子の立体構造解明の実験的手段としては，X線を用いるもののほか，現在では電子線や中性子線もそれぞれの特徴を活かして用いられ，さらには NMR も用いられている．これらはいずれも物理学的原理にもとづく技術的にも高度な実験手段であり，物理学は今後も新しい原理にもとづく構造生物学の手段を提供していくものと思われる．現在かなり現実的な可能性をもつものとして追究されている新しい手段に，コヒーレントな X 線の生体高分子等の単分子による散乱を測定し，それから立体構造を決定しようとするものがある．実現されれば，構造生物学に新たな革命をもたらすであろう．

(5) ダイナミクス

生体高分子は分子機械であるが，一般に，他の分子や環境との相互作用によって自分の状態を変化させ，その結果相手分子や環

境に逆に影響を及ぼすことによって機能している．このように機能発現においては，生体高分子自身の状態変化が一般に必要である．そのため機能のしくみを解明するためには，平均の立体構造だけではなく，その構造の柔らかさあるいはダイナミクスを知る必要が一般にある．その目的のためにさまざまな実験的手法が工夫されている．その1つに，化学反応は低温ではゆっくり進むことを利用し，試料を急速凍結し，ダイナミックに変化する中間状態を測定時間よりも長く凍結しようとする方法がある．逆に測定自身を短時間方向に進める高速時間分解分光法もさまざまな現象の解明に用いられている．これらの測定においては，試料は多くの対象分子の集まりであるが，個々の分子の振る舞いには熱運動による乱雑さが不可避なので，測定値としてはそれを何らかの意味で平均したものしか得られない．この問題を一気に解決するために最近開発されているのが，さまざまな1分子測定技術である．これは生理学の究極の姿ともいうべきもので，1分子生理学の言葉も用いられている．この場合は，まさに熱雑音の場の中で働く1分子の振る舞いを時間的に追跡するのだが，一見乱雑に見える振る舞いの中に機能発現のしくみを見ていくことになる．1分子測定技術においても，さまざまな高度な物理学的原理，技術が用いられている．

　このようなさまざまな構造解析技術，ダイナミクス測定技術，1分子測定技術をもってしても，生体高分子の働きのしくみを十分解明するだけの時間・空間分解能をもつ情報を実験的に得ることはむずかしいことが多い．そのような場合，最近では計算機シミュレーションの方法が，実験的に得られる情報を内挿的に補完する手段として実力を増し，有力な方法として用いられるようになってきた．計算機を無限に高い時間・空間分解能をもつ顕微鏡として用いるのである．

c. ゲノム読み取り後の生物物理学

　21世紀はヒトのゲノムの読み取り完了のニュースとともに始まった．ゲノムとは1生物個体のもつ遺伝情報の全体を意味する．ゲノムの実体はDNAの塩基配列であるが，それが完全に読み取られたことは，生物を構成している部品の有限性を具体的に示したことになる．その結果，今まで分子生物学の主要課題であった特定機能をもった遺伝子の細胞内探索の作業は，徐々に塩基配列の読み取られた遺伝子の機能を同定する作業に置き換えられていくであろう．後者を行う新しく生まれた研究分野をバイオインフォマティクスという．この分野の研究は，アミノ酸配列や立体構造が似ていれば機能も似ているだろうという素朴な論理に立脚しているが，この論理の背景には，生体高分子も生物進化の産物であるという強固な前提がある．この博物学的論理にもとづく研究分野の有効性は，重要なデータが幅広く収集されていることによって高められるが，それを目指していろいろな蛋白質の立体構造を幅広く解明しようとする構造ゲノミクスプロジェクトが国際的に推進されている．

　ゲノム読み取り完了がもたらしたもう1つの新しい動きは，有限性が具体的に示された要素機能から出発して，高次の機能への統合を理解し，その先にヒトの精神さえをも含む個体全体の理解を目指そうとする統合生物学への視野である．機能統合は実体としての分子のレベルでは，分子間の相互作用として実現されるので，相互作用している分子種の対の地図を実験的につくり出そうとする試み等がなされている．そのような研究の方向性は良いように思われるが，実験の精度等の技術的な問題のほか，得られたデータをどのように解析していくべきかに関しても，模索が続いている．より着実な研究方向としては，いくつかの生体高分子が集まってつくる超分子構造体の立体構造を，構造生物学のテーマとして解

明しようとする動きがある．間違いなく重要なこの分野の着実な展開のためには，新しい研究パラダイムの創出が必要であろう．　　　　　　　　　　〔郷　信広〕

0.1　生命の起源

　「生命はいかにして誕生したか」という問いは，生命の定義，あるいは地球外生命の存否の問題と表裏をなすものであるが，近代自然科学上の問題となったのは19世紀後半以降である．1862年，パスツール（Pasteur）は，「白鳥の首」フラスコを用いた実験により当時広く信じられていた生物の自然発生が起こりえないことを実験的に示した．同時期，ダーウィン（Darwin）らにより提唱された生物進化論では，いわゆる高等な生物は，より下等な（単純な）ものから進化したとされる．では，最も単純な生物はどのようにして誕生したのか？原始地球上での生命の誕生に関する基本的なアイデアは，1920年代にオパーリン（Oparin）とホールデーン（Haldane）により相次いで出された．彼らの考え方は，原始地球上で単純な物質から複雑な物質への進化が起こり，やがて複雑な分子システムが生じて生命となったというもので，生物進化に対して「化学進化」と呼ばれる．この考え方は，現在も生命起源の考え方の基本となっているが，当時，その実験的検証は困難と考えられていた．

　1953年，ミラー（Miller）は CH_4, NH_3, H_2, H_2O の混合気体中で火花放電を行ったところ，その生成物中にグリシンなど数種のアミノ酸を検出したと発表した．これは，アミノ酸のような生体分子も単純な分子から無生物的に合成可能であることを示したもので，生命の起源の問題に対して実験的な検証の道が開かれた．

　生命の起源へのアプローチには，ミラー

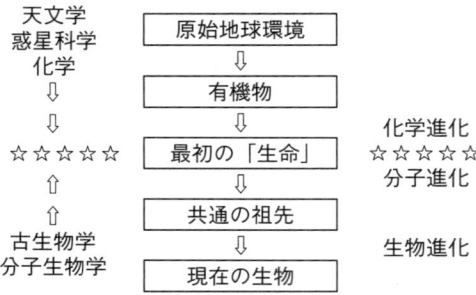

図 0.1.1 生命の起源へのさまざまなアプローチ

の実験のような原始環境下での化学進化を再現し，最初の生命に迫ろうというボトムアップ方式と，逆に現在の生物から過去に遡ろうとするトップダウン方式がある（図 0.1.1 参照）．

前者には，天文学，地球惑星科学などの情報をもとに，物理学・化学的手法により進められている理論的・実験的研究がある．

後者には，過去の地層中の化石などにより生物進化を遡り，最初の生命に迫ろうとする地質学・古生物学的手法や，現存の生物の有する生体分子の中に祖先型生物の痕跡を探そうという分子生物学的手法がある．35 億年前のオーストラリアの岩石から微化石が発見され，38 億年前のグリーンランドの岩石中の生物存在を示す炭素同位体比が検出されたなどの地質学的成果から，生命誕生の時期は 38〜40 億年前と推定されるようになった．また，蛋白質や核酸の配列をもとに作成した分子系統樹からは，現存の地球生物が「共通の祖先（LUCA またはコモノート）」から進化してきたこと，また，共通の祖先は超好熱菌であった可能性が高いことなどが報告されている．

この 2 つのアプローチがぶつかり合う点が見つかれば生命の起源が解明されることになる．しかし，トップダウン方式では，共通の祖先までしか接近できない．ボトムアップ方式で得られた原始スープ情報と共通の祖先との間を橋渡しするためには，今は存在しない生命形態を探る試みが不可欠であり，ここに生物物理学が大きく貢献できるフィールドが遺されている．

では，ボトムアップ方式ではどこまで生命に迫れるのだろうか．一般的な化学進化のシナリオでは，まず，アミノ酸，核酸塩基，糖などの生体分子モノマーが生成し，それらのオリゴマーを経て，原始海洋中で原始蛋白質，原始 RNA が誕生したとされる．モノマーの生成の場としては，原始地球上と星間空間が有力候補である．

ミラーの実験の頃とは異なり，今日では新たな惑星科学の知見から，原始地球大気はより還元性の弱い，CO_2, CO, N_2, H_2O などからなるものと考えられるようになった．このような混合気体からは紫外線や熱ではアミノ酸の生成は不可能である．ただし，宇宙線をはじめとする高エネルギー放射線の寄与を考えればある程度のアミノ酸の生成は可能である．

一方，地球外にもさまざまな有機物が見出されてきた．代表的なものが隕石（炭素質コンドライト）と彗星である．前者の抽出物からはアミノ酸をはじめとする各種生体有機物が検出されている．一方，探査機による分析などにより彗星中にも複雑な有機物が存在することが示された．40 億年前頃の地球には隕石や彗星が頻繁に衝突したとされており，これらが地球生命の素材となった可能性は高い．さらに，1997 年，J. Cronin らは，炭素質コンドライトから抽出されたアミノ酸の一部に L-アミノ酸の過剰が見られることを報告した．これは，地球生物がなぜ L-アミノ酸を用いているかという「生体分子の不斉の起源」を解く鍵として注目されている．隕石や彗星中の有機物の成因については諸説あるが，分子雲（暗黒星雲）中に漂う星間塵上でもととなる有機物が生成した，とする説が現在は有力である．

古典的なシナリオでは，原始大気中で生成したアミノ酸や，隕石から溶け出したアミノ酸が原始海洋中で反応し，ペプチドを

つくったとされる．この過程の再現実験も多数行われ，適当な縮合剤などを用いたペプチドの合成例などが多く報告されている．同様に核酸塩基と糖（リボース）からのヌクレオシドの合成，これにリン酸をつなげたヌクレオチドの合成，ヌクレオチドどうしの縮合によるオリゴヌクレオチドの合成なども1970年代を中心に数多く試みられた．

また，模擬原始環境下での原始細胞モデルの提案も行われてきた．たとえば，オパーリンのコアセルヴェート，原田とFoxのプロテイノイドミクロスフェア，江上らのマリグラニュール，柳川らの高温高圧下で生成したミクロスフェアなどである．後者3つはいずれもアミノ酸を材料とした構造体である．

生命の起源を考える上で，繰り返し議論されてきた問題に，蛋白質と核酸のどちらが先か，という「ニワトリと卵」論争がある．現在の地球生命系は，代謝を司る蛋白質と，自己複製を司る核酸の両者がそろわなければ成り立たないが，両者が同時に誕生するのは困難とみなされてきた．1981年，CechらはRNAの中に触媒活性を示すもの（リボザイム）を発見した．RNAが蛋白質のみが有すると思われてきた触媒（代謝）能と自己複製能を併せもつことから，最初の生命はRNAから始まったとするRNAワールド説がGilbertにより提唱され，分子生物学者を中心に広い支持を集めている．ただし，RNAワールド説の泣き所は，最初のRNAがいかに誕生したかの検証が不十分であることである．確かにRNAの生成のための各ステップは無生物的に全く行かないわけではない．しかし，その収率の低さ，生成物の異性体の多さは，最初のRNA生成に偶然の要素を多く要求するものである．また，現在主流の生命の熱水起源説に対して，RNAが熱にきわめて弱いことも問題である．

RNAワールドの有無にかかわらず，われわれの共通の祖先は蛋白質と核酸の両者を使いこなしていたはずである．この両者の関係が遺伝暗号である．遺伝暗号がいかにしてできたかも生命の起源の謎の1つである．これにも偶然説と必然説が並立している．必然説の多くは，tRNAのアンチコドンとそのtRNAに結合するアミノ酸との間に物理化学的な相互作用を探ろうというものである．Lacey, Ponnamperuma, 清水らはそれぞれ実験により両者間に弱いながらも相互作用の存在することを示した．

また，Eigenはシミュレーションにより以下のようなモデルを提唱した．最初期の生命系として，蛋白質Aが核酸aの生成を触媒し，かつ核酸aが蛋白質Aをコードするという系がまず考えられる．しかし，蛋白質Aが核酸aを触媒し，核酸aが蛋白質Bをコードし，蛋白質Bが核酸bを触媒し，核酸bが蛋白質Aをコードする，というような複数の蛋白質・核酸を含む互助的な系（ハイパーサイクル）の方が安定である．このモデルの妥当性には批判もあるが，現在，このような計算シミュレーションからの生命の起源へのアプローチも盛んである．

これまで，生命の起源へはさまざまなアプローチがなされてきたが，いちばん肝心な，最初の「生命」が何であったか，あるいは生命とは何かに関しては，まだほとんどわかっていない．これは，物理学や化学が汎宇宙的な学問であるのに対し，われわれが同じ先祖から進化してきた1種類の生命しか知らないために，生物学が地球に限定された学問にとどまってきたからである．ただ，近年，惑星探査や天体観測により，他の惑星（火星・木星の衛星のエウロパなど）の生命の可能性や，太陽系外の惑星系の多様性が議論されるようになってきた．これらの成果をもとに生物学を宇宙の視点から見直していく「アストロバイオロジー」の研究が欧米で盛んになりつつある．今後，汎宇宙的な観点から，生命の起

源の議論がさらに深まっていくことが期待される．　　　　　　　　　〔小林憲正〕

[文献]
1) 久保田競ほか共著：自然の謎と科学のロマン（下）生命と人間編，新日本出版社，2003．
2) 伏見　讓責任編集：生命の起源，丸善，2004．
3) 石川　統ほか：化学進化・細胞進化（シリーズ進化学3），岩波書店，2004．

0.2　進　化

a.　生物の歴史

　この地球に生存する種は，現在記載されているものだけで350万を超える．熱帯雨林や海洋などにはまだ多くの未発見，未記載の生物種がいることを考えると，地球上の種の多様性ははかりしれない．この多様性に富む生物種が，共通の祖先に由来することをはじめて示したのはイギリスの生物学者チャールズ・ダーウィンである．彼はその著書『種の起原』の中で「進化は変異を伴う由来」と記した．ダーウィンの進化論というと「自然選択（淘汰）による進化」がクローズアップされ，彼が生物の由来についての考察を行っていたことはあまり注目されていない．ダーウィンの指摘した「変異を伴う由来」の実体は，メンデルの「遺伝の法則」が1900年に再発見されることにより明らかになる．

　ダーウィンのいう「変異を伴う由来」とは，遺伝子あるいはゲノムに蓄積した変異が親から子へ世代を通して伝えられることに他ならない．このような，個々の遺伝子，あるいはゲノムに起きた変異が生物の進化につながるには，集団（種）の中での変異の頻度が100%になる（固定する）必要がある．

　集団中の突然変異の起原とそれがどのように集団中に広がっていくかという過程を通して進化の機構を明らかにしていくことを目的とした学問分野は集団遺伝学と呼ばれる．とくに，20世紀後半には，分子レベルの情報を用い進化の機構を明らかにしようとする分子集団遺伝学，遺伝子系図学

といった新しい領域も誕生した．

b. 進化の機構

進化の機構は大きく分子レベルの機構と集団レベルの機構に分けることができる．分子レベルの機構とは，配偶子の遺伝子あるいはDNAにその複製の過程で変化が起き，親とは異なる遺伝情報がつくられるしくみである．このような変化の代表的なものが突然変異である．突然変異はDNA上の1塩基を単位として起きるもの（点突然変異）から染色体の一部が欠失したり，転移したりするもの（染色体変異）までさまざまである．また突然変異は，DNA上の1塩基が他の塩基に変わる塩基置換と1塩基以上の挿入・欠失・重複が知られている．このような塩基変異の中で，遺伝子の主な産物である蛋白質のアミノ酸配列に変化を及ぼす非同義塩基置換変異がよく知られているが，そのほかに，遺伝子の転写・発現に影響を与える変異，また蛋白質の構造や機能に影響を与えない変異（後述）もある．また，遺伝的組換えも単一染色体上の既存の変異の組合せを変えるので，配偶子の遺伝情報は親とは異なる．

集団中に生じた新たな変異が集団全体に広がる機構（集団レベルの進化の機構）には，自然選択と遺伝的浮動がある．自然選択は，分子レベルの変異が，個体の生存力や適応力を通して，変異遺伝子を次世代に残すか否かに直接あるいは間接的に作用する．しかし，ヒトゲノムの塩基配列の概要が明らかになった今日においても，遺伝子あるいは分子レベルの変異がどのようにして個体の生存力や適応力に影響を及ぼすかという具体的な機構は明らかになっていない．

自然選択は，その効果という点から「負の自然選択」と「正の自然選択」に大別される．負の自然選択は，対象となる変異が次世代に伝わらない方向，集団中に広がらない方向に働く．たとえば，蛋白質の機能を失わせるような変異が自然界で低い頻度でしか見つからないのは負の自然選択が働いているためである．これに対して，正の自然選択は変異をもつ個体が他の個体よりも多くの子孫を次世代に残すことで変異の頻度を集団中に増加させる．

負の自然選択が働くか，正の自然選択が働くかは変異の性質だけで決まるようにみえるが，実際は変異をもつ個体周辺の環境に依存して決まる．たとえば，霊長類はビタミンCの合成酵素を欠損しているためビタミンCを体内で合成することができない（モルモットなど数種を除き多くの哺乳類は合成可能）．現存する霊長類がビタミンCの合成能をもたないのは霊長類の祖先が果物等の食餌を通して十分にビタミンCを摂取できる環境にあったため，酵素機能を欠損させた遺伝子変異に負の自然選択が働かず，変異遺伝子が集団（種）に固定したためと考えられる．しかし環境が変われば，変異に働く自然選択も違ってくる．15世紀の大航海時代には，ビタミンCの欠乏症により多くの船員がその命を落とした．正の自然選択の場合にも環境，とくに集団中の他の個体のもつ遺伝子の存在が大きく影響する．集団中に正の自然選択の対象となる変異をもつ個体が増えるにつれて，自然選択の働き方は弱くなる．集団中での変異の頻度が増加するに伴い，次世代に残す子孫の数に個体間の差がなくなるからである．

蛋白質の機能や構造は負の自然選択により保守的に保たれている．また，機能や構造の点で正の自然選択の対象となる変異は限られていて，正の自然選択の対象となった突然変異は，主要組織適合性抗原遺伝子群での変異など今までにわずかな例しか知られていない．いい換えれば，個々の遺伝子やゲノムに蓄積する変異の多くは，個体の生存や適応に関して，有利でもなければ，不利でもない中立な変異である．このような自然選択に対して中立な変異の進化

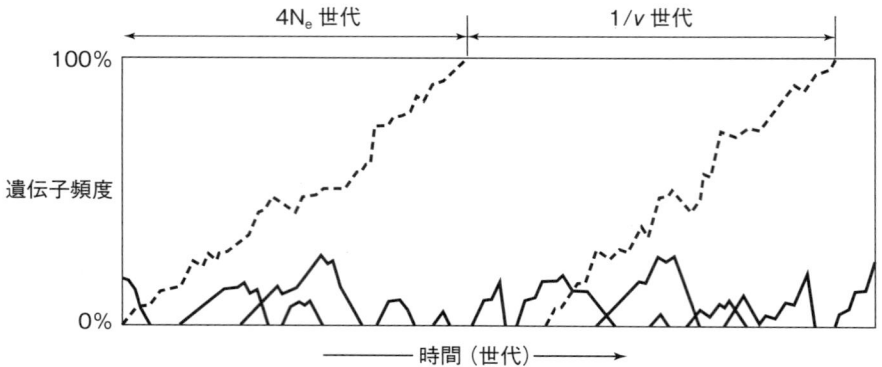

図 0.2.1 集団中の中立突然変異遺伝子の頻度変化の模式図（Klein and Takahata 2000 を改変）
縦軸は集団中の突然変異遺伝子頻度を表し，横軸は時間経過（世代数ではかる）を示す．突然変異率を世代当たり遺伝子当たり v とすると，毎世代 $4N_ev$ 個のあらたな突然変異が生まれる．その多くは集団から消失していくが（実線），固定した場合（破線）はその固定までの時間が $4N_e$ 世代，固定と固定の間隔が $1/v$ 世代であることを示している．

は偶然性が支配する機構による．分子のレベルの変異の性質とその進化機構を記した「分子進化の中立説」（1968, 1983）はわが国を代表する集団遺伝学者木村資生博士により提唱された．とくに中立な変異の置換率（集団に固定する間隔）が突然変異率（1個の遺伝子あるいは領域に突然変異の起きる間隔）に等しいこと，機能的に重要な領域ほど置換率（置換速度）が遅いことは，分子の進化を論ずる際の基本的な視点となっている．

中立な変異の進化の原動力となる偶然性が支配する進化の機構とは，次世代を形成する配偶子が無作為に選択されることにより起きる．この機構が遺伝的浮動である．無作為に配偶子の選択が起こるとは，中立な変異を有する個体が等しい確率で子孫を残すことである．その結果，生存や適応に対して差のない変異の遺伝子頻度が次世代でどのように変化するかは確率法則に従う．しかし，集団を構成する個体数が有限であるため，ある一定の時間が経過すれば，この無作為な選択により変異は集団に固定するか集団から消失する．ある変異が集団に固定するまでの時間は集団の繁殖個体数を N_e とすれば，平均で $4N_e$ 世代であることが知られている（図 0.2.1）．

c. 分子時計と分子系統学

従来，生物の由来を知る方法は形態的特徴の比較によるものが主流を占めていた．しかし，形態の変化は，たとえば「生きた化石」と称されるシーラカンスやカブトガニに見られるように，何億年も変化しないものがあればヒトのようにわずか500万年程度で大きく変化する場合もあり，その変化の程度と進化に要した時間を直接結びつけることはきわめてむずかしい．

1965年 Zuckerkandl と Pauling はアミノ酸配列の差異の程度と化石から推定される生物間の分岐時間が比例関係にあることを示し，分子の変化が生物の系統関係を知る際の時計として利用できること，すなわち「分子時計」を発見する．その後，木村の分子進化の中立説により，「中立変異の進化速度の一定性」という時計の理論的基礎が与えられた．しかし，中立説が予測するのが世代時間当たりの置換速度の一定性であるのに対して，経験的に得られた時計は年当たりの一定性を示している．

分子時計は，単位時間内に集団（種）に固定した変異の数 μ（塩基あるいはアミノ酸の置換率）が，遺伝子ごとに種を問わず一定であることに基礎を置く．2つの生物種が遺伝的な交流を断ってから経過した時間を t とすると，この時間に2種の相同遺伝子には独立にそれぞれ μt 個の変異が蓄積すると期待される．このことを利用して，2種の相同遺伝子間の塩基あるいはアミノ酸の違いの数を調べ，置換率を基に分岐時間を推定する．

20世紀後半になり，分子生物学の手法の発展により分子時計を用いて，相同分子や遺伝子の相違の程度から生物の系統関係や分岐時間を推定する「分子系統学」という新しい分野が確立した．しかし，昆虫と哺乳類のように分岐時間が長い生物系統間を比較する際にはどちらの生物にもあてはまる共通の時計を使うことはむずかしい．また，分子から生物種の分岐年代を推定する際には，分子の分岐が必ず種の分岐より先に起きていることに注意を払う必要がある．

d. エキソンシャッフリング

エキソンシャッフリングとは蛋白質のさまざまなドメイン（機能的・三次元構造的な蛋白質の単位）をコードするエキソンの再構成（rearrangement）のことで，主に，不等交叉や，転移因子を介した移動・組換えなどの分子機構により起きる．シャッフリングの単位はしばしば，エキソンではなくむしろ蛋白質のドメインであり，複数のエキソンからなるドメインや，ドメインを構成しないエキソンもあることから，ドメインシャッフリングという表現が用いられることもある．エキソンシャッフリングはドメインの再構成を行うことで新たな遺伝子をつくり出す．たとえば，組織性プラスミノーゲンアクティベーター（TPA）や低密度リポ蛋白質（LDL）受容体遺伝子などは，エキソンシャッフリングによりさまざまな蛋白質のドメインが再構成されてでき上がったモザイク遺伝子の例である（図0.2.2）．

新たな遺伝子をつくり出すドメインの起原については2説ある．第1の説では生命の進化の初期の段階にはごく限られた種類

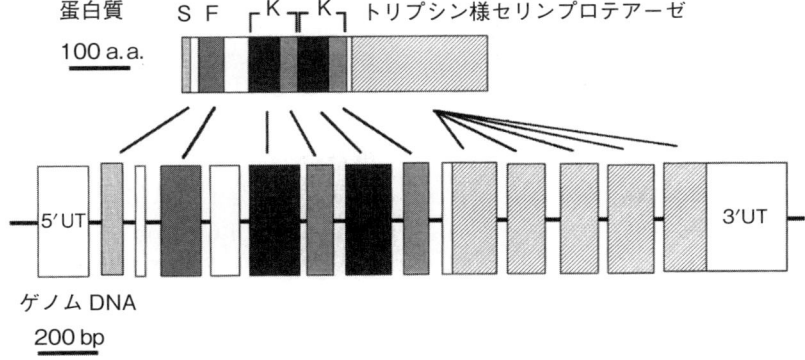

図 0.2.2 組織性プラスミノーゲンアクチベーターのモザイク構造
組織性プラスミノーゲンアクチベーターは，562アミノ酸残基からなる蛋白質で，1個のフィブロネクチンタイプ1ドメイン（F）と2個のクリングルドメイン（K）をもつ．その他にシグナルペプチド（S）とトリプシン様セリンプロテアーゼドメインがある．対応するゲノムDNAの構造も示した．ただしイントロンの大きさは100bpあまりから14.3kbと幅があり，図には実際の大きさは反映されていない．対応するドメインとエキソンは同じ模様で示した．
5'UT：5'側非翻訳領域，3'UT：3'側非翻訳領域．

のドメインしか存在しなかったが，その後の進化の過程でドメインの重複と修飾を経て，今日の多様性が生まれたとするものである．これに対して第2の説は生命進化の初期の段階に遺伝子はすでに多様なドメインから構成されていたとするものである．さらに，ドメインの起原はイントロンの起原の議論とも関連が深く，決着は着いていない．

〔颯田葉子〕

[文献]
1) Kimura, M.: The Neutral Theory of Molecular Evolution, Cambridge University Press, 1983.
2) 木村資生：生物進化を考える，岩波書店，1988.
3) Wen-Hsiung Li: Molecular Evolution, Sinauer Associates, Inc. Publishers, 1997.
4) Hartl, D. L. and Clark, A. G.: Principles of Population Genetics (3rd ed.), Sinauer Associates, Inc. Publishers, 1997.
5) Nei, M. and Kumar, S.: Molecular Evolution and Phylogenetics, Oxford University Press, 2000.

0.3 水と水和

生物がその生命を維持するには，物質やエネルギーの代謝に関わる，極性の物質を溶解できる液体環境がなければならない．生体内を物質が容易に移動するためにも，液体媒質が必要である．この条件を満たし，地球上に大量に存在する液体が水である．物質を水に溶解すると，その周辺には溶質分子の形や表面の物性で決まる，水分子の空間分布ができる．溶質周辺の水を水和水，とくに最近接の水を第1水和水，十分遠方の水をバルク水と呼ぶ．水の生物学的効果は，核酸，蛋白質，生体膜，糖，リガンド分子，金属イオンなどの生体関連分子の構造・物性に対する水和効果に起因する．さらに水和は，蛋白質や核酸の機能発現においても本質的な役割を果たしている．酵素反応などに直接関与するだけでなく，生体高分子の構造の柔軟性をあげて，機能発現に必要な立体構造変化や構造ゆらぎを起こしやすくするうえで，水和水は不可欠である．酵素の活性が $0.2\,\mathrm{g}$ H_2O/g protein の水和量で検出されることや，$0.36\,\mathrm{g}\,H_2O/g$ protein で極性基に水和した水が，$-35°C$ でも凍らない不凍水になることなどが見出されている．

水は，常温常圧で液体の物質の中で最小の分子である水分子（分子式：H_2O）からなる．水分子は，$\angle HOH = 104.52°$ の屈曲構造をもつが，直径約 275 pm の球でよく近似できる．水分子は，電気陰性度の高い O 原子に H 原子の電子雲が引き寄せられ，分子内の電荷分布が偏っている極性分子である．H 原子を2個の供与体（ドナー），O

表 0.3.1　水の物性定数と物性量

物性定数・量	数　値	物性定数・量	数　値
分子量，M_w	18.01529	三重点	
結合長，r_{OH} pm	95.72	圧力，P_t Pa	610.6
結合角，∠HOH deg	104.52	温度，T_t K	273.16
熱的ドブロイ波長，Λ pm	23.82	臨界点	
有効分子球の直径，d_e pm	275	温度，T_c K	647.3
基準振動（気体）		圧力，P_c MPa	22.12
対称伸縮，ν_1 cm^{-1}	3656.65	密度，ρ_c g cm^{-3}	0.322
変角，ν_2 cm^{-1}	1594.59	融解熱，ΔH_f	
逆対称伸縮，ν_3 cm^{-1}	3755.79	（0℃）kJ mol^{-1}	6.008
電気双極子モーメント		気化熱，ΔH_v	
（気体）μ_g D	1.834	（0℃）kJ mol^{-1}	45.049
（液体）μ_l D	2.45	（25℃）kJ mol^{-1}	43.991
分極率，α m^3	1.470×10^{-30}	（99.974℃）kJ mol^{-1}	40.66
並進拡散係数，D_t m^2 s^{-1}	2.14×10^{-9}	比熱容量，C_p J K^{-1} g^{-1}	4.1796
回転拡散係数，D_r s^{-1}	6.06×10^{10}	蒸気圧，P_v kPa	3.1675
重量密度，ρ_w g cm^{-3}	0.997045	表面張力，γ mJ m^{-2}	71.96
分子数密度，ρ_n nm^{-3}	33.329	熱膨張率，α_p K^{-1}	2.5721×10^{-4}
充填密度，η_p %	36.29	等温圧縮率，κ_T GPa^{-1}	0.452472
配位数（最近接分子数），n	4.4	粘度，η mPa·s	0.8904
比誘電率，ε	78.54	イオン積，mol^2 l^{-2}	1.0×10^{-14}
屈折率，n_D	1.33287		

指定しない限り，25℃，1気圧での値である．

原子を2個の受容体（アクセプター）として，水分子は4本の水素結合を形成し得る．常圧の氷 I_h 結晶の水分子は，正四面体の頂点方向にある4個の水分子と水素結合している．六方最密充填構造が12個の最近接分子数（配位数）をもつのに対して，氷は4個と著しく少なく，隙間の多い構造をもつことがわかる．2つの水分子の3つの原子が -O-H…O< のように一直線上にある相対配向のとき，両分子の水素結合エネルギーは最大で，約 27 kJ mol^{-1} になる．このように，水素結合は指向性を示すが，直線配向からの偏倚に対する許容範囲はかなり広い．水素結合のこの指向性と融通性は，水の物性や生体関連分子の水和の熱力学的特性を決める上で重要である（表 0.3.1）．

球モデルによる液体水の充填密度は，25℃で36.29 %であり，最密充填構造（74.05 %）の半分以下である．非極性液体と比べてもこの値は小さく，液体水も隙間の多い構造をもつことがわかる．実際，水の配位数は25℃で4.4と，氷のそれより10 %しか大きくない．これは，氷（配位数4）に類似の構造が，液体水中でも形成されることを示している．分子動力学計算法による解析から，水中の水分子は水素結合クラスターを形成しており，ピコ秒の時間域で結合を組み換えて，結合の生成と消滅を繰り返しながら集団運動していることが示されている．

水は，融点，沸点が高く，融解熱，気化熱，比熱容量，表面張力が大きいなど，同

族の物質と比べて異常な物性を示す．これらはすべて，水が凝集力の強い水素結合網をもつ会合性の液体であることに起因する．水分子は単独で 1.834D の大きな電気双極子モーメントをもつが，水中では 2.45D とさらに大きな値を示す．水が極性物質をよく溶かすのは，それが大きな誘電率をもち，イオンや極性基間の静電相互作用を弱めるからである．0 での氷の融解熱は，100 での気化熱の 14.8% である．これは，氷が融解して液体になっても，凝集エネルギーは大部分保存されることを意味する．水の比熱容量が大きいことは，外界の温度変化による生体温度の変化を小さくするという，重要な生物学的意義をもつ．

生体分子は，形や大きさ，極性の異なる原子団（基）で構成され，原子団の水和は，極性の大きさにより親水水和と疎水水和に大別される．極性基は，イオン電荷の有無によりイオン性極性基（解離基）と中性極性基に分類される．NH_3^+, COO^-, PO_3^{2-} などがイオン性極性基で，CO, NH, OH, NH_2, SH, N などが中性極性基である．正の部分電荷をもつ H 原子と，負の部分電荷をもつ O, N 原子は，それぞれ水素結合の供与体，受容体になる．水に露出している極性基の水和を親水水和という．第1水和水は，供与体に対しては O 原子を，受容体に対しては H 原子を向けて水素結合する．水和水は極性基に固定されている訳ではなく，解離基の水和水でも，室温では純水より回転緩和速度がたかだか 5 倍程度遅くなっているだけである．水和水は，極性基とともに，周囲の水分子とも生成・消滅を繰り返す水素結合クラスターを形成している．

脂肪族や芳香族の炭化水素基は，基内の電荷分布に偏りの少ない非極性基である．非極性基は疎水基とも呼ばれ，その水和を疎水水和という．非極性基は水と水素結合できないため溶解度が低く，疎水性（水中で互いに凝集する傾向）を示す．非極性基間に働くこの引力は，平均力ポテンシャルによる熱力学的相互作用であり，疎水相互作用と呼ばれ，またそれがもたらす効果は，疎水効果と呼ばれる．

分子や原子団の水和の熱力学的作用を定量する尺度は，水和熱力学量（気相→水相の移相に伴う熱力学量の変化）である．水と水素結合する極性基の水和自由エネルギーは，大きな負の値を示し，生体分子の解離基は水への溶解度を上げる効果をもつ．少数の例外を除き，蛋白分子内部の極性基は，他の極性基と水素結合している．しかし蛋白質が変性して解鎖すると，内部の極性基は水と水素結合するので，変性に伴う自由エネルギーの増加は，気相での解鎖と比べて水中ではいちじるしく少ない．すなわち，極性基の水和は天然構造の不安定化因子であり，立体構造の熱力学的安定性を必要最小限に止めて，天然構造を唯一の安定構造にする役割を果している．

非極性分子を非極性液体から水に移相すると，系の自由エネルギーと熱容量が大きく増加する．この移相自由エネルギー ΔG_t は，非極性分子の疎水性を定量する尺度になる．ΔG_t の実測値は，溶質分子の非極性表面積にほぼ比例するので，疎水性は疎水水和水によると考えられる．大きな移相熱容量 ΔC_t は，移相エンタルピー ΔH_t，エントロピー ΔS_t の大きな温度依存性を生むが，両者の温度変化分は大部分相殺し，ΔG_t の温度依存性は小さい（図 0.3.1）．

非極性基の ΔG_t が正であることは，疎水相互作用が蛋白質の立体構造安定化に寄与することを示している．実際，蛋白質が変性すると溶液の熱容量が大きく増加するが，これは主に，分子内部の非極性基が水に露出することによる．大きな変性熱容量 ΔC_d は，変性エンタルピー ΔH_d，エントロピー ΔS_d の大きな温度依存性を生む．両者の温度変化分は大部分相殺するが，変性自由エネルギー ΔG_d は上に凸の温度依存性を示し，$\Delta G_d = 0$ となる温度から高温変性（熱変性）と共に低温変性が予測され

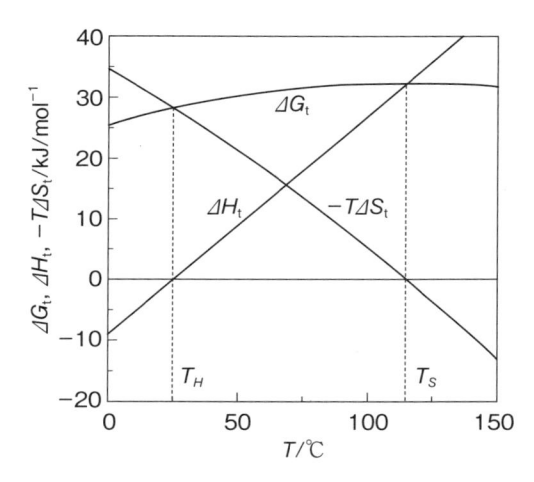

図 0.3.1 典型的な非極性炭化水素であるシクロヘキサン C_6H_{12} の純液相から水相への移相熱力学量の温度依存性

ΔG_t: 移相自由エネルギー，ΔH_t: 移相エンタルピー，ΔS_t: 移相エントロピー．T_H, T_S は，$\Delta H_t = 0$，$\Delta S_t = 0$ となる温度で，それぞれ 25.3℃，115.0℃ である．$T = T_S$ で，ΔG_t は最大値 32.3 kJ mol^{-1} をとる．ΔH_t, $T\Delta S_t$ の大きな温度依存性は，主に，移相によりシクロヘキサン分子が水と接触することによる熱容量の増加による．

る．低温変性は多くの蛋白質で実測されており，その主因は水和である．また蛋白質は，加圧によっても多様な構造転移を示すが，ここでは，解鎖した分子鎖の水和による体積減少が重要な役割を果たすと考えられている．

〔曽田邦嗣〕

[文献]
1) Franks, F. ed.: Water: A Comprehensive Treatise, vols. 1-7, Plenum Press, New York, U.S.A., 1972-1982.
2) Franks, F. ed.: Water Science Reviews, vols. 1-5, Cambridge University Press, Cambridge, U. K., 1985-1990.
3) Ben-Naim, A.: Statistical Thermodynamics for Chemists and Biochemists, Plenum Press. New York, U. S. A., 1992.
4) Privalov, P. L. and Gill, S. J.: Stability of Protein Structure and Hydrophobic Interaction, *Adv. Prot. Chem.* **39**, 191-234, 1988.
5) Makhatadze, G. I. and Privalov, P. L.: Energetics of Protein Structure, *Adv. Prot. Chem.* **47**, 307-425, 1995.

0.4 生体エネルギーの形態と変換

　私達の身体を維持し，それを動かすには，エネルギーがいる．植物もバクテリアも生きている状態を保ち，生きるための活動を行うには片時もエネルギーの供給を欠かすことができない．それは，生物がエネルギーを使って，生命体・生命力という極度に秩序あるものをつくりだしている（エントロピーを減少させている）からである．生物のエネルギー変換の原理は普遍的でかつシンプルである．生物は光エネルギーか，あるいは物質に蓄えられた化学エネルギーを取り入れる．それをもとに，生体膜を介したプロトンの濃度勾配をつくり，電気化学エネルギーに変換する．この電気化学エネルギーは ATP 合成酵素によって最終産物である ATP (adenosine triphosphate) という化学エネルギーに変換される．神秘に見える生命のはたらきも，基本的には3種類のエネルギー形態（光エネルギー，電気化学エネルギー，化学エネルギー）を巧みに変換する過程で生まれる．この3種類のエネルギーを使い分けることによって，筋肉の運動などの力学エネルギーを産み出したり，神経興奮などの電気エネルギーを産み出すことになる．

a. 生体エネルギー変換の場

　生体は閉じた袋状の細胞を基本としてできている．細胞の中にはさらにいくつかのオルガネラ（細胞小器官）があり，それらも袋状の構造からなる．ミトコンドリアや植物の葉緑体がそれに当たる．葉緑体の場合，その内部にさらにチラコイド膜の袋

が幾重にも積み重なって存在する．生体の構造の最下層で閉じた袋状の構造を保持していることは，生体エネルギー変換にとって重要な意味がある．最も内側の袋の膜は生体膜と呼ばれ，脂質二重層膜（厚み40〜50 Å）からできている．脂質二重層膜はイオンをほとんど通さない．膜はイオンに対して内側と外側の世界を分離する．光や食物によって取り入れられたエネルギーは，最終的にこの膜の内外にプロトン（水素イオン）の濃度差と電位差をつくるように働き，プロトンの浸透圧（化学ポテンシャルの一種）と電気ポテンシャルが蓄えられる．両者を合わせて電気化学ポテンシャルという．同じ生体膜中にはまりこんだATP合成酵素を通してプロトンが流れ出すことによって，すなわち，電気化学ポテンシャルを消費することによって，ADPと無機リン酸からATPを合成する．

図0.4.1に代表的な生体エネルギー変換のスキームを示す．（a）光合成細菌（*Rhodobacter sphaeroides*）では，反応の場は生体膜（形質膜）と連なった袋状の膜中にある．実際の袋状の膜はもっと小さく，もっと数が多いが，簡単化・誇張して描かれている．（b）葉緑体の場合，反応の場はチラコイドと呼ばれる積み重ねた円盤膜中にある．これも円盤の数を省略して，誇

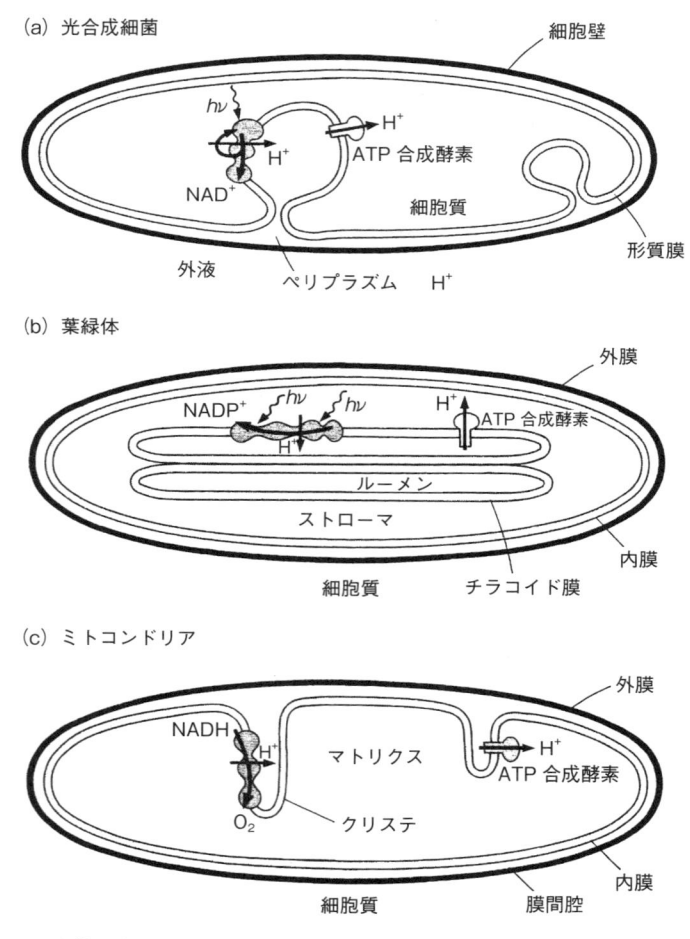

図 0.4.1 生体エネルギー変換で重要な3種類のオルガネラの構造とはたらきの模

張して描かれている．(c) ミトコンドリアでは，反応の場は入り組んだ内膜中にある．クリステと呼ばれる入り組んだ生体膜は単純化して描かれている．これらオルガネラはいずれも 1〜数 μm の大きさである．それは葉緑体もミトコンドリアもかつては自活した細菌であったことによる．葉緑体では 2 つの光化学系（PSI と PSII）がみられる．これはかつて自活していた 2 種類の細菌の光合成単位が 1 種類の光合成細菌（藍色細菌）に取り込まれ，それが真核生物と共生することによってできたためである．

3 つのオルガネラで共通して次のことが見られる．生体膜に挟まれた膜蛋白質中を電子が流れ，それとカップルしてプロトンの一方向性の能動輸送が誘起される．最も小さな物質の単位である電子とプロトンが生物のエネルギー変換の装置を動かす原動力として働いている．このような電子とプロトンのカップルした動きがどうして可能になっているのであろうか．

b. 光合成細菌のエネルギー変換の場合

光合成細菌のエネルギー変換系は葉緑体のそれに比べて単純である．生体光エネルギー変換の原理は両者で同等であるので，光合成細菌について話をすすめることにする．図 0.4.2 に電子とプロトンの流れについての概略図を示す．主に 3 つの蛋白質複合体（反応中心とチトクロム bc_1 複合体とデヒドロゲナーゼ）からなり，それらをキノンプールと可溶性チトクロム c が連絡する．まず，反応中心に隣接するアンテナ系（ここでは描かれていない）の分子が太陽光のエネルギーを捕獲し，励起エネルギー移動機構を使って，反応中心まで運び，ペリプラズム側に位置するスペシャルペアー P を励起し，P* をつくる．P* は電子をバクテリオクロロフィルモノマー B へ，さらにバクテリオフェオフィチン H に電子を移し，自身はカチオン P^+ になる（光誘起電荷分離反応）．放出された電子はそのあと，一次キノン Q_A，二次キノン Q_B へと生体膜を横断する方向に電子を移していく（ベクトル的電子移動）．その過程を 2 度繰り返し，Q_B が 2 つの電子をもらうと，細胞質側から 2 つのプロトンを取り込み，ハイドロキノン QH_2 になる．ハイドロキノンは反応中心での結合力が弱く，生体膜中に逃げ出す．生体膜中には反応中心 1 つあたり，十数分子のキノンとハイドロキノンが泳いでおり，キノンプールを形成している．ハイドロキノンはチトクロム bc_1 複合体のペリプラズム側のハイドロキノン酸化部位 Q_p

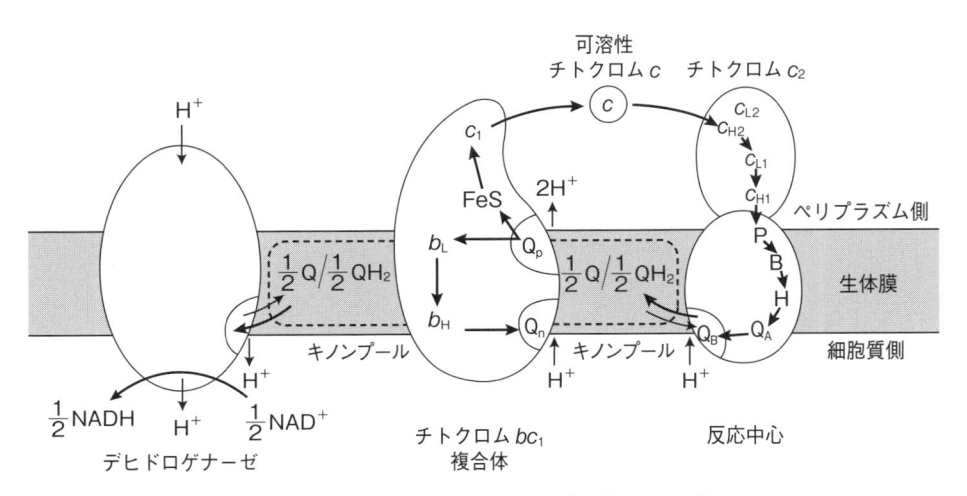

図 0.4.2 光合成細菌に関する電子とプロトンの流れ

に結合し，2つのプロトンをペリプラズム側に放出し，FeSセンターと低ポテンシャルのチトクロム b_L にそれぞれ電子を1つ与える．b_L に移された電子は高ポテンシャルチトクロム b_H を経由してキノン還元部位 Q_n に結合したキノンを還元する．こうして，ここでも電子はペリプラズム側から細胞質側にベクトル的に移動する．このキノンは2度還元されるとハイドロキノンとなって，再びキノンプールにもどる．このサイクルを繰り返すと，1つの電子によって最大2つのプロトンを細胞質側からペリプラズム側に運ぶことが可能になる．この回路をQ-サイクルと呼ぶ．FeSセンターに移された電子はチトクロム c_1，チトクロム c，チトクロム c_2 を経てカチオン P^+ に電子を渡して中性化し，元の状態に戻る．ハイドロキノンの一部はデヒドロゲナーゼに結合し，NAD^+ を還元し NADH (nicotinamide-adenine dinucleotide) に変える．

c. ミトコンドリアのエネルギー変換の場合

図0.4.3にミトコンドリアに関する電子とプロトンの流れの概略を示す．3種類の蛋白質複合体（デヒドロゲナーゼ，チトクロム bc_1 複合体，チトクロム c オキシダーゼ）からなり，それらをキノンプールと可溶性チトクロム c が連絡する．エネルギーの入り口は高い電子エネルギーをもったNADHである．これは食物を分解して得られる（動物の場合）か，光合成の際につくられる（植物や光合成細菌の場合）．NADHはデヒドロゲナーゼで NAD^+ に酸化される代わりに，2つのプロトンをマトリクス側から取り込み，キノンに2つの電子と2つのプロトンを与える．そうして還元されたハイドロキノンはキノンプールに追い出され，チトクロム bc_1 複合体の膜間腔側で結合して，チトクロム c_1 とチトクロム b_L にそれぞれ電子を渡すとともにプロトンを放出する．b_L に移った電子はチトクロム b_H を経て，マトリクス側のキノン還元部位でキノンに電子を渡す．2度電子が与えられると，2つのプロトンをマトリクス側から取り込み，ハイドロキノンになる．こうしてつくられたハイドロキノンはキノンプールに飛び出し，再び bc_1 複合体の膜間腔サイトに結合する．このサイクルを繰り返すことにより，1電子の移動で2つのプロトンを能動輸送する（Q-サイクル）．チトクロム c_1 に入った電子は可溶性のチトクロム c に移され，チトクロム c

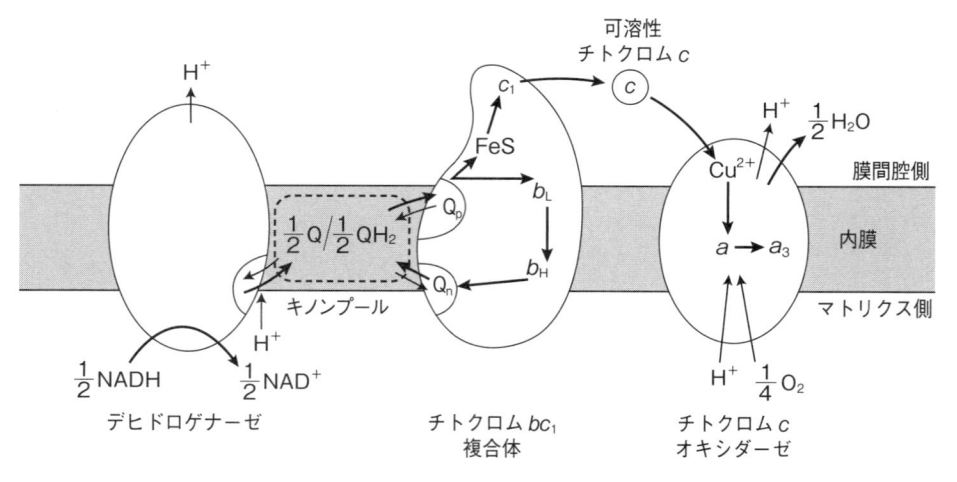

図0.4.3 ミトコンドリアに関する電子とプロトンの流れ

オキシダーゼの膜間腔側に位置する Cu^{2+} に電子が渡される．この電子はヘム a，a_3 に電子が渡されることと連動して，マトリクス側から酸素分子とプロトンが取り込まれ，膜間腔側にプロトンと水を放出する．このようにしてミトコンドリア全体では，1電子で原理的には最大3つのプロトンを運ぶことができる．

d. ルースカップリングとしての生体エネルギー変換と今後の課題

以上の過程をエネルギー論的に見ると，外界から取り入れた光のエネルギーや食物のエネルギーは，はじめ低い酸化還元電位の形で電子エネルギーとして蓄積される．そのエネルギーを小出しに放出することにより，不可逆的な膜横断のベクトル的電子移動を導く．プロトンは還元されたキノンと結合解離を繰り返して，自身は受動的に，電子の還元力を利用して，結果的に能動輸送される．このように見ると，おもてに見えるプロトンの輸送に対して，電子は黒子の役割を果たしていることがわかる．また，この電子移動とカップルしたプロトンの能動輸送は決して直接に電子がプロトンを引っ張っているわけではない．キノンを介した間接的なカップリングであり，ルースカップリングといってもよい．そこには，熱ゆらぎの影響がある．したがって，1電子で運び得るプロトンの最大値は定義できるが，実際の観測ではかならずしも最大値にならない．構成する巨大膜蛋白質の構造が次々に明らかになってきたので，それをもとに電子やプロトン移動のダイナミクスとそれを支えるエネルギー論を明らかにすることが今後の問題である．〔垣谷俊昭〕

[文献]
1) 垣谷俊昭，三室　守編：電子と生命（シリーズ・ニューバイオフィジックスⅡ-1），共立出版，2000．

0.5 分子機械

a. 分子機械の概念－生物の基本的機能を担うもの

生物は蛋白質分子や核酸分子などの分子でできた機械をもつ．この分子機械の概念が明確な形で提出されたのは1970年頃のことである．機械という以上，入力と出力を明らかにし，それらの間の関係をしらべ，そのような機能をもつ最小の構造単位として分子機械を定義しようというのであった．

分子機械という概念が有用であるのにはいくつかの理由がある．第1に，分子機械の機能は細胞のあるいは生物個体の機能に直結する．第2に，種々の動植物が共通のあるいはよく似た分子機械をもつ．第3に，分子機械がかなり高級な機能をもつことである．

第1の例としてはバクテリアべん毛モーター（⇨6.17）の場合があげられる．このモーターは細胞膜に埋めこまれていて，細胞の外から内への水素イオン（陽子）の電流によって駆動される．1個の分子機械であるべん毛モーターの回転速度が1匹のバクテリアの泳ぐ速さを決め，その回転方向切り換えはバクテリアの泳ぎの方向転換となる．第2の例として，筋肉収縮のもとである蛋白質ミオシン分子とアクチン分子のフィラメントからなる滑り運動の分子機械がある．同じ分子機械が植物細胞内の原形質流動を起こす．ゾウリムシなどの繊毛の運動も滑り運動の分子機械による．ただしこれは蛋白質ダイニン分子と微小管フィラメントの組合せでできている．神経軸索

表 0.5.1 分子機械の入力と出力

分子機械	入力 [力/フラックス]		出力 [力/フラックス]
べん毛モーター	陽子の電気化学ポテンシャルエネルギー 陽子の流入数	→	回転力（トルク） 回転角
滑り運動機械	ATP分解の化学自由エネルギー ATP分解分子数	→	滑り力 滑り距離
F_1 ATPアーゼ	ATP分解の化学自由エネルギー ATP分解分子数	→	回転力（トルク） 回転角
F_1F_0 ATP合成酵素	陽子の電気化学ポテンシャルエネルギー 陽子の流入数	→（回転）→	ATP合成の化学自由エネルギー ATP合成分子数
F_1F_0 プロトンポンプ	ATP分解の化学自由エネルギー ATP分解分子数	→（逆回転）→	陽子の電気化学ポテンシャルエネルギー 陽子の汲み上げ数

の物質輸送のための滑り運動の機械はキネシン分子と微小管からなる．これらの分子機械はATP分子の加水分解の化学エネルギーを利用して滑り運動を起こして力学的仕事を行う．そのとき機械にかかる荷重に応じて滑りの速さ，ATP分解の速さが変化する．荷重が小さいとATP分解を抑える．すなわちこの分子機械はエネルギー消費の制御機能を内蔵する．これが上にあげた第3の特性の例である．1個の筋肉細胞の中には莫大な数の分子機械がある．従来，収縮中のエネルギー消費の制御は働かせる分子機械の数の制御によると考えられていた．しかし，じつはそれが1個の分子機械の中で行われている．これは第1にあげた，分子機械の機能が細胞の機能に直結する例でもある．

b. 分子機械の機能－その入力と出力

生物は多くの分子機械をもつ．その典型的な例はエネルギー変換あるいは情報変換を行うものである．単なる酵素蛋白質分子は普通分子機械とはいわない．しかし，DNA上をその情報を読み取りながら動くRNA合成酵素系は分子機械といえる．表0.5.1にいくつかのエネルギー変換の分子機械について，その入力と出力とを示す．入力・出力はそれぞれ力と流れ（フラックス）とに分けて記してある．力×フラックスが入出力の（自由）エネルギーである．分子機械にはエネルギー変換を一方向にしか行わないものと双方向に行うものとがある．表の下段の F_1・F_0 と呼ばれる蛋白質分子複合体は双方向に働く．その方向に従って別の呼び名を記してある．べん毛モーターに相当する F_0 という分子機械と，すべり運動機械に相当する F_1 という分子機械が部品の回転運動を通じて連結されたものとみることができる．

なお，運動の分子機械の場合，分子モー

ターという言葉がしばしば使われる．

c. 分子機械の特徴－熱ノイズの中で動く超小型機械

分子機械の特徴の第1はきわめて小さいことである．べん毛モーターの直径は約30 nm（ナノメートル）である．それは数種の蛋白質分子でできている．たとえばモーターの内筒は1種類の蛋白質分子が約20個円周状に集合したものである．滑り運動の分子機械はミオシン分子1個とアクチンフィラメント1本で形成されるが，ミオシン分子の主要部分の大きさは約20 nmである．原子の数でいうと分子機械はまわりの水まで含めて約10万個から100万個の原子でできている．

べん毛モーターの中を流れる陽子は針金の中の電流のような連続流体的にではなくて，粒子としてことこと流れる．滑り運動の場合はミオシン分子上でATP分子が1個1個分解される．プロトン1個あるいはATP分子1個で何が起こるかという問いかけができる．大きさnm，時間ms（ミリ秒），力でいえばpN（ピコニュートン）の世界で何が起こるかである．

超小型の分子機械ではマクロな機械と比べて熱ゆらぎの影響が大きいはずである．にもかかわらず分子機械は水の中で常温で動く．まわりから絶縁されたり，低温にされたりしていない．べん毛モーターの場合，陽子1個当たりの入力の自由エネルギーは熱ゆらぎの平均エネルギーと大差がない．実際，半人工的に陽子の自由エネルギーを熱ゆらぎのエネルギーと同じくらいにしてもモーターは回転する．

分子機械を構成する蛋白質分子は剛体ではなく，ある程度やわらかい．マクロな機械では普通各部品の内部のエネルギーのゆらぎまで問題にしなくてもよい．しかし分子機械は部品の中，部品間，部品とまわりの水との間で熱エネルギーを交換しながら，それを積極的に利用して動いているのではないか．

d. 分子機械の動作原理－タイトカップリングとルースカップリング

従来，機械といえば固いものである．原則的にワンパラメータシステムである．すなわち入力から出力まで歯車の連鎖のように決定論的につながっているとされてきた．生物の分子機械でもそうか．1980年代に入って，上記の特徴にもとづいて，分子機械の入力と出力とのカップリングがタイトかルースかという問題が提起され，ルースカップリング説が提出された．べん毛モーターでいえば陽子の流れという入力の歯車とモーターの回転という出力の歯車は固くかみ合っているか否かである．

そのころ，陽子がバクテリア細胞内外の電位差によって流れても，pH差すなわち濃度差によって流れてもべん毛モーターが回転すること，陽子のエネルギーと「マイナスエントロピー×絶対温度」とは自由エネルギーの2つの成分として同等にモーターを駆動することが実証された．しかも，入力の自由エネルギーは熱ゆらぎのエネルギーと見事に識別される．モーターは純力学的機械というよりも統計力学的機械である．これはタイトカップリングでは実現しにくいのではないか．

滑り運動の分子機械の場合，滑りのメカニズムとしてミオシン分子の首振り説，あるいはレバーアーム説が有力であった．ATP1分子の分解当たり，ミオシン分子はアクチンフィラメント上で1回首を振るとか，1回レバーを動かすと想定されていた．ところが実験はATP1分子の分解当たり，滑りの距離は首振りないしレバーアームで期待されるよりはるかに長いことを示した．少なくともATP分解という化学反応とミオシン分子の動きとの1対1対応は成り立たないことになった．まさに入出力ルースカップリングである（ただし，欧米ではタイトカップリングの考えがいま

表 0.5.2　タイトカップリングとルースカップリングの比較

	タイトカップリング	ルースカップリング
入出力関係	1対1	1対可変
インフラックス/エフラックス比	固定	可変
自由エネルギー変換	直接	間接
自由エネルギー放出	1ステップ	可変，多ステップ
過程	1方向	行ったり来たり
熱ゆらぎ	排除	取り込み
行動	決定論的	確率論的
構造	固い	やわらかい

だに根強い）．

その後，1個のミオシン分子の滑り運動の直接観察によって，ATP1分子の分解に伴ってミオシン分子がアクチンフィラメント上を長距離にわたって何歩も進むことが明らかにされた．他の滑り運動の分子機械でも同様の観察が行われ，ルースカップリングを支持する事実が見出されている．

運動の分子機械の場合，タイトカップリングとルースカップリングの特徴を比較すると表0.5.2のとおりである．

生物のもつすべての分子機械についてその入力と出力を同時測定し，タイトカップリングかルースカップリングかを明らかにする必要がある．一般にタイトと考えられてきたが，実験によって証明されてはいない．たとえばカルシウムイオンポンプの場合，ATP分子1個の分解当たり，カルシウムイオンが何個汲み上げられるか，その数が可変で，定常状態で非整数であれば，ルースカップリングの可能性が大きい．F_0F_1プロトンポンプについても同様の問いができる．自由エネルギー変換の分子機械では基本的には入出力ルースカップリングであって，1つの極限としてタイトカップリングになるのではないか．

e. 分子機械のスイッチング－オンオフと性能の制御

筋肉細胞内の滑り運動の分子機械はまわりに入力となるATPが存在しても平生は動かない．高等動物の横紋筋では第3の蛋白質分子（アクチンフィラメントに結合するトロポミオシン－トロポニン）がその始動を抑制している．神経からの信号に応じて細胞内の小胞から放出されたカルシウムイオンがその蛋白質分子に結合して抑制を外すと滑り運動が始まる．抑制によってオフにし，抑制を外してオンにするのは生物が常用するスイッチング方式である．分子機械本体に十分の機能をもたせた上でのことである．

分子機械のスイッチングは情報の受容変換に使われる．細胞膜に存在するイオンチャネルの場合はその典型である．各チャネルは蛋白質分子でできていて，それぞれ特定のイオンを通す．それだけでは機械とはいいがたいが，チャネルにはゲートと呼ばれる構造がついていて，それが開いたり閉じたりする．細胞膜中のあるいは人工膜に埋め込まれた1個のチャネルを通るイオン電流を直接測定し，その開閉運動が確認されたのは約30年前のことである．

細胞膜には外部情報をうける蛋白質分子が存在する．たとえば細胞外液中の特定の分子を結合する．このようなレセプターとチャネルを同じ蛋白質分子が兼ねている場合とそれぞれ別の分子である場合がある．外部情報に応じてチャネルの開閉確率が制御され，イオン電流が変化し，細胞内電位が変化する（レセプターとチャネルが離れているときにはその間に情報伝達のための蛋白質分子が存在する）．1個のチャネルには開閉の2状態しかないが，膜中の多種

で多数のチャネルについての統計的操作を経て,入力:外来情報の強さと,出力:細胞内電位変化との定量的関係が生まれる.情報受容変換の場合には分子機械のシステムという概念が重要である.

情報受容変換の分子機械にはしばしば慣れとか適応現象がみられる.入力が入って出力を出したとき,その入力がそのまま続けて与えられていても出力を出さなくなる.これは分子機械の性能を経験に依存して変化させることによる.分子機械の蛋白質分子の構造を変えるのであるが,その方法は化学修飾である場合が多い.すなわち,分子中のあるアミノ酸側鎖の化学構造を変える.多段階の可逆的化学修飾によって入力の強さの広い範囲にわたって適応することができる.学習は一度うけた入力の影響を履歴として長く保つことであるが,それも化学修飾による場合が見つかっている.化学修飾のための酵素蛋白質分子まで含めて分子機械はその性能制御システムをもつ.

おわりに

分子機械という言葉が流布されるとともに,その適用範囲が広がってきた.しかし,その入力と出力が定義・定量でき,機械として働くのに必要な構造がはっきりとらえられたものはまだ少ない.ナノスケールの実験技術の開発とともに分子機械の研究は今後急速に進むであろう. 〔大沢文夫〕

[文献]
1) 大沢文夫:現代物理学の基礎,第8巻生命の物理.第1章,岩波書店,1972.
2) 大沢文夫:講座・生物物理(パリティブックス),丸善,1998.
3) 大沢文夫:生物物理とは何か,第1章,共立出版,2002.

0.6 生物と情報

a. サイバネティクス

1948年に,ウイナー(N. Wiener, 1894-1964)によって著された『サイバネティクス―動物と機械における制御と通信』に表れた科学方法論上の思想である.その具体的な構想は,マサチューセッツ工科大学(MIT)において,ビゲロウ(J. H. Bigelow)と一緒に行った対空火器の自動照準の研究や,ハーバード大学,後にメキシコ国立心臓医学研究所に移ったローゼンブリュート(A. Rosenblueth)との10年以上にわたる共同研究の中から生まれた.

飛行機を射ち落とすには,現在の位置ではなく,少し先を予測して照準を当てないといけない.そのための方法として,ウイナーは飛行経路の統計的性質に着目した最適予測の理論を用いた制御方式を考え出した.この研究は,複雑な計算と未来予測という本来人間の頭脳が行っていることを,機械に代行させようとするもので,その設計に没入する中で,ウイナーは,人間の随意運動制御でのフィードバックという概念の重要性を認識するに至る.一方,最適予測の手法は,通信工学におけるフィルターの設計の有力な道具ともなった.この経過の中で,ウイナーは独自の「情報量」の統計的理論を発展させることになる.

このようにして,ウイナーとまわりの科学者達は,「通信と制御と統計力学」を中心とする一連の問題が,それが機械であろうと,生体組織内のことであろうと,本質的に統一されうるものであることに気づき,この領域を,ギリシャ語の「舵

取り」からとって，サイバネティクス（cybernetics）と命名した．

わが国における情報科学の草分けの一人である北川敏男は，サイバネティクスを情報科学の原型ととらえ，その根本問題は「不確実な状況下での意思決定であり，ウイナーはこれに確率的な接近を行った」と述べ，また，科学哲学の佐藤敬三は，ウイナーの思想の現代的な内容を，① サイバネティクスを半精密科学として特徴づけたこと，これにより，形，意味，生命，創造というものが正当に扱われる道が拓かれたこと，② この領域の主役が情報概念であり，物質やエネルギーと並ぶ地位を与えたこと，③ 情報の操作にもとづくフィードバック制御機構をもつ機械の理論を展開し，動物の合目的的行動や人間の知的活動のモデルたりうる情報機械を提示し，機械論と目的論の対立の再検討を迫ったことと分析している．いずれも，サイバネティクスの本質を的確に表現したものといえる．

b. 脳とコンピュータ

脳とコンピュータを比較するとき，情報処理という機能の面が対象となる．コンピュータはもともと「自動的に計算する道具」として発明されたが，現在のコンピュータの機能は，計算だけでなく，大きく分けると，情報の処理（計算，判断），情報の記憶，動作の制御の3つに分けられる．一方，生物の脳の働きを見ると，感覚器が受け取った情報を処理し，その結果にもとづいて次にとるべき行動を判断し，実行するための指令を運動器官に送っている．また，その結果を記憶する．すなわち，コンピュータと同様に，上記3つの働きをしている．このように書く限りでは，脳とコンピュータの働きは同じであるが，それぞれが得意とする働きには大きな違いがある．コンピュータにとっては，論理の筋道のはっきりしたことを，高速で正確に処理したり，その結果を特定の論理に従って判断したりすることは得意であるが，逆に，論理のはっきりしないことを処理したり，状況を大まかにつかむことは，人間と比べて不得手である．これには，使われている原理に違いがあると考えるのは自然である．

脳とコンピュータの比較はいろいろ試みられているが，現在のコンピュータの基本方式を考案したフォン・ノイマンが1958年に行った講義ノートは有名である．コンピュータは，二値論理にもとづいて計算や判断を行い，それに従って動作の制御を行っている．また，記憶も二値化された情報が対象となる．さらに，コンピュータは，プログラムに従って順序だてて情報処理を行うことを基本としている．ノイマンの比較は，当然，当時のコンピュータ技術と脳科学の水準にもとづいたものであるが，コンピュータが直列処理を基本としているのに対し，脳は同時並列処理を行っていること，また，精度の悪い素子を使って高い計算精度を出せるのはなぜか，自然言語を扱っている脳にはコンピュータと違う論理が使われているのではないかなど，今日的な課題が数多く提出されている．

その後，コンピュータ技術の進歩は目覚しく，脳科学も新しい知見を加えているが，解けていない問題は多い．脳の中では，情報がどのように記憶され，計算に使われているか．神経コード，連想記憶，相関計算，ファジー論理などの研究が行われているが答えはまだ出ていない．一方，脳がパターン，記号，情動という多重の情報を使っていること自体は自明であるが，コンピュータのアルゴリズムとしては理解できていない．脳とコンピュータの比較が，脳の理解，あるいは，コンピュータ技術の革新を促すという面は否定できないが，その差異を認識し，相補って使うという視点も必要ではないか．

c. 通信と感覚

生物は，個体を維持し，種を保存するた

めに，環境を認識し，他の個体との通信を行う能力をもっている．環境の認識には感覚器官が使われる．他の個体との通信には，感覚器官と運動器官が使われる．

まず，感覚器官（以後，生物センサーと記す）の特徴と種類について述べよう．

生物センサーの特徴としては，① 高感度特性，② 高集積化・知能化，③ 生態に適した構成の3つをあげることができる．また，環境や他の個体から発信された信号の物理・化学的性質に対応して，光センサー（明るさ，色，形），機械的センサー（音，振動，圧力），化学センサー（味，におい），温度センサー，電気センサー，磁気センサーに分類できる．どのセンサーを備えているかは，生物によって異なる．

一方，相手への通信手段としては，におい，味物質，身体の形，色，動き，表情，音声，振動，熱，電気信号などがある．いずれも，相手がもつ生物センサーに対応した信号を身体から出している．

生物センサーの働きを見るとき，これらのセンサーが受け取った情報を，単なる物理・化学的なものとしてではなく，個体を維持し，種を保存していく上でどのような意味をもっているかという生態学的視点で受け止めることが重要である．

このことを踏まえて，次に，生物が使う通信手段の特徴をいくつか述べよう．

① 生物の通信手段は生態，すなわち生活様式で決まる．同じ爬虫類でも，夜行性のヘビは，雌雄間の通信手段は嗅覚であるが，昼行性のトカゲは視覚を利用する．また，昼行性の鳥類は，視覚を使えるので，鳴き声のほかに，からだの色や形，動きなどを利用するが，夜行性の哺乳類にとっては，聴覚のほかに，嗅覚による通信が大事になる．同じ哺乳類でも，クジラは水中超音波を，コウモリは空中超音波を利用している．

② 生物が自分の種を保存するには，配偶行動に際して，相手を正しく選ぶ必要がある．そのための方法が，通信手段の種特異性である．性フェロモンはその代表的なもので，交尾が成立するにはメスとオスが出すフェロモンが種特異的でないといけない．振動や音声を交尾の合図に使う生物も多いが，その振動数や音声パターンにも種特異性がある．

③ 昆虫レベルの通信手段の種特異性は遺伝的に決められているが，鳥など高等な生物になると，幼い時期の経験や学習が深くかかわってくる．しかし，学習可能な範囲を遺伝的に限定することで，通信手段の種特異性を確保している．これを生得的学習機構という．

d. 運動制御

生物の運動は，大きくは移動・摂餌・防衛の動作に分けられる．生物は，餌や安全なねぐらを探して，あるいは，敵から逃れるために移動する．餌をみつけたときは，それを捕獲し，口に運び込む．敵に襲われたときは，防戦しなければならない．

現存する生物がとっている移動の戦略は，① バクテリアなどにみられるべん毛のらせん運動，② ミミズなどにみられる蠕動運動，③ ヘビ，ウナギなどにみられる蛇行運動，④ 水鳥などにみられるパドリング，⑤ イカなどにみられるジェット推進，⑥ 昆虫や鳥にみられる飛行（滑空，はばたき），⑦ 哺乳類にみられる4足歩行，その変形として ⑧ カエルやカンガルーの跳躍，⑨ サルの仲間にみられる樹上の枝わたり，⑩ 一部霊長類や人間の2足歩行．

自動車や航空機と同じように，生物の移動にも，エンジン，伝達機構，プロペラが必要である．エンジンを使ってプロペラを動かし，外部に力を与えると，その反作用としてプロペラは外部から力を受ける．それが推進力となって生物は移動できる．バクテリアでいえば，べん毛モーターがエンジン，フックが伝達機構，べん毛がプロペラに相当し，4足歩行では，筋肉がエンジ

ン，骨格が伝達機構，四肢がプロペラに相当する．

ところで，移動の多くが周期的運動である．したがって，その生成と制御には，工学でいう自励振動の概念や理論が援用できる．細胞内の物質の濃度や細胞電位などを状態変数として非線形振動系を記述し，外部入力やパラメータの値による振動の周期や振幅の変化，振動の開始や停止を調べるのである．また，複数の振動体が関与する運動については，周波数同調や位相同調の考え方による解析が可能である．

一方，人が物をつかむために行う手先の到達運動など，繰り返しを必ずしも必要としない運動については，計算論的解析が行われている．実際に制御を行うために，脳がどのような問題を解くべきかを考えるのである．手先の到達運動についていえば，手先のとる最適軌道の決定，その軌道をとるための各関節の回転角度の計算，各関節を回転させる筋肉への運動指令の計算である．関節角から手先の位置が決まる関係をキネマティクス，運動指令から関節角が決まる関係をダイナミクスと呼ぶが，脳は逆の計算，逆キネマティクス，逆ダイナミクスの計算を必要とする．そのための神経機構が学習によって脳内に獲得されるというモデルがいくつか提案されている．その中で注目されるのが，1987年の川人らによるフィードバック誤差学習法であり，神経科学的実験でその妥当性が示されようとしている．フィードバック制御に頼るぎこちない動きが，フィードフォワード制御に移ることで円滑な動きになるという伊藤正男のアイデアや日常経験に一致するからである．

〔鈴木良次〕

[文献]
1) 鈴木良次：生物情報システム論，朝倉書店，1991．
2) 塚原仲晃：脳の情報処理，朝倉書店，1984．
3) 鈴木英雄，吉岡亨，桐野豊，葛西道生：情報生物学入門，培風館，1986．
4) 川人光男：脳の計算理論，産業図書，1996．

第1章 蛋白質

1.0 〈総論〉
蛋白質

多くの生物種のゲノム完全読み取りが進む時代背景の中での蛋白質概論を試みる．

a. 生物の構成単位としての蛋白質の特徴

21世紀はヒトのゲノムの読み取り完了のニュースとともに始まった．ゲノムとは1生物個体のもつ遺伝情報の全体を意味する．ゲノムは要素機能に対応すると考えられる遺伝子を単位として構成されている．情報単位としての遺伝子に対応する実体が，（遺伝子に書き込まれた情報に従って細胞内で合成される）遺伝子産物としての生体高分子－RNAあるいは蛋白質分子－である．ゲノムにはシステムとしての生物1個体の完全な設計情報が書き込まれているはずなので，ゲノムが読み取られた現在，システムとしての生物個体における個々の遺伝子産物の位置づけを改めて考えてみるよい時期にある．

ゲノムを読み取ってみてわかりつつあることの1つは，ゲノムを構成している遺伝子の数が意外に少なく，バクテリアで数千，ヒトのような高等生物でそれより1桁多い程度ということである．わずか数万種の要素機能からわれわれができていることは驚きではないだろうか．この驚きは，冷静に見てみると，生物という複雑なシステムの特殊な構成原理を認識すべきことを教えている．要素機能の種類が比較的少ないことは，個々の要素機能がすでに高級であることを意味する．個々の遺伝子の産物である生体高分子は，少数種のアミノ酸あるいは塩基からなっている．そして高級な機能を担っている．この事情は，比較的少数種類の原子核と電子からなるいろいろな固体が，集まり方の違いでいろいろな物性を示し，さまざまな工学材料として使われているのに似ている．生物というシステムは，第1に生体高分子という高級な素子を少数種の部品から組み上げ，次にそれら高級素子を組み上げて個体をつくるという二重構造をもっているのである．

ゲノムが読み取られた今，われわれの前にある課題は，この二重構造に対応して，2つに分けられる．第1は，少数種の部品－蛋白質の場合にはアミノ酸残基－を組み上げて高級機能をもつ部品がつくり上げられるしくみを理解すること．第2は，そのような高級機能をもつ部品を組み上げて，高次の機能が，究極的には，個体が生まれてくるしくみを理解することである．後者の課題に取り組もうとしている分野は，システム生物学あるいは統合生物学と呼ばれる．

b. 個々の蛋白質の研究

上記の第1の問題－個々の蛋白質の機能発現のしくみの解明－は，問題としては明快な問題である．しかも，問題全体が主に2つの部分から成り立っていることもわ

かっている．第1は，与えられたアミノ酸配列をもつポリペプチド鎖が，細胞内の生理的条件下で特異的な立体構造をもつ天然状態に折りたたまれていくしくみの解明であり，第2は，天然状態における立体構造ダイナミクスの知見にもとづいて機能発現のしくみを解明することである．第1の問題を蛋白質のフォールディング問題という．これらの問題は，問題として明確であり，長年にわたる多くの研究の蓄積があるにもかかわらず，その結果は明確ではない．もしもすでに明確な結果が得られていたとすれば，その知見にもとづく合理的創薬が実用化しているはずであるし，一時ブームになった蛋白質工学も実用化しているはずである．問題は明快であるのに，明快な解答を得るのがむずかしい．これこそ蛋白質の特徴と思われる．なぜなのか．蛋白質概論としてはそれを考えてみたい．

c. フォールディング（折りたたみ）

フォールディング問題で問うべき問題の核心は，なぜアミノ酸配列によって定まっている特異的な立体構造に一意的に折りたたまれるか（一意性問題），である．さらに，この問いに対する解答が得られたら，できればそれにもとづいて，アミノ酸配列から立体構造を予測すること（予測問題）である．

一意性問題への解答はほぼ得られている．それは典型的な小さな球状蛋白質が示す一般的な3つの性質から簡単な物理学の論理で与えることができる．その3つの性質とは，(1)折りたたみ転移の2状態性，(2)整合性原理，(3)天然状態のぎりぎり安定性である．これを順に説明していく．2状態性とは，転移の途中で分子はほとんど完全に折りたたまれた状態とほどけた状態の2つの状態にのみ存在し，1分子内で半分折りたたまれ残りの半分がほどけているような状態にある分子がほとんど存在しないことを意味する．この2状態性は折りたたまれた構造の安定化に分子全体が寄与していて，一部でも壊れると全体が壊れてしまうことを意味する．

整合性原理とは，蛋白質分子の天然状態の安定化に寄与しているさまざまな分子内相互作用の間に互いに矛盾がなく，整合的であることを意味する．たとえば，分子内力を，ポリペプチド鎖に沿って近くに存在する原子の間に働く近距離相互作用と，鎖に沿って計ると遠くに存在する原子対が空間的に近くにいて相互作用する遠距離相互作用とに分類したとき，それぞれの相互作用が安定化する立体構造が一致することを，この整合性原理は主張する．実際の蛋白質の天然構造においては，この原理は広く満たされている．

ぎりぎり安定性とは，天然状態がほどけた状態に対して，ぎりぎりの自由エネルギー差で安定化されていることを意味する．典型的には，その差は 10 kcal/mol 程度である．蛋白質分子が大きな分子であることを考えると，これはきわめて小さなエネルギー差である．人為的にアミノ酸を置換すると，この安定化の自由エネルギー差は割合に簡単に大きくもなり，逆転もする．天然の蛋白質においては，差が小さくなるようにアミノ酸配列が設計されているように見える．このぎりぎり安定性から，天然状態の一意性が簡単な物理学的論理で帰結できる．

天然状態の立体構造は，その構造内に働いている分子内相互作用がすべて互いに整合的であるような非常に特別な構造であり，他に考えられる別の立体構造においては，分子内相互作用のどこかに不整合が生じ，その結果分子全体の自由エネルギーは天然状態の自由エネルギーに比べて，かなり高くなるであろう．その天然状態の自由エネルギーが，ほどけた状態の自由エネルギーに比べてぎりぎり安定であれば，他に考えられる立体構造の自由エネルギーはすべて，ほどけた状態の自由エネルギーよ

りも高くなるはずである．その結果，天然状態の立体構造のみが唯一の安定構造となる．このように一意性問題は，小さな球状蛋白質が一般的に示す3つの性質からの直接的な帰結としてほぼ解決された．

では，一意性問題の解決によって予測問題が解決されるであろうか．一意性問題解決の一番の鍵は整合性原理にある．この原理は，天然状態が他に考えられる折りたたみ構造に対して際立って低い自由エネルギーをもっていることを示している．そのような構造を探せばよいのであるから，解決への道筋は見えているように思われるが，問題はそれを計算的に実行する際に扱わなければならない候補構造の数の多さと，必要とされる計算の精度にある．

要求される計算精度の目安は，天然状態のほどけた状態に対する安定化自由エネルギーの大きさ，すなわち10 kcal/mol 程度である．この程度，あるいはそれより少し大きい程度のエネルギー差で，天然構造は他の構造よりも安定化されていることが考えられるからである．原子数3000程度の小さな蛋白質分子の室温における熱励起エネルギーの大きさが5000 kcal/mol程度であることを考えると，要求される精度の厳しさがわかる．

一意性問題の解決は，今のところ残念ながら直接には予測問題の実用的な解決には結びついていない．しかし，整合性原理によれば近距離相互作用によって選ばれる構造断片は，天然状態中でも選ばれていることが期待されるので，ポリペプチド鎖に沿って短い構造断片から立体構造を決め，それらを組み合わせて全体構造の予測につなげるビルドアップ法の有効性が示唆される．実際に世界的に行われている構造予測コンテストでは，この方法の採用者がよい成績を収めている．

一意性問題は小さな球状蛋白質が一般的に示す3つの性質にもとづいて解決が与えられた．では，その3つの性質はどこから来るのか．折りたたみ転移の2状態性は，じつは天然状態がおおまかに球状をしているという形状の3次元性から統計力学的に示すことができる．それに対して整合性原理とぎりぎり安定性は，進化過程において選択され実現されてきたものと考えられる．この2条件を満たす蛋白質分子はそのアミノ酸配列に特異的な立体構造に一意的に折りたたまれる．この2つの性質を満たすことのできない膨大な数のアミノ酸配列は，蛋白質分子として使われることはない．3つの性質から天然状態の構造の一意性を説明するのは物理学の論理であるが，3つの性質の背景には進化という最も生物的な過程がある．

d. 構造ダイナミクスから機能へ

個々の蛋白質の機能発現のしくみの解明の第2の問題は，天然状態における立体構造ダイナミクスにもとづいて，いかに機能が発揮されるかを明らかにすることである．天然状態における立体構造ダイナミクスの研究には，高精度のX線結晶解析や高度な時間分解高速分光法等の高度な実験手段が用いられている．それによって明らかにされてきたのは，きわめて複雑な動きをする天然状態の姿であった．フォールディング問題を扱う際には，蛋白質が細胞内で機能する天然状態は，アミノ酸配列によって特異的に定まる一意的な立体構造をとっているとしてきた．X線結晶解析をすると多くの場合1つの構造が見えるので，この扱いは間違いではないのだが，その解析の精度を上げると，じつは各結晶格子を占めている個々の蛋白質分子が少しずつ異なる状態にあることがわかってきた．他の測定法によっても，天然状態にある蛋白質分子の集団は，少しずつ異なるサブ状態に分布していることがわかってきた．

異なるサブ状態にある蛋白質は，いろいろな化学反応に対して異なる速度定数をもつ．フォールディング問題では，1つの自

由エネルギー極小点で記述できると思っていた天然状態は，詳細に見ると，じつは極小点を多数もつ複雑な自由エネルギー地形をもっている．似たような事情は，物理学の研究対象であるガラス状物質においても見られる．この特異な性質は，蛋白質を複雑系研究の対象とする立場をも生み出しつつあり，蛋白質研究が物理学の応用であるばかりでなく，逆に物理学を刺激しつつある．

フォールディングを議論する際，整合性原理から天然状態の立体構造が際立って低い自由エネルギーをもつことを導いた．その天然状態はより高い構造分解能で観察すると，1つの自由エネルギー状態ではなく，複雑な自由エネルギー地形をもつ状態の集まりであることがわかった．この複雑な自由エネルギー地形の背景には，エネルギー地形形成に寄与しているいろいろなエネルギー項の間の不整合があるに違いない．フォールディング問題を考える際には，主鎖の巻き方（トポロジー）に関心が向かう程度の構造分解能で議論していた．その分解能ではいろいろなエネルギー項の間に天然状態においては不整合がなかった（整合性原理）のに対して，機能発現のしくみに関心をもって天然状態を観察する分解能では，不整合が見られ，その結果自由エネルギー地形が複雑になる．

蛋白質分子が示す生物学的機能は多様で，機能発現のしくみの議論は各論が大切である．しかし，フォールディング問題における一意性説明の論理のような枠組みの理解はやはり大切である．蛋白質分子は一般に他の分子と相互作用することによって，機能を発揮する．相互作用の結果，自分の状態を変化させ，その結果逆に相手分子に影響を及ぼす．このように機能発現においては，蛋白質分子自身の状態変化が一般に必要である．その状態変化は，じつは天然状態を構成しているサブ状態間の遷移と理解される場合が多い．高い構造分解能で認識されるいろいろな分子内エネルギー項の間の不整合のもたらすサブ状態構造が，多くの機能発現のしくみの背景にある．サブ状態は多くのエネルギー項が複雑に競合する状況の結果であり，われわれはその具体的な様相を理解するには至っていない．

e. 統合生物学へ向けて

ゲノム読み取り後の研究の第2の方向として，個々の遺伝子産物の担う機能の統合のしくみ解明が取り上げられ，さまざまな試みがなされている．その1つは，特定の状態にある細胞をすり潰して，その細胞内で発現していたRNAあるいは蛋白質あるいは代謝中間物をすべて同定し，定量しようとするタイプの研究である．細胞内で相互作用しているすべての蛋白質対を同定しようとする試みもある．このタイプの研究を総称してオーミック研究と呼ぶ．このような研究は，実験の精度等の技術的な問題のほか，得られたデータをどのように解析していくかに関しても，模索が続いている．生物の場合，統合されるべき個々の要素がすでに高級で個性に富んでいることを考えると，このような研究の方向性がよいかどうかも問題かもしれない．

より着実な研究方向としては，全体を一気に視野に納めるのではなく，いくつかの生体高分子が集まってつくる超分子構造体の立体構造やダイナミクスを，構造生物学や分子生理学の立場で調べようとするものがある．

f. 分子機械

機能統合は実体としての生体高分子レベルでは，分子間の相互作用として実現される．相互作用が強い場合は，細胞内で恒常的に存在する細胞内超分子を形成することとなる．そのような超分子構造体の構造生物学的あるいは分子生理学的研究が，盛んになりつつある．そのような系はしばしば

プロトン輸送やATP分解によるエントロピー生成によって駆動される分子機械として振る舞う．そのような分子機械は熱雑音の場のなかで，熱エネルギーとそれほど大きさの変わらないエネルギー源によって駆動され働く．その様子は最近さまざまな技術が開発されつつある1分子測定技術を用いて直接見ることができる．そこから新しい蛋白質像が生まれるのではなかろうか．また機能統合理解への1つの道筋も見えてくることが期待される． 〔郷　信広〕

I. 蛋　白　質

1.1　蛋白質の化学構造

蛋白質は，20種類のアミノ酸がペプチド結合で結合したポリペプチドという化学構造をもつ（図1.1.1, 1.1.2）．蛋白質1分子中のアミノ酸の数は，数十個～数千個程度であり，アミノ酸配列，すなわち，どのアミノ酸がどんな順序で結合するかは，蛋白質の種類により異なる．これらのアミノ酸は，みなα-炭素（カルボキシル基が結合する炭素）にアミノ基が結合したα-アミノ酸である．また，グリシンを除いてすべて光学活性[*1]をもつが，蛋白質に使われるアミノ酸はすべてL型（図1.1.1 (a)）である．プロリンは，厳密にいうとアミノ基ではなくイミノ基をもつイミノ酸であるが，便宜的にアミノ酸に含める．ペプチド結合は，1つのアミノ酸のアミノ基と別のアミノ酸のカルボキシル基から水がとれて結合してできる．ポリペプチドで「－アミノ基の窒素－α-炭素－カルボキシル基の炭素－」という単位がつながった長い鎖を主鎖，単位となるアミノ酸1つ分をアミノ酸残基，主鎖でアミノ基が露出している端をアミノ末端またはN末端，カルボキシル基が露出している端をカルボキシル末端またはC末端という．これに対し，アミノ酸残基のα-炭素から横に突き出ている化学基を側鎖という．

蛋白質で使われるアミノ酸は，なぜみなL-α-アミノ酸なのか．すべてがα-アミノ酸であると，主鎖は規則的な繰り返しをもつことができ，二次構造と呼ばれる規

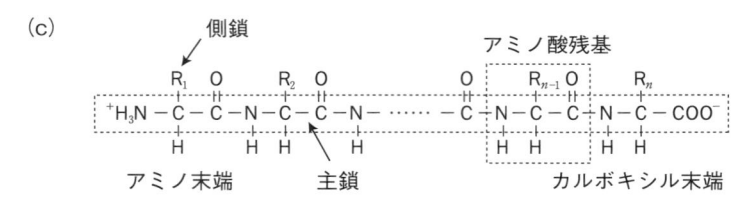

図1.1.1 アミノ酸とポリペプチド
(a) 蛋白質を構成する L-α-アミノ酸の一般的な構造式．R はアミノ酸の側鎖を表す．中心に置いた α-炭素が正四面体の中心，アミノ基，カルボキシル基，水素，側鎖が正四面体の頂点に相当する位置にある．右に描いた正四面体のように，左右にあるアミノ基と水素が紙面より手前，上下にあるカルボキシル基と側鎖が紙面より奥に位置するのが，L-アミノ酸の定義である．
(b) アミノ酸が結合してペプチド結合をつくる反応（水溶液中では自由エネルギーの供給が必要だが，省略してある）
(c) ポリペプチドの，主鎖，側鎖，アミノ酸残基，アミノ末端，カルボキシル末端

則的な構造が可能になる（⇨1.2）．また，L 型のアミノ酸なのは，蛋白質合成に関与する酵素（アミノアシル tRNA 合成酵素）の構造が非対称性をもち，L 型と D 型を区別するからである．この区別があるので，蛋白質分子は決まった立体構造をとることができ，さまざまな生体機能をはたすことができる．

水溶液中でアミノ酸の間にペプチド結合をつくるには，自由エネルギーを供給する必要がある．蛋白質合成の際は，このエネルギーは ATP や GTP の加水分解により供給される（⇨2.8）．

蛋白質の側鎖の性質は，蛋白質の個性を決めるので重要である．グルタミン酸とアスパラギン酸は中性で負の電荷をもつ酸性アミノ酸（いずれも $pK=4.4$ [*2]），リシン（$pK=10.0$），アルギニン（$pK=12.0$），ヒスチジン（$pK=6.5$）は中性で正の電荷をもつ塩基性アミノ酸である（ただし，ヒスチジンは部分的に解離）．蛋白質全体では，このほかに主鎖の N 末端のアミノ基（$pK=8.0$）と C 末端のカルボキシル基（$pK=3.1$）が，中性でそれぞれ正，負の電荷をもつ．システイン（$pK=8.5$）とチロシン（$pK=10.0$）は，アルカリ性では水素イオンを解離して負電荷をもつが，通常の条件では解離していない．電荷をもたないが極性基をもつアミノ酸もある．グルタミンとアスパラギンはアミド基，セリンとトレオニンは水酸基，チロシンはフェニル基，システインはスルフヒドリル基をもつ．電荷をもつ側鎖と極性基をもつ側鎖は，酵素の触媒作用で重要な役割を受けもつ場合がある．一方で，ロイシン，イソロイシン，バリンなどの大きな脂肪族の側鎖や，ファニルアラ

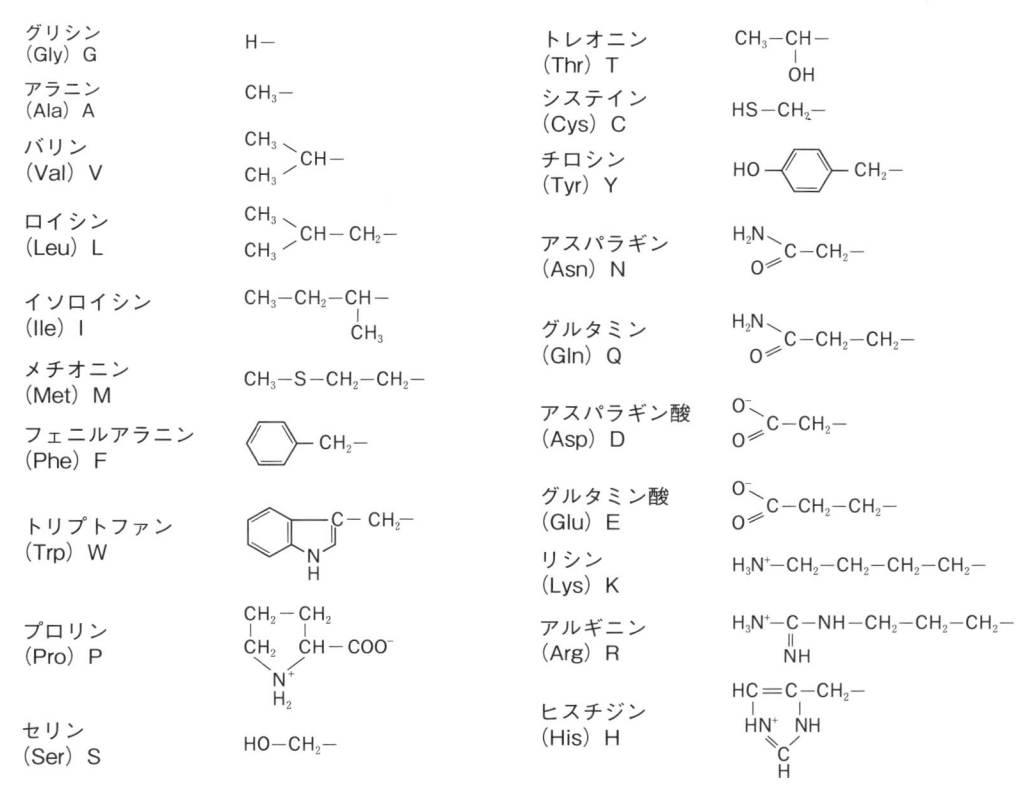

アミノ酸	側鎖	アミノ酸	側鎖
グリシン (Gly) G	H–	トレオニン (Thr) T	CH₃–CH– / OH
アラニン (Ala) A	CH₃–	システイン (Cys) C	HS–CH₂–
バリン (Val) V	(CH₃)₂CH–	チロシン (Tyr) Y	HO–C₆H₄–CH₂–
ロイシン (Leu) L	(CH₃)₂CH–CH₂–	アスパラギン (Asn) N	H₂N–CO–CH₂–
イソロイシン (Ile) I	CH₃–CH₂–CH(CH₃)–	グルタミン (Gln) Q	H₂N–CO–CH₂–CH₂–
メチオニン (Met) M	CH₃–S–CH₂–CH₂–	アスパラギン酸 (Asp) D	⁻O–CO–CH₂–
フェニルアラニン (Phe) F	C₆H₅–CH₂–	グルタミン酸 (Glu) E	⁻O–CO–CH₂–CH₂–
トリプトファン (Trp) W	(インドール)–CH₂–	リシン (Lys) K	H_3N^+–CH₂–CH₂–CH₂–CH₂–
プロリン (Pro) P	(環状構造 CH₂–CH₂–CH₂–CH–COO⁻ / NH₂⁺)	アルギニン (Arg) R	H_3N^+–C(=NH)–NH–CH₂–CH₂–CH₂–
セリン (Ser) S	HO–CH₂–	ヒスチジン (His) H	(イミダゾール)–CH₂–

図 1.1.2 蛋白質を構成する 20 種類のアミノ酸

蛋白質を構成する 20 種類のアミノ酸の名前，記号およびその側鎖の化学構造．プロリンは側鎖が主鎖のアミノ基と結合して環状になっているので，分子全体を示す．

ニン，トリプトファンなどの芳香族の側鎖は疎水性が強いので，蛋白質の立体構造で内側の，水と接触しない部分に埋め込まれている割合が多い．システインとメチオニンは，側鎖に硫黄を含む点で特徴がある．

蛋白質は合成後に生体内で化学構造が修飾される場合がある．蛋白質のN末端は，合成時は真核生物ではメチオニン，原核生物ではホルミルメチオニン（蛋白合成の開始に使われるメチオニル tRNA がホルミル化されるため）だが，多くの場合，蛋白質合成後にこれらのN末端アミノ酸残基は切り離される．膜蛋白質や分泌蛋白質の多くは，アミノ末端側十数残基のシグナルペプチドと呼ばれる部分が，合成後に切り離される．そのほかにも，主鎖の一部が切断されて成熟した蛋白質になる例は多い．

分泌蛋白質の多くでは，分子内の2つのシステイン残基が酸化されてジスルフィド結合をつくり，立体構造を安定化する．また，分泌蛋白質などのアスパラギン，セリン，トレオニンには，糖が付加されることも多い．シグナル伝達を行う細胞内蛋白質や膜蛋白質（細胞質に面している部分）のセリン，トレオニン，チロシンのOHは，蛋白質リン酸化酵素（プロテインキナーゼ）によりリン酸化されることがある．ヒストンのリシンの側鎖とN末端のアミノ基は，アセチル化を受ける．これらのリン酸化やアセチル化は，蛋白質の活性の調節に使われている．コラーゲンでは，プロリンの側鎖が水酸化される．そのほかに，グルタミン酸やリシンの側鎖のメチル化，側鎖またはC末端のカルボキシル基のポリ ADP リ

ボシル化，N末端アミノ基のミリストイル化，C末端のシステイン側鎖のファルネシル化やゲラニルゲラニル化，グルタミン酸側鎖のカルボキシル化などの化学修飾が知られている．

蛋白質の中には，ポリペプチド以外に，Ca^{2+}, Zn^{2+}, Fe^{3+}, Cu^{2+}, Mn^{2+} などの金属イオンやヘム，フラビンなどの低分子化合物を結合しているものもある．また，脂質が結合した蛋白質はリポ蛋白質，糖が化学結合した蛋白質は糖蛋白質と呼ばれる．酵素では，結合したイオンや低分子化合物が活性に重要な働きをしている例も多い．酵素機能に関与する低分子化合物は，透析などの操作により酵素から外れる場合は補酵素，酵素蛋白質を分解しないと外れない場合は補欠分子族と呼ばれる．〔桂　勲〕

*1 もとの構造と鏡に写した構造が右手と左手のように異なる非対称な化合物は，偏光の偏光面を回転させるので，光学活性があるという．
*2 側鎖，主鎖のpKは，いずれも典型的な値であり，蛋白質の立体構造内で置かれた環境により変わる．なお，pKとは，解離基がちょうど半分だけ解離しているpHの値を示す．

[文献]
1) ストライヤー，L.（入村辰郎他訳）：ストライヤー生化学（第5版），東京化学同人，2004.
2) レーニンジャー，A.L.（山科郁男監訳）：レーニンジャーの新生化学（上）（第2版），廣川書店，1993.
3) Creighton, T. E.: Proteins: Structures and Molecular Properties (2nd ed.), W. H. Freeman, 1993.
4) 赤堀四郎他編：タンパク質化学1，共立出版，1969.

1.2 蛋白質の立体構造

a. 一次〜四次構造

蛋白質はL型のα-アミノ酸がペプチド結合によって重合した直鎖状高分子であり，化学構造から見た場合はポリペプチドという（⇨1.1）．蛋白質の一次構造とはアミノ酸配列のことであり，遺伝子であるDNAの塩基配列で指定される[*1]．ジスルフィド結合は2つのシステイン残基の側鎖の間にできるS-S結合をいう．システイン残基が3つ以上あれば，ジスルフィド結合の組合せの可能性は複数存在するが，実際は一次構造が決まると一意に決まる．そのため，ジスルフィド結合を一次構造に含めることがある．

蛋白質の二次構造はポリペプチド鎖主鎖の間の水素結合（-NH…O=C-）によって安定化されてできる構造である（図1.2.1）．原子の立体的な衝突のために2つの原子は一定の距離以下には近づけない．そのため，ポリペプチド鎖のコンフォメーションは大幅に制限される．許容されるコンフォメーションの中で，とくにエネルギー的に安定な構造がα-ヘリックス（右巻きらせん構造）とβ-ストランド（伸びた構造）である．ペプチド鎖の方向を90度以上変える構造をターン構造と呼んで二次構造に含めることがある．このほかに，1巻き程度の3_{10}ヘリックス構造，プロリン残基を多く含む場合にみられるポリプロリンヘリックスII型，グリシン-プロリン-ヒドロキシプロリンの繰り返し配列をとるコラーゲン型ヘリックス構造がある．複数のβ-ストランドが集まって，隣り合

う主鎖の間に水素結合を形成することでβ-シートをつくる．シートと呼ぶのは全体が1枚の紙のようになるからである．隣り合う2本のストランドの相対配置には2種類あって，同方向と逆方向の場合がある．β-シートはどちらか一方のみを含むことが多く，平行（パラレル）β-シートあるいは逆平行（アンチパラレル）β-シートと呼ばれるが，両形が混在するβ-シートもある．β-シートにはバルジ構造と呼ばれる変則的な構造が含まれることがある．1残基以上余分なアミノ酸残基がβ-スト

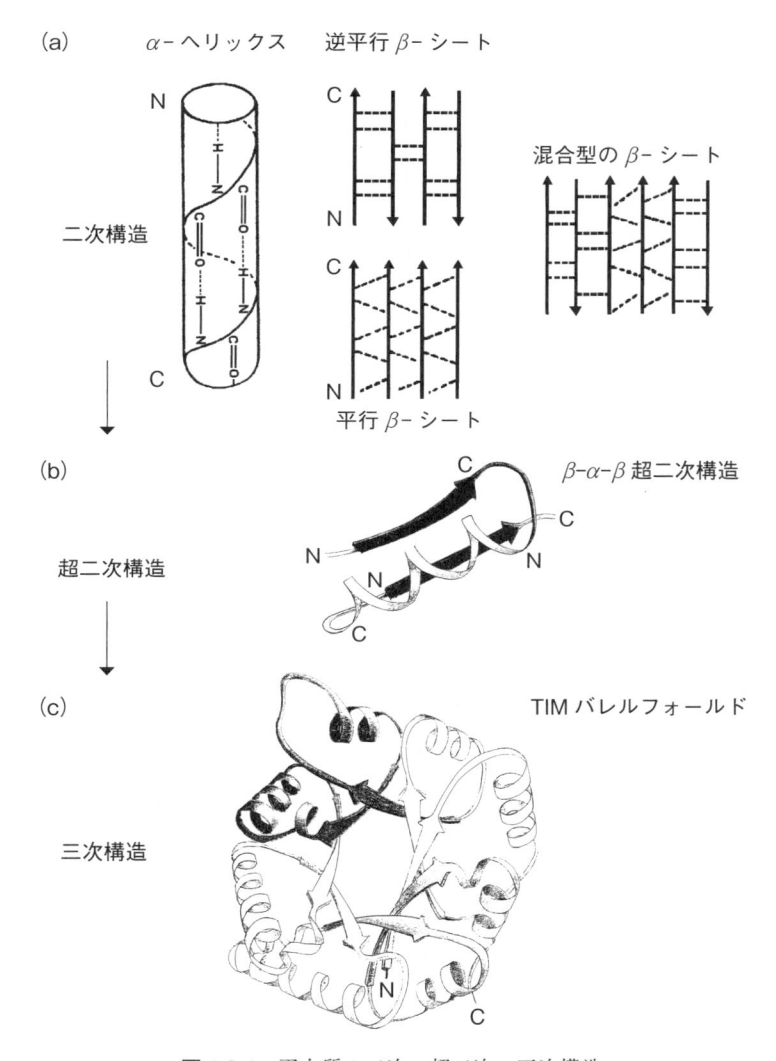

図1.2.1 蛋白質の二次・超二次・三次構造
(a) 二次構造の水素結合のパターン．α-ヘリックスではi番目と$i+4$番目の残基の間に水素結合ができる．β-シートではストランド間で水素結合が形成される．NはN末端，CはC末端を表す．
(b) 超二次構造の1つの例．β-α-β構造．
(c) β-α-β構造が連続して組み合わさって，三次構造をつくっている例．TIMバレルと呼ばれる．このフォールドは進化的に無関係な蛋白質で繰り返しみられるスーパーフォールドの例でもある．

ランドに挿入されるが，残基挿入の影響は局所的である．

蛋白質は自発的に折れたたまってコンパクトな立体構造をとる（⇨1.4）．これを蛋白質の三次構造と呼ぶ．三次構造は二次構造が組み合わさってできたと考えることできるが，二次構造と三次構造の区別はさほど厳密ではない．実際の蛋白質中ではα-ヘリックスは緩やかに曲がったり途中で折れ曲がったりするし，β-シートは少しずつねじれて全体では丸まった平面となっていて，全体的にコンパクトな構造形成を可能にしている．三次構造形成には疎水性コアの形成が重要であるが，50残基以下の短いポリペプチド鎖では，ジスルフィド結合や金属イオンが安定化に必須であることが多い．

超二次構造とは二次構造が集まって規則的な構造をつくる場合をいう．いろいろな蛋白質に共通して見出される二次構造の会合体である．α-ヘリックスが2～4本組み合わさって，互いにゆるく巻きついた構造をつくることがあり，コイルドコイル構造と呼ぶ．α-ヘリックスが2本から3本組み合わさって1つの構造単位となり，これが多数回繰り返して全体が超らせん構造をつくる場合がある．いくつか種類があって，アルマジロリピート，TPRリピート，HEATリピートなどと分類される．また，一次構造上連続した2本のβ-ストランドが逆平行に寄り添って，その間が短いターンでつながった構造をβ-ヘアピン，3本のβ-ストランドが逆平行シートをつくり，2つのβ-ヘアピンが連続した形になったものをβ-屈曲構造（β-meanders）と呼ぶ．β-ストランドが平行に規則的に積み上がってβ-ヘリックスと呼ばれる構造をつくることもある．α-ヘリックスとβ-ストランドが組み合わさるとβ-α-β単位構造をつくる．これが2つ組み合わさって，ロスマンフォールド（Rossmann fold）をつくったり，多数繰り返して1つの蛋白質をつくる場合もある（図1.2.1）．

複数のポリペプチド鎖が一定の比率で会合して1つの集合体をつくっている場合がある．この集合状態を指して蛋白質の四次構造という．四次構造形成は非共有結合を介して起こるのが基本であるが，ポリペプチド鎖間のジスルフィド結合や側鎖間の共有結合が形成される場合もある．ポリペプチド鎖の個数によって，二量体，三量体などという．五量体，七量体などの奇数も可能であって，たくさん集まるとリング（円筒形）をつくることが多い．また，二量体でも同種のポリペプチド鎖が集まる場合をホモ二量体，異種の場合をヘテロ二量体という．

b. 内部回転とラマチャンドランプロット

ポリペプチド鎖の共有結合距離と結合角は一定とみなせる．すると，ポリペプチド鎖の立体構造は単結合のまわりの内部回転角で記述することができる．ポリペプチド主鎖はϕ, ψ, ωの3つの内部回転角によって，側鎖はχ_1, χ_2, χ_3…によって記述される（図1.2.2）．ペプチド結合には約40%の二重結合性がある．そのため，ペプチド結合まわりの回転角ωは固定されているとみなせる．蛋白質中ではほとんどの場合，トランス型（$\omega=180°\pm10°$）をとるが，プロリン残基のN末端側のペプチド結合（X-Pro）ではシス型（$\omega=0°\pm10°$）をとることがときどきある．ωがほぼ固定されていることから，ペプチド主鎖の立体構造は1残基あたり2つの内部回転角ϕとψによって記述される．原子がぶつからないでエネルギー的に許容される（ϕ, ψ）の値の領域を示した二次元の図をラマチャンドランプロットという（図1.2.2）．ラマチャンドランプロットは単純であるが，ペプチド鎖の立体構造について多くの情報を与える．許されるϕとψの組はそのまわりに多少の自由度を許して2ヵ所しか存在しない[*2]．そのなかでとくに水素結合で安定

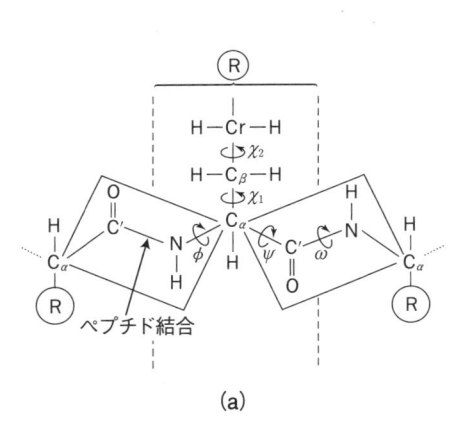

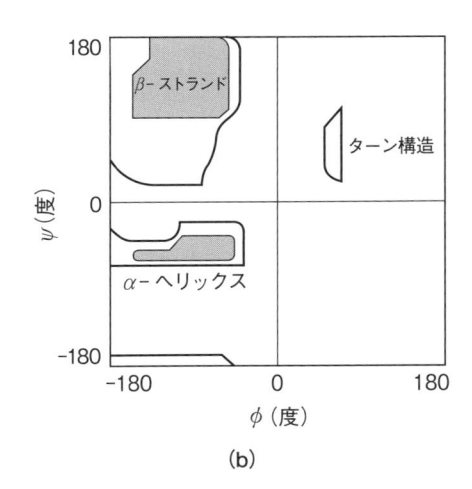

図 1.2.2　ポリペプチド鎖の内部回転角とラマチャンドランプロット
(a) ポリペプチドのコンフォメーションを記述するための内部回転角．R は側鎖を表している．主鎖構造は ϕ, ψ, ω の 3 つの回転角で，側鎖構造は χ_1, χ_2 …で規定される．ペプチド結合のまわりの回転角 ω は 180°または 0°近くに固定され，ペプチド平面をつくる．
(b) ラマチャンドランプロット．網掛けの部分は原子どうしの衝突がなく，許容されるコンフォメーション．β-ストランド，α-ヘリックスを含む領域が最安定である．ポリプロリンヘリックス II 型とコラーゲン型ヘリックスは β-ストランドの領域に，3_{10} ヘリックスは α-ヘリックスの領域にある．ターン構造に相当する領域があるが，これは 2 残基の関係をそのまま延長すると左巻きの α-ヘリックスになるような局所構造である．ただし，エネルギー的に不利なので実際には左巻きの α-ヘリックスは存在しない．

されるコンフォメーションが α-ヘリックスと β-ストランドである．

c.　立体構造の分類

蛋白質の二次構造の種類と相対位置関係およびそれらの間の連結の仕方を指して，フォールドと呼ぶ．このとき，側鎖の違いや多少の長さの不一致は無視する．主鎖のトポロジーということもある．フォールドにもとづいて蛋白質の三次構造を分類できる．ただし，2 つの蛋白質が同一のフォールドをもつか否かをきちんと定義することはそれほど簡単ではなく，人間の主観が入るような問題である．進化的に関連した蛋白質は基本的に同一のフォールドをもつ．ただし，明らかに進化的に無関係であると思われるのに，同一のフォールドをもつ場合がいくつか知られている．これらのフォールドをスーパーフォールドと呼ぶ．統計学的な推定にもとづいて，自然界に存在するフォールドの総数は 1000 から多くても数千であると予想されている．構造ゲノミクスはこの基本フォールドをすべて網羅的に決めてしまうことを目指すプロジェクトであり，多数の蛋白質の三次構造を機械的に決めていくことを目指している．

d.　立体構造決定法

蛋白質の立体構造を決定するには 4 種類の方法がある．X 線単結晶解析，溶液 NMR，電子顕微鏡による二次元結晶解析，電子顕微鏡による単粒子像解析である（表 1.2.1）．単粒子像解析以外は原子分解能の立体構造を得ることができる．このほかに，固体 NMR や中性子線回折などの方法が期待されている．X 線結晶解析は対象となる分子に制限が最も少なく，低分子からウイルス粒子まで立体構造決定ができる．解析において分子置換法が使えるのが大きな利点である．大きな蛋白質複合体を解析する

表 1.2.1 蛋白質の立体構造の決定法

方　法	原　理	試料の状態	特　徴	短　所
X線単結晶解析	X線の回折	三次元単結晶	方法論の確立，高分解能 分子置換	結晶化
溶液 NMR	核磁気共鳴現象による分光	水溶液	結晶化が不要，運動性や弱い相互作用の検出	分子量の上限（3万以下）
電子顕微鏡による二次元結晶解析	電子線の回折	二次元単結晶 非結晶氷包埋	膜蛋白質に有効	結晶化
電子顕微鏡による単粒子像解析	画像処理	単分散状態の負染色または非結晶氷包埋	大きな複合体の概観，対称性の情報，試料量が少量でよい．	分解能が低い．方法論が発展途上

場合に，その部分構造，たとえばあるサブユニットだけを単独で結晶化して構造解析を行い，その結果を用いて，全体の結晶構造を分子置換法で決定できる．溶液 NMR の最大の利点は，結晶操作が不要で溶液中の構造であることである．立体構造の情報とともに構造の動的な情報も得ることができる．最近では水素結合の直接検出が可能となった．電子線二次元結晶解析は電子線を使った結晶解析であり，X線結晶解析では困難な膜蛋白質の解析に有利であると期待されている．単粒子像解析は，蛋白質の巨大会合体の全体的な大まかな形をみるのに適している．結晶化操作が不要な点が利点である．逆にそれぞれの弱点をあげると，X線結晶解析と電子線二次元結晶解析では蛋白質の結晶を得る必要があるがこれがボトルネックである．結晶内では蛋白質分子どうしは接触している．この接触を「パッキング」と呼ぶが，これが生物学的に意味のある相互作用なのか，単に結晶をつくるために起こった相互作用なのかを見分けることがむずかしい．溶液 NMR では対象となる蛋白質の分子量に上限が存在する．ただし，これを緩和する新しい測定法も提案されている．分子置換法に相当する方法がないのも欠点である．電子顕微鏡単粒子像解析は1つ1つの像が不鮮明なため，多数の像の平均をとる必要がある．いろいろな方向から見た像があるので，平均化操作の前にどの方向から見たものかを分類する必要があるが，これがむずかしい．安易に行うと誤った結論に至る可能性がある．また，像だけで判断するので試料の純度はかなり高い必要がある．いまのところ，低分解能（15 Å程度）にとどまっている．

〔神田大輔〕

*1 ただし，翻訳後修飾によって異なるアミノ酸残基へ変換される場合がある．特殊な例ではあるが，mRNA が編集されて DNA では指定されないアミノ酸が入る場合がある．
*2 グリシンとプロリンの場合は例外である．グリシンは側鎖が水素原子であるために，もっと広いコンフォメーションが許される．プロリン残基ではリング構造をもつために，ϕ は $-60° \pm 20°$ の範囲に制限される．

[文献]
1) ブランドン，C.，トゥーズ，J.（勝部幸輝他訳）: 蛋白質の構造入門（第2版），ニュートンプレス，2000.
2) 中村春木他編: 蛋白質のかたちと物性（シリーズ・ニューバイオフィジックス 1），共立出版，1997.
3) 濱口浩三: 改訂蛋白質機能の分子論，学会出版センター，1990.
4) 柳田充弘他編: 分子生物学，第3章，東京化学同人，1999.

1.3 蛋白質の物性

ひと口に蛋白質といってもその大きさや形は多種多様である．繊維状蛋白質ではコラーゲンのように長さ300 nmほどとなるものもあるが，典型的な球状蛋白質はアミノ酸数百残基からなり，分子量数万，直径数nm程度である．原子レベルで解明された立体構造を見てみると，α-ヘリックスやβ-シートが延々と続くということはまずなく，α-ヘリックスでは2～4巻ほど，β-シートでは5～6残基ほどで折り返されることが多い（図1.3.1）．このような折り返し位置もアミノ酸配列の中に暗号化されていると考えられている．アミノ酸配列がわかればアミノ酸残基の式量の和として蛋白質の分子量を求めることもできるが，未知蛋白質を細胞から抽出してきた場合や糖鎖などアミノ酸以外の成分が付け加わる場合には実験で分子量を求めるしかない（⇨10.18, 10.19）．蛋白質は密に折りたたまれており，その体積はアミノ酸残基の体積の和で近似できる．溶液中で単位質量あたりの蛋白質が占める体積（密度の逆数）を偏比容という．偏比容は本来蛋白質溶液の比重から求められるものだが，試料が少量で事実上測定不能な場合には，アミノ酸残基の比容（表1.3.1）を重量平均することでもかなり良い推定値が得られる．

側鎖の解離基や主鎖末端のアミノ基，カルボキシル基によるほか，溶液中の種々のイオンが結合しても蛋白質は電荷を帯びる．結合したイオンに由来するものも含め，正負電荷の代数和（実効電荷）が0となるpHを等電点といい，実験的には電気泳動速度が0となるpHとして求められる．H^+以外のイオンも結合する場合，等電点は厳密には溶媒ごとに決めるべきものとなる．一方，H^+以外のイオンは結合しないとして，蛋白質固有の酸性基から解離したH^+の数（負の価数）と塩基性基に結合したH^+の数（正の価数）とが等しくなるpHを等イオン点という．等イオン点は，実験的には正負の両イオン交換樹脂を詰めたカラムに蛋白質を通し，H^+，OH^-より他のイオンを除去した状態で蛋白質が溶出されてくるpHとして求められるが，等電

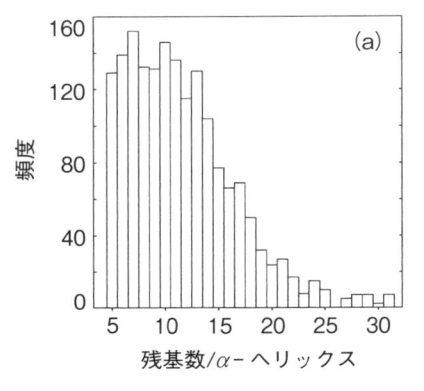

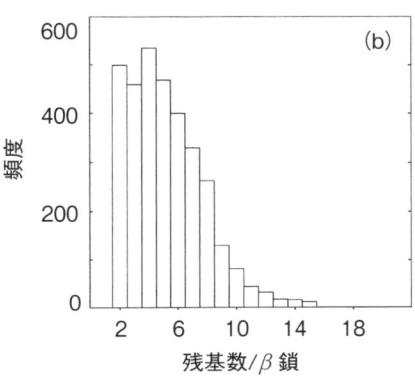

図1.3.1 蛋白質における二次構造の大きさ
互いに相同ではない立体構造をとる299種の蛋白質内での（a）α-ヘリックス，（b）β鎖の長さの分布．平均値はα-ヘリックスで11.62残基，β鎖で5.25残基．(Penel, S. et al.: *J. Mol. Biol.* **293**, 1211-1219, 1999 に掲出のデータにより作成)

表 1.3.1 アミノ酸残基の比容

側鎖が電気的に中性であるときの値．アミノ酸残基 i の比容を V_i，蛋白質中に占める重量比を W_i とすると，蛋白質の偏比容の推定値は $V = \Sigma W_i V_i / \Sigma W_i$ で得られる．(Kharakoz, D. P.: *Biochemistry* **36**, 10276-10285, 1997 に掲出のデータにより作成)

アミノ酸残基	比容 V_i (cm^3/g)	アミノ酸残基	比容 V_i (cm^3/g)
Gly	0.657	Trp	0.742
Ala	0.770	Phe	0.789
Val	0.858	Tyr	0.723
Leu	0.901	His	0.679
Ile	0.882	Asn	0.627
Pro	0.770	Gln	0.688
Ser	0.631	Asp	0.596
Thr	0.703	Glu	0.651
Met	0.759	Arg	0.776
Cys	0.656	Lys	0.825

点と混同されることも多い．

　側鎖の極性基や主鎖のペプチド結合は電気双極子となるが，双極子モーメントにはベクトル加法性が成り立つので，蛋白質分子全体もまた電気双極子として振る舞う．静電場中の蛋白質（分子量 M，密度 ρ，誘電率 ε）は永久双極子 μ の向きを揃えるよう配向し，さらに正負の電荷分布の重心がずれて分極（分極率 α）を生じる．静電場 E により誘起される双極子の大きさをモルあたり pE とすると，モル分極 p はデバイ (Debye) の式で与えられる（真空の誘電率 ε_0，アボガドロ定数 N_A，ボルツマン定数 k_B，絶対温度 T）．

$$p = 4\pi\varepsilon_0 \frac{(\varepsilon - \varepsilon_0)M}{(\varepsilon + 2\varepsilon_0)\rho}$$
$$= \frac{4\pi N_A}{3}\left(\alpha + \frac{\mu^2}{3k_B T}\right)$$

電場が周期的に変動する場合，モル分極は周波数に依存するが，蛋白質の屈折率を n とすると $n^2 = \varepsilon/\varepsilon_0$ ゆえ，屈折率もまた測定に用いる電磁波の周波数によって異なってくる．

　X線結晶構造解析でわかるのは結晶中での各原子の平均的な位置であるが，溶液中の蛋白質の構造は熱運動で衝突してくる溶媒分子の中にあってゆらいでいる．共有結合など蛋白質を構成する多くの原子をつなぐ結合には平衡点を中心に振動するばねのような性質があり，蛋白質分子全体が大きく変形するような基準振動の存在することが示されている（⇨8.8）．最近，原子間力顕微鏡の応用により，蛋白質1分子あるいは α-ヘリックスを引っ張る際にどの程度の力がかかるかが測定され，そのばね定数について数十 pN/nm という値が報告されている．これは共有結合のばね定数よりも1桁ほど小さな値となっている．

　$-$O$-$H 伸縮振動や $-$C$=$O 伸縮振動など双極子モーメントの変わる分子内振動は赤外線を吸収して励起される．赤外吸収スペクトルのピーク位置から結合のばね定数が推定できるが，その変化は結合の強さの変化を反映しており，水素結合の形成などを追跡するのに利用される．また，吸収スペクトルの異方性から試料の配向に関する情報が得られる．一方，側鎖芳香環やペプチド結合の電子は紫外線を吸収して励起される．蛋白質がヘムやクロロフィル，レチナールなどの色素を含む場合には可視光の吸収も起きる．紫外可視領域の吸収スペクトルの変化は吸収に関与する電子のエネルギー準位の変化を反映しており，蛋白質中の微視的環境についての情報源となる．吸収によって励起された電子が励起状態から基底状態に戻る際，さらに別の準位を経る場合には蛍光を発することがある．トリプトファンやチロシンが蛋白質内部の疎水的な環境から溶媒の水に露出する親水的な環境に移動すると，その紫外吸収や蛍光は短波長側に移動するので（ブルーシフト），変性の指標として利用される．なお各種分光法の詳細は第9章を参照されたい．

　蛋白質が塩溶液等の溶媒に溶ける限度を溶解度といい，飽和溶液中の蛋白質濃度で表す．溶解度は主に分子表面に分布する側鎖に左右される．可溶性蛋白質では親水性

側鎖が表面に分布して溶媒中のイオンや水分子とイオン結合や水素結合を形成し安定化されているが,疎水性側鎖が露出するとその周囲で水分子が局所的な規則構造(氷塊)を形成しエントロピー的に不利となる.膜蛋白質では膜成分を除去するといちじるしく溶解度が下がるが,これは,膜に埋もれる部分で表面に疎水性側鎖が露出しており,互いに疎水的表面を覆うよう蛋白質が凝集するためと考えられている.疎水性の指標には有機溶媒から水へ移した際の自由エネルギー変化(移相エネルギー)$\Delta G_{transfer}$ が用いられる.氷塊を形成する水分子が多いほどエントロピー的に不利で高い疎水性を示すと予想されるが,実際,脂肪族側鎖をもつアミノ酸の移相エネルギーは溶媒露出表面積と相関がある.一方,電荷や極性をもつ側鎖では表面積が同程度の脂肪族側鎖に比べ,かなり低い移相エネルギーを示す(図1.3.2).等電点近傍では蛋白質粒子間の静電的反発力が抑えられて凝集・沈殿しやすくなる(等電沈殿).塩濃度が高くなっても反対符号のイオンを引き寄せることで表面電荷が遮蔽され,やはり沈殿しやすくなる(塩析).逆に,等電点における溶解度は塩濃度の低いうちはイオン強度にほぼ比例して増加する場合があるが(塩溶),これは極性をもつイオンとの双極子間相互作用により安定化されるためと考えられている.

単位量の物質の温度を単位温度だけ上昇させるのに要する熱量を比熱という.蛋白質溶液の温度を徐々に変化させながら,その際の熱の出入りを断熱型示差走査熱量計で測定すると比熱の温度依存性がわかる.蛋白質では熱変性の前後で図1.3.3のような比熱の異常が現れるが,これは熱変性の際に水素結合が切れたり疎水性相互作用が損なわれたりすることに対応している.特

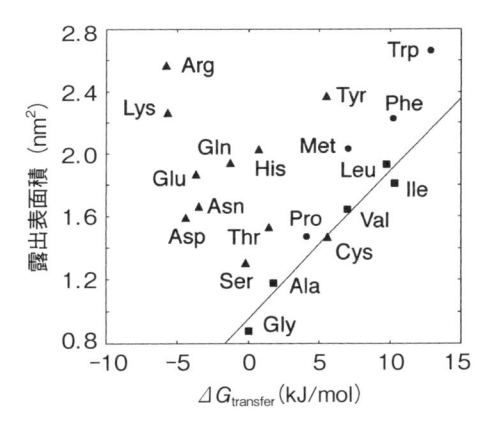

図 1.3.2 アミノ酸の表面積と移相エネルギー
縦軸はアミノ酸残基の溶媒露出表面積で,蛋白質中でのコンフォメーションにもとづいて計算された表面積の平均値(Rose, G. D. *et al.*: *Science* **229**, 834-838, 1985).横軸は溶媒をオクタノールから水へ変えた際の移相エネルギーの推定値で,各溶媒相におけるアミノ酸誘導体の濃度から得られた値.$\Delta G_{transfer} = -RT \ln(C_{水}/C_{オクタノール})$(Eisenberg, D. and McLachlan, A. D.: *Nature* **319**, 199-203, 1986).側鎖の寄与を示すようグリシン誘導体での値を差し引いてあり,図の左側ほど親水的,右側ほど疎水的となる.(■)脂肪族側鎖(グリシンを含む).(▲)電荷または極性基をもつ側鎖.(●)その他の側鎖.図中の直線は脂肪族側鎖に対する回帰直線である.

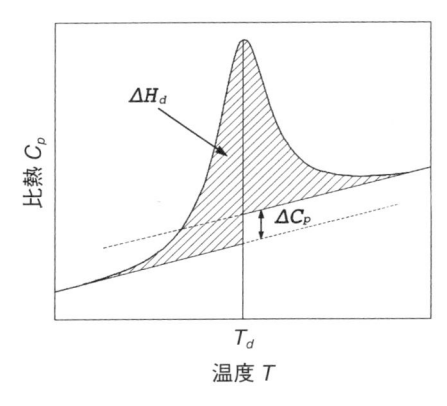

図 1.3.3 熱変性点(T_d)近傍での蛋白質の比熱曲線の模式図
測定から転移に伴う潜熱(ΔH_d)と比熱のとび(ΔC_p)が得られる.転移点近傍での変性に伴うエンタルピー変化 ΔH,エントロピー変化 ΔS,自由エネルギー変化 ΔG は次式により得られる.

$\Delta H = \Delta H_d + \Delta C_p(T - T_d)$
$\Delta S = \Delta H_d/T_d + \Delta C_p \ln(T/T_d)$
$\Delta G = \Delta H - T\Delta S$

徴的なのは転移温度前後のある範囲にわたって比熱が連続的に変化していることで，蛋白質の熱変性が有限系の一次相転移であることの反映と考えられている．

〔松本友治・永山國昭〕

[文献]

1) 永山國昭：生命と物質－生物物理学入門，東京大学出版会，1999．
2) Schultz, G. E. and Schirmer, R. H.: Principles of Protein Structure, Springer-Verlag, 1979.（大井龍夫他訳：タンパク質－構造，機能，進化，化学同人，1980）
3) 日本生物物理学会編：生物物理実験ハンドブック（続生物物理学講座 12），吉岡書店，1970．
4) Tanford, C.: Physical Chemistry of Macromolecules, John Wiley & Sons, 1961.
5) Edsall, J. T. and Wyman, J.: Biophysical Chemistry, Academic Press, 1958.

1.4 蛋白質のアンフォールディングとフォールディング

a. アンフォールディング転移

一般に，蛋白質の天然立体構造は生理的条件下（pH 中性，室温，常圧，適度な塩濃度）で安定であるが，これから大きくずれると構造がこわれる．このような立体構造転移をアンフォールディング（あるいは変性）という．アンフォールディング転移は，蛋白質の天然構造を安定化している非共有結合性相互作用（ファン・デル・ワールス力，水素結合，静電相互作用，疎水性相互作用）が破壊されることによって引き起こされる．蛋白質のアンフォールディングは協同的であり，その協同性は，鎖に沿って長距離の特異的相互作用の破壊が分子全体の構造を不安定化することによってもたらされる．

アンフォールドした状態（あるいは変性状態）はさまざまな構造のアンサンブルであり，その平均構造はアンフォールディング条件により異なる．一般に，尿素や塩酸グアニジンなどの強力な変性剤の高濃度下（6～8 M）では，蛋白質は十分にアンフォールドしてランダム・コイルに近い性質を示す．一方，酸や塩基により pH を変えたときや熱を加えたときのアンフォールディングは不完全であることが多い．

(1) 二状態転移と熱力学的解析

多くの球状蛋白質のアンフォールディングは可逆であり，以下のように，天然状態（N）とアンフォールドした状態（U）間の二状態転移として近似的に取り扱うことができる．

$$N \rightleftharpoons U \qquad (1)$$

アンフォールディングが二状態転移で表される場合，図1.4.1 (a) と (c) のように，さまざまの異なる物理的パラメータ（たとえば，二次構造を反映するペプチド領域の円二色性と側鎖のパッキング構造を反映する芳香族領域の円二色性）で転移を観測しても，N状態を0，U状態を1として規格化すれば，すべての転移曲線が重なって一致する．

二状態転移においては，転移反応の平衡定数 $K_{NU}(=[U]/[N])$ を見かけの転移の割合 f_{app} を用いて $K_{NU} = [f_{app}/(1-f_{app})]$ と表すことができるので，転移の標準自由エネルギー変化 ΔG_{NU} は，

$$\Delta G_{NU} = -RT \ln K_{NU}$$
$$= -RT[f_{app}/(1-f_{app})] \quad (2)$$

で与えられる．ここで，R と T は気体定数と絶対温度である．アンフォールディング転移を熱力学的に特徴づけるには，ΔG_{NU} が変性剤濃度，pH，温度などの溶液条件にどのように依存するかを明らかにしなければならない．

変性剤によるアンフォールディングでは，経験的に，ΔG_{NU} が変性剤モル濃度 [A] に対して直線的に依存し

$$\Delta G_{NU} = \Delta G_{NU}^{H_2O} - m \cdot [A] \quad (3)$$

で表されることが知られている（図1.4.2）．ΔG_{NU} を変性剤濃度ゼロに外挿して得られる $\Delta G_{NU}^{H_2O}$ は，天然条件下でのアンフォールディングに伴う標準自由エネルギー変化，つまり天然状態の熱力学的安定性を与えることになる．$\Delta G_{NU}^{H_2O}$ は通常 20〜60 kJ/mol 程度である．

式（3）が実験結果とよく合う理由は，変性剤の蛋白質への結合が化学量論的結合ではなく選択的相互作用であり，変性剤分

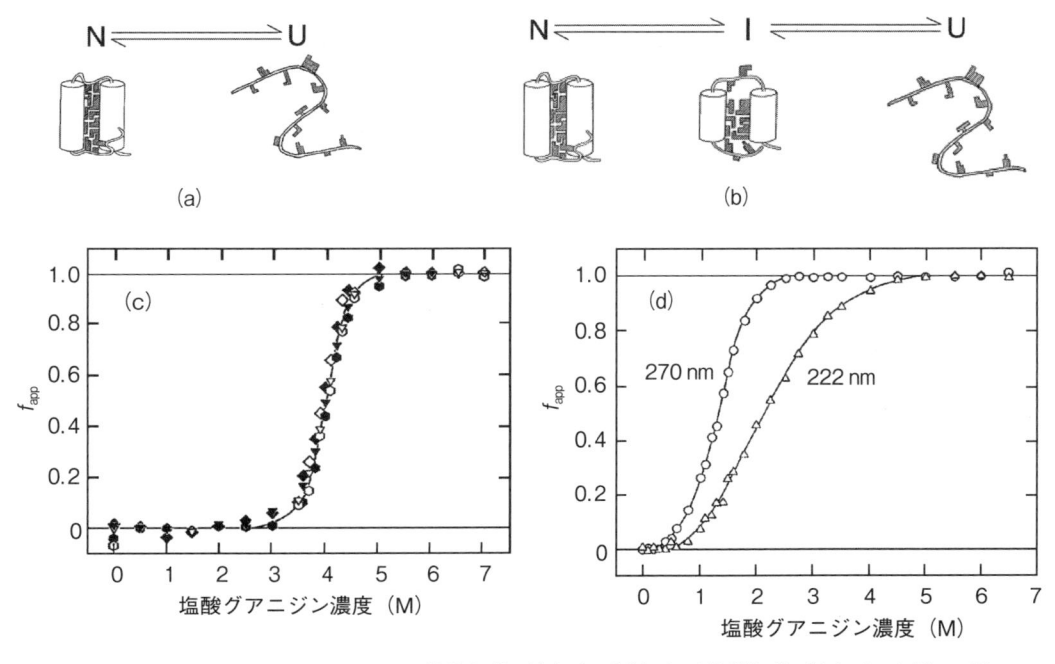

図 1.4.1 アンフォールディングの二状態転移（(a) と (c)）と三状態転移（(b) と (d)）の例 (a) と (b) は模式図を示し，(c) と (d) は実際に観測されたアンフォールディング転移を示す．(c) ニワトリ・リゾチームの例．それぞれ異なるシンボルは違う構造パラメータによって測定した転移曲線であり，すべての転移曲線が一致する．(d) ウシ・α-ラクトアルブミンの例．ペプチド領域の円二色性で観測した転移曲線（△）の方が芳香族側鎖の円二色性で観測した転移曲線（○）よりも塩酸グアニジン高濃度側にあり中間体の存在を示す．

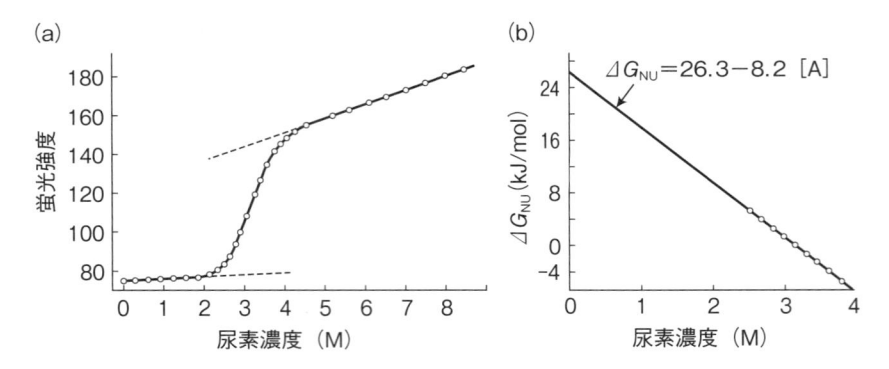

図1.4.2 蛍光スペクトルにより観測したリボヌクレアーゼAの尿素によるアンフォールディング転移曲線（a）と標準自由エネルギー変化 ΔG_{NU} の変性剤濃度依存（b）

子と蛋白質分子表面との選択的相互作用の自由エネルギー変化が変性剤濃度に直線的に依存するためである．したがって，式(3)の m は蛋白質のアンフォールディングに伴って露出してくる蛋白質分子の溶媒接触表面積（solvent-accessible surface area）の変化量に比例する．

通常，室温以上の温度における蛋白質のアンフォールディングは，特異的相互作用の破壊による大きなエンタルピー増加 ΔH_{NU} とコンフォメーションエントロピーなどの大きなエントロピー増加 ΔS_{NU} を伴う． $\Delta G_{NU} = \Delta H_{NU} - T\Delta S_{NU}$ であるので， ΔG_{NU} は2つの大きな量の差となる．二状態転移に対しては平衡定数 K_{NU} の温度依存（ファント・ホッフ（van't Hoff）の関係）より

$$-R\left[\frac{\partial \ln K_{NU}}{\partial (1/T)}\right]_P = \Delta H_{NU} \quad (4)$$

として， ΔH_{NU} を得ることができる．このようにして得られた ΔH_{NU} が，示差走査型熱量計などにより直接求められたエンタルピー変化 ΔH_{cal} と一致することが熱力学的に二状態転移であることの証明となる．

蛋白質の ΔH_{NU} と ΔS_{NU} は通常温度とともに上昇し， ΔH_{NU} の温度係数である定圧熱容量変化 $\Delta C_P (= (\partial \Delta H_{NU}/\partial T)_P)$ は，アミノ酸1残基あたり40〜80 J/K/mol程度である． ΔC_P は，主に，アンフォールディングによる疎水性相互作用の破壊によってもたらされる． $\Delta C_P \gg 0$ であるため， $\Delta G_{NU}^{H_2O}$ の温度依存には曲率があり， $\Delta G_{NU}^{H_2O} = 0$ となる転移点が2点生じる．高温側は通常の熱変性であり，低温側は低温変性と呼ばれる．低温変性は0℃以下の過冷却温度で起こることが多い．

(2) アンフォールディング中間体とモルテン・グロビュール状態

N状態とU状態以外に安定なアンフォールディング中間体， $I_1, I_2, \cdots$ が存在する場合，転移を調べるのに用いた観測値を y とし，N状態，U状態，中間体の y を，それぞれ， $y_N, y_U, y_{I_1}, y_{I_2}, \cdots$ とすれば，

$$\begin{aligned} y &= f_N y_N + f_U y_U + \sum_{i=1}^{n} f_{I_i} y_{I_i} \\ f_N &= 1 - f_U y_U - \sum_{i=1}^{n} f_{I_i} y_{I_i} \end{aligned} \quad (5)$$

である（ここで， f_N, f_U, f_{I_i} は各状態の割合を表す）．したがって，原理的には，中間体の数 n とすれば， $n+1$ 通りの観測値で求められた転移曲線があれば，上式から各状態の割合を求め，前節と同様に熱力学的解析が可能となる．

しばしば，穏やかな変性条件（酸性pH，中程度の変性剤濃度（塩酸グアニジン2M程度））下で，蛋白質がNとUとの間の中間的な状態（モルテン・グロビュール状態）（I）を示し，全アンフォールディ

グが N⇌I⇌U の三状態転移で表されることがある．モルテン・グロビュール状態の特徴は，① 天然様二次構造，② 側鎖の稠密パッキングを伴った特異的三次構造の消失，③ ナノ秒以上の時間スケールにおける動的構造，④ 分子サイズのコンパクトさと主鎖トポロジーの形成，⑤ 溶媒水分子と接触可能な緩く折りたたまれた疎水性コアの形成，などである．図 1.4.1(b) と (d) はモルテン・グロビュール状態が観測される例であり，塩酸グアニジン 2M 前後において主鎖二次構造は残されているが芳香族側鎖の規則構造が失われた中間体が観測される．蛋白質のアンフォールディング転移が，見かけ上二状態的となるかモルテン・グロビュール中間体を示すかは各状態間の相対的な安定性により決まる．多くの球状蛋白質において，モルテン・グロビュール状態は巻き戻り反応初期に形成される状態と等価であることが知られており，フォールディング中間体として注目されている．

b. フォールディング

蛋白質のフォールディングは一次元のアミノ酸配列（＝遺伝情報）から三次元の蛋白質天然立体構造が形成される過程である．蛋白質は鎖状高分子であるが，通常の鎖状高分子とは異なって，固有の特異的天然立体構造をもち，この立体構造が生物機能をもたらす．したがって，フォールディングは，遺伝情報から生物機能が発現される過程の最終段階であり，フォールディングを示す蛋白質の性質は化学進化と生物進化によりもたらされたものである．しかし，一方，有名なアンフィンセン（Anfinsen）らの可逆的フォールディングの実験から，蛋白質のフォールディングに必要なすべての構造情報はそのアミノ酸配列中に含まれており，天然構造は蛋白質分子とまわりの水を含んだ全系の熱力学的最安定（自由エネルギー最小）状態であると考えられる．この意味において，蛋白質フォールディング現象は生命現象と物理化学現象の境界に位置するものといえる．

蛋白質フォールディング機構の研究には，① 試験管内（*in vitro*）での代表的な蛋白質の巻き戻り反応を物理的観測手段を用いて実験的に追跡する（実験），② 計算機中に蛋白質系を構築してそのアンフォールディングやフォールディング過程を分子動力学法などによりシミュレーションする（分子シミュレーション），③ 格子蛋白質などの単純化された蛋白質模型を用いてフォールディングの物理的特性を理論的に追跡する（理論），などがある．また，密接な関連研究として，① 細胞中の蛋白質構造形成にかかわる分子シャペロンの研究，② プリオン病やアルツハイマー病などのコンフォメーション病に関する研究，③ 蛋白質のアミノ酸配列から立体構造を経験的に決めるための立体構造予測研究，などがある．

鎖状高分子としての蛋白質の可能なコンフォメーション数は膨大であり，それらの間のランダム探索をすべて成し遂げるには天文学的な時間がかかる．それにもかかわらず，天然の蛋白質はきわめて短時間に天然構造に到達する．これら 2 つの事実間の明確な矛盾はレビンタール（Levinthal）パラドックスとして知られている．伝統的な考え方によれば，蛋白質の効率的なフォールディングは固有のフォールディング経路が存在するためであるとされる．したがって，そのような経路上にはフォールディング中間体が存在し，このような中間体の検出と特徴づけが実験的研究の目標とされてきた．現在では，100 残基以上よりなる多くの球状蛋白質に対しフォールディング反応初期の中間体の形成が知られている．しかし，より小さな単一ドメインの蛋白質では中間体を蓄積せずに見かけ上二状態的に折りたたまっていく例も知られており，これら一見異なって見えるフォールディング挙動を統一的に説明できるモデル

はまだ十分確立しているとはいえない．

フォールディングの理論研究では，いちじるしく単純化されてはいるが，レビンタールパラドックスが十分成立するようなモデルが用いられている．このようなモデルを用いてフォールディング反応のエネルギー地形を論ずる研究が数多くなされ，蛋白質フォールディングのファネルモデルという新しい概念が生まれた．ファネルモデルでは蛋白質のフォールディングを，固有の経路を用いて記述するのではなく，エネルギー地形上に存在する多数の蛋白質分子の統計的アンサンブルの時間変化として記述する．天然構造への効率的なフォールディングはエネルギー地形が全体として天然構造にバイアスのかかったような形をしているためであると考えられる．

(1) フォールディングの初期中間体

α-ラクトアルブミン，アポミオグロビン，リゾチーム，リボヌクレアーゼHなどの代表的な球状蛋白質について，巻き戻り反応初期に過渡的に蓄積する中間体の特徴付けがなされている．ストップトフロー円二色性，ストップトフロー蛍光スペクトル，ストップトフローX線散乱，水素交換ラベル二次元NMRスペクトルなどの速度論的実験法と蛋白質変異体作成などの蛋白質工学的実験法により，中間体の構造がアミノ酸残基レベルで明らかにされている．中間体はアンフォールドした状態と天然状態間の中間的なモルテン・グロビュールとしての性質をもっており，蛋白質構造の階層性を反映してフォールディングが階層的に起こることを示していると考えられている．

(2) フォールディングの速度論

蛋白質の可逆的なフォールディング-アンフォールディングは，化学反応と同様に反応速度論的に取り扱うことができる．フォールディングの速度論的な解析から，中間体が反応速度論的にも $N \rightleftharpoons I \rightleftharpoons U$ のように N と U との間の中間体であることがわかる．また，反応速度論的な解析から，フォールディング速度過程がアンフォールドした状態の遅い異性化反応（プロリンペプチド結合のまわりのシス-トランス異性化など）により律速される場合があることも知られている．

反応速度論的解析では，遷移状態解析を行って，フォールディングの分子機構を解明することが1つの目標となる．簡単のため，二状態転移が成立する場合を考えると，可逆的フォールディングは順方向と逆方向の微視的速度定数 k_f と k_u を用いて，

$$U \underset{k_u}{\overset{k_f}{\rightleftharpoons}} N \quad (6)$$

のように表される．遷移状態説とのアナロジーより，フォールディングとアンフォールディングの活性化自由エネルギーをそれぞれ $\Delta G_f^\ddagger$ と $\Delta G_u^\ddagger$ とすれば，

$$\Delta G_f^\ddagger = RT[C - \ln(k_f/T)] \\ \Delta G_u^\ddagger = RT[C - \ln(k_u/T)] \quad (7)$$

が成り立つ．平衡定数 $K_{NU} = k_u/k_f$，$\Delta G_{NU} = \Delta G_u^\ddagger - \Delta G_f^\ddagger$ であるので，変性剤によるアンフォールディング転移の直線外挿モデルと同様，$\Delta G_f^\ddagger$ と $\Delta G_u^\ddagger$ も変性剤濃度 [A] に対して直線的に依存し，

$$\Delta G_f^\ddagger = \Delta G_f^{\ddagger, H_2O} - m_f^\ddagger \cdot [A] \\ \Delta G_u^\ddagger = \Delta G_u^{\ddagger, H_2O} - m_u^\ddagger \cdot [A] \quad (8) \\ m = m_u^\ddagger - m_f^\ddagger$$

が成り立つ．したがって，多くの場合見かけの速度定数の対数 $\ln k_{app}$ を [A] に対してプロットするとV字型になる（シェブロンプロットという）（図1.4.3）．また，$m_f^\ddagger$ と m の比 $\beta (= -m_f^\ddagger/m)$ は溶媒接触表面積の変化より見た遷移状態の構造形成度を表す．

蛋白質工学を遷移状態解析に利用する手法として Φ 値解析法が知られている．この方法では，蛋白質の特定部位にアミノ酸置換を導入し，アミノ酸置換が蛋白質の安定性（ΔG_{NU}）とフォールディング-アンフォールディングの速度過程（$\Delta G_f^\ddagger$ と $\Delta G_u^\ddagger$）にどのような影響を及ぼすかを調べる．ア

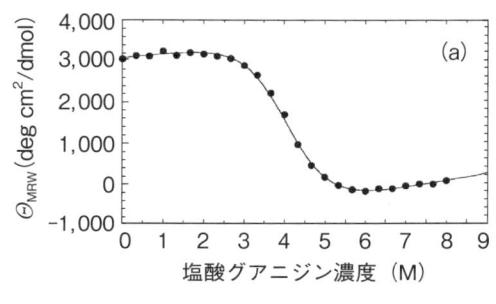

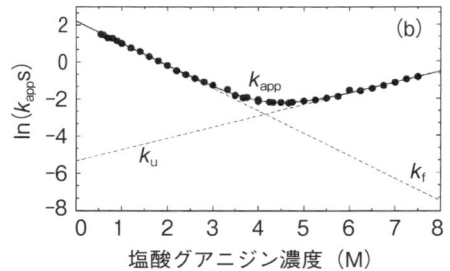

図 1.4.3 テンダミスタットのアンフォールディング転移曲線（a）とフォールディング-アンフォールディング速度定数の変性剤濃度依存（シェブロン・プロット）（b）

ミノ酸置換が蛋白質の天然構造に損傷を与えることがないならば，この解析から蛋白質フォールディングの遷移状態においてアミノ酸置換部位がどの程度構造形成しているかがわかる．構造形成度を示すパラメータ Φ は

$$\Phi = -\frac{\Delta\Delta G_f^\ddagger}{\Delta\Delta G_{NU}} \tag{9}$$

で与えられる．ここで，$\Delta\Delta G_{NU}$ と $\Delta\Delta G_f^\ddagger$ はアミノ酸置換による ΔG_{NU} と $\Delta G_f^\ddagger$ の変化を示す．$\Phi=1$ ならば遷移状態で置換部位は天然状態と同程度に構造形成しているが，$\Phi=0$ ならば置換部位はまだ構造形成していない．

中間体を伴わずに二状態的に折りたたまれる蛋白質では，フォールディング速度がコンタクトオーダー（CO）と呼ばれるパラメータとよい相関を示すことが知られている．

$$CO = \frac{1}{L \cdot N} \sum_{i,j}^{N} \Delta l_{i,j} \tag{10}$$

ここで，L は全残基数，N は蛋白質天然構造中の全コンタクト数，$\Delta l_{i,j}$ はコンタクトしている残基 i と j の一次構造上の距離である．コンタクトオーダーは蛋白質主鎖の三次元的なフォールド（トポロジー）により決まるパラメータであるので，上の事実は蛋白質のフォールディング速度が主鎖のトポロジーによって規定されることを示しており，フォールディング機構を考える上で大変示唆的である．中間体を示す蛋白質ではフォールディング速度と上式で表される相対的なコンタクトオーダーとの間に有意の相関はないが，残基数 L で割らない絶対コンタクトオーダーとは有意の相関を示すことが明らかになっている．

〔桑島邦博〕

[文献]
1) 濱口浩三：改訂 蛋白質機能の分子論，学会出版センター，1990.
2) 日本生物物理学会シリーズ・ニューバイオフィジックス刊行委員会編：蛋白質のかたちと物性（シリーズ・ニューバイオフィジックス1），共立出版，1997.
3) Creighton, T. E.: Proteins: Structures and Molecular Properties (2nd ed.), Freeman & Co., 1994.
4) Nolting, B.（後藤祐児訳）：蛋白質フォールディングのキネティクス（生物物理学的解析），シュプリンガー・フェアラーク東京，2000.
5) Pain, R. H., ed.: Mechanisms of Protein Folding, Second edition, Oxford University Press, 2000.（翻訳本はシュプリンガー・フェアラーク東京より出版された（訳者：桑島邦博・河田康志））
6) Kamagata, K., Arai, M., Kuwajima, K.: *J. Mol. Biol.* **339**: 951-965, 2004.

1.5 蛋白質の安定性

a. 安定性とは何か

前節で記述されたように蛋白質の変性は可逆的である．そのため，蛋白質は天然（native, N）状態と変性（denatured, D）状態の間に次式に示すような平衡が成り立つ．

$$N \underset{k_2}{\overset{k_1}{\rightleftarrows}} D \quad (1)$$

ここで，k_1 と k_2 はそれぞれ N→D および D→N 反応の速度定数である．2状態間の平衡定数（K）と変性のギブスエネルギー変化（ΔG）は，式(2), (3)で表すことができる．

$$K = [D]/[N] = k_1/k_2 \quad (2)$$
$$\Delta G = -RT \ln K \quad (3)$$

ここで，[D] と [N] は D と N 状態の濃度，R は気体定数，T は絶対温度である．蛋白質の立体構造の安定性の量的尺度として，一般に変性のギブスエネルギー変化（平衡論的安定性）が用いられるが，平衡論的取り扱いができない場合には速度定数が速度論的安定性の指標となる．

具体的に，安定性を実測する方法としては，①蛋白質の熱変性，または塩酸グアニジン，尿素などによる変性を，二次構造の破壊（α-ヘリックスなど），あるいは三次構造の破壊を検知するCD値，吸光度や蛍光強度，NMRの化学シフトなどの分光学的変化によって測定する．そして得られた変性曲線を解析する．②断熱型示差走査熱量計（DSC）を用いて，直接的に熱変性の熱量を測定して，変性の熱力学量を求める，などがある．

b. 安定性の熱力学

図1.5.1に，DSCで求めた変性の熱力学的パラメータの温度関数を示す．ΔG は25℃付近で，極大値約 50 kJ/mol を示す[1]．ここに示したのはヒトリゾチームの例であるが，通常の球状蛋白質はこれと似かよったパターンを示し，室温付近で最も高い安定性を示す．ΔG は55℃と−5℃付近でゼロとなる．これらの温度は，それぞれ熱変性と低温変性温度を示す．低温変性は熱変性と同様に立体構造が破壊された変性構造であることが種々の物理化学的測定によって証明されている．しかし，低温変性温度はほとんどの場合に氷点下となるので，事実上観察されない．図1.5.1には，変性のエンタルピー変化（$\Delta H(T) = \Delta H(T_d) - \Delta C_p(T_d - T)$，$\Delta C_p$ は比熱変化，T_d は変性温度）とエントロピー変化（$\Delta S(T) = \Delta H(T_d)/T_d - \Delta C_p \ln(T_d/T)$）の温度依存性も示されている．蛋白質の変性に伴う ΔC_p は大きく，N状態の比熱の25〜50%に達する．このことが結果的に ΔH のいちじるしい温度依存性と，低温変性を生じる原因となっている．ΔC_p 値が大きいほど低温変性温度が高くなることが式から導かれる．変性に伴うエントロピー変化は大きな分子のゆらぎを獲得して大きな正の値が期待されるが，図に示すように測定結果は室温付近ではゼロに近い．また，ΔH も室

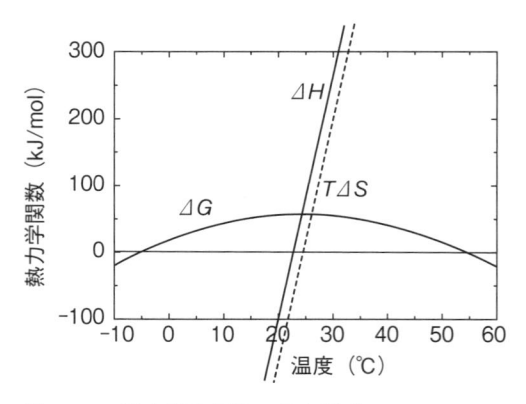

図1.5.1 蛋白質熱変性の熱力学的パラメータの温度依存性

温付近でゼロに近い．これらは変性に伴って蛋白質分子に水分子が水和することに起因している．これらの熱力学的パラメータは，蛋白質立体構造の安定性（$\Delta G(T) = \Delta H(T) - T\Delta S(T)$）は水分子も絡み$\Delta H$と$\Delta S$が互いに相殺しあって，結果的にわずかのエネルギーバランスで保たれていることを示している．そのため蛋白質の安定性はmarginal stability（差引勘定ぎりぎり安定性）といわれている．球状蛋白質の安定性（ΔG）は30～60 kJ/molの範囲内に収まる．この値は，蛋白質の安定化因子として知られている疎水性相互作用や水素結合の安定化エネルギーと比べれば，それらの数モル分にしか匹敵しないわずかな値である．そのため，蛋白質の安定性は，一残基置換によっていちじるしい影響を受ける．

c. アミノ酸置換の安定性への影響

蛋白質の安定性を高める方法として，①分子内部の疎水性相互作用を高める，②水素結合，イオン結合の補強，③二次構造（α-ヘリックス，β-構造）の強化，④金属イオン（Caイオン）などの導入，⑤変性状態のエントロピーの減少（SS結合の導入，Pro残基への置換），⑥不安定化因子（構造上のひずみ，反応性の高い残基）の除去等があげられる[2]．蛋白質を構成するアミノ酸のただ1つの残基を置換しても，置換の影響は分子全体に及び，上に述べた種々の安定化因子がネガティブにまたはポジティブに作用し，蛋白質の安定性に重要な影響を与える．たとえば，トリプトファン合成酵素α-サブユニット（268残基）の場合，分子内部の特定の部位49位のGlu残基を他の18種の残基に置換すると，安定性の変化（$\Delta\Delta G$）は0.7～1.9倍に変化した．130残基からなるヒトリゾチームは9個のVal残基を含む．9種のValをそれぞれAlaに置換した一残基変異型の安定性の変化（$\Delta\Delta G$）は，野生型に比べ2.2～-6.3 kJ/mol増減し，同じアミノ酸置換でも置換部位によって異なった影響を与えることを示した．

これらのアミノ酸置換による安定性変化を統一的に説明するために，系統的で網羅的なヒトリゾチーム変異体（150種以上）が作製され，置換による安定性変化がDSCで，構造変化がX線結晶構造解析で調べられた[3]．アミノ酸置換によるリゾチームの立体構造への影響はわずかであったが，分子全体に及んでおり，そのわずかな変化が安定性の変化となって現れた．得られたデータを基に「安定性変化/構造変化」の相関を示す経験式が示された．これまでに発表された他の蛋白質変異型に関する同様のデータを加えて，蛋白質の安定性の変化（$\Delta\Delta G_{\text{exp}}$）は，次の式（4）によって表すことができる[4]．

$$\begin{aligned}\Delta\Delta G_{\text{exp}} =\, & 0.146\Delta\Delta ASA_{\text{non-polar}} \\ & + 0.021\Delta\Delta ASA_{\text{polar}} \\ & - 0.073\Delta V_{\text{cavity}} \\ & + T\Delta\Delta S_{\text{conf}} + 22.08\Sigma\gamma^{-1}{}_{HBpp} \\ & + 9.13\Sigma\gamma^{-1}{}_{HBpw} + 7.70\Sigma\gamma^{-1}{}_{HBww} \\ & - 4.51\Delta n_{\text{H}_2\text{O}} + 3.33\Delta pro_\alpha \\ & + 0.11\Delta pro_\beta \end{aligned} \quad (4)$$

ここで，$\Delta\Delta ASA_{\text{non-polar}}$および$\Delta\Delta ASA_{\text{polar}}$は，それぞれ蛋白質内のすべての非極性（C, S）および極性（N, O）原子に関する溶媒接触表面積（ASA：Accessible Surface Area）の変化，ΔV_{cavity}は，空孔の体積変化，$\Delta\Delta S_{\text{conf}}$は，側鎖の構造エントロピー変化，$\gamma_{HBpp}$，$\gamma_{HBpw}$，および$\gamma_{HBww}$は，それぞれ蛋白質内，水-蛋白質，水-水間の水素結合距離，$\Delta n_{\text{H}_2\text{O}}$は，空孔内に導入された水分子の数，$\Delta pro_\alpha$および$\Delta pro_\beta$は，それぞれ$\alpha$-ヘリックスと$\beta$-構造の傾向性の変化である．単位はkJ/molである．この経験式によって，これまで説明できなかったアミノ酸置換による安定性変化（$\Delta\Delta G_{\text{exp}}$）を統一的に説明できるようになった．この式は，アミノ酸変異型の置換による構造変化がわかれば置換による安定性の変化が定

量的に推定できることを意味している.

d. 超好熱菌由来の蛋白質の安定性

好熱菌のうちでも,水の沸騰点近くの温度で生育する超好熱菌由来の蛋白質が最近精力的に研究されている.それらの蛋白質の変性温度(T_d)は常温生物由来の蛋白質に比べ非常に高く,一般に好熱菌の生育温度より高い.この高い安定化のメカニズムとして,いろいろな安定化因子が提案されているが,好熱菌蛋白質に特徴的な安定化因子は未だ見出されていない.先に述べたように,蛋白質の安定性はわずかなエネルギーバランスで保たれているので,安定化因子が数個増えただけでも安定性が見かけ上異常に高くなったように見える.しかし,超好熱菌蛋白質の変性の$\varDelta G$はせいぜい2倍程度である.平衡論的な安定性はこの程度であるが,速度論的な安定性は大変高い.超好熱菌蛋白質の変性速度(k_1)は常温蛋白質のそれと比べると異常に遅い.超好熱菌蛋白質の見かけ上の高い安定性は速度論的安定性に由来している.さらに,フォールディング速度(k_2)も遅いので,結果として平衡論的安定性は異常な増加とならない[5].

e. 安定性と機能との関係

蛋白質の機能は特異な立体構造に起因しているため,立体構造が安定に保たれていることが機能の発現に必須である.しかし,機能をもつ蛋白質構造が最も安定なわけではない.逆に,安定性を犠牲にして,機能発現に必須な残基が存在する.トリプトファン合成酵素α-サブユニットの場合,分子内部に位置する49位のGlu残基は活性に必須な残基である.pH 9では,他の18種の49位変異型に比べ,野生型α-サブユニットの安定性が最も低いと報告されている[6].

〔油谷克英〕

[文献]

1) 油谷克英:蛋白質のかたちと物性(ニューバイオフィジックス1)(中村春木・有坂文雄編),共立出版, pp 140-152, 1997.
2) 油谷克英, 中村春木:蛋白質工学, 朝倉書店, 1991.
3) 油谷克英:生化学 **71**, 1402-1416, 1999.
4) Funahashi, J. *et al.*: *Protein Engineering* **14**, 127-134, 2001.
5) Kaushik, J. K., *et al.*: *J. Mol. Biol.* **316**, 991-1003, 2002.
6) Yutani, K. *et al.*: Proc. Natl. Acad. Sci. USA **84**, 4441-4444, 1987.

1.6 ドメイン，モチーフ，モジュール

a. ドメイン

蛋白質において，ドメインという単語はいろいろな意味で用いられている．ここでは一般的に用いられているドメインを，機能ドメイン，構造ドメイン，および配列ドメインに分類して説明する．

機能ドメインとは，生化学的に同定されるドメインのことである．アミノ酸配列上，どの部分がどの機能を担っているかを解明する1つの手段として，蛋白質をN末端側から，またはC末端側から短くしていき，問題となっている機能が発現するか否かを調べる方法がある．また，一残基置換を徹底的に行い，各変異体の機能を調べることもある．このような手段を用いると，アミノ酸配列上どの領域が，ある特定の機能に必要かが明らかになる．このようにして同定される領域を機能ドメインと呼ぶ．

構造ドメインには2種類の意味が含まれる．1つは，蛋白質の立体構造が決まった際に，三次元座標を用いて同定するドメインのことである．蛋白質の立体構造が決まれば，どの部分が空間的にひとかたまりになっているかを同定することは可能なように思える．しかし実際には蛋白質の構造ドメインを，三次元座標から自動的に同定することは大変むずかしい問題であることがわかってきている．構造ドメインのもう1つの意味は，蛋白質の立体構造形成の単位としてのドメインである．蛋白質の一部分を切り出してきて，その部分配列のみで立体構造を形成するならば，その部分配列は蛋白質の構造形成からみた構造ドメインであるといえる．

配列ドメインは，複数のアミノ酸配列を比較することから見つかる共通配列部分のことである．一般的には100残基程度以上の部分配列である．長さに対する明確な基準は存在しない．共通に見られる短いアミノ酸配列は配列モチーフと呼ばれることが多い．配列ドメインは進化の過程でシャッフルされたドメインと考えられる．

配列ドメイン，構造ドメイン，および機能ドメインはお互いに関係がある．アミノ酸配列の類似性から同定されるドメインは，進化の過程でシャッフルした可能性が高い部分構造であることから，それのみで立体構造をとることが期待され，同時にその部分のみで何か分子性機能をもつことが期待される．よって配列ドメインは，構造ドメインや機能ドメインである可能性は高い．しかし配列ドメインが，複数の構造ドメインからなっている場合もある．逆に配列ドメインが大きなドメインの一部になっていることもある．配列ドメインであっても，それ単独では立体構造を形成できない場合もある．シャッフル後の長い時間経過で，巨大蛋白質内に存在する配列ドメインが，他のドメインと強く相互作用するようになってしまうと，蛋白質からその配列ドメインのみを切り出してきても，単独では立体構造を形成できない場合がある．構造ドメインは，配列ドメインや機能ドメインである場合がある．しかし，構造ドメインすべてが進化の過程でシャッフルされたとは限らない．構造ドメインが単独では機能をもたないこともある．

構造ドメインおよび配列ドメインを比較分類する研究は盛んに行われている．これらドメインの比較分類をすることの根底には，類似のアミノ酸配列や立体構造をもつドメインは，共通祖先由来であろうという考え方がある．蛋白質の進化過程では，ドメインシャッフリングが重要な役割をはたしたと考えられる．類似のアミノ酸配列を

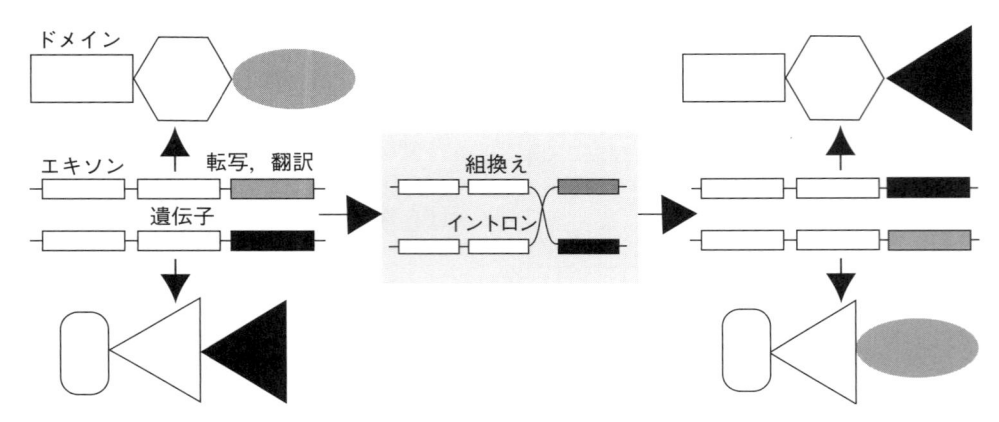

図1.6.1 エキソンを組み換えることで起こりうるドメインシャッフリング
蛋白質のドメインがエキソンにコードされている場合は，2つの遺伝子のイントロンにおいて非相同組換えが起こると，ドメインを交換することが可能である．この結果，異なるドメインの組合せをもつ蛋白質ができ，その蛋白質は新しい細胞性機能をもつ可能性がある．ドメインとエキソンの対応は完全ではないので，このような進化は1つの例にすぎない．

もつドメインが異なる蛋白質に見出されるのは，まさにその証拠である．アミノ酸配列では明らかにならなくても，類似の立体構造をもつドメインが異なる蛋白質に存在することも，シャッフリングの痕跡と考えることができる．文献1～3) などを参照されたい．

ドメインのシャッフリングは，遺伝子の上ではエキソンのシャッフリングとして実現されたと考えられている．それは，ドメイン境界付近にイントロンが存在する場合があることを証拠とする．異なる遺伝子がイントロンの部分で非相同組換えを起こすと，今までとは異なるドメインの組合せをもつ蛋白質をコードするようになる（図1.6.1)．しかしすべてのドメイン境界にイントロンが存在するわけではない．また，ドメイン境界以外の部分にイントロンが存在することも知られている．ドメインシャッフリングについては文献[3]に詳しい．

いろいろな蛋白質において頻出するドメイン，あるいは1つの蛋白質において何回も現れるドメインをモジュールと呼ぶ研究者もいる．

b. モチーフ

モチーフはドメインよりも小さな単位である．ドメインには明示的または暗示的に単独で構造を形成する部分という意味合いが含まれているが，モチーフにはその意味は含まれていない．ただし言葉の定義がかなり曖昧のため，頻出する蛋白質構造ドメインのことをモチーフと呼ぶ研究者もいる．一般的には，モチーフは比較的短いアミノ酸配列のパターン，または頻出する二次構造のパッキングパターン（超二次構造）を指す．

配列モチーフは機能部位と関連している場合が多い．蛋白質の進化過程でいちばんよく保存されるのは，機能に重要な部位である．よって，重複してから長い時間が経過した多くの遺伝子を集め，コードするアミノ配列を比較して保存部位を探すと，機能部位が浮き上がってくる．機能部位が比較的短い配列部分に局在している場合に，保存部位がモチーフとして発見される．文献4) などを参照されたい．

構造モチーフは立体構造が判明している蛋白質において，複数の二次構造の配置が類似であるところに見出される．これらと機能が直結することはない．文献5) に各

種の構造が示されている．

c. モジュール

モジュールは，蛋白質の立体構造から決まる構造単位で，平均約15残基からなる連続したアミノ酸残基がつくるコンパクトな構造である．蛋白質構造ドメインは，あますところなくモジュールに分割される．構造ドメインは数個から十数個のモジュールに分割できる．蛋白質がモジュール構造になっていることはヘモグロビンで初めて発見された．ヘモグロビンは少なくとも4つのモジュールに分かれることが示され，さらに第1番目のモジュールはエキソン1に，第2, 3番目のモジュールはエキソン2に，そして第4番目のモジュールはエキソン3にコードされていることがわかった．蛋白質の立体構造の単位と遺伝子の構造単位に関係があることが初めて示された．さらにモジュールとエキソンに関連があるならば，第2と第3番目のモジュールを分割する部分にイントロンが存在することが予想される．後にダイズのグロビンにおいて予想された位置にイントロンが発見された．イントロンがモジュール境界に存在することは，その後多くの蛋白質において調べられている．蛋白質進化の過程でドメインのシャッフリングが重要な役割を果たしたことは間違いない．そのドメインが形成される段階では，モジュールのシャッフリングが重要な役割を果たしたと考えられる．蛋白質の構造単位として同定されたモジュールは，ドメイン進化におけるシャッフリングの単位でもあると考えられる．構造およびシャッフリングの単位であるモジュールは，機能の単位であることもわかってきている．1つの蛋白質をモジュールに分解し，機能を担うアミノ酸残基とモジュールの関係を見ると，機能部位が数少ないモジュールに局在していることがわかる．以上のことについては，文献[6〜8]を参照されたい．

〔由良　敬〕

[文献]

1) Bork, P., ed.: Advances in Protein Chemistry vol. 54 Analysis of Amino Acid Sequences, Academic Press, 2000.
2) Li, W. -H.: Molecular Evolution, Sinauer, 1997.
3) Patthy, L.: Protein Evolution, Blackwell Science, 1999.
4) 「生体の科学」編：生体の科学モチーフ・ドメインリスト，（財）金原一郎記念医学医療振興財団/医学書院, 2001.
5) ブランデン, C., トゥーズ, J.（勝部幸輝他訳）：蛋白質の構造入門（第2版），ニュートンプレス, 2000.
6) 嶋本伸雄，郷　通子編：遺伝子の構造生物学（シリーズ・ニューバイオフィジックス），共立出版, 1998.
7) ブラウン, T. A.（村松正實監訳）：ゲノム（第2版），メディカル・サイエンス・インターナショナル, 2000.
8) 榊　佳之他：蛋白質・核酸・酵素 2001年12月号増刊，ゲノムサイエンスの新たなる挑戦，共立出版, 2001.

1.7 高分子電解質

　高分子電解質は，通常高分子鎖に多数の解離基をもつ水溶性高分子を指し，解離基密度の低い不溶性の高分子はアイオノマーとして区別されることが多い．高分子電解質が非電解質高分子と最も異なる性質はそのイオン凝集能である．溶液中での高分子の形態，塩の効果等もその観点から理解される．

　生体高分子研究，とくに蛋白質領域では特定の構造と不可分の高度のイオン選択性を示すものが多々あるが，反面イオン強度だけで決まるような現象も多い．この場合，強すぎるクーロン力の調節の問題として，高分子電解質の溶液中での性質が参考になる．多くの場合，特殊な状況を想定するまでもなく，高分子電解質一般に知られた現象として理解することが，問題解決につながると考えてよい．

　クーロン力の遮蔽効果の取扱いの原点は，低分子電解質溶液のデバイ-ヒュッケル（Debye-Hückel）近似である．電解質溶液中の1個のイオンのまわりの電位 ψ を決めるポアソン-ボルツマン（Poisson-Boltzmann, PB）方程式

$$\Delta\psi = -(\rho/\varepsilon)$$
$$= -(N_A e/\varepsilon)\Sigma c_i z_i \exp(-ez_i\psi/kT)$$

の指数関数項の線形近似から導かれる方程式は以下のようになる．

$$\Delta\psi = \kappa^2\psi, \quad \kappa^2 = N_A e^2 \Sigma c_i z_i^2/\varepsilon kT$$
$$= 4\pi N_A \Sigma c_i z_i^2 \lambda_B, \quad \lambda_B = e^2/4\pi\varepsilon kT \quad (1)$$

これから得られるデバイ-ヒュッケル（DH）パラメータ κ の逆数，κ^{-1} は電解質溶液内における1個のイオン周辺の電位の遮蔽距離を表し，デバイの遮蔽長と呼んでいる．この遮蔽は反対符号のイオンがより近傍に分布することで生じ，中心イオン以外のイオンによる統計的電荷分布をイオン雰囲気という．また λ_B をビエルム（Bjerrum）長という．ただし N_A はアボガドロ定数，e は電気素量，c_i は i 種イオンのモル濃度，z_i はその価数，ε は媒質の誘電率，kT は熱エネルギーである．κ^{-1} のおおよその値は塩濃度 C_S を mol/l で表すと，25℃で $C_S=0.01$ のとき $\kappa^{-1}=3.05$ nm，$C_S=0.001$ のとき $\kappa^{-1}=9.7$ nm となる．高分子電解質では無塩系でも解離した対イオンによる遮蔽効果があり，さらに塩添加によって遮蔽が促進される．後述するように高分子のおおよその広がりは $C_S^{-1/2}$，すなわち κ^{-1} に比例するという結果が得られている．

　対イオンは高分子イオンに静電的に結合するが，これは高分子鎖上の電荷密度によって決まる．高分子鎖は局所的に見ればその静電反発力により棒状とみなされることが多いから，棒として解離基をその中心軸上へ射影したとき，解離基間間隔を b とすると

$$\xi = e^2/4\pi\varepsilon kTb = \lambda_B/b \quad (2)$$

を電荷密度パラメータと呼ぶ．イオン吸着度はこの値に強く支配される．すなわち棒状高分子1個あたりに割り振った円筒形の自由空間を想定し，高分子の解離基および対イオンの価数を1とすると，$\xi\leq 1$ のときは対イオンは緩やかに結合するが，$\xi>1$ のときは，$1-1/\xi$ の割合の対イオンは高分子イオンの外径程度の領域に強く束縛され，残り（$1/\xi$）は自由空間内に分布する．1個の高分子あたりの対イオンの総量は ξ に比例するから，束縛されていない自由空間内の対イオン量は電荷密度（ξ）が増しても ξ によらず一定になる．この現象をイオン凝縮と呼び，高分子電解質共通の性質である．このような結果になることは無塩系の棒状高分子周辺のイオン分布のPB方

程式の解からも，またより単純な高分子相と溶媒相との間のイオン分布を2相モデルとして取り扱っても得られることがすでに1950年代に示され，1960年代末にマニング（Manning）によってさらに一般化された．

高分子電解質鎖で，二重らせん等特定の高次構造をもつのは静電反発力が弱いか，まわりの解離基，対イオン等による遮蔽が十分な場合である．一般にはその解離基間の静電反発力により，通常の非電解質高分子より大きな広がりをもつ．全体の形状を記述するのに，従来は一般の高分子同様自由回転鎖（ガウス鎖）をもとに解析が行われたが，近年は半屈曲性鎖モデルがよく用いられる．このモデルでは分子鎖長（contour length）L と持続長（persistence length）q の2つのパラメータによって分子形態を記述する．持続長は分子鎖の剛直性を表す量で，高分子鎖の両端間距離を表すベクトルの，その一端から接線方向への正射影に対応する．これはまたガウス鎖を記述する結合長 b_0 および結合角 θ とは，$q = b_0/(1-\cos\theta)$ で，かつ $b_0 \to 0$, $\theta \to 180°$ のときの極限値を表す．高分子鎖全体の形状を特徴づけ，種々の測定量との関係を導く上で重要な量に回転半径の2乗平均 $\langle S^2 \rangle$ がある．半屈曲性鎖では，

$$\langle S^2 \rangle = \frac{qL}{3} - q^2 + \frac{2q^3}{L} - \frac{2q^4}{L^2}(1 - e^{-L/q}) \quad (3)$$

と表され，屈曲性の鎖（$L \gg q$）では $\langle S^2 \rangle \to qL/3$，逆に剛直性の鎖（$L \ll q$）では $\langle S^2 \rangle \to L^2/12$ となり，ガウス鎖および棒に対応する．

持続長は鎖本来の硬さ q_0 と静電相互作用からの寄与 q_e との和とみなされ，理論的に q_e に対する表式として $q_e = \xi/4\kappa^2 b$（$\xi \le 1$）または $q_e = 1/4\kappa^2 \xi b$（$\xi \ge 1$）が導かれた．式（1）より κ^2 が塩濃度に比例するから，q_e の塩濃度依存性が種々の高分子について種々の測定手段で調べられた．結果は $C_S = 0.001$ 以上では $C_S^{-1/2}$ に比例し，それ以下では一定となり，理論といちじるしい違いを示す．つまり塩を添加しても高分子イオンは理論の予測ほど顕著には縮小しない．

高分子鎖は空間の同一場所を共有することはできない．これを排除体積効果と呼ぶが，高分子上の解離基間の静電反発力がこれをさらに増強する．高分子鎖が大きな広がりを示すのは，たとえ持続長は短くても排除体積効果が非常に強いためであるとの解釈もありうることを付記する．図1.7.1はこれらの効果による高分子イオンの概形を示したものである．

高分子の解離および静電相互作用の解明

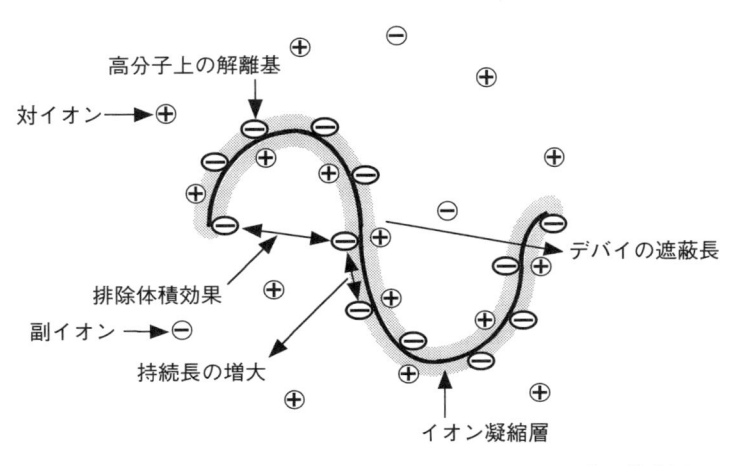

図1.7.1 溶液中の高分子イオンの概形およびイオン分布の模式図

には電位差滴定が簡便であり，解釈もわかりやすい．溶液のpHと解離定数Kの逆数の常用対数pK，解離度αとの間には，$\mathrm{pH}-\log_{10}[\alpha/(1-\alpha)]=\mathrm{pK}$の関係が成り立つ．高分子，とくに弱電解質型高分子では解離基の帯電により，解離したH$^+$またはOH$^-$が当該の解離基だけでなく周辺の解離基からの静電相互作用によって高分子イオン周辺に引き寄せられる．これを引き離すのに要する仕事は帯電に伴う自由エネルギーの変化に対応し，棒状高分子表面と自由空間末端との電位ψに比例することが導かれる．ゆえに

$$\mathrm{pH}-\log_{10}[\alpha/(1-\alpha)]=\mathrm{pK}_0+0.434\varDelta G/RT$$
$$=\mathrm{pK}_0+0.434e\psi/kT$$
(4)

が成り立つ．α-ヘリックス等規則構造は静電反発力によりコイル状態へ転移するが，それに要する静電自由エネルギーはこのようにして見積られる．強電解質型高分子では解離基は初めから解離しているので滴定曲線は強酸-強塩基のそれに類似する．

以上，クーロン力の遠距離性のため，静電相互作用を高分子電解質の問題として単純化できることを示した．しかし現実の高分子電解質では単純化できない，理論で説明できない問題も多い．先述の高分子鎖の広がり（持続長）の問題はその典型である．ほかにもたとえば式(4)中の$\log_{10}[\alpha/(1-\alpha)]$は解離，未解離の状態がランダムに存在することを前提としているが，1個の基の解離は近傍の基の解離を抑制するので，ポリマレイン酸など高電荷密度をもつ高分子の解離は近距離での抑制効果を考えないと説明できない．また一般に溶液中の高分子は低分子塩と共存しているが，塩の効果は高分子イオン-対イオンのそれと切離しが可能であるという近似を相加性という．しかし相加性から大きく外れ，相当量の塩イオンが静電的に高分子に吸着する例もある．他の例としては，無塩系高分子イオン水溶液中にはきわめて遠距離間の規則性の存在が示唆されているが，これまた未解決の問題である． 〔南方　陽〕

[文献]

1) Oosawa, F.: Polyelectrolytes, M. Dekker, 1971.
2) 高分子実験学編集委員会編：高分子電解質，共立出版，1978.
3) 高分子学会編：高分子物性の基礎，共立出版，1993.
4) Manning, G. S.: *Quart. Rev. Biophys.* **11**, 179, 1978.
5) De Gennes, P. J.: Scaling Concepts in Polymer Physics, Cornell Univ. Press, 1979.

II. 蛋白質の相互作用

1.8 蛋白質低分子相互作用

蛋白質の機能発現は，リガンド分子の結合によって起こることが多い．したがって，リガンド-蛋白質相互作用の結合定数やリガンド結合部位の個数など，熱力学的性質を明らかにすることは，蛋白質の機能を知る上で不可欠なこととなる．ここでは，基本的な蛋白質リガンド相互作用解析法に関して述べる．

蛋白質がもつ巧妙な機能の多くは，特異的なリガンド認識とそれに伴う蛋白質の構造変化によっている．これらの反応に関して，個々の反応速度定数を求めることができるならば，蛋白質のリガンド認識機構や反応機構に関し，多くの知見が得られることになる．

通常，ストップトフロー法は，適切な反応の追跡手段（反応により生じる蛍光変化など）があれば，この点に関して有効な手法であるが，必ずしもすべての蛋白質による反応で適切な反応検出法があるとはいえない．

一方，分光法や熱量測定を用いたリガンド結合実験から得られる平衡状態のデータは，速度論的な情報を得ることはできないものの，蛋白質のリガンド相互作用解析において，結合定数，結合部位の個数，およびそれぞれの結合部位が独立であるか否かなど，基礎的な知見を与える．以下に平衡状態のデータからこれらの熱力学的パラメータを算出する方法を示す．

まず，複数のリガンド結合部位を有する蛋白質へのリガンド結合の平衡を式（1）のように結合定数を用いて表す．

$$K = [BL]/[B][L] \quad (1)$$

ここで，[B]は，リガンドで占有されていない結合部位のモル濃度，[L]は結合していないリガンドのモル濃度，[BL]は，リガンドで占有されている結合部位のモル濃度を示す．

さらに，$[B_0]$を全結合部位の濃度とすると，式（1）は，以下のように変形される．

$$[BL]/[L] = K([B_0] - [BL]) \quad (2)$$

したがって，Kが一定であれば，[BL]/[L]の[BL]に対するプロットは直線になり，両軸の切片は，それぞれ結合定数と結合部位のモル濃度の積および結合部位のモル濃度になる．また，Kが一定であるという条件は，蛋白質が複数の結合部位を有していた場合，その結合部位間に協同性がなく，それぞれが同等と考えてもよいということを示す．

n個の結合部位をもつ蛋白質では，

$$n[P_0] = [B_0] \quad (3)$$

ここで，$[P_0]$は全蛋白質モル濃度を示す．

全リガンド濃度は，

$$[L_0] = [L] + [BL] \quad (4)$$

となる．また，飽和度Rを以下のように定める．

$$R = [BL]/[B_0] \quad (5)$$

すると，上記の関係式を用いて，平衡定数は以下のように表すことができる．

$$1/(1-R) = K\{([L_0]/R) - n[P_0]\} \quad (6)$$

この式は，縦軸に[BL]/[L]，横軸に[BL]をプロットする通常のScatchardプロットの式

$$[BL]/[L] = K(n[P_0] - [BL]) \quad (2)'$$

の変形である．飽和度Rを導入した理由は，分光学的な測定（NMRの化学シフト変化，吸収強度変化，蛍光強度変化など）では実験的に得られやすいからであり，このような場合は式（6）のほうが便利なことが多い．

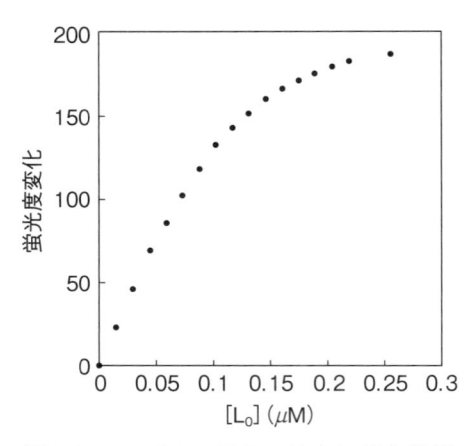

図 1.8.1 ハプテン CPP の結合に伴う触媒抗体 6D9 の蛍光度変化
$[P_0]=0.1\,\mu m$, $[L_0]=0.015\sim 0.25\,\mu m$. pH 6.0, 30℃.

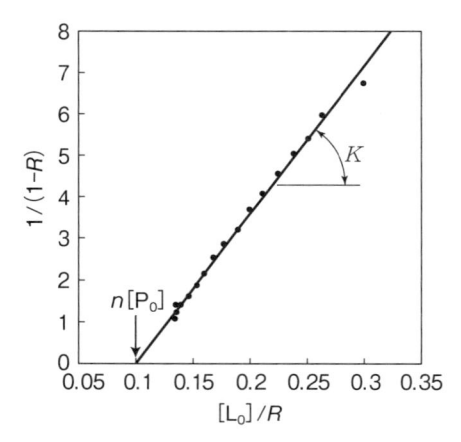

図 1.8.2 Scatchard プロット
触媒抗体 6D9 に対するハプテン CPP の結合.
$[P_0]=0.1\,\mu m$, $[L_0]=0.015\sim 0.25\,\mu m$. pH 6.0, 30℃.

式 (6) のプロットから，図 1.8.1, 1.8.2 に示すように結合定数と結合部位の数を求めることができる．正確な値を得るためには，可能な限り広い濃度領域で高い精度のデータを取得することが肝要である．

このプロットが直線になることは，n 個の異なる蛋白質分子にそれぞれ 1 個のリガンド分子が結合して生じる変化と，1 個の蛋白質分子に n 個のリガンドが結合して生じる変化が同じであることを意味する．

また，結合定数が大きく（100 倍程度）異なるような 2 種の結合部位をもつ蛋白質では，このプロットは直線にならず，それぞれの結合定数を反映する二相性を示すことになる．

ここで示したように，飽和度を示す測定量が得られれば，結合定数，結合部位の数，複数結合部位の独立性などの情報が得られる．現在では，このようなプロットをしなくとも，フィッティングプログラムで求めることが多いが，原理はここに示したとおりである．　　　　〔嶋田一夫〕

[文献]
1) Atkins, P. W.（千原秀昭・中村亘男訳）：アトキンス物理化学（上，下），東京化学同人，2001.

1.9 蛋白質間相互作用

ゲノミクス，プロテオミクスによって明らかにされつつある，生命の全体像としての「(遺伝子，蛋白質) ネットワーク」という概念は，ネットワークをグラフで表現したときの節点（vertex）としての蛋白質（または蛋白質複合体）と，節点を結ぶ弧（edge）としての蛋白質間相互作用という実体に支えられている．そこに，生命活動の分子的実像としての蛋白質間相互作用の重要性がある．ここでいう蛋白質間相互作用は，静的な複合体の安定構造を指すのではなく，安定に存在する単体からなる，時間軸に沿ってダイナミックに結合・解離を行う複合体を意味する．

蛋白質間相互作用の実験方法は，一対の蛋白質の相互作用を検出する方法として，酵母ツーハイブリッド法，表面プラズモン共鳴法（BIAcore）がある．それに対して多数の蛋白質からなる複合体の同定を可能にする方法としては，免疫沈降法，マススペクトル法をあげることができる．後者は，大きな複合体の蛋白質組成を与えるが，構造（どの蛋白質の対が直接の相互作用をしているか）についての情報は与えない，という意味で前者と相補的である．これらの実験から得られた相互作用の定性的な情報（どの蛋白質がどの蛋白質と相互作用するか）は，データベースとしてまとめられ公開されている．たとえば，Database of Interacting Proteins（DIP：dip.doe-mbi.ucla.edu），Biomolecular Interaction Network Database（BIND：bind.ca）．相互作用の定量的物性値（熱力学パラメータと速度論的パラメータ）を与える実験法には，等温滴定型熱量計，ストップトフロー法，そして BIAcore があり，それらの物性値と結晶構造として解かれた立体構造から，構造と相互作用の間の相関が議論されている．熱力学データは，Binding Database（BindingDB：www.bindingdb.org）に集約されている．理論計算としては，アミノ酸置換による結合自由エネルギー変化を与える自由エネルギー摂動法，拡散過程からの結合シミュレーションをする連続溶媒モデルによるブラウン運動シミュレーション，そしてモデリングとしてのドッキングシミュレーションなどが行われている．

蛋白質複合体の結晶構造は，酵素-阻害剤，抗原-抗体，シグナル伝達系の複合体などで多く解かれ，そこから相互作用をしている複合体の立体構造に関する詳細な情報を得ることができる．一般的な傾向として，平均的な接触表面積（分子量にあまりよらず約 $1600 Å^2$，単量体あたり約 $800 Å^2$）をもつ複合体では，結合に伴う構造変化は小さく，2つの相補的な形をもった蛋白質が結合するという古典的な「鍵と鍵穴」の描像があてはまる．これは，形状の相補性（geometrical complementarity）とも呼ばれている．一方，接触表面積が平均よりも大きい（$>2000 Å^2$）複合体では，「誘導適合（induced fit）」と呼ばれる，大きな構造変化が起こる．このことは，大きな構造変化をするためには，大きな接触界面で得られる十分に大きな相互作用エネルギーが必要であることを想像させる．

複合体の接触部位界面は，平均的組成としては，一般の蛋白質表面の組成とほぼ同程度の疎水性・親水性のアミノ酸を含んでいる（荷電アミノ酸は若干少ない）．この特徴は，内部に埋もれコアを形成する部分がきわめて疎水的であるフォールディングとは大きな違いを見せている．それぞれの単体で安定に水中に存在しうるという要件

を満たさなければならないことからの当然の帰結であろう．したがって，2つの接触部位はそれぞれ相補的な疎水性・親水性のパターンをもつことが安定な複合体形成に必須となる．これを化学的（静電的）相補性（chemical（electrostatic）complementarity）と呼んでいる．接触面には多くの水分子が存在し，2つの蛋白質の形状的・化学的相補性を補う役割を果たしている．しかし，より多くの複合体の立体構造が明らかになるにつれて，それぞれの複合体でのアミノ酸組成，界面の形状・化学的物性の多様性はきわめて大きいことがわかってきた．その多様性ゆえに，複合体の界面を特徴づける何らかの一般的性質から，相互作用する相手の蛋白質を予測する試みは，現在のところ成功していない．

蛋白質間の界面については，アラニンスキャニング（alanine scanning：各アミノ酸をアラニンに置換して複合体の安定性を調べる）による研究が盛んに行われている．その実験によってわかったことは，複合体の安定性を決めているアミノ酸は，複合体界面全体に偏在しているのではなく，ごく一部に局在しているという事実である．この界面に局在する安定性を決定する部位をホットスポットと呼んでいる．ホットスポットには，トリプトファン，チロシン，アルギニンが多く見つかるといわれている．アラニンスキャニングの結果は，Alanine Scanning Energetics Database（ASEdb：140.247.111.161/hotspot/）に公開されている．

複合体形成の熱力学を考えよう．結合に伴う，エンタルピー H とエントロピー S の変化への寄与を成分に分けると，まず界面での直接の蛋白質間相互作用によって，H は減少する．それに伴って一方の蛋白質の重心位置と向きにかかわる外部自由度が固定され，さらに，露出していた側鎖と水和水の一部が，接触によって固定されることで S が小さくなる．一方，溶媒（水，イオン）の効果は，蛋白質の結合によって，接触部分に脱溶媒和が起こり，相互作用がなくなることで H は上昇する．同時に，溶媒和していた分子が解放されることで S が大きくなる．これらをまとめると，

$$\Delta G = \Delta H \text{（蛋白質間<0）}$$
$$- T\Delta S \text{（蛋白質間<0）}$$
$$+ \Delta H \text{（溶媒>0）}$$
$$- T\Delta S \text{（溶媒>0）}$$

このように，それぞれの項がお互いに相殺するようになっている．フォールディングと同様に，ここでもエンタルピー－エントロピーの補償関係（enthalpy-entropy compensation）が成り立ち，補償されない微妙な残差が複合体の安定性を決定することとなる．このエンタルピー－エントロピーの補償関係は，秩序・無秩序転移に見られるもので，この場合は，蛋白質間相互作用については秩序形成が，また溶媒との相互作用に関しては無秩序化が起こっていると解釈することができる．

次に，複合体形成の速度論を考えよう．結合の時間過程は，多くの場合，要素である蛋白質の拡散が律速である（diffusion control）．これは，結合の速度定数 k_{on} が基質蛋白質濃度に比例して上昇すること，溶媒の粘度に反比例して低下することからわかる．しかし，以下のスキームで，$k_{-1} \gg k_2$ となり，中間状態 AB*（diffusion encounter complex）の形成が律速になる場合もある．

$$A + B \underset{k_{-1}}{\overset{k_1}{\rightleftarrows}} AB^* \underset{k_{-2}}{\overset{k_2}{\rightleftarrows}} AB$$

このとき，基質蛋白質濃度に対する k_{on} の依存性は双曲線型になり，より一次反応的になる．たとえば，大きな誘導適合的な構造変化を引き起こす複合体形成では，そのような状況が期待される．一般に，静電的相互作用は，結合を加速することが知られている．これは，溶媒のイオン強度に比例して $\log k_{on}$ が減少することに，明瞭に見ることができる．このように，k_{on} が長距

離相互作用に大きな影響を受けるのに対して，解離の速度定数 k_{off} は結合状態のパッキングにかかわる近距離相互作用が決定的な因子となる．

以上の熱力学的，速度論的な記述はすべて，*in vitro* 実験系からの結論である．しかし，実際の細胞中では大きく状況が異なる．最近の，macromolecular crowding と呼ばれる研究で指摘されているように，細胞中は大量の他種の蛋白質で込み合っている状態にある．その場合，結合定数は数桁上昇し，蛋白質の拡散は1桁ほど遅くなることが予想される．そのような *in vivo* での蛋白質間相互作用は，蛍光共鳴エネルギー移動（fluorescence resonance energy transfer；FRET）などの実験方法を用いた，細胞内の直接観測によって，調べることができるようになってきた．〔木寺詔紀〕

[文献]
1) Lakey, J. H. and Raggett, E. M. : Measuring protein-protein interactions, *Curr. Opin. Struct. Biol.* **8**, 119-123, 1998.
2) Lo Conte, L., Chothia, C. and Janin, J. : The atomic structure of protein-protein recognition sites, *J. Mol. Biol.* **285**, 2177-2198, 1999.
3) Bogan, A. A. and Thorn, K. S. : Anatomy of hot spots in protein interfaces, *J. Mol. Biol.* **280**, 1-9, 1998.
4) Schreiber, G. : Kinetic studies of protein-protein interactions, *Curr. Opin. Struct. Biol.* **12**, 41-47, 2002.
5) Minton, A.P. : Molecular crowding : analysis of effects of high concentrations of inert cosolutes on biochemical equilibria and rates in terms of volume exclusion, *Methods Enzymol.* **295**, 127-149, 1998.

1.10 蛋白質核酸相互作用

分子生物学のセントラルドグマとして，生命情報を担っている DNA の塩基配列情報は，その配列を特異的に認識する蛋白質分子によって読み取られ，転写，複製，翻訳が行われる．これらの機能は，シグナルとなっている塩基配列を特異的に認識して結合する蛋白質と，DNA あるいは RNA 分子を認識して非特異的結合をする蛋白質とによって担われている．ヌクレオチドと蛋白質との相互作用は，エネルギー授受や生体信号伝達において重要であるが，ここでは触れず，DNA 鎖や RNA 鎖と蛋白質との相互作用に話を限定する．

蛋白質による塩基配列情報の読み取り（認識）機構を構造的に理解するため，これまでに多くの蛋白質核酸複合体の立体構造解析がなされてきた．その結果，たいへん多様な機構で核酸塩基配列が認識されていることがわかってきた．基本的に DNA や RNA はリン酸骨格のために全体が負に荷電しているため，蛋白質分子表面に露出した塩基性側鎖による正の電荷との結合が見られる．

蛋白質と DNA や RNA の分子どうしが直接相互作用する場合が最も多い．この場合，DNA の主溝（major groove）では，DNA 分子表面での水素結合ドナーとアクセプターが塩基対に依存して特徴的な分布をするため，蛋白質分子表面に露出した親水性側鎖による特異的な認識が行われる（図 1.10.1）．多くの場合，蛋白質側の1本の α-ヘリックスや2つのストランドからなる β-シート構造がこの DNA 主溝に入

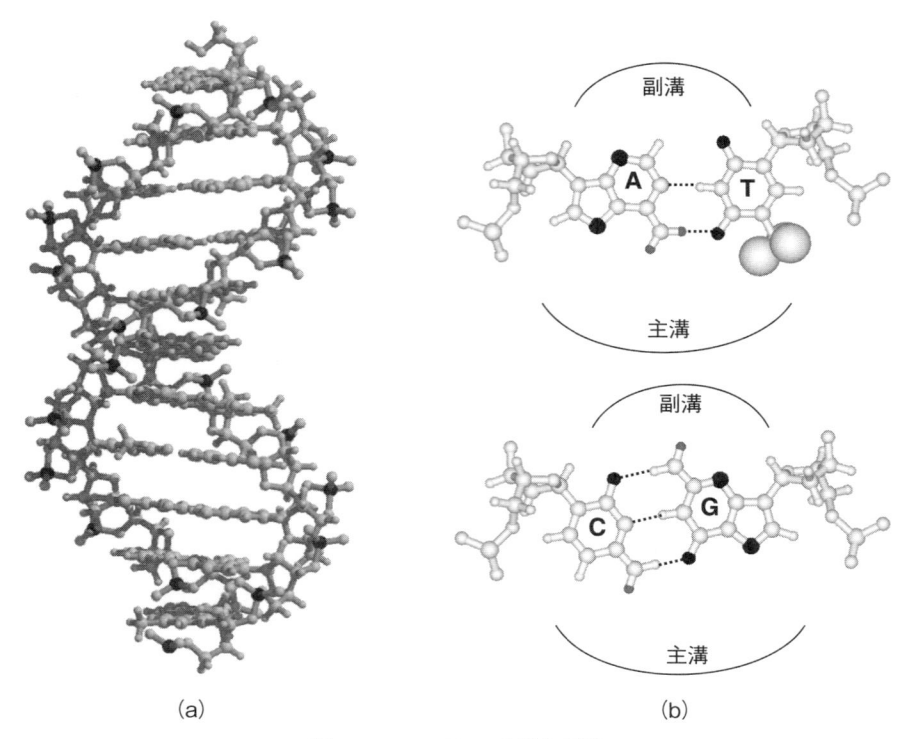

図 1.10.1 DNA の主溝と副溝
(a) DNA の軸を側面から見た図.
(b) DNA の軸と垂直に上から見た図.
水素結合のドナーとなる水素は小さな灰色の球で，アクセプターとなる酸素および窒素原子を黒い球で，チミンのメチル基水素を大きな白球で示す．これらのドナーとアクセプターの分布は，主溝側のほうが副溝側よりも塩基対依存性が高いことがわかる．また，疎水性のメチル基も主溝側の分子表面に露出している．

り込んで，DNA 塩基と相互作用する（図 1.10.2）．DNA と頻繁に相互作用する蛋白質側のモチーフ構造として，Zn-フィンガー，ヘリックス-ターン-ヘリックス，ロイシンジッパー（コイルドコイル）等が有名であるが，これらの特徴的なモチーフがあるからといって，つねにこれらモチーフが核酸と結合するわけではない．また，副溝（minor groove）との相互作用も少なからず観測されているが，副溝だけでの結合というよりは，主溝での結合を補強する場合が多い．一方，蛋白質と核酸が直接相互作用することなく，間にはさまった水分子との水素結合ネットワークを通して，間接的に塩基配列が認識される場合も，Trp リプレッサーなどで観測されている．

蛋白質に DNA が結合する際には，DNA 鎖上の電荷のバランスが崩れるために，DNA の塩基配列に依存して構造的に変化しやすくなっている部位の周辺で，bending や塩基の flipping out 等の立体構造変化が生じ，もとの典型的な二重らせん構造から変化する場合が多い．また，induced local folding と呼ばれるほど蛋白質側も大きな構造変化を伴うことがある．

蛋白質と核酸（DNA あるいは RNA）との相互作用は，分子どうしの会合反応であり，それに伴う熱の出入りを直接高感度の ITC（等温滴定型カロリメータ）を用いて，測定することができる．この会合に

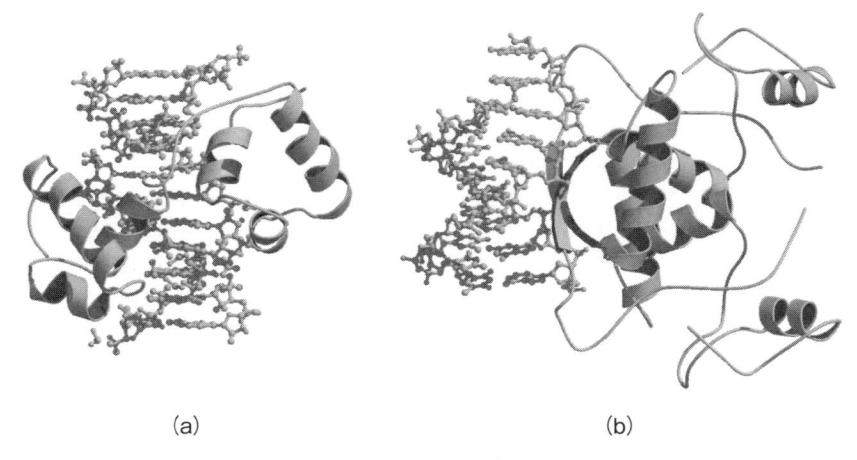

図 1.10.2 α-ヘリックスと β-シート
(a) DNA の主溝にはまって塩基配列を特異的に認識する認識ヘリックスの例（c-Myb 蛋白質（PDB code：1 mse））
(b) DNA の主溝にはまって塩基配列を特異的に認識する β-シートの例（Met リプレッサー（PDB code：1 cma））

伴う熱の授受から結合エンタルピー（$\Delta H = H_{bound} - H_{free}$：蛋白質と核酸とがそれぞれフリーなとき（$H_{free}$）と結合したとき（$H_{bound}$）のエンタルピー差）が観測される．また，蛋白質溶液に，希釈した核酸溶液を少しずつ混合させるタイトレーション実験を行うことによって，平衡定数も同時に得られるため，その値から結合の自由エネルギー ΔG が観測される．この ΔG と ΔH とから，結合に伴うエントロピー変化 ΔS（$=(\Delta H - \Delta G)/T$）も得られる．さらに，ΔH の温度依存性から，定圧比熱の変化量 ΔC_p が得られる．負の ΔH は主に蛋白質・核酸分子間の直接の相互作用であるファン・デル・ワールス相互作用や水素結合に由来し，負の ΔS は結合することによる蛋白質・核酸双方の自由度の低下に主に由来する．また，定圧比熱 ΔC_p は負の値になり，主に蛋白質と核酸分子の露出表面積の変化で説明されるが，イオン強度依存性もあるため，その原因にはいまだに議論がある．これらの熱力学量は，蛋白質や核酸の構造変化や直接の相互作用エネルギーに依存するだけでなく，溶媒の水分子や低分子イオンのダイナミクスも絡んだ複雑な相互作用の結果として生じるマクロな量であり，その解析は単純ではない．

DNA はきわめて強く負に荷電しているため，対イオン（counterion）との相互作用が重要である．長さ L の棒状分子に全部で P の電荷が均一に荷電していると，電荷間の平均距離 $b = L/P$ によって，隣り合う電荷間のクーロンエネルギーは e^2/Db（D は誘電率）となる．この静電エネルギーと熱エネルギー（RT）との比を ξ として $\xi = e^2/DbRT$ を算出すると，DNA 二重鎖の場合には $D = 78.5$，$b = 3.4/2$ から，4.2 という 1 に比べて大きな値になる．すなわち，DNA 二重鎖の負の電荷が裸のままで水に露出する状態は，熱力学的にはきわめて不安定で存在しえない．実際には Na^+ イオンや K^+ イオンなどの対イオンが，この DNA の電荷を遮蔽している．この遮蔽効果は，全体の荷電量 P を実効的に低下させるのでこれを sP とし，RT との比が 1 になるようにする s の値を探すと $s = 1/\xi$ となる．すなわち，$\Psi c = (1-s) = (1 - 1/\xi)$ だけの DNA の電荷が対イオンによって中

和され，遮蔽されていることになる．これらの対イオンは，いわゆるデバイ-ヒュッケル近似で表されるイオン雰囲気的な遮蔽よりも強くDNA鎖にcondenseしていると考えられ，counterion condensation 理論と呼ばれる．DNA二重鎖では $\Psi c = 0.8$ 程度という大きな値になり，DNA二重鎖のリン酸の負イオンのうち平均として8割は，常時，正に荷電した対イオンがすぐ近傍に存在していて中和されている．また，蛋白質がこの対イオンのcondenseした状態のDNAに特異的に結合する場合には，もし m' 個のリン酸と蛋白質とが塩橋を形成するとすれば，蛋白質の結合に伴って，$(0.8 m')$ 個の対イオンが溶媒中に開放されることになる．溶媒のイオン強度が高ければ，対イオンは開放されにくくなり，蛋白質の結合を抑制する．このことが，イオン強度が高いところでは蛋白質はDNAに結合しにくいという現象の，物理的な理由である．蛋白質とDNAとの結合定数のイオン強度依存性は，Recordの理論（1976）でよく説明される．

表面プラズモン共鳴法の応用として，あらかじめセンサー表面付近にアビジン-ビオチン相互作用を利用してDNAフラグメントを固定化しておき，蛋白質溶液をフローさせて，センサー周辺の屈折率の経時変化を観測することにより，蛋白質と核酸とが結合する速度（k_{on}）と離れる速度（k_{off}）とが実測できる．これらの値から得られる平衡定数（k_{on}/k_{off}）は，ITCよりも精度は若干悪いが，平衡実験では得られない相互作用機構に対するキネティクスの知見が得られる．

損傷DNAを修復する酵素蛋白質等では，塩基配列を特異的に認識せずにDNAに結合し作用する場合も多い．蛋白質の特異的認識とは，一般に，ある基質だけを他の分子よりも排他的に強く結合することであり，逆に，非特異的認識は，特異的認識以外の現象すべてを指す．ただし，蛋白質-DNA相互作用の場合には，DNAのリン酸に由来する負の電荷と塩基性蛋白質の正の電荷とによる引力によって，DNA塩基配列によらない単純な結合がmM程度の解離定数で生じる．このため，たとえある蛋白質と特別な塩基配列をもつDNAの間に排他的な結合が起こる場合でも，その結合が弱いときには，他の塩基性の強い蛋白質が非特異的結合においても同程度の解離定数をもってしまえば，実質的には競合に負けてしまい「特異的」にはならない．実際，このような弱い結合では，他の塩基性蛋白質が多く同居している生体内では，それらの「非排他的」結合と区別がつかないため，現象論的な特異性は発揮されない．

ここで，非特異的認識を非排他的結合と考えて「核酸のランダムな塩基配列に対する結合」と物理化学的に定義し，特異的認識と非特異的認識における特徴をまとめると以下のようになる．

① 特異的認識では非特異的認識と比べて，結合に伴うエントロピー変化量が負に大きい．これは，非特異的認識においては，静電的結合が主になるため，開放される対イオンや水和水のエントロピー増大が原因である．

② 特異的結合に多く見られる塩基と蛋白質側鎖間の水素結合により，負の大きなエンタルピー変化が観測されるが，非特異的結合では相対的に負の小さな値になる．

③ 特異的結合では，塩基と蛋白質側鎖間の水素結合が多くあり，その部分はあまりイオン強度に依存しないために，エンタルピー変化のイオン強度依存性が小さいが，非特異的結合では大きく依存する．

④ 特異的認識では，塩基部分の溶媒露出面積が大きく変化するため，定圧比熱変化は大きな負の値になるが，非特異的な結合では，比熱変化は0または小さな負の値となる．

⑤ 塩基配列に特異的な結合では複合体構造をより安定化するため，会合・離脱の

経時変化においては，離脱のキネティクスのほうが遅くなる．会合のキネティクスでは，特異的な結合と非特異的な結合とにいちじるしい差は観測されない．〔中村春木〕

[文献]
1) 西村善文：転写因子とコアクチベータの構造生物学，蛋白質・核酸・酵素 **44**, 457-474, 1999.
2) Calladine, C. R. and Drew, H. R.: Understanding DNA, Academic Press, 1992.
3) Record, M. T., Jr., Ha, J.-H., and Fisher, M. A.: Analysis of equilibrium and kinetic measurements to determine thermodynamic origins of stability and specificity and mechanism of formation of site-specific complexes between proteins and helical DNA, *Methods Enzymol.* **208**, 291-343, 1991.
4) Oda, M. and Nakamura, H.: Thermodynamic and kinetic analyses for understanding sequence-specific DNA recognition, *Genes to Cells* **5**, 319-326, 2000.

1.11 アロステリック蛋白質

a. アロステリック効果

細胞の中で起こるさまざまな生化学反応はそれぞれを担当する酵素によって触媒されているが，一連の反応によって生ずる最終産物の濃度が，初段階もしくはその付近の反応を触媒する酵素（「key enzyme」と呼ばれる）にその産物が結合して負のフィードバックを掛けることによって調節される例が多くみられる．1961年にJ. Monodは，このように，酵素への基質の結合が，それとは構造の異なる別のリガンドがその酵素分子の別の部位に結合することによって制御される効果を，「アロステリック（allosteric）効果」と呼んだ．この単語の語源はギリシャ語にあり，「異なる空間」あるいは「他の場所」という意味である．その後，この語の意味はしだいに拡張され，一般に，蛋白質のような巨大分子の異なる部位に結合するリガンドどうしの間の相互作用を指すようになった．複数の同種のリガンドどうしの場合は「ホモトロピック（homotropic）効果」，異種のリガンドどうしの場合は「ヘテロトロピック（heterotropic）効果」と呼ぶ．ホモトロピック効果には，結合したリガンドの数の増加とともに結合力（リガンド親和性）が強まる正の協同作用（positive cooperativity）と，逆にそれが弱まる負の協同作用（negative cooperativity）とがみられる．正の協同作用は，リガンド飽和曲線をS字型にして，蛋白機能のリガンド濃度感受性を高めるのに役立つと考えられる．ヘテロトロピック効果において，あ

るリガンドの結合に影響する別のリガンドを「エフェクター（effector）」または「モジュレーター（modulator）」と呼び，前者の結合を促進する場合は正のエフェクター，抑制する場合は負のエフェクターと呼ぶ．蛋白質へのリガンドの結合は，水素結合や塩橋などの非共有結合によるものであり，本質的に可逆的である．上述のキー酵素におけるフィードバック調節を担っているのは，このようなエフェクターの作用であり，「フィードバック阻害（feedback inhibition）」や「アロステリック阻害（allosteric inhibition）」などと呼ばれる．酵素作用の阻害は，いわゆる「競争阻害（competitive inhibition）」によっても起こる．この場合は，基質に似た構造をもつ物質が触媒部位に結合して，基質の結合を妨げることで起こるのであり，見かけの現象は類似しているが，アロステリック阻害とはまったくメカニズムを異にする．

アロステリック効果は，リガンド結合部位間の直接の相互作用ではなくて，リガンド結合に伴う蛋白部分の構造変化を介した間接的な相互作用による．したがって，アロステリック現象にはそのような蛋白分子の構造変化，とくに，四次構造変化が本質的であり，場合によっては，リガンド結合に付随した構造変化そのものをアロステリック効果と呼ぶこともある．一般に，アロステリック蛋白質はいくつかのサブユニットから成るオリゴマーである．サブユニットどうしは，ファン・デル・ワールス接触，水素結合，塩橋などの弱い非共有結合で会合しており，その場合，分子は何らかの対称性をもつ．1つの分子内で，基質を結合して触媒作用をもつサブユニットを「触媒サブユニット」，エフェクターを結合して活性を制御するサブユニットを「調節サブユニット」と呼ぶ．

b. アロステリック蛋白質の例

生合成経路の初段階を触媒する酵素は一般にアロステリック酵素である．アロステリック酵素の古典的存在として知られているのは，ピリミジン生合成の最初の段階であるカルバモイルリン酸とアスパラギン酸からの N-カルバモイルアスパラギン酸合成を触媒する大腸菌のアスパラギン酸カルバモイルトランスフェラーゼである．この酵素は基質結合での正のホモトロピック作用と，アデノシン三リン酸，シチジン三リン酸による正・負のヘテロトロピック作用とを併せもっている．シチジン三リン酸の負の作用はアロステリック阻害の例である．少なくとも四次構造解明まで研究が進んでいる他のアロステリック酵素として，グリコーゲンホスホリラーゼ，ホスホフルクトキナーゼ，グルタミンシンセターゼ，フルクトース-1,6-ビスホスファターゼなどがある．これらの蛋白質では，活性の低いT（tense）と活性の高いR（relaxed）の2つの四次構造状態があり，基質が結合する際にTからRへの転移が起こる．この場合，分子の対称性は保存される．負と正のエフェクターはそれぞれ，T状態とR状態に優先的に結合することによって，2つの状態間の平衡をシフトさせ，触媒活性に影響することになる．

生体中で酸素と二酸化炭素を運搬し，「名誉酵素」と呼ばれるヘモグロビン（Hb）は，アロステリック蛋白質の規範として最も詳細に研究されている．酵素とは異なり，基質である酸素（ヘムに結合する）は代謝されないため，それの結合・解離平衡を酵素よりはるかに精密に観測することが可能である．脊椎動物の四量体Hbへの4個の酸素の結合は協同的であり，その酸素親和性は，H^+，CO_2，2,3-diphosphoglycerate（ジホスホグリセリン酸塩）などの負のエフェクターによって低下する．これらの赤血球内調節因子はいずれもT状態に優先的に結合して，T-R平衡をTの方へシフトさせ，酸素親和性を低下させる．Hbと同じく酸素運搬機能を担うクロロクルオリン，

ヘモシアニン，腕足動物シャミセンガイの八量体ヘムエリスリンもアロステリック効果を示す．

c. アロステリック効果の数学的取り扱い

四量体 Hb への四段階酸素結合は

$$Y = \frac{K_1 p + 3K_1 K_2 p^2 + 3K_1 K_2 K_3 p^3 + K_1 K_2 K_3 K_4 p^4}{1 + 4K_1 p + 6K_1 K_2 p^2 + 4K_1 K_2 K_3 p^3 + K_1 K_2 K_3 K_4 p^4} \quad (1)$$

なる式で表される．ここに，p, Y はそれぞれ溶存酸素の分圧，酸素飽和度（全 Hb 分子のヘムのうち，酸素と結合したヘムの割合；$0 \leq Y \leq 1$）であり，$K_1 \sim K_4$ は各酸素化段階での真性（統計係数の補正済み）結合平衡定数（「アデアー（Adair）定数」という）である．いわゆる正の協同作用により，$K_1 < K_2 < K_3 < K_4$ の場合は，Y を p に対してプロットした酸素飽和曲線は S 字型になる．式（1）を変形して，

$$\frac{Y}{1-Y} = \frac{K_1 p(1 + 3K_2 p + 3K_2 K_3 p^2 + K_2 K_3 K_4 p^3)}{1 + 3K_1 p + 3K_1 K_2 p^2 + K_1 K_2 K_3 p^3} \quad (2)$$

となる．ここで，$\log[Y/(1-Y)]$ vs. $\log p$ プロット（ヒル（Hill）プロット）を描くと，図 1.11.1 のようになる．正の協同作用のある場合は，中央付近の勾配 $n(= \text{d}\log[Y/(1-Y)]/\text{d}\log p)$ は 1 より大となる．式（2）より，

$p \to 0$ のとき，
$\log[Y/(1-Y)] = \log p + \log K_1$
$p \to \infty$ のとき，
$\log[Y/(1-Y)] = \log p + \log K_4$

となるので，ヒルプロットの両端は勾配 1 の漸近線をもつ．協同作用がない場合（$K_1 = K_2 = K_3 = K_4 \equiv K$）は，式（1）はミカエリス-メンテン（Michaelis-Menten）型の式（$Y = Kp/(1 + Kp)$）となり，ヒルプロットは勾配 1 の直線となる．一般に，n は酸素飽和度に依存する変数であるが，50％飽和度での n 値（n_{50}）または n の最大値（$n_{\max}$）を「ヒル係数」と呼び，協同作用の簡便

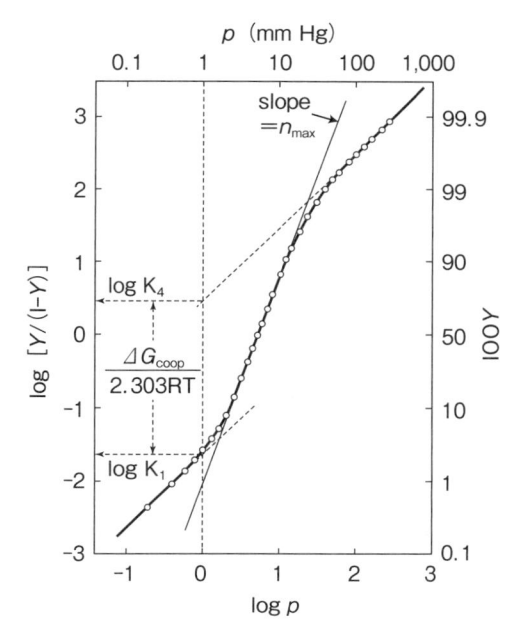

図 1.11.1 ヒルプロットによるアロステリック特性の表現

ヘモグロビンの酸素飽和曲線のヒルプロットの例を示した．p, Y はそれぞれ酸素分圧，酸素飽和度．○印は観測点を，太い実線はアデアースキーム（式（1））によるシミュレーションを表す．中央付近の最大勾配はヒル係数（$n_{\max}$）．プロット両端の勾配 1 の 2 つの漸近線が $\log p = 0$ の縦軸と交わる 2 点はそれぞれ $\log K_1$, $\log K_4$ を与え，それらの距離から協同作用の自由エネルギー ΔG_{coop} が求められる．右側の縦軸は酸素飽和度（％）で目盛ってあるが，1％から 99.9％の広い範囲で飽和度を測定しないとアデアー定数や MWC パラメータを決定できないことがわかる．酵素反応の場合は，p を基質濃度に，Y を基質飽和度または相対反応速度（反応初速度/最大反応速度）で置き換えればよい．

な指標とする．$n_{\max}$ 値は酸素結合部位の数（4）を越えることはない．アデアー定数の値が知られていると，「協同作用の自由エネルギー」$\Delta G_{\text{coop}} = RT \ln(K_4/K_1)$ を求めて協同作用の指標として用いることができる（図 1.11.1）．

Monod-Wyman-Changeux（MWC）の二状態アロステリックモデルを四量体 Hb に適用すると，酸素飽和曲線は

$$Y = \frac{L_0 K_T p (1+K_T p)^3 + K_R p (1+K_R p)^3}{L_0 (1+K_T p)^4 + (1+K_R p)^4} \quad (3)$$

で表される．ここに，L_0 は酸素が結合していない T 状態と R 状態の間の平衡定数（$=[T_0]/[R_0]$；「アロステリック定数」という），K_T, K_R はそれぞれ T 状態と R 状態の酸素結合平衡定数である（$K_T < K_R$）．このモデルの骨子は，それぞれの四次構造状態内では，K_T, K_R は結合した酸素の数には依存しないこと，$p=0$ では圧倒的に T 状態が安定（$L_0 \sim 10^6$）であって酸素は T に結合するが，酸素化とともに T-R 平衡が R の方へシフトして R に結合する酸素の割合が増加し，$p = \infty$ では圧倒的に R 状態が安定になる（$L_4 = [T_4]/[R_4] = \sim 10^{-4}$）という「アロステリック転移」よって協同作用が起こること，である．正と負のヘテロトロピックリガンド（それぞれ A, I とする）は，それぞれ R 状態，T 状態へ選択的に結合して，

$$L_0 = ((1+K_I[I])^i / (1+K_A[A])^a) L_{0,0} \quad (4)$$

のごとくにアロステリック定数の実効値を変えることによって酸素親和性と協同作用に影響を与える．ここに，$L_{0,0}$ は A, I の非存在下での L_0 であり，K_A, K_I はそれぞれ A, I の結合平衡定数，a, i はそれらの蛋白分子当たりの結合部位の数である．

以上述べたアデアースキームや MWC モデルは，アロステリック酵素にも同等に適用できる．その場合，酸素を基質に置き換えればよい．また，基質の数を 4 から一般の整数に拡張するのは容易である．アデアースキームは質量作用の法則から導かれる普遍的な表現である．MWC モデルは少なくとも定性的にはアロステリック蛋白質の特性をよく表現することが知られている．しかし，Hb やアスパラギン酸カルバモイルトランスフェラーゼの場合にみられるように，ヘテロトロピックリガンドはアロステリック定数のみならず，K_T, K_R にも影響することが知られているし，四次構造に R, T 以外の構造の存在も知られるなど，必ずしもオリジナルのモデルでは説明できない現象も少なくない．〔今井清博〕

[文献]

1) ペルツ, M. F.（林 利彦，今村保忠訳）：生命の第二の秘密－蛋白質の協同現象とアロステリック制御の分子機構，マグロウヒル，1991.
2) ヴォート, D., ヴォート, J. G.（田宮信雄他訳）：生化学 上（第 3 版），東京化学同人，2005.
3) 今井清博：蛋白質－この絶妙なる設計物，生物物理から見た生命像 1（日本生物物理学会編），pp. 27-53, 吉岡書店，1994.
4) Wyman, J. and Gill, S. J.: Binding and linkage—Functional Chemistry of Biological Macromolecules, University Science Books, 1990.

1.12 蛋白質の分解

a. 蛋白質の生と死

　蛋白質はリボソーム上で生合成され，シャペロン等の助けを借りて立体構造を構築し，機能蛋白質として生体の場で働く（蛋白質の生）．一方，生合成された各蛋白質には固有の寿命があり，それぞれの寿命に従って分解される（蛋白質の死）．すなわち，生命現象は機能蛋白質の生合成（生）と分解（死）のバランスの上に成り立っているといえる．もし，生合成の過程で，異常（変異）蛋白質ができた場合や，他の蛋白質と複合体をつくる蛋白質が，相手の蛋白質ができないために正常な立体構造をとれない場合には，それらの蛋白質はすぐに分解される．また，分泌蛋白質や膜蛋白質のように，小胞体を通過したあとに立体構造を構築する場合，もし正常な立体構造をとれないと小胞体内から細胞質に引きずり出されて分解される．いずれの場合も，細胞に備わっている，蛋白質の品質（正常な立体構造）をチェックする機構（品質管理機構）が働いている．

　生体内で生合成される蛋白質のうち，機能蛋白質として働くのは7割で，残りの3割は分解される運命にあるという（哺乳類細胞の場合）．一見無駄のように見えるが，生体は，分解の結果生成したペプチドを細胞膜上に提示（抗原提示）し，生体防御に役立てるという生存戦略をとっている．

b. 蛋白質の寿命（代謝回転）

　生体内の蛋白質はたえず一定の割合で置き換わっている．これを代謝回転（ターンオーバー）という．蛋白質は完全に分解されてアミノ酸となり，それが再び蛋白質の生合成に使われる．蛋白質の分解速度は，蛋白質生合成の阻害剤（真核生物の場合はシクロヘキシイミド）を用いて生合成を止め，その後の蛋白質の量や活性を経時的に追跡することで測定できる．そして，生体内の蛋白質には，半減期が非常に短い短寿命蛋白質が存在することが明らかになった．短寿命蛋白質は，細胞周期，シグナル伝達，転写，代謝などの生体機能の制御を司っている場合が多い．短寿命蛋白質の分解や品質管理機構を司る分解系が，ユビキチン-プロテアソームシステム（ユビキチン依存的蛋白質分解系）である．

c. ユビキチン-プロテアソームシステム

　細胞内の蛋白質分解を司る分解系として，非選択的分解を司るファゴソーム-リソソームシステムと，選択的分解を司るユビキチン-プロテアソームシステムが存在する．前者の場合，多くの蛋白質分解酵素を含むリソソームが，細胞内でできた不要物や外界からの異物を取り込んだファゴソームと融合し，それらの物質を分解する．一方，ユビキチン-プロテアソームシステムがさまざまな生命現象に関与することが明らかになり，このシステムが生体機能の制御機構として重要であることが広く認識されている．すなわち，蛋白質の分解は，単に蛋白質が分解してアミノ酸プールをつくるだけでなく，時間軸で動く生命現象を制御する役割をはたしているのである．たとえば，細胞周期の進行は，細胞周期エンジン CDK のリン酸化による活性化と，その調節蛋白質サイクリンの分解に伴う不活性化によって制御されている．もし，決まったステージでサイクリンがユビキチン-プロテアソームシステムによって分解されないと細胞周期は停止してしまう．

　ユビキチン-プロテアソームシステム

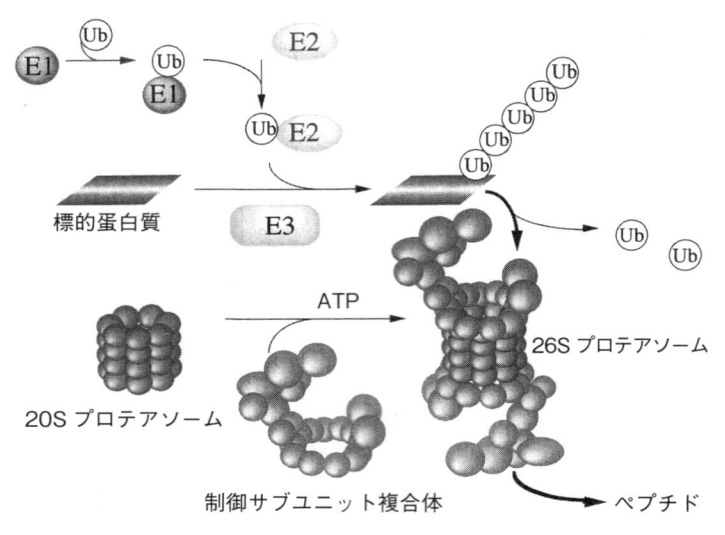

図1.12.1 ユビキチン-プロテアソームシステム
(Ub：ユビキチン)

　は，分解されるべき標的蛋白質のユビキチン化を行うユビキチンシステムと，形成されたユビキチン鎖を分解のシグナルとして認識して蛋白質部分を分解する26Sプロテアソームからなる（図1.12.1）.

　ユビキチンは76個のアミノ酸からなる小さな熱ショック蛋白質で，ストレス時に多量に生合成される．また，ユビキチンのアミノ酸配列は進化的に高く保存されており，その立体構造はユビキチンフォールドと呼ばれ，他の蛋白質のドメインとしても存在する．ユビキチンシステムは，ユビキチン活性化酵素（E1），ユビキチン結合酵素（E2）およびユビキチンリガーゼ（E3）の3種の酵素からなる．ユビキチンはATPのエネルギーを使ってE1酵素によって活性化され，次に，その活性化状態のユビキチンがE2酵素に転移される．E3酵素には2つのタイプが存在する．1つ（Hect型）は，E2酵素からユビキチンを受け取り，標的蛋白質のリシン残基のε-アミノ基にイソペプチド結合を介してユビキチンのC末端を連結させる．もう1つ（Ring-finger型）の場合は，ユビキチンを結合したE2酵素と標的蛋白質の両者を結合し，標的蛋白質へのユビキチンの連結を促進させる．いずれの場合も，1つのユビキチンが連結すると，そのユビキチンの48番リシンのε-アミノ基に他のユビキチンのC末端が連結する．このユビキチン化反応が繰り返され，ユビキチン鎖が形成される．どの蛋白質をユビキチン化するかの選別を個々のE3酵素が行っている．

　分解マシンである26Sプロテアソームは，20Sプロテアソームの両端に制御サブユニット複合体（別名：19S複合体，PA700）が結合した形をしている．20Sプロテアソームは，類似しているが異なる7つのα-サブユニットと7つのβ-サブユニットからなるリングが，$\alpha\beta\beta\alpha$の順に4層［$(\alpha7)(\beta7)(\beta7)(\alpha7)$］に重なった構造をしている．活性部位は3つの$\beta$-サブユニットに存在する．20Sプロテアソームの両端のα-リングは閉じているが，19S複合体が結合すると開く．19S複合体は，6個のATPaseサブユニット（Rpt）と12個のnonATPaseサブユニット（Rpn）から構築される．ユビキチンシステムによって形成されたユビキチン鎖は，19S複合体のRpn10サブユニット（ユビキチンレセ

プター)によってトラップされ，蛋白質部分がATPaseサブユニットによってアンフォールドされて20Sプロテアソーム内の活性部位に運ばれ分解される．このとき，ユビキチン鎖は19S複合体がもつ脱ユビキチン化酵素活性によってモノマーになり，再利用される．

d. 分解シグナル

細胞機能の制御に重要な働きをする短寿命蛋白質がなぜ短寿命なのか，その寿命を決定する配列が存在するのか．この疑問に対して，寿命を決定する配列が提案されている．1つの例がPEST配列である．PEST配列は，2つの塩基性アミノ酸に挟まれプロリン(P)，グルタミン酸(E)，セリン(S)，トレオニン(T)に富む配列で，短寿命蛋白質に共通に存在する配列として見つかったが，短寿命蛋白質でもPEST配列を有しないものもある．もう1つの例が，N末端アミノ酸が蛋白質の寿命を決定するシグナルであるというN末端則(N-end rule)である．異なるN末端アミノ酸を有するβ-ガラクトシダーゼを酵母で発現したときに，N末端アミノ酸の種類によって寿命が異なることから提案された(たとえば，アルギニンやロイシンのときには短寿命，アラニンやセリンのときには長寿命)．このときに働くユビキチンシステムも同定され，また，26Sプロテアソームによる分解も起きる．しかし，N末端則によって分解される生体内の標的蛋白質として数種類が同定されているのみである．

以上の例からわかるように，すべての短寿命蛋白質に普遍的な分解シグナルが存在するというよりは，個々の蛋白質に固有の分解シグナルが存在すると考えられる．短寿命蛋白質の寿命を決定する領域は，各種欠失変異体を作成して安定性を調べ，安定化が増強した欠失変異体の欠失部分の最小領域として決定される．さらに，その最小領域を他の安定な蛋白質に融合したときに不安定化が誘導されると，不安定性を規定する必要かつ十分な領域といえる．サイクリンのデストラクションボックスやc-Junのδ-ドメインなど，多くの例が明らかになっている．しかし，分解シグナル領域が実際にどのように作用して個々の蛋白質の寿命を決定しているのかについてはほとんど解明されておらず，今後の検討課題である．

〔横沢英良〕

[文献]
1) 第15回「大学と科学」公開シンポジウム組織委員会編：蛋白質分解の不思議，クバプロ，2001.
2) 石浦章一編：神経難病の分子機構，シュプリンガー・フェアラーク東京，2000.
3) Peters, J.-M., Harris, J. R., Finley, D.: Ubiquitin and the Biology of the Cell, Plenum, 1998.
4) 田中啓二編：ユビキチンがわかる，羊土社，2004.

III. さまざまな蛋白質

1.13 膜蛋白質

図1.13.1 膜蛋白質はα-ヘリックス型（A，シングルスパンニング；B，マルチスパンニング）とβ-シート型がある．さらに，水に溶けるが，膜中にも容易に溶け込む膜活性ポリペプチド，基本的には水溶性だが膜表面に結合している表在性膜蛋白質（C）もある．

　膜蛋白質は，生体膜に組み込まれた蛋白質の総称で，生体膜の機能単位である．膜蛋白質の機能は，主に膜を通しての物質，情報，エネルギーの移動に関係していて，生物にとって非常に重要なものが多い．能動輸送蛋白質（ポンプ），受動輸送蛋白質（チャネル）などは分子やイオンの移動を行う．受容体（レセプター）は外界からの情報をつかまえ，細胞内に伝達するが，情報には光・力学刺激のような物理的な情報から，まわりの細胞が分泌する物質やにおい物質など化学的な情報まで多種多様である．その他，エネルギー変換を行うプロトンATPase，免疫系の蛋白質，細胞接着分子等がある．

　膜蛋白質の多様な機能にもかかわらず，その構造にははっきりした共通性が見られる．膜蛋白質は大きく分けると，膜貫通部位がα-ヘリックスでできているものと，β-シートでできているものとがある（図1.13.1）．β-シート型の膜蛋白質は，バクテリアの外膜に多く見られ，かなり特殊であると考えられ，ほとんどの膜の機能単位となっているのは，α-ヘリックス型の膜蛋白質である．

　α-ヘリックス型の膜蛋白質は，膜貫通ヘリックスの本数によって分類することができる．複数の膜貫通ヘリックスでできているマルチスパンニング（ポリトピック）膜蛋白質は，膜内に機能部位をもっているものも多く，輸送系の膜蛋白質や受容体などの多くはこのタイプのものである．一方，ヘリックスを1本だけもつシングルスパンニング（バイトピック）膜蛋白質は，機能部位が水溶性部分にあり，ヘリックスは機能を膜に局在させるためにくっついているような場合が多い．免疫系の膜蛋白質はこのタイプのものである．

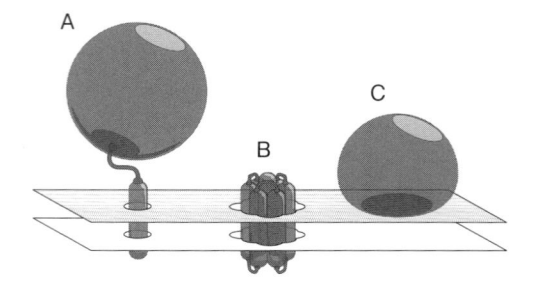

　膜貫通ヘリックスは，ほぼ膜に垂直な方向にそろっており，したがってヘリックスが束となった構造になっている．実際，光合成中心複合体，チトクロムc酸化酵素，バクテリオロドプシン，カリウムチャネルなど今までに立体構造がわかっている膜蛋白質を見ると，膜面内のヘリックスの配置はさまざまであるが，膜にほぼ垂直なヘリックスが束となった構造であることは共通である．また，膜蛋白質は膜内で複合体をつくりやすい傾向が見られ，立体構造が明らかになった膜蛋白質で，本当に単独で挙動しているものはない．バクテリオロドプシンは単独で機能するが，生理的条件下で二次元結晶をつくっている．

　生体膜はダイナミクスとしては流動性をもっていて，それを構成する脂質や膜蛋白質は動的に動く（拡散する）ことができると一般に考えられている．しかし，膜蛋白質は必ずしも自由に膜内を拡散することが

(a) アミノ酸配列

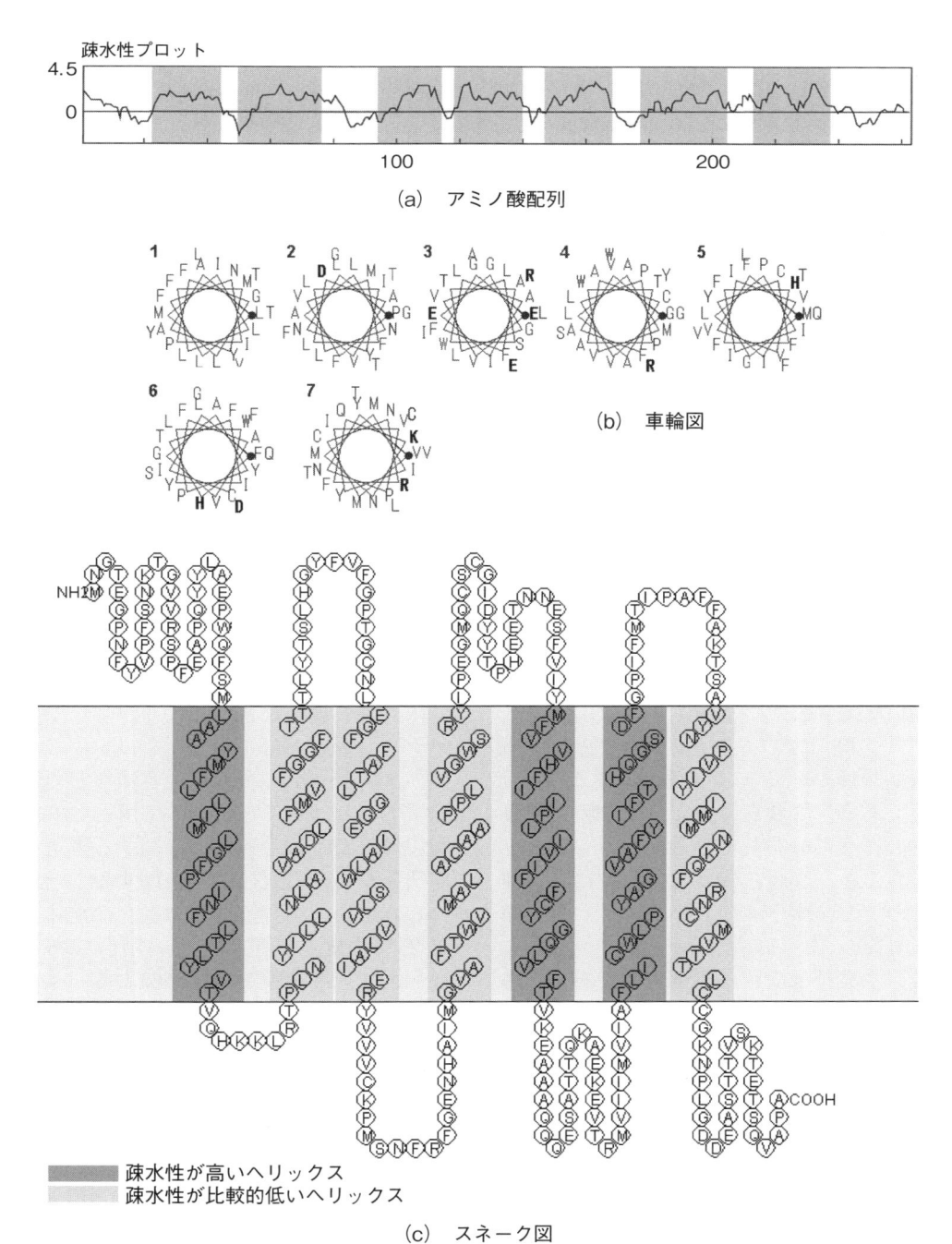

(b) 車輪図

(c) スネーク図

疎水性が高いヘリックス
疎水性が比較的低いヘリックス

図1.13.2 膜蛋白質は特徴的なアミノ酸配列を示している．ロドプシンの例を見てみると，(a) 疎水性プロットが示すように，膜貫通ヘリックスは疎水性が高いアミノ酸セグメントとなっている．(b) 膜貫通ヘリックス領域の車輪図を見ると，両親媒性を示しているが，疎水性の面が蛋白質の外側となっている．(c) 膜貫通ヘリックスを横から見てみると，膜の両端に親水的な残基が多く存在しており，脂質の極性基部分と相互作用していると考えられる．

できるというわけではない．膜蛋白質は，膜内で複合体をつくりやすいばかりではなく，膜外にある膜裏打ち蛋白質などとも結合し，流動性が非常に抑えられている場合がある．シナプスに局在する受容体のように，機能に合わせて細胞膜の一部だけに局在する膜蛋白質もしばしば見られる．

　膜蛋白質の構造的特徴は，そのアミノ酸配列の特徴と深く関係していると考えられている（図1.13.2）．アミノ酸をその物理的性質で分類すると，水にきわめて溶けやすく電荷をもつようなアミノ酸（正電荷のアルギニン，リジン，ヒスチジン，負電荷のグルタミン酸，アスパラギン酸），親水的だが電荷をもたないアミノ酸（グルタミン，アスパラギン，セリン，トレオニン，チロシン，トリプトファン），水に溶けにくく油に似た性質のアミノ酸（ロイシン，イソロイシン，バリン，アラニン，フェニルアラニン，メチオニン），小さく自由度の高いアミノ酸（グリシン）と自由度の低いアミノ酸（プロリン），S-S結合という共有結合をつくるアミノ酸（システイン）などである．これらのアミノ酸が膜蛋白質にどのように分布しているかということを見てみると，膜蛋白質は水に溶けにくい疎水性のアミノ酸が多いということが最大の特徴となっている．

　膜の主成分は脂質と膜蛋白質である．基本的な膜構造をつくるのは脂質の二層膜であるが，脂質二層膜をつくるのは疎水性相互作用であり，膜蛋白質もそれに適合するものでなければならない．すでに立体構造がわかった膜蛋白質の解析で，膜貫通ヘリックスの中心部分（脂質膜の炭化水素鎖に対応する領域）には，平均的に疎水性のアミノ酸が多いということがわかる．また，同様の解析により，膜貫通ヘリックスの両端の部分（脂質膜の極性部に対応する領域）には，親水的なアミノ酸が多い．これらのアミノ酸分布は，脂質膜の性質とよく適合するものとなっているのである．

　蛋白質内外のアミノ酸分布を見てみると，外側（脂質に向いた側）は非常に疎水的なアミノ酸が配置されているが，蛋白質の内側は比較的親水的である．これは水溶性蛋白質が，外側に非常に親水的なアミノ酸を，内側に疎水的なアミノ酸を配置していることと対照的である．ただし，膜蛋白質の内側と水溶性蛋白質の内側はほぼ同じ程度の疎水性であるという指摘がある．さらに，細胞の内側と外側を（ヘリックスの両端部分とループ部分を合わせて）比較してみると，内側に正電荷が多いというルールが見られる．これは，膜電位に合わせた電荷分布となっていると考えられている．

　最近，多くの生物のゲノムが解析され，すべての遺伝子（とアミノ酸配列）が得られるようになってきた．各遺伝子の意味を確認するアノテーションの作業は，主にアミノ酸配列のホモロジー（類似度）の解析で行われている．しかし，膜蛋白質に関しては，立体構造など既知情報が少なく，アノテーションがむずかしくなっている．創薬のターゲットの多くは受容体などの膜蛋白質であり，ゲノム情報の応用として，膜蛋白質（とくに受容体）に関する構造・機能情報をできるだけ多く抽出することが求められている．膜蛋白質の割合は全体として25％程度と無視できない割合であることもあり，今後膜蛋白質に関するバイオインフォマティクスの研究が期待されている．

〔美宅成樹〕

[文献]
1) ゲニス，R. B.（西島正弘他共訳）：生体膜―分子構造と機能，シュプリンガー・フェアラーク東京，1990．
2) 日本生物物理学会シリーズ・ニューバイオフィジクス刊行実行委員会編，平田　肇，茂木立志担当編集：ポンプとトランスポーター，共立出版，2000．
3) 郷　通子，高橋健一編：基礎と実習バイオインフォマティクス（美宅成樹，辻　敏之，朝川直行：第3章 類似性によらない機能予測），共立出版，2004．

1.14 ヘム蛋白質，金属結合蛋白質

　金属と結合して機能を発揮する蛋白質を総称して金属蛋白質と呼ぶ．生体に含まれる金属元素としては，Na, Mg, K, Ca, V, Cr, Mn, Fe, Co, Ni, Cu, Zn, Mo, W等で，Na^+ や K^+ は蛋白質表面の極性残基に非特異的に結合するが，他の金属イオンはその蛋白質の特定の部位で特定の配位構造をとることが多い．その配位構造ゆえに蛋白質全体に特定の構造をとらせることになって機能に結びつく典型がZnフィンガー蛋白である．この場合，各フィンガーごとに1個の Zn^{2+} が含まれ四面体配位をとってフィンガーのコンフォメーションを決めるが，それがいくつか直列につながってDNAの特定部位を認識する．また，金属配位部位の一部が触媒部位として働くものがあり，それらは金属酵素と呼ばれることが多いが，多くの重金属蛋白がそのタイプである．その触媒反応では基質と金属イオンの間で電子のやり取りが起こるが，金属がどれくらい電子を受け取りやすいか（あるいは放出しやすいか）を表すパラメータを酸化還元電位といい，正で大きくなるほど電子を受け取りやすい．同じ金属イオンでもその配位環境によって酸化還元電位は大きく変化する．一般的に最低空軌道（LUMO）のエネルギーが低いほど電子を受け取りやすく，逆に最高被占軌道（HOMO）のエネルギーが高ければ電子を放出しやすいが，その軌道の方向と基質の反応部位の軌道との重なり（方向と距離）が反応しやすさを決める．LUMOやHOMOを含め金属イオンの電子波動関数のエネルギー値等を総称して電子状態という言葉で表している．

　基質が化学変化するという現象は含まれないが，金属イオンの電荷のみが変化する蛋白質もある．その蛋白質は別の蛋白質によって還元され（それより電子を受け取り），また別の蛋白質によって酸化される（それに電子を渡す）といった蛋白質分子間の電子のやり取りを電子伝達と呼ぶ．その蛋白質は酸化還元当量を1つの蛋白から別の蛋白に運搬したことになるので，電子担体と呼ぶこともある．Fe^{2+} と Fe^{3+} の間で変化するチトクロム c がその典型である．その電子伝達により酸化還元電位の差分のギブス自由エネルギーが放出される．ミトコンドリア内膜の電子伝達ではそのエネルギーでプロトンの能動輸送を行う．

　金属イオンが蛋白質のアミノ酸残基に直接結合しているもの以外に，比較的小さな有機化合物と金属錯体を形成し，それが蛋白質に結合する場合もある．その金属錯体を補欠分子族と呼んでいる．その最もよく知られた例は，鉄が鉄ポルフィリン錯体として蛋白に含まれる場合で，それをヘム蛋白質と呼ぶ．それ以外に補欠分子族としては，鉄・硫黄蛋白における鉄硫黄クラスター，モリブデン蛋白に多く見られるモリブドプテリン，ビタミン B_{12} におけるコバルトセンターのアデノシルコバラミン，光合成反応中心蛋白におけるマグネシウム錯体のクロロフィル（葉緑素）等がある．

　ヘム蛋白質とは，図1.14.1に示すような鉄ポルフィリン（ヘムと呼ぶ）を含む蛋白質の総称で，すべての生物がもっているといっても過言ではないほど基本的蛋白質である．ポルフィリンの置換基のセットに応じてヘムA, B, C, Dと分類される（図1.14.1はB型ヘムを示す）．鉄の上下の配位子（XとY）を軸配位子という．ヘム蛋白質の機能的分類とその反応を表1.14.1にまとめるが，それはX, Yのセットと密接に関係している．地球上に酸素（O_2）分

子が存在しなかった頃からヘム蛋白は存在したが，当時はXもYもアミノ酸残基が占め，鉄イオンがFe^{2+}からFe^{3+}になることによる電子伝達機能（表中の1）に限られていた．その種の蛋白は現在も活動していて，チトクロムと呼ばれる．ヘムの型がCのものをチトクロムcという呼び方をする．

その後，地球上で光合成が行われるようになり，O_2分子が存在するようになって，Yのところが偶然空席になったものにO_2が結合し，それが機能となるものが出てきた．Yの位置に結合したO_2がまったく化学反応せず，O_2の結合しやすさのみが蛋白で制御されるものが酸素担体(2)である．

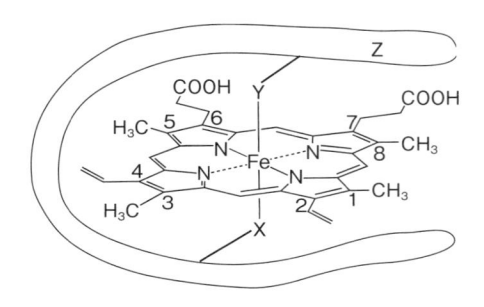

図1.14.1 ヘム蛋白質の概念図
プロトポルフィリンIXが蛋白に含まれるとしたときの原子の番号づけも示してある．XとYはヘム鉄の第5，第6配位子を意味する．Zはヘムから離れたところにある蛋白の反応部位．

ミオグロビンやヘモグロビンがこれに当たる．前者はモノマーで，後者はテトラマーとして機能していることが多い．その多くは，Xが中性のヒスチジンである．Yに結合したO_2をH_2Oに変換することにより酸化還元エネルギーを獲得して，そのエネルギーでH^+の能動輸送をするのが呼吸鎖末端酸化酵素として働くオキシダーゼである(3)．このタイプのものは，Xがヒスチジンで，Y側〜5Å程度の距離にCuがあって，Fe⋯Cu二核センターをつくっているところに特色がある．生体内では時折り過酸化水素（H_2O_2）が発生するが，H_2O_2は生体膜を壊しいろいろなラジカル反応を誘起するので生体にとっては害となる．それを速やかに除去するものがペルオキシダーゼ(4)とカタラーゼ(5)である．前者はH_2O_2を特異的酸化剤としてさまざまな有機基質（SH_2）を酸化するが，後者は特別何かを酸化することなくH_2O_2をH_2OとO_2に組み替える．多くのペルオキシダーゼのXは脱プロトン化したヒスチジンであるが，システインのチオレートの場合もある．ペルオキシダーゼは定量的に反応するものが多く，SH_2に色素を用いることによってSになることによる色の変化を検出する生体検査試薬に使われている．これに対してカタラーゼではXはチロシネートであることが多い．

表1.14.1 ヘム蛋白質の分類

	分類名	反応
1.	電子担体	$P^+ + e^- \rightleftarrows P$
2.	酸素担体	$P + O_2 \rightleftarrows PO_2$
3.	オキシダーゼ	$4H^+ + 4e^- + O_2 \rightarrow 2H_2O$
4.	ペルオキシダーゼ	$SH_2 + H_2O_2 \rightarrow S + 2H_2O$
5.	カタラーゼ	$2H_2O_2 \rightarrow 2H_2O + O_2$
6.	モノオキシゲナーゼ	$SH + 2H^+ + 2e^- + O_2 \rightarrow SOH + H_2O$
7.	ジオキシゲナーゼ	$SH_2 + O_2 \rightarrow HO-S-OH$
8.	ガスセンサー	$P + L \rightarrow PL$
		PLはZにて酸素反応あるいはDNAとの結合が促進される

PはFe^{2+}ヘムを含む蛋白，LはO_2, NO, CO等の二原子分子，Sは基質，SHやSH_2はその還元型を意味する．

酸化反応が電子のやりとりと考えられていた時代は長く続いたが，後に酸素化という酸化反応も存在することが示された．ヘム鉄に結合したO_2の1原子のOを有機化合物に取り込み，もう1つのO原子を水に変える一原子酸素添加酵素（6）がP450という一群の蛋白質である．肝臓や副腎にあるP450は水に不溶な炭化水素を水酸化して水溶性にし，血液に溶かして排泄させる酵素として，あるいはコレステロールを水酸化して男性・女性ホルモンに変換する酵素として非常に注目された比較的新しい酵素で，佐藤・大村によって命名され，その名前が世界中で使われている．Fe^{2+}ヘムに結合したO_2を2原子とも有機化合物に取り込んでしまうものが二原子酸素添加酵素（7）で，トリプトファンを開裂するトリプトファンピロラーゼやインドールアミンジオキシゲナーゼがこれに当たる．

21世紀になって研究がさかんになった新しいタイプのヘム蛋白質としてガスセンサー蛋白がある．これはヘム鉄にO_2，CO，NOなど二原子分子が結合すると蛋白にコンフォメーション変化が起き，それがヘム鉄からは遠いところにあるZの位置（図1.14.1）で酵素反応を促進したり，DNAに結合しその下流でコードされている蛋白質の合成を促進する働き（転写因子）をするものである．O_2のセンサーはヘム鉄がO_2と結合すると速やかに酸化されることがあるために酸化還元センサーとして機能しているのかもしれないものも含まれているが，まだ明確になっていない．これまでに，NOセンサーとして可溶性グアニレートシクラーゼ，COセンサーとしてCooAとNPAS2，O_2センサーとしてFixL，Dos，PDAE1，およびHemAT等が見つかっている．これらガスセンサー蛋白質は，全部ダイマーとして存在しているが，その基本問題はアロステリック効果の構造化学と同様で，酸素担体であるヘモグロビンと共通点を有している．〔北川禎三〕

1.15　DNA結合蛋白質

DNA結合蛋白質は遺伝情報の複製，転写，組換え，修復等の遺伝子のさまざまな機能発現や制御に必須でありそれゆえ数多くの種類の蛋白質が存在する．さらにDNA結合蛋白質は染色体の機能や構造維持にも必須である．ここではとくに転写因子を中心とした特異的に塩基配列を認識するDNA結合蛋白質についてのみ概説する．DNAはワトソン-クリック型の塩基対によって安定化されている．またDNAは負に荷電したリン酸骨格をもっているのでDNA結合蛋白質は必ず表面に正に荷電したアミノ酸残基をもっているという共通の特徴がある．しかし特異的な塩基配列を認識するための構造は非常に多様である．単純化するとDNA二重らせんの骨格に結合できるような正電荷分布をもった蛋白質から塩基を識別するためのアミノ酸残基が突き出てDNAの主溝や副溝から水素結合や疎水結合で塩基を認識する．よって塩基を認識するアミノ酸はヘリックスやβ-シートやループなどいろいろな二次構造体に存在しうる．

1)　HTHモチーフとその変異体

1本のヘリックスがDNA主溝に収まって特異的に塩基配列を認識する場合，最低3本のヘリックスが三角形に配置し疎水的なアミノ酸による疎水性コアで安定化されている構造がある．3本のヘリックスのうち2番目と3番目のヘリックスが4アミノ酸のターンで結ばれたヘリックス-ターン-ヘリックスモチーフ（HTHモチーフ）を形成し3番目のヘリックスがDNAの

主溝で塩基を特異的に認識する例がある．ファージのリプレッサー蛋白質や大腸菌の転写活性化蛋白質のCAP等はDNA結合ドメイン以外に二量体形成ドメインをもっていて二量体でDNAに特異的に結合する．

エングレイルドやアンテナペデイア等のホメオドメインは単独でDNAに特異的に結合する．若干長い3番目のヘリックスがDNAの主溝で塩基を特異的に認識し，さらにN末端のフレキシブルなアームがDNAの副溝で塩基を付加的に認識している．

MybのDNA結合ドメインは3個のリピート構造をもっていて，おのおのは3本のヘリックス構造をとっているが，ターン部位が長いHTH変異体である．特異的なDNA結合にはタンデムにつながった2番目と3番目のリピートが必要十分であり，各リピートの3番目のヘリックスがDNAの主溝に入って協調的に塩基を認識する．Mybドメインはテロメア蛋白質中にも見つかっていて出芽酵母のテロメアDNA結合蛋白質Rap1のDNA結合ドメインは立体構造がMybリピートによく似た2つのサブドメインを含んでいる．ヒトのテロメアDNA結合蛋白質のTRF1のDNA結合ドメインは1個のMybドメインを含んでいて単独で特異的にDNAに結合できる．酵母のRap1のヒトホモログのhRap1にもMybドメインが存在するがDNAには結合しない．このMybドメインの表面にはDNA結合に必要な特異的な正電荷分布がないためである．

転写因子のIRF-1，ヒストンH5の球状

(a) MybR1R2R3

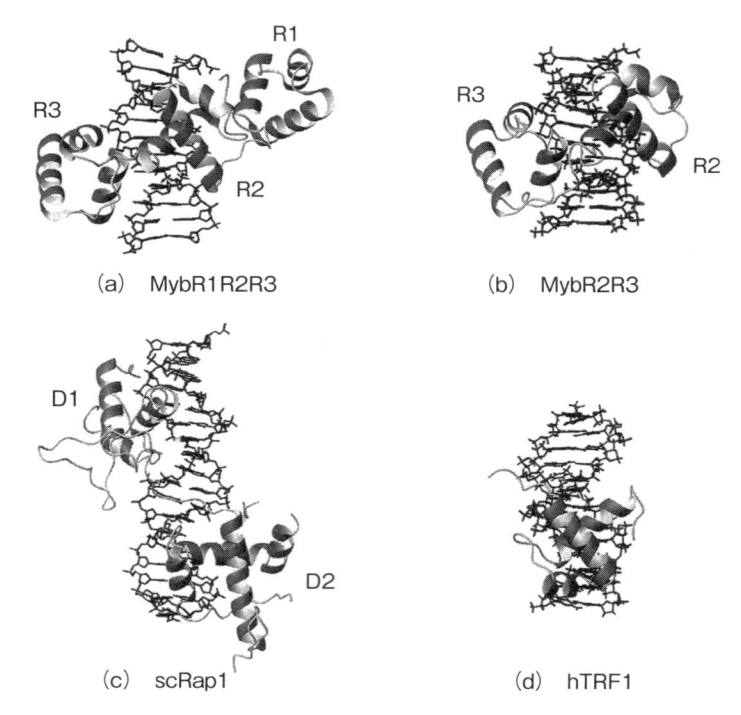

(b) MybR2R3

(c) scRap1

(d) hTRF1

図 1.15.1 MybドメインによるDNA結合様式
(a) 転写因子c-Mybの全DNA結合ドメイン（R1R2R3）と特異的なDNAとの複合体（PDBコード：1H88），(b) 転写因子c-Mybの最小DNA結合ドメイン（R2R3）と特異的なDNAとの複合体（PDBコード：1MSE），(c) 出芽酵母のテロメア結合蛋白質scRap1のDNA結合ドメインとテロメアDNAとの複合体（PDBコード：1IGN），(d) ヒトテロメア結合蛋白質hTRF1のDNA結合ドメインとヒトテロメアDNAとの複合体構造（PDBコード：1IV6）．

ドメイン，肝臓特異的な転写因子の HNF-3γ，分化関連転写因子の Ets の DNA 結合ドメインは 3 本のヘリックス構造の C 末端に β- シートが存在して全体の構造を安定化している．HTH モチーフ蛋白質と異なる点は非常に長いループが存在する点でとくに HNF-3γ の場合は 2 本の非常に長いループがお互いに逆方向に突き出ていてちょうど蝶の羽のような形をしていることから，この種の蛋白質はウイングド・ヘリックス蛋白質と呼ばれている．ウイングド・ヘリックス構造をさらに N 末端側のもう 1 枚の β- シートで安定化している例が大腸菌の転写因子の OmpR や PhoB で見つかっている．HTH モチーフをもっているが，ターン部位は非常に長いループ構造である．これらのウイングド・ヘリックス蛋白質では 3 番目のヘリックスが DNA の主溝に収まって塩基を特異的に認識しているが，最近同じようなウイングド・ヘリックス構造をもっているにもかかわらず認識様式がまったく異なる例が基本転写因子の TFIIE ベータのコアドメイン等で見つかっている．

2) Zn フィンガー

DNA を認識するためのヘリックスを亜鉛原子（Zn）の配位で安定化している例も多い．

1 本のヘリックスと 2 本の β- ストランドからなる β- シートを 2 個のシステインと 2 個のヒスチジンが Zn に配位して安定化している Cys2His2 型 Zn フィンガーではヘリックスが DNA の主溝で塩基を認識している．特異的な認識には 2 個以上繰り返した Zn フィンガーが必要で，各ヘリックスは 3 塩基対をカバーしている．

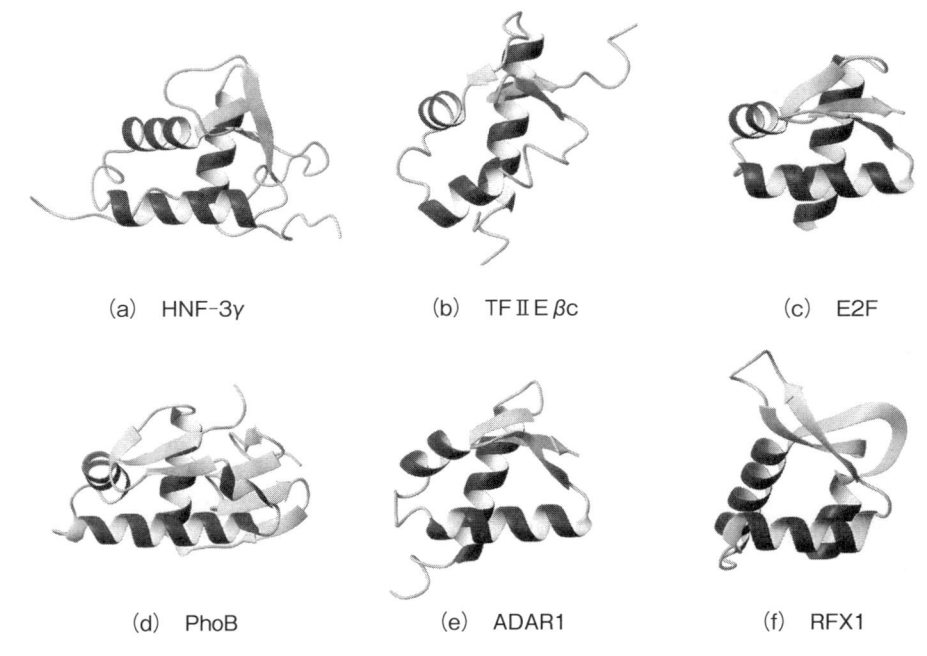

(a) HNF-3γ　　(b) TFIIEβc　　(c) E2F

(d) PhoB　　(e) ADAR1　　(f) RFX1

図 1.15.2 ウィングド・ヘリックス蛋白質の構造
(a) 肝臓特異的転写因子 HNF-3γ の DNA 結合ドメイン，(b) 基本転写因子 TFIIE の β- サブユニットのコアドメインの構造（PDB コード：1D8K），(c) 転写因子 E2F の DNA 結合ドメインの構造（PDB コード：1CF7），(d) 大腸菌リン酸レギュロン転写因子 PhoB の DNA 結合ドメイン（PDB コード：1QQI），(e) Z 型 DNA 結合蛋白質の DNA 結合ドメインの構造（PDB コード：1QBJ），(f) 転写因子 RFX1 の DNA 結合ドメインの構造（PDB コード：1DP7）．

ステロイドホルモン，甲状腺ホルモン，ビタミンA，ビタミンD等の核内受容体のDNA結合ドメインは1個の亜鉛原子が4個のシステインに配位しているCys4型のZnフィンガーを2組もっている．N末端側のZnフィンガーがヘリックスを安定化してDNAを特異的に認識している．C末端側のZnフィンガーが全体の構造の安定化と二量体形成に寄与している．

赤血球に特異的な転写因子で赤血球の遺伝子の発現に重要なGATAのDNA結合ドメインはCys4型のZnフィンガーを1個もっている．N末端から不規則な2枚の逆平行β-シートがあり1本のヘリックスがあってC末端に長いループが存在する．Znフィンガー部分の構造は核内受容体のN末端側のZnフィンガー構造と似ているがC末端側の長いループがDNAの副溝で付加的に認識している．

GAL4のDNA結合ドメインには6個のシステインがあり2個のZn原子と複核錯体を作成する．二量体でDNAと結合しおのおののドメインは2個のZn原子の配位により2本のα-ヘリックスを安定化している．1番目のヘリックスがDNAの主溝で塩基を特異的に認識している．

3） 塩基性ヘリックス

二量体などの構造体から突き出た塩基性領域がDNAに結合してはじめてヘリックスになる例もある．この塩基性領域はDNAに結合していないときはランダムな構造をとっていると考えられる．転写因子のJunやFos等では7アミノ酸ごとのロイシン残基がヘリックスの片側に並びお互いのヘリックスがコイルドコイルに絡み合って疎水的な相互作用で二量体を安定化している．このロイシンジッパー構造のさらにN末端側に塩基性アミノ酸に富む領域がありヘリックスをDNAの主溝で形成して特異的に結合する．

筋肉関連分化転写因子のMyoDのDNA結合ドメインはヘリックス-ループ-ヘリックス構造で二量体を安定化している．N末端側に塩基性領域があり特異的にDNAに結合する．

Maxは二量体を形成するのにヘリックス-ループ-ヘリックス構造とロイシンジッパー構造の両方を用いている．MaxはMycと二量体を形成して転写を調節するが，Max自体でもホモの二量体を形成して特異的にDNAに結合する．

SknのDNA結合ドメインはC末端側に塩基性領域があり，長いヘリックスとなってDNAの主溝に入っている．DNA結合ドメインの骨格構造は4本のヘリックスからなり塩基性領域のN末端側はそのまま4番目のヘリックスに繋がっている．

4） MADSボックス

ヒト血清応答因子のDNA結合ドメインはMADSボックスと呼ばれ，二量体を形成し2本のα-ヘリックスがコイルドコイル構造をつくって逆平行に配置している．DNAの副溝に2回軸が存在し，各α-ヘリックスのN末端がDNAの主溝に収まるようにDNAは湾曲している．さらにN末端側の塩基性アミノ酸がDNAの副溝に突き出ている．

5） E2蛋白質

パピローマウイルスのE2蛋白質のDNA結合ドメインは1本の認識ヘリックスを1枚のβ-シートで裏打ちして安定化し，さらにβ-シートが二量体を形成して2本のヘリックスでパリンドローム配列を認識している．

6） ループによる認識

ループから突き出たアミノ酸が塩基を認識している例もある．NF-κBのp50とp60はN末端に原癌遺伝子産物のc-Relとアミノ酸配列の相同性が高いRel相同領域をもっている．p50もp65もおのおの2個の免疫グロブリン様のドメインをもっていてフレキシブルなリンカーで繋がれている．C末端ドメインのβ-シート間の疎水的な相互作用と水素結合によってサンド

イッチ様の二量体が形成されている．N末端ドメイン内の非常に長いループとドメイン間のループから突き出たアミノ酸がDNAの主溝で特異的に塩基対を認識している．

癌抑制の転写因子 p53 の DNA 結合ドメインは，2枚の β-シートからなる β-サンドイッチ構造を基本として，それに β-ヘアピンと2本の α-ヘリックスと3本の長いループが付加している．DNA の主溝にはループとヘリックスがフィットして特異的に塩基を認識している．

7) その他の認識

ヘリックスやループ以外の構造からの認識の例もある．細菌の Arc リプレッサーや Met リプレッサーのように，二量体，2本の逆平行 β 鎖が β-シートを形成し DNA の主溝に入って特異的に DNA を認識する場合もある．基本転写因子の TATA 結合蛋白質の TBP も，β-シートが DNA の副溝で特異的に塩基を認識している．

HMG ドメインは DNA の副溝に結合して DNA を大きく湾曲させる．リンパ球エンハンサー結合因子は全体としては3本のヘリックスがあり，1番目のヘリックスと2番目のヘリックスがL字型をしてDNAの副溝に結合している．3番目のヘリックスはDNAの骨格に沿いさらに大きく曲がったC末端でもう1つのL字型を形成している．DNAを大きく湾曲させるために，1個の疎水的なアミノ酸がDNAの主溝から塩基対間に楔を打ち込んでいる．

Tドメインは二量体でDNAと結合しC末端側の3番目と4番目の2本のヘリックスがDNAと相互作用をしている．3番目のヘリックスがDNAの主溝と副溝を横切り，4番目のヘリックスがDNAの主溝に収まって3番目のヘリックスのC末端と4番目のヘリックスから突き出た疎水的なアミノ酸が特異的な認識に関与している．

おわりに

今まで述べてきたように塩基配列を識別するためのアミノ酸残基はヘリックスやループや β-シート中に存在している．アミノ酸残基が結果的に DNA の主溝や副溝で水素結合や疎水結合で塩基を認識しているので，それらの認識しているアミノ酸の位置を安定化するような構造体だとどのような構造体でもよいということになる．また，DNA 上でこれらのアミノ酸の位置を決めているのは，蛋白質表面の正電荷とDNA 二重らせんの骨格の負電荷との相互作用の結果である．よって同じウイングド・ヘリックス構造をもっていても必ずしも3番目のヘリックスが認識に関与するわけではなく，認識様式も多様であることもわかってきた．また Myb ドメインでも述べたように，同じ立体構造を保持していてもDNA結合に関与する場合とまったく関与しない場合がある．この差は蛋白質表面の電荷分布の差異であることもわかってきた．最近の DNA 結合蛋白質の研究によると，蛋白質には構造形成に関与するアミノ酸残基と機能発現に関与するアミノ酸残基が存在し，DNA 認識などの特異性は機能性アミノ酸がどのような表面に存在しているかで決定される．

〔西村善文〕

[文献]

1) 西村善文：構造生物学とその解析法（京極好正，月原冨武編），pp. 116-126, 共立出版，1997.
2) 西村善文：科学 **66**, 540-547, 1996.
3) 西村善文：構造生物学のフロンテイア（西村善文，京極好正，稲垣冬彦，森川耿右編）pp. 457-474, 共立出版，2001.
4) 西村善文：遺伝子産物（蛋白質）の形を見る（公開シンポジウム組織委員会編），pp. 66-78, クバプロ，1999.
5) 西村善文：蛋白質・核酸・酵素増刊号 45巻 転写因子の機能（石井俊輔，加藤茂明，半田宏，藤井義明，山本雅之編），pp. 1683-1693, 共立出版，2000.
6) 西村善文：実験医学増刊 18巻 プロテオーム研究とシグナル蛋白ドメイン（竹縄忠臣編），pp. 183-189, 羊土社，2000.

1.16 RNA 結合蛋白質

　DNA が二重らせん構造をとり，遺伝情報の収納という固定化された機能をもつのに対し，RNA は構造をもたない一本鎖から，二重らせん構造，ヘアピン，インターナルループ，バルジといったさまざまな二次構造，三次構造をもつ．RNA 結合蛋白質は，このような多様な構造をもつ RNA と相互作用することにより，さまざまな生物現象の場で機能を発現する．たとえば真核細胞での例をあげると，スプライシングと RNA 輸送の両方に働くキャップ結合蛋白質，ショウジョウバエの発生や性分化（性特異的スプライシングの制御）にかかわる Sxl (sex lethal), Tra (transformer), Tra2 など，神経細胞の分化に働くヒトやマウスの Hu 蛋白質やショウジョウバエの Elav と Musashi, mRNA の 3′-末端非翻訳領域の AU に富む配列に結合して mRNA の安定性（寿命）を制御する Hu や AUF, ヒトの遺伝病（脆弱 X 症候群など）にかかわる FMR1 や FXR1, ショウジョウバエの生殖細胞の初期発生過程に働く Vasa（DEAD ボックスをもつ RNA ヘリカーゼ），ミトコンドリア rRNA の輸送にかかわる Tudor, tRNA や mRNA の核外輸送に働くエクスポーチン -t や hnRNP A や hnRNP K などである．

　ゲノムの遺伝子はまず hnRNA (heterogenous nuclear RNA) へと転写されるが，その際，複数の蛋白質と結合して hnRNP と呼ばれるリボ核蛋白質をつくっている．hnRNA はのちにスプライシングなどにより mRNA へと成熟する．とくに hnRNP A や hnRNP K は，核と細胞質の間をシャトルし，mRNA の核外輸送に直接かかわっている．一方核内には，蛋白質をコードしていない RNA も存在する．1970 年代前半に，自己免疫疾患の患者の血清と反応するリボ核蛋白質から，長さが数百ヌクレオチドの核内低分子 RNA がいくつか同定され，snRNA (small nuclear RNA) と命名された．これらの snRNA は U を多く含むことから，U1, U2 などの接頭語がつけられた．1980 年代になって，これらの snRNA のうち数種類はスプライシング反応を触媒する本体であるスプライソソームの構成分子であることがわかった．snRNA は複数の蛋白質とリボ核蛋白質をつくっており，snRNP と呼ばれる．現在では，スプライソソームは，4 種類の snRNP (U1, U2, U5, U4/U6 snRNPs) と RNA を含まない 50 種類以上の蛋白質因子群とから構成されていることがわかっている．さらに，snRNA に分類されていたものの中で，核小体に局在することが判明したものは，とくに snoRNA (small nucleolar RNA) と呼ばれるようになった．最近になって，snoRNA は塩基修飾等の rRNA の成熟過程に働いていることが明らかになった．修飾された rRNA は核小体でリボソーム蛋白質と複合体を形成しリボソーム前駆体として細胞質に輸送される．snoRNA も複数の蛋白質とリボ核蛋白質をつくっており snoRNP と呼ばれる．snoRNP には，rRNA の 2′-O-メチル化に働くボックス C/D タイプの snoRNP（ボックス C と呼ばれる UGAUGA/U 配列とボックス D と呼ばれる CUGA 配列をもつ）と，rRNA のウリジンの異性化（シュードウリジンの合成）に働くボックス H/ACA タイプの snoRNP（ボックス H と呼ばれる ANANNA 配列とボックス ACA と呼ばれる ACA 配列をもつ）がある．いずれも，snoRNA には基質となる rRNA 部分の近傍と相補的な配列があり，snoRNP を修飾

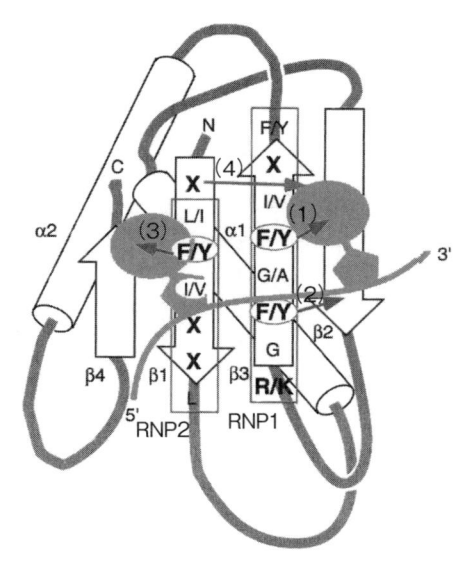

図 1.16.1 RRM ドメインの構造と RNP モチーフ
4本の逆平行 β-シート面で RNA を結合し，RNP モチーフの芳香性アミノ酸残基が塩基とスタッキング相互作用，極性アミノ酸残基が塩基と水素結合をつくって認識する．

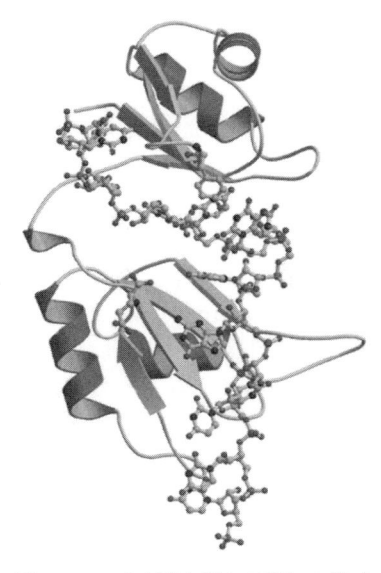

図 1.16.2 Sxl 蛋白質と RNA の複合体の結晶構造
二次構造をとらない RNA を 2 つの RRM ドメインがはさみこんで認識．

図 1.16.3 hnRNP A1 蛋白質と DNA の複合体の結晶構造
2 つの RRM ドメインは平面をつくって核酸を認識．

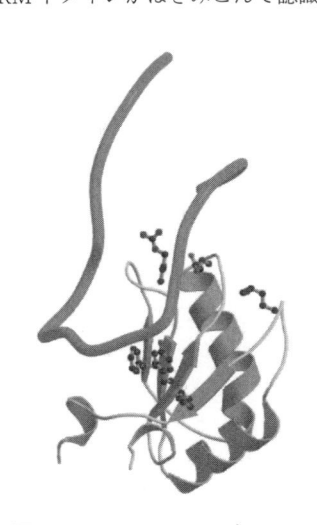

図 1.16.4 U1snRNP と RNA の複合体の結晶構造
RNA はステム・ループ構造をとっており，その構造に依存して 1 つの RRM ドメインが認識している．

部位にリクルートするガイド RNA として働く．

RNA 結合蛋白質は，1 つあるいは複数の RNA 結合ドメインにより特異的な配列をもった RNA に結合する．RNA 結合ドメインの構造は数種類に大別される．

1.16 RNA 結合蛋白質

① RNP ドメインあるいは RRM（RNA recognition motif）ドメイン：保存された 2 つのコンセンサス配列，RNP1 と RNP2 をもち，ステムループ RNA を認識（U1A, U2B″ など），あるいは一本鎖 RNA を認識（Sxl, hnRNP A1, C, D0, Musashi など），② KH ドメイン：hnRNP K homolog の略で，脆弱 X 症候群の原因となる FMR1 蛋白質や神経系の Nova 蛋白質に見出される，③ OB（oligosaccharide oligonucleotide binding）フォールド：翻訳開始因子 IF1，転写終結因子 ρ，クラス II アミノアシル tRNA 合成酵素に見られる，④ α-ヘリックスバンドルドメイン：クラス I のアミノアシル tRNA 合成酵素などに見られる，⑤ 塩基性テール：リボソーム蛋白質に見られる，などがある．

　1）RRM ドメインは，最も多くの蛋白質中に見出されている RNA 結合モジュールで，約 80 アミノ酸残基からなる．共通した $\beta\alpha\beta\beta\alpha\beta$ の二次構造をもち，4 本の逆平行 β シートを 2 本の α-ヘリックスが裏打ちした立体構造をとっており，RNP1 と RNP2 は中央の 2 本の β 鎖（それぞれ β3 と β1）に位置している（図 1.16.1）．ショウジョウバエの Sxl 蛋白質は，*transformer* (*tra*) mRNA 前駆体上のスプライス部位のポリウリジン配列に結合し，スプライス部位の制御に働く．Sxl と二次構造をとらないオリゴヌクレオチド U_5GU_{11} との複合体の結晶構造では，2 つの RRM ドメインは β-シートをお互いに向かい合わせて V 字型のクレフトをつくり，RNA は途中で折れ曲がった特異的な構造で結合していた（図 1.16.2）．ほぼすべてのヌクレオチドのリボースのパッカリングは C2′-*endo* であり，このため，各塩基は蛋白質表面に向かって露出し，それぞれに特異的なポケットに入っていた．塩基は，RNP1 および RNP2 モチーフ上の芳香性アミノ酸残基によりスタッキング相互作用を受け，さらに Arg や Asn などの極性アミノ酸残基がウリジンの O2, N3H, O4 グループと水素結合することで，特異的な認識を受けていた．一方，やはり二次構造をとらない，長い単鎖 RNA（DNA）を複数の RRM ドメインが協同して認識している hnRNP A1 でも，Sxl 同様，蛋白質は核酸の主鎖と多数の相互作用をしており，リボースのパッカリングコンフォメーションもほとんどが C2′-*endo* であった（図 1.16.3）．ただ，hnRNP A1 では，2 つの RRM ドメインの β-シートは，同じ平面上で平行の配置をとっており，Sxl の V 字型配置といちじるしく異なっている．これに対し，U1A や U2B″ snRNP 蛋白質では，単独の RRM ドメインが，ヘアピン RNA の高次構造や分子内塩基対に依存して塩基認識を行っており，蛋白質は RNA の主鎖を認識することはほとんどなく，RNA のリボースのパッカリングもほとんどが C3′-*endo* コンフォメーションである（図 1.16.4）．

　2）KH ドメインは，もともと hnRNP K 蛋白質において同定された 70 アミノ酸残基程度のドメインであり，$\beta\alpha\alpha\beta\beta\alpha$ の二次構造をもつ．脆弱 X 症候群の原因遺伝子である *fmr1* 遺伝子の産物は，KH ドメインをタンデムに 2 つもつ．RRM ドメインと異なり，RNA は β-シート面でなく α-ヘリックスの側方から結合し，ルー

図 1.16.5 hnRNP K の KH ドメインと RNA の複合体の結晶構造
RRM ドメインとは異なる様式でループにより RNA を特異的に認識．

プから伸びる極性残基によって認識されている．最近，細胞情報伝達関連の蛋白質に多く見つかっている（図1.16.5）．

3）アミノアシルtRNA合成酵素（aaRS）は，トランスファーRNA（tRNA）に特異的なアミノ酸を結合して，蛋白質合成の最初のステップを触媒する酵素である．aaRSは，天然に存在する20種類のアミノ酸1つ1つに対応して20種類存在し，ただ1つのアミノ酸とそれに対応する1セットのtRNAを認識する．aaRSがtRNAとアミノ酸の両方を厳密に認識して，正しい組合せのアミノアシルtRNAをつくることが，その後のリボソームにおける正確な蛋白質合成を保証している．20種類のaaRSは10種類ずつ2つのクラス（クラスI，クラスII）に分類される．このaaRSの2つのクラスは，その触媒ドメインの高次構造および触媒機構の点で異なっている．さらにtRNAの認識に関しては，クラスIのGlnRS・tRNA^{Gln}複合体（図1.16.6（a））とクラスIIのAspRS・tRNA^{Asp}複合体（図1.16.6（b））の結晶構造を比較すると，tRNAに対してaaRSがアプローチする向きが逆である．さらに，tRNAのアンチコドンを認識するドメインは，クラスIIのAspRSではOBフォールドであるが，クラスIのGlnRSでは特異的なβ-バレル構造になっている．

4）ちなみに，クラスIの多くのaaRSでは，アンチコドン認識ドメインは4本のα-ヘリックスからなるヘリックスバンドル構造である．

5）かつてリボソームをプロテアーゼKで処理しても，リボソームの中心的活性であるポリペプチド転移反応活性は失われなかった．しかし，リボソームRNAのみを試験管内で転写しても，ポリペプチド転移反応活性は得られなかった．21世紀に入って，リボソームの構造が原子分解能で決定された．その結果，リボソーム蛋白質のほとんどは，図1.16.7に示すような塩基性のテールをもっており，これがリボソームRNAの溝に結合して，リボソームを安定化する働きをしていた．リボソームをプロテアーゼKで処理しても，塩基性テールはリボソームRNAの中に残るため，活性が保持されたと考えられる．これらの塩基

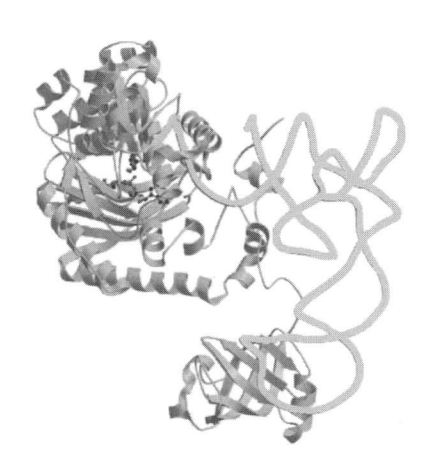

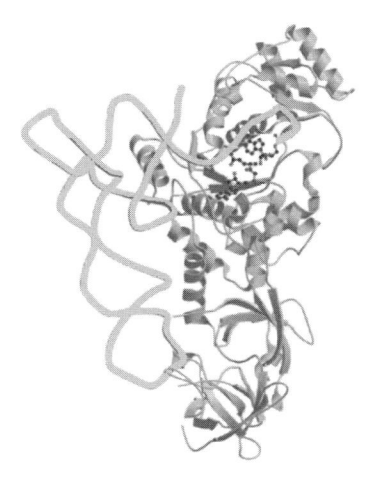

(a) クラスI GlnRS複合体　　　　(b) クラスII AspRS複合体

図1.16.6 クラスIとクラスIIのアミノアシルtRNA合成酵素（aaRS）とtRNAの複合体の結晶構造
酵素に対してtRNAが結合する向きが逆であり，またtRNAのアンチコドンを認識するドメインの構造も異なっている．

1.16　RNA結合蛋白質

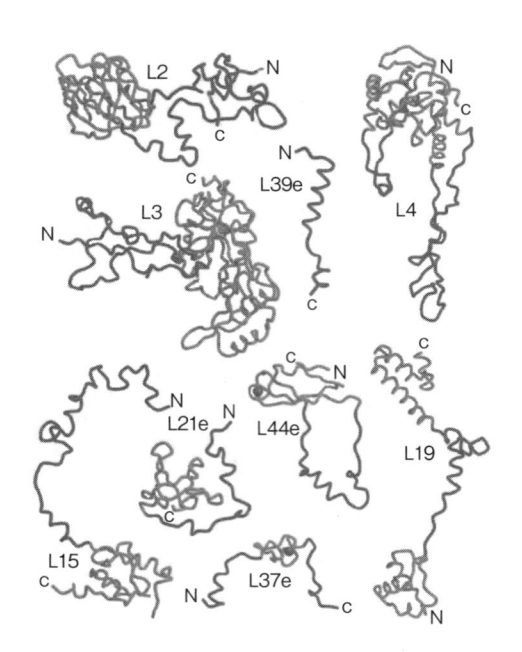

図 1.16.7 古細菌 50S サブユニットに含まれるリボソーム蛋白質の構造
電荷的には中性の球状ドメインと塩基性のテールからなる（口絵参照）．
(Reprinted with permission from AAAS. Ban, N., *et al.*: *Science* **289**, 905-920, 2000 より.)

性テールは，それ自身では構造をとらず，RNA と結合してはじめて構造をもつ，新しい分類の RNA 結合蛋白質（ドメイン）であるといえる．　　　　　　〔濡木　理〕

[文献]
1) 志村令郎，渡辺公綱共編：RNA 研究の最前線，シュプリンガー・フェアラーク東京，2000．
2) 中村義一編：RNA がわかる，羊土社，2003．
3) 鈴木　勉監修：細胞工学――特集リボヌクレオーム，秀潤社，2003．

1.17　糖蛋白質

共有結合によって糖が蛋白質に結合している複合蛋白質を一般に糖蛋白質という．細胞表面に存在する蛋白質や，アルブミンを除く血清蛋白質の大部分は糖蛋白質である．人体の蛋白質の約 1/3 を占めるコラーゲンも糖蛋白質である．このほか，糖が共有結合している酵素やホルモン作用をもつ糖蛋白質などもいろいろ知られている．

糖部分の大きさは単糖，オリゴ糖から多糖までさまざまであるが，主にヘテロオリゴ糖を含み，多くは分岐構造をもっている．このオリゴ糖鎖を構成する糖単位として最も普遍的に存在するのは，N-アセチルグルコサミン（NAG），N-アセチルガラクトサミン，マンノース（Man）およびガラクトースである．糖蛋白質は，糖鎖とペプチドとの間の結合様式により，N-グリコシド結合型と O-グリコシド結合型の 2 つに大別される．前者は必ず NAG

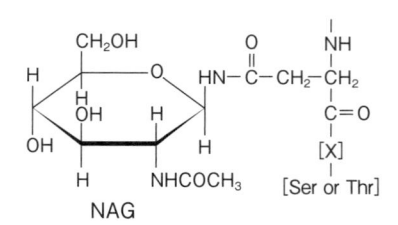

図 1.17.1　N-グリコシド結合型糖蛋白質における糖と蛋白質の結合様式

図 1.17.2　N-グリコシド結合型糖蛋白質における糖鎖の基本骨格

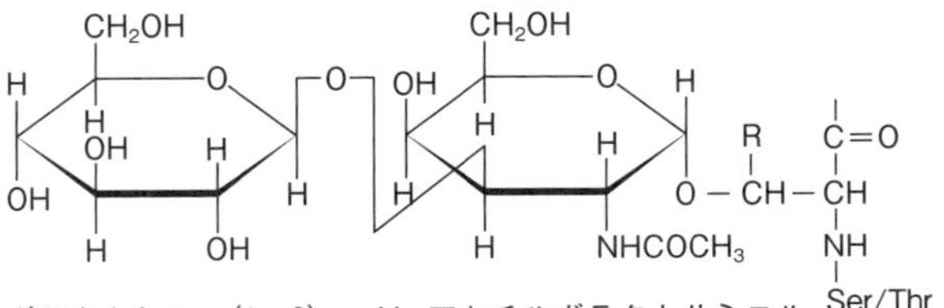

β-ガラクトシル-(1→3)-α-N-アセチルガラクトサミニル

図 1.17.3 O-グリコシド結合型糖蛋白質における糖と蛋白質の結合様式

が，配列 Asn-X-Ser または Asn-X-Thr の Asn のアミド窒素に β 型で結合する（図 1.17.1）．X は Pro または Asp 以外のアミノ酸である．この型で結合したオリゴ糖は，$(Man)_3(NAG)_2$ 型の枝分かれした基本骨格をもつ（図 1.17.2）．一方，O-グリコシド型では，β-ガラクトシル-(1→3)-α-N-アセチルガラクトサミンが Ser または Thr の側鎖 OH 基に α 型で結合しているのが普通である（図 1.17.3）．しかし，ガラクトース，マンノースまたはキシロースが Ser または Thr に α-グリコシド結合した例もみられるし，コラーゲンでは 5-ヒドロキシリシン残基に糖鎖が結合している．

N 型糖蛋白質は，小胞体で蛋白質部分の翻訳と同時進行で合成される．ついでゴルジ体に移行後，糖鎖部分はさまざまに加工される．O 型の場合は，ポリペプチド鎖の完成後ゴルジ体上で単糖を 1 つずつ結合して合成される．糖鎖部分の合成は，核酸の鋳型による蛋白質合成とは異なり，酵素反応で行われ，その酵素の存在量も比較的少ない．その結果，糖鎖は一定の生成物として得られるわけではなく，糖蛋白質の糖含量は変動が大きい．これをミクロ不均一性という．糖鎖は蛋白質の β-ターン構造のところに結合する傾向がある．糖の親水的性質を併せ考えると，糖鎖は蛋白質の外側表面に露出していると推定される．免疫グロブリン G やインフルエンザウイルスの赤血球凝集素の X 線構造はこれを支持する．

合成された糖蛋白質は，その機能に従って選別され，分泌もしくは各種細胞内オルガネラへ送り込まれる．そのときの選別にはオリゴ糖鎖が認識のマーカーとなる．膜結合糖蛋白質の糖鎖は細胞膜の外側だけに存在し，細胞どうしの識別・認識に関与している．たとえば癌細胞は正常細胞とは異なる糖鎖分布をもつが，そのため細胞どうしが接触したとき互いに成長を止める機能（接触阻止）が働かず，悪性腫瘍となる．その他，糖鎖は受精，細胞分化，器官形成，細菌やウイルス感染に働くと考えられる．また，ABO 式血液型は O-結合型糖蛋白質の糖鎖構造の違いに起因することはよく知られている．

〔櫻井　実〕

[文献]
1) ヴォート, D., ヴォート, J.G.（田宮信雄他訳）：ヴォート生化学 上（第 3 版），東京化学同人，2005.

1.18 酵　素

　酵素は，生体内で営まれる種々の化学反応を特異的に促進する蛋白質分子の総称であり，生体触媒とも呼ばれる．酵素が作用する物質を基質と呼ぶ．他の非蛋白質性触媒と比較して触媒効率に優れ，基質や反応に対する特異性がきわめて高い．また蛋白質であるため，その立体構造や安定性はpHや温度などに依存し，酵素活性に対する至適pHや至適温度が存在する．酵素には，単独で触媒作用を示すものと，他の補助的な分子と結合して基質に作用するものとがある．後者の場合，この補助的な分子のことを補酵素と呼ぶ．酵素の活性は，側鎖の修飾や前駆体ペプチドの加水分解，リガンドとの結合，構成サブユニットの解離・会合，あるいはアロステリック効果などにより調節を受ける．ある種の酵素に対しては，特異的にその活性を阻害する物質が存在し，酵素の阻害剤と呼ばれる．これらの阻害剤分子の存在や基質生成物のフィードバック阻害も，生体内における酵素反応の制御に関与している．

　酵素分子中，基質分子と相互作用し触媒反応の場を提供する領域を活性中心（または活性部位）と呼ぶ．活性中心は酵素活性に果たすその役割により，基質結合部位や触媒部位などさらに領域を特定することができる．

　個々の酵素は，酵素反応の種類を明記した系統名，日常の使用のため簡略化された常用名（推奨名），および酵素番号をもっている．酵素名は原則として反応の種類を表す語の語尾にaseを付けて示す．酵素番号は，酵素反応の種類にもとづいて，EC（enzyme codeの略）で始まる4組の数字として，国際生化学連合（IUB）の酵素委員会により登録される．まず第1の数字により，①酸化還元酵素（オキシドレダクターゼ），②転移酵素（トランスフェラーゼ），③加水分解酵素（ヒドロラーゼ），④除去付加酵素（リアーゼ），⑤異性化酵素（イソメラーゼ），⑥合成酵素（リガーゼ）に大別される．各群に属する酵素は，さらに第2，第3の数字により細分化され，最終的に第4の数字により一意的に番号付けされる．たとえば，RNA加水分解酵素の1つであるリボヌクレアーゼT_1の場合，EC 3.1.27.3と命名されている．

　酵素反応は速度論的には一般に次のように記述される．

$$E + S \underset{k_2}{\overset{k_1}{\rightleftarrows}} ES \overset{k_3}{\longrightarrow} E + P \quad (1)$$

　ここで，Eは酵素，Sは基質，Pは反応生成物，ESは酵素・基質複合体を表す．k_1, k_2, k_3は各素反応の速度定数である．E, ES, Pに関する速度式を，保存則（$(E) + (ES) = E_0$）のもとで解くと，図1.18.1のような各分子種濃度の経時変化が得られる．

　基質濃度が酵素濃度に対して十分高い（$(S) \gg E_0$）場合，(ES)は図1.18.1のように一定時間経過後定常状態に達する．一方，(S)がE_0と同程度の場合，(ES)の経時曲線上に定常状態は現れない．定常状態が成立する（$d(ES)/dt = 0$）とき，反応初速度vは，

$$\begin{aligned} v &= k_3(S)E_0/\{(k_2+k_3)/k_1+(S)\} \\ &= k_3 E_0/(K_m/S_0+1) \end{aligned} \quad (2)$$

で表される（ミカエリス-メンテン（Michaelis-Menten）の式）．$K_m = (k_2+k_3)/k_1$をミカエリス定数と呼ぶ．$(S) \gg E_0$なので$(S) = S_0$（基質初濃度）と考えてよい．定常状態の速度論では，酵素は触媒量だけ加え，vをS_0の関数として解析する．式(2)の関係を図示すると図1.18.2のよう

になり，S_0がある量以上になると飽和してvは最大速度$V_{max}=k_3E_0$に近づく．一般に最大速度/酵素濃度を代謝回転数（または分子活性）と呼び，k_{cat}（活性中心が2つ以上あるときはk_0）で表す．この場合はk_3が相当する．一方，前定常状態または非定常状態（まとめて遷移相と呼ばれる）では，(E)および(ES)の時間変化を直接解析する．素反応を直接取り扱うため，反応機構に関する詳細な知見が得られるが，測定に関して特別の工夫（ストップトフロー法や温度ジャンプ法など）が必要となる．

式(1)において，$k_3 \ll k_2$のとき，E，SとESとは実質的に平衡にあり，その解離定数K_sはK_mに等しい（ミカエリス-メンテン（Michaelis-Menten）機構）．$k_3 \ll k_2$が成立しないときは，$K_s < K_m$となる（ブリッグス-ホールデン（Briggs-Haldane）機構）．

酵素反応の中には，基質の種類や濃度によって，ESの後に反応中間体が蓄積することがある．たとえば，セリンプロテアーゼであるキモトリプシンとエステル基質との反応では，式(3)のようなアシル酵素中間体を経る（RCO-Xはエステル基質を表し，RCO-X・EがESに，RCO-Eがアシル酵素に対応する）．

$$E + RCO\text{-}X \rightleftharpoons RCO\text{-}X \cdot E$$
$$\rightleftharpoons RCO\text{-}E + XH$$
$$\rightleftharpoons RCOOH + E \quad (3)$$

酵素のもつ高度な基質特異性および反応特異性はひとえに酵素分子の立体構造による．例としてセリンプロテアーゼを取り上げる．プロテアーゼの場合，ペプチド基質に対する酵素側の結合部位は，一連のサブサイトから成っており，このサブサイトに基質ペプチドの各残基が特異的に結合する．サブサイトは，切断されるペプチド結合を起点に，N末端方向にS_1, S_2, …，C末端方向にS_1', S_2', …と呼ばれる．S_1に対する基質特異性は，トリプシンでは塩基性アミノ酸残基，キモトリプシンでは芳香族アミノ酸残基であるが，これはS_1の基質結合ポケットの形状の違いにより説明される．トリプシンではポケットの底のAsp-189が基質の塩基性側鎖と塩結合を形成して安定化する．一方，キモトリプシンでは，結合ポケットは非極性アミノ酸で覆われており，基質の疎水性側鎖と安定に結合する．セリンプロテアーゼの酵素反応は，式(3)にもとづき，Ser-195の側鎖水酸基が基質によりアシル化されることにより起こる．続いてアシル酵素の脱アシル化の際，基質が加水分解される．以上の反応機構は分子論的には，図1.18.3のように説明される．

まず，切断される基質ペプチドが酵素側

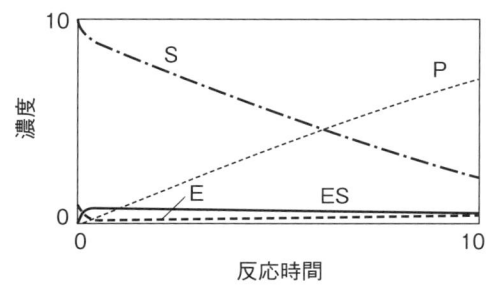

図1.18.1 酵素反応中における各分子種の経時変化

酵素反応は式(1)にもとづく．$k_1 = k_2 = k_3 = 1$の場合で，$t=0$において(E)=1，(ES)=0，(S)=10，(P)=0とした．

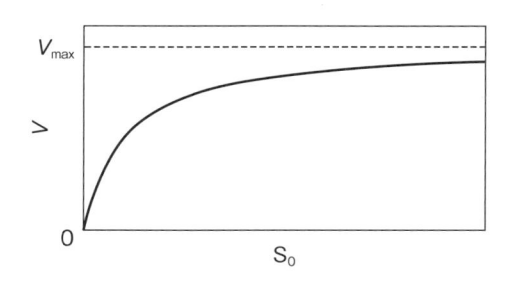

図1.18.2 ミカエリス-メンテンの式にもとづく反応速度と基質濃度との関係

図1.18.1と同じ条件の場合．K_mは$v = V_{max}/2$を与える(S)の値としても得られる．

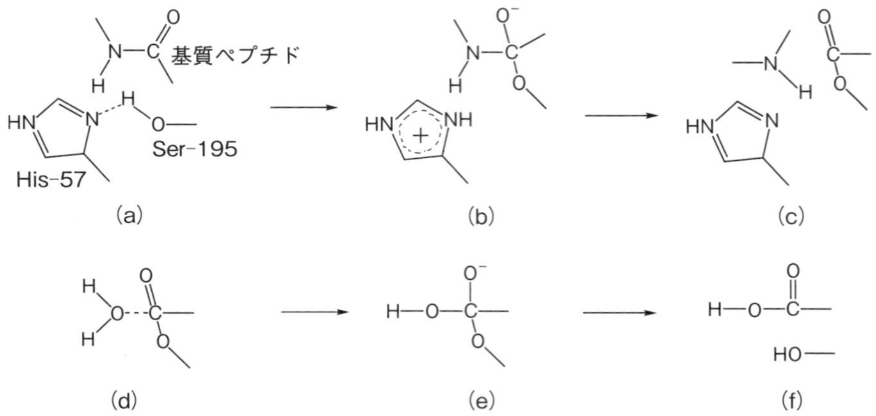

図 1.18.3 セリンプロテアーゼの反応機構
全反応は，アシル酵素の形成 (a)〜(c) と脱アシル化 (d)〜(f) から成る．

のサブサイトに正しく結合する（図 1.18.3 (a)）．次に Ser-195 の水酸基が基質のカルボニル炭素を求核的に攻撃し，水酸基のプロトンは His-57 のイミダゾールに転移される（図 1.18.3 (b)）．この状態は，基質カルボニル炭素を中心に四面体構造が形成されるため正四面体中間体と呼ばれ，遷移状態に類似した構造に相当する．続いて基質のペプチド結合が開裂してアシル酵素が形成される（図 1.18.3 (c)）．脱アシル化の過程では，活性化された水分子がアシル酵素に結合して反応が完結する（図 1.18.3 (d)〜(f)）．なお当初は，触媒反応中に Asp-102 のカルボキシル基と His-57 イミダゾールのもう1つの窒素原子との間にもプロトンの転移が起こるという電荷リレー系（charge-relay system）が提唱されていたが，種々の実験結果から現在ではプロトン移動は上記2残基間のみに限られると考えられている（たとえば文献[4]参照）．

〔小島正樹・田之倉 優〕

[文献]
1) 日本生化学会編：生化学実験講座5酵素研究法（下），東京化学同人，1975．
2) Fersht, A.（今堀和友，川島誠一訳）：酵素―構造と反応機構，東京化学同人，1983．
3) ヴォート D., ヴォート J. G.（田宮信雄他訳）：生化学 上（第3版），東京化学同人，2005．
4) Craik, C.S. et al.: The catalytic role of the active site aspartic acid in serine proteases. Science **237**, 909-913, 1987.

1.19 シャペロン

蛋白質のフォールディングを助ける蛋白質あるいは蛋白質のセット．当初，「未熟な状態の蛋白質に一時的に結合し，成熟するのを援助するが，自らはその構造の最終成分にならない世話役蛋白質の総称」として定義され，蛋白質複合体のサブユニット集合を補助する因子も意味していた．しかし，サブユニット集合も，結局，サブユニットのフォールディング状態に依存すると考えられるので，現在では，シャペロンの役割は蛋白質のフォールディング状態の制御として，統一的に理解されている．シャペロン（chaperone）とは，社交界にデビューする若い女性につきそってあれこれマナーなどを教えて立派な貴婦人に育てる後見役をする年輩の婦人，という意味である．生命科学の方では，「婦人」と混同しないように，「分子」シャペロンと呼んでいるが，最近では単にシャペロンという場合も多い．

シャペロンの概念は，大腸菌の GroEL と葉緑体の Rubisco 結合蛋白質が進化的に同一ファミリーに属することの発見を契機として広く受け入れられた．炭酸固定を行う酵素 Rubisco（リブロースビスリン酸カルボキシラーゼ/オキシゲナーゼ）が活性をもつには，Rubisco 結合蛋白質と呼ばれる蛋白質が必要であることが知られていた．この Rubisco 結合蛋白質は，Rubisco が高次構造をつくるときに一時的に必要なだけで，最終的には Rubisco から離れていく．一方，大腸菌の T4 ファージ蛋白質の頭殻形成には，大腸菌の GroEL（および GroES）という蛋白質の補助が必須である．1988 年，この 2 つの蛋白質のアミノ酸配列が非常によく似ていることがわかり，ファージ蛋白質の高次構造形成と葉緑体の Rubisco 蛋白質の高次構造形成が，進化的に同一の蛋白質によって「触媒」されていることが判明した．GroEL は，典型的シャペロンということで「シャペロニン」と名づけられた．

同じ頃，多くのシャペロンは同時に熱ショック蛋白質（HSP；heat shock protein）でもあることがすでに気づかれていた．熱ショック蛋白質とは，急に高温にさらすなど細胞にストレスを与えるとすぐに増産されてくる蛋白質のことである．この増産によって細胞はショックに耐えて生き延びるチャンスが増大する．シャペロンは，ストレスによって変性しかかった蛋白質が不可逆的に凝集するのを防ぎ，再生をうながすと考えられる．熱ショック蛋白質は進化的によく保存されているので，諸種のシャペロンは（生物種ごとに固有名もあるが）HSP60 とか HSP70（数字はおよその分子量）などのファミリーに分類されることになる（表 1.19.1）．

蛋白質は，そのアミノ酸配列にしたがって固有の立体構造に折れたたむ．そのフォールディングには外からエネルギーや情報を与える必要はない．それならばなぜシャペロンが必要か．細胞の中の蛋白質濃度は非常に濃い（10％以上）．合成途中や直後の蛋白質もたくさんある．そういう環境では蛋白質の凝集が非常に起こりやすい．細胞内の蛋白質のフォールディングは，30％くらい失敗するという報告がある．シャペロンの役割は，蛋白質の凝集を防ぎ本来の正しいフォールディングができるようにすることである．たとえばシャペロニンにおいては，変性蛋白質はシャペロニン内部の空洞に取り込まれて，そこで凝集のおそれなく自由にフォールディングできる約 8 秒という時間が与えられ，8 秒後

表 1.19.1 主な分子シャペロン

	シャペロニン・システム		HSP70 システム			HSP104	HSP90	sHSP (small HSP)
		補助因子		補助因子	補助因子			
大腸菌（真正細菌）	GroEL	GroES	Dnak	DnaJ	GrpE	ClpB	HtpG	IbpA, IbpB
出芽酵母 細胞質	CCT (TriC)	Prefoldin?	Ssal-4, Ssb1-2	Ydj1			HSP83, HSC83	HSP26
小胞体			Kar2 (Bip)	Sec63, Scj1				
ミトコンドリア	HSP60	HSP10	Ssc1	Mdj1	Yge1 (Mge1)	HSP78		
動物細胞 細胞質	CCT (TriC)	Prefoldin?	HSP72, HSC73	Hdj1			HSP90	HSP27
小胞体			Bip (Grp78)				Grp94	
ミトコンドリア	HSP60	HSP10	HSP70					
主要な役割	蛋白質フォールディング		新生ポリペプチドのフォールディング，膜透過補助 熱変性からの防御			熱耐性，脱凝集	ステロイドホルモンレセプターなどの活性制御	凝集体形成の抑制

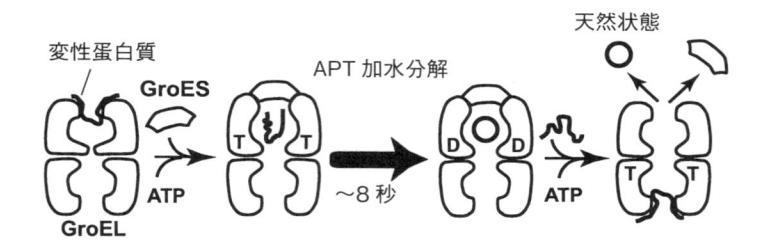

図 1.19.1 シャペロニン（GroEL）による蛋白質折れたたみの補助
変性蛋白質は GroEL（2つの七量体のリングから成る）のリングの入り口に結合する．これに ATP が結合するとただちに GroES（やはり七量体のリング）がリングの空洞のふたをするように結合する．このとき，変性蛋白質は空洞の中に収納される．この空洞の中で，変性蛋白質の折りたたみが，他の分子との凝集のおそれなく進行する．約8秒の後に，GroES は GroEL から離れて，中に入っていた蛋白質は外の溶液中に放出される．それと同時に次の折れたたみの反応が反対側のリングで始まる．

には空洞のフタが開いて蛋白質は外へ放出される（図 1.19.1）．さらに少し凝集してしまった蛋白質をときほぐして再び正しいフォールディングのチャンスを与えるシャペロンもあるらしい(HSP104)．また，シャペロンが蛋白質に新規のフォールディングの道筋を誘導する可能性も残っている．シャペロンの多くは ATP の加水分解のエネルギーを使ってシャペロンとしての機能をはたす．広範な蛋白質を「基質」とする

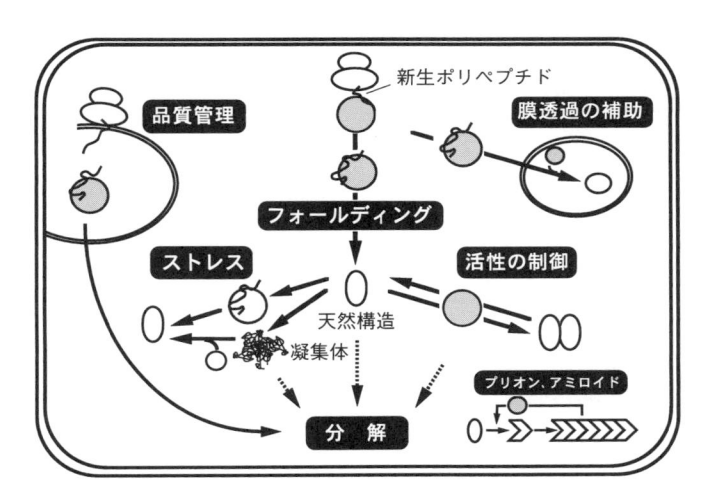

図 1.19.2 細胞の中のシャペロンの役割
新しくできたばかりの蛋白質のあるものは，シャペロンに結合して保護され，折れたたむ．いろいろなストレスで変性しかかった蛋白質は，シャペロンで修復されるか，あるいは分解される．ミトコンドリアに輸送される蛋白質の場合，折れたたみの進行は停止したままミトコンドリアに運ばれて，そこでヒモ状になってミトコンドリア内に輸送される．ミトコンドリアの中では，また1セットのシャペロンがあり，折れたたみを補助する．小胞体の蛋白質は，合成直後に小胞体に取り込まれるが，そこで折れたたみや分子集合に失敗した蛋白質が生じた場合，それが分泌されないように高度な品質管理のシステムがあり，ここでもシャペロンが活躍する．蛋白質複合体の解離会合の制御を行うシャペロンもある．蛋白質凝集によって細胞が障害をうける場合があり，その1つの原因としてシャペロンの機能不全が疑われている．

シャペロンもあれば（たとえばGroEL），ごく限られた蛋白質だけ「基質」とするものもある（たとえばコラーゲンに特異的なHSP47）．

最近，シャペロンの役割がさらに拡張してきた．シャペロンは，蛋白質の膜透過，品質管理，分解などの局面でも重要な役回りをしている（図1.19.2）．こういう局面では蛋白質のフォールディング状態は変化して，ほどけた状態が出現する．それを支配するのがシャペロンである．また，プリオン（prion）病，ポリグルタミン病，アミロイド病，など蛋白質の凝集を主要な特徴とする神経疾患があり，これらとシャペロンとの拮抗関係が注目を集めている．

〔吉田賢右〕

[文献]
1) 永田和宏，森　正敬，吉田賢右編：分子シャペロンによる細胞機能制御，シュプリンガー・フェアラーク東京，2001．
2) 中野明彦，遠藤斗志也編：蛋白質の一生－蛋白質の誕生，成熟から死まで（シリーズバイオサイエンスの新世紀），共立出版，2000．
3) 小椋　光・遠藤斗志也・森　正敬・吉田賢右編：細胞における蛋白質の一生，共立出版，2004．

1.20 生理活性ペプチド

　ペプチドはアミノ酸が脱水縮合した酸アミド結合により直線的に連なった蛋白質の基本成分として知られている．20世紀の初頭にエミル・フィッシャー（Emil Fischer）がグリシンを2個結合させグリシルグリシン NH_2-Gly-Gly-OH を合成したのがペプチドの合成の始まりであり，その後，Gly-Gly-Gly，Gly-Gly-Gly-Gly を合成した．これら合成物の性質が蛋白質のペプシン分解物であるペプトン（pepton；peptos はギリシャ語で「消化する」を意味する）と性質が似ていたことから，多糖類（polysaccharide）の例にならって接尾語 -ide を付してペプチド（peptide）と名づけた．これはさらに，蛋白質がペプチドの高重合物であることを証明した大きなできごとであった．DNA のコドンに対応して20種の天然のアミノ酸が存在するが，ペプチドは，これらアミノ酸およそ50個以下からできているものをいい，50個以上からなるものを蛋白質と呼ぶことが多い．さらに小さいものをそのアミノ酸の数によりジペプチド，トリペプチド，…と順に呼び，これらをオリゴペプチド，十分大きいものをポリペプチドと呼ぶ．一般に化学合成されるものをペプチドと呼び，天然に存在するかまたは遺伝子操作などでつくられるものを蛋白質と呼ぶこともある．現在では200個以上のアミノ酸を含むペプチドも合成が可能となってきて，このように蛋白質とペプチドは慣用的に使い分けられてはいるが，厳密な区別はなくなっている．
　生理活性ペプチドという呼び名はポリグルタミン酸やポリリシン，ポリプロリンなど蛋白質の構造や溶液物性の研究に歴史的に大きく貢献したホモペプチド（1種類のアミノ酸からできている）やコペプチド（数種以下のアミノ酸からできている）に対し，蛋白質と同じようにアミノ酸配列の決まったペプチドで，明確な生理活性を示すものを区別した名残を反映している．
　その後，ペプチド合成における側鎖の官能基の選択的な保護基が種々改良され，1955年 de Vigneaud により生理活性を示すオキシトシンが化学的に合成された．1963年には，Merrifield による固相重合法が実現し，ペプチド合成は非常に正確にかつ迅速に行えるようになった．これには有効なカップリング剤の発見，フッ化水素を用いる保護基の一斉除去法の開発が大きく貢献した．さらに各種のクロマトグラフィー法による精製，質量分析器による純度検定が固相重合法をより信頼できるものとした．
　一方，遺伝子操作法によるペプチドの発現・精製や，生体成分としてのペプチドの分離精製は蛋白質の場合と大きくは変わらないが，操作中に分解酵素の攻撃を受けやすいので，融合蛋白質として発現させることが多く，また組織含有量が少ない場合には高感度・高精度分離技術が必要となる．
　既知の生理活性ペプチドの総数は1000種程度といわれているが定義があいまいで確定したことはいえず，さらに分類も重複などが多く困難である．ヒトの体内で生理活性ペプチドとして分離同定されているのはまだ100種にも満たないが，その大部分はペプチドホルモンとして見出されている．これらを器官・組織別に見ると，脳（とくに視床下部）またそれに関連して神経系さらに松果体，下垂体前葉，中葉，後葉（神経葉），甲状腺，副甲状腺，胸腺，唾液腺さらに心臓，肺，脈管系，肝臓，膵臓，胃，腸管，腎臓，副腎，精巣，卵巣，子宮（胎盤）から種々のペプチドホルモンとして分

泌されている．生体機能から見るとそれらは，糖代謝，脂肪代謝，カルシウム代謝，腎機能（水－電解質代謝），血管収縮・拡張，消化管機能，生体防御（鎮痛），免疫機能，成長・分化，神経伝達機能，生殖・哺乳などで重要な働きをしている．次に受容体側から分類すると，細胞膜受容体の7回貫通-G蛋白質共役型と1回貫通型に分けられる．ゲノム情報によるとヒト遺伝子にはG蛋白質共役型受容体のうち，リガンドが不明な，いわゆるオーファン受容体が500種以上存在するといわれている．これらのリガンドとして多くの内因性ペプチドが今後，同定されることが期待されている．

ヒト以外の生物が産する生理活性ペプチドで生物物理に多く登場するのは種々の動物の毒ペプチドであり，さらに微生物の産生する細菌毒素やペプチド系抗生物質である．毒ペプチドでよく研究されているのはヘビ，トカゲ，カエル，サソリ，クモ，ハチ，カイなどの毒液に含まれるペプチドで，神経細胞のチャネルブロックや，酵素や受容体の活性阻害など多くの生理作用をもっている．それらから，各チャネルに対し特異的に働くペプチドを選ぶことができるため生理学の面で多大な貢献をしてきた．動物のみでなく植物も興味あるペプチドを産生する．ヒマやキノコの毒ペプチドがよく研究されている．微生物は酵素反応によってのみアミノ酸をつなぎ合わせてペプチドを産生する場合がある．このため，これらのペプチドは上に述べた普通の20種のアミノ酸以外のアミノ酸や時にはD型のアミノ酸を含んだり，ペプチド結合以外にエステル結合を含むデプシペプチドであったりする．

ペプチドはアミノ酸残基の数も少なく，蛋白質が水溶液中でとる親水基を外側に，疎水基を内側に配置した安定な高次構造をとることが多くの場合できない．ただし毒ペプチドのように標的とする他の動物中に侵入しても分解されないように安定である必要のある場合にはジスルフィド架橋を密度高くかけて構造を固定している場合が多い．また血液中では高分子量の蛋白質（結合蛋白質）と結合したり，脂溶性のものは水溶性物質と結合して輸送される．

生理活性ペプチドはリガンドとして特定のレセプターと結合することにより初めて強い生理活性を発現する場合が大部分であり，また細胞膜の脂質二重層との結合により初めてその働きが発揮される場合など，それらの複合体の構造が重要な意味をもつ．そのため最近ではX線結晶解析による複合体の解析のみでなく，固体NMRを含む種々の多核多次元NMRによる超分子系の解析が行われ，さらにこれらの分子間の相互作用の解析が種々の物理化学的手法で行われ注目されている．

低分子でかつ強力な生理活性をもつことから既知の生理活性ペプチドは創薬の出発物質とみなされペプチドミミックの合成が盛んに行われると同時に，ファージディスプレイやコンビナトリアルケミストリーによるハイスループットスクリーニング（HTS）が行われている．

ポストゲノムの時代に入り，プロテオームにならってペプチドームといった概念から多様化する生理活性ペプチドのデータベースを作成する動きが始まっている．

〔小林祐次〕

[文献]
1) 日本比較内分泌学会編：ホルモンの分子生物学シリーズ（全8巻），学会出版センター，1996.
2) Sewald, N. and Jakubke, H-D.: Peptides: Chemistry and Biology, Weily-VCH, 2002.
3) Goodman, M. et al, eds: Synthesis of Peptides and Peptidomimetic, Hauben-Weyl, 2002.
4) 中村春木他編：新世紀における蛋白質科学の進展，共立出版，2002.

1.21 細胞外マトリクス

多数の要素が集まって，1つのシステムを形成する上で必要な環境，状況（時空間）のことをマトリクス（matrix）という．生体組織・器官・個体等，多数の細胞が協調して発揮する生命現象におけるマトリクスの実体を細胞外マトリクスと呼んでいる．多数の細胞からなる秩序ある細胞社会の現象を細胞と細胞外マトリクスとの相互作用から解明する学問分野をマトリクス生物学という．次の4つの柱がある．① 細胞外マトリクスを構成する成分の構造と機能，② 細胞外マトリクス成分等と細胞の相互作用によって引き起こされる細胞内への情報伝達および遺伝子発現を含む応答，さらには細胞外マトリクス成分の生合成・代謝による細胞外マトリクスの変換，③ 細胞外マトリクス-細胞相互作用の発展的スパイラルとしての発生・分化，形態形成，器官形成さらには生体の恒常性維持としての免疫防御系，神経系（情報系），運動・骨格系等の制御機構（器官のバランス調節），④ 多細胞系の恒常性からの逸脱（疾病など）の先天的素因，後天的要因の解明，さらには恒常性への復帰，再生に必要な条件．

細胞外マトリクス成分と細胞との相互作用のうち，細胞接着はもっとも基本的な作用である．細胞接着が分子間の特異的な結合によるとの概念を多数の研究者が受け入れるようになったのはフィブロネクチン（繊維芽細胞のことをフィブロブラストといい，ネクチンは接着因子の意味である）に負うところが大きい．フィブロネクチンは繊維芽細胞の接着だけでなく，上皮細胞も含む多様な細胞の接着を促進する．また，がん細胞が接着性の弱い原因はフィブロネクチンががん細胞の周囲に集積してこないことと関係があると考えられてきた．フィブロネクチンの接着活性がRGDという特異的な配列を有するペプチドで競合的に阻害されることを契機に，さまざまな細胞外マトリクス成分分子について細胞接着の活性の有無が調べられ，そのほとんどが潜在的に細胞接着に関連すること，またRGD以外に多数の細胞接着配列の存在することがわかった．

細胞は細胞外マトリクスへの接着を介して細胞形態はいうに及ばず，直接，間接にその増殖，分化誘導，分化維持，遊走などの基本的な機能について影響を受けることが判明した．とくに，培養細胞がフィブロネクチンなどに接着する現象は，受容体としてインテグリンスーパーファミリーが発見され，分子レベルで細胞接着の特異性，情報伝達機構が解明された．

インテグリンは細胞外マトリクスからなる細胞外の骨格構造と細胞内での細胞骨格構造をつなぐ要にあり，細胞社会としてインテグレートする分子として名称がつけられた．培養細胞を用いた系を中心に細胞接着斑と呼ばれるような細胞接着複合体の形成機構の解明がなされている．遺伝子のノックアウトや遺伝子変換した動物の個体発生による方法を用いて，細胞外マトリクスの有する機能の解明が試みられ，有用な情報が得られている．

細胞増殖の調節，分化誘導とその維持に必要な細胞外マトリクス環境は何であろうかなど，拡散性の細胞機能調節因子と同様に重要な位置づけがされているものの，ブレイクスルーとなる方法論が不足している．1つの方法論として，細胞培養に細胞外マトリクス環境を用いることがある．組織器官を培養系で構築するには細胞外マトリクスの構成する三次元空間を考慮することは重要な視点である．

細胞外マトリクス成分中の特異的なアミノ酸配列の機能から，成分分子中に見られる各種特異的な相互作用を有するドメインの立体構造，分子中の機能ドメイン構造の立体配置などが解明されてきている．

　コラーゲンをはじめとして，細胞外マトリクスは生体内で会合し，固相を形成している．会合体が分子とは異なった影響を細胞機能へ及ぼすことは十分予想されることである．組織学的に定義された基底膜に対して構成する細胞外マトリクス成分の会合した構造モデルが提出されている．基底膜は細胞遊走の障壁，細胞の極性に関係することが古くより想定されている．また，基底膜は癌細胞の転移，血管内皮細胞や種々の上皮細胞の増殖調節，分化維持にも重要とされているが，基底膜を構成する各成分分子が示す細胞機能への影響についての研究報告では必ずしもつまびらかでない．

　基底膜の主要構成成分であるⅣ型コラーゲンについては，分子と会合体では細胞に対する作用は大きく異なる．それだけでなく，Ⅳ型コラーゲン会合体であってもその物性（ゲル状で水分を含んだ状態の粘弾性の違い等）により，大きな差異が見られる．ヒト大動脈平滑筋細胞，ラット肝星細胞（初代あるいは継代），ヒト腎臓メサンジウム細胞，ヒト横紋筋肉腫細胞，ラット骨格筋細胞，ヒト上腕骨格筋細胞，ヒト胎児肺繊維芽細胞などの細胞培養ではⅣ型コラーゲンゲル上では増殖開始が数日以上，場合によっては約1ヵ月以上遅れる．増殖停止した培養細胞はⅣ型コラーゲンゲル上で細胞突起を伸ばし，細胞間で接合した多細胞メッシュワークを形成する．一方，まったく同一の濃度のⅣ型コラーゲンをコートしたり，ゲル状でないシートを用いると，これらの細胞の接着，伸展はいちじるしく早期から始まるだけでなく，細胞は培養直後から増殖を開始する．Ⅳ型コラーゲン蛋白質会合体がゲル状であるかゲル状でないかによって細胞の応答が極端に異なる．細胞外マトリクスの細胞機能制御の機構は，単に細胞に接着しているかいないかという情報だけでなく，接着部位の分布あるいは水分子も含めた拡散性物質と細胞との相互作用情報が関係していることを示す．

　コラーゲンをはじめ，細胞外マトリクス成分で固相を形成しているものは一般に代謝回転率が低いと予想される．細胞外マトリクス成分にはさまざまな相同な遺伝子があり，遺伝子レベルで多様性に富んでいる．細胞外マトリクス構成成分分子はしばしば多数の機能ドメインからなる構造をしている．たとえば，フィブロネクチンポリペプチド鎖は，ヘパリン結合ドメイン，コラーゲン（厳密にはコラーゲンの変性したゼラチン）結合ドメイン，フィブリノーゲン結合ドメインなど，多数の異なる分子との特異的な結合を有するドメインからなり，各機能ドメインは構造的な単位としてのモジュール2つ以上からなる．

　細胞外マトリクス構成分子はその化学組成，化学結合の特徴および遺伝子構造の相同性から次のように分類される．①コラーゲンスーパーファミリー；コラーゲン蛋白質スーパーファミリーだけでも遺伝子は30以上に及ぶ．②糖蛋白質スーパーファミリー（ラミニン等）．③プロテオグリカンスーパーファミリー；コンドロイチン硫酸，デルマタン硫酸，ヘパラン硫酸など，硫酸化グリコサミノグリカンがコアタンパク質に結合した構造をしている．④ヒアルロン酸，エラスチンなど上記以外．⑤MMP（マトリクスメタロプロテアーゼ）などの修飾酵素およびその活性化，阻害などに関与する制御物質．⑥細胞表面の受容体；インテグリンスーパーファミリー，シンデカンファミリー，ヒアルロン酸結合受容体CD44，血小板上のGPVIのようにコラーゲン分子は認識せず，繊維状のコラーゲンを認識する受容体，XVII型コラーゲンなど膜貫通ドメインを有するコラーゲ

ン，⑦サイトカインなど拡散性の細胞機能制御因子などであるが，⑧細胞外マトリクスに液性の成分（血液など）を入れることもある．なかでもフィブリノーゲンおよび血漿フィブロネクチンは通常は血流中に存在するが，創傷などにおいてはフィブリンへと重合したり，フィブロネクチン繊維へと会合する．すなわち，会合予備軍で，会合することで細胞外マトリクス（暫定的にしか存在しない）として機能を発揮する．

細胞外マトリックス物質の化学的な多様性という特徴はその生合成機構と密接な関係にある．1つの遺伝子であっても，それが多数のエキソンからなるため，オールタナティブトランスクリプトが生ずることがある．オールタナティブスプライシング，ポリペプチド鎖の水酸化，糖鎖の付加，硫酸化，ポリペプチド鎖の会合（三本鎖など）の過程があり，各生化学反応は常に100％進行しているわけではなく，環境に応じて修飾の程度が異なる．細胞外へ分泌された後も，プロセシングさらにイプシロンアミノ基の脱アミノ化などの修飾などが生ずる．アスコルビン酸（ビタミンC）は水酸化酵素の活性中心に存在する二価の鉄イオンの酸化を防止することにより，水酸化反応を持続するのに寄与する（抗酸化）作用がよく知られている．IV型コラーゲンポリペプチド鎖が三本鎖らせんになるか，単鎖でとどまるかの調節にアスコルビン酸濃度が関与していることが判明した．アスコルビン酸濃度が低下すると，非らせんIV型コラーゲンポリペプチド鎖に$O-$結合糖鎖が付加され，細胞外へ分泌される．

三本鎖らせん構造を有する繊維形成するコラーゲン（I型，II型，III型，V型，XI型）は前駆体（プロコラーゲン）として分泌され，アミノ末端側とカルボキシ末端側のプロペプチドがそれぞれ特異的な酵素によって切断され，コラーゲン分子となる．繊維性のコラーゲン分子は生理的なpH，温度，イオン環境では自動的に横紋構造を有するコラーゲン繊維へと会合する．コラーゲンらせん部位はコラーゲン分子の長さの約4分の1ずつ，ずれて横に並ぶように会合する性質を有する．コラーゲン三本鎖らせん構造の表面は4℃では水和水で覆われている．37℃では疎水性の部位の水が除かれて，疎水性の部位どうしの相互作用が促進され，分子が集まる．静電的な相互作用，水素結合などとファン・デル・ワールスの相互作用が相まって会合体状態が安定化する．棒状の分子が縦方向に約1/4ずれて並列して並ぶことにより，疎水性残基あるいは電荷を有する残基間の相互作用がもっとも強くなるためと想定される．

I型コラーゲン分子では，らせん構造の末端にテロペプチドと呼ばれる短い非コラーゲンらせん領域をもつが，この部分内にあるリジンあるいはヒドロキシリジン残基のアミノ基がリジルオキシダーゼによって脱アミノ化を受け，アルデヒド基に転換されていると，隣の分子のリジンあるいはヒドロキシリジンあるいはそれらから誘導されたアルデヒドと反応して，分子間に共有結合性の架橋が生じる．とくに，骨など硬組織中のコラーゲンでは3つの分子間に架橋が生じ，ピリジノリンと呼ばれる蛍光を放つ架橋結合が形成され，分子間の相互作用が固定される．細胞外マトリクス成分の間にはしばしばグルタミン残基とリジン残基のアミノ基の間に，γ-トランスアミノペプチダーゼの働きにより，ポリペプチド鎖間架橋が形成される．また，コラーゲンなど代謝回転が遅く，かつ，血液に接しやすいものでは血中のグルコースとアミノ基が反応して，グリケーション（糖化）が生じ，蛋白質の機能にダメージが生じうる．さらに，ポリペプチド鎖内およびポリペプチド鎖間でS-S結合の組換えが生じることで会合体の形成の促進，安定化が生じることもある（血漿フィブロネクチンの繊維性フィブロネクチンへの転換）．細胞外マトリクス分子の多くは多数の機能ドメイン

を有するが，組織中のプロテアーゼなどにより，限られた部位での切断が起こることにより，新たな機能分子が創出されることもある（血管新生の抑制作用を有するエンドスタチンのXVIII型コラーゲンからの遊離，ラミニン5の切断による細胞遊走活性の増強など）．

V型コラーゲン，IV型コラーゲン，I型コラーゲンの生体組織内分布の検討および単離したコラーゲン蛋白質から再構成した構造体の特徴から，真皮など結合組織は上皮組織直下のIV型コラーゲンに続いて，V型コラーゲンからなる細い径のコラーゲン繊維さらにI型コラーゲンを主体とする太い径のコラーゲン繊維あるいは繊維束という順に傾斜して存在するモデルが提唱されている．コラーゲン傾斜構造は同時に分化細胞の傾斜と相関しており，分化細胞は適切なコラーゲン会合体が細胞環境を構成していることが，それぞれの分化細胞とその間の相互作用など，組織としての恒常性維持と関係があるとの仮説が提唱されている．この仮説を拡張するならば，傷など生じた場合，組織が修復，再生へ向かうのは細胞とコラーゲン会合体の関係が生理的な傾斜構造の形成へ向かう場合であるととらえられる．組織再生へと向かうには細胞と細胞外マトリックス相互作用の好循環（favorable spiral of cell-matrix interactions）を生み出す条件，環境づくりをつくるという目標設定となる．

細胞外マトリックス超分子構造体を組織の形態と対応して分類すると次のようになる．括弧に主な成分分子を入れた．① 繊維；力学的強度（I型コラーゲン，II型コラーゲン，III型コラーゲン，V型コラーゲン，XI型コラーゲンなど横紋構造をもつ繊維およびフィブリリン，エラスチン，VI型コラーゲンなど，IX型コラーゲン，XII型コラーゲン，XIV型コラーゲンなど繊維結合性の分子）．② 基底膜；細胞あるいは物質透過の障壁として，さらに，接触している細胞の機能維持（IV型コラーゲン，ラミニンファミリー，ヘパラン硫酸プロテオグリカン，ナイドジェン，SPARCなど）．③ 無定形あるいはゲル状の構造；繊維を含め，三次元網目構造体による弾性，拡散性物質の透過制御，ホルモン，成長因子など種々の物質，排出・廃棄される物質，化学修飾をうけた物質，酸化，分解物などのリザーバー（ヒアルロン酸，アグリカン，パールカン，さらにはI型コラーゲンなどの三次元会合体）．④ 液性成分，成長因子など細胞の生存に必須の拡散性物質（細胞生存に必要な栄養，各種イオン，水，アミノ酸，グルコース，酸素など）．⑤ 細胞表面受容体，細胞外物質の特異的な情報認知（インテグリンスーパーファミリー，シンデカンファミリー，CD44，GPVIなど）．

〔林　利彦〕

[文献]

1) Kreis, T. and Vale, R.: Guidebook to the Extracellular Matrix, Anchor, and Adhesion Proteins. Second Edition, Oxford Univ. Press, 1999.
2) 小出　輝，林　利彦編：細胞外マトリックスー基礎と臨床ー，愛智出版，2000．
3) 林　利彦，廣瀬志弘，水野一乘，中里浩一：細胞外マトリックスとティッシュ・エンジニアリング（ティッシュ・エンジニアリングー組織工学の基礎と応用ー，上田　実編），名古屋大学出版会，pp. 20-31，1999．
4) 大和雅之，水野一乘，今村保忠，中里浩一，安達栄治郎，林　利彦：5マトリックス．細胞機能と代謝マップII．細胞の動的機能（日本生化学会編），東京化学同人，pp. 28-36，1998．

第 2 章　核酸と遺伝情報系

2.0 〈総論〉核酸と遺伝情報系

私達の生命は約60兆個の細胞からなる（図2.0.1）．各細胞の核の中には遺伝情報を伝達する23対のペアからなる46本の染色体がある．各染色体は二重らせん構造のデオキシリボ核酸（deoxyribonucleic acid；DNA）を1本含んでいるので，各細胞は23対のDNAすなわち46本のDNAをもっている．23対のDNAは，父親由来の23本のDNAと母親由来の23本のDNAである．DNAは，デオキシリボースという糖とリン酸が4種類の塩基（A, T, G, C）に結合し，リン酸と糖の部分が鎖状に連なった高分子である．1個の細胞内の23対のDNAのうち22対はお互いに相同で，長さの順に1番から22番までの番号がついている．残りの1対は性を決定し，女性の場合はXXの対で男性の場合はXYの対である．各DNAの塩基配列はおのおの異なっていて，遺伝情報は塩基配列として書き込まれている．われわれを形成する約60兆個の細胞は，父由来の精子が母由来の卵細胞に受精した1個の受精卵から生じる．精子の中には父由来の23本のDNAがあり，卵の中には母由来の23本のDNAがある．

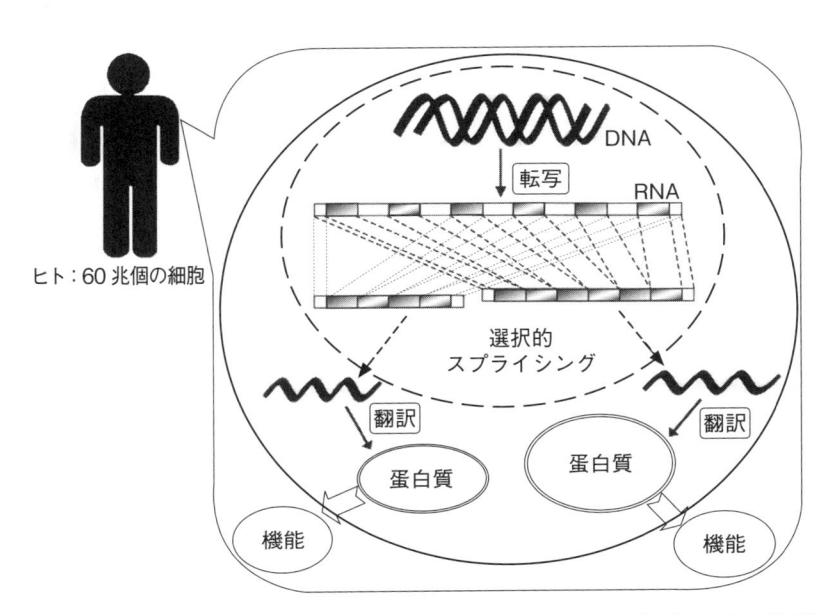

図 2.0.1 セントラルドグマ（遺伝子DNAから遺伝子産物の蛋白質ができる様子）

22本の常染色体の遺伝子とXおよびY染色体の遺伝子の総称をゲノムと呼ぶ．46本の二重らせんDNAをもった受精卵は細胞分裂を繰り返し，そのつど46本のDNAの配列はコピーされ各細胞に渡される．46本のコピーされたDNAを各細胞に正確に渡すためにはDNAの中にセントロメアという特別な配列が必要である．各細胞は基本的に同じDNA配列すなわち同じ遺伝子をもっている．よってヒツジの乳腺細胞から取り出したDNAから新しいクローンヒツジを生じることができる．60兆は2の50乗よりは少ないので，受精した卵細胞が細胞分裂を約50回繰り返すと，60兆個以上の細胞ができることになる．実際には細胞分裂した細胞の中にはプログラムによって死ぬ（アポトーシス）細胞も多数あるので，細胞分裂の寿命は約60回程度だと考えられる．

　二重らせんのDNAのコピーをつくるのを複製と呼ぶ．二重らせんのDNAはAとT，GとCが相補的な水素結合を形成しているので，相補性の規則に従って1本の二重らせんDNAから同じ配列の2本の二重らせんDNAができる．親から子に遺伝子が伝わり受精した卵細胞からわれわれ個体が生じるのは，DNAが正確に複製されるからである．複製に関与する酵素はDNAポリメラーゼである．DNAポリメラーゼはその機構上，テロメアと呼ばれるDNA末端を正確には複製できない．よって，複製のたびごとにDNAの末端（テロメア）は短くなる（図2.0.2）．テロメアの長さは細胞分裂の回数のマーカー，すなわち細胞老化のマーカーである．成体のDNAからできたクローンヒツジのテロメアの長さは，正常なものに比べて短くなっている．精子や卵細胞など生殖細胞のDNAのテロメアの長さは，元の長さにリセットされる．テロメアのDNAを合成する酵素はテロメラーゼという酵素で生殖細胞で働いている．テロメラーゼの中にはRNA分子があり，その一部のRNA配列に相補的にDNAが合成されるので，テロ

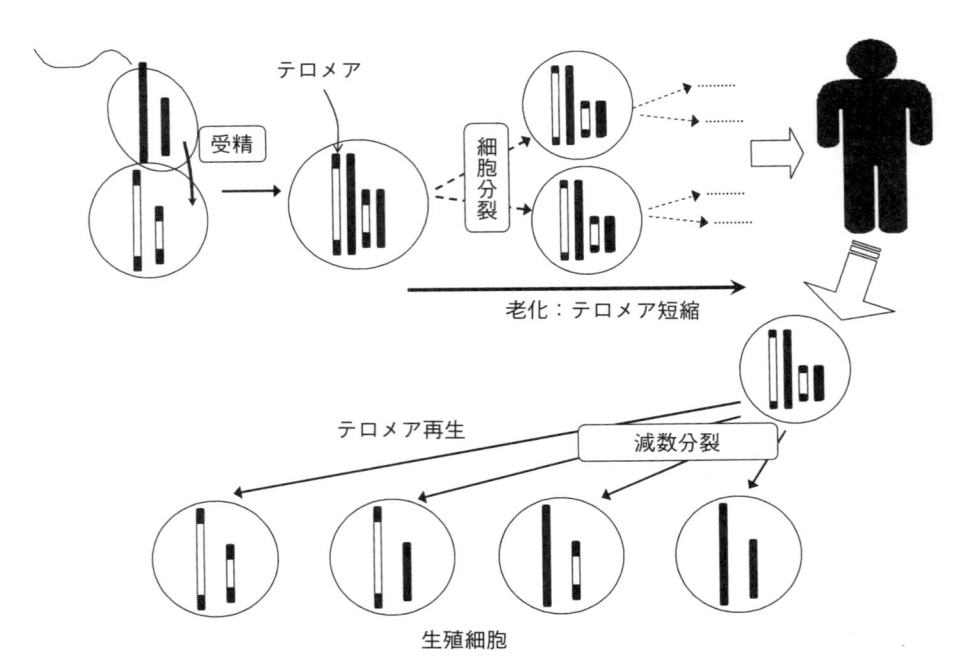

図2.0.2　細胞分裂，細胞老化，生殖細胞の関係

メアの DNA 配列は特定の配列の繰り返し構造になっている．ヒトでは TTAGGG 配列が繰り返している．正常細胞ではテロメラーゼは働いていないが，無限増殖可能な癌細胞ではテロメラーゼが活性化されている．テロメラーゼを構成する蛋白質はもちろん，RNA も遺伝子 DNA から転写される遺伝子産物である．

　正常細胞では細胞分裂の回数は約 60 回程度に制限されていて，発見者の名前にちなんでヘイフリックの限界と呼ぶ．受精した卵細胞は細胞分裂をして胚発生を行い，各細胞は特別な機能をもつように分化していく．基本的にはすべての細胞が同じ DNA 配列をもっているにもかかわらず，心臓，肝臓，腎臓，神経細胞等のように各細胞ごとに機能が異なるのは，各細胞ごとに発現している遺伝子が異なるからである．遺伝情報をもった DNA の塩基配列は，リボ核酸（ribonucleic acid；RNA）にコピーされる．RNA は，リボースという糖とリン酸に 4 種類の塩基（A, U, G, C）が結合し，リン酸と糖の部分が鎖状につながった一本鎖の高分子である．二重らせんの DNA から一本鎖の RNA のコピーができる過程を転写と呼ぶ．転写された RNA は核外に運ばれて，リボソーム上で蛋白質に翻訳される．蛋白質は，遺伝子産物として生体内でさまざまな機能を果たす．蛋白質のアミノ酸配列は RNA の塩基配列に従っているので，遺伝子である DNA の配列が蛋白質のアミノ酸配列を決定し，特定のアミノ酸配列の蛋白質が特定の生命機能にかかわる．

　DNA－RNA－蛋白質という遺伝情報の流れは，発見したクリックによってセントラルドグマ（中心教義）と命名された．基本的にはすべての生命における遺伝情報の流れを説明する．細胞分化において遺伝子の発現が制御されるいちばん大きな部位は，DNA から RNA が転写される転写制御である．特定の遺伝子の部位に活性化に必要な配列があり，その配列に特異的に蛋白質（転写因子）が結合し，さらに基本転写因子が結合する．この結合によって二重らせんの DNA の読み取られる側の鎖が決定される．つぎに RNA ポリメラーゼによって片側の DNA 鎖に相補的に RNA が合成される．各遺伝子ごとに RNA の読まれる位置は決まっている．DNA の配列が RNA に読み取られた後で，RNA は断片的にスプライシングという機構によって切り取られる．切り取られる部位をイントロンと呼び，切り取られないで遺伝子として蛋白質の配列を決定する部位をエキソンと呼ぶ．このような編集を受けた RNA は，細胞質で蛋白質を合成するリボソームに運ばれる．リボソーム上で，RNA の配列の中の開始コドンという特定の 3 塩基の配列からスタートして，連続的に 3 塩基が 1 アミノ酸に対応するように翻訳されていく．特定の 3 塩基配列の終止コドンの位置まできたら，蛋白質の合成が完了し，リボソームから離れて特定の機能を果たす．

　遺伝子産物の蛋白質のアミノ酸配列が直接 RNA で決定されるのが普遍的だとしたら，遺伝子自体は DNA でなくても RNA でもよいことになる．たしかに，一部のウイルスでは RNA が遺伝子として働いている場合もある．しかし，進化の過程では，最終的には DNA を遺伝子として選んだ生物が圧倒的に多く，RNA ウイルスの中でもわれわれの細胞内でいったん二重らせん DNA に逆転写され，さらに RNA に転写され蛋白質ができる場合もある．このようなウイルスの逆転写酵素を使って細胞内の蛋白質合成用の RNA を DNA に逆転写した DNA を，相補的な（complementary）DNA という意味で cDNA と呼ぶ．cDNA はイントロンがないエキソンのみで構成されている DNA で，ゲノム中の DNA とは異なる．ゲノム DNA の配列から遺伝子を同定するのが困難なときには，cDNA の配列情報は重要になる．

DNAとRNAの大きな違いは化学反応性にある．RNAには活性な水酸基が糖のリボースに1個あり，反応性に富んでいる．核内のスプライシングには数多くの蛋白質が関与しているが，蛋白質の助けを借りずに自己的にスプライシングを行うRNAもある．DNAには活性な水酸基はなく，RNAに比較すると化学的に安定である．その点で，遺伝子として最終的にDNAが選ばれた．また遺伝子の相補性と安定な複製機構を保証する二重らせんDNAは，二重らせんRNAに比べて非常に柔らかく，超高次構造を形成しやすい．非常に長い遺伝情報を，自己相補的に二重らせん構造でコンパクトに折りたたむためには，RNAよりもDNAのほうがふさわしい．遺伝子として二重らせんRNAを使用するウイルスもあるが，二重らせんRNAは固くて折りたたまれにくい．それに比して，蛋白質合成用の一本鎖のRNAは，折りたたまれて特定の高次構造をとる．この特定の高次構造が蛋白質によって認識され，転写や翻訳においてさまざまな機能を果たしている．核酸が遺伝情報系で重要な役割を果たしているので，セントラルドグマに関与するDNAとRNAの配列は，必ず鋳型であるDNAやRNAの配列に相補的に合成される．また，遺伝子産物である蛋白質も，必ず鋳型依存的に合成される．ただし，DNAは別のDNAと組換えを起こしたり，別のDNAを挿入できる．そのような機構で遺伝子は変化し，生命は進化してきた．

〔西村善文〕

[文献]
1) Calladine, C. R., Drew, H. R.（ワット富士子，西村善文訳）：なぜ遺伝子はらせんを巻くのか，共立出版，1996.
2) アルバーツ，B. 他（中村桂子他監訳）：細胞の分子生物学（第4版），ニュートンプレス，2004.

I. 核　　酸

2.1　DNA

a. DNAの化学構造および生物学

DNA（deoxyribonucleic acid）はすべての細胞に存在する遺伝物質であり，蛋白質をつくるために必要なすべての遺伝情報を含んでいる．DNAは化学的には，ヌクレオチド構造単位がリン酸ジエステル結合により結合した直鎖状の高分子である．ヌクレオチドは，塩基，デオキシリボース環およびリン酸基から構成される（図2.1.1(a)）．4種類の塩基，アデニン（A），チミン（T），グアニン（G）およびシトシン（C）があり（図2.1.1(b)），AとGをプリン塩基，TとCをピリミジン塩基と呼ぶ．それぞれの塩基はβ-グリコシド結合（N1/9-C1'）によって糖と結合する．塩基は4種であるから，4種類のヌクレオチドが存在し，それらが糖のC5'と隣接する糖のC3'を結ぶリン酸ジエステル結合によって結ばれ，膨大な遺伝情報は長い塩基配列の暗号（A，T，G，Cの文字配列）として蓄えられている．4つの塩基のうち，シトシンの5位は生体内でしばしばメチル化を受けており，この修飾は遺伝子の不活性化やインプリンティングに関与すると考えられている．特別な場合として，ウイルスの一種であるファージT2などのDNAには，シトシンの5位がヒドロキシメチル基やグルコシル基で置換されたものが多数含まれており，それゆえ，ファージTのDNAはT-DNAと呼ばれている．

この遺伝情報を安定に保持し，次世代に

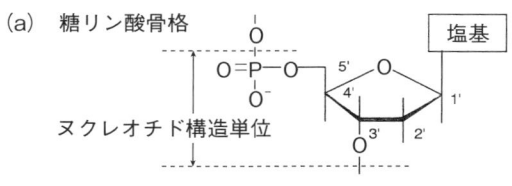

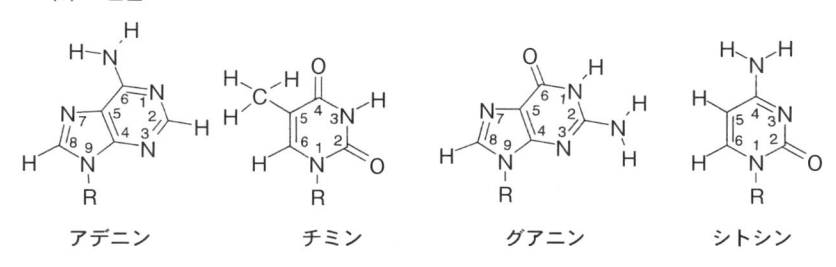

図 2.1.1 DNAのヌクレオチド構造単位（a）と4つの塩基の化学構造（b）
Rは塩基に結合した糖を示す．

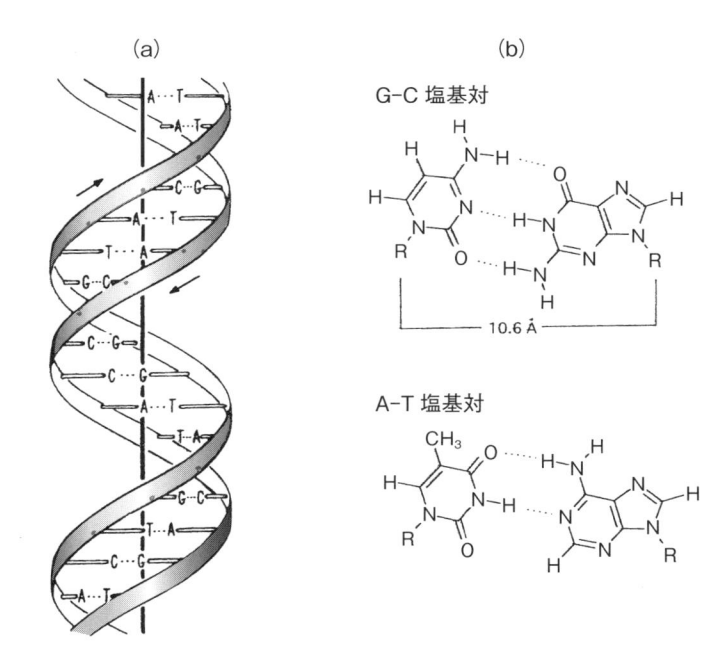

図 2.1.2 ワトソン–クリックの二重らせんモデル（a）と塩基対の形成（b）
図（a）の矢印は鎖の5′-末端から3′-末端への方向を示す．

正確に引き継ぐためには，化学物質としてのDNAは安定で，かつ正確に複製できる機構を備えていなくてはならない．その秘密は，1953年にワトソン（Watson）とクリック（Crick）によって提唱されたDNAの二重らせん構造モデルによって解き明かされた（図2.1.2（a））．DNAは逆平行に走る相補的な二本鎖からなる右巻きの二重らせん構造をとる．このワトソン–クリックモデルの特徴は，糖–リン酸骨格で繋がれた主鎖が外側に露出して，塩基が内側に向いていることである．2本の鎖の相補性は，AとT間およびGとC間の特異的な水素結合による塩基対の形成にもとづいている（図2.1.2（b））．

DNA繊維や単結晶のX線構造解析によ

2.1 DNA

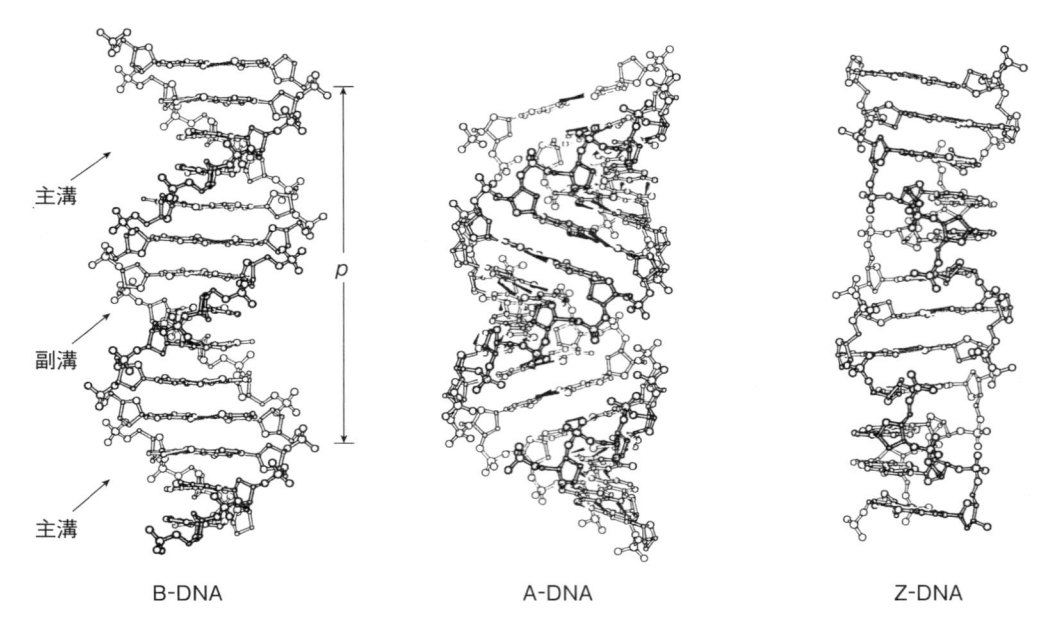

図 2.1.3 二重鎖 DNA の多型：右巻きらせんの B-DNA と A-DNA および左巻きらせんの Z-DNA

れば，二重鎖 DNA（dsDNA）はそのまわりの環境によってさまざまな構造をとることが知られている．もっとも一般的な構造は B 型 DNA であり，水溶液中ではほとんどの DNA はこの構造をとる．図 2.1.3 で示すように，B-DNA の特徴は，直径が約 2.0 nm，ピッチが $p=3.4$ nm，1 回転当たり 10.5 塩基対のらせん対称をもつ構造である．また，塩基対面がらせん軸に対してほぼ垂直で，二本鎖の間の広い主溝によって特徴づけられる．B 型 DNA はしばしば，濃い塩濃度の条件，水分の少ない環境，水／エタノール混合溶液中では A-DNA に転移する．この構造は 1 回転当たり 11 塩基対のらせん対称をもち，傾斜した塩基対面と狭くて深い主溝と浅い副溝によって特徴づけられる．二重鎖 RNA はこの A-DNA と類似の構造をとる．また，Li 塩の DNA 繊維で見られる C 型 DNA，合成ポリマー poly（dA）・poly（dT）に特有の B′-DNA，poly（dAdT）・poly（dAdT）に特徴的な D 型 DNA など，いずれも B-DNA に類似しているが，塩基配列に固有の構造である．

二重らせん構造の中でももっとも特異なものは，左巻きらせん構造の Z 型 DNA である（図 2.1.3）．Z-DNA は $(CG)_n$ のようなプリン-ピリミジン交互配列に特有な構造であり，通常高いイオン強度の条件下で観測される．DNA 繊維の X 線解析から得られた左巻き DNA は単結晶のものとは少し異なり，S-DNA と名づけられている．このように塩基配列に依存した特異な構造として，10 残基ごとに現れる A-トラクト配列に特有な湾曲 DNA，G-リッチな配列（たとえば，テロメア配列）における四重鎖 DNA（G-DNA），C-リッチな配列における四重鎖 DNA（i-motif），ホモプリン・ホモピリミジン配列に特有な三重鎖 DNA（分子内三重鎖のとき，H-DNA という），回文配列に特有な十字型 DNA など，多様な構造が存在する．Z-DNA を含んで，これらの，いわゆる"非 B 型 DNA"はさまざまな生物学的な過程（複製や転写）において重要な役割を果たしていると考えられている．たとえば，蛋白質の DNA 認識部位としての役割や DNA のスーパーコイル

表 2.1.1 デオキシリボヌクレオチドの塩基の電離指数とモル吸光係数（260 nm）

デオキシリボヌクレオチド	分子量	電離指数 pKa	モル吸光係数 $\varepsilon_{260} \times 10^{-3}$ (pH 7.0)
アデノシン 5′-モノリン酸 d (AMP)	331.22	3.88	15.3
グアノシン 5′-モノリン酸 d (GMP)	347.23	10.00	11.8
チミジン 5′-モノリン酸 d (TMP)	322.21	10.47	9.3
シチジン 5′-モノリン酸 d (CMP)	307.20	4.53	7.4

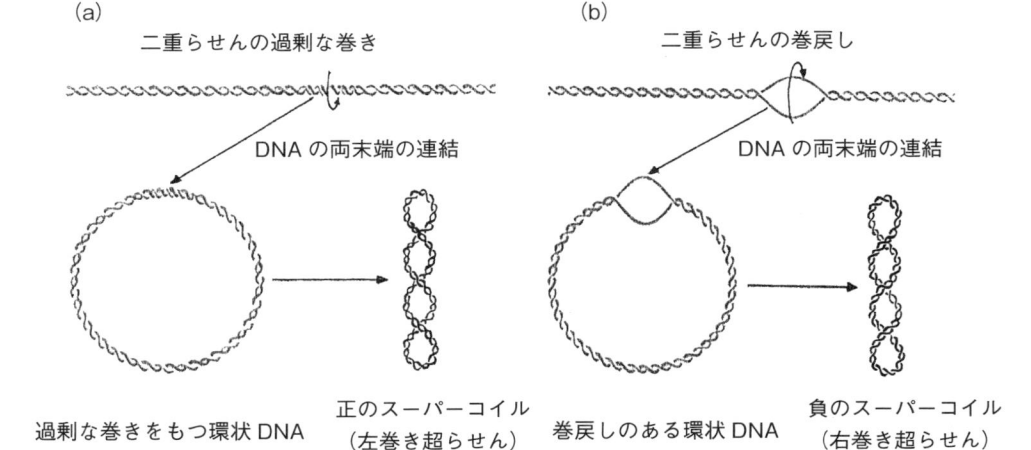

図 2.1.4 閉じた環状 DNA の超らせん（スーパーコイル）
(a) 二重鎖 DNA の巻き過ぎが左巻きの超らせんをつくる．(b) 二重鎖 DNA の巻戻しが右巻きの超らせんをつくる．

またはねじれ応力を緩和する働きがある．

DNA は直鎖状の高分子であると述べたが，二重鎖の両端が結合した環状 DNA が存在する．細菌類，たとえば，大腸菌のゲノム DNA は末端が閉じられた環状 DNA であり，そのプラスミドや哺乳類のミトコンドリア DNA はすべて環状 DNA である．この環状 DNA では，直鎖状 DNA にはない問題が生じる．後者では二重鎖の巻き過ぎや巻戻しがあっても，その歪みは DNA 鎖の回転によりすぐに解消されるのに対して，前者ではその巻き過ぎは DNA に負（右巻き）の超らせんを，二重鎖の巻戻しは正（左巻き）の超らせん（スーパーコイル）を引き起こす（図 2.1.4）．環状 DNA あるいは両端が固定された DNA は通常，負の超らせん状態にあり，転写活性に関与すると考えられている．生体内では超らせんの密度はジャイレースとトポイソメラーゼという酵素によって制御されている．

b. DNA の物理的性質

すべての DNA や RNA における近紫外領域の強い吸収はプリンとピリミジン塩基による（表 2.1.1）．DNA の 4 つの塩基に対する吸収スペクトルは互いに類似しており，吸収極大波長は $\lambda_{max} = 260$ nm の近傍にある．この強い吸収は DNA の定量法として用いられ，dsDNA の場合その濃度は，吸光度 $A_{260} 1.0 = 50 \mu g/ml$ DNA，の関係を用いて概算される．DNA あるいは RNA から得られる吸収はその構成要素であるヌクレオチド単量体の吸収の単純な和よりもつねに低い（図 2.1.5 (a)）．このように，

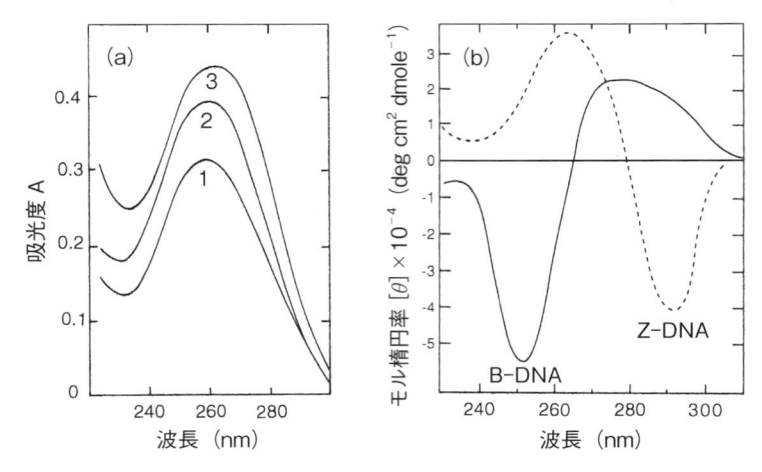

図 2.1.5 DNA の UV スペクトルと CD（円二色性）スペクトル
(a) UV スペクトル．(1) 天然の二重鎖 DNA（15 mg/*l*），(2) ランダムコイル状態の変性 DNA．(3) 個々のヌクレオチド単量体のスペクトルの和．
(b) CD スペクトル．右巻き B-DNA（実線）と左巻き Z-DNA（破線）．

吸収の位置を変えないで，その強度が減少する現象を淡色効果（hypochromism）という．一方，dsDNA を熱変性させるとき，DNA のスペクトルのパターンは変化しないが，吸光度が増加する（図2.1.5 (a)）．この現象は濃色効果（hyperchromism）という．これらの効果が生ずる原因は塩基対の形成と塩基対間のスタッキング（重なり）による．この濃色効果を利用して DNA の融解温度（T_m）が測定される．DNA の T_m は，DNA の塩基対数（n）が長いほど，その塩基組成において G/C 組成が高いほど，また，塩濃度が高いほど高い．実用的な観点から多数の経験式が導かれているが，塩濃度，塩基組成および塩基対長を考慮した次の近似式がよく用いられている．

$$T_m = 81.5℃ + 16.6 \log[Na^+] + 0.41([G+C]\%) - 500/n$$

DNA の安定性は塩基対の水素結合に加えて，塩基対間のスタッキングによる寄与が大きいので，厳密な T_m の見積もりにはこの隣接残基の効果も考慮しなければならない．

短い DNA 単鎖は，適切な条件下で長い DNA の相補的な塩基配列部位と二重鎖をつくることができる．これをハイブリダイゼーション（hybridization）という．厳密な二重鎖をつくるためには，DNA 溶液をその T_m 付近にしばらく放置し，ゆっくりと常温に戻すアニーリング（annealing）処理が重要である．

DNA は光学活性を有し，構造に特徴的な円二色性を示す．右巻き B-DNA と左巻き Z-DNA の円二色性は互いに鏡像関係にあるスペクトルを与える（図2.1.5 (b)）．

dsDNA を強い電場の中に入れると，DNA の長軸が電場と平行に配向する（電気二色性という）．また，溶媒の流動ズレ応力によっても配向し，流動複屈折を示す．これらの流体力学的な現象は DNA 分子が弾性に富んだ，負電荷の棒状セグメント（persistence length と呼ばれ，約 50 nm または 150 bp）を単位とする自由鎖モデルによって説明される．この弾性的性質と蛋白質の結合による伸縮自在な DNA の性質がそれ自身を生物学的に活性な分子にしている．1 本の dsDNA の力学的強度も原子間力顕微鏡によって測定されている．二本鎖 DNA の固いジッパーを剥がすのに 10〜15 pN の力を必要とし，65 pN で元の

長さの1.7倍に伸びるが,このとき弾性率の急激な変化が起こり,不可逆的になる.さらに,伸長させ,元の2.1倍にするには約450 pNの力を要する.DNAは力学的強度もあり,取扱いが比較的やさしいために分子素子としても注目されている.

〔神藤平三郎〕

[文献]

1) Saenger, W.: Principles of Nucleic Acid Structure, Springer-Verlag, 1984.(西村善文他訳:核酸構造 上・下,シュプリンガー・フェアラーク東京,1987).
2) Sinden, R. R.: DNA Structure and Function, Academic Press, 1994.
3) 日本生化学会編:新生化学実験講座,核酸1 (1991), 2 (1991), 3 (1992),東京化学同人.

2.2 RNA

RNA (ribonucleic acid) と DNA (deoxyribonucleic acid) は,化学構造上以下の2点で異なる.第1にDNAでは糖がデオキシリボースであるのに対し,RNAではリボースである(図2.2.1 (a)).リボースの2′位の水酸基(OH)から酸素(O)を削除して,水素(H)だけに置き代えたものがデオキシリボースである("デオキシ"とは酸素(オキシ)を削除(デ)したの意である).第2にDNAでは塩基として,アデニン,グアニン,シトシンおよびチミンが用いられるが,RNAではチミンの代わりにウラシルが用いられる.ウラシルは,チミンの5位のメチル基(CH_3)を水素(H)で置き代えたものである(図2.2.1 (b)).

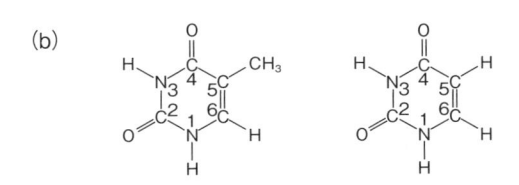

図2.2.1 DNA と RNA の化学構造の違い
(a) デオキシリボース(DNAで用いられる)とリボース(RNAで用いられる)の化学構造の比較.リボースの2′位のOHをHにしたものがデオキシリボース.(b) チミン(DNAで用いられる)とウラシル(RNAで用いられる)の化学構造の比較.チミンの5位のCH_3をHにしたものがウラシル.

RNAの鎖を切断する酵素は，手の平のわずかな汗や唾液等にも存在するため，RNAを操作する際には手袋を着用し，無駄口をたたかない等の細心の注意が要求される．またRNAは，アルカリ条件下（pH 9，90℃）に置くと加水分解が生じ，鎖が切断される．アルカリ条件下では，リボースの2′位の水酸基から水素が引き抜かれ，残った2′位の酸素がリンを求核攻撃して2′,3′環状リン酸が形成される．この際，リンと次の残基との結合は切れ，RNA鎖の切断に至る．DNAでは2′位に水酸基が存在しないため，このようなアルカリ加水分解は生じず，アルカリ条件下でも安定に存在する．

　DNAに比べ，RNAは多様な立体構造を形成する．DNAの場合は，ある鎖には基本的につねに相補鎖が存在し，A：TおよびG：C塩基対により二本鎖を形成する．一方RNAの場合には相補鎖は存在しないので，二本鎖を形成するという拘束はなく，RNAごとに多様な折りたたまり様式を呈する．またRNA中には，A：UおよびG：C以外の非標準型の塩基対も形成されている．たとえばG：U，G：A，G：GおよびA：A塩基対（図2.2.2）等が見つかっている．これらの非標準型塩基対は，RNAが特定の生物学的機能を発揮するのに利用されることがある．DNAの二重らせんは棒状の形をとるが，RNAは棒状の形に加え，球状に近い形をとることもある．球状に折りたたまれたRNAの姿は，球状蛋白質の折りたたまりに通ずるものがある．

　リボースの2′位の水酸基は，水素が水素結合の供与体（ドナー）として，一方酸素は水素結合の受容体（アクセプター）として働き，RNAの分子内あるいはRNAと蛋白質との分子間の相互作用に利用されることがある．なおDNAでは，2′位に水酸基が存在しないので，2′位が水素結合のドナーやアクセプターとなることはない．またウラシルは，チミンに比べメチル基が

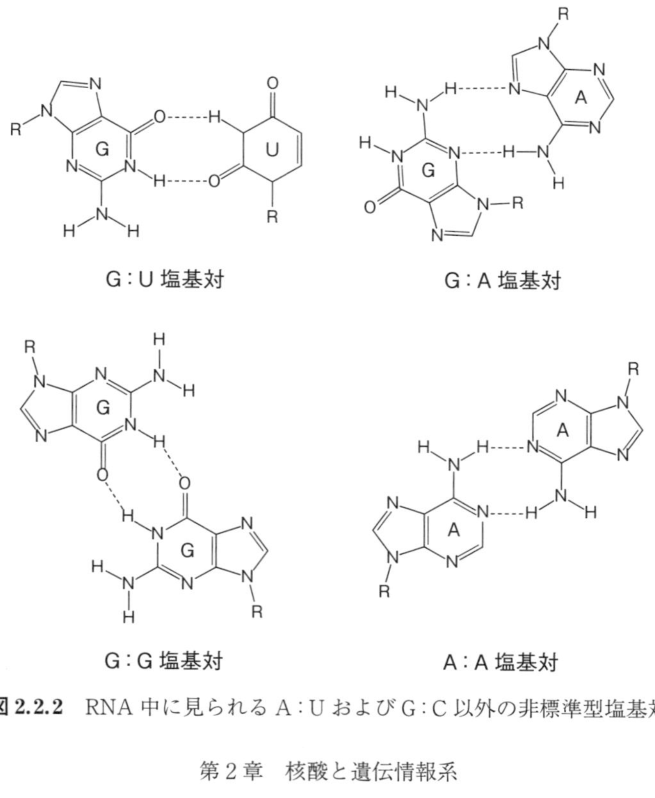

G：U塩基対　　　　　G：A塩基対

G：G塩基対　　　　　A：A塩基対

図 2.2.2　RNA中に見られるA：UおよびG：C以外の非標準型塩基対

ないため，疎水性や立体障害を引き起こす度合いが低いが，この点がRNAの分子内あるいはRNAと蛋白質との分子間の相互作用の微調整に利用されることがある．

天然に存在するRNAには，メッセンジャーRNA，トランスファーRNA，リボソームRNAなどがある（図2.2.3）．DNAの遺伝情報をRNAに写しとったものがメッセンジャーRNAである．メッセンジャーRNAの情報にもとづいて蛋白質を生産する工場をリボソームというが，リボソームは多数の蛋白質とRNAがより集まったものである．リボソームのRNA成分を，リボソームRNAという．そしてメッセンジャーRNAの情報に対応した適切なアミノ酸を運んでくるのが，トランスファーRNAである．

さらに現在，機能性RNAというものが注目されている．RNAでありながら蛋白質のような酵素活性を有するもの（リボザイム）や，特定の低分子や蛋白質に対し非常に高い親和性を有するRNAで，これらの分子を捕捉することができるもの（アプタマー）等がこれに当たる（図2.2.4）．リ

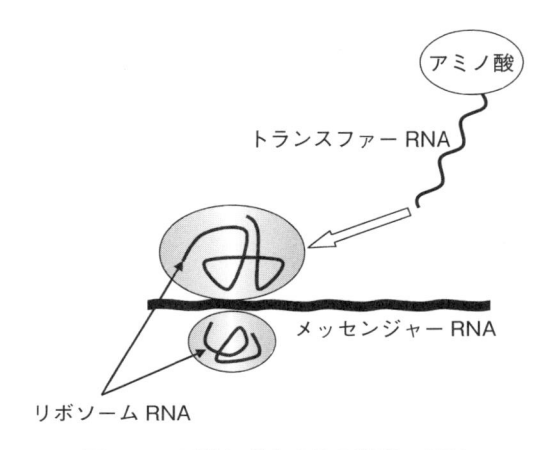

図2.2.3 天然に存在する3種類のRNA

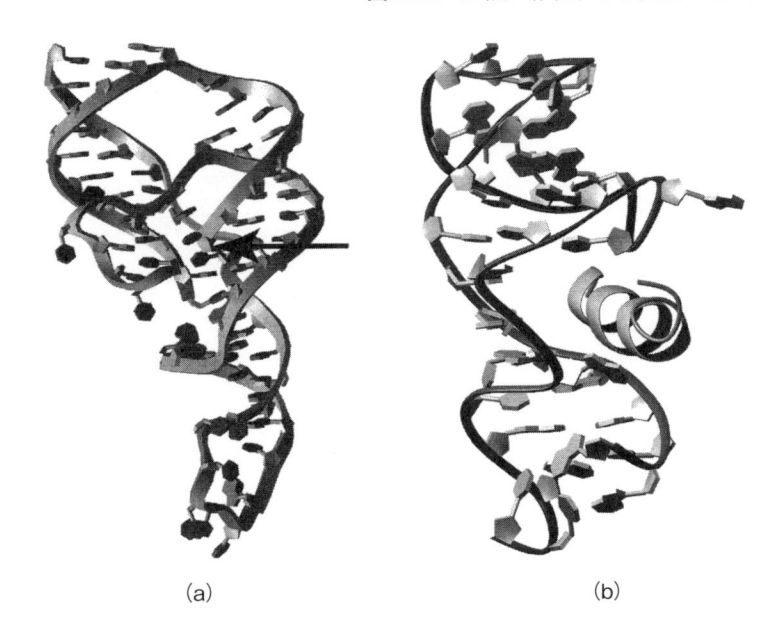

図2.2.4 リボザイムとアプタマー
(a) 肝炎デルタウイルスのリボザイムの立体構造．らせんが複雑に絡み合いながら活性部位を形成し，矢印のところでRNAの鎖の切断が生じる（プロテインデータバンク ID No. 1CX0 より作成）．(b) HIVの悪性蛋白質Revの部分ペプチドとRNAアプタマーの複合体の立体構造．アプタマーが，Rev蛋白質のα-ヘリックスを捕捉している様子がわかる（プロテインデータバンク ID No. 1ULL より作成）．

ボザイムは天然に存在し，切断や重合等の活性を有する．さらに天然のリボザイムの改良や，ランダムな配列からなる RNA 分子の大集団から出発して，試験管内で RNA 分子を進化させる方法を適用することによって，より優れた機能を有するリボザイムも得られている．蛋白質生産工場であるリボソームの三次元立体構造が最近明らかになったが，アミノ酸を連結するという核心の反応を行う部位はリボソーム RNA のみからなり，リボソームの蛋白質成分はこの部位の近くには存在していないことがわかった．これはリボソームにおけるアミノ酸の連結反応も，リボザイムによって触媒されていることを示唆する．アプタマーに関しても，上述の試験管内分子進化の手法を用いることにより，有害低分子化合物や病気を引き起こす悪性蛋白質等を捕捉できるものが得られてきている．

最近の研究によれば，蛋白質をコードしていない RNA（ノンコーディング RNA）が細胞内には相当量存在すると推測されている．そしてこのノンコーディング RNA が発生，分化等において重要な役割を担っていることが明らかになりつつある．

〔片平正人〕

[文献]
1) ゼンガー，W.（西村善文他訳）：核酸構造 上・下，シュプリンガー・フェアラーク東京，1987.
2) 桐野 豊編：物理化学 下（生命薬学テキストシリーズ），pp.140-170，共立出版，1999.
3) Sinden, R. R.：DNA Structure and Function, Academic Press, 1994.

II. 遺伝情報系

2.3 DNA 複製

相補的二重らせん構造をもつ DNA 分子の複製は，二重らせんが開裂し分離した各鎖が鋳型となって新しい相補的鎖が合成され，複製分岐（複製点を含む枝分かれ構造）が一定方向に移動して，最後に 2 つの二重らせんができることにより起こる（半保存的複製；図 2.3.1）．DNA 合成酵素は，

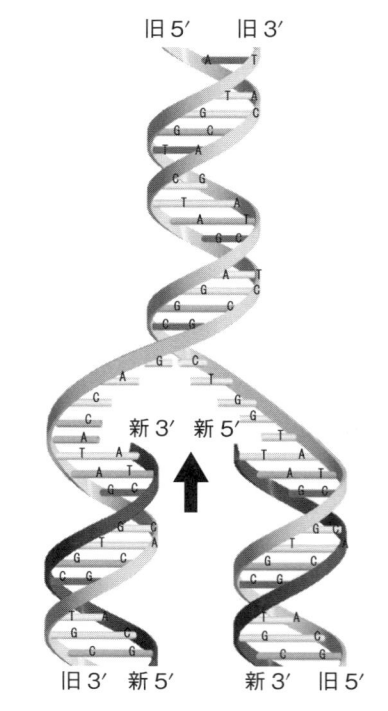

図 2.3.1 DNA 複製のモデル
親の二重らせんがほどけて塩基対合のルールに従って新しい鎖がつくられる．全体的な複製は一方向的に進む．

DNAの存在下にヌクレオチドを重合し，もとのDNA（鋳型）と相補的なDNAを新たに合成するというDNA複製酵素にふさわしい性質を示すが，実際のDNA複製は複雑な過程である．種々の生物から見出されたDNA合成酵素は，4種のデオキシヌクレオシド-5′-三リン酸を基質として既存のポリヌクレオチド鎖の末端の3′-OH（3′-OHを提供するものをプライマーと呼ぶ）にリン酸エステル結合でモノヌクレオチドを付加することで重合反応を行う（図2.3.2）．二重らせん構造では2本のDNA鎖が互いに逆向きになっているので，複製分岐において一方の鎖は5′-3′方向に連続的に伸長するが，他方は5′-3′方向に伸びる断片（岡崎断片；原核生物では1000〜2000ヌクレオチド，真核生物では，約200ヌクレオチド）として不連続に合成される（不連続複製；図2.3.3（a））．

　DNA複製は多くの場合にDNA二重らせん分子の内部から始まる（図2.3.4（a））．複製起点として，原核生物の系や出芽酵母では数百bp以内の特定の配列が同定されているが，高等真核生物では，複製が比較的決まった部位から始まる場合とランダムにあちこちから始まる場合が知られている．DNA複製開始過程では，まず各DNA分子種に特有の複製開始蛋白質が複製起点付近の特定の配列に結合し，補助蛋白質の助けを借りて，複製起点付近のDNA二重らせんを部分的に開裂させる．そこへヘリカーゼ（DNA二重らせん巻き戻し酵素）が導入され，開裂部分を広げる．この巻き戻し部分にプライマーゼ（あるいはRNA合成酵素）が短いRNAを合成する．これをプライマーとしてDNA合成酵素がDNA合成を開始し，複製分岐が形成される（図2.3.4（b））．多くの原核生物の系や真核生物のウイルスの系で，複製開始蛋白質とヘリカーゼが分離・同定されている．真核生物では，Orc蛋白質複合体（複製開始蛋白質を含む）とMcm蛋白質複合体（ヘリカーゼを含む）がヒトを含む多くの生物に存在し，共通の複製開始のしくみが存在すると考えられている．

　複製分岐における伸長過程では，ヘリカーゼによる二本鎖DNA分子の巻き戻し，一方の鎖の連続的複製，一本鎖DNA結合蛋白質の未複製の一本鎖DNAへの結合，プライマーゼによる短いRNAの合成，DNA合成酵素による岡崎断片の合成，直前に合成された岡崎断片からのプライマーの除去，リガーゼによる岡崎断片の連結という一連の過程が起こっており，不連続複製の過程は何度も繰り返される（図2.3.3（b））．これらの蛋白質は，原核生物からヒトまで機能的に保存された蛋白質が対応する機能を果たしている．複製分岐においては，これらの蛋白質が相互作用して，大きな蛋白質複合体を形成している．

　2つの複製分岐が出会うと複製は終了することになるが，特定の複製終結部位が存在する場合も知られており，複製分岐の進行を確実に停止させることにより過剰な複製を防いでいると考えられている．真核生物染色体の両端のテロメア構造は，直線状

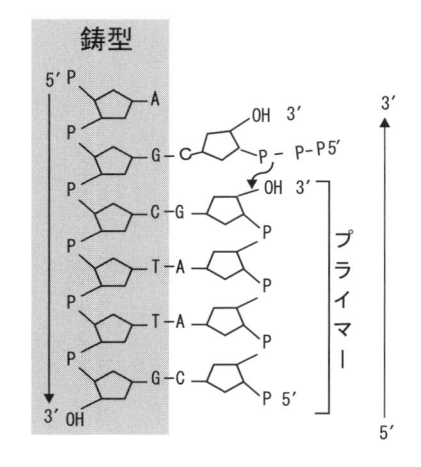

図2.3.2 DNA合成酵素の活性
DNA合成は，デオキシヌクレオシド-5′-三リン酸を基質として，鋳型と相補的なヌクレオチドをプライマーの3′-末端へ付加することにより行われる．

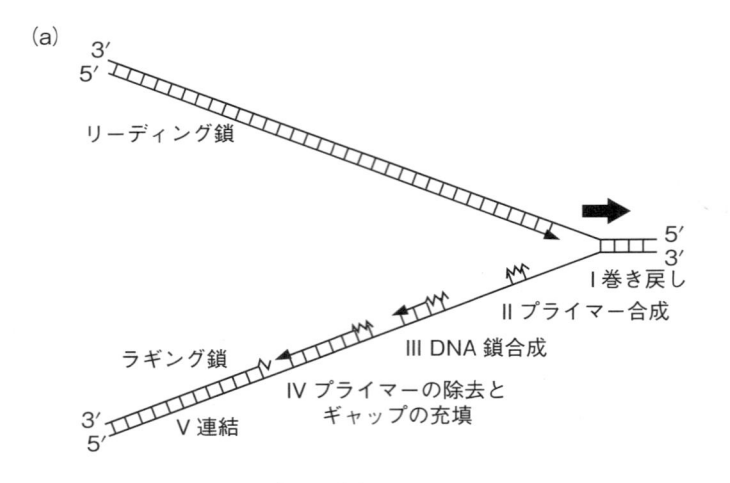

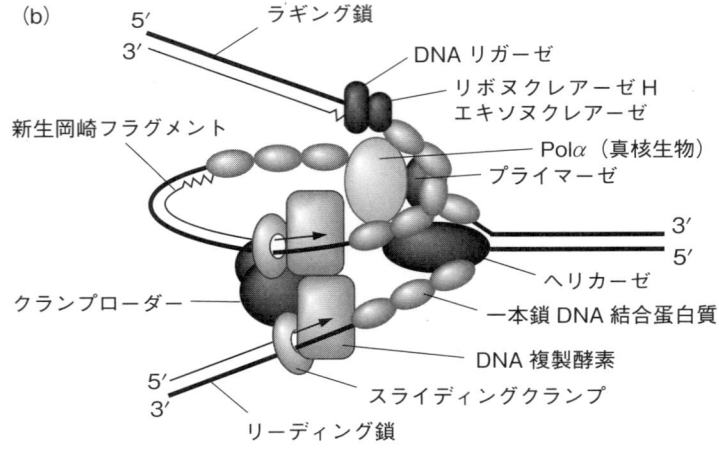

図 2.3.3　複製分岐
(a) 不連続複製の過程．5′-3′の鎖は連続的に合成され，3′-5′の鎖は5′-3′の岡崎断片として不連続に合成された後，1つ前の岡崎断片の5′-末端に連結される．
(b) 複製分岐の構成の模式図．ラギング鎖がループ状に湾曲してDNA複製酵素の二量体により両鎖が共役して合成される．

DNAである染色体DNAが岡崎断片の合成ができない最末端部分（3′-末端をもつ一本鎖部分）で複製のたびに短くなることを防いでいる．

　細胞分裂のときに遺伝子DNAが子孫へ確実に過不足なく伝えられるためには，1分裂周期あたり1回だけ複製開始反応が起こるように複製反応が厳密に制御されていなければならない．細菌においては，細胞内に複数の複製起点が存在する場合でも，同じタイミングで一斉に複製開始反応が起こるように調節されている．このような厳密な制御には異なる複数のしくみが必要である．まず，複製開始に必須の複製開始蛋白質の発現は自己制御により調節されている．DNA分子上には複製起点以外にも複製開始蛋白質が結合する配列が存在しており，遊離の複製開始蛋白質を吸収している．そして，細胞の増殖に伴い複製開始蛋白質と複製起点の量比が一定以上になると

先立って，Mcm 蛋白質複合体は Orc 蛋白質複合体と複製開始部位との複合体に結合し，前 DNA 複製複合体を形成する．次に Cdc7 蛋白質（蛋白質リン酸化酵素）が Mcm 蛋白質をリン酸化し，前 DNA 複製複合体を活性化する．Cdc7 蛋白質の活性は細胞周期に依存する補助因子の量の変化によって調節されている．さらに，Cdk 蛋白質（サイクリン依存蛋白質リン酸化酵素）の働きにより複製の伸長過程に関与する種々の蛋白質複合体が複製開始複合体へ導入される．Cdk 蛋白質の活性は G1 サイクリンの量の変化により調節されている．この Cdk 遺伝子と Cdc7 遺伝子は広く真核生物に保存されており，共通の複製制御のしくみがあることが示唆される．Mcm 蛋白質は S 期に入ると DNA から離れ，再結合できない状態になるので，過剰な複製開始が防止される．続く M 期の開始は DNA 複製の完了に依存して起こる．このように細胞周期の順序は厳密に制御されており，チェックポイント調節と呼ばれる．DNA 複製が開始しなかったり，途中で停止した場合や DNA 上に傷害が生じた場合，DNA 複製が完了するまであるいは傷害が修復されるまで次の期には移行しない．チェックポイント調節には多くの遺伝子が関与していることが知られている．

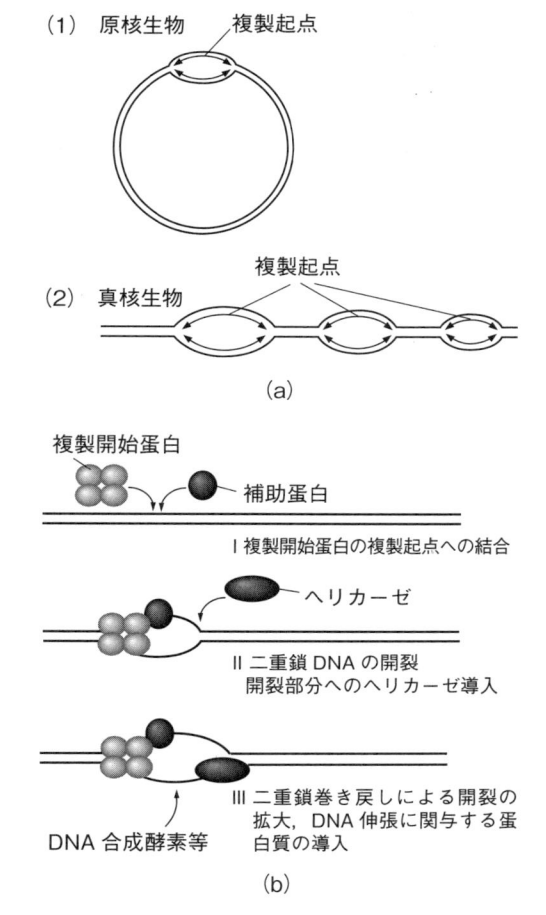

図 2.3.4 複製開始
(a) 二本鎖 DNA の複製様式．複製は二重らせん DNA 分子の内部から開始する場合が多い．
(b) 複製開始のしくみ．複製開始は，複製開始蛋白質の複製起点への結合，補助蛋白質存在下の二重鎖 DNA の開裂，開裂部分へのヘリカーゼの導入と二重らせんの巻き戻しによる開裂の拡大，伸長過程に関与する種々の蛋白質の導入の順に起こる．

複製が開始する．伸長反応が始まると，複製開始蛋白質が不活性化されることも知られている．また，複製開始直後に複製開始部位は細胞内の特定の部分に移動し，一時的に複製開始蛋白質が結合できない（隔離）状態になる．真核生物の DNA 複製は，細胞周期の S 期にただ 1 回だけ起こり，染色体上にある多くの ori は，それぞれ S 期の中の決まった時期に複製される．S 期に

〔伊藤建夫〕

[文献]

1) 西本毅治監修（中山敬一他編）：細胞周期研究のフロンティア，実験医学増刊，18 (7)，127-136，2000．
2) 三浦謹一郎編：分子遺伝学（今村　孝他：21 世紀への遺伝学・II），pp. 108-151，裳華房，1997．
3) Kornberg, A. et al.: DNA Replication (2nd ed.), W. H. Freeman, 1992.

2.4 DNA の修復と変異

　遺伝情報を担う DNA は，生命が正常に営まれるためには安定に維持されなければならない．しかしながら，ゲノム DNA は，放射線，紫外線，化学物質などの環境変異原，あるいは細胞の代謝過程で生じる活性酸素等，さまざまなタイプの損傷要因につねにさらされている．これらの DNA 損傷は転写や複製を阻害し，細胞死や突然変異の原因となるため早急に取り除かれなければならない．ヒトを含めた地球上のすべての生物は，これらさまざまなタイプの DNA 損傷に対応できる多様な DNA 修復機構を備えている．これらの DNA 修復機構がいかに重要であるかは，修復酵素の欠損がヒトに高発癌性，早期老化，種々の神経症状などの病態をもたらすことから明らかである．

　DNA 損傷には化学物質や活性酸素によるメチル化や水酸化などの修飾塩基，紫外線によるピリミジン二量体，化学物質の塩基付加体，化学物質による DNA 鎖のクロスリンク，放射線による DNA 鎖切断，DNA 複製時における複製エラー等がある．これらは，損傷の種類に特異的な修復機構により修復される．生物の多様な修復機構は，それらの反応様式によって以下の3つに分類できる．

a. 損傷の直接的修復

　このグループに属する酵素は，それぞれ特異的な損傷に結合し，損傷を元通りに修復する（図 2.4.1 (a)）．代表的なものとして，光回復酵素とメチルグアニンメチルト

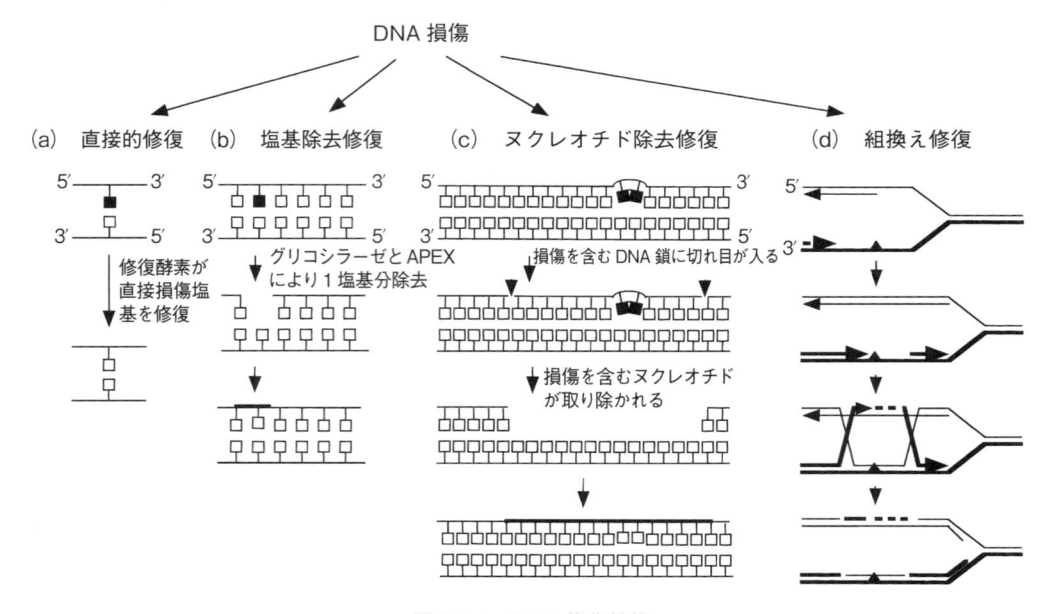

図 2.4.1 DNA 修復機構
さまざまなタイプの DNA 修復機構を模式化して示した．正常塩基を□で，損傷が起こった塩基を■または▲で示した．(b) 塩基除去修復は，2価性 DNA グリコシラーゼの場合を例にとり，(c) ヌクレオチド除去修復は大腸菌の場合を例にとり示している．

ランスフェラーゼが知られている．前者は紫外線により隣り合ったピリミジン塩基間に生じた共有結合を可視光のエネルギーを利用して切断し損傷塩基を正常な塩基に復帰させる．後者はアルキル化塩基のアルキル基を自分自身のシステインに転移することにより正常な塩基に復帰させる修復酵素である．

b. 除去修復

損傷を含む塩基または周辺のヌクレオチドを取り除き，損傷を含まない相補鎖を鋳型としてDNA合成を行い，元どおりの二本鎖DNAに復帰させるものである（図2.4.1（b）（c））．

① 塩基除去修復は，比較的小さな塩基損傷に作用する．まず損傷に特異的なDNAグリコシラーゼが損傷塩基を認識し，塩基とデオキシリボースを結ぶN-グリコシド結合を加水分解し損傷塩基を除去する．この塩基を失った部位（APサイト）は，グリコシラーゼ自身がもつAPリアーゼ活性またはAPエンドヌクレアーゼにより一本鎖切断を起こす．生じた1塩基ギャップは，損傷を含まない相補鎖を鋳型としてDNA合成を行うことによりうめられ，修復が完了する．

② ヌクレオチド除去修復は，紫外線によるピリミジン二量体をはじめ，化学物質の塩基付加体やDNA鎖のクロスリンク等，比較的大きなDNAの構造変化をもたらすDNA損傷を除去する修復経路であり，多くの蛋白質を含む複合体により行われている．この修復経路においては，まず損傷を含む片方のDNA鎖約30塩基がエンドヌクレアーゼ複合体によって切断され，DNAヘリカーゼによって取り除かれる．形成された一本鎖DNAのギャップは，損傷を含まない相補鎖を鋳型としてDNA合成され，修復が完了する．

③ DNAポリメラーゼが誤ったヌクレオチドを取り込むことによる複製エラーがごく低レベルながら生じるのは，高速で重合反応を行う酵素において避けられない．結果として生じたミスペアはミスマッチ修復機構により修復される．ミスペア部位を含むヌクレオチドが除去された後，一本鎖DNAのギャップがヌクレオチド除去修復同様，相補鎖を鋳型としてDNA合成され，うめられることにより修復が完了する．

c. 組換え修復（図2.4.1（d））

比較的大きな塩基修飾をうけたDNA損傷部位においては，DNAポリメラーゼの合成反応は損傷の手前で停止する．しかしDNA合成はずっと停止しているわけではなく，しばらくして損傷の下流からDNA合成が再開する．その結果，損傷部分の相補鎖にギャップが生じる．このギャップは，もう一方の複製された姉妹鎖との相同組換えにより修復される．この組換え修復機構は，電離放射線による二重鎖切断の修復にも利用される．

突然変異

多様なDNA修復機構によりDNA損傷の大部分は取り除かれる．しかしながら，わずかでも鋳型上にDNA損傷を取りこぼしたままでDNA複製が起こると，DNA損傷に起因した突然変異が誘発される．DNA損傷部位での突然変異生成メカニズムは，損傷の種類により異なる．

1つは，損傷塩基が本来対合するべきものと異なる塩基とミスペアを形成するため塩基置換型の突然変異が形成される場合である．たとえば，プリン塩基の酸化損傷の1つである8-オキソグアニンがDNA中に生じた場合でも，ゲノム複製に関与している通常のDNAポリメラーゼはこの損傷を乗り越えてDNA合成を継続できる．しかしながら，このときDNAポリメラーゼは，8-オキソグアニンの相補塩基として本来のシトシンのみならずアデニンをも取り込むことができるため，GCからTAへの変異を高頻度に誘発してしまう．

2つ目は，自然DNA損傷の脱塩基部位や紫外線によるピリミジン二量体のような大きな構造変化を伴うようなDNA損傷における場合である．このようなDNA損傷においては，通常の複製型DNAポリメラーゼは塩基重合反応を継続することができず，複製フォークの進行が阻害される．この複製フォークの進行阻害部位において，スタックしている複製型DNAポリメラーゼが，DNA損傷を乗り越えてDNA合成を行える「損傷乗り越えDNAポリメラーゼ（translesion DNA synthesis polymerase；TLS DNAポリメラーゼ）」に置き換わり複製フォークの進行阻害が解除される．多くの生物において複数個のTLS DNAポリメラーゼが存在しているが，乗り越えできるDNA損傷はおのおののポリメラーゼで異なっている．また乗り越え複製において，損傷塩基に対して正しい塩基を取り込み突然変異を生じないエラーフリーのポリメラーゼと，誤りがちに塩基を取り込み突然変異を誘発するポリメラーゼの2種がある．前者の例としては，高発癌性の遺伝疾患である色素性乾皮症バリアント群の責任遺伝子がコードしているDNAポリメラーゼηが，また後者としては大腸菌のDNAポリメラーゼVが代表的なものとして知られている．

　大腸菌では紫外線などによりDNA損傷を受けるとDNA修復にかかわる遺伝子を含む数多くの遺伝子の発現が誘導され，細胞の生存率を上昇させる現象が知られている．この現象は救助信号への応答になぞらえてSOS応答と名づけられている．このとき，生存率が上昇するのみでなく，突然変異の頻度も大きく上昇する．これは，*umuD*と*umuC*という2つの遺伝子の発現誘導によることが古くから知られていた．実際，これらの遺伝子産物が，TLS DNAポリメラーゼとしてさまざまなタイプのDNA損傷の乗り越え反応に関与しており，しかもそのときに誤りがちに塩基を取り込むことが明らかになり，DNAポリメラーゼVと命名された．

　これらのTLS DNAポリメラーゼは大腸菌からヒトに至るまで幅広い生物で存在が確認されている．それらは，既知のDNAポリメラーゼに保存されているアミノ酸配列を見出せず，構造的には今までにないまったく新しいDNAポリメラーゼであるが，TLS DNAポリメラーゼどうしではアミノ酸配列の相同性が見出されており，DNAポリメラーゼYファミリーと呼ばれるようになった．　　　　〔藤堂　剛〕

[文献]

1) Friedberg, E. C., Walker, G. C., Sieda, W.: DNA Repair and Mutagenesis, ASM Press, 1995.
2) 安井　明，花岡文雄，田中亀代次編：DNA修復ネットワークとその破綻の分子病態，蛋白質・核酸・酵素, **46**, 2001.

2.5 転写

転写とは，ゲノム遺伝子の情報をRNAに写すことで，RNAの情報をDNAに写すことは逆転写と呼ぶ．真核生物と原核生物における転写の機構は，かつて大きく相違すると考えられた時期があったが，現在では，両者は本質的機構は同一で，調節シグナルの多様性と鋳型DNAがヌクレオソーム構造をもつかが主要な差と考えられている．転写の主要な機能を担うRNAポリメラーゼについては，DNAポリメラーゼに起源をもつバクテリオファージやミトコンドリアの一部の酵素を除くと，サブユニット組成が異なるにもかかわらず構造が酷似しており，その機能にも大きな差はないと考えられるようになった（図2.5.1）．そのために，転写にかかわる多くの概念は，全生物で共通する[1]．

転写反応の基質はMg^{2+}がキレートしたヌクレオシド5′-三リン酸（ATP, GTP, UTP, CTP：NTPと総称），産物はRNAとピロリン酸（PPi），鋳型DNAはcofactorである．DNA合成と異なり，プライマーを要求しない．合成されたRNAがmRNAの場合は，翻訳オペレーター，リボソーム相互作用部位等を含む5′-非翻訳領域，シストロン（エキソン，イントロンから構成されることもある），ポリA付加シグナルや転写終結シグナルを含む3′-非翻訳領域から構成される．原核生物やウイルスなどでは，複数のシストロンを含むmRNAが存在するが，真核生物では一般的に単一のシストロンしか含まない．

古典的に転写は，開始，伸長，終結と分割されるが，実際にはさまざまな修飾反応，輸送，場合によっては翻訳が並行して起こっていると考えられるようになった．転写開始は，一般的に最もダイナミックレンジの大きな調節を生み出す．DNA上の転写開始部位はプロモーターと呼ばれ，そこでRNAポリメラーゼや転写因子がプロモーター複合体（プレイニシエーション複合体）を形成する（リクルートメント）．原核生物では，異なるσ-サブユニットが共通のRNAポリメラーゼコア酵素に結合して数種のホロ酵素を形成する．これらのホロ酵素は，異なるプロモーター群を認識して，生活相の変化，胞子形成，ストレス応答，病原性の確立，定常期生存適応などの最も基本的な調節を行う．一方，転写因

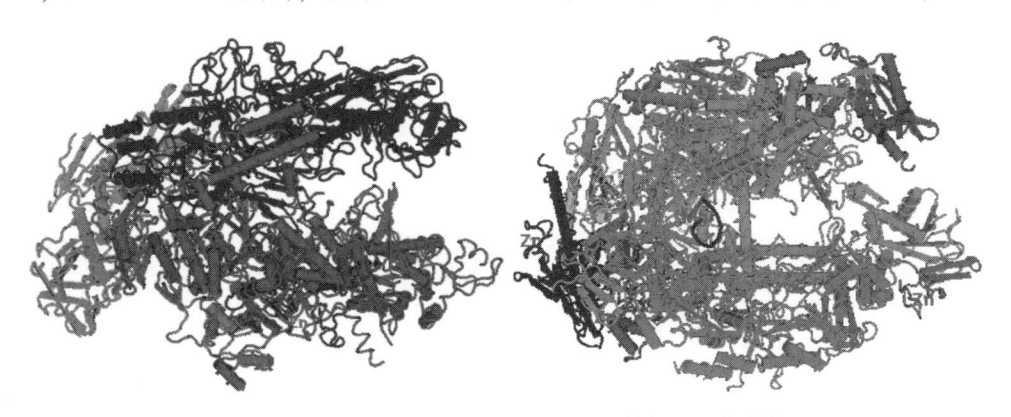

図2.5.1 原核生物 *T. aquaticus* RNA polymerase コア酵素（左）と真核生物の *S. cerevisiae* RNA polymerase II（右）の構造（PDB 1HQM, 1I6H より）（口絵参照）

子は環境適応のためのものが多い．真核生物では，サブユニット組成が異なる3種のRNAポリメラーゼ（I, II, III）が存在しており，IはrRNAを，IIはmRNAと一部の短いRNA（small nuclear RNA）を，IIIがtRNAと他の短いRNAを合成する．真核生物・古細菌類では，TFIIDなどの一般的転写因子がプロモーターを認識する．リクルートメントは，段階的に多くの転写因子が結合するとする説と，RNAポリメラーゼに多くの因子が結合したホロ酵素がプロモーター－転写開始因子複合体に一気に結合するとする説がある．

　複合体形成後，DNA配列を読み取るためにDNA鎖が一部融解し，その一本鎖部分に基質であるNTPが塩基の相補性を利用して，来るべきRNAの5′-末端からの順番で結合し，オリゴヌクレオチドが形成される．RNAポリメラーゼの活性中心にある3つのアミノ酸のカルボキシル基に，Mg^{2+}イオンを介してNTPが固定され，産物RNAの3′-OHとNTPのモノリン酸部分（NMP）がホスホジエステル結合を形成し，PPiが放出される．RNA＋NTP→RNA－NMP＋PPiのエネルギー変化が小さいので，生体内ではPPiがリン酸に分解されてRNA合成を実質上不可逆的にしている．

　転写開始を調節する因子は，数多く同定されている[2]．転写量を増加させるものをアクティベーター，阻害するものをリプレッサーと呼ぶが，同一蛋白質が，異なるプロモーターで反対の作用をすることがあることが知られており，DNAやRNAポリメラーゼに結合する位置が決定すると考えられている．リプレッサーによる調節は，ダイナミックレンジが大きい場合があり1万倍に達する場合もある．転写因子自身は活性化をもたらさないが，他の活性化因子とともに活性化をもたらすときは，コアクティベーターと呼ばれる．真核生物の場合に，調節因子の作用をRNAポリメラーゼに伝える蛋白因子メディエーターもこの範疇で，シグナル対応の多様性を生み出している．リプレッサーに結合して，リプレッサーを活性化したり，不活性化したりする物質（低分子の場合もある）をそれぞれコリプレッサー，インデューサーと呼び，これらはすべてエフェクターと総称される．プロモーターから数kb離れた場所にあり方向性をもたないDNAエレメントで，転写活性化をもたらすものをエンハンサー，不活性化をもたらすものをサイレンサーと呼び，転写因子の結合部位と考えられ，転写因子はDNAループによりRNAポリメラーゼと直接間接に接触する．また，真核生物では，読むべき遺伝子は，本来ヌクレオソーム構造をもっており，そのままでは転写開始が困難であるので，転写開始時にヌクレオソームがプロモーター部位から除かれることが必要である．これらの調節も転写開始調節に含まれ，直接間接の転写調節をもたらす．

　生体内ではすべてのRNAポリメラーゼは，プロモーターで2-15残基のオリゴヌクレオチド合成を繰り返すアボーティブイニシエーションを示す．プロモーター複合体はすべて長いRNAを合成する機構を暗黙に仮定されてきた．しかし，少なくとも大腸菌では，均一な成分から複数の異なるコンフォメーションの複合体が形成され，長いRNAを合成しないモリバンド複合体がアボーティブイニシエーションを行い，やがてプロモーターで不活化する．このように並列した分岐路が存在するので，一部の複合体しか長いRNAを合成しない[3]．真核生物の転写開始では，RNAポリメラーゼの最大サブユニットのC末端部分がリン酸化を受けまた除かれるサイクルが発見されている．

　合成されたRNAは，9-12塩基DNAの鋳型鎖とハイブリッドを形成しているが，それより長い部分はDNAから引き剥がされ，RNAポリメラーゼとの相互作用（た

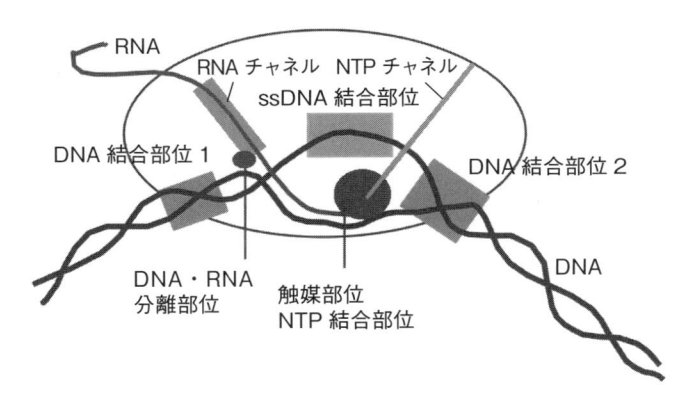

図 2.5.2 RNA ポリメラーゼの機能マップの模式図

とえば，RNAポリメラーゼのトンネルに繰り込まれる）で安定化される．RNA伸長は，なめらかに起こらずときどき停止する．停止中にポリメラーゼの位置が上流側にずれてアレスト状態になる場合もあり，それをポリメラーゼの活性部位を加水分解に利用して解除するRNA切断因子も存在する．また，伸長因子が必須とされる遺伝子も存在する．誤ったNTPが取り込まれたとき，RNA鎖が短い場合は，アボーティブイニシエーションとなり，長い場合はアレスト状態になるので，これらの過程は，転写の忠実度の維持にかかわっているのかもしれない．

転写の終結はRNA伸長の停止と同列の現象と考えらている．終結やRNA伸張の停止は，DNA上のシグナルや，転写産物のRNAがとる構造，終結因子の存在などで決定されるが，シグナルの下流ですぐ停止が起こるわけではなく，停止に至る反応と伸長反応が並列して起こる動的過程であり，まだ解明されていない部分も多い．最近提唱された転写開始時の分岐機構も含めると，転写中間体は，RNA伸長と保持にかかわる複数のコンフォメーションをもっており，その割合がシグナルや転写因子によって制御されている，というユニバーサルなイメージが提唱され始めている．

転写とDNA複製とは，DNA上の同じ部分で起こる場合でも，互いに干渉せずうまくすり抜ける，という不思議な観測がある．転写と翻訳は原核生物では，共役しており，互いに影響を及ぼす．真核生物では，RNA伸長中に，RNAキャッピング，スプライシング等の修飾が起こり，また，DNA修復と転写は，基本転写因子を通して共役しており，変異のホットスポットの原因の1つとなっている．

遺伝情報の発現システムの中では，転写の分子装置の構成がもっとも明らかになっている．このため，生物学の中で，転写の占める位置は変化してきた．発生・分化や神経生物学では，転写は現象の説明の一手段にしか過ぎない．一方，ナノバイオロジー，ナノテクノロジーにおいては，RNAポリメラーゼは調節の利く情報の読み出し分子機械として，興味深い標的となりつつある．1分子観測に大腸菌の酵素が用いられる理由は，ここに存在する．その豊富な機能を図2.5.2に示した．

〔嶋本伸雄〕

[文献]

1) 転写に関しては，従来用いられてきた教科書（Alberts, B. et al.: Molecular Biology of the Cell; Watson, et al.: Molecular Biology of the Gene; B. Levin: Genes IV 等）は，優れた総説であり，そこで述べられている概念は今も通用する．

2) 多岐にわたるので総合的なReviewを見出すのは困難である．和書ではBioscience新用語ラ

イブラリー，転写因子（田村隆明，山本雅之，安田国男編集），羊土社，1999.
3) たとえば，Sen, R. et al.: *J. Biol. Chem.* **275**, 10899-10904, 2000.

2.6 スプライシング

1977年，P. A. Sharp と R. J. Roberts の2つの研究グループは，アデノウイルス2の後期遺伝子が遺伝情報としては意味をなさない領域，すなわちイントロン（介在配列）によって分断されていることを R-ループと呼ばれる方法を用いて初めて明らかにした．mRNA 前駆体からイントロン領域を取り除く反応は mRNA 前駆体スプライシングと呼ばれ，スプライシング反応を経て最終的に成熟 mRNA に残る領域はイントロンに対してエキソンと命名された．

イントロンは核の mRNA をコードしている遺伝子のみではなく，ミトコンドリアなどの細胞内小器官の mRNA 遺伝子や，rRNA および tRNA の遺伝子にも見出されている．これらのイントロンは，その構造やスプライシング反応機構の相違によって，① 核の mRNA 前駆体イントロン，② グループ I 自己スプライシングイントロン，③ グループ II 自己スプライシングイントロン，④ tRNA イントロンに大別される．自己スプライシングイントロンは，保存された塩基配列と共通する二次構造をもち，ある種の例外を除き RNA 単独で自分自身のスプライシング反応を行うことが可能である．反応には蛋白質性因子やエネルギー源としての ATP は必要とせず，Mg^{2+} とグアノシン（グループ I イントロン）または Mg^{2+} のみ（グループ II イントロン）が反応の補因子として作用する．また，tRNA イントロンは他のイントロンに比較して短く（8〜60 ヌクレオチド），大部分

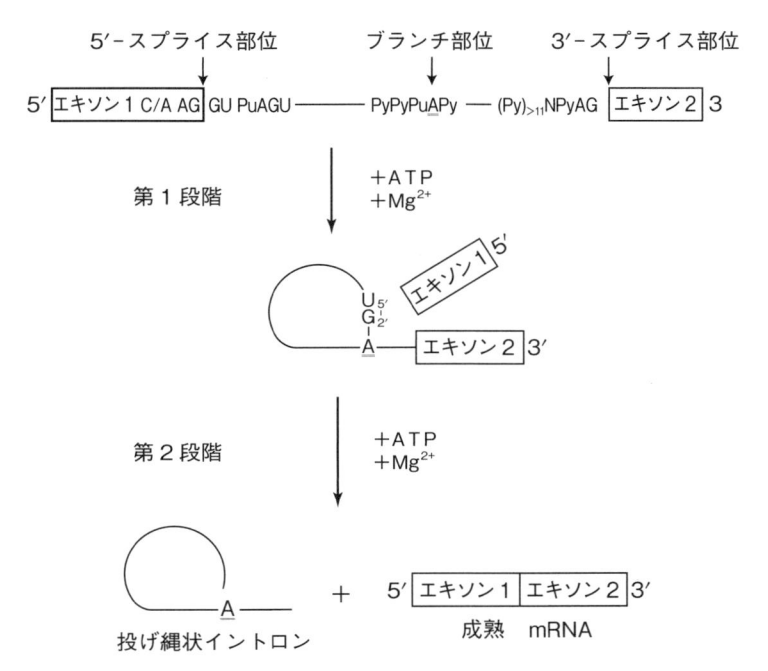

図2.6.1　1つのイントロンを含むmRNA前駆体のスプライシング反応経路　核のmRNA前駆体のスプライシング反応はATPとMg^{2+}を要求する2段階反応で行われる．第1段階反応で投げ縄状構造をもつ中間体が形成される．PuはAまたはG，PyはCまたはU，NはA，G，C，Uを示す．高等生物の遺伝子のイントロンにはブランチ部位と3′-スプライス部位の間に11塩基以上にわたるピリミジン残基に富む配列（Py>11で示す）が通常存在する．

がアンチコドン領域の3′側に1塩基もしくは2塩基離れた位置に存在する．tRNAのスプライシング反応には，エンドヌクレアーゼやリガーゼなどの一連の酵素が関与する．

一方，核のmRNA前駆体のスプライシング反応は，ATPとMg^{2+}を必要とする2段階反応によって行われる（図2.6.1）．反応の第1段階においては，5′-スプライス部位での切断反応が起こると同時に，切断されたイントロンの5′-末端のグアノシン残基が，イントロン内の3′-スプライス部位よりに存在するブランチ部位のアデノシン残基の2′-OHとの間で2′-5′-リン酸ジエステル結合を形成する．したがって，第1段階反応の結果，切り出された5′側エキソン，およびイントロンと下流側エキソンからなる投げ縄状（ラリアート）構造をも

つ中間体が生じる．スプライシング反応の第2段階では，投げ縄状構造をもつイントロンの切り出しが行われるのと同時に，前後のエキソンの再結合反応が行われる．各段階におけるリン酸ジエステル結合の切断と再形成反応は，完全に共役した反応であり，それぞれを独立した反応としては分離することができない．

mRNA前駆体のスプライシング反応においては，1塩基の誤差でさえ蛋白質への翻訳読み枠（コドンフレーム）のずれをもたらす．そのため，スプライス部位の選択はきわめて正確に行われる必要がある．核のmRNAをコードする遺伝子には，イントロンとエキソンの境界部位に共通した保存配列が存在し，それらがスプライス部位認識のシグナル配列として機能する．また，イントロン内の3′-スプライス部位配列よ

りに存在するスプライシング反応の中間体形成に必要とされるブランチ部位にも保存配列が存在する．出芽酵母の遺伝子においては，これらの配列は厳密に規定されているが，脊椎動物の場合には配列上の保存度は低い．これらのシグナル配列の認識には，細胞核内に存在する5種類の代謝的に安定な核内低分子RNA（U1，U2，U4，U5およびU6 small nuclear RNA；snRNA）が重要な役割を担っている．5′-スプライス部位配列の最初の認識はU1 snRNAの5′-末端領域との間の塩基対合によって行われる（図2.6.2 (a)）．一方，ブランチ部位はU2 snRNAの一部配列との塩基対合によって認識される（図2.6.2 (b)）．U5 snRNAは前後のエキソン末端部と相互作用し，5′（および3′）-スプライス部位の正確な規定および再結合の前に前後のエキソンを適正に揃えておく役割があると考えられている（図2.6.2 (c)）．また，U6 snRNAはリボザイム（RNA酵素）と一部構造的類似性をもち，スプライシング反応の触媒因子として機能している可能性が高い．実際にU6 snRNAを用いた試験管内無蛋白質反応系においてスプライシング類似反応を再現できている．これらのsnRNAは細胞核内では蛋白質と会合して核内低分子リボ核蛋白質（snRNP）を形成して存在する．

　細胞内でのスプライシング反応には，上記の核内低分子RNA以外にも50種類をこえるRNA成分を含まない蛋白質性因子もかかわっている．スプライシング反応が行われる際には，mRNA前駆体上にsnRNPや蛋白質性因子が順次結合してスプライソソームと呼ばれるRNA−蛋白質複合体が形成されて反応が進行する．スプライシング反応にかかわる一群の蛋白質には，SC35やSF2といったセリンとアルギニン残基に富んだ領域を一部にもつRNA結合蛋白質などが知られている．これらのスプライシング因子は細胞核内において一様に存在するのではなく，斑点状（スペックルと呼ばれる）に局在分布する特徴をもつ．

　スプライシング反応では，必ずしも隣り合ったエキソンどうしが連結されるだけでなく，組織特異的または発生段階特異的に特定のエキソンが除外されてスプライシングされたり，異なる5′または3′-スプライス部位を使用してスプライシング反応を行い，1個の遺伝子から転写されたmRNA前駆体から複数のmRNAを生じる場合がある（図2.6.3）．そのような反応は選択的スプライシング（オルタナティブスプライシング）と呼ばれ，単一の遺伝子から機能

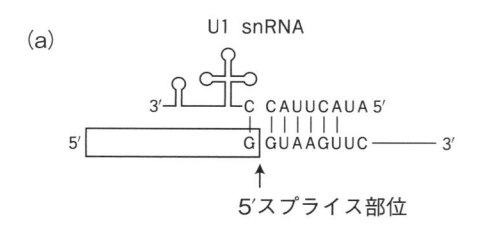

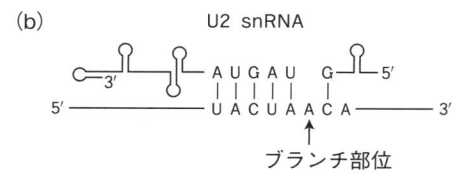

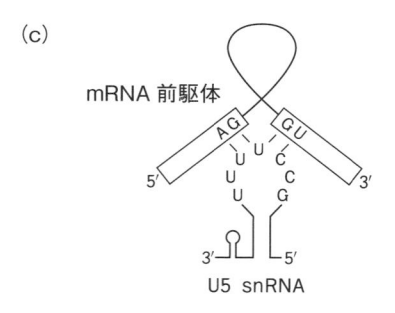

図2.6.2 スプライス部位配列の認識における核内低分子RNAの関与
(a) U1 snRNAと5′-スプライス部位配列間の塩基対合．
(b) U2 snRNAとブランチ部位配列間の塩基対合．
(c) U5 snRNAとエキソン末端間の塩基対合．非ワトソン−クリック型の塩基対合が存在する．

(a) 選択的5′-スプライス部位型

(b) 選択的3′-スプライス部位型

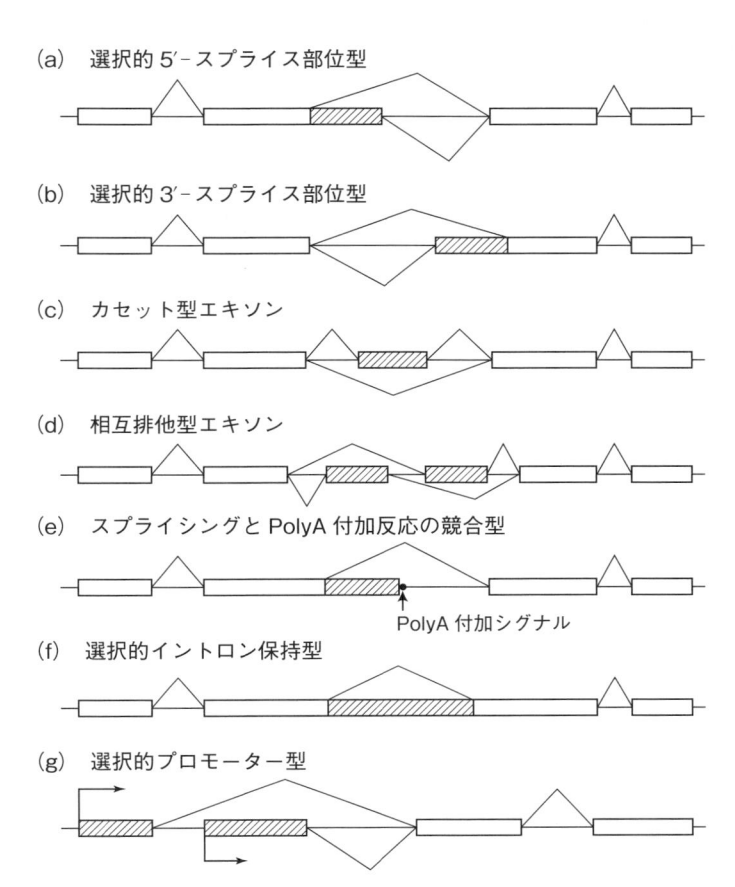

(c) カセット型エキソン

(d) 相互排他型エキソン

(e) スプライシングとPolyA付加反応の競合型
PolyA付加シグナル

(f) 選択的イントロン保持型

(g) 選択的プロモーター型

図2.6.3 選択的スプライシングの典型的な様式
四角形はエキソンを，実線はイントロンを示す．斜線で示す部分は選択的に使用されるエキソンを示す．実際の遺伝子においては，これらの選択的スプライシングの様式が複合的に生じる場合もある．

的に異なる多様な蛋白質を生成したり，遺伝子の発現そのものを制御したりする場合にきわめて有効な転写後発現調節機構として機能する．選択的スプライシングは，拮抗的に作用するスプライシング因子の量的変動によって制御される場合（β-トロポミオシンmRNA前駆体のスプライシングにおけるSF2/ASFとSC35の量比による制御など）や，エキソンやイントロン内の特定の塩基配列に特異的に結合する付加的なスプライシング因子によって制御される場合などがある（ショウジョウバエの性決定に関与する因子群のmRNA前駆体スプライシングなど）．

また，線虫やトリパノゾーマなどにおいては，2つの異なるRNA分子間（すなわちspliced leader RNAとmRNAの間）でスプライシング反応を起こす現象が知られており，トランススプライシングと呼ばれている． 〔谷　時雄〕

[文献]
1) 志村令郎，渡辺公綱共編：RNA研究の最前線，シュプリンガー・フェアラーク東京，2000．
2) Gesteland, R. F., Cech, T. R. and Atkins, J. F.: The RNA World (2nd ed.), Cold Spring Harbor Laboratory Press, 1999.
3) Krainer, A. R.: Eukaryotic mRNA Processing, IRL Press, 1997.

2.7 リボザイム

リボザイム（ribozyme）は，蛋白質酵素の助けなしに核酸分子を切断・連結することができる，触媒機能を有するRNA分子である．リボザイムという言葉は，RNAの正式名称のribonucleic acidと酵素を意味するenzyme由来の造語である．最初のリボザイムは，1981年にT. R. Cechによりテトラヒメナ rRNA 前駆体からのイントロンの切り出し反応の過程で見つかった．

リボザイムは起源によって，①RNA前駆体の自己スプライシングに由来するリボザイム，②tRNA前駆体に対するヌクレアーゼ活性に由来するリボザイム，③ウイルスRNAの自己切断反応に由来するリボザイム，④ *in vitro*（インビトロ）選択法によって人工的に取得されたリボザ

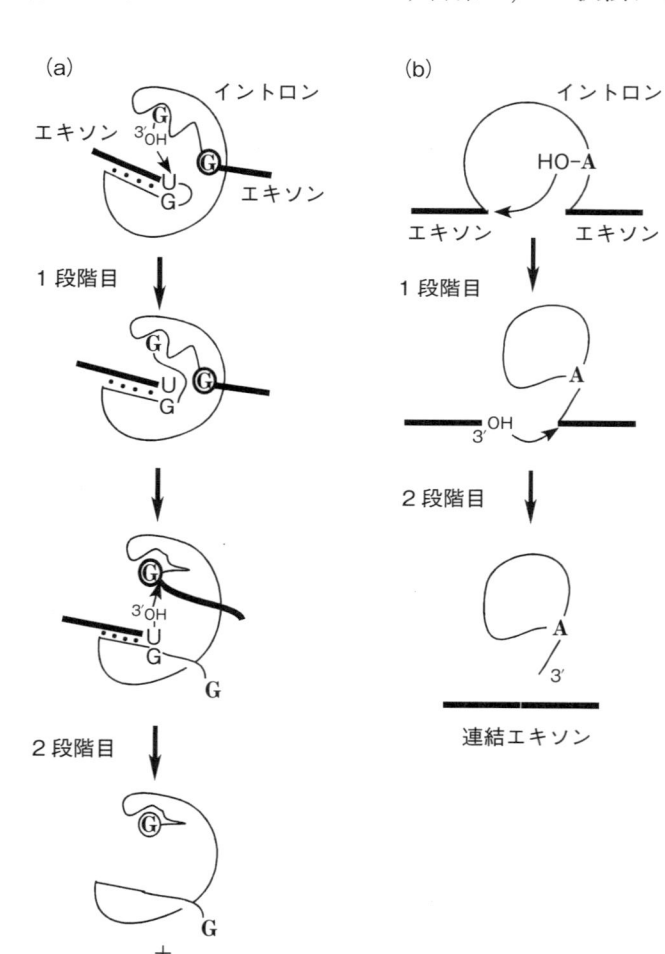

図2.7.1 RNA前駆体の自己スプライシング

(a) グループIイントロンの自己スプライシング．第1段階目は，イントロン-エキソン間の切断と，グアノシン残基の3'-末端への付加が起こる．第2段階目では，上流エキソンの3'-末端水酸基が，もう一方のイントロン-エキソン間のリン酸ジエステル結合を攻撃して，鎖の切断を起こす．結果として，イントロンの切り出しと，エキソン間の再結合が起こる．

(b) グループIIイントロンの自己スプライシング．1段階目の反応は，アデノシンの2'-水酸基が求核攻撃して，2'-5'-リン酸ジエステル結合を有するラリアット構造を形成し，イントロン-エキソン間の切断が起こる．第2段階目では，グループIと同様に，上流エキソンの3'-末端水酸基が，もう一方のイントロン-エキソン間のリン酸ジエステル結合を攻撃して鎖の切断を起こす．

第2章 核酸と遺伝情報系

イムの4種類に分類できる．自己スプライシングに由来するものは，グループIイントロンまたはグループIIイントロンの切り出し反応を触媒するリボザイムである（図2.7.1）．グループIイントロンの切り出しでは，第1段階としてグアノシンの3′-水酸基がイントロン切断部位のリン酸ジエステル結合の5′-末端を攻撃する．そして，残ったエキソンの3′-末端に水酸基を残して，イントロン-エキソン間の切断とグアノシン残基の3′-末端への付加が起こる．第2段階では，上流エキソンの3′-末端水酸基が，もう一方のイントロン-エキソン間のリン酸ジエステル結合を攻撃して鎖の切断を起こす．結果として，414塩基のイントロンの切り出しとエキソン間の再結合が起こる．また，切り出されたイントロンは重合反応を触媒できる．この反応形式は，ミトコンドリアや葉緑体などの細胞内小器官のRNAのイントロンの切り出しにみられる．グループIIイントロンの自己スプライシングに作用するリボザイムも，2段階のリン酸エステル反応を触媒する．第2段階目の反応は，グループIと同様である．しかし1段階目の反応は，ある特定のヌクレオチドの2′-水酸基が求核攻撃して，2′-5′-リン酸ジエステル結合を有するラリアット構造を形成するのが特徴である．この反応形式は，カビや酵母のミトコンドリアや植物の葉緑体でみられる．ヌ

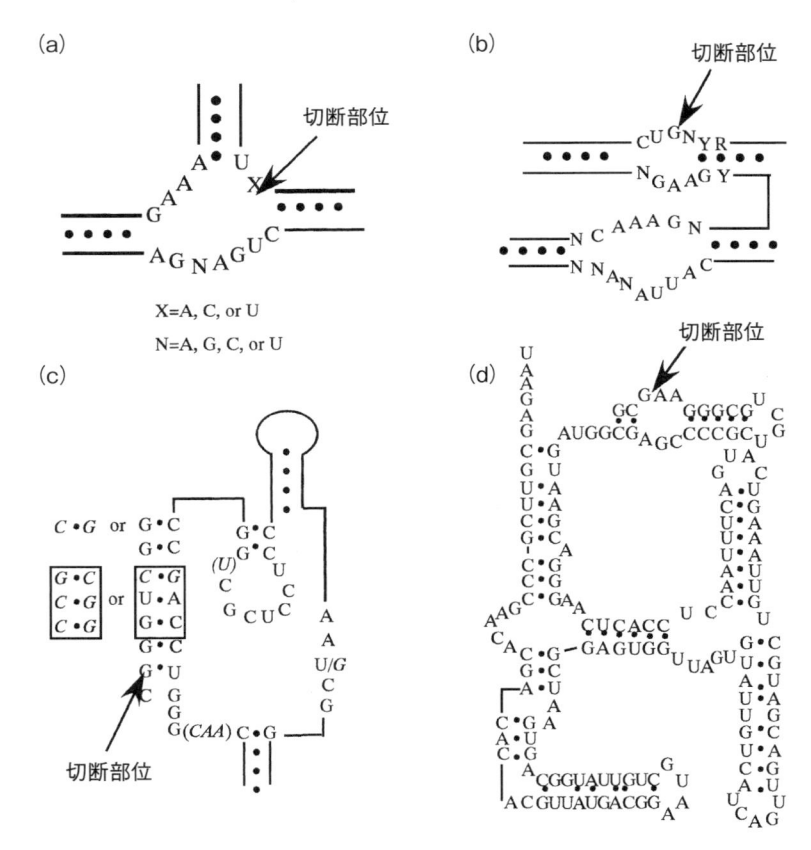

図2.7.2 自己切断モチーフに属する（a）ハンマーヘッド型リボザイム，（b）ヘアピン型リボザイム，（c）HDVリボザイム，（d）VSリボザイムの二次構造 HDVリボザイムはアンチゲノム鎖の配列である．ただし斜体はゲノム鎖の塩基配列を示している．

2.7 リボザイム

クレアーゼ活性に由来するリボザイムは，リボヌクレアーゼP（RNase P）である．リボヌクレアーゼPはtRNA前駆体の5′側を切断するエンドヌクレアーゼである．この酵素が生体内でエンドヌクレアーゼ活性を示すには，RNA成分と蛋白質の両方が必要であると考えられていた．しかし，RNA部分のみでも活性があり，このRNA部位がリボザイムとして作用する．RNAが部位特異的にtRNA前駆体を切断することは，1983年にS. Altmanにより発見された．彼はこの業績により，Cechとともに1989年にノーベル化学賞を受賞している．ウイルスRNAの自己切断反応に由来するリボザイムは，ハンマーヘッド型リボザイム，ヘアピン型リボザイム，HDV（hepatitis delta virus）リボザイム，VS（Varkud satellite）リボザイムがある（図2.7.2）．これらは，植物のウイロイド，ウイルソイド，線状プラスミドのローリングサークル型RNA複製にみられる自己切断モチーフである．自己切断反応により，2′-3′-環状リン酸と5′-末端水酸基が生じる．どの自己切断モチーフも，自己切断に必要な必須配列は数十塩基である．自己切断モチーフを酵素と基質部分に分割でき，2分子間での切断反応もできる．*in vitro* 選択法によって人工的につくりだされたリボザイムには，RNAを鋳型としてポリメラーゼ活性を有する自己複製リボザイムや，アミド結合の形成を触媒するリボザイムなどがある．これらは，分子ライブラリーの中から選択され，RT-PCRやPCRを用いた増幅操作の繰り返しにより取得された，生体内には存在しない新規の人工リボザイムである．またこの手法により，人工リボザイムだけでなく，触媒機能を有するDNA分子からなるデオキシリボザイムも取得されている．

核酸分子をターゲットとした反応は，加水分解，転移，連結反応であり，これらはすべてリン酸エステル転移反応である（図2.7.3）．グループI, IIのリン酸エステル転移反応は，Mg^{2+} の存在が反応に必須である．しかし自己切断反応に由来するリン酸エステル転移反応は，Mg^{2+} により反応は促進されるが，必ずしも要るわけでなく，1 M以上の Na^+ のみの存在下でも反応は

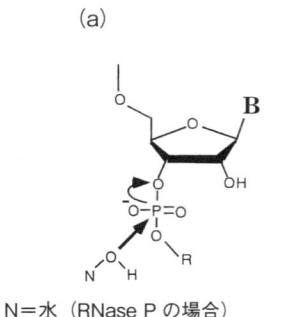

N＝水（RNase Pの場合）
　　グアノシンの3′-OH
　　　（グループIイントロンの場合）
　　アデノシンの2′-OH
　　　（グループIIイントロンの場合）
R＝RNA鎖（連結反応を触媒するリボザイムの場合）

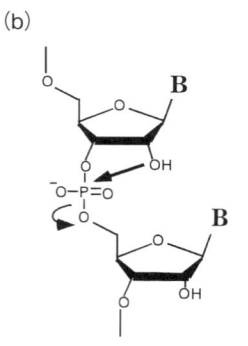

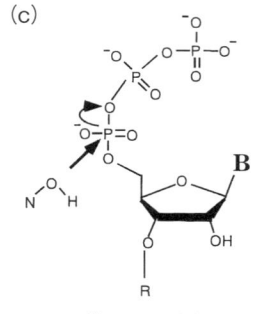

N＝RNA鎖3′-OHまたは2′-OH
R＝H（自己複製リボザイムの場合）
　　RNA鎖（連結反応を触媒するリボザイムの場合）

図2.7.3 リボザイムにより促進されるリン酸エステル転移反応
(a) グループI, IIおよびRNase Pにみられるリン酸エステル転移反応，または加水分解反応．(b) 自己切断反応におけるRNA鎖内の2′-OH基の求核攻撃によるRNA鎖の切断反応．(c) 自己複製や連結反応におけるRNA鎖の伸長，および連結反応．

進行する．*in vitro* 選択法により得られたリボザイムの中には，炭素間の共有結合形成（Diels-Alder 反応）や，ポルフィリンの中央に金属イオンを配位させる反応を触媒することができるものもある．

テトラヒメナのグループⅠリボザイムは，リボザイム非存在下と比較すると，RNA の切断の反応速度を 10^{11} 倍加速させる．ハンマーヘッド型リボザイムは 10^6 倍促進させることができる．これは，蛋白質酵素と同程度の値である．しかし，ミカエリス-メンテン（Michaelis-Menten）型の反応機構でリボザイム反応を評価したとき，テトラヒメナのグループⅠリボザイムのターンオーバー数（k_{cat}）の値は，$0.1 \, \text{min}^{-1}$ である．ハンマーヘッド型リボザイムは，$1 \, \text{min}^{-1}$ である．これらの値は，蛋白質酵素と比較すると数万倍小さな値である．

リボザイムの活性部位は，非ワトソン-クリック塩基対部位であり，活性部位以外にもヘアピン構造やループ構造が含まれている．一方，リボザイムの非塩基対部位に変異を導入すると，その活性の欠損や低下が起こる．そのため，リボザイムの活性は塩基対形成にもとづく二次構造や三次構造と深く関係していると考えられている．

リボザイムは，A, G, C, U の4種類の塩基だけから成り立っている．そのため，分子設計や合成が容易である．この特性をいかして，リボザイムを細胞内に導入して遺伝子発現を調節しようとする試みがある．また，リボザイムの各非塩基対部位は，構造の単位であるとともに機能の単位でもある．そのため，異なる機能をもつ機能部位を組み合わせることによって，その部位をリボザイムの調節部位として作用させ，アロステリック機能を付加することもできる．つまり，リボザイムは複数の機能ブロックを組み合わせることによって多機能化が可能である．

リボザイムの発見は，生命の起源の概念にも影響を与えた．生命の初期段階では，自己切断，自己スプライシング，自己複製などの機能を有する RNA が現れ，RNA の触媒作用で作用する代謝系の存在が推察されている．このような進化過程を，RNA ワールドという．

〔杉本直己・大道達雄〕

[文献]

1) 杉本直己：遺伝子とバイオテクノロジー，丸善，1999.
2) Cech, T. R. and Golden, B. L.：The RNA World (Gesteland, R. F. ed.), Cold Spring Harbor Laboratory Press, 2000.
3) 杉本直己：遺伝子化学，化学同人，2002.

2.8 翻訳

翻訳とはDNAから転写されたmRNAの遺伝情報に従って[1]，リボソーム上でtRNAを介してアミノ酸を重合することにより，蛋白質を合成する過程である．このプロセスに関与するのはRNA（大腸菌の場合では約50種類のtRNAと3種類のリボソームRNA（rRNA），合計で約3000種類のmRNA）と蛋白質（リボソーム蛋白質と酵素・因子類あわせて数十種類）であり，生体内で最も根本的で複雑な反応プロセスといえるであろう．ここではメカニズムの簡単な原核細胞の翻訳について解説する．

翻訳反応にかかわる主要な機能分子は以下のものである．

リボソーム　30Sという小サブユニット（16SrRNAと21個のリボソーム蛋白質（S1〜S21）からなる）と，50Sという大サブユニット（23SrRNAと5S RNA，34個の蛋白質（L1〜L34）からなる）の会合体で70S粒子を形成する．30SはmRNAとtRNAのアンチコドン領域を結合しコドン解読反応を行う．50Sは2個のtRNAのCCA末端領域を結合し，ペプチド重合反応を行う．リボソーム上には30Sと50Sサブユニットにまたがって3つのtRNA結合部位が存在する．mRNAの下流から上流に向かって，アミノアシル-tRNAの取り込み口であるA部位，開始tRNA（fMet-tRNA）と合成中のペプチドのついたtRNA（ペプチジルtRNA）のみを結合するP部位，それにペプチドを失ったtRNAの出口となるE部位である（図2.8.1（d）〜（f））．

mRNA　5′-末端領域には開始コドンから8〜13塩基上流にリボソームへの特異結合にかかわるSD配列というプリンに富む配列が存在する．ペプチドをコードする領域（読み枠；ORF[*1]）は開始コドンに始まり終止コドンの直前で終わる．

tRNA　約80個の塩基からなる鎖が分子内塩基対形成によってクローバ葉型構造に折りたたまれ，さらにL型の三次元立体構造をとる（図2.8.2）．その3′-末端には共通のCCA配列が存在し，末端A残基（76位）のリボース部分にアミノ酸がエステル結合で付着する．アンチコドンの3残基はコドンと相補的な配列をもっているが，とくにその1字目には数多くの修飾塩基が出現し，それらがコドン3字目の塩基とさまざまな変則的な塩基対を形成することによって，1種類のtRNAが複数個のコドンを解読できるようになっている．

さて翻訳反応は図2.8.1に示すように，およそ数段階の素過程からなる．

(1) 前段階-tRNAのアミノアシル化

蛋白質の構成成分であるアミノ酸をtRNAに付加し，リボソーム上でペプチド結合形成可能な活性化状態にする反応で，アミノアシルtRNAシンテターゼ（ARSまたはaaRSと略す．通常20種類のアミノ酸に対応して20種類存在する）で触媒され，ATPのエネルギーを用いてtRNAに特異的なアミノ酸（aa）を3′-末端アデノシン残基のリボース2′位または3′位の水酸基に結合する．

$$aa_1 + tRNA_1 + ATP \longrightarrow aa_1 - tRNA_1 + AMP + PPi$$

(2) 開始反応

まず70Sリボソームは開始因子IF1とIF3によって50Sと30S各サブユニットへ解離する．次にmRNAのSD配列と30Sサブユニット中の16SrRNAのアンチSD配列との間で塩基対形成が起こり，

第2章　核酸と遺伝情報系

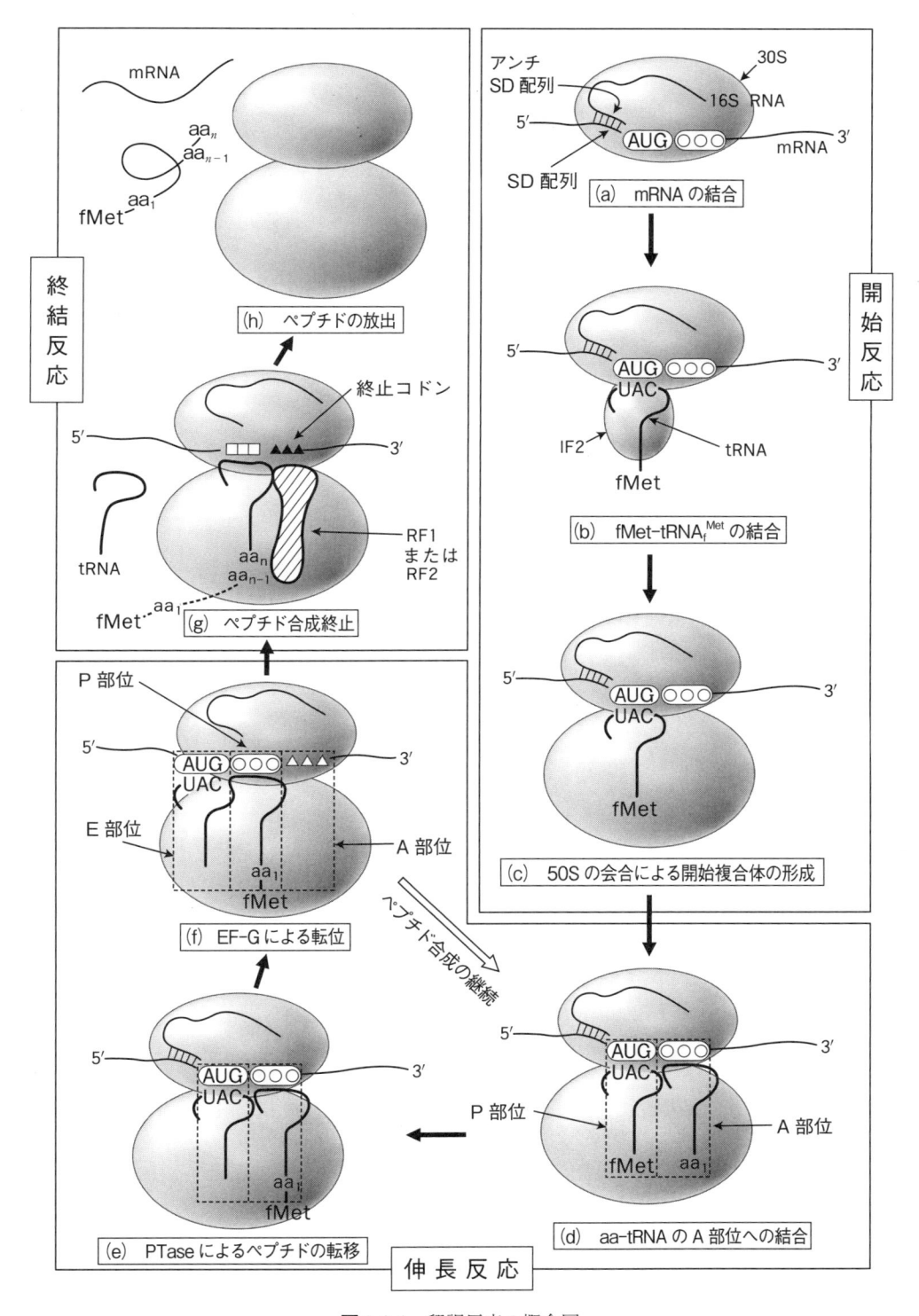

図 2.8.1 翻訳反応の概念図

2.8 翻訳

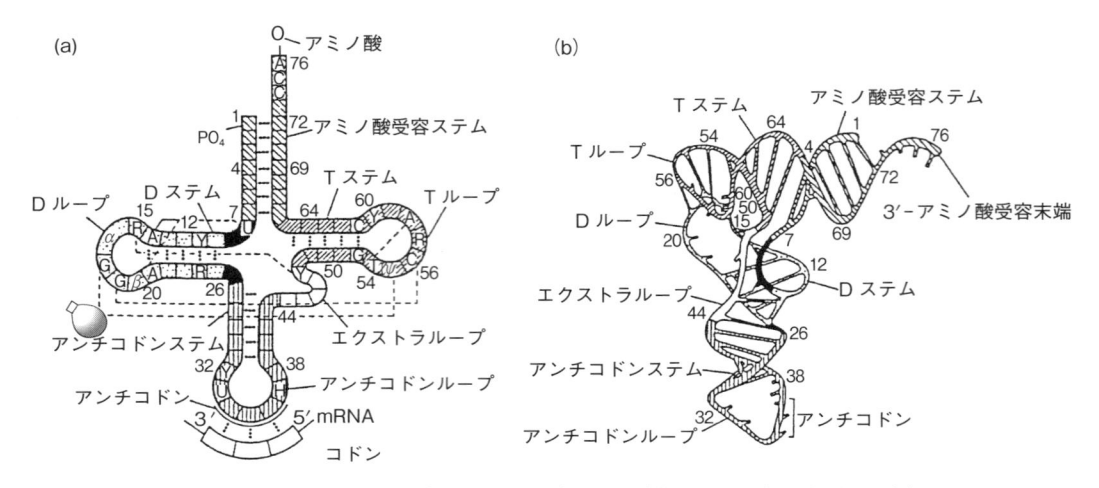

図 2.8.2 tRNA の二次（クローバ葉型）構造 (a) と三次（L 型）構造 (b)

アミノ酸を結合した tRNA のアンチコドンの 3 塩基が mRNA の対応するコドンの 3 塩基と塩基対を形成することにより，遺伝暗号が tRNA を介してアミノ酸に変換される．

mRNA は 30S サブユニットの特定の位置に固定される（図 2.8.1 (a)）．そこで開始 tRNA（fMet-tRNA$_f^{Met}$：例外的に Met のアミノ基がホルミル化（f で表す）されている）が IF-2 と GTP で IF-2・GTP・fMet-tRNA という 3 者複合体を形成し，30S サブユニットの P 部位上でのコドン−アンチコドンの塩基対形成により fMet-tRNA$_f^{Met}$ は P 部位に固定される（図 2.8.1 (b)）．ついで IF3 の遊離後 50S サブユニットが会合し，リボソームは 70S となる．P 部位においてコドンとアンチコドン間で正しい塩基対合の起こっていることが確認されると，IF-2 は GTP を加水分解して GDP を放出し，ついで IF2 自身も IF1 とともに 70S から解離し，開始複合体ができる（図 2.8.1 (c)）．

(3) ペプチド鎖伸長反応

そこで A 部位のコドンに対応するアンチコドンをもつアミノアシル tRNA（aa-tRNA）が伸長因子 EF-Tu と GTP とで 3 者複合体を形成し，A 部位に導入される．続いて GTP の加水分解が起こり，コドンとアンチコドンとの間の正しい塩基対形成が確認されると，EF-Tu・GDP は A 部位に aa-tRNA を残してリボソームから遊離する（図 2.8.1 (d)）．EF-Tu・GDP はもう 1 つの翻訳因子 EF-Ts と GTP により，EF-Tu・GTP に再生される．

さて，この段階でリボソームの P 部位には fMet-tRNA，A 部位には aa-tRNA が結合している．ここでリボソーム内のペプチジルトランスフェラーゼ（PTase）という酵素（実はリボソーム 50S サブユニット中の 23SRNA，すなわちリボザイム）の作用により，fMet 残基が A 部位の aa-tRNA のアミノ末端にペプチド結合を形成することにより移動する（図 2.8.1 (e)）．

次に EF-G が GTP のエネルギーを用いて，mRNA を両 tRNA ごと 1 コドン分移動させ，tRNA$_f^{Met}$ は P 部位の隣の E 部位に，A 部位の fMet-aa-tRNA は P 部位にそれぞれ移動し（これを転位反応（translocation）という），A 部位には 3 番目のコドン（codon3）が入る（図 2.8.1 (f)）．tRNA が空になった A 部位には codon3 に対応する aa-tRNA が EF-Tu・GTP により導入され，E 部位の tRNA$_f^{Met}$ は放出される．こうして前述のプロセスが繰り返され，mRNA の各コドンに対応して順次ア

ミノ酸が連結される．

(4) 終結反応

ORFが終わると，リボソームA部位には3つの終止コドン（UAG, UAA, UGA）のうちのどれかが入る．そこで解離因子RF1（UAGとUAAを認識する）またはRF2（UGAとUAAを認識する）が対応する終止コドンを認識してA部位に入り（図2.8.1(g)），P部位に付着しているペプチジル-tRNAの加水分解を促進するため，完成したペプチドはリボソームから離れる（図2.8.1(h)）．その後RF3によりRF1またはRF2がリボソームから解離するが，このときもGTPの加水分解を必要とする．次にリボソーム再生因子（RRF）によってmRNAとtRNAがリボソームから放出されて翻訳の1サイクルが完了する．

真核細胞の翻訳システムも原理的には上記のものと同等である．ただし，リボソームは80Sと大きく（40Sと60Sのサブユニットからなる），ホルミル基のないMet-tRNA$_f^{Met}$が開始反応を行い，mRNAの5'-末端にはキャップ構造（7-メチルグアノシンが3個のホスホジエステル結合を介して逆向きに結合している），3'-末端にはポリ(A)構造をもつ．SD配列は存在せず，キャップ構造が複数の開始因子の助けを借りてmRNAをリボソームに結合し，最初のAUGコドンをP部位に固定する働きをする．ポリ(A)構造はmRNAの安定化および，翻訳開始に重要な役割を演じている．　　　　　　　　　　〔渡辺公綱〕

*1 mRNAのORFは3塩基からなるコドンがつながったものである．各コドンは20種類のアミノ酸のどれかを指定するが，それは遺伝暗号表によって規定される．64通りのコドンのうち，61個がアミノ酸に対応し，残りの3個は終止コドンである．実際にはコドンはリボソーム上でそれに対応するtRNAのアンチコドンによって解読される（図2.8.2）．

[文献]

1) ワトソン，J. D.（松原謙一他監訳）：遺伝子の分子生物学（第4版），東京電機大学出版局，2001.
2) ヴォート，D.，ヴォート，J. G.（田宮信雄他訳）：ヴォート生化学 上（第3版），東京化学同人，2005.

2.9 ウイルス, プラスミド, トランスポゾン

　これらに共通している性質は, 自己増殖のための機能の一部しかもたないため, 宿主細胞の増殖機能を借りて自己複製を行う寄生体であることと, 自己複製の鋳型となる核酸をもっていることである. これらは以下に述べるように, ゲノム内外を移動して異なる種間での遺伝子の移行を司るベクターとしての働きや, 染色体の再編成をもたらす要因となっている.

a. ウイルス

　ウイルスは細菌, 古細菌, 植物, 動物などすべての生物に存在し, 多くの場合宿主を殺したり宿主に対して病原性をもつが, 宿主に有益な共生関係にある場合もある. ウイルスは, 多くの場合自己増殖のための遺伝情報をコードする核酸と少数の蛋白より形成される外被とからなる. 核酸として二本鎖DNAだけでなく, 一本鎖RNA（タバコモザイクウイルス, インフルエンザウイルス）, 二本鎖RNA（レオウイルス）, 環状一本鎖DNA（M13ファージ）, 線状一本鎖DNA（パルボウイルス）などがある. 一本鎖RNAやDNAをもつウイルスは複製中間体として二本鎖の合成が必要である. エイズや白血病を引き起こすレトロウイルスは, ウイルス粒子中では一本鎖RNAをゲノムとしてもち, 感染後ウイルス粒子中に含まれている逆転写酵素の働きで, まずRNA-DNAのハイブリッドが形成され, さらに同酵素の働きで次のステップで二本鎖DNAに変換され, 宿主の染色体に組み込まれる. レトロウイルスの遺伝子はDNAに変換され, 染色体に組み込まれてはじめて転写されうる. 宿主のRNAポリメラーゼによってレトロウイルスの遺伝子は転写されてウイルス粒子構成蛋白質や逆転写酵素などがつくられ, スプライスされていない転写されたRNAをウイルスゲノムとして感染性ウイルス粒子が形成されて細胞表面から放出される. バクテリアウイルスはバクテリオファージ（ファージ）とも呼ばれ, 大きく分けて, 感染して増殖すると必ず宿主菌を溶菌するタイプ（ビルレントファージ）と, 感染後増殖する経路と低頻度で宿主ゲノムに組み込まれて, 宿主染色体の一部のようになって, 同調して複製する2つの経路をもつタイプ（テンペレートファージ）がある. 前者には大腸菌のT4, T7ファージ, 後者にはλ（ラムダ）ファージなどが属する. λファージは試験管内でDNAと頭部蛋白, 尾部蛋白などの構成分から感染性の粒子を再構築できる. この性質を利用して, λファージDNAの一部に制限酵素を用いて他のDNAを結合させて組換えDNAをつくり, 試験管内で粒子に包み込んで大腸菌に感染させて増殖させ, プラークを形成させる. λファージをベクターとして遺伝子クローニングやシーケンス用の組換えDNAのライブラリーをつくることができる. 染色体に組み込まれたλファージ（プロファージ）は宿主菌がDNAに損傷を受けると, 染色体から切り出されて増殖し溶菌して子ファージを産生するようになる. この切り出しのとき, 低い頻度で不正確な切り出しが起こり, ファージDNAが組み込まれた部位の周辺の染色体DNAの一部をファージDNA中に取り込んで切り出される. 組み込み部位の両端にあるビオチン合成酵素の遺伝子や, ガラクトース分解酵素の遺伝子などを取り込んで, 次に感染する宿主菌に持ち込んでこれらに関する形質を転換させることができ, この現象を特異的形質導入という. P1ファージはテンペレートファージの一

種であるが，溶原化するときは染色体に組み込まれずプラスミドのように染色体外で複製する．感染後に増殖するときに低頻度でファージDNAの代わりに宿主DNAの断片を取り込んだ粒子を産生し，この粒子は次に感染する宿主菌にこのDNAを持ち込み，相同組換えによって染色体上の遺伝子が置換されて，遺伝的形質の転換を起こす．宿主染色体の持ち込みはランダムに起こり，染色体上のどの遺伝子も持ち込んで形質転換をすることができるので普遍的形質導入と呼ばれている．大腸菌の遺伝子マッピングや，種々の突然変異を組み合わせた株の作成などにP1ファージは利用される．

b. プラスミド

プラスミドは細胞内で染色体とは別の複製単位（レプリコン）を形成し，外被蛋白質等をもたないので，細胞外から通常は感染できない．多くの場合環状二本鎖DNAであるが，放線菌のプラスミドのように線状DNAの場合もある．プラスミドは複製開始配列（Ori）とその配列を認識して結合し，自己のDNA複製を調節する蛋白質をもつ場合が多い．細菌の間を接合によって移動するプラスミドの1つにF因子がある．F因子をもつ大腸菌はオス（F^+）としてF因子をもたないメス（F^-）の菌に接合伝達によってF因子を移行させてメスをオスに転換させるが，低頻度でオスからメスへ大腸菌遺伝子の移行を仲介する．高い頻度で大腸菌染色体の移行を起こすオスの菌はHfrと呼ばれ，F因子が染色体に組み込まれた状態となっており，染色体上の組み込み部位と方向によって特定の染色体の部位から一定方向に決まった順序で染色体上の遺伝子をF^-菌に移行させ，相同組換えによって，Hfr株（オス）のもつ遺伝子型に変換させる．この性質を利用して大腸菌の遺伝子地図がつくられ，その結果大腸菌の染色体はサークルであることが明らかにされた．種々の抗生物質に対する抵抗性を細菌に付与する原因が，F因子とよく似た複製機構と接合伝達性をもつRプラスミドである．R因子は薬剤耐性遺伝子を多くの場合トランスポゾン（次項参照）の形でもち，同種間のみでなく異なる種間を接合伝達によって移り，種々の抗生物質に対する抵抗性を宿主菌に付与するため，抗生物質が効かない病原菌が多くなって医療の大きな問題となっている．プラスミドはその複製制御機構の違いによって宿主染色体当たり1コピーから数百コピーに至る種々のコピー数で存在し，細菌だけでなく酵母類にも存在して，組換えDNA実験におけるベクターとして利用されている．プラスミド上には上記の抗生物質耐性遺伝子のほかに毒素遺伝子や種々の病原性に関係する遺伝子，芳香族化合物をはじめとする種々の有機化合物の資化や分解を行う酵素遺伝子などをもつ場合もある．ある種の細菌類は，接合とよく似た機構で植物細胞にプラスミドを送り込んで植物に腫瘍や根粒をつくらせたりして，自己の利益になるように植物の形質を転換させる．とくに前者のTiプラスミドは植物細胞の染色体に変異を起こさせたり特定の遺伝子を導入するのに利用されている．

c. トランスポゾン

トランスポゾンは動く遺伝子で，基本的な構造として，特定の表現型を示す遺伝子（前述の薬剤耐性など）と転移に必要な酵素をコードする遺伝子（群）および転移酵素が認識して組換えを起こすのに必要な特定の認識配列（多くの場合，両端の逆向き反復配列）より成る．トランスポゾンはプラスミド，ファージ，染色体の間を転移して，これらをベクターとして同種の別々の個体間を移動したり，異なる種間を移動したりする．選択圧が加わると薬剤耐性の場合のように特定の遺伝子をもつトランスポゾンが蔓延する．トランスポゾンより小さ

く，特定の表現型を示す遺伝子をもたない転移因子は IS（アイエス）と呼ばれ，トランスポゾンと同様の機構でレプリコン（複製ユニット）間を転移によって移動する．ある種のトランスポゾンは2つの IS によって特定の遺伝子が挟まれたような構造をしている．前述のレトロウイルスとよく似た複製様式をとるが，感染性の粒子はつくれない不完全型レトロウイルスと考えられる転移性の因子が細菌，酵母，植物，動物などで知られており，レトロポゾンと称されている．レトロポゾンは染色体に二本鎖 DNA として組み込まれた状態から RNA として転写され，それが逆転写酵素によって二本鎖 DNA に変換されてから，インテグラーゼの機能によって，染色体上の別の位置に組み込まれる．これらの転移因子は，ウイルスやプラスミドをベクターとして個体間や種間を渡り歩くため，遺伝子の水平伝達やゲノム多型性の主要な原因となっている．これらの転移因子は，ゲノム上に複数存在するため，異所間の相同組換えによる染色体異常の原因ともなっている．ヒトゲノム解析の結果，レトロポゾン由来の DNA 配列（LINE, SINE など）がゲノム全体の半分ほどを占めることが判明した．そのうちの一部は現在も転移する能力を保持しているのでゲノム再編成に関与すると考えられ興味深い．〔品川日出夫〕

[文献]
1) アルバーツ，B. 他（中村桂子他監訳）：細胞の分子生物学（第4版），ニュートンプレス，2004.
2) ワトソン，J. D.（松原謙一他監訳）：遺伝子の分子生物学（第4版），東京電機大学出版局，2001.
3) Bushman, F.: Lateral DNA Transfer, Cold Spring Harbor Laboratory Press, 2002.

III. 染色体とゲノム

2.10 染色体

染色体という用語は，元来は細胞遺伝学上の言葉として用いられ，動植物細胞が有糸分裂する際に出現し塩基性色素で濃染される棒状の構造を指す．細胞周期の過程では，核内に存在する DNA が S 期において複製された後，細胞分裂の開始に伴い核膜が消失し，同時に核内に存在する染色質（クロマチン）が巧妙に折りたたまれ凝縮して全ゲノム DNA をパックした染色体構造をとり，分裂により生ずる娘細胞へと正しく分配される．生物の設計図である全ゲノム情報は DNA に書き込まれているが，それらの情報を正確に複製し，分配して次世代細胞へ伝えてゆくために，染色体はゲノム情報の収納の場といえる．収納のシステムについては生物種ごとに異なり，各染色体の大きさや数は生物種，品種，系統によって固有のものである．通常は大きさの順に番号が付けられている．高等動物ではゲノムが2倍体（$2n$）となっており，相同染色体と呼ばれる同一な染色体が1対ずつ存在している．減数分裂の過程を経て生じる生殖細胞では，半数体（n）となり，受精を経て再び $2n$ となる．体細胞分裂と減数分裂では，染色体分配の機構が巧妙に使い分けられている．ヒト染色体は22対の常染色体と1対の性染色体（XX あるいは XY）の46本から成る．ニワトリでは78本の染色体からなり，大きさ，数ともに生物種ごとにかなり異なる．また，広義の染色体という呼称はウイルスや原核生物の核様体，

葉緑体やミトコンドリアなどの1つの独立した遺伝子連鎖群も指す．たとえば，大腸菌は1本の染色体をもち，大部分の遺伝子が約4 Mbから成る1個の環状DNAの上に並んでいる．ここでは，とくに真核細胞の直鎖状染色体について解説する．

真核細胞の染色体が機能するためには，細胞分裂時に両極から伸びた紡錘糸が付着する動原体（セントロメア），直鎖状染色体の末端を安定化する末端小粒（テロメア），DNAの複製開始点の3つの要素を含んでいなければならない．出芽酵母では，この3要素がすべて遺伝子クローニングされており，試験管内でこれらの要素を組み合わせることにより人工染色体が作成されている（yeast artificial chromosome：YAC）．高等脊椎動物の染色体においてはテロメアの遺伝子クローニングは成功しているが，セントロメアや複製開始点はDNAの一次配列以外の要素もその機能発現に必要であると予想されており，人工染色体の作成は困難である．高等脊椎動物の分裂中期の染色体のセントロメアをはさんだ両側を染色体の腕（アーム）と呼び，長さに応じて短腕（p），長腕（q）としている．この腕構造は，染色体をある種の色素で染めることによって濃淡のある縞模様（Gバンド，Rバンド，Qバンド，Tバンド等と呼ばれる）のバンド構造を示す（図2.10.1）．このバンドの位置は特定の染色体に固有のものであり，1つの遺伝子の染色体上の位置を示す番地として用いられている．たとえば，ヒトの免疫応答に関与するMHC遺伝子群の多くは6p21.3に存在するという表現がなされるが，これは，MHC遺伝子群が6番染色体の短腕21番のバンド中の3番というインターバンドに存在しているという意味である．染色原理の異なる染色法が，相互に似たあるいは相補的なバンドパターンを与えるので，染色体DNAの基本的な性質を反映して分染色されると思われている．また，染色体の構造上の性質

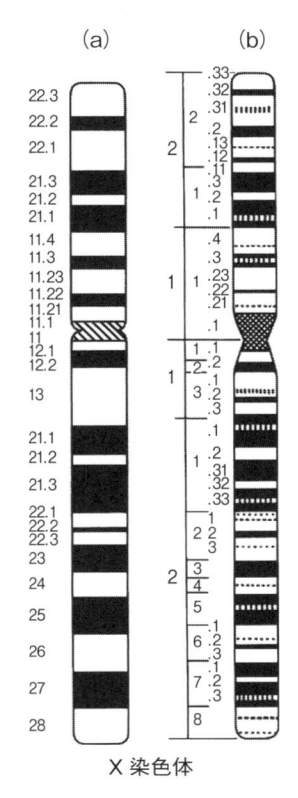

図2.10.1 ヒトX染色体の850（a）と2000（b）バンドレベルの模式図

白色はRバンドを黒色はGバンドを示している．

に依存しない方法でもバンドが観察される．S期の特定の時期にブロモデオキシウリジン（BrdU）で標識した細胞から分裂中期の染色体標本を作成すると，複製タイムゾーンを反映したバンドが得られる（replication banding法）．興味深いことに，S前半期とS後半期がRやG/Qバンドのように染め分けられ，S前半期はRバンドに，S後半期がG/Qバンド領域に対応している．DNA複製時期という生物学的な性質のほかにも，染色体バンド領域ごとにDNAのG＋C％含量，遺伝子密度，CpGアイランドの数，クロマチンの高次構造等の多様な生物学的性質が異なっており（表2.10.1），染色体バンド構造は各種の生物

表 2.10.1 各染色体バンド領域の特徴

	G/Q バンド	通常の R バンド	T バンド（R のサブグループ）
複製タイミング	S 期後半	S 期前半	S 期前半（とくに早い時期）
GC 含量	AT-rich	中間的性格	GC-rich
遺伝子密度	低い	高い	とくに高い
CpG アイランドの数	少ない	多い	とくに多い
反復配列の偏り	Ll-rich（LINE 型）	*Alu*-rich（SINE 型）	とくに *Alu*-rich（SINE 型）
クロマチン高次構造	密	粗	粗

学的性質を反映した機能ドメインとして考えられる.

染色体構造と呼んだ場合，形態上の研究が進んでいる分裂中期の染色体以外にも，DNA 分子が複製を行い，また遺伝子発現を活発に行っている分裂間期の染色体/核構造も対象に考察しなければならない．この時期の染色体は分裂中期のものよりもはるかに伸長しており，凝縮したいわゆる染色体構造は観察されない．しかしながら，間期で起きる現象が分裂期を経て次世代細胞へと継承（inherit）されることから，この時期に何が起きるかを解明することは染色体研究の中心的な課題の1つである．遺伝情報の継承というと，遺伝学では一般に塩基配列情報の違いがどのように表現型の違いに結びつくかという観点から考えられていた．しかしながら，細胞分裂後に inherit されるのは塩基配列情報だけではなく，塩基配列によらない形で染色体上の遺伝子発現情報が細胞分裂後も維持される現象が，酵母からヒトまで普遍的に観察されている．これを，ジェネティックな塩基配列情報の「エピジェネティック」な修飾と呼び，これを扱う学問をエピジェネティクスと呼ぶ．エピジェネティックな遺伝子発現抑制に伴い，染色体の凝集やヒストンの脱アセチル化，組換えの抑制等が観察され，また，高等植物や脊椎動物では DNA 中のシトシン残基がしばしばメチル化される.

哺乳類のエピジェネティックな修飾にもとづく発現調節の典型例として，ゲノムインプリンティング（刷り込み）がある．これは哺乳類で単為生殖を妨げている現象，非メンデル遺伝を示す現象として知られている．実際，哺乳類の常染色体には一方の対立遺伝子だけが発現する遺伝子座があり，これが父親・母親由来ゲノム間の機能的な差をもたらしている．つまり精子や卵子の形成過程において何らかの形で遺伝子に「しるし」あるいは「記憶」が刷り込まれ，受精や体細胞分裂を経てそれを維持し，子ではその情報に従って一方の遺伝子コピーだけを発現する．この現象をゲノムインプリンティングと呼び，「しるし」の実体の解明を目指して研究が行われている．DNA のメチル化がその「しるし」についてかかわっていることが示唆されているが，その詳細な修飾機構は未知な点が多く残されている．エピジェネティック修飾による発現調節のもう1つの例として，哺乳類の雌における X 染色体不活性化がある．これもメチル化やクロマチンの変化にもとづく発現調節がかかわっているが，*Xist* およびそのアンチセンスである *Tsix* と呼ばれる翻訳されない RNA 群がユニークな役割を果たしていると考えられている.

染色体の化学組成は DNA とヒストンが主体であり，これに非ヒストン蛋白質，RNA などが加わっている．基本的にはヌクレオソーム構造が保持されており，DNA はヌクレオソーム構造をとることによってコンパクトにされる．ヌクレオソームはさらに折りたたまれ，何段階かの階層を経て DNA は最終的に約1万分の1まで縮小さ

れているといわれている．この超高次構造体から遺伝子情報が読み出されたり，抑制されたりするためにはDNAの修飾だけでなく，ヒストンの修飾も重要な働きを担うと予想される．ヒストンのアセチル化が遺伝子発現と深くかかわっていることは古くから指摘されていたが，最近の分子レベルの研究の成果によってヒストンアセチル化がクロマチンの機能面である転写活性の調節に重要な鍵を握っていることがわかってきた．とくに，ヒストンアセチル基転移酵素（histone acetyltransferase：HAT）やヒストン脱アセチル化酵素（histone deacetylase：HDAC）の発見により，アセチル化修飾が転写の活性化に直接関係していることが明らかにされた．アセチル化修飾にかかわる酵素の単離に加えて，アセチル化されたヒストンを認識するドメインも同定されてきておりアセチル化修飾の役割の解明は進んできている．

分裂間期の核内で凝縮塊として見出されるクロマチン領域は，一般にヘテロクロマチンと呼ばれ，周囲のユークロマチンと区別される．分裂中期の染色体ではセントロメアの周辺領域に存在している．ヘテロクロマチンは遺伝子発現の不活性な領域であり，DNAの複製もS期の後半に起こることが知られている．ヘテロクロマチンの構造維持に関する分子機構は長い間不明であったが，最近急速に研究が進み，ヒストンのメチル化が関与していることがわかってきた．ごく最近の研究によって，古くから知られている哺乳類のヘテロクロマチン蛋白質であるHP1と相互作用するSUV39H1がヒストンH3の9番目のリジン（H3-Lys9）に特異的なメチル基転移酵素（histone methyltransferase：HMTase）であることが判明した．SUV39H1はヘテロクロマチン領域のH3-Lys9にメチル修飾を導入し，ヘテロクロマチン蛋白質がその修飾を認識して結合することでヘテロクロマチンに特徴的なクロマチン構造を形成していると考えられる．また，HMTaseの活性とヘテロクロマチン蛋白質の結合には脱アセチル化酵素の活性が必須であることもわかってきており，ヘテロクロマチン構造の形成・維持には複数の修飾酵素の協調的な作用が必須であることが明らかになってきている．

古くから光学顕微鏡で観察される染色体や細胞核の特異的構造の実体や役割や，それらの分子構築機構について最近分子レベルでの知見が多く得られてきている．そのなかには，従来予想もされなかった，新しい分子機構も存在している．染色体研究の醍醐味は，古典的な材料を用いて古くから残る課題を解析することによって新しい概念を生み出すことにあるといえる．

〔深川竜郎〕

[文献]

1) アルバーツ，B. 他（中村桂子他監訳）：細胞の分子生物学（第4版），ニュートンプレス，2004．
2) マレー，A. 他（岸本健雄他訳）：細胞周期の分子生物学，メディカルサイエンスインターナショナル，1995．
3) 清水信義他編：ヒト染色体（蛋白質・核酸・酵素増刊），共立出版，1996．
4) Choo, K. H. A.：The Centromere, Oxford University Press, 1997.
5) Blackburn, E. H. et al.：Telomeres, Cold Spring Harbor Laboratory Press, 1995.

2.11 ゲノムデータベース

ヒトの遺伝情報の総体を明らかにしようとして始まったヒトゲノムプロジェクトは，DNA塩基配列決定技術の進展とともに可能になった．このことはヒトよりもはるかに単純なバクテリアを中心とする単細胞生物ゲノムが大量に決定されてくる要因にもなった．一般にゲノムとは生物がもつ遺伝情報の総体のことであるが，その物理的実体はDNAである．したがって生物を理解するためにはその遺伝情報のもとであるゲノムすなわちDNAの塩基配列を明らかにする必要がある．最初に全ゲノムが決定された生物種はヘモフィルス菌という肺炎にかかわるバクテリアであり1995年のことであった．2007年時点では500種類を越える生物種のゲノムが決定され公開されている．ヒトもまもなくその仲間に加わるが，ゲノムが決定された生物種の多くは真正細菌，古細菌という原核生物である（図2.11.1）．真核生物のゲノムが少ないのは，ゲノムサイズが大きいということとともに繰り返し配列が多くショットガンにおけるアセンブリーがむずかしいという理由が大きい．したがって，ゲノムが決定されていると発表されている生物種でも完全にはつながっていないものも多い．また，原核生物にはほとんどみられないエキソン-イントロン構造があるため，遺伝子の予測がむずかしいという問題点もある．

いずれにせよ，全ゲノム配列を決定した研究機関は，同時にその中のどこが遺伝子かを予測し，さらに各遺伝子の機能をホモロジー検索などで割り当てていく．そうしてでき上がってくるのが，その生物種のすべての遺伝子のカタログである．この遺伝子カタログをゲノムの塩基配列，遺伝子の塩基配列，蛋白質のアミノ酸配列とともにデータベース化しておくことはいろいろな意味で重要である．第1に，その生物種がどのような機能をもつかをキーワードなどで検索できるようになる．また，遺伝子が働くパスウェイの情報や機能分類を同時にデータベース化しておけば，より高度な機能の検索ができるようになると考えられる．第2に，比較ゲノム解析を行うための基礎とすることができる．ゲノムが決定された生物種どうしで全遺伝子対全遺伝子の配列類似度の計算結果や，ゲノム上の位置情報をデータベース化しておけば，オーソログ関係の同定やパラログの探索がより確実にできるようになると考えられる．

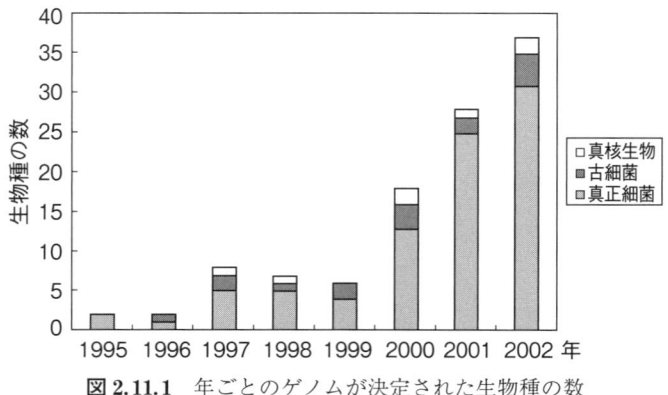

図2.11.1 年ごとのゲノムが決定された生物種の数

全ゲノムが決定された生物種のゲノムデータベースとして，ゲノムを決定した研究グループによって構築され，一般にも公開されているものも多い．紙面の都合上，個々のデータベースすべてを紹介することはできないが，たとえば，京都大学で開発されているKEGGのホームページにはゲノムが決定された生物種のリストと各ゲノムプロジェクトのデータベースへのリンクがリストアップされているので，興味がある人は見てみるとよい[1]．そのほかにも米国NCBIのサイト[2]などでも確認できる．ゲノムプロジェクトによっては，ゲノム決定後のアノテーション（初期アノテーション）を公開した後はアノテーションの更新を行っていないものが多い．これは，個々の生物種の個々の遺伝子の研究をゲノムプロジェクトとしてフォローするにはコストが非常にかかるからである．そこで，特定の生物種にターゲットを絞って，ゲノム決定後のアノテーションをその生物種の研究コミュニティで引き継いでいくという動きもある．たとえば，日本では光合成細菌，枯草菌，大腸菌などの研究コミュニティがあり，光合成細菌のシアノバクテリアと枯草菌に関して京都大学で研究コミュニティデータベースが立ち上げられている（CYORFおよびBSORF）．このようなコミュニティデータベースではアノテーターとして登録された研究者によるデータの更新が随時行われている．

　比較ゲノム解析で最も有名なデータベースは米国NCBIのCOG（Clusters of Orthologous Groups）[3]であろう．COGではゲノムが決定された生物種の蛋白質アミノ酸配列の類似度を総当たりで計算し，その結果をもとにオーソロググループを定義し，機能分類した結果をデータベース化している．各オーソロググループでは配列類似度にもとづいた系統樹などを調べることができる．また，保存されている生物種のパターン（系統プロファイル）によって遺伝子を分類した結果を調べることもできる．同様のデータベースは他にもあり，たとえば，日本では単細胞生物を中心としたMBGD（Microbial Genome Database）[4]がある．MBGDでは配列類似度の閾値をユーザーが設定できるようになっている．

　ゲノムデータベースに限らず，分子生物学に関するデータベースはNucleic Acids Researchで毎年1月に特集号が発行される．この中にゲノム関係のデータベースも多数収録されているので，興味のある読者は読んでみるといいだろう．この特集号だけはWWW上で誰でも読めるようになっている[5]．

〔五斗　進〕

[文献]
1) http://www.genome.jp/kegg/catalog/org_list.html
2) http://www.ncbi.nlm.nih.gov/Genomes
3) http://www.ncbi.nlm.nih.gov/COG/
4) http://mbgd.genome.ad.jp/
5) http://nar.oupjournals.org/

2.12 ゲノム解析

　ゲノム解析とは，ある特定の生物種のゲノム塩基配列をすべて決定し，生物学的情報を解析することである．とくに，ゲノムに書かれた遺伝子をすべて同定し，その機能を明らかにすることを主目的としている．ゲノムの情報は基本的に核酸やアミノ酸の配列情報であり，ゲノム解析の代表的かつ中心的課題は配列解析といえる．配列解析とは，「DNA，RNA，蛋白質の配列が似ていれば，生物的機能や高次構造も類似している」という経験的知識を前提として，配列から生物的意味（機能，構造など）を解釈（推定）するためのコンピュータ解析法である．一方，ゲノムの全配列が決定され，配列解析によりどれほど高精度に遺伝子領域を予測し，遺伝子産物（蛋白質）の機能予測がなされたとしても，それは個々の蛋白質の分子レベルでの機能を同定したに過ぎず，「多数の遺伝子のおのおのが，いつ，どこで，どのようにして発現し，互いに相互作用してどのような生体現象を引き起こしているか」という高次レベルの機能が解明されない限り，生命システムの真の理解に迫る遺伝子機能の解明へはつながらない．ポストゲノムの時代に入った今日，ゲノム解析は新しい局面を迎えようとしている．それは，ゲノムの単なる静的な配列情報の蓄積にとどまらず，トランスクリプトーム解析による遺伝子発現情報および，プロテオーム解析による蛋白質発現情報，蛋白質間相互作用情報，蛋白質立体構造情報など，動的かつ立体的な分子生物情報の集積にまで広がりを見せていることである．そしてこれら多様な情報を統合的に扱う遺伝子機能ネットワークや蛋白質間相互作用ネットワークなどの解析法が開発され，細胞レベル，個体レベル，生態系レベルといった高次の生命現象のコンピュータ解析へと発展しつつある．

a. 配列比較とアライメント

　配列解析の最も基本的な操作はアライメントといい，2つの配列を並べて比較し類似度を判定することである．いま，アミノ酸配列を20種類の文字が並んだものと考え，それぞれの文字（アミノ酸）の類似性やギャップの入りにくさに対して生物学的・物理学的視点からスコアが割り当てられているものとする．2つの配列の最適アライメントを求めることは，「どのように配列の途中にギャップ（'-'）を挿入すれば，対応している文字どうしのスコアの和を最大化できるか」を計算することである．たとえば，AIMHS という配列と AMOHS という配列が与えられた場合，

　　　　AI M-HS
　　　　A-MOUS

というようにギャップ記号（'-'）を挿入することによりスコアの和（この例では文字の一致数）を最大化でき，最適なアライメントが完成される．このアライメントの計算は「動的計画法（DP 法）」と呼ばれる方法を適用することにより計算できる．この方法には，配列全長の比較（グローバルアライメント）を行うニードルマン-ヴンシュ（Needleman-Wunsch）アルゴリズムと，部分配列の類似性（ローカルアライメント）を算出するスミス-ウォーターマン（Smith-Waterman）アルゴリズムやゴード-カネヒサ（Goad-Kanehisa）アルゴリズムがある．実際に配列データベースの中から問合せ配列と類似の配列を探し出すホモロジー検索においては，これらのDP法は厳密な最適解を与える高精度な方法であるが，長時間の計算時間を要するという欠

点をもっている．したがって，データベースがそれほど（DNAほど）大きくなく，アミノ酸置換行列でスコアの評価がなされる蛋白質配列の場合，精度が重要であることが多いためDP法（たとえば，スミス-ウォーターマンアルゴリズムを用いたホモロジー検索ツールSSEARCHなど）が用いられている．しかしながら，探索範囲が巨大なデータベースであり，さらに塩基の一致，不一致のみで評価関数がつくられているDNA配列の検索には，DP法はほとんど使われず，FASTAやBLASTなどの高速検索法で十分であると考えられる．FASTAは，最初に2本の比較配列からダイアゴナルと呼ばれる一致部分を見出し，DP法の探索領域の削減を行うことによって高速探索を可能にした方法で，比較的弱いホモロジーをもつ配列の検索（ギャップを許すローカルアライメント）に優れている．また，FASTAよりもさらに高速なアルゴリズムであるBLASTは，短い長さの類似配列（たとえば3アミノ酸配列）を出発点として問合せ配列とデータベース配列のローカルアライメント（ギャップを挿入しない）を両側に伸ばしていくことにより，局所的な相同性の検索を行っており，進化的によく保存されているギャップなしのコンセンサス配列やモチーフの検索などに適している．

b. ホモロジーやモチーフによる遺伝子機能予測

配列から機能を予測する方法を大別すると，ホモロジー検索とモチーフ検索の2つに分けることができる．ここでホモロジー検索とは，与えられた未知のゲノム配列をデータベースに蓄積された既知の配列データと1つひとつと比較することにより類似配列を検索する方法で，類似配列として見つかった既知遺伝子の機能をそのまま未知配列に対応づける直接的な機能推定法といえる．しかし，この方法はデータベース中に類似配列が見つからない（ホモロジーが低い）場合や見つかってもそれ自体の機能が未知の場合には適用できない．そこで，データベースから機能的に似ている複数の配列群が共通にもっているパターンを集約したモチーフライブラリー（ある特定の機能などの特徴をもった配列モチーフのライブラリー）をあらかじめ作成し，このライブラリー内で未知ゲノム配列と適合するモチーフを検索することにより，遺伝子の機能予測を可能にするモチーフ検索が有効である．ここで，モチーフ配列の表現法には，共通アミノ酸のパターンを表記したコンセンサス配列だけでなく，配列上の各位置での20種のアミノ酸の出現確率を定量的に表現したプロファイル表現や，プロファイルに残基の挿入・削除の確率を付け加えることにより配列の特徴抽出を強化した確率モデル（隠れマルコフモデル）などがある．また，モチーフ検索を計算機科学の視点から眺めたとき，既知のデータベースからモチーフライブラリーを作成する知識獲得のプロセスは機械学習に相当しており，未知の問合せ配列をモチーフライブラリー内の特徴モデルに対応させることはパターン認識に相当するものと考えられる．したがって，機能・構造予測や次に述べる遺伝子同定では，隠れマルコフモデル（HMM），ニューラルネットワーク（ANN），サポートベクターマシン（SVM）など，パターン認識・学習アルゴリズムの分野で威力を発揮しているツールを用いて研究が進められている．

c. 遺伝子同定

遺伝子同定とは，ゲノム配列中のどこにコード領域やプロモーター領域など生物的意味をもった領域があるのかを予測することである．配列解析で最も重要な問題の1つであり，さまざまな方法を統合した実用的なプログラムが多数つくられている．たとえば，最も確実な方法はコード領域の推

定にホモロジー検索の手法を用いることである．この方法ではもちろんデータベース中に類似配列がない場合には適用できないため，実際にはモチーフ検索的な手法が用いられている．つまり，実験的に確かめられている既知の配列セットを用いて，コード領域と非コード領域の統計的な特徴（コドンの使用頻度，3塩基周期性など）を抽出したり，プロモーターやターミネーターといった遺伝子制御領域の配列の特徴を抽出したりして，これらを統合的に解析してコード領域の同定を行う．古典的な方法として，これらの特徴の組合せをニューラルネットにパターン認識させるGRAIL法がある．実際問題として，高等生物では複雑なスプライシングがあるため，ゲノム配列からすべてのコード領域を完全に予測することは不可能に近い．そこで，ゲノムDNA配列にメッセンジャーRNA配列（あるいは部分配列のEST配列）を重ね合わせることが盛んに行われている．

d. 蛋白質立体構造予測

X線結晶解析やNMRによる蛋白質立体構造データの増大と，立体構造予測法の精度の向上により，ゲノム配列から立体構造予測を通して機能の手がかりを得るアプローチが実現されつつある．蛋白質の立体構造予測は，既知の立体構造データを参考にする比較モデリング法と，立体構造データを直接的には使わない $ab\ initio$（アブイニシオ）法に分類することができ，それぞれにさまざまな方法が提案されている．前者の1つであるホモロジーモデリングでは，構造未知の配列が与えられたとき，立体構造データベースの中に高い配列ホモロジーをもつものがあった場合，その立体構造をもとにモデリングする．有意な配列ホモロジーがない場合でも，スレッディング法では，たとえば立体構造中でどのアミノ酸のペアがどれだけ離れた場所に存在しやすいかというような情報をポテンシャル関数化（スコア関数化）し，スコアが最も高い立体構造（フォールド）を探すことにより構造推定を行うことができる．最近では，スレッディングのように複雑なスコア関数をつくらなくてもPSI-BLASTと呼ばれる配列のモチーフを自動的に探す方法で，立体構造予測が非常にうまくいくことが示されている．一方の $ab\ initio$ 法では，ペプチドフラグメントのライブラリーから出発するBakerの方法が圧倒的に優れている．

e. ポストゲノム時代の新しい遺伝子機能予測

ポストゲノム解析では，「単一蛋白質分子の働きを遺伝子の機能とする」これまでの視点に対して，新しい視点として「遺伝子どうしの機能的つながり」の解明が急務であり，さまざまな新手法が開発されている．新しい実験手法には，蛋白質-蛋白質相互作用をゲノム規模で網羅的に測定する酵母ツーハイブリッド法やDNAマイクロアレイを用いたmRNA発現解析法などがあげられる．また，計算により遺伝子間の機能的つながりを解析する方法として，系統樹プロファイル法，ロゼッタストーン法，遺伝子近傍法などが提案されており，従来の配列相同性にもとづく機能予測の限界を乗り越える威力を発揮している．たとえば，系統樹プロファイル法では，ゲノム配列が解読された一群の生物種すべてについて特定蛋白質の有無のパターンを系統樹プロファイルとして表現し，同一の系統樹プロファイルをもつ（つまり有無のパターンが同一である）蛋白質は機能的なつながりがあるものと推定する．また，ゲノム比較により蛋白質ドメインの融合パターンの解析を行うロゼッタストーン法では，ある生物種では別々の蛋白質（AとBとする）が，他の生物種で1つの融合蛋白質として発現するとき，2つのドメインAとBは機能的にほぼ確実につながりがあるとみなす．さらに，もし2つの遺伝子が何種かの

ゲノム上で近傍にある（オペロンを構成する）場合には，それらがコードする2つの蛋白質には機能的なつながりがあるとする遺伝子近傍法は，原核生物の解析に有効である．

f. 遺伝子機能ネットワーク

これまで示してきた新しい手法によって同定された蛋白質どうしの機能的つながりを相互に連結することで，関連する遺伝子の機能ネットワークが構築できる．これにより，実験的に明らかになった蛋白質とのつながりから，未知の蛋白質の細胞内での機能が解明されることも少なくない．また，この遺伝子機能ネットワークは細胞内での遺伝子の動的な働きも反映しており，やがては細胞機能のより深い理解をもたらしてくれるはずである．遺伝子機能ネットワークは具体的には，代謝経路やシグナル伝達経路をはじめとした分子間相互作用ネットワーク，遺伝子発現制御ネットワーク，分子複合体などを反映したものがあり，これらに関する知識を蓄積したデータベースとしてKEGG（Kyoto Encyclopedia of Genes and Genomes; http://www.genome.ad.jp/kegg/）がある．KEGGは，現在，集積が猛スピードで進む分子間相互作用の単なる知識ベースの構築に止まらず，真の生体機能予測ともいえる細胞のネットワーク予測が視野に入れられており，ポストゲノムにおけるゲノム解析の先駆的データベースとして大いに期待できる．

〔奥野恭史・金久　實〕

[文献]

1) 金久　實：ポストゲノム情報への招待，共立出版，2001.
2) Kanehisa, M.: Post-genome Informatics, Oxford University Press, 2000.
3) Durbin, R. et al.: Biological Sequence Analysis, Cambridge University Press, 1998.
4) Eisenberg, D. et al.: Protein function in the post-genomic era, Nature **405**, 823-826, 2000.
5) Baker, D. and Sali, A.: Protein structure prediction and structural genomics, Science **294**, 93-96, 2001.

第3章　脂質二重層，モデル膜

3.0 〈総論〉膜のモデルシステム

生体膜の役割を考えるとき，SingerとNicolson[1]が提唱した流動モザイクモデルは，多くの研究者が長いことこれに基づいて考えてきた．これは，蛋白質が一様な液体無秩序相（liquid-disordered phase：ld）にある脂質2分子膜中あるいは膜上にあって動き回っているというモデルである．一方，脂質2分子膜を構成する脂質分子には多種類あり，生体膜によって構成成分が違っており，それぞれの脂質分子がもつ多様な性質が生体膜の機能発現において重要な役割を果たしていると考えられている．すなわち，生体膜とイオンや蛋白質の間に働く静電相互作用，生体膜中にあるコレステロール分子の役割，細胞内側と外側の脂質構成成分の違いなど，脂質分子集合体の性質は多様な側面をもっている．

生体膜中で細胞内情報伝達分子が集まる領域として，スフィンゴ脂質とコレステロールを主成分とする2分子膜から成る領域が重要な役割を果たすと指摘されている．これまでのいわば漠とした流動モザイクモデルにおける蛋白質部分に代わって，蛋白質はラフト（図3.0.1（a））やカベオラ（図3.0.1（b））と呼ばれる領域の上に乗って細胞内選別輸送に関与しているという考え方がでてきた[2〜5]．このような領域としては，歴史的にはカベオラの存在がはじめに発見され，後になってラフトの存在

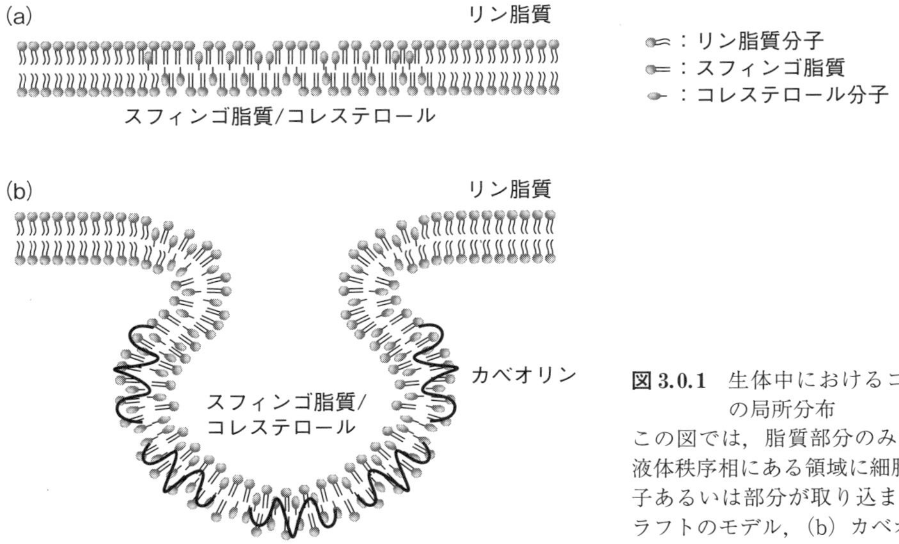

図3.0.1 生体中におけるコレステロールの局所分布

この図では，脂質部分のみが示してある．液体秩序相にある領域に細胞内情報伝達分子あるいは部分が取り込まれている．（a）ラフトのモデル，（b）カベオラのモデル．

が発見されたので，この2つを区別して扱うこと多いが，機能からするとラフトの1つの形態をカベオラとして扱うことが多くなってきている．したがって，ここではまずラフトについて述べることにする．スフィンゴ脂質とコレステロールから成る液体秩序相（liquid-ordered phase：lo）の領域中に細胞内情報伝達分子が集まってラフトを形成している．このモデルでは液体無秩序相の脂質2分子膜中を液体秩序相から成るラフトが動き回っている．液体無秩序相はホスファチジルコリン（PC），ホスファチジルエタノールアミン（PE），ホスファチジルセリン（PS）などのリン脂質から成っている．一方，液体秩序相はスフィンゴ脂質，コレステロールなどから成っている．ラフトを構成する細胞内情報伝達分子あるいは部分としては，DIG（detergent-insoluble glycolipid-enriched domain），DRF（detergent-resistant fractions），GEM（glycolipid-enriched membrane），TIFF（triton-insoluble floating fraction）などがあり，多様な機能をもつ．カベオラは50から100 nmの大きさのフラスコ状構造をし，まわりに蛋白質caveolinがついて構造が保たれている．カベオラはラフトと同様にスフィンゴ脂質とコレステロールを主成分とする液体秩序相（lo）で形成されている．

次にラフトやカベオラの構造形成において重要な役割を果たしている液体無秩序相（ld），液体秩序相（lo）などについて，相図に基づいて説明する．脂質とコレステロールから成る系の相図は，はじめにジパルミトイルホスファチジルコリン（DPPC）およびジミリスイルホスファチジルコリン（DMPC）において詳しく研究された．一般に，脂質2分子膜にコレステロール（Chol）を加えていくと，固体相（so）での分子の側方拡散を速くし，液体相（ld）では遅くする．このように，コレステロールは脂質2分子膜の動的状態に対して二様効果（dual effect）を示す[6]．二様効果とは，固体相（すなわち，ゲル相）ではコレステロールは炭化水素鎖の充填構造を乱し脂質分子の膜中での流動性を促進する働きをし，液体相（すなわち，液晶相）では乱れた炭化水素鎖間のひずみを緩衝することによって反対に充填構造の乱れを抑え流動性を抑制する働きをし，コレステロールは脂質膜の状態に応じて，流動性を促進したり抑制したり二重の役割を果たすことを意味する．また，脂質2分子膜にコレステロールを入れていくと，コレステロールの割合が約20 mol％を越えると，膜の性質が大きく変わる．脂質/コレステロール系のDSC測定（示差走査熱量測定）における吸熱曲線として，DPPC/Chol系およびDMPC/Chol系の場合を見ると，DPPC/Chol系ではコレステロール濃度が増すにつれて，固液相転移温度における吸熱曲線は微細構造をもつものの約20 mol％で鋭いピークは消え，ブロードなピークは約50 mol％で消える．一方，DMPC/Chol系では，コレステロール濃度がほぼ20 mol％に達すると，固液相転移温度での異常は消失する．

脂質/コレステロール系の相図は，DSC測定，重水素核磁気共鳴，電子スピン共鳴等を用いて，研究されている．ここでは，DPPC/Chol系において，VistとDavisが重水素核磁気共鳴実験などに基づいて提案している相図に対して，Ipsenら[7]がそれぞれの相の性質を理論的に検討した結果を図3.0.2に示す．図中，soは秩序固体相（solid ordered phase）である．ldおよびloは上で述べたとおりである．一般に，脂質2分子膜のとる相では，soはゲル相およびldは液晶相と呼ばれている．コレステロール濃度が高いときに現れる相が脂質/コレステロール系において特徴的な相である．すなわち，液体秩序相（lo）である．これは，コレステロールが液晶相で乱れた炭化水素鎖間を緩衝し充填構造を促進する

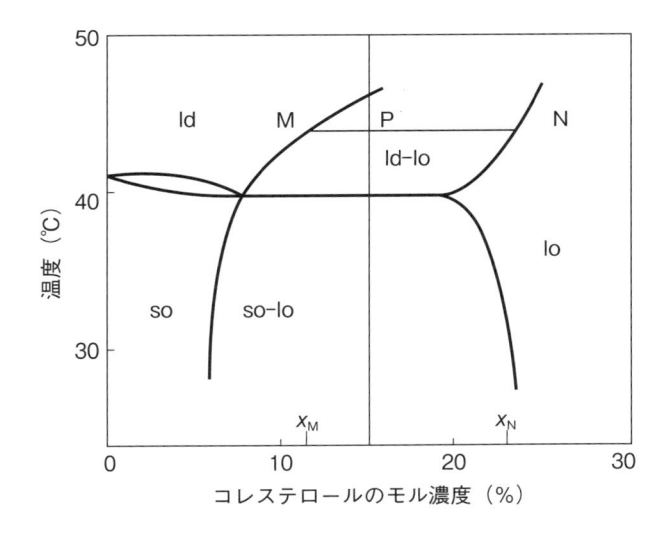

図 3.0.2 脂質とコレステロールから成る系の相図

方向に働くという二様効果について相図の上で示したことにほかならない.図 3.0.2 のコレステロール濃度 15 mol% 上で考えると,P点ではコレステロール濃度が高いすなわち流動性の低い $x=x_N$ の成分の領域(lo)の大きさが MP に比例し,コレステロール濃度が低いすなわち流動性の高い $x=x_M$ の成分の領域(ld)の大きさが PN に比例する.したがって,ld と lo の 2 相共存状態にあって,側方相分離を起こし,流動性の高低 2 種類の特性をもつドメイン構造から成っている.このドメイン構造がラフトの基本的な特性である.ラフトを記述するのに用いられている液体秩序相は歴史的には上のリン脂質(DPPC や DMPC)とコレステロールから成る系においてその存在が示されたが,実際にはスフィンゴ脂質とコレステロールから成る系において出現する相である.生体膜中では,リン脂質は不飽和炭化水素鎖をもち,一方,ラフト中のスフィンゴ脂質は飽和炭化水素鎖から成っている.上のリン脂質/コレステロール系の相図の研究では飽和炭化水素鎖から成っているリン脂質が用いられている.したがって,この相図の考え方は,まさにラフト中のスフィンゴ脂質とコレステロールから成る系に応用できる.

ここで述べたドメインの考え方の他に楠見らのグループが提案している生体膜の裏側に膜骨格として張ったアクチン繊維によって形成されるドメインの考え方があることを指摘しておく[8]. 〔八田一郎〕

[文献]

1) Singer, S. J. and Nicolson. G. L.: The Fluid mosaic model of the structure of cell membranes. *Science* **175**, 720-731, 1972.
2) Simins, K. and Ikonen, E.: Functional rafts in cell membranes. *Nature* **387**, 569-572, 1997.
3) Galbiati, F., Razani, B. and Lisanti, M. P.: Emerging themes in lipid rafts and caveolae. *Cell* **106**, 403-411, 2001.
4) Marx, J.: Caveolae: A Once-elusive structure gets some respect. *Science* **294**, 1862-1865, 2001.
5) 八田一郎,村田昌之:生体膜のダイナミクス(シリーズ・ニューバイオフィジックス II-4),共立出版,pp. 20-138, 2000.
6) 大西俊一:生体膜の動的構造(第 2 版),(UP バイオロジー),東京大学出版会,pp. 89-96, 1993.
7) Ipesen, J. H. *et al.*: Phase equilibria in the phosphatidylcholine-cholesterol system. *Biochim. Biophys. Acta* **905**, 162-172, 1987.
8) Morone, N. *et al.*: Three-dimensional reconstruction of the membrane skeleton at the plasma membrane interface by electron tomography. *J. Cell Biol.* **174**, 851-862, 2006.

I. 脂質膜の構造

3.1 界面活性剤

界面活性剤（surfactant = surface active agent）は，界面に吸着して，その界面の性質を変化させる物質群として定義される．そのような物質を構成する分子は，一般に，界面を形成する物質のそれぞれに部分的に親和性のある部分，すなわち，水系媒質を対象とする場合は，親水性の極性基と非極性の疎水基を1つの分子内にもつ，いわゆる両親媒性分子である．多様な両親媒性分子の中で，比較的水に対する溶解度の高いものが「脂質」などと区別して「界面活性剤」と呼ばれている（surfactant，または，「洗剤」detergent もほぼ同義）．界面活性剤は，それ自身で自己組織化の現象を示す最も単純な分子であり，個々の分子間相互作用と生体系に関連する分子集合との関連を研究するための好適なモデル系である．

図3.1.1に界面活性剤水溶液の模式的な状態図を示す．濃度が十分に低い領域では，界面活性剤は水溶液中で単量体，あるいは完全解離したイオンとして溶解する．濃度が高くなり，ある濃度を超えると，いくつかの分子または両親媒性イオンが協同的に会合してミセルと呼ばれる集合体を形成する．水溶液中でミセルを形成することは界面活性剤の重要な特性の1つである．このミセルが形成される濃度を「臨界ミセル濃度」（critical micelle concentration，略し

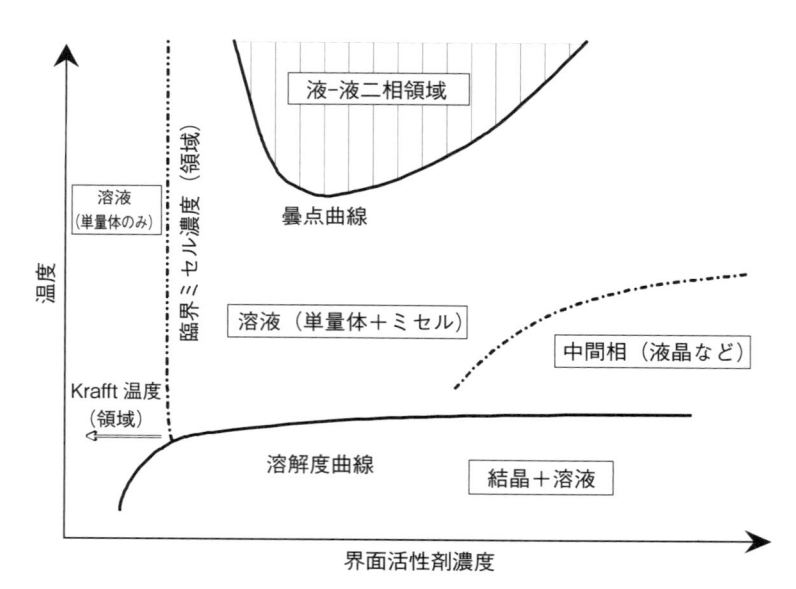

図 3.1.1 界面活性剤水溶液の低濃度領域における状態変化の模式図
一種類の界面活性剤ですべての状態が実現されるとは限らない．曇点（cloud point）は，親水基がポリオキシエチレンである非イオン性界面活性剤にみられる．
クラフト（Krafft）温度は，界面活性剤の溶解度が急激に増大する温度であり，臨界ミセル濃度（cmc）と溶解度曲線の交点の温度に相当する．臨界ミセル濃度，クラフト点ともに濃度，温度に幅をもつため，それぞれは図のある狭い領域を形成している．

てCMC）と呼ぶ．さらに濃度が高くなると，さらに多数の分子が集合し，多様な液晶相などの構造体を形成する．それらの集合体の性質は界面活性剤の種類によってさまざまであり，また温度，無機塩などの添加物の濃度によっても変化する．界面活性剤のもう1つの重要な性質は，水に親和性の低い物質を水媒質に可溶化または安定に分散させる性質である．この性質は，生体関連分野では，脂質や膜蛋白質など，疎水性が高く，そのままでは水に難溶な物質を可溶化させる目的に利用されている．また，界面活性剤は，蛋白質など生体高分子とは，それぞれの分子に特徴的な相互作用を示す．このような界面活性剤の性質は，主にその分子の疎水性部分と親水性部分の性質によって決定される．

a. 界面活性剤の分類

界面活性剤は，主にその分子の疎水性部分と親水性部分の性質によって分類される．主な界面活性剤の分類と官能基を表3.1.1に示す．

疎水基には，直鎖または分岐鎖脂肪族アルキル，アルキルベンゼンなど芳香環を有する，炭化水素系のもの，またそれの水素のうち，一部またはすべてがフッ素に置換されたフッ化炭素系のものなどがある．また，生体由来の重要な界面活性物質である胆汁酸およびその誘導体では，コラン酸骨格の立体化学による非極性分子面が疎水基となっている．親水基によって，水溶液中で荷電をもたない非イオン性，正荷電をもつ陽イオン性，負荷電をもつ陰イオン性，両者をもつが正味の荷電が零となる両イオン性のものに分類される．

b. 各種界面活性剤の特徴
（1） 疎水基の効果

脂肪族炭化水素鎖を疎水基とし，親水基

表 3.1.1 界面活性剤の主な疎水基と親水基

疎水基	親水基	備考
	イオン性	
直鎖または分岐鎖アルキル $CH_3\text{-}(CH_2)_n\text{-}$ アルキルベンゼン $C_nH_m\text{-}\bigcirc$	（陰イオン性） 脂肪酸　$R\text{-}COO^-$ 硫酸エステル　$R\text{-}OSO_3^-$ スルホン酸　$R\text{-}SO_3^-$ リン酸エステル　$R\text{-}OPO_3^-$	対イオンとして，アルカリ金属イオン，トリス塩基などの一価陽イオンまたは，多価イオンを含む．
パーフルオロアルキル $CF_3\text{-}(CF_2)_n\text{-}$	（陽イオン性） 第一級アミン　$R\text{-}NH_2^+$ 第四級アンモニウム　$R\text{-}NR'_3{}^+$ ピリジニウム　$\text{-}N^+\bigcirc$	対イオンとして，ハロゲン化物イオン，カルボン酸などの一価陽イオンまたは，多価イオンを含む．
	（両イオン性） カルボキシベタイン　$N^+(CH_3)_2\text{-}CH_2\text{-}COO^-$ スルフォベタイン　$\text{-}N^+(CH_3)_2\text{-}(CH_2)_3\text{-}SO_3^-$	
	非イオン性	
	ポリオキシエチレン　$\text{-}O(\text{-}C_2H_4O)_n\text{-}H$ ポリアルコール　$\text{-}OH$ （グルコース，マルトースなどの糖およびメチルグルカミドなど）	
	アミンオキシド　$\text{-}N(CH_3)_2 \rightarrow O$ フォスフィンオキシド　$\text{-}P(CH_3)_2 = O$	（酸性pHでは陽イオン性）

3.1　界面活性剤

表 3.1.2 各種界面活性剤の臨界ミセル濃度とアルキル鎖長の関係（式 (1) における係数の値）

陰イオン性界面活性剤	A	B
脂肪酸カリウム	1.92	0.29
硫酸アルキルナトリウム	1.51	0.3

陽イオン性界面活性剤	A	B
塩化アルキルアンモニウム	1.25	0.27
塩化アルキルトリメチルアンモニウム	1.23	0.33

非イオン性界面活性剤	A	B
ヘキサオキシエチレンアルキルエーテル（C_nE_6）	1.03	0.5
ジメチルアルキルアミンオキシド	3.07	0.48
アルキルグルコシド	2.64	0.53

温度は 25℃．

表 3.1.3 各種イオン性界面活性剤のコリン-ハーキンス式の係数（25℃）

界面活性剤	添加塩	k	l
硫酸ドデシルナトリウム	NaCl	0.67	3.49
ラウリン酸カリウム	KCl	0.57	2.62
塩化ドデシルトリメチルアンモニウム	NaCl	0.63	2.79
塩化ドデシルピリジニウム	NaCl	0.59	2.85

が同種である界面活性剤の CMC（C_1^0）は，その疎水基が大きくなるほど低下する．疎水基が脂肪族アルキル鎖であるものについては，一定温度で，そのアルキル鎖を構成する炭素数（m）と次の関係があることが知られている．

$$\log C_1^0 = -Am + B \quad (1)$$

ここで，係数 A および B は，界面活性剤の親水基が同一であれば一定である．主な界面活性剤の同族列による値を表 3.1.2 に示す．これらの係数は水による炭化水素への溶媒和の熱力学的性質を反映するものである．

(2) 親水基の効果

イオン性界面活性剤：親水基がイオンに解離する界面活性剤のミセルは，対イオンを一部結合したイオン性ミセルを形成する．そのためイオン性界面活性剤の CMC は，共存する対イオン濃度を C_s とすると，

$$\log C_1^0 = -k\log(C_1^0 + C_s) - l \quad (2)$$

の式に従って変化する．ここで k および l はイオン性界面活性剤の種類によって決まる正の定数である．すなわち，対イオン濃度が高くなるにつれ，CMC は急激に減少する．この関係はコリン-ハーキンス（Corrin-Harkins）の関係と呼ばれている．表 3.1.3 に，主なイオン性界面活性剤と対イオンの組についての各係数の値を掲げた．このように，イオン性界面活性剤の，クラフト温度，CMC などのミセル形成に関する性質および，他の分子との相互作用に関する性質は，対イオンの濃度および種類に依存して変化する．したがって，イオ

表 3.1.4　各種非イオン性界面活性剤の性質（25℃）

	単量体分子量	CMC (mM)	CMC (gL^{-1})	ミセル会合数	偏比容 (cm^3/g)	比屈折率増分 (cm^3/g)
n-ヘキシル-β-グルコシド	264.3	250	66.1	—	—	—
n-オクチル-β-グルコシド	292.4	25.4	7.43	85	0.867	0.141
n-デシル-β-グルコシド	320.4	1.6	0.51	—	0.809	—
n-デシル-β-マルトシド	482.7	1.60	0.77	—	0.775	—
n-ドデシル-β-マルトシド	510.7	0.15	0.08	100	0.820	0.145
n-オクタノイル-N-メチルグルカミド	321.5	74.2	23.9	20	0.838	—
n-ノナノイル-N-メチルグルカミド	335.5	24	8.05	40	0.856	—
n-デカノイル-N-メチルグルカミド	349.5	6.8	2.38	80	0.871	—
ヘキサオキシエチレンオクチルエーテル（C_8E_6）	394.6	9.90	3.91	—	0.963	0.130
ヘキサオキシエチレンドデシルエーテル（$C_{12}E_6$）	450.7	0.095	0.043	—	0.989	0.136
オクタオキシエチレンドデシルエーテル（$C_{12}E_8$）	538.8	0.11	0.059	—	0.973	0.134

ン性界面活性剤が関与する実験系は電解質の種類と濃度とともに理解すべきである．

非イオン性界面活性剤：親水基が電解質ではないため，界面活性剤としての性質には，それぞれの親水基の個別の性格が反映する．非イオン性界面活性剤は，イオン性の界面活性剤に比べて，蛋白質などの生体分子に対しては作用が一般に穏やかであるとされ，生体膜などの可溶化や膜蛋白質の結晶化など，水には直接溶解しない生体成分の研究に用いられている．可溶化に際して，非イオン性界面活性剤は目的分子との複合体に過剰な電荷を付与しないため，生体分子の実験的な特性評価が比較的容易である．主な非イオン性界面活性剤の性質を表 3.1.4 に示す．

c. ミセル形成について（質量作用モデルと相分離モデル）

界面活性剤などの分子集合，すなわちミセルの形成は，一般的には，単量体とn-量体が平衡にある逐次会合系である．

$$nM_1 \rightleftharpoons M_n \quad a_n = K_n a_1^n \quad (n = 1 \cdots \infty)$$

この会合定数，K_n は会合数 n の関数であり，会合数の分布を定める．このような，ミセル形成を化学反応として取り扱う方法は「質量作用 (mass-action) モデル」と呼ばれている．そのためにミセルのサイズは一定の分布をもつ．ただし，一般の界面活性剤のミセル形成では，会合定数 (K_m) が，ある特定の会合数に鋭い極大をもち，きわめて協同性の高い挙動を示すことが特徴的である．多くの場合，一定の会合数のミセルのみが形成されるものと近似できる．ある平均の会合数を m とすると，ミセル濃度 (C_m) は，単量体濃度を (C_1) として，

$$C_m = \bar{K}_m C_1^m \qquad (3)$$

と表すことができる．一般にミセル会合数は界面活性剤濃度に伴って増大する．ミセルの形状は CMC の近傍では球状であると考えられるが，濃度の高い領域では，棒状ミセルなど，さらに高次の集合体が共存するようになる．

ミセルの会合数は，多くの場合 10^2 の程度と比較的大きい数であるため，有意の濃度のミセルが形成される濃度以上では，単量体濃度はほとんど一定となる．したがって，ミセル形成を一種の相分離と考えることができる．集合体中の界面活性剤の化学ポテンシャル (μ_m) が定義できるとすれば，ミセルが存在する条件では，

$$\mu_1 = \mu_1^0 + RT \ln C_1^0 = \mu_m \qquad (4)$$

の平衡が成り立つと考えることができる．このような取り扱いを擬相分離モデル（pseudo-phase separation model）と呼ぶ．ミセル濃度が高く，会合数の変化をあらわに扱わない場合には有用な近似である．上の式は，$\ln C_1^0 = (\mu_m - \mu_1^0)/RT$ と表され，この近似では上の式の C_1^0 は CMC に一致することから，CMC は，ミセル化，すなわち界面活性剤分子の自己集合の自由エネルギー変化の目安とされる．

2種類以上の界面活性剤分子種が存在する場合には，「混合ミセル」が形成される．このような場合に各成分の CMC，$C_i(x_i)$ は，それぞれの純粋なミセル溶液における CMC を，$C_i^0(x_i)$ 混合ミセルにおけるその成分のモル分率を x_i とすると次式で表される．

$$C_i = C_i^0 x_i \exp[w(1-x_i)^2] \quad (i = 1, 2 \cdots) \tag{5}$$

ここで，w は2成分正則溶液論の相互作用パラメータと同種の定数であり，通常の炭化水素を疎水基とする界面活性剤相互の場合，負の値をとる．したがって，たとえば，CMC が低い分子種が少量混在すると混合系全体の CMC は顕著に低下する．界面活性剤を用いる実験で再現性のよい結果を得るためには，用いる標品に存在する不純物の種類・量を厳しく制御する必要がある．

〔亀山啓一〕

[文献]
1) 日本化学会編：コロイド科学II——会合コロイドと薄膜——，東京化学同人，1996．
2) 池田勝一：コロイド化学，裳華房，1986．
3) Tanford, C.: Hydrophobic effect: Formation of micelles and biological membranes (2nd Ed.), John Wiley & Sons, 1980.
4) Degiorgio, V. and Corti, M. (eds.): Physics of Amphiphiles: Micelles, Vesicles and Microemulsions, North-Holland, 1985.
5) Moroi, Y.: Micelles: Theoretical and Applied aspects, Plenum Press, 1992.

3.2 脂　　質

脂質は，蛋白質，核酸，多糖とともに生体を構成している基本的な物質群の総称で，水に溶けにくく有機溶媒に溶けやすいという共通の性質を有する．蛋白質，核酸，多糖とは異なりポリマーではないが，疎水性相互作用によって水中では凝集できる．脂質という言葉からは栄養素としての性格が連想されやすく蛋白質や核酸と比較して重要度が低くみられてきたが，生体膜を構成する重要成分であるとともに情報伝達や病因と深い関係があることから最近注目を集めている物質群である．その構造は多様であり，分類の方法も1つではなく，また，人によってその言葉が包含する範囲が若干異なる．広義にはステロイド，カロテノイド，テルペノイドを含むが，通常はこれらを除いて考えることが多い．最も一般的な分類では，脂質はその構成成分から単純脂質と複合脂質，および加水分解産物で水に不溶の脂肪酸のような誘導脂質の3つに大別できる（表3.2.1）．

脂肪酸は長い炭化水素鎖をもつカルボン酸であり，通常は各種脂質中にエステルの形で存在する．脂肪酸は炭化水素鎖に二重結合が存在するか否かによって飽和脂肪酸と不飽和脂肪酸に分類できる．動植物の脂肪酸の半分以上は不飽和脂肪酸で，酸化されて過酸化物を生じやすい．飽和脂肪酸では炭化水素鎖が16のパルミチン酸，18のステアリン酸，また不飽和脂肪酸では炭化水素鎖が18で二重結合が1つのリノール酸，2つのリノレン酸，炭化水素鎖が20で二重結合が4つのアラキドン酸が多く存

表 3.2.1　脂質の分類

	疎水性基	親水性基
Ⅰ．単純脂質	脂肪酸，アルコール	
Ⅱ．複合脂質		
1) グリセロリン脂質	グリセリド	リン酸エステル
2) スフィンゴリン脂質	N-アシルスフィンゴシン	リン酸エステル
3) グリセロ糖脂質	グリセリド	糖
4) スフィンゴ糖脂質	N-アシルスフィンゴシン	糖
Ⅲ．誘導脂質 （脂質の加水分解産物で水に不溶のもの）		

在する．

a. 単純脂質

単純脂質は炭素（C），水素（H），酸素（O）から構成され，構造的には脂肪酸と各種アルコールのエステルである．アルコールとして三価のグリセロールを考えた場合，エステル化の程度によってモノ-, ジ-, トリ-アシルグリセロールが存在する．ろう（脂肪酸と高級一価アルコールとのエステル），コレステロールエステルなども単純脂質である．トリアシルグリセロールはエネルギーの貯蔵体として動物の脂肪組織に存在する．

b. 複合脂質

複合脂質は CHO からなる脂肪酸およびアルコールのほかに窒素（N）やリン（P）等を含むもので，生体膜の構成成分として重要である．また，その分解産物も重要な生理活性を有していることから，脂質の中でも最も関心がもたれている．複合脂質は疎水性部分に加えて親水性部分を有しており，両親媒性を示すことから極性脂質とも呼ばれる．この両親媒性が生体膜形成において重要な役割を果たす．

複合脂質はさらに，親水性基に注目した場合はリン脂質と糖脂質に分類でき，疎水性骨格に注目した場合はグリセロ脂質とスフィンゴ脂質に分類できる．したがって，それらを合わせて，①グリセロリン脂質，②スフィンゴリン脂質，③グリセロ糖脂質，④スフィンゴ糖脂質の4つに大別することが一般的である．このほか，量は少ないものの，リン酸エステルやホスホン酸の代わりに硫酸エステルやスルホン酸になったスルホリピドやスルホノリピドも存在する．

(1) グリセロリン脂質

生体に最も多量に存在する複合脂質はグリセロリン脂質である．グリセロリン脂質は図 3.2.1(a) の基本構造を有し，親水性部の構造によってホスファチジン酸（PA），ホスファチジルコリン（PC，別名レシチン），ホスファチジルエタノールアミン（PE），ホスファチジルセリン（PS），ホスファチジルグリセロール，ジホスファチジルグリセロール（別名カルジオリピン），ホスファチジルイノシトール（PI）等がある．中性溶液中における極性基の H^+ あるいは OH^- の解離の様子から，PC, PE のような中性リン脂質と PA, PS のような酸性リン脂質に分類することもできる．PC は動物に最も多量に存在するリン脂質であるが，細菌にはほとんどない．PE や PS も一般的なリン脂質であるが，細菌から動物まで広く存在する．PA は膜にはほとんど存在しない．

疎水性部位に注目した場合，グリセロールの1位と2位のアシル基の脂肪酸の構造は長さや不飽和度の違いにより多様である．すなわち，グリセロリン脂質には親水性基の多様性と疎水性脂肪酸側鎖の多様性を掛け合わせた多様な分子種が存在するこ

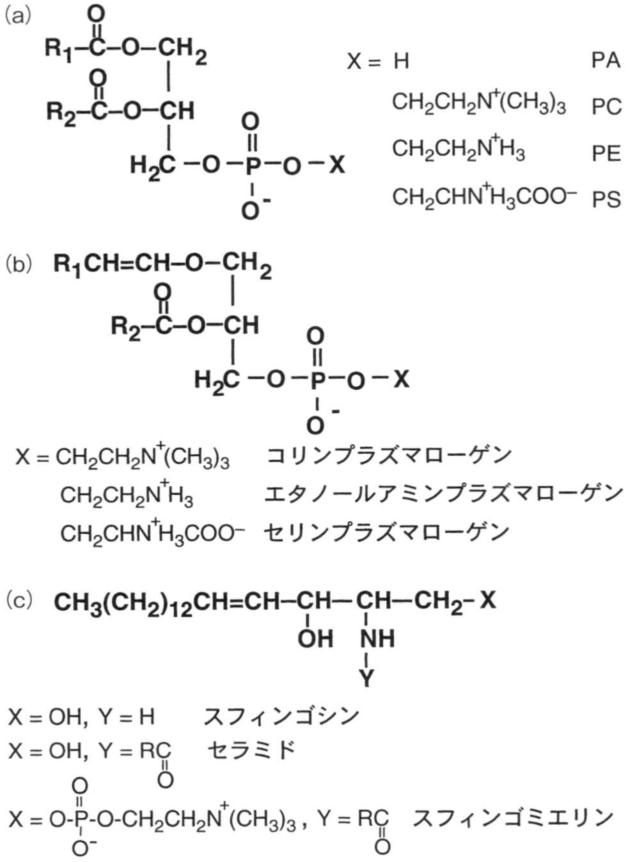

(a)
$R_1-C(=O)-O-CH_2$
$R_2-C(=O)-O-CH$
$H_2C-O-P(=O)(O^-)-O-X$

X = H	PA
$CH_2CH_2N^+(CH_3)_3$	PC
$CH_2CH_2N^+H_3$	PE
$CH_2CHN^+H_3COO^-$	PS

(b)
$R_1CH=CH-O-CH_2$
$R_2-C(=O)-O-CH$
$H_2C-O-P(=O)(O^-)-O-X$

X = $CH_2CH_2N^+(CH_3)_3$	コリンプラズマローゲン
$CH_2CH_2N^+H_3$	エタノールアミンプラズマローゲン
$CH_2CHN^+H_3COO^-$	セリンプラズマローゲン

(c) $CH_3(CH_2)_{12}CH=CH-CH(OH)-CH(NH-Y)-CH_2-X$

X = OH, Y = H	スフィンゴシン
X = OH, Y = RC(=O)	セラミド
X = $O-P(=O)(O^-)-O-CH_2CH_2N^+(CH_3)_3$, Y = RC(=O)	スフィンゴミエリン

図 3.2.1 脂質の構造
(a) 代表的なグリセロリン脂質
(b) プラズマローゲン
(c) スフィンゴ脂質

とになる．このような多様性の存在が脂質の大きな特徴の1つであり，生体における脂質の役割を理解する上で忘れてはならない．図 3.2.1(b)のように，グリセロールの1位への疎水性側鎖の結合がエステルではなくエーテル結合をもつプラズマローゲンと呼ばれる一群のリン脂質もある．プラズマローゲンは主として脳，心臓の組織やヒトの赤血球に多い．

(2) スフィンゴ脂質

図 3.2.1(c)のような C_{18} アミノアルコール誘導体のスフィンゴシンを基本骨格にもつスフィンゴ脂質は細胞膜の構成成分であり，下等動物から高等動物に至るまで広く分布している．グリセロ脂質と比較してリパーゼなどに対して抵抗性が高い．スフィンゴリン脂質であるスフィンゴミエリンは脳をはじめとして広く臓器組織に存在するが，下等動物には少ない．頭部が糖残基1個だけのセラミドであるセレブロシドやオリゴ糖（シアル酸残基を1個以上含む）がついたセラミドであるガングリオシドのようなスフィンゴ糖脂質は主に細胞表面に存在する．ガングリオシドは受容体になったり細胞認識に関与したりすることにより組織の成長や分化に関与している．

c. 誘導脂質と情報伝達

近年，脂質そのものあるいは脂質の分解産物が細胞情報伝達において鍵になる物質であることがつぎつぎと明らかにされてきた．アラキドン酸のようなエイコサポリエン酸から生合成されるプロスタグランジンやロイコトリエンはさまざまな生理活性を

有する．ホスファチジルイノシトール関連脂質も情報伝達物質として働いている．ホスファチジルイノシトール 4, 5-二リン酸（PIP$_2$）のホスホリパーゼCによる分解によりジアシルグリセロールとイノシトール 1, 4, 5-三リン酸（IP$_3$）が生じる．ジアシルグリセロールはプロテインキナーゼCを活性化することにより一連の細胞内情報伝達系路を活性化して細胞増殖や発癌に重要な役割を果たしている．一方，IP$_3$は小胞体からのカルシウムイオンの遊離を引き起こすことにより細胞内カルシウム濃度の調節に重要な役割を果たしている．また，基質であるPIP$_2$そのものも情報伝達物質であることがわかっている．さらに最近，前駆体リン脂質が加水分解を受けた産物であるリゾホスファチジン酸，スフィンゴシン一リン酸，あるいは2-アラキドノイルグリセロールのような脂質の特異的受容体が発見され，これらリゾリン脂質性メディエーターに多彩な生理活性があることがわかってきた． 〔安西和紀〕

[文献]

1) ヴォート, D. et al.（田宮信雄他訳）：ヴォート基礎生化学，東京化学同人，2000.
2) Ansall, G. B. et al. (ed.) : Form and Function of Phospholipids, Elsevier, 1973.
3) Chong, L. and Marx, J. : Lipids in the limelight. Science **294**, 1861, 2001.
4) 清水孝雄，新井洋由編：脂質研究，実験医学増刊，羊土社，2005.

3.3 コロイド，ミセル，エマルション，逆ミセル

分散媒中に分散質の小粒子が分散している分散系は分子分散系，コロイド分散系，粗大分散系に分類される．粒子の大きさが数 nm から数百 nm の範囲のものがコロイド分散系と呼ばれる．分散粒子の縦・横・高さの3方向がいずれもコロイド次元のものを粒状コロイドという．界面活性剤が形成するミセルなどの会合コロイドは粒状コロイドの代表である[1]．コロイドはその小ささから，界面原子あるいは分子の割合が大きく，コロイドの安定性および機能は界面の性質によって決定される．

界面活性剤は1つの分子中に，SO_4^{-2}などの親水基とアルキル基のような親油（疎水）基をもつ両親媒性物質の代表である．界面活性剤は気液界面や油水界面に親水基を水相に向け吸着し，表面張力や界面張力を下げる．溶液中の濃度Cの変化による表面張力γの変化と表面過剰吸着量Γの関係は，ギブスの吸着式で表せる．

$$\Gamma = -RT\partial\gamma/\partial \ln C \qquad (1)$$

溶液中ではミセルを形成し，モノマー，界面吸着分子と平衡状態にある．界面活性剤が水中で会合体を形成し始める濃度を臨界ミセル濃度（CMC）という．界面活性剤溶液の性質はCMCで，表面張力，モル電気伝導率，可溶化量などの急激な変化を示す[1]．

界面活性剤のミセル形成は疎水相互作用により形成される．CMCの温度変化から，ミセル形成のエンタルピー変化，エントロピー変化が求められる．その特徴はエンタルピー変化は小さく，正のエントロピー変

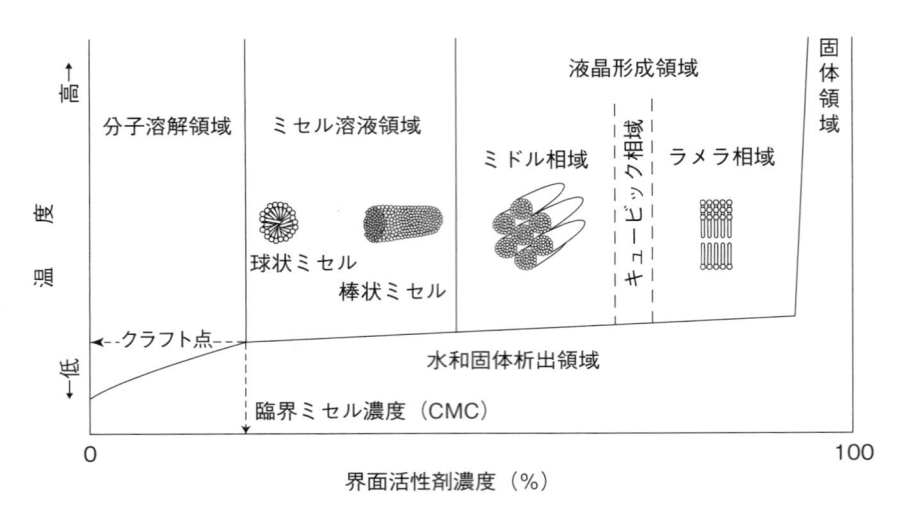

図 3.3.1 イオン性界面活性剤-水二成分系の状態図（概念図）
種々の分子集合状態
（日本化学会編：現代界面コロイド化学の基礎, 丸善, p.43, 1997）

化が負の自由エネルギー変化に大きく寄与している．これは疎水基のまわりの氷状構造の水がミセル形成に伴い離れ自由水となるためである．ミセル形成の理論として，相分離モデル，質量作用モデル，多重平衡モデルがある．

界面活性剤の溶存状態は濃度と温度により変化する．図3.3.1にイオン性界面活性剤の溶存状態を模式的に示す．分子溶解領域では単体モノマーとして存在し，CMC以上でミセル溶液領域となる．さらに濃度が増加すると，液晶形成領域となり，ミドル相，キュービック相，ラメラ相が形成されるようになる．分子溶解曲線，臨界ミセル濃度線，水和固体とミセル転移線との三重点はクラフト点と呼ばれる．イオン性界面活性剤では，対イオンや共存するイオンの種類によってもクラフト点やCMCが変わる．アルキルベンゼンスルホン酸ナトリウムのように，濃度が増加するとミドル相液晶を通らずラメラ相液晶に変化する場合もある[2]．

式（2）の臨界充塡パラメータCPPを用い，Israelachviliは脂質の形状と会合体の構造との関係を提案した[3]．これを界面活性剤にも拡張適用して図3.3.2に示す[2]．

$$CPP = v/a_0/l_c \qquad (2)$$

v, a_0, l_c は図中に示される量である．CPP<1/3の大きな親水性頭部を有するイオン性界面活性剤は水中で球状ミセルを形成し，1/3<CPP<1/2の小さな頭部を有する単鎖界面活性剤は棒状ミセルを形成すると予測される．CPP>1の小さな頭部を有する二本鎖界面活性剤は，油中に分散した逆ミセルを形成する．大きな頭部を有する二本鎖界面活性剤やリン脂質は1/2<CPP<1であり，2分子層からなるベシクルを形成し，CPPが1に近づくに従い平面状2分子層を形成する．このように，界面活性剤はリン脂質と異なりミセル，逆ミセルなどの非二重膜構造を形成する．しかしながら，CPPによる集合構造の予測は，図3.3.1に示されるような濃度変化による会合体構造の変化は説明できない．

水と油のように混ざり合わない2液体に界面活性剤（乳化剤）を添加し界面張力を下げると，一方が液滴として分散したエマルションが形成される．液滴を分散相（不連続相），まわりの液体を分散媒（連続相）という．液滴の粒径は0.2〜50 μmであり，

界面活性剤	臨界充填パラメータ $v/a_0/l_c$	臨界充填形	形成される構造
大きな頭部をもつ単鎖脂質界面活性剤： 　低塩濃度におけるSDS	<1/3	円錐 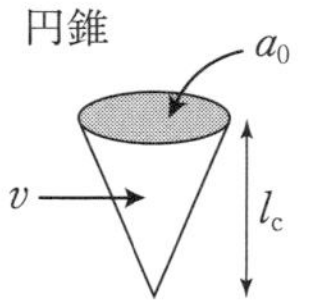	球状ミセル 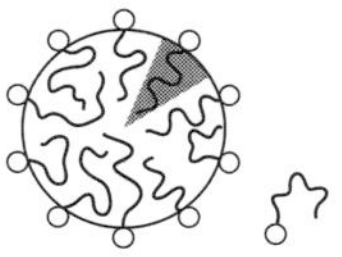
小さな頭部をもつ単鎖界面活性剤： 　高塩濃度中のSDSおよびCTAB，非イオン脂質界面活性剤	1/3～1/2	切頭円錐 	円筒状ミセル 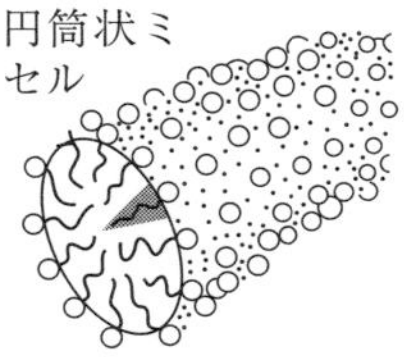
大きな頭部をもつ二本鎖界面活性剤，液体状鎖界面活性剤： 　ホスファチジルコリン（レシチン） 　ホスファチジルセリン 　ホスファチジルグリセロール 　ホスファチジルイノシトール 　ホスファチジン酸 　スフィンゴミエリン，DGDG*1 　ジヘキサデシルリン酸 　ジアルキルジメチルアンモニウム塩	1/2～1	切頭円錐 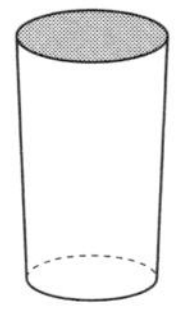	屈曲性2分子層，ベシクル 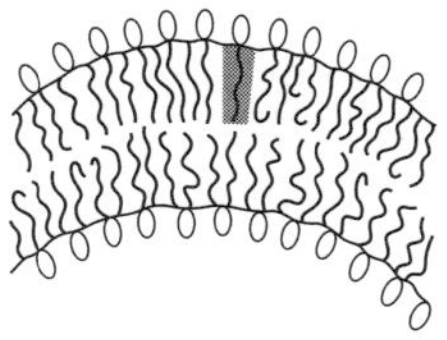
小さな頭部をもつ二本鎖界面活性剤，高塩濃度中のアニオン界面活性剤，飽和凍結鎖界面活性剤： 　ホスファチジルエタノールアミン 　ホスファチジルセリン＋Ca^{2+}	～1	円筒 	平面状2分子層 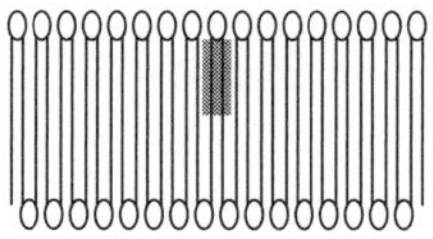
小さな頭部面積をもつ二本鎖界面活性剤，非イオン界面活性剤，ポリ（シス）不飽和鎖，高温： 　不飽和ホスファチジルエタノールアミン 　カルジオピン＋Ca^{2+} 　ホスファチジン酸＋Ca^{2+} 　コレステロール，MGDG*2	>1	逆転した切頭円錐またはくさび 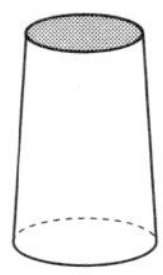	逆ミセル 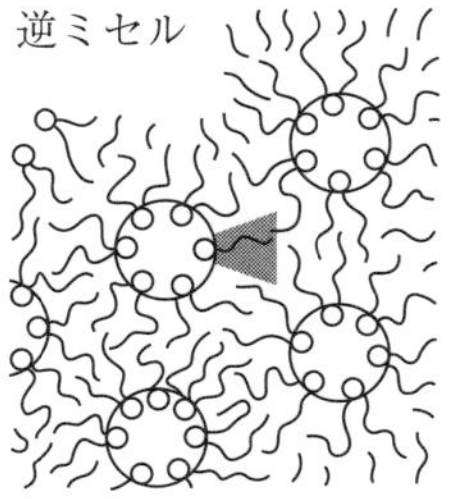

*1 DGDG：ジガラクトシルジグリセリド，ジグルコシルジグリセリド
*2 MGDD：モノガラクトシルジグリセリド，モノグルコシルジグリセリド
（Israelachvili, J.N.（近藤　保，大島広行訳）：分子間力と表面力（第2版），p.369，朝倉書店，1996より一部追加）

図 3.3.2 脂質，界面活性剤分子の充填形状と分子集合体の形態

熱力学的に不安定な系である．水中に油滴の分散している系を水中油滴型（O/W）エマルション，逆に油中に水滴の分散している系を油中水滴型（W/O）エマルションという．さらに，小さな水滴を内包した油滴が水中に分散している系（W/O/W型エマルション），逆に小さな油滴を内包した水滴が油中に分散している系もあり，これらは複合（多相）エマルションといわれる[1]．エマルションの型を決める重要な因子は乳化剤の性質である．水溶性乳化剤を用いるとO/W型となり，油溶性乳化剤を用いるとW/O型となりやすい．これをバンクロフト（Bancroft）の規則という．非イオン性界面活性剤では，親水・親油バランスHLBが8～18のときにはO/W型，HLBが4～6のときにはW/O型が形成される．

水，油，界面活性剤のほかにコサーファクタントとして適度な鎖長のアルコールなどを添加すると透明または淡青色で，低粘性のコロイド分散系が得られる．これはマイクロエマルションといわれる．その分散液滴の大きさは数nmから数十nmであり，エマルションと異なり熱力学的に安定な系である．O/W型，W/O型のほかに，水相および油相がランダムに絡み合ったような共連続型が存在する．イソオクタン/エアゾルOT（AOT）/水系マイクロエマルションのようにコサーファクタントを入れなくてもマイクロエマルションが形成される場合がある．　　　　　〔米勢政勝〕

[文献]
1) 大島広行，半田哲郎編：物性物理化学，南江堂，2000．
2) 日本化学会編：現代界面コロイド化学の基礎，丸善，1997．
3) Israelachvili, J. N.（近藤　保，大島広行訳）：分子間力と表面力（第2版），朝倉書店，1996．

3.4　脂質二重層

リン脂質のような両親媒性分子は，水溶液中では自発的に対称的でシート状の脂質二重層を形成する．各単分子膜（リーフレット）は脂質分子の親水性頭部を水相に接し，疎水性尾部が互いに疎水性相互作用によって並んだ平面構造をとり，この平面構造が疎水性面を接する形で二重層構造をとる（図3.4.1）．各種の測定から，脂質二重層の炭化水素側鎖は合わせて30Åの幅をもち，両端の頭部がさらに15Åを占めていることが示唆されている．つまり，脂質二重層は合わせて約60Åほどの厚さになる．

この脂質二重層は生体膜の基本構造であり，これに膜蛋白質が埋め込まれて生体膜を構成する．細胞および細胞小器官でみられるさまざまな生体膜は特徴的な脂質の組成をもち，ある生体膜では化学的に異なる100種類以上のリン脂質を含む．膜を構成する脂質の組成は，膜の生物学的性質に重要な影響を与える．たとえば，脂質組成は特定の膜蛋白質の活性に影響を与えたり，膜の物理的状態を決めたり，健康や病気にも寄与する．テイ-サックス（Tay-Sachs）病は脳の細胞において特定の脂質（ガングリオシド）の蓄積の結果，死に至る遺伝性の病気であることが知られている．

脂質二重層の最大の特徴は，自発的に閉じて空間を2つに分ける性質にある．脂質二重層がシート状になると端に位置している分子の疎水性中心部が水相と接触して熱力学的に不安定な状態になるので，二重層は端がなくなるように自発的に閉じた構造をとる．つまり，脂質二重層は連続でとぎ

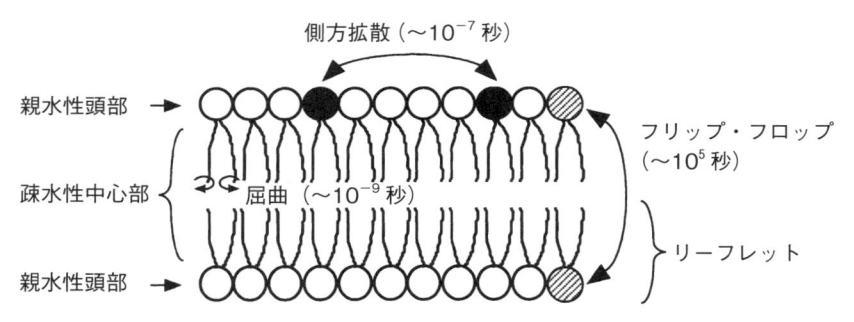

図 3.4.1 脂質二重層の模式図と膜中の脂質分子の運動様式
リン脂質分子は水中で自発的に二重層構造をとる．膜中でリン脂質分子の側方拡散は頻繁に起こるが，フリップ・フロップはほとんど起こらない．

れない膜構造をとる．結果として，膜は細胞内で大規模に相互連結したネットワークを形成する．ほとんどの細胞小器官は1枚の二重層で取り囲まれているので，膜のそれぞれの表面を細胞質側表面と反対側表面とに区別できる．

人工的に得られる脂質二重層としてはテフロン板の細孔に脂質を塗布することにより得られる平面膜（⇨3.9），脂質を水溶液に懸濁すると自己集合によって形成する球状のリポソームと呼ばれる小胞（⇨3.10）などがある．脂質二重層の形成においては脂質の親水性部分と疎水性部分のバランスは重要である．スフィンゴミエリンはリン脂質と形が似ているのでリン脂質と混ざり合って二重層を形成するが，リゾリン脂質のように相対的に親水性部分が大きな脂質は単独では脂質二重層を形成せずにミセルを形成する．反対に疎水性部分の大きな脂質はヘキサゴナルⅡ構造や逆ミセルを形成する（⇨3.3）．脂質二重層は水溶性分子やイオンに対しては障壁として働くため，脂質二重層に機能をもった膜蛋白質を埋め込み，生体膜モデルとして単純な環境下で膜輸送や膜透過の研究に用いることができる．さらに，リポソームに薬やDNAなどを封入して体内の特定の標的に薬やDNAを運ぶドラッグデリバリーシステムとしての研究が進行中である．

生体膜の脂質二重層では，構成する2層のリーフレットの脂質の組成はいちじるしく異なる．ほとんどのリン脂質とコレステロールは，どちらかに多いということはあっても両方のリーフレットに存在している．しかしながら，ヒト赤血球やイヌの肝臓培養細胞の生体膜では，正に荷電した頭部をもつスフィンゴミエリンやホスファチジルコリン（コリンが末端の分子）などはほとんどが反細胞質側のリーフレットに存在する．一方，中性の頭部か負に帯電した頭部をもつホスファチジルエタノールアミンやホスファチジルセリン（アミノ基が末端の分子），ホスファチジルイノシトールなどは細胞質側リーフレットにあることが多い．ある種のホルモンで細胞を刺激するとリン酸化型ホスファチジルイノシトールの親水性頭部は切断されてイノシトール三リン酸（IP_3）が膜から遊離し，細胞内メッセンジャーとして細胞代謝に大きな影響を与える．また，反細胞質側のリン脂質の炭化水素鎖の飽和度は細胞質側のものより高い．その結果，細胞質側リーフレットのほうが反細胞質側よりも流動性が高くなる．

このような非対称性は生体膜の構造や機能の特徴で，膜蛋白質の非対称的な形にも反映されている．それぞれの膜蛋白質は膜の細胞質側表面と反細胞質側表面に対してある決まった向きをとるので，膜の両側には違う蛋白質が露出する．膜を横切る脂質および蛋白質のフリップ・フロップが起こ

る確率は低いので，生体膜の非対称的な配置は生合成のときに決まる．真核細胞では，生体膜をはじめとして脂質の大半は小胞体でつくられている．小胞体中にはフリップ・フロップを引き起こすフリッパーゼという酵素があり，ここで非対称性がつくられる．リーフレットによってリン脂質の組成が違う理由はよくわかっていない．片側のリーフレットにだけ存在している特定の蛋白質に親和性の強いリン脂質があるのかもしれない．

　糖脂質も非対称な分布をとる．糖脂質はいつも外側のリーフレットに存在し，ほとんどの場合は細胞表面にある．糖脂質の極性糖鎖は細胞から外界に突き出している．この糖脂質の非対称分布は，反細胞質側になるゴルジ体内腔で脂質分子に糖が付加されることによる．

　生体膜であろうとモデル膜であろうと，脂質二重層中の脂質分子は長軸の回りに自由回転し，またリーフレット内で側方拡散することができる．これらの動きは回転か並進運動なので，炭化水素鎖は膜の疎水性中心部に埋まったままである．典型的な脂質分子は1秒間に10^7回と非常に頻繁に周りの分子との位置の交換が起こる．膜内での拡散係数は$1\,\mu m^2/sec$程度と見積もられ，この値は脂質分子が約$1\,\mu m$の大きさの細菌の1つの端から反対側の端へ1秒程度で拡散することに相当する．脂質分子が脂質二重層の片側のリーフレットから他方へ移動するフリップ・フロップは，親水性頭部が膜の疎水性中心を通過しなければならず，フリッパーゼなどの酵素がなければ熱力学的に不利であり，きわめて起こりにくい．

　膜蛋白質もリン脂質のように脂質二重層中をかなり自由に動き回ることできることは，1970年代になって明らかになった．この結果をもとに，SingerとNicolsonは，側方拡散が可能なリン脂質と蛋白質分子の二次元的なモザイクとして膜をみる流動モザイクモデルを提唱した．内在性膜蛋白質が膜という二次元空間で脂質の海の中を自由に動き回っているイメージである．この動的性質はいくつかの方法によって示すことができる．1つには，光退色後蛍光回復時間（fluorescence recovery after photobleaching：FRAP）という方法がある．これは，膜の特定の構成物質をまず蛍光色素で標識したうえで，膜表面の微小領域をレーザーで照射して不可逆的に色素分子を退色させ，そして退色領域に現れる蛍光の回復時間の測定から，分子の拡散定数を求める方法である．また，膜内の個々の脂質分子や膜蛋白質の動きを直接調べる方法として単分子追跡法（single-particle tracking：SPT）が近年開発された．こちらは，脂質の極性頭部や膜蛋白質を蛍光プローブまたは金粒子（直径15～40 nm）で標識し，光学顕微鏡下で標識した分子の動きをナノメートルの空間分解能で直接観察する方法である．

　流動モザイクモデルは現在でもほぼ妥当であるとされている．しかし，脂質分子の種類や炭化水素鎖長の違いや脂質の非対称性分布など多くの点が無視されている．さらに，細胞内シグナル伝達の複雑な機構は自由拡散だけでは説明ができない．膜の中に高次の構造が存在するはずである．

　最近の研究から，膜蛋白質は脂質の海をランダムに移動するほど完全に自由ではなく，動きを制御する種々の影響を受けることが明らかになってきた．たとえば，膜直下の細胞骨格によって内在性膜蛋白質の動きは制限されることが示唆されている．また，脂質二重層内のコレステロール分子は均等に分布しているのではなく，特定の膜領域にスフィンゴ脂質と非共有結合により会合した領域を形成する．この領域は，脂質の海に浮かぶいかだ（ラフト）に例えられる．ラフトは特定の膜蛋白質と選択的に会合し，限られた領域に膜蛋白質が閉じこめられることによって，外界からの刺激に

対応した細胞内シグナル伝達の効率を高める機能があると考えられている．しかしながら，ラフトを形成する脂質が会合と離散を繰り返すため，ラフトの大きさと寿命，膜蛋白質のラフトへの親和性あるいはラフトでの滞在時間は多様となり，詳細は今後の研究を待たなければならない．

さらに，マイクロドメインという概念により，脂質二重層についての考え方は大きく変わりつつある．脂質二重層は一様ではなく，偏った構成成分が会合と離散によりいくつものマイクロドメインを形成し，これらのマイクロドメインが膜蛋白質の機能を支持し，細胞内シグナル伝達や細胞接着に関与する，すなわち，分子集合状態が局所的な膜の機能分化をもたらすと考えることができる．今後の研究の発展により，流動モザイクモデルを越えた新しい膜のモデルの提案が期待できる． 〔日比野政裕〕

[文献]

1) ボルティモア，D. 他（野田晴彦他訳）：分子細胞生物学（第4版），東京化学同人，2001.
2) カープ，G.（山本正幸他訳）：分子細胞生物学（第2版），東京化学同人，2000.
3) ストライヤー，L.（入村辰郎他訳）：ストライヤー生化学（第5版），東京化学同人，2004.
4) 葛西道生他編：生体膜，吉岡書店，1996.
5) 大西秀一：生体膜の動的構造（第2版），東京大学出版会，1993.

3.5 脂質膜相転移

脂質二重層を構成する脂質分子は極性基と炭素数がおおむね10〜20の脂質鎖からなる．膜中の脂質鎖部は温度変化により固体的な性質をもつ相と液体的な性質をもつ相との間の転移をする．これはワックスが温度により固体−液体間の転移をすることに似ている．しかし，脂質膜は二次元平面であり，また生体内における脂質膜は多様な成分をもつことから単純な固−液相の転移より複雑性をもつ．さらにいくつかの非二重層構造の相への転移もみられる．

a. 平面二重層膜の転移

脂質二重層の構成成分として代表的なリン脂質ジパルミトイルホスファチジルコリン（DPPC）の水中での二重層膜の相転移を図3.5.1に示す．

L_c はサブゲル相と呼ばれ，最も秩序性が高い．固体に相当するラメラ・ゲル相（固相）は L_β で表される．温度上昇に伴い前転移を超えると二重層が波打つ構造のゲル相（リップル相：$P_{\beta'}$）となり，主転移を超えて液晶相（L_α）になる．液晶相では炭化水素鎖は大きく運動することが可能となり（揺動拡散運動；5×10^7/s，炭化水素鎖の平均運動角度；40度）[1]，リン脂質分子自身も二次元方向に運動することができる．この相では膜は流動性をもつ二次元液体であるといえる（粘性：約0.3P(ポアズ)，側方拡散定数：約 10^{-8} cm^2/s)[1]．またこの相ではリン脂質分子が二重層膜の二葉の単分子膜間を移動するフリップ・フロップと呼ばれる運動を行うこともでき

図 3.5.1 ジパルミトイルホスファチジルコリンによって構成されるリン脂質二重膜の相転移

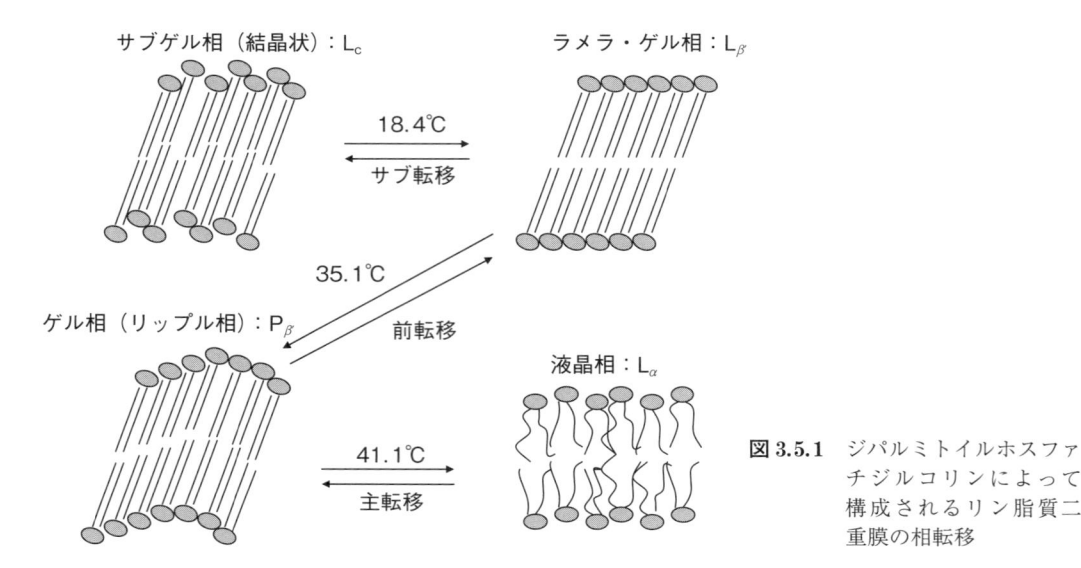

表 3.5.1 リン脂質二重層のゲル-液晶相転移（主転移）温度

脂肪鎖の種類	ホスファチジルコリン（PC）	ホスファチジルエタノールアミン（PE）	スフィンゴミエリン
ジラウロイル（12:0[1]）	-2.1[2]	30.5	
ジミリストイル（14:0）	23.9	49.5	
ジパルミトイル（16:0）	41.1	64.0	41.3（DL[3]）
ジステアロイル（18:0）	55.3	74.0	46（DL），44.7（D）
ジエライジオール（18:1$_{t\Delta 9}$[4]）	9.5	38.1	
ジオレオイル（18:1$_{c\Delta 9}$[5]）	-17.3	-16.0	

1) 12 は脂肪酸基の炭素数，0 は二重結合数を示す．以下同様．
2) 表中のデータは文献[2]から引用した．
3) D および L は 2 つの脂肪酸基の光学異性体を示す．
4) $t\Delta 9$ は脂肪酸基の 9 番目の炭素がトランス二重結合であることを示す．
5) c はシス二重結合を示す．

る．L_α では炭化水素鎖分子運動により折れ曲がり二重層間の距離は，炭化水素鎖が直線となっている L_β より短くなる．

主転移温度（T_m）は炭化水素鎖が長くなるに従い上昇し，不飽和炭素数が増すに従い下降する．とくにシス型の不飽和炭素の存在で大きく下降する．いくつかのリン脂質膜についての T_m を表 3.5.1 に示す．

b. 多成分平面膜での相転移

生体膜は多様な脂質成分から構成されている（膜蛋白質はここでは議論しない）．ジミリストイルホスファチジルコリン（DMPC，炭素数 14）とジパルミトイルホスファチジルコリン（DPPC，脂質基の炭素数 16）による二成分系の膜ではそれぞれの単成分膜の粘性のほぼ中間の値をとりながら変化し，DPPC の主転移温度である 40℃付近でやや急激な変化が観測される．これは多成分系の膜では一般的に明瞭な相転移は起こらないが，わずかに存在する相分離により個々の成分の相転移もみられることを示している．DPPC にリン脂質以外の主要な膜成分の 1 つであるコレステロールを加えた二成分系の膜で粘性の変化を測定すると，ゲル相では粘性の低下がみられ，

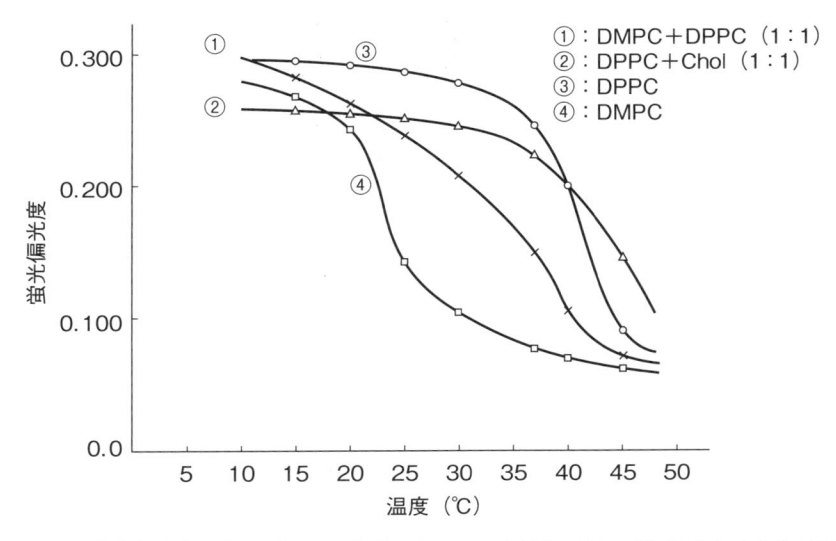

図 3.5.2 蛍光偏光度によるジミリストイルホスファチジルコリン，ジパルミトイルホスファチジルコリンおよびコレステロールを含む脂質二重層の粘性の温度変化の測定 偏光度が減少するほど粘性は低下する．偏光度 0.3 ではおおむね固体的であり，偏光度 0.1 以下で液体的である．0.05 で約 0.3 P 程度を目安とする．測定方法は文献 1) 参照．

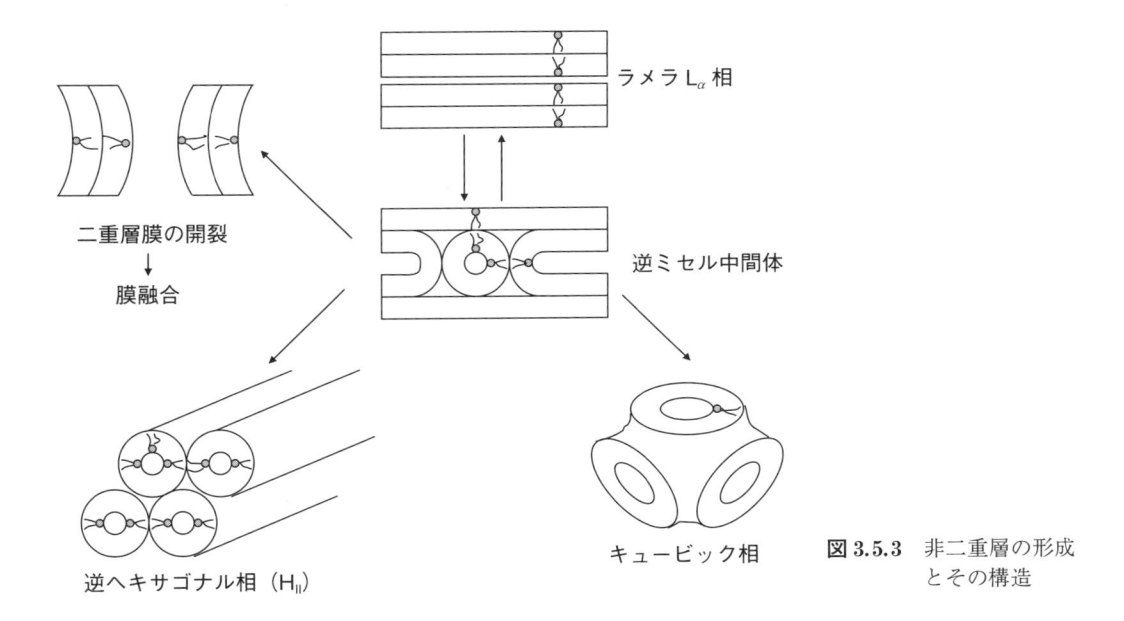

図 3.5.3 非二重層の形成とその構造

温度上昇に伴い DPPC の主転移温度を超えても，リン脂質のみによる系のような急激な粘性低下は起こらない．これらの変化を蛍光偏光法によって測定される粘性の指標「偏光度」を用いて図 3.5.2 に示す．

偏光度が減少するほど粘性は低下する．偏光度 0.3 ではおおむね固体的であり，偏光度 0.1 以下で液体的である．0.05 で約 0.3 P 程度を目安とする．

c. 非二重層構造への転移

脂質二重層はその成分や温度により，図 3.5.3 に示すように，逆ヘキサゴナル相

(H_{II})，キュービック相などの非二重層構造へ転移する．これらの非二重層構造は生体内では安定に存在していないが，膜の構造転移では中間体として重要な働きをもつものと考えられる．とくに H_{II} 相は膜融合における脂質再配列時に中間状態的に形成されるものと考えられている（図3.5.3）．これは膜融合が頻繁に起こるシナプス膜の主要構成成分であるホスファチジルコリン（PC），ホスファチジルエタノールアミン（PE），コレステロールからなる膜が H_{II} 構造をとりやすいことからも推定される．

〔荒磯恒久〕

[文献]
1) 荒磯恒久：膜脂質の流動性と膜蛋白質の動態．膜 **19**, 3-13, 1994.
2) Ruthven, N., Lewis, A.H. and McElhaney, R.N.: The Mesomorphic phase behavior of lipid bilayers. The Structure of Biological Membranes (Yeagle, P. ed.) pp. 73-155, CRC Press, 1992.

〈参考書〉
1) 大西俊一：生体膜の動的構造（第2版），東京大学出版会，1993.
2) 若山信行，浦谷義彦：生体膜の分子―その姿，かたち，振舞い（日本表面化学会編：表面・薄膜分子設計シリーズ 18），共立出版，1993.
3) 山崎昌一：生体膜の溶媒和（永山國昭編：水と生命―熱力学から生理学へ）（シリーズ・ニューバイオフィジックス II-2），pp. 79-96, 共立出版，2000.

3.6 相 分 離

相分離（phase separation）における各相は相平衡の状態にあり，統計力学的に定義できる．つまり，各相の温度が等しい熱平衡，圧力が等しい力学的平衡，そして，化学ポテンシャルが等しい物質移動の平衡である．生体膜の主要な構成脂質であるリン脂質はその極性頭部と脂肪酸側鎖の組み合わせで多様な分子種となるが，それらの構造は類似しているために分子種間の混合性（miscibility）が高く，混合した状態で生体膜の二次元基本構造である脂質二重層膜を形成する．膜の脂質分子は分子量がたかだか 1000 程度であり，その分子構造の両親媒性により水環境下で自発的に膜構造に集合し，統計的な性質を示すようになる．典型的な合成リン脂質である DPPC（dipalmitoylphosphatidylcholine）では結晶相（crystal；L_c），ゲル相（gel；$L_{\beta'}$），リップル相（ripple；$P_{\beta'}$），流動相（fluid；L_α）が温度誘起的に低温側から順次に転移して生じる相構造として観察されている．ところで，リップル相から流動相への転移は脂肪酸側鎖の融解に対応し，大きな物性変化が生じる主転移である．この主転移温度以下で観察される各相は脂肪酸側鎖が秩序構造をとる固相と総称され，相分離でもこれが基本的な相構造となる．相転移温度が異なる2種の脂質分子を混合した二成分系を例にとると，相の変化は構造・物性の温度依存的な変化として測定され，これを液相線と固相線として描けば相図が求められる（図 3.6.1）．両脂質分子ともに流動相となる温度では二成分が混合した流動相であ

図 3.6.1 ホスファチジルコリンとホスファチジン酸の二成分系の相図（実験と理論）

中性リン脂質の DPPC と酸性リン脂質の DPPA (dipalmitoylphosphatidic acid) の二成分系で実験的に求めた相図に対して，Seltz の方法（Seltz, H.: *J. Am. Chem. Soc.* **56**, 307-311, 1964）から出発した Lee の方法（Lee, A. G.: *Biochim. Biophys. Acta* **507**, 433-444, 1978）に従って計算した液晶線と固相線をフィッティングさせた．この二成分系を流動相の温度から T℃まで低下させたとき，相図から流動相にある DPPA のモル分率 f は $f=(X_S-X)/(X_S-X_F)$ と表され，固相にある DPPA のモル分率は $1-f=(X-X_F)/(X_S-X_F)$ と表される．T℃で流動相にある DPPC と固相にある DPPC のモル分率はそれぞれ，$1-f$ と f になる．

り，温度の低下により，相転移温度が高い脂質成分のため流動相の中に固相が相分離して形成され，流動相と固相の共存状態となる．このとき固相と流動相にはそれぞれ，相転移温度の低い成分と高い成分が含まれており，その割合は温度依存的に変化するが，その割合は相図から求められる．相分離と相転移とは統計力学的な現象として相互に関連しており，理論的な解析の対象である．実際に，脂質二成分系について理論的な相図の導出と相分離の解析が行われている[1]．

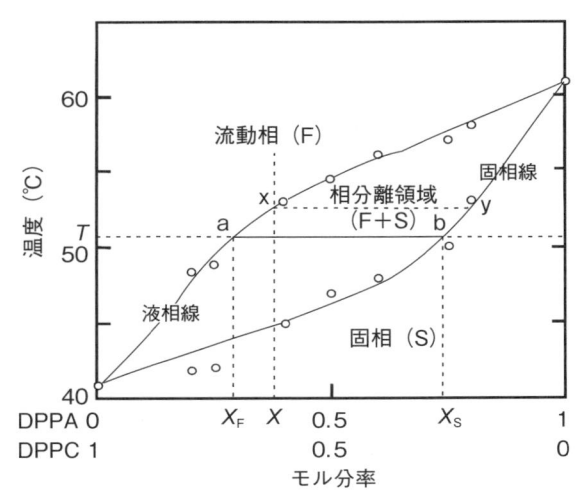

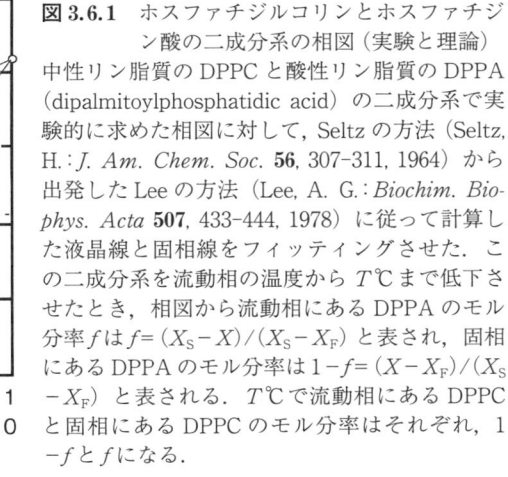

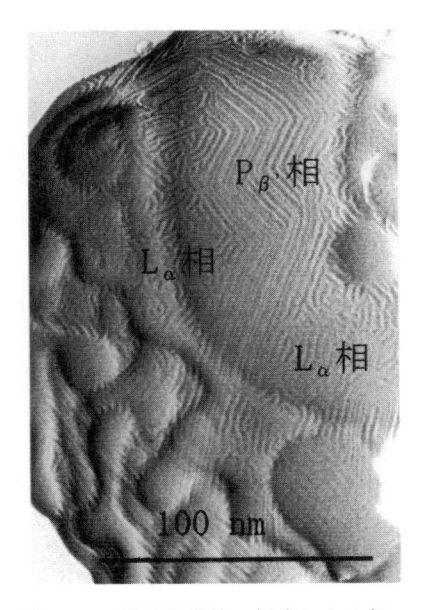

脂質膜内の相分離（異なる相の共存状態）は，各相に特徴的な構造を凍結割断電子顕微鏡で観察する方法で調べることができる（図 3.6.2）．ところで，生理的な条件（pH 7 付近）で負電荷をもつ酸性リン脂質がカルシウムイオン（Ca^{2+}）により相分離することが人工膜系で確認されており，最初は，ホスファチジルセリンのスピンプローブが脂質膜内で Ca^{2+} により集合し，スピンスピン交換相互作用が増加した ESR スペクトルに変化する方法が用いられた．相分離は統計熱力学的な現象であるので，示差走査熱量測定がその観察に適用できる（図 3.6.3）．Ca^{2+} と酸性リン脂質は，生物機能で重要な役割を果たしており，二価の

図 3.6.2 電子顕微鏡で観察した2相の共存状態

ジパルミトイルホスファチジルコリン（DPPC），ウシ脳ホスファチジルセリン（PS），酵母ホスファチジルイノシトール（PI）のモル比 3 対 1 対 1 の混合脂質で調製したリポソームを 25℃ から凍結割断して，白金を蒸着したレプリカを作成し，走査型電子顕微鏡で観察した．バンド状構造が平行に走った P_β 相と短く曲がった筋が入り組んだ L_α 相が共存している状態が観察されている．

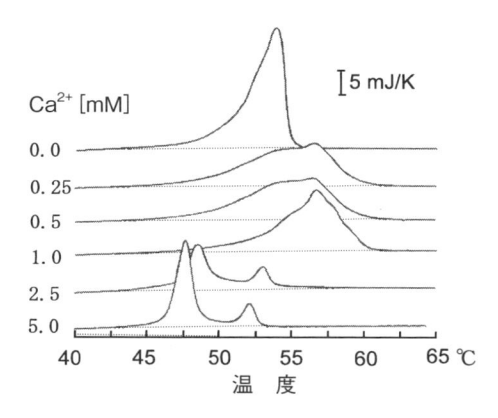

図 3.6.3 示差走査熱量計（DSC）による酸性リン脂質のカルシウムイオン誘導相分離の観察

ジパルミトイルホスファチジルコリン（DPPC）/ジミリストイルホスファチジルエタノールアミン（DMPE）/ジパルミトイルホスファチジン酸（DPPA）（モル比 1:1:1）の三成分系リポソーム（5 mM）を pH 7.3 の緩衝液中で調製して，DSC で測定した．DPPC, DPME, DPPA の主相転移温度はそれぞれ，41.0℃，48.9℃，63.8℃である．Ca^{2+} が 0 mM のときは 54℃付近に転移エンタルピーが 7.7 kcal/mol の 1 つの相転移ピークがあるが，Ca^{2+} を加えていくと DPPA との相互作用で相転移温度が上昇する．Ca^{2+} が 2.5 mM を超えると，DPPA の相分離が生じ，低温側に DPPC, DMPE を主成分とする転移ピークが現れる．このとき低温側ピークの全転移エンタルピーは 3 kcal/mol 程度までに減少しており，DPPA 成分が相分離している証拠となる（Ohki, K. *et al.*: *Chem. Phys. Lipids* **50** (2), 109-117, 1989).

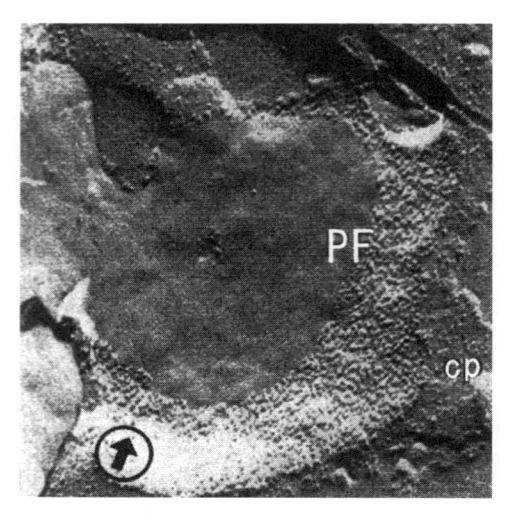

図 3.6.4 培養温度の低下で誘導されたテトラヒメナ細胞の小胞体膜の相分離

Tetrahymena pyriformis 細胞の培養温度を 39.5℃から 4℃に低下させた後，凍結割断電子顕微鏡で観察した小胞体膜であり，割断した二重層膜の内面（PF）には蛋白粒子が存在しない滑らかな領域が観察される．その領域の脂質分析から相転移温度の高い脂質成分の存在が示された．矢印は白金によるシャドウイングの方向で，cp は細胞質を示す（Kameyama, Y., Ohki K. and Nozawa Y.: *J. Biochem.* **88**, 1291-1305, 1980).

Ca^{2+} が酸性リン脂質の負電荷との静電相互作用により，分子間を架橋するために，分子間の相互作用が強められ，相分離すると説明される．また，極性頭部に結合している水和水と Ca^{2+} が置換して膜表面を疎水性に変化させる．これは細胞質の蛋白質が Ca^{2+} 濃度に依存して生体膜に結合して活性化される細胞機能との関連が考えられる．また，酸性リン脂質は pH の低下で解離していたプロトンが結合して電荷を失うが，この効果も同様に酸性リン脂質の相分離を誘導する．さらに，蛋白質の塩基性アミノ酸（正電荷をもつ）の領域との相互作用も酸性リン脂質の相分離を誘導する．細胞を構成する生体膜の主要な成分は蛋白質と脂質であり，これらの分子は細胞骨格系との強い相互作用がないときは膜面内を自由に側方拡散運動する動的な状態にあり，生体膜で相分離を確認することは簡単ではない．しかし，細胞の培養温度を低下させた後，凍結割断電子顕微鏡で膜蛋白質の分布を観察すると脂質の相分離の結果，固相から追いやられた膜蛋白質が流動相の領域に凝集している状態がテトラヒメナ細胞で示された（図 3.6.4）．この凝集は細胞の温度適応機構により脂肪酸不飽和化酵素の活

性が上昇して不飽和脂肪酸を側鎖にもつリン脂質が増えると相転移温度が低下するために徐々に解消することも確認された.

〔大木和夫〕

[文献]
1) Cevec, G. and Marsh, D. : Lateral phase separation. Phospholipid Bilayers, John Wiley & Sons, 1987.

II. 脂質膜の機能

3.7 脂質膜低分子相互作用

　生体膜中のラフトやカベオラのようなヘテロな構造の形成において, コレステロールが重要な役割を果たすことはすでに述べた. ここではコレステロール, α-トコフェロールなどの膜中に入る低分子以外のイオン, 低分子や蛋白質と脂質2分子膜の相互作用について述べる. 一般に相互作用の結果, イオン, 低分子や蛋白質が脂質膜表面と結合している領域と結合していない領域に側方相分離を起こす (図3.7.1参照)[1].

　親水性頭部が負電荷をもつ脂質(酸性脂質)膜と水中にある正電荷をもつイオン(正イオン)の間に, 静電相互作用が働くことにより, 膜表面で酸性脂質と正イオンが静電結合する. たとえば, ジミリストイルホスファチジン酸 (DMPA) 面と水中のカルシウムイオン (Ca^{2+}) は静電的に結合し, 図3.7.1中のDのようにドメインを形成する. この場合, 静電相互作用は長距離引力であり, 電気的中性を保ちつつ, 正イオンと酸性脂質分子は結合する. 図3.7.2に, 以下に示す①および②の2つのpH条件下でイオン化したDMPAとCa^{2+}の相互作用について示す[2]. ① 5mMのNaOH水溶液に5mMのDMPAを溶かした溶液を2ml用意し, それにCa^{2+}を滴下する. ② 純水に5mMのDMPAを溶かした溶液を2ml用意し, それにCa^{2+}を滴下する. ①では, はじめpHは約11であり, Ca^{2+}を滴下するに従ってpHが減少し, Ca^{2+}/DMPAの比が1以上で一定値pH7に達する. 一方,

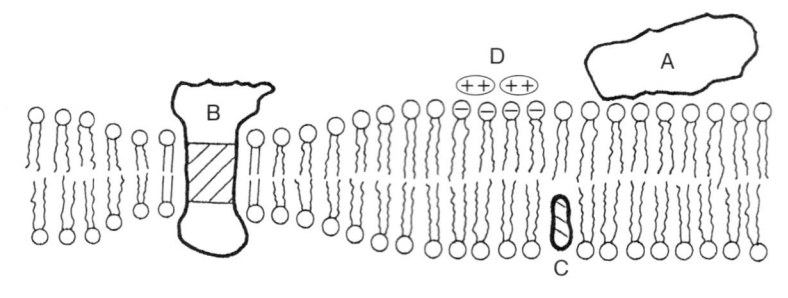

図 3.7.1 脂質 2 分子膜とポリペプチド（A, B），低分子（C）とイオン（D）の相互作用

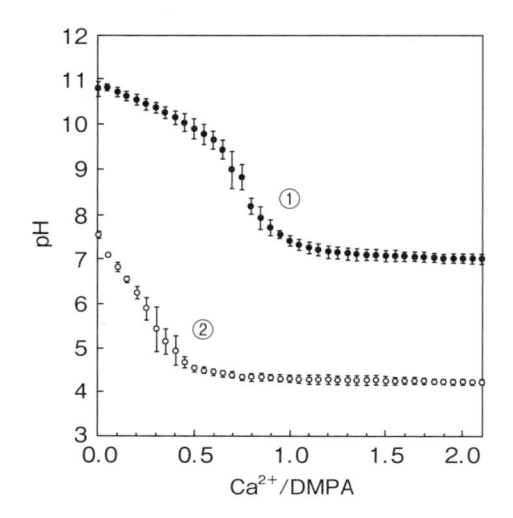

図 3.7.2 ジミリストイルホスファチジン酸（DMPA）と Ca^{2+} イオンの相互作用 ① および ② の測定点については本文を参照.

② では，はじめ pH は約 7.5 であり Ca^{2+} を滴下するに従って pH が減少し，Ca^{2+}/DMPA の比は 0.5 以上で一定値 pH 4 に達する．これは塩基性条件下では DMPA は解離し，$DMPA^{2-}$ となり，Ca^{2+} イオン 1 個に対して $DMPA^{2-}$ 分子 1 個の割合で結合し，中性条件下では DMPA は解離し，$DMPA^{-}$ となり，Ca^{2+} イオン 1 個に対して $DMPA^{-}$ 分子 2 個の割合で結合することを意味する．このように酸性脂質膜のまわりの pH によって正イオンとの結合形態が変わる．

中性脂質分子と作用する低分子としては，リン脂質とアルコール，エチレングリコール，ジメチルスルホキシド（DMSO），トレハロースなどについて研究されている．ここでは比較的多くの研究報告のある中性リン脂質とアルコールの相互作用について述べる．中性リン脂質であるジパルミトイルホスファチジルコリン（DPPC）と各種アルコールの相互作用を考える．純水に DPPC を 0.6 mg/ml 溶かした溶液にメタノールを入れた試料について示差走査熱量測定を行うと，アルコール濃度が約 80 mg/ml までは主転移点（ゲル−液晶相転移点）が降下し，アルコール濃度がこれより高くなると反対に上昇する．高アルコール濃度領域ではゲル相でインターディジテイテッド構造をとる．この相をインターディジテイテッド相と呼ぶ．アルコールの炭化水素鎖長が，メタノール，エタノール，プロパノールと長くなるに従って上の主転移点が折れ曲がりを示すアルコール濃度が低くなる．すなわち，その濃度はエタノールでは約 40 mg/ml，プロパノールでは約 25 mg/ml である．この現象は，水溶性で脂質の炭化水素鎖部への溶解度が高い分子の濃度が高くなると，脂質の炭化水素鎖部と溶媒分子の相互作用エネルギーが低くなるということによって説明できる[3]．次にインターディジテイテッド構造形成における典型的な振舞を示すために，X 線構造解析によって得られた中性リン脂質とアルコールから成る系の相互作用のモデルを

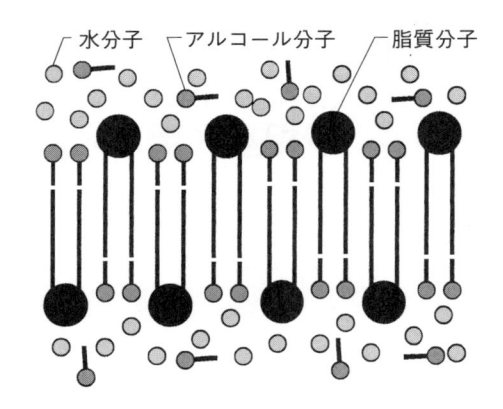

図3.7.3 インターディジテイテッド構造の形成におけるアルコール分子の役割

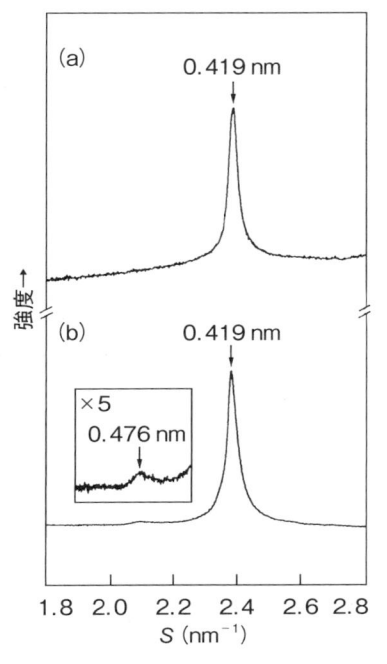

図3.7.4 酸性脂質膜と塩基性ポリペプチドの相互作用
（a）相互作用がない場合のX線広角反射像，（b）相互作用がある場合のX線広角反射像．

図3.7.3に示す[4]．X線ラメラ反射強度の解析より求めた電子密度分布からインターディジテイテッド構造の膜厚は，中性リン脂質分子1分子とアルコール1分子の炭化水素鎖長の和から成っていることが明らかにされた[4]．図3.7.3のモデルはそれに基づいてつくられたものである．アルコールの場合にはこのような解析を行うことができたが，他の低分子，エチレングリコール，ジメチルスルホキシド（DMSO），トレハロースなどにおいても基本的には同じで，低分子の疎水性部と親水性部が中性リン脂質との相互作用において重要な役割をしている．

負表面電荷をもつ酸性リン脂質膜と正表面電荷をもつ蛋白質の相互作用のモデルとして，ジミリストイルホスファチジン酸（DMPA）とポリリジンを考える．ポリリジンは，水中ではランダムコイル構造をとるが，DMPA膜表面で静電結合するときβ-シート構造をとることがラマン散乱の実験によりわかっている．したがって，ポリリジンのつくるβ-シート面の片側の側鎖が突き出た面がDMPA2分子膜表面と結合している．このようなモデル系では，β-シート面の反対側の面は隣のDMPA2分子膜表面と結合している．電荷比＝1で，ほぼ完全な静電結合状態に達すると，DMPA2分子膜，ポリリジンβ-シート，DMPA2分子膜，ポリリジンβ-シート…が積み重なって多重層膜構造が形成される．この多重層膜構造はX線ラメラ反射により観測されている．一方，X線広角反射では，ポリリジンがないときには図3.7.4の（a）に示すように炭化水素鎖の充塡構造を反映する0.42 nmの反射が相転移温度以下で観測され[5]，ポリリジンがあるときには図3.7.4の（b）に示すように炭化水素鎖の充塡構造を反映する0.42 nmの反射のほかにポリリジンβ-シート構造を反映する0.47 nmの反射が弱いがはっきりと観測されている[5]．この0.47 nmの反射はポリリジンβ-シート構造に由来する反射である．静電相互作用を詳しく検討するために，酸性脂質1分子が表面で占める面積とポリリジンβ-シート表面上でリジン1側

鎖が占める面積を見積もることができる．酸性脂質1分子は2本の炭化水素鎖に対応し，炭化水素鎖が三角格子を形成しているから，酸性脂質1分子の占める面積は，相転移温度近傍では約 $0.40\,\mathrm{nm}^2$ となる．一方，リジン1側鎖が占める面積は，$0.33\,\mathrm{nm}^2$ となる．以上およその見積もりであるが，ほぼ電気的中性が成り立つような構造をとっているが，正負の電荷どうしの1対1結合ではない．これが正電荷をもつポリペプチドと酸性脂質間で働く静電相互作用の基本的特徴である．蛋白質 MARCKS では側鎖のリジンが連なった部分があり，酸性リン脂質膜と結合する[6]．このような系に対するモデルとして，酸性リン脂質とペンタリジンの相互作用の研究が行われているが，基本的には上のポリリジンと酸性リン脂質の相互作用と同じように考えることができる．　　　　　　　　　　〔八田一郎〕

[文献]
1) 八田一郎，村田昌之：生体膜のダイナミクス（シリーズ・ニューバイオフィジックス II-4），pp. 16-19, 共立出版, 2000.
2) Takahashi, H. et al.: Structural and thermotropic properties of calcium-dimyristoylphosphatidic acid complexes at acidic and neutral pH conditions. *Biophys. J.* **69** (4), 1464-1472, 1995.
3) 八田一郎，村田昌之：生体膜のダイナミクス（シリーズ・ニューバイオフィジックス II-4），pp. 75-79, 共立出版, 2000.
4) Adachi, T. et al.: Interdigitated structure of phospholipid-alcohol systems studied by X-ray diffraction. *Biophys. J.* **68** (5), 1850-1855, 1995.
5) Takahashi, H. et al.: Electrostatic interaction of poly (L-lysine) with dipalmitoylphosphatidic acid studied by X-ray diffraction. *Biochim. Biophys. Acta* **1069**, 229-234, 1991.
6) 八田一郎，村田昌之：生体膜のダイナミクス（シリーズ・ニューバイオフィジックス II-4），pp. 64-69, 共立出版, 2000.

3.8 脂質膜ポリペプチド相互作用

　脂質膜とポリペプチドとの相互作用は，生理活性ペプチドの作用機構・膜蛋白質の構造形成を理解する上で重要である．ポリペプチドは水素結合能をもつペプチド結合（CO-NH）を含む主鎖と親水性・疎水性のさまざまな側鎖からなっている．一方，脂質二重膜を構成する脂質は，極性頭部と疎水性の炭化水素鎖からなる両親媒性分子である．多数の脂質分子が，極性頭部を水に向け，炭化水素鎖どうしが tail-to-tail になるように自己会合して脂質二重膜を形成する（図 3.8.1 参照）．したがって，脂質二重膜は約 4 nm の厚さをもつ疎水性領域（炭化水素鎖）の両側表面を種々の極性頭部からなる界面領域が覆う構造をとっている．界面領域は，脂質の種類に依存して，イオン性の PO_4^- 基，COO^- 基，NH_3^+ 基や水素結合能をもつ C=O 基，アミド基（CO-NH）および水和水，さらには疎水性の CH_2 基をも含む複雑な化学組成を有している．

　ポリペプチドが脂質膜と相互作用する際，いくつかの基本原則がある．① ペプチド結合が水素結合をせずに膜中で存在することはエネルギー的にいちじるしく不利になるので，大部分の場合，ポリペプチド主鎖は分子内で水素結合をして，α-ヘリックスや β-シート構造をとる．② ポリペプチドの疎水性側鎖は，疎水性相互作用によって水との接触を避ける．③ 電荷を膜の疎水性領域中に置くには，大きなボルンエネルギーを必要とするので，ポリペプチドの荷電性側鎖は単独では膜の疎水性領

域に存在しにくい．主な相互作用様式を図3.8.1に示した．i) 膜疎水性部にほとんど侵入せず表面に結合：たとえば，ポリリジンは正荷電アミノ酸のみからなり，負荷電をもつ酸性脂質（ホスファチジン酸など）の表面に結合する．双イオン性脂質（ホスファチジルコリンなど）と酸性脂質の混合膜では，ポリリジンによって酸性脂質がクラスター化され，相分離が起こる．ii) 膜疎水性部への侵入を伴い表面に結合：α-ヘリックスやβ-シート構造をとった際に，片側に親水性アミノ酸が集まり，反対側に疎水性アミノ酸が集まって両親媒性構造をとるポリペプチドの場合，疎水性面が膜疎水性部へ侵入する．このとき，膜構造に乱れが生じ，膜のバリアー能が損なわれる場合がある．iii) イオンチャネル形成：両親媒性のα-ヘリックスやβ-シート構造が数〜十数分子，親水性面を内側にして集合し，水性の孔が形成され，この中をイオンが透過する．alamethicin は代表例であり，ヘリックスの向きを揃えて円筒形の孔を膜中に形成する．膜電位をかけるとヘリックスのマクロ双極子との相互作用により，イオンチャネル形成が促進される．こうしたチャネル構造は樽板（barrel-stave）型と呼ばれる．iv) トロイダル（toroidal）型ポア形成：iii) ではポリペプチドのみが集合して膜中に孔を形成するが，抗菌性ペプチド magainin 2 などでは，ポリペプチドと脂質とが一種の超分子複合体をつくって鼓型の孔（ポア）をつくる．このとき，本来独立している脂質二重膜の外側単分子膜と内側単分子膜が連続体となるので，側方拡散により両単分子膜間で速やかに脂質の交換が起こる．こうした孔は一般にきわめて不安定である．iii) や iv) の状態のポリペプチドは ii) の状態のペプチドと平衡状態にあると考えられる．また，孔が崩壊する際にはポリペプチドは膜の両側に移行して ii) の状態となるので，孔の状態を介してポリペプチドが膜を透過することが可能である．v) β-ヘリックスによるイオンチャネル形成：抗生物質である gramicidin は，膜中でβ-ヘリックスを形成し，2分子が N 末端どうしを突き合わせた形で二量体を形成する．α-ヘリックスより大きなβ-ヘリックスの内部は脱水和した Na^+ や K^+ などが透過できる．vi) 疎水性膜貫通ヘリックス：疎水性のアミノ酸が20〜30 個連続していれば，α-ヘリックスや 3_{10}-ヘリックスを形成して膜を貫通する．膜貫通ヘリックス間に相互作用（ファン・デル・ワールス力，水素結合，イオン対）が働けばヘリックスバンドル（束）が形成される．内在性膜蛋白質の膜貫通領域は基本的に iii) や vi) の構造をとると考えられる．

以上の i)〜vi) ではポリペプチドが結合しても二重膜の形態は保たれているが，膜破壊を伴う場合もある．vii) 膜のミセル化：ハチ毒のメリチン（melittin）やアポリポ蛋白質 apo AI を構成する両親媒性ヘリックスでは，ペプチド/脂質比や温度などの条件によっては，二重膜を断片化し，ディスク状ミセルを形成することがある．ディスク周囲の脂質炭化水素鎖は両親媒性ヘリックスの疎水性面と相互作用して水との接触を避けている．ディスク状だけではなく，球状のミセルを形成することもある．viii) 膜どうしの融合：ポリペプチドには両親媒性ヘリックスなどの構造をとって膜融合活性をもつものがある．インフルエンザやエイズなどのウイルスの膜融合蛋白質の部分配列はこの例である．ペプチドが膜に対して傾いて挿入されることが膜融合にとって重要であると考えられている．ix) ヘキサゴナル II 相の形成：疎水性の強いポリペプチドが膜中に多量に存在するとヘキサゴナル II 相形成を引き起こす．

図 3.8.1 の各様式は，ポリペプチドと脂質の相互作用の結果である．したがって，ポリペプチドの構造だけで一義的に決まるものではなく，膜の脂質組成にも依

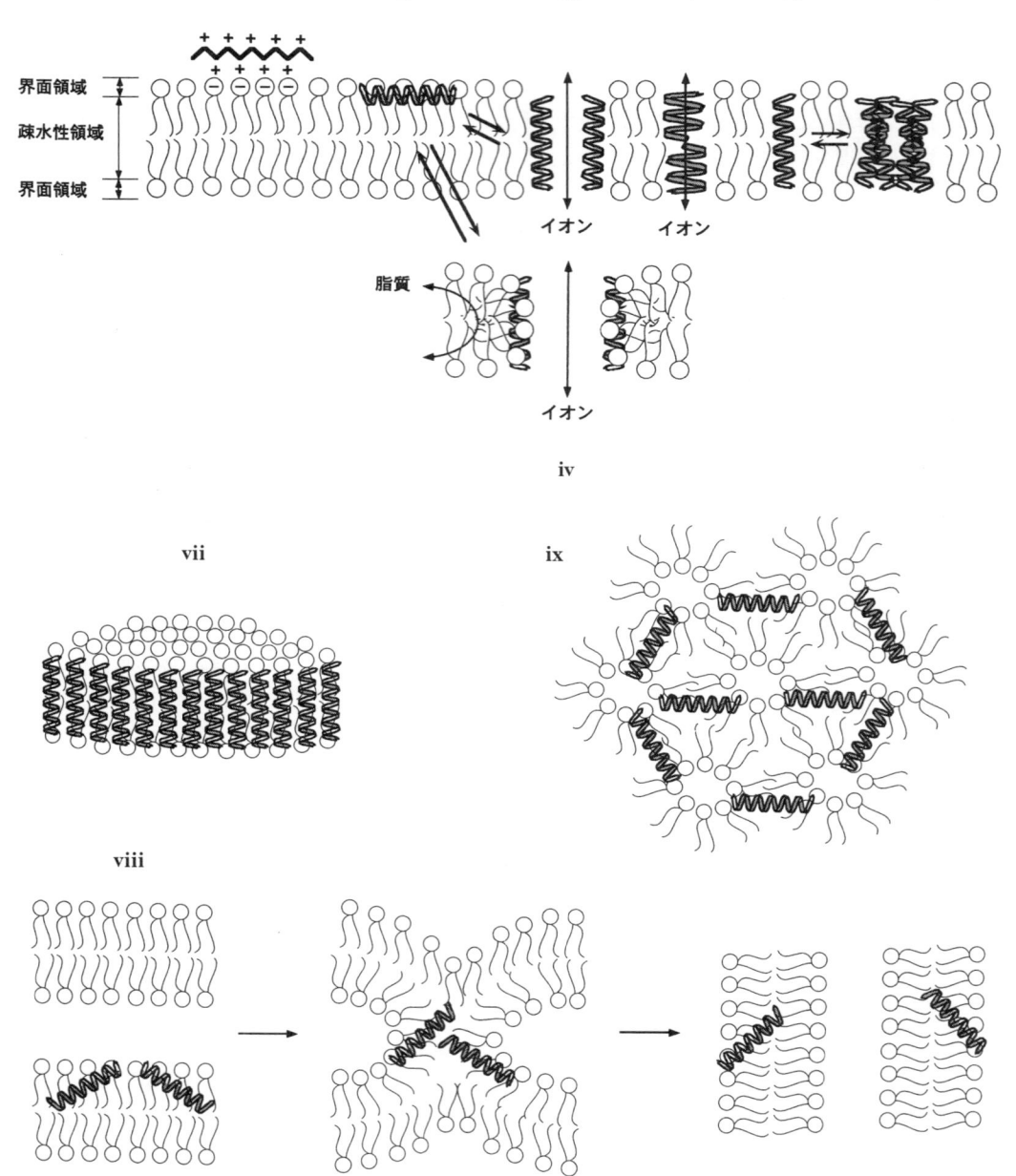

図 3.8.1 ポリペプチドと脂質二重膜の相互作用様式

影部は疎水性アミノ酸を表す．i～vi では二重膜の形態が保たれるのに対し，vii～ix では膜構造の破壊が起こる．

i：表面への結合，ii：膜疎水性部への侵入を伴う表面への結合，iii：樽板（barrel-stave）型イオンチャネル形成，iv：トロイダル型ポア形成，v：β-ヘリックスによるイオンチャネル形成，vi：疎水性膜貫通ヘリックス，vii：ミセル化，viii：膜融合，ix：ヘキサゴナル II 相形成．

存する点に注意が必要である．たとえば，magainin 2によるトロイダル型ポアの形成はホスファチジルセリンやホスファチジルエタノールアミンの存在によっていちじるしく抑制される．メリチン（melittin）によるディスク状ミセル形成は，飽和炭化水素鎖をもつホスファチジルコリンでのみみられる．また，疎水性膜貫通ヘリックスにおいて，ヘリックスの長さと膜の疎水性部の厚さがいちじるしく異なる場合（hydrophobic mismatchと呼ばれる），ペプチドが多量に膜に存在するとキュービック相やヘキサゴナルⅡ相が形成されることが知られている． 〔松﨑勝巳〕

[文献]
1) ゲニス，R. B. （西島正弘他共訳）：生体膜—分子構造と機能，シュプリンガーフェアラーク東京，1990．
2) Yeagle, P. (ed.) : The Structure of Biological Membranes, CRC Press, 1992.
3) Haris, P. I. and Chapman, D. (eds.) : Biomembrane Structures, IOS Press, 1998.
4) Epand, R. M. (ed.) : The Amphipathic Helix, CRC Press, 1993.
5) White, S. H. (ed.) : Membrane Protein Structure. Experimental Approaches, Oxford University Press, 1994.

3.9 平面膜

脂質平面膜とは，テフロン等の疎水性板に開けた小孔，あるいはガラス微小電極の先端開口部に形成した人工の脂質膜を指す．後述のように，人工膜の中心部分は脂質二重層膜であり，光をほとんど反射しないことから，反射照明下で観察すると黒色に見える．このことから，黒膜またはBLM（black lipid membrane）と称されることもある．平面膜は，チャネル分子やポンプ蛋白などによる膜を介した微小な電流の解析に使われるほか，膜内粒子の熱拡散測定や膜融合現象のモデル系としても使用される．ほとんどすべてのチャネル蛋白を平面膜に再構成することが可能であり，多くのチャネルが単一分子レベルで解析されている[2,3]．多数のポンプ蛋白分子を組み込めば，ATP添加により引き起こされる電流を直接観測することもできる[4]．また，平面膜を蛍光顕微鏡下に形成し，膜上のおのおのの脂質や蛋白の運動を直視したり，ベシクルの融合過程を分子レベルで可視化することも可能である[5]．

単一イオンチャネル電流の計測法としては，平面膜法とパッチクランプ法があるが，平面膜法が適用される目的は，2つに大別される．1つは，パッチクランプ法ではアクセスが困難なチャネルを対象とする場合．いま1つは，チャネルの薬理学的・物理化学的研究において，より単純な実験系が求められる場合である．アクセス困難なチャネルとは，ミトコンドリアなど細胞内小器官，あるいはシナプス前膜など微小な構造をもつ膜上のチャネルで，これらは，

あまりに小さいために一般的なパッチクランプ法では電流測定が不可能である．膜分画の調製，蛋白の精製等の生化学的手続きを経て，平面膜法によってはじめて単一チャネル電流測定が可能となる．また，平面膜法は，単純な再構成系であるため，チャネルに影響を及ぼす物理化学的要因を明確に制御できる．たとえば，生体中では実現しえない高塩濃度下での電流解析を行ったり，脂質組成を変えて，チャネル機能に対する影響を解析すること等が可能である．

平面膜の形成には 2 通りの方法が用いられている．ペインティング法と張り合わせ法である．前者は，膜を形成する疎水性担体の開口部に脂質溶液を塗布する方法で，刷毛塗り法とも称される．現在では，細いガラス管を用いて脂質溶液を吹き付ける方法が一般的である．塗布された脂質溶液は，当初，開口部を厚く覆う形で塞ぐが，有機溶媒が担体表面に沿って排除されるに従い薄化していき，脂質二重層膜が形成される．薄化の過程は，膜の電気容量の増大としてモニターするのが一般的であるが，光学的にも容易に観察可能で，実体顕微鏡で反射光を観察していると，開口の中心近くにできた黒色領域が，素早く拡大していく過程が観察される．張り合わせ法は，気－液界面に展開した脂質単分子膜を，液面の上昇によって張り合わせて，溶媒を含まない平面膜を形成する方法である（図 3.9.1 (b)）．

(a) 平面膜実験装置

(b) 張り合わせ法による平面膜の形成

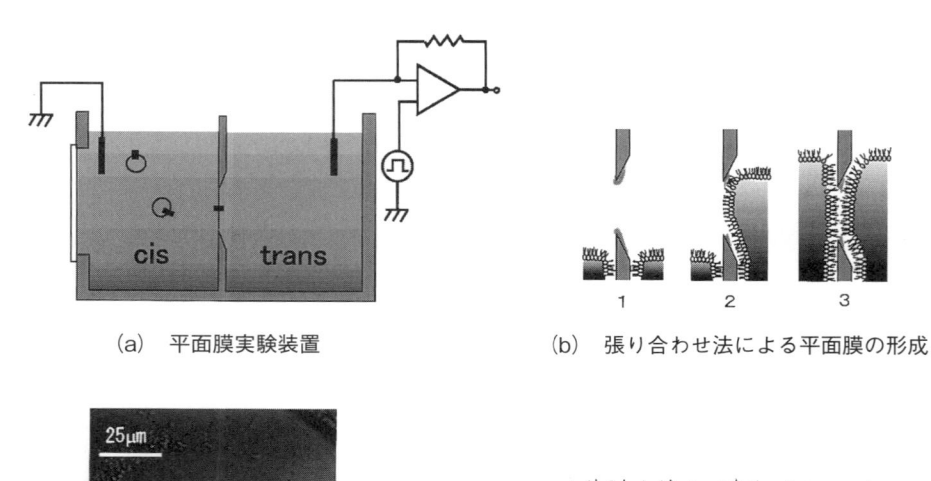

(c) 平面膜位相差像

(d) 単一チャネル電流

図 3.9.1 平面膜法による単一チャネル電流記録
(a) 最も一般的な平面膜法の実験装置．装置は 2 つの水槽からなり，隔壁に直径数十 μm から数百 μm の小孔があり，ここに平面膜が形成される．膜を介して流れた電流は，I-V 変換後，増幅され記録される．膜を挟んでベシクルを添加する側をシス側，反対側をトランス側と呼ぶ．
(b) 張り合わせ法による平面膜の形成法．スクアレン等で開口部にプレコートし，気－液界面に展開した単層膜を水位の上昇によって張り合わせる．
(c) 平面膜の位相差顕微鏡像．濃色の楕円内が二重層領域．
(d) 単一チャネル電流記録例（骨格筋筋小胞体 K-チャネル）．スケールは，5 pA/100 mS.
（龍谷大学・中原圭子氏提供）

平面膜は，開口部中心に位置する脂質二重層領域と，それを取り囲む環状のバルク層から成り，両者の境界は光学的に明確に識別しうる．二重層領域は，2枚の脂質単分子膜とそれらに挟まれる有機溶媒層から形成されており，その厚さ（25～50Å）は，使用した脂質分子および有機溶媒の構造に依存する．張り合わせ法によって形成したいわゆる「無溶媒膜」であっても，プレコーティングに使用したスクアレン等がバルク相を形成し，ペインティング法による平面膜と同様の構造をとっていることが知られている．しかし，二重層膜部分の厚さは，張り合わせ法の膜（特性容量 $0.6～0.8\,\mu F/cm^2$）の方がペインティング法による膜（$0.3～0.6\,\mu F/cm^2$）よりやや薄い（生体膜は約 $1.0\,\mu F/cm^2$）．二重膜とバルク領域の面積比は，膜電位の絶対値に依存し，電位を増加させていくと二重膜部分が拡大していくのが見える．

膜蛋白等を平面膜に組み込むには，以下のいずれかの方法が用いられる．

1) ベシクル融合法：最もよく使用される方法で，目的の膜蛋白を含むベシクルと平面膜を融合させ，蛋白を平面膜に再構成する方法である．膜融合を促進するには，いくつかの条件を整える必要がある．ベシクル内に水が流入しやすい条件にする（塩濃度を $C_v > C_{cis} > C_{trans}$ とするのが一般的である[*1]）；シス溶液（ベシクルを添加する側の溶液）にミリモル程度の Ca^{2+} を添加する；ベシクル膜を透過しやすい溶質を用いる；このほかにも，平面膜の脂質組成をコントロールしたり（たとえば，PS等の酸性脂質を含むようにする），ベシクル懸濁液を膜に吹き付けるなどの工夫がなされている．

2) 直接挿入法：界面活性剤で可溶化した膜蛋白を水溶液に添加し，直接平面膜に組み込む方法で，ミトコンドリアの電位依存性アニオンチャネル，筋小胞体の Ca-チャネル等で良好な結果が得られている．

3) 単層展開法：脂質分子および膜蛋白を気-液界面に展開し，その単層膜を張り合わせることで平面膜を形成する方法である．この方法を用いて解析された例としては，シビレエイ電気器官のアセチルコリン受容体がよく知られている．〔井出　徹〕

*1 C_v, C_{cis}, C_{trans} は，おのおの，ベシクル内，シス溶液，トランス溶液の塩濃度である．

[文献]

1) 岡田泰伸編：新パッチクランプ実験技術法，吉岡書店，2001.
2) Miller, C. (ed.)：Ion Channel Reconstitution, Plenum Press, 1986.
3) Favre, I. *et al.*：Reconstitution of native and cloned channels into planar bilayers. *Methods in Enzymology* **294**, 287-304, 1999.
4) 葛西道生，田口隆久編：生体膜，吉岡書店，1996.
5) Ide, T. and Yanagida, T.：An artificial lipid bilayer formed on an agarose-coated glass for simultaneous electrical and optical measurement of single ion channels. *Biochem. Biophys. Res. Commun.* **265** (2), 595-599, 1999.

3.10 膜研究の技術としてのリポソーム

　生体膜の主要な構成成分であるリン脂質分子は，親水基と疎水基を併せもつ両親媒性分子である．そのリン脂質分子は水溶液中で，疎水基どうしを内側にし親水基を両表側，つまり溶液に露出することによって自動的に集合して脂質分子二重層膜を形成する（図3.10.1）．しかしながら，膜の周辺部は疎水基が溶液に露出することになるので，周辺部をなくするためにその膜は自然に閉じて閉鎖空間，つまりリポソームになる（図3.10.1）．そして，この膜は基本的に生体膜と同様の物理・化学的性質をもっている．

　リポソームは大きく，多重膜リポソーム（multilamellar vesicle：MLV）と1枚膜リポソームに分けられる．1枚膜リポソームはさらに直径約100 nm以下のSUV（small unilamellar vesicle）とそれより大きなLUVに分類されることが多い．多重膜リポソームの形成される詳しいメカニズムは未だ明らかになっていないが，塩濃度の上昇によって1枚膜リポソームが多重膜リポソームに変換したり，ある種の界面活性剤によって多重膜化する過程が撮像されている．しかしながら，リポソームの研究や利用の大部分は1枚膜リポソームを使って行われているので，以下は1枚膜リポソームについて述べることにする．

　リポソームの応用面としては，遺伝子の細胞内導入や薬物輸送担体としての利用などが進められている．その一方，リポソームの基礎的研究面において，最も興味深く精力的に行われている分野は，リポソームを生体膜のモデルとして取り扱う分野である．生体膜の多くは100種類以上もの脂質から成り，多種類の糖鎖で修飾され，そのうえ一般には細胞骨格で裏打ちされているので，その基本的性質を探るのは容易ではない．それに比べて，リポソームの脂質組成は1種類のものをはじめとして自由に組み合わせることができるので，脂質二重層膜の基本特性の解析には適切な材料である．

　リポソームの調製法については，超音波処理法，凍結融解法，逆相蒸発法などさまざまな方法が開発されている．しかし，生体膜モデルとして使用する場合は直径 $1\,\mu m$ 以上の1枚膜リポソームが望ましく，静置水和法と呼ばれる最も容易な調製法が適切である．すなわち，任意の組成の脂質を有機溶媒に溶かし，窒素気流下で蒸発させて脂質薄膜を調製する．この薄膜に水を加えて放置するだけである．

　リポソームの形態は微妙な環境変化によって大きく変化する．たとえば，溶液の浸透圧変化によって変形はもちろん，多重膜化も起こる．したがって，溶液中の形態をそのままの状態で観察することが重要である．そのための最も適切な手段は暗視野光学顕微鏡法である．高輝度光源を用いると，厚さ5 nmのリポソーム膜もはっきり

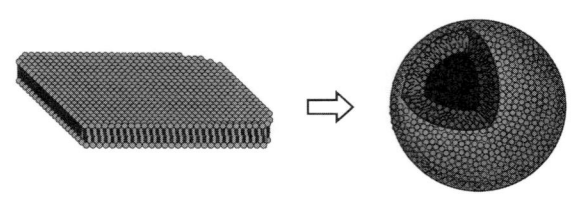

脂質二重層膜　　　　リポソーム

図3.10.1　脂質二重層膜とリポソームの模式図

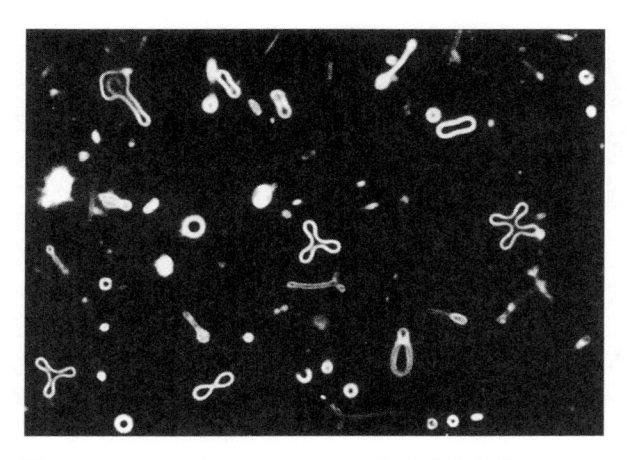

図 3.10.2　DPPC とコレステロールから成るリポソームの暗視野光学顕微鏡像

と容易に可視化できる．他の光学顕微鏡法では，コントラストが低く観察は困難である．

以下紙面も少ないので，生体膜モデルとしてのリポソームの形態面の研究に絞って紹介する．細胞の中にはさまざまな形の膜小胞器官がぎっしり詰まっている．各種の膜小胞はおのおの独自の機能をもっており，それらの機能を最適化するための形態を備えている．たとえば，ゴルジ体は円盤状小胞の重なりであり，小胞体は枝分かれした膜管のネットワークである．リソゾームは保安のために多重膜構造になっていることが多い．DPPC（ジミリストイルホスファチジルコリン）とコレステロールから成る柔らかいリポソーム（図 3.10.2）では，わずかな浸透圧の変化によって，これらの種々の形へ変形しうることが明らかにされた．したがって細胞内膜器官は，膜が本来もっている形態形成能力を選択して採用していることがわかる．

他方，リポソーム中で代表的な細胞骨格である微小管やアクチン繊維を再構成させて，細胞モデルをつくる試みも行われている．細胞骨格の成長により，リポソームは細胞類似型を含むさまざまな形に変化する．その形態形成の主要因は細胞骨格結合蛋白質による細胞骨格の連結様式と膜の物理的性質であることがわかった．このモデルは将来，赤血球にみられるような単一機能細胞の構築をめざしたプロトタイプとして有力になると考えられる．　〔宝谷紘一〕

[文献]

1) Hotani, H.: Transformation Pathways of Liposomes. *J. Mol. Biol.* **178**, 113-120, 1984.
2) 宝谷紘一：膜の形を変える．生体膜−生命の基本形を形づくるもの，pp. 153-161, 吉岡書店, 1996.
3) 本田　誠, 瀧口金吾, 伊藤知彦, 宝谷紘一：細胞モデルの構築, バイオミメティックスハンドブック, pp. 349-354, エヌ・ティー・エス, 2000.
4) 秋吉一成, 辻井薫監：リポソーム応用の新展開−人工細胞の開発に向けて−, エヌ・ティー・エス, 2005.

3.11 膜のイオン透過性

a. 透過性という概念

細胞膜あるいは細胞内小器官の膜は脂質2分子層を基本構造としており，ここにイオンの通路となる膜蛋白分子が埋め込まれている．膜蛋白分子内のイオンの通路をチャネルと呼ぶ．チャネルは不規則に開閉を繰り返している．1つのチャネルの電気的コンダクタンスはチャネルの種類によって異なっているが，10 pSから400 pSの範囲にある．100 pSのチャネルについて考えると，10 mVの駆動力が働けば，約6×10^6個/secのイオンが流れることになる．

膜がある特定の物質を通すその程度を示すために，透過性という言葉が用いられている．ものの動きは駆動力と広い意味でのコンダクタンスとの積で表される．この広い意味でのコンダクタンスが透過性を表す指標である．膜のコンダクタンスは開いている個々のチャネルのコンダクタンスの和である．開いているチャネルの数が多ければ，コンダクタンスは大きい．一方，膜によって隔てられた2溶液のイオン濃度が異なる場合，チャネル自体の性質に変化がなくても単一チャネルのコンダクタンスが膜電位の変化に従って変化する例は多い．このように膜電位の変化とともに単一チャネルコンダクタンスが変化したときも，透過性が変化したというべきであろうか．この場合，透過性が変化したというよりむしろ単純に，単一チャネルのコンダクタンスが変化したというほうが妥当であろう．透過性という概念にはこのような曖昧さがある．

b. イオン流とチャネル両端間電位差

透過性はともかく抽象的な概念であるので，多少でも具体的に考えられるように，シェイカー型のK^+チャネルをモデルにとりイオンの流れを考えていくことにする．シェイカー型K^+チャネルは4個のサブユニットからなる四量体である．各サブユニットには膜貫通性のセグメントが6ヵ所あり，おのおののセグメントは6回転α-ヘリックスを形成していると考えられている[1]．6個のセグメントのうちの1つに，比較的親水性の高いアミノ酸残基が多い．各サブユニットの親水性の高いアミノ酸残基をもつセグメントが4本，分子の中央部分に管状に集まり，イオン通路の壁の内張りをしていると考えられる．チャネルの中では，イオンは親水性の高い部位にあるアミノ酸残基と緩やかに結合し，隣接する親水性の高い部位に次々とジャンプしながら移動する．親水性の高い部位（ここを谷ということにする）から次の谷に移動するにはその間にある山を越えなければならない．すなわちイオンがチャネルを通り抜けるにはチャネル内のいくつかの山を次々と乗り越えていかなければならない．α-ヘリックスが6回転していることから，谷の数は6, 山の数は5と考えることにする．

チャネル内においてもイオンは電位勾配および濃度勾配に従って流れる．谷と谷との間の山の高さが皆同じであり，山が対称形であるならば，それぞれの山を越えて流れるイオン流は次のようになる．

$$(J_K)_{12} = k^0 \exp(E_m F/2nRT) \cdot (K^+)_1 \\ - k^0 \exp(-E_m F/2RT) \cdot (K^+)_2 \tag{1a}$$

$$(J_K)_{23} = k^0 \exp(E_m F/2nRT) \cdot (K^+)_2 \\ - k^0 \exp(-E_m F/2RT) \cdot (K^+)_3 \tag{1b}$$

$$(J_K)_{34} = k^0 \exp(E_m F/2nRT) \cdot (K^+)_3 \\ - k^0 \exp(-E_m F/2RT) \cdot (K^+)_4 \tag{1c}$$

....

$(K^+)_1$ は細胞内側入り口の谷の K^+ 濃度であり，$(K^+)_2$ は2番目の谷の K^+ 濃度であり，$(K^+)_3$ は3番目の谷の K^+ 濃度である．$(J_K)_{12}$ は細胞内側入り口から1番目の谷と2番目の谷との間の山を越えるイオン流であり，$(J_K)_{23}$ は2番目の谷と3番目の谷との間の山を越えるイオン流であり，$(J_K)_{34}$ は3番目の谷と4番目の谷との間の山を越えるイオン流である．k^0 は隣り合った谷の間に電位差がない場合に一方の谷から他方の谷に向かうイオンジャンプの速度定数である[2]．これは山の高さが高くなるほど小さくなる．n はチャネル内の山の数であり，E_m は細胞内側入り口の谷と細胞外側入り口の谷との間の電位差（これをチャネル両端間の電位差ということにする）である．隣接する谷と谷との間の電位差は E_m/n となる（図 3.11.1）．

定常状態では，それぞれの山を越えるイオン流の大きさは等しく，チャネルを貫いて流れるイオン流 J_K に等しい，$(J_K)_{12} = (J_K)_{23} = (J_K)_{34} = \cdots\cdots = J_K$．この場合，式 (1) の各式を次々と代入し整理すると，次の式が導き出される．

$$J_K = k^0 [\exp(E_m F/2nRT) - \exp(-E_m F/2nRT)]$$
$$\frac{(K^+)_i \exp(E_m F/RT) - (K^+)_o}{\exp(E_m F/RT) - 1} \quad (2)$$

$n = 1$ の場合，J_K はチャネル内イオン濃度と無関係に E_m の正接曲線となる．ところが，n が5以上であれば，上式は近似的に次のようになる．

$$J_K = k^0 \frac{E_m F}{nRT} \frac{(K^+)_i \exp(E_m F/RT) - (K^+)_o}{\exp(E_m F/RT) - 1} \quad (3)$$

$(K^+)_i$ は細胞内側入り口の谷（1番目の谷）の K^+ 濃度であり，$(K^+)_o$ は細胞外側入り口（$n+1$ 番目の谷）の K^+ 濃度である．この式は，当然のことながら，ホジキン-カッツ（Hodgkin-Katz）の式[3]とまったく同じ形である．次にチャネル入り口のイオン濃度と溶液中のイオン濃度との関係，なら

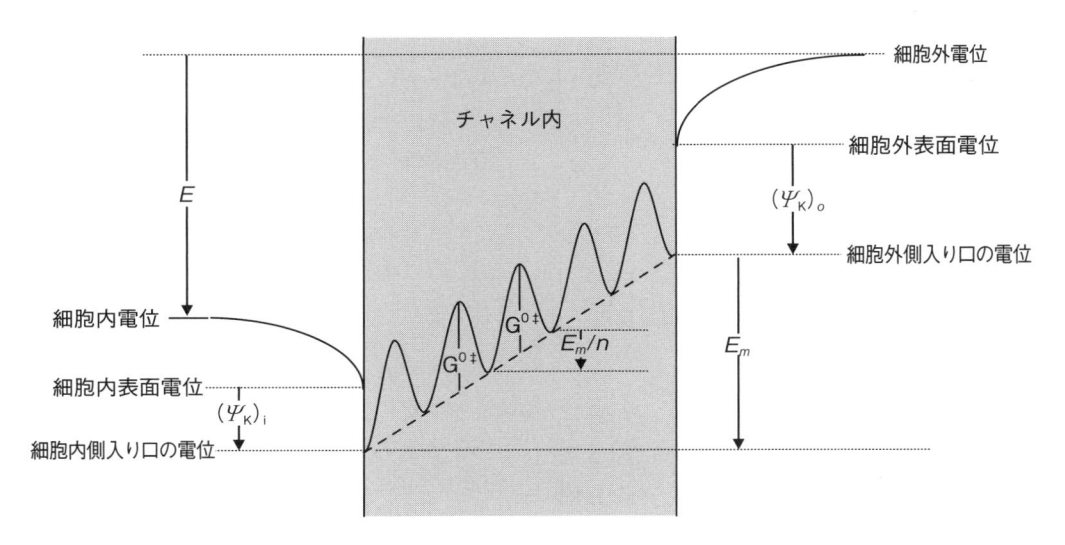

図 3.11.1 チャネル縦方向のポテンシャルプロフィル

E_m はチャネル両端間の電位差であり，n は山の数である．$(\Psi_K)_i$ は細胞内側の界面電位を示し，$(\Psi_K)_o$ は細胞外側の界面電位を示す．$G^{0\ddagger}$ は隣り合う谷の間に電位差のないときの山の高さであり，これは山を越えるのに必要な活性化エネルギーである．速度定数 k^0 は $\exp(-G^{0\ddagger}/RT)$ に比例する．隣り合う谷の間に E_m/n の電位差がある場合，山が対称形であるならば，細胞外方向に向かうイオンのジャンプの速度定数は $k^0 \exp(E_m F/2nRT)$ となり，細胞内方向に向かうジャンプの速度定数は $k^0 \exp(-E_m F/2nRT)$ となる．

3.11 膜のイオン透過性

びにチャネル両端間の電位差と膜電位との関係を求めなければならない．

c. チャネルへのイオンの分配
(1) 分配係数 (partition coefficient)
チャネル-溶液界面におけるチャネル内のイオン濃度を膜表面に接する溶液中の同じイオン種のイオン濃度で割ったものを分配係数という．例によってK^+チャネルについて考えると，K^+に関する分配係数は次のように定義される．

$$\beta_K \equiv \frac{(K^+)}{[K^+]^0} \quad (4)$$

$[K^+]^0$は膜表面の溶液中のK^+濃度であり，(K^+)はチャネル入り口の谷のK^+濃度である．

チャネル内の谷においては，イオンは親水性アミノ酸残基とゆるやかな複合体を形成しているであろう．親水性残基とK^+との結合反応は次の化学式で表される．

$$K^+ + R \xrightleftharpoons{K_K} K^+R$$

K_Kは複合体K^+Rの解離定数である．チャネル入り口のK^+に対する親和性が低く，$[K^+]^0 \ll K_K$であれば，チャネル入り口の谷の部分のK^+濃度(K^+)は膜表面溶液中のK^+濃度に比例するようになり，分配係数は次のようになる．

$$(\beta_K) \cong \frac{(K^+)_{max}}{K_K} \quad (5)$$

このようにチャネルのイオン親和性が低い場合，分配係数の値は膜表面溶液中のK^+濃度と無関係に一定とみなされうる．

一方，チャネルのK^+に対する親和性が高く，$[K^+]_i^0 \gg K_K$であれば，細胞内側界面および細胞外側界面におけるチャネル内イオン濃度は共に飽和値$(K^+)_{max}$に達する．チャネル内イオン濃度が飽和値に達すると，分配係数の値はチャネル内の飽和濃度を膜表面溶液中のイオン濃度で割ったものとなる．したがってこの場合，分配係数の値は膜表面イオン濃度に依存する．

(2) 界面電位 (boundary potential)
チャネル入り口の谷の部分と膜表面の溶液との間には電位差が存在する（図3.11.1）．この電位差を界面電位という．チャネル入り口の谷の部分が電気的に負であるほど，多くの陽イオンが集積する．すなわち界面電位も他の平衡電位と同様にイオン濃度の関数である．例によってK^+チャネルについて考えることにする．細胞内側の界面電位は次の式で表される．

$$(\Psi_K)_i = \frac{RT}{F} \ln \frac{[K^+]_i^0}{a_K (K^+)_i} \quad (6a)$$

$$(\Psi_K)_o = \frac{RT}{F} \ln \frac{[K^+]_o^0}{a_K (K^+)_o} \quad (6b)$$

界面電位は膜表面の溶液の電位に対するチャネル入り口の谷の電位をもって表す．定義上，細胞外側の界面電位は，細胞内外の電位差（膜電位）と同じく，より細胞内側の電位からより細胞外側の電位を差し引いたものとなるが，細胞内側の界面電位は，膜電位とは逆に，より外側の電位からより内側の電位を差し引いたものとなる．a_Kはチャネル内親水性部位にあるK^+の活度係数である．チャネルのイオン親和性が低い場合，分配係数は一定となるので，界面電位の値は溶液中のイオン濃度と無関係になる．一方，チャネルのイオン親和性が高くチャネルが飽和状態にあるとき，界面電位の値は溶液中のイオン濃度に依存するようになる．

(3) チャネル両端間電位差
細胞内液と細胞外液との間には，細胞内側表面電位，細胞内側界面電位，チャネル両端間の電位差，細胞外側界面電位，細胞外側表面電位がある．したがってチャネル両端間の電位差E_mは膜電位Eを用いて次のように表される．

$$E_m = E + \varphi_i + (\Psi_K)_i - (\Psi_K)_o - \varphi_o \quad (7)$$

φ_iは細胞内側の表面電位であり，φ_oは細胞外側の表面電位である．表面電位は固定電荷をもつ膜に接する溶液の中における電位差である．この電位差は同一の

溶液における膜表面の電位から膜の影響を受けないほど遠く離れた部位の電位を差し引いたものと定義されている．したがって，細胞内側の表面電位も，細胞の膜電位の定義とは逆に，より外側の電位からより内側の電位を引いたものとなる．表面電位については他のところで述べられるので，ここでは議論を簡単にするために細胞内側の表面電位も細胞外側の表面電位も共に0mVであるとする．このような条件下では，$E_m = E + (\Psi_K)_i - (\Psi_K)_o$ となり，$[K^+]_i^0 = [K^+]_i$；$[K^+]_o^0 = [K^+]_o$ と簡単になる．

チャネルのイオン親和性が低い場合，チャネル入り口のイオン濃度は溶液中のイオン濃度に分配係数を掛けたものとなり，細胞内側の界面電位と細胞外側の界面電位は大きさが等しいので互いに打ち消し合い，$E_m = E$ となる．したがってK^+イオン流は次のようになる．

$$J_K = \frac{k^0 (K^+)_{max}}{nK_K} \frac{EF}{RT} \frac{[K^+]_i \exp(EF/RT) - [K^+]_o}{\exp(EF/RT) - 1}$$
(8)

この場合，Eが$+\infty$に近づくと，

$$J_K = \frac{k^0 (K^+)_{max}}{nK_K} \frac{EF}{RT} [K^+]_i$$

となり，原点を通り$[K^+]_i$に比例する勾配をもった直線に近づく．逆にEが$-\infty$に近づくと，

$$J_K = \frac{k^0 (K^+)_{max}}{nK_K} \frac{EF}{RT} [K^+]_o$$

となり，原点を通り$[K^+]_o$に比例する勾配をもった直線に近づく．このように外向きにK^+イオン流が流れるときにコンダクタンスが上昇するのはイオン濃度の高い細胞内側からイオンがチャネル内部の谷に流れ込んでくるのでチャネル内部のイオン濃度が上昇する結果である．逆に内向きにK^+イオン流が流れるときにコンダクタンスが低下するのはチャネル内のイオン濃度が低下する結果である．すなわちスロープコンダクタンスG_Kについて

$$\frac{(G_K)_{E\infty}}{(G_K)_{E-\infty}} = \frac{[K^+]_i}{[K^+]_o}$$

の関係が実験において認められれば，チャネルは飽和からはるかに遠い状態にあると判断されうる．

チャネルのイオン親和性が高く，飽和状態に近い場合，

$$(\Psi_K)_i - (\Psi_K)_o = \frac{RT}{F} \ln \frac{[K^+]_i}{[K^+]_o} = E_K$$

となるので，$E_m = E - E_K$ となる．この場合，チャネル内では$(K^+)_i = (K^+)_o = (K^+)_{max}$であるので，$K^+$イオン流は

$$J_K = \frac{k^0}{n} \frac{F}{RT} (K^+)_{max} (E - E_K) \quad (9)$$

となり，J_Kと膜電位との関係はK^+平衡電位の点でX軸を横切る直線で示されることになる．この直線の勾配はチャネルの性質のみに依存する．チャネルが飽和状態にあるときコンダクタンスが一定となるのは膜電位が変化してもチャネル内のイオン濃度に変化が起きない結果である．

おわりに

膜のイオン透過性を表す指標は膜あるいはチャネルの性質のみに依存するものであることが望ましい．チャネルのイオン親和性が低い場合，コンダクタンスは溶液中のイオン濃度に依存し，しかもイオン流の方向および大きさに従って変化する．しかしチャネルのイオン親和性が高くチャネルが飽和状態に近い場合は，コンダクタンスはチャネルの性質のみに依存する．したがって，膜のイオン透過性を表すにはチャネルが飽和状態になるような実験条件を選んで測定したコンダクタンスの値をもってするのが最も適切である．また，チャネルの中の山の数が1である場合，イオン濃度と無関係にIvs.E曲線は正接曲線となる．このことは，Ivs.E曲線の形がチャネルの構造について示唆を与えるものであることを示している．

なお，本稿では議論を簡単にするために

表面電位を0 mVとしたが，実際には膜表面には固定電荷があり，表面電位が発生している．表面電位が負であれば，膜表面に陽イオンが集積する．K^+チャネルが飽和状態でない限り，膜表面の溶液中のK^+濃度の上昇はK^+チャネル内K^+濃度の上昇を介してK^+コンダクタンスの上昇をもたらす．この限りにおいて，表面電位の変化は静止電位に影響を与える．〔北里　宏〕

[文献]
1) 「脳の科学」編集委員会：チャネル病, 星和書店, 1999.
2) Polissar, M. J.: Diffusion through membranes and transmembrane potential. In: The Kinetic Basis of Molecular Biology (ed. Eyring, H.) pp. 515-609, John Willy & Sons, 1954.
3) Hodgkin, A. L. and Katz, B.: The effect of sodium ions on the electrical activity of the giant axon of the squid. J. Physiol. **108**, 37-77, 1949.

3.12　膜　電　位

　膜電位とは，イオンを通す膜（細胞膜や荷電膜等）が2つの電解質溶液を隔てているときにこの溶液間に発生する電位差のことである．膜をひとまず置いておいて電解質溶液を考えよう．溶液中にイオン濃度勾配があるとするとイオンが拡散する．この拡散に伴って電位（拡散電位）が発生する．拡散電位とは，イオンの動きやすさがイオンの種類によって異なるため，イオンの拡散によって運ばれる電荷の移動量が陽イオンと陰イオンで異なり，「電荷の分離」が起こることに起因するものである．教科書[1,2]には拡散電位（液間電位）ε_Lとして次の式が与えられている．

$$\varepsilon_L = -\frac{RT}{F}\int_\alpha^\beta \sum_i \frac{t_i}{z_i} d\ln a_i \quad (1)$$

ここで，t_i, z_iおよびa_iはそれぞれiイオンの輸率，荷電（符号を含む）および活量である．系に存在するすべてのイオンの輸率の和は1である．その他は熱力学で通常用いられている記号である．熱力学的には，連続した電解質溶液でも，膜が2つの電解質溶液を隔てた系でも区別をしないので，式（1）は膜電位にも使用できる．

　膜で実際に起こっていることを考えて膜電位の式を導いたのは，1935年のTeorell, MayerとSieversであり，それはTMSの理論と呼ばれている．2つの膜/電解質溶液界面でドナン電位が発生し，膜内では拡散電位が発生しており，膜電位はこれら3つの電位の和であると考える．TMS理論式には膜の固定荷電濃度，膜内でのイオンの移動度，両水溶液での塩濃度等が含まれ

ている．詳しくは文献[3,4]を参照されたい．

a. ドナン電位

いま透析膜で2つの電解質溶液（1種類とする）が隔てられており，1つの溶液（α溶液とする）には，蛋白質や高分子電解質のように透析膜を通れない大きなサイズで，かつ電荷をもった物質が含まれているとする．この巨大分子と透析膜を通過できる小イオンが，α溶液に共存することになる．他の溶液（β溶液とする）は小イオンのみが含まれている．巨大分子のもっている電荷とは逆の符号をもつ小イオンのα溶液中濃度は，巨大分子のために，溶液βの濃度より濃いであろう．逆に，同じ符号の小イオンは溶液αではβより薄いであろう．透析膜を挟んで2つの溶液間に小イオンの濃度差が生じることになる．これで平衡状態となっているのであるから，濃度差を保つ「力」が働いていなければならない．これがドナン電位である．数学的には，① 小イオンの電気化学ポテンシャル（$\bar{\mu}_i = \mu_i^o + RT \ln a_i + z_i F \varphi$．$\varphi$は電位）が溶液$\alpha$と$\beta$で等しい．② 活量と濃度は等しいとする（計算を簡単にする仮定）．③ α溶液（巨大分子の電荷を考える）とβ溶液でおのおの電気中性条件が成立する，との式を解けばよく，容易に解くことができる[4]．

b. ネルンスト-プランクの拡散の式

一次元の拡散の速度（fluxといわれ，J（mol/cm^2/s）で表される）は，式（2）のネルンスト-プランク（Nernst-Planck）の式で記述される．

$$|z_i|FJ_i = -u_i C_i \frac{d\bar{\mu}_i}{dx}$$
$$= -u_i C_i \left(RT \frac{d \ln C_i}{dx} + z_i F \frac{d\varphi}{dx} \right) \quad (2)$$

iの拡散の速度は，移動度（u_i）と濃度（C_i）と電気化学ポテンシャルの勾配の積である．ーは$\bar{\mu}_i$の増加する方向とは逆方向に拡散することを意味している．ここで，活量は濃度に等しいとしている．電圧測定（正確には起電力測定）であるので，電流が流れないという条件，

$$\sum z_i F J_i = 0 \quad (3)$$

のもとで式（2）を解けば，拡散電位が計算できる．

c. ホジキン-カッツ-ゴールドマンの式

式（2）を積分するのは容易ではない（プランクはその解を与えているが[4]）．理由は微分の項が2つあるからである．そこで，微分の項を1つ減らすことにし，$\frac{d\varphi}{dx} = $ 一定と仮定したのがゴールドマン（Goldman）の仮定である．すなわち，膜厚をL，電位差を$\Delta\varphi$とし，$\frac{d\varphi}{dx} = \frac{\Delta\varphi}{L}$とすれば，式（2）は

$$FJ_i = -RT u_i \frac{dC_i}{dx} - F \frac{\Delta\varphi}{L} z_i u_i C_i \quad (4)$$

となる．ここで使用する電解質溶液は陽イオン，陰イオンとも一価としている（（1:1）型塩という）．定常状態とすればJ_iはxによらず一定であるから，式（4）は1階の常微分方程式であり，簡単に解くことができる．積分は膜内に限るので，積分の結果には界面での膜内濃度が含まれる．しかし，膜外の電解質溶液の濃度で表す必要があるので，膜/電解質溶液界面における膜内イオン濃度は電解質溶液のそれに比例するとして比例定数をβ_iとし，透過係数P_iを式（5）で定義すると，膜電位（$\Delta\varphi$）として式（6）を導くことができる．

$$P_i = u_i \beta_i \frac{RT}{L} \quad (5)$$

$$\Delta\varphi = \frac{RT}{F} \ln \frac{P_K[K^+]_{out} + P_N[Na^+]_{out} + P_{Cl}[Cl^-]_{in}}{P_K[K^+]_{in} + P_N[Na^+]_{in} + P_{Cl}[Cl^-]_{out}} \quad (6)$$

式（6）において，イオンは，K$^+$，Na$^+$およびCl$^-$に限っている．下付きのin, outは細胞の内，外を意味する．陽イオンと陰イオンで，inとoutが逆になっていること

に注意．この式をホジキン-カッツ-ゴールドマン（Hodgkin-Katz-Goldman）の式（略してHKGの式）という．

上記の説明からわかるように，式(2)を解くのに濃度勾配（dC_i/dx）に対して何らかの近似を行ってもよい．この近似から得られた式は電気化学の分野で使用されている[1]．

d. 表面電位

ホジキンらは式(6)でイカの巨大神経の電気現象の解析に成功したが，ある実験から表面電位の寄与を考慮しなければならないとして，次のように考えた．表面電位は膜/溶液界面で発生している電位である．
（膜電位）＝（細胞内側での表面電位）＋（式(6)で計算される膜内の拡散電位）＋（細胞外側での表面電位）
すなわち，TMS理論のドナン電位のところを表面電位としたことになる．表面電位の寄与を導入しても，膜電位の式の形は式(6)と変わらない．もちろん，P_iの意味は式(5)とは異なる．

いま表面に固定荷電（陰電荷）をもっている固体表面があり，それが電解質溶液と接しているとする．すると，溶液中の陽イオンは電気的相互作用により，表面近くでは溶液内部よりも高い濃度になるであろう．陰イオンは逆の分布をするであろう．表面から十分離れたところでは両イオンの濃度は等しいであろう．このイオンの分布は電位$\xi(x)$を使ってボルツマンの分布則で記述できる．ところで，陽イオン（$n_+(x)$）と陰イオン（$n_-(x)$）の濃度が界面のごく近傍では異なるので，正味の電荷$\rho(x)$が生じる．この電荷と$\xi(x)$との関係はポアソン（Poisson）の式で記述できる．このような考えはゴイとチャップマン（Gouy-Chapman）によって，拡散電気二重層[1,5]の考えとして提出された．これによると次の式が得られる．濃度は単位体積あたりのモル数である．

$$n_+(x) = n \exp\left(-\frac{F\xi(x)}{RT}\right) \\ n_-(x) = n \exp\left(+\frac{F\xi(x)}{RT}\right)\Bigg\} \quad (7)$$

$$\rho(x) = F[n_+(x) - n_-(x)] \quad (8)$$

$$\frac{d^2\xi(x)}{dx^2} = -\frac{\rho(x)}{\varepsilon_r\varepsilon_o} \quad (9)$$

ここで，ε_oは真空中の誘電率で，ε_rは溶液中の比誘電率である．これらの式を，境界条件（表面から十分離れたところでは，$\xi(\infty) = (d\xi/dx)_{x=\infty} = 0$）のもとで解く．とくに，$\xi(x)$が十分に小さいとして，ボルツマンの式の指数関数を線形化できるとすると（デバイ-ヒュッケル（Debye-Hückel）近似という．彼らの電解質溶液の活量の理論[1,4,5]で使用された），簡単に解くことができ，$\xi(x)$は次の式で与えられる．

$$\xi(x) = \xi(0) \exp(-kx)$$

ここで，$1/k$は距離の次元をもち，イオン雰囲気の厚さという．$\xi(0)$は，固体表面の固定電荷およびイオンの総量で電気中性条件が成立することから，固定電荷密度およびkの関数として求められる．kを与える式はここには記さないので文献[1,4,5]を参考にされたい．ただし，kは，式(10)で定義されるイオン強度Iの平方根に比例する．

$$I = \left(\frac{1}{2}\right)\sum z_i^2 C_i \quad (10)$$

イオン雰囲気の厚さとは電気的な相互作用の及ぶ距離であり，(1:1)塩の1M，1mM，0.1mM溶液では，それぞれ，約1，10，30nmである．

この電気二重層の考えは，疎水性コロイドの安定性で重要な役割をしている．また，生体現象でも重要である．それは，生体膜は通常酸性リン脂質を含むために負に荷電しているためである．たとえば，蛋白のある残基のpK_aが溶液中の塩濃度に依存することがあるが，それは表面電位の存在の

ために表面の H^+ 濃度が溶液中とは異なるためである．金属イオンの膜構成物質への吸着やイオン物質の膜における反応速度等においても表面電位の影響を受ける．

e. 表面電位とドナン電位－界面電位

膜/電解質溶液の界面の溶液側に（拡散）電気二重層ができると述べたが，界面の膜側ではどうであろうか．膜の水含量が多くてイオンが多く存在している場合には，やはり，電気二重層ができるであろう．ただし，膜内の固定電荷の存在を考慮しなければならない．ドナン電位は，2つのあい接する相において，熱力学が適用されるような相内部の電位の差である．したがって，界面で形成される2つの電気二重層による表面電位の和がドナン電位になると考えられる．このことに関する考察は文献[4,5]を参照．

一方，脂質2分子膜のように，イオンが膜内に入り込まないと思われる場合はどうであろうか．膜内の電気二重層がないとすれば，表面電位とドナン電位は等しいであろうか．脂質のリン酸の荷電およびカルボニールや表面吸着水による双極子ために生じる電位ギャップがあるので簡単ではない．そこで，界面での電位を界面電位（interfacial potential）ということがある．

f. 式（6）の別の導き方

ネルンスト-プランクの式の積分において濃度で積分をすると，界面での「接続」において，界面電位を別途考えなければならない．したがって，界面で連続である量，電気化学ポテンシャルで積分をすれば，膜内での積分は両水溶液間の積分となる．それは次のようにすればよい．(1:1) 塩で考える．式（2）の両辺に $\exp\left(\frac{z_iF\varphi}{RT}\right)$ を掛けて整理すると，

$$J_i \exp\left(\frac{z_iF\varphi}{RT}\right) = -\frac{RT}{F}u_i\frac{d}{dx}\lambda_i \quad (11)$$

が得られる．ここで，λ_i は電気化学活動度と呼ばれ，式（12）で定義されている．

$$\lambda_i = C_i \exp\left(\frac{z_iF\varphi}{RT}\right) \quad (12)$$

式（11）を膜内で（$x=0_+$ から L_- まで）積分をすると，

$$J_i = -P'_i[\lambda_i(L_-) - \lambda_i(0_+)] \quad (13)$$

$$P'_i = -\frac{RT}{F}\frac{u_i}{\int_{0_+}^{L_-}\exp\left(\frac{z_iF\varphi}{RT}\right)dx} \quad (14)$$

となる．膜は $x=0$ から L まであり，$x<0$ および $x>L$ には溶液 I および II があるとする．式（13）は，イオンに対しても，λ_i を用いると式（2）がフィック（Fick）の拡散の式に類似の式に変形できることを示している．

界面で電気化学ポテンシャルが連続であるので，$RT\ln\lambda_i$ が電気化学ポテンシャルのうち，標準化学ポテンシャル μ_i^o の項を除いたものであることに注意すれば，

$$\mu_i^o(0_-) + RT\ln\lambda_i(0_-)$$
$$= \mu_i^o(0_+) + RT\ln\lambda_i(0_+)$$
$$\mu_i^o(L_-) + RT\ln\lambda_i(L_-)$$
$$= \mu_i^o(L_+) + RT\ln\lambda_i(L_+) \quad (15)$$

が成立する．したがって，

$$\lambda_i(0_+) = \beta_i\lambda_i(0_-), \; \lambda_i(L_-)$$
$$= \beta_i\lambda_i(L_+) \quad (16)$$

が成立する．ここで，

$$\ln\beta_i = \frac{\mu_i^o(0_-) - \mu_i^o(0_+)}{RT} = \frac{\mu_i^o(L_+) - \mu_i^o(L_-)}{RT}$$
$$(17)$$

であり，β_i は分配係数である．式（16）を式（13）に代入すると，

$$J_i = -P'_i\beta_i[\lambda_i(L_+) - \lambda_i(0_-)]$$
$$= -P_i[\lambda_i(II) - \lambda_i(I)] \quad (18)$$

となる．ここで，$x=L_+$ または 0_- の位置は，溶液 II および I の位置である．式（18）を電流=0 の条件（式（3））のもとで $\Delta\varphi = \varphi(II) - \varphi(I)$ に関して解けばよいのであるが，溶液 I では $-(1/2)\Delta\varphi$，II では $(1/2)\Delta\varphi$ の電位であるとして解けば，容易に求められる．得られる式は式（6）と同じで

ある．このように，式（6）には界面電位の項も取り込まれている．そして，式（6）の透過係数 P_i は，$\beta_i P_i'$ であり，それらはそれぞれ式（17），（14）で与えられる．

おわりに

透過係数 P_i は，決して濃度によらない一定の値ではない．しかし，式（6）の HKG の式は，「綺麗な形をした」見通しのよい式である．ただし，5 nm ほどの薄さの生体膜で，すなわち，イオン雰囲気の厚さよりも薄いかもしれないところで，「理論的」にこの式が正しいのかどうかは筆者にはわからない．熱力学的には，透過係数が等しい厚い膜と膜電位は等しいと考えられるのかもしれない． 〔加茂直樹〕

[文献]
1) 玉虫伶太：電気化学，東京化学同人，1991．
2) カチャルスキー・カラン（青野　修・木原　裕・大野宏毅訳）：生物物理学における非平衡の熱力学，みすず書房，1975．
3) 加茂直樹，小畠陽之助：荷電膜中におけるイオンの易動度と活量係数．生物物理 **11**, 32-30, 1971．
4) 花井哲也：膜とイオン：物質移動の理論と計算，化学同人，1978．
5) 近藤　保，大島広行，村松延弘，牧野公子：生物物理化学，三共出版，1992．

第4章　細胞と生物物理

4.0 〈総論〉細胞と生体膜[1)]

細胞のいちばん外側に細胞膜（あるいは形質膜）が存在している．また真核細胞では，その内部に核，小胞体，ゴルジ体，リソソーム，ミトコンドリアなどの小器官（オルガネラ）があるが，これらも膜をもっている．これらを総称して生体膜という．生体膜の構造の特徴は，膜面内で分子が横方向に移動でき（二次元），膜から他の膜への小胞による輸送（三次元）が行われる点である．

a. 膜の構成原理

膜の主成分はリン脂質と蛋白質である．リン脂質は，その分子の大部分が炭化水素の脂肪鎖で親脂性（あるいは疎水性）をもち，別の部分には極性基や解離基をもつ親水性である．このような両親媒性分子を水の中にいれると，分子は二分子層に並ぶ（図4.0.1）．その特徴は，極性基は水と接しているが炭化水素部分は水と接しない．もし炭化水素が水と接すると，水のエントロピーが減少し，自由エネルギーが大きくなるので起こらない．すなわち水と接しないことが二分子層の構造をつくる原因（疎水性原理）である．

膜の内在性蛋白質は，そのアミノ酸配列の中に二十数個の疎水性残基が連続しており，この疎水性部分がリン脂質二分子層の炭化水素部分と接するように配列されている（図4.0.1）．やはり疎水性のアミノ酸部分が水と接しない原理にもとづく．

生物は水を70～80％も含んでいるが，

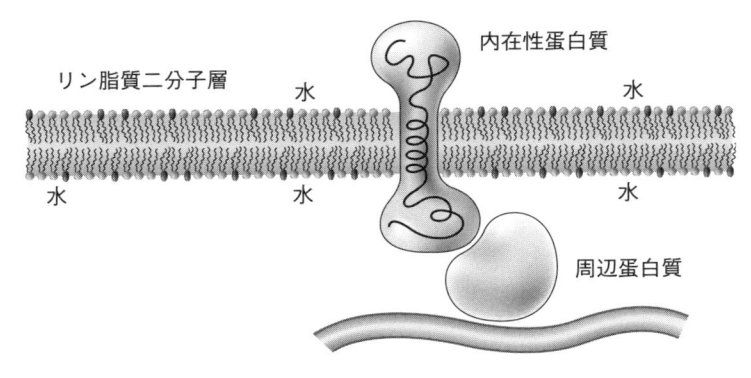

図4.0.1 生体膜の構成原理
リン脂質の二分子層膜：極性基（●，●）が水に接し，炭化水素鎖（～）が水と接しない構造である．内在性蛋白質：疎水性アミノ酸残基がリン脂質の炭化水素部分と接し水に接しない．内在性蛋白質は周辺蛋白質の裏打ち構造と相互作用することが多い．

疎水性原理により膜が形成され，水に溶けずに機能しているのである．

b. 膜内での分子の拡散

リン脂質や蛋白質は膜の横方向（二次元）に移動することができる．

(1) リン脂質の拡散

リン脂質の拡散定数は 10^{-8} cm^2/s の前後である．これはリン脂質が1秒間に $2\,\mu$m 動くことになる．膜の粘性係数を計算すると約 1P（ポアズ）になり，液体の方に近い．細胞膜でも数秒もたてばリン脂質は膜を1周することができる．

(2) 内在性蛋白質の拡散

たとえばバクテリオロドプシンをジミリストイルホスファチジルコリン（DMPC）に再構成した膜では，拡散定数は 3×10^{-8} cm^2/s となり，リン脂質に比べると少し遅い程度である．この再構成膜は蛋白質1モル当たりリン脂質210モルを含んでいるが，もし蛋白質のモル比を大きくするとその拡散定数は小さくなる．

細胞膜は内在性蛋白質を多く含み，また周辺蛋白質と相互作用している場合が多い．たとえば赤血球膜でバンド3の拡散定数を測定すると（蛍光退色回復法），その40%が 5×10^{-11} cm^2/s の値を示すが，残りの60%は拡散できない状態にある．バンド3は膜の裏側でアンキリンと結合し，アンキリンはアクチンやスペクトリンと結合している．そしてスペクトリンは四量体に会合し網目構造をつくる．このように裏打ち構造と結合しているバンド3は移動できない（図4.0.1）．内在性蛋白質の移動性は周辺蛋白質により制御されている．

(3) 膜の縦方向での移動－フリップ・フロップ

リン脂質が二分子層の表（裏）層から裏（表）層へ移動することをフリップ・フロップというが，その速さは大変遅い．たとえばホスファチジルコリン二分子層膜では10時間もかかる．フリップ・フロップを起こすためには，それぞれの極性基を炭化水素鎖からなる膜内部に入れねばならないが，それに大きいエネルギーを必要とする．

細胞膜は多種類のリン脂質から構成されているが，そのリン脂質の表裏の分布は不均一である．たとえば赤血球膜ではその表側にはスフィンゴミエリン（その82%が表側に存在する），ホスファチジルコリン（76%）が多く存在し，裏側にはホスファチジルセリンとホスファチジルエタノールアミン（80%が表側に存在する）が多く存在する．非対称分布が起こる理由は，フリッパーゼなどの酵素によると考えられる．

c. 膜動輸送－膜の小胞化と融合による輸送

(1) 膜動輸送の素過程

細胞では蛋白質などを膜の小胞化と融合

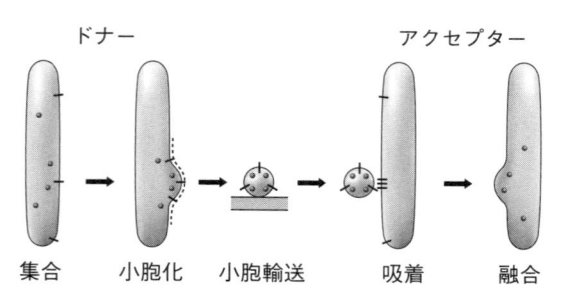

図 4.0.2 膜動輸送
ドナーの膜内で蛋白質が集合し，小胞化し，小胞が輸送され，アクセプター膜に吸着し，融合する．アクセプターからドナーへの膜動輸送も起こる．

により輸送する(三次元). これをサイトーシス (cytosis) あるいは膜動輸送という. あるドナー(提供者)の膜からアクセプター(受容者)の膜への輸送は, ドナーで目的の蛋白質が集合され, その膜の部分が小胞化し, 小胞が輸送され, アクセプター膜に吸着し, 融合する (図4.0.2). 集合, 小胞化, 輸送, 吸着, 融合などの素過程には, それらを司る蛋白質が存在している.

この逆過程も起こる.

(2) エキソサイトーシス (exocytosis)

分泌蛋白質や膜の内在性蛋白質は粗面小胞体で合成される (図4.0.3Ⓐ). その結果分泌蛋白質は小胞体の内部で合成される. 内在性蛋白質の方は小胞体の膜に組み込まれる. この後は小胞体→ゴルジ体シス→中間→トランス→細胞膜へ膜動輸送される. たとえばアルブミンの分泌時間(肝細胞)は約1時間である. 小胞体から膜動輸送で細胞膜と融合し細胞外に放出される

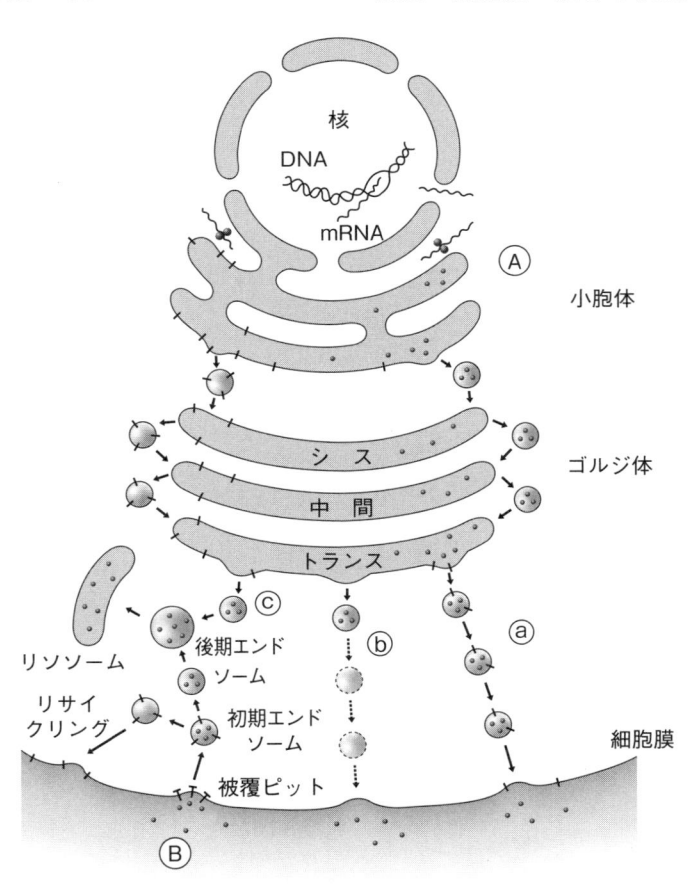

図 4.0.3 サイトーシス
Ⓐ エキソサイトーシス. 分泌蛋白質や内在性蛋白質は, 粗面小胞体で合成され, 小胞体→ゴルジ体→細胞膜へ膜動輸送される. トランスゴルジ体からの輸送には, ⓐ 小胞が常に細胞膜に接近し融合するか (構成輸送), ⓑ 小胞の状態でとどまり外部からの信号により細胞膜と融合する (調節輸送). ⓒ リソソームへの輸送は, 小胞が後期エンドソームと融合する.
Ⓑ エンドサイトーシス. 外部物質は細胞膜の受容体に結合し, 小胞化され, エンドソームになる. このエンドソームがリソソームや細胞膜と融合する.

現象をエキソサイトーシスと呼ぶ．エキソとは外側への意味である．

トランス膜からの輸送には蛋白質によりいろいろ異なる．例えばアルブミンは，トランス膜からの小胞がただちに細胞膜に接近し融合して分泌される（構成輸送）（図4.0.3 ⓐ）．しかしインスリンなどは，トランス膜からの小胞はそのまま細胞内にとどまり（分泌顆粒），細胞外からの刺激（Caの上昇）により細胞膜と融合し分泌される（調節輸送）（図4.0.3 ⓑ）．リソソームへの輸送は，トランス膜の小胞が後期エンドソームと融合して起こる（図4.0.3 ⓒ）．例えばマンノース-6-リン酸の糖鎖をもつ蛋白質である．このような選別が起こる理由は，蛋白質自身のもつ信号や膜での受容体の相違による．

細胞膜の内在性蛋白質もエキソサイトーシスの経路により運ばれる．その他のオルガネラの蛋白質もやはりエキソサイトーシスのルートで運ばれる．どの膜でとどまるかは蛋白質のもつシグナルと思われる．

（3） エンドサイトーシス (endocytosis)

細胞外から蛋白質やその複合体を取り込む過程をエンドサイトーシスと呼ぶ（図4.0.3 Ⓑ）．エンドとは内側への意味である．たとえばインスリン，低密度リポ蛋白質（LDL），インフルエンザウイルスなどである．

外部物質はまず細胞膜のそれぞれの受容体に結合し，その膜部分が内部へ小胞化し，エンドソームになる．このエンドソームがリソソームや細胞膜と融合する．

この輸送の特徴は，エンドソームやリソソームが，それらの膜に存在するH^+-ATPaseの働きにより内部が酸性化される（pH 6〜5）ことである．たとえばLDLの場合，はじめ細胞膜では受容体に強く結合しているが，エンドソームまで運ばれるとその酸性のために解離してしまう．そしてLDLを包む小胞はリソソームと融合し酵素で処理される．また受容体をもつ小胞は細胞膜と融合して膜に戻される．LDLの取り込みから受容体を細胞膜に戻すリサイクリングの時間は約15分である．

生体膜の三次元の動的な性質により，細胞膜やオルガネラの膜はたえず増加したり減少する．しかし，定常状態ではこれらの膜はいつも同じ大きさに保たれている．それは膜動過程の可逆性や，エキソサイトーシスとエンドサイトーシスの相関のためであろう．〔大西俊一〕

[文献]

1) 大西俊一：生体膜の動的構造（第2版），東京大学出版会，1993.

I. 細胞の構造

4.1 細胞の構造：概論

生命の基本単位は細胞である．生物はその細胞の成り立ちに基づいて，原核生物と真核生物に分けられる．原核生物の細胞を原核細胞，真核生物の細胞を真核細胞と呼ぶ．原核生物は真正細菌と古細菌に分けられ，真核生物は原生動物，菌類，動物，植物などに分けられる．

すべての細胞は，リン脂質等から成る生体膜によって外界から隔てられている．細胞質膜に囲まれた区画を1つしかもたない原核生物に対して，真核生物の細胞は，膜で囲まれた小区画（オルガネラ）に複雑に分割されている．これらのオルガネラは固有の蛋白質組成をもち，固有の機能を果たす．

真核生物のオルガネラは，その進化的起源から2つのタイプに分けられる．進化のある時点で原核生物の細胞内構造が大きく変化して真核生物に変化したが，このとき細胞質膜が陥入してちぎれ，核や小胞体，ゴルジ体等がつくられた．一方ミトコンドリアや葉緑体は，おのおの α-プロテオバクテリアとシアノバクテリアに近い原核生

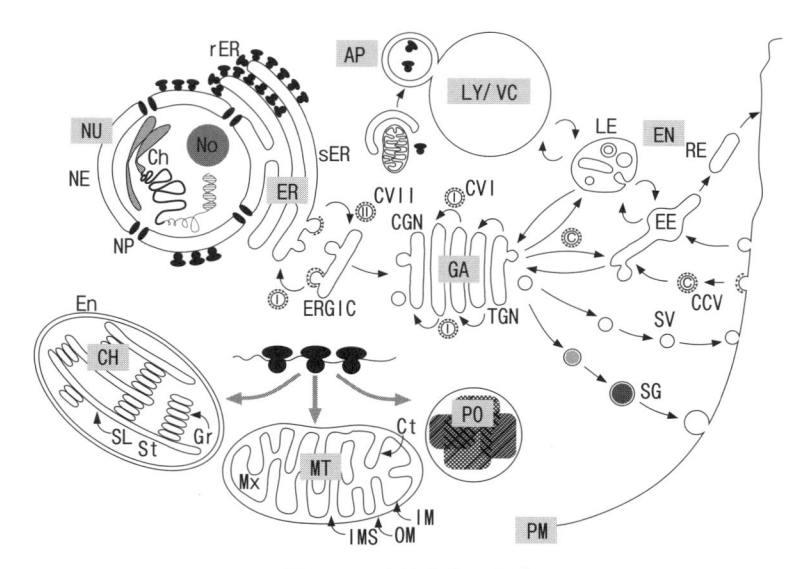

図4.1.1　真核生物の膜系
真核生物の膜系を模式的に示す．オルガネラの省略符号は以下のとおり．NU：核（NE：核膜，NP：核膜孔，No：核小体，Ch：染色体），ER：小胞体（rER：粗面小胞体，sER：滑面小胞体），ERGIC：ERゴルジ中間区画，GA：ゴルジ体（CGN：シスゴルジ網，TGN：トランスゴルジ網），SV：分泌小胞，SG：分泌顆粒，PM：細胞質膜，CVI：COPI被覆小胞，CVII：COPII被覆小胞，CCV：クラスリン被覆小胞，EN：エンドソーム（EE：初期エンドソーム，LE：後期エンドソーム，RE：リサイクリングエンドソーム），LY/VC：リソソーム/液胞，AP：オートファゴソーム，MT：ミトコンドリア（OM：外膜，IM：内膜，IMS：膜間部，Mx：マトリクス，Ct：クリステ），PO：ペルオキシソーム，CH：葉緑体（En：包膜，St：ストロマ，SL：ストロマラメラ，Gr：グラナ）．

物が起源であり，これらが真核生物の祖先の細胞に取り込まれて細胞内共生して変化したものと考えられている．

核は，内膜，外膜の二重の膜からなる核膜に囲まれ，内外核膜は，核膜孔部分に存在する孔膜によってつながっている[1]．核膜孔は，巨大蛋白質複合体が8回対称に配置した核膜孔複合体によって縁取られ，核-細胞質間の物質・情報の通路として機能する．核外膜は小胞体と連続し，核内膜は蛋白質性繊維である核ラミナによって裏打ちされている．核膜によって細胞質から隔てられた核質は，複製，転写などを司る遺伝情報の維持・伝達・発現・制御の中心である．核質は均質な領域ではなく，核小体をはじめとするさまざまな構造体が存在し，機能を分担していることが明らかになりつつある．

細胞周期に伴い，核は分裂する．多くの高等真核細胞では，細胞分裂時に核膜が消失し，染色体が娘細胞領域に分配された後，再び核膜が形成されて核が再生する[2]．核分裂に伴う核膜の崩壊の結果，核膜は特異的な小胞になると考えられてきたが，内在性核膜蛋白質の少なくとも一部は小胞体に拡散し，分裂期終期になって染色体周辺に再び集まることで，核膜が小胞体から形成されるらしい．同時に核質部にも大きな変化が現れ，それまで非常に広がっていた染色体がより凝集した構造に変化する（間期の染色体をとくに染色質，分裂期のものを狭義の染色体と呼ぶ場合がある）．さらに，2つの微小管形成中心を起点に，紡錘糸と呼ばれる微小管で結ばれた紡錘体が形成される．紡錘糸の一部が染色体の動原体部分に結合し，染色体の娘細胞への正確な分配を担う．菌類などの真核生物では，核膜の崩壊は起こらず，細胞質と核質は隔てられたまま核分裂が進行する．このとき核膜はきわめて大きな形態変化をし，核膜に埋め込まれた紡錘極体が紡錘体を形成するための微小管形成中心として機能する．核

分裂とは逆に，受精や接合等の有性生殖において，核は融合する．有性生殖における核の融合は生物種によって違いがあり，被子植物に至っては3つの核融合が受精の際に起こる．各配偶子由来の核は，融合して受精核を形成するか，完全な核融合が起こる前に受精卵の細胞分裂がスタートして核膜が崩壊することで，それらの染色体セットが合体し，新しい世代の二倍体核が形成される．

一重の生体膜で囲まれたオルガネラのうち，小胞体（ER），ゴルジ体，分泌顆粒，エンドソーム，リソソーム/液胞，オートファゴソーム等のオルガネラ系は，中央空胞系とも呼ばれ，そのオルガネラ間をさまざまな輸送小胞が行き来することで，物質輸送の一部を担っている．

小胞体は小管状，扁平嚢状などさまざまな形態をとるが，動物の培養細胞では，三叉状の結合部をもった網目状構造をとる場合が多い．小胞体は，リボソームの結合した粗面小胞体と，リボソームの結合していない滑面小胞体とに分けられる．滑面小胞体の一部には，ゴルジ体と物質のやりとりを行う移行型小胞体が存在し，ここから出芽によって輸送小胞が形成され，ER-ゴルジ中間区画（ERGIC）と呼ばれるオルガネラに運ばれる．ERGICは，さらにゴルジ体のシス側に存在するシスゴルジ網と呼ばれる小胞や小管に富んだ構造体に移行する．ゴルジ体は，数層の扁平嚢状の層板からなり，周辺部には小胞や小管状の構造がみられる[3]．ゴルジ体は，無脊椎動物，植物細胞，菌類などでは，細胞全体に分散しているが，極性を示す動物上皮細胞では核の近く，微小管形成中心の近傍に集積している．ゴルジ層板には方向性があり，ERGICが運ばれてくる側から順に，シスゴルジ網，シス層板，ミディアル層板，トランス層板，そして最も外側のトランスゴルジ網と区分される．トランスゴルジ網は小胞や小管に富み，細胞表層やエンドソー

ムとゴルジ体に向け小胞が形成され，物質移動の集配センターとなっている．細胞表層へと運ばれる分泌小胞の一部は，内部に蛋白質の集積体を含む分泌顆粒や神経細胞のシナプス小胞のように，機能に応じて分化し，特定の刺激に応答して細胞膜と融合して，内容物を放出する．他の分泌小胞は，恒常的に細胞表層に物質を輸送する．

トランスゴルジ網からはリソソーム/液胞へ向けた物質輸送も行われる．この場合の小胞輸送の流れは，初期・後期エンドソームを経由して，最終的にリソソーム/液胞へ到達すると考えられている．エンドソームはゴルジ体からの物質の中継点のみならず，エンドサイトーシスにおける物質の仕分けセンターとして重要な働きを担う[4]．細胞膜上の被覆ピットに集められ，クラスリン被覆小胞などとして取り込まれた細胞外可溶性成分や受容体などの細胞膜成分は，まず初期エンドソームと融合し，受容体など細胞表層にリサイクルされるものと，さらに後期エンドソームへ運ばれるものに仕分けされる．細胞表層へリサイクルされる成分はリサイクリングエンドソームに取り込まれ，細胞表層に戻る．後期エンドソームは，リソソームへ向かう分子と，リサイクルされる分子の最終選別ポイントの役割を果たす．リソソーム/液胞は種々の分解酵素に富み，エンドサイトーシスの最終目的地であると同時に，自食作用（オートファジー）の最終目的地でもある[5]．後期エンドソームを含め，リソソーム/液胞は内部が酸性に保たれており，植物の液胞の場合にはpHが2以下になる場合もある．動物細胞のリソソームと異なり，植物や菌類の液胞は細胞の大部分を占め，直径が0.2 mmを越えるものも存在する．このような細胞では，細胞質は液胞周囲をめぐるか，液胞中を網状に走る原形質糸として存在する．

細胞は飢餓時や分化時に細胞体制をつくり替える際，自己の細胞質やオルガネラを二重の膜で取り囲んで，最終的にはリソソーム/液胞でバルクに分解する．この自食作用において，二重の膜で取り囲まれたオルガネラがオートファゴソームである．オートファゴソーム膜がどのオルガネラに由来するかは未だ不明であるが，形成されたオートファゴソームはその外側の膜がリソソーム膜と融合し，その内容物がリソソーム/液胞の分解酵素により消化される．

中央空胞系オルガネラ間の物質の輸送には，被覆小胞，すなわちクラスリン被覆小胞，COPI被覆小胞，COPII被覆小胞等が関与する[6]．クラスリン被覆小胞は，クラスリンとアダプター複合体からなる被覆をまとった小胞である．COPI被覆小胞はコートマーまたはCOPI被覆蛋白質複合体により覆われた小胞で，主に小胞体-ゴルジ体間およびゴルジ層板間の逆行輸送を受けもつ．一方，COPII被覆小胞は，COPII被覆蛋白質に覆われた小胞で，主として小胞体−ERGICもしくはシスゴルジ網間の順行輸送にかかわる．以前は，ERGIC−ゴルジ体層板−分泌輸送担体−細胞表層への物質の流れは，順行輸送，逆行輸送いずれも輸送小胞を介した輸送が主である（小胞輸送モデル）と考えられてきた．しかし最近では，ERGICがシスゴルジ層板へ，シスゴルジ層板がミディアルゴルジ層板へと，層板構造自身が移動・成熟化（層板成熟モデル）し，輸送小胞は主に逆行輸送に関与するというモデルが主流になっている．

上述のオルガネラとは異なり，細胞内共生した原核生物を起源とするミトコンドリアや葉緑体は，二重の生体膜に囲まれている．ミトコンドリアは，呼吸によるエネルギー産生のほか，アミノ酸等の代謝，ヘムの生合成等にかかわるオルガネラである[7]．外膜と内膜の二重の生体膜によって囲まれ，内部は膜間部とマトリクスという空間に分けられている．内膜は折りたたまれて，クリステと呼ばれるマトリクスに突

き出したバッフル状の構造を形成しているとされるが，最近，クリステは構造上，内膜と連続していない可能性も提出されている．外膜には，ポリンが形成する比較的特異性の低いチャネルがあって低分子の透過を可能としているが，内膜は透過性が厳密に制御され，プロトンポンプによってプロトン濃度勾配が形成される．外膜と内膜は接近したコンタクトサイトと呼ばれる構造をつくり，この部分を利用して，蛋白質等がサイトゾルからマトリクスへ輸送される．細胞が分裂する場合にはミトコンドリアも適切に分裂し，娘細胞に分配される必要があり，また細胞の接合や受精に伴い，ミトコンドリアの融合も起こる．また，こうした分裂/接合時以外も，ミトコンドリアはしばしば融合と分裂を繰り返す．ミトコンドリアは伸びたひも状の形態を示す場合が多いが，組織や細胞の種類，増殖条件や外部環境に応じて，その形態が変化する．また，最近，ミトコンドリア内部からのチトクロム c 等の放出およびそれに引き続くミトコンドリア膜の崩壊がアポトーシスを引き起こす重要なステップであることが明らかになり，ミトコンドリアの新たな役割が注目されている．

植物細胞で光合成を行う葉緑体は，外包膜と内包膜に囲まれ，内部のストロマには光合成にかかわる膜蛋白質が集積したチラコイド膜系が発達している[8]．外包膜にはミトコンドリア外膜と同様，特異性の低いチャネルがあり，低分子量物質の透過を可能としている．内包膜にはさまざまな輸送体が存在し，葉緑体内外への選択的な物質輸送が行われる．チラコイド膜は透過性が厳密に制御され，プロトンポンプによってプロトン濃度勾配が形成される．チラコイド膜は，ストロマに接する積層しないストロマラメラと折れたたまれて積層したグラナとからなり，チラコイド膜蛋白質の組成も両者によって異なる．高等植物では，葉緑体は器官によって白色体，エチオプラスト，アミロプラスト，有色体等に変化する．葉緑体を含むこれらのオルガネラを総称して，色素体（プラスチド）と呼ぶ．

ミトコンドリアも葉緑体も独自のゲノムと蛋白質合成系をもつが，進化の過程でミトコンドリア蛋白質，葉緑体蛋白質の遺伝子の多くは核ゲノムに移行している．これらの蛋白質は，サイトゾルで合成された後，各オルガネラに戻ってくることになる．

ペルオキシソームは，1枚の生体膜で囲まれた球状ないし楕円形のオルガネラで，脂肪酸の β 酸化等を担う[9]．植物細胞ではグリオキシソームの形もとる．形態学的にはペルオキシソーム，グリオキシソームを一括してミクロボディとも呼ぶ．その構成蛋白質はサイトゾルで合成された後にペルオキシソームに移行するが，ペルオキシソーム形成の初期には小胞体が関与する可能性も指摘されている．

〔吉久　徹・遠藤斗志也〕

[文献]

はじめの2冊が本稿全体に対して，適切と思われる参考文献．

米田悦啓，中野明彦編：細胞内物質輸送のダイナミズム，シュプリンガー・フェアラーク東京，2003．

小椋　光，遠藤斗志也，森　正敬，吉田賢右共編：細胞における蛋白質の一生．蛋白質・核酸・酵素 **49** 増刊，共立出版，2004．

1) Lamond, A. I. and Ernshaw, W. C.: Structure and function in the nucleus. *Science* **280**, 547-553, 1998.
2) Nasmyth, K.: A prize of proliferation. *Cell* **107**, 689-701, 2001.
3) *Trends Cell Biol.* **8**, issue 1, Golgi centenary issue, 1998.
4) Maxfield, F. R. and McGraw, T. E.: Endocytic recycling. *Nat. Rev. Mol. Cell Biol.* **5**, 121-132, 2004.
5) Klionsky, D. J. and Ohsumi, Y.: Vacuolar import of proteins and organelles from the cytoplasm. *Annu. Rev. Cell Biol. Dev. Biol.* **15**, 1-32, 1999.
6) Kirchhausen, T.: Three ways to make a vesicle. *Nat. Rev. Mol. Cell Biol.* **1**, 187-198,

7) Neupert, W. and Brunner, M. : The protein import motor of mitochondria. *Nat. Rev. Mol. Cell Biol.* **3**, 555-565, 2002.
8) Soll, J. and Schleiff, E. : Protein import into chloroplasts, *Nat. Rev. Mol. Cell Biol.* **5**, 198-208, 2004.
9) Lazarow, P. B. : Peroxisome biogenesis : advances and conundrums. *Cur. Op. Cell Biol.* **15**, 489-497, 2003.

4.2 細胞骨格

a. 細胞の形,テンセグリティ

　細胞の形は細胞の種類によって大きく異なる．たとえばアメーバと培養細胞では形がまったく違う．また，同じ培養細胞でもシャーレなどに張り付いて広がった状態と接着していない状態（球形）では形が違う．このように細胞の形は多種多様ででたらめのようにも思える．しかし実際に細胞を観察していると似たような形に何回もお目にかかる．しかも「似たような形」は何種類かあるように見える．このような経験からすると細胞の形を決める何らかの原理があると思われる．

　細胞の形とは細胞膜の形にほかならない．しかし細胞膜の土台となるリン脂質二重層膜は厚さが6 nm 程度しかなく，光学顕微鏡で見える大きさの熱ゆらぎを起こすくらいフレキシブルである．このためそれ自身である形を保つことは特別の場合以外にはない．細胞の形の制御には細胞骨格蛋白質の役割が非常に重要である．細胞骨格蛋白質は細胞内でしばしばフィラメントとして存在する．主には3種類あり，アクチンフィラメント，微小管ならびに中間径フィラメントと呼ばれる．アクチンフィラメントは球状サブユニットであるアクチンモノマーがらせん状に重合した太さ約7 nm の繊維状構造体である．微小管はチューブリンダイマーが管状につながった外径約25 nm の構造体である．一方中間径フィラメントは何種類かが知られているが，いずれも主に α-ヘリックスからなるサブユニットが重合してフィラメントをつ

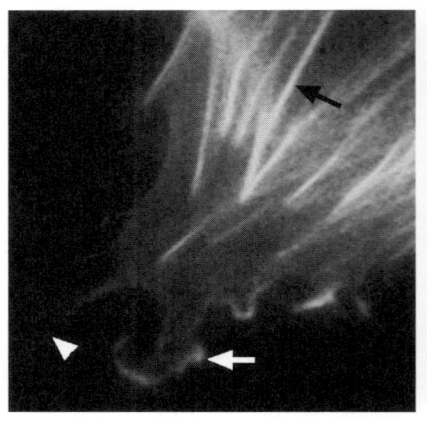

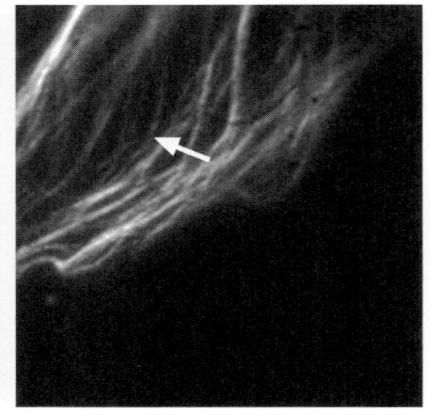

図4.2.1 ストレスファイバーと微小管
　左：繊維芽細胞内のストレスファイバー（黒矢印）．ラメリポディア（白矢印）とフィ
　　　ロポディア（白矢頭）も見えている．
　右：微小管（白矢印）．ストレスファイバーは蛍光性ローダミンで，微小管は間接蛍光
　　　抗体法で染色した．（東北大学・平田宏聡，未発表）

くっている．その太さは10 nm前後である．アクチンフィラメントは非常にフレキシブルであるが引張りには強く，モーター蛋白質ミオシンII，アクチンフィラメント束化蛋白質α-アクチニンとともにストレスファイバー（図4.2.1左）と呼ばれる筋肉類似の収縮性構造をつくる．繊維芽細胞内ではストレスファイバーは縦横に走っており，その端は焦点接着と呼ばれる接着構造を通じて基質に結合している．そのためストレスファイバーの収縮性は張力に変換される．したがってストレスファイバーは細胞に緊張を与える素子であるといえる．ストレスファイバーの出す張力は繊維芽細胞の運動の駆動力だと考えられている．一方，微小管（図4.2.1右）は繊維芽細胞においては核付近にある中心体と呼ばれる構造から細胞内に放射状に伸びている．微小管はアクチンフィラメントに比べて曲げの剛性率（flexural rigidity）が約3桁大きく，圧縮に対しては抵抗性を示しうる素子である．この特性は神経様細胞 PC12 の軸策形態の安定化に生かされている．PC12 の軸策内部では微小管が軸方向に配列しているが，これをノコダゾールで壊すと軸策

が縮む（ノコダゾール処理前にサイトカラシン処理によりアクチンフィラメントを壊しておくと軸策は縮まないので，この収縮にはアクチンフィラメントが主にかかわっている）．したがって微小管はおそらく細胞接着とともに軸策の伸びた形を支えていると考えられる．中間径フィラメントは培養細胞では微小管に沿った配置をとることが知られている．また表皮細胞では細胞間接着のための構造に結合して機械的安定性を確保するのに役立っている．細胞性粘菌 *Dictyostelium discoideum* の微小管は放射状構造を示す一方でストレスファイバー構造はみられずアクチンフィラメントは表層をつくっており，とりわけ細胞から突出した膜構造内に集中しているのが特徴的である．走化性物質の刺激によって原形質のミオシンが表層に移動して表層の収縮を誘起することならびに表層内でアクチンフィラメントが伸長して細胞膜が突出することは走化性による細胞運動の重要なステップである．

　上に述べたことから細胞の形が細胞骨格の配置によって大きく左右されることがうかがえるが，これをテンセグリティ

(tensegrity)という概念で理解しようという試みがある．テンセグリティはもともとバックミンスター・フラー（Buckminster Fuller）が提唱した，張力とそれに抗する力のつりあいで構造を安定化する，という概念である．細胞の場合，張力の発生源としてストレスファイバーが，また収縮に対抗する要素として細胞接着や微小管が仮定されている．PC12細胞における軸索形態の安定化はアクチンフィラメントと微小管からなるテンセグリティ構造の一例だと考えられている．テンセグリティ構造においてはどの要素も独立して振る舞うことはないため細胞の一部で起こる変化は細胞全体に伝えられる．実際血管内皮細胞のストレスファイバーを微小なガラス針で引っ張ると核が変形することが示されている．ただし別の報告では繊維芽細胞の膜を微小ガラス針で変形させてもその影響は数ミクロン以上離れた部位に及ぶことはないと結論されている．したがってテンセグリティの概念を適用する範囲については慎重でなければならない．

最近ではテンセグリティモデルで仮定された各要素間の力学的相互作用が，細胞外からの力学的な刺激に対する細胞内信号伝達過程にどう影響するか，という問題に重点が移ってきている．細胞形態の説明としてそのほかに，細胞を弾性膜がアクチンフィラメントのネットワークを包んだ構造体とみなし，細胞の基質への接着に伴って発生する膜内張力とアクチンフィラメントの弾性に起因する力が細胞辺縁においてつりあうと考えて，繊維芽細胞にみられるような辺が内側へゆるくカーブした多角形や軸索の伸びだし方の様子を説明する理論がある．

また，Dictyostelium の形を細胞体の中心を原点とする極座標で表し，その時系列を解析した結果によると，一見でたらめに変わっているように見える Dictyostelium 細胞体の形が細胞辺縁に沿って存在する定在波あるいは進行波を反映したものとして理解できる．この興味深い解析は今のところ他の細胞には応用されていない．

b. 細胞骨格蛋白質とその機能

細胞骨格蛋白質の中でアクチンは他よりもダイナミックに形態変化にかかわっている．アクチンフィラメントは細胞膜直下で表層骨格という構造をつくっており，これが形態変化に際してアクチン重合と脱重合に基づく構築と解体を行う．たとえば走化性物質で刺激された Dictyostelium の細胞膜直下ではアクチンフィラメントがアクチンモノマー重合により伸長をはじめる．これに押されて細胞膜は変形し，フィロポディアと呼ばれる細長い突起構造やラメリポディアと呼ばれる薄い板状構造ができる．それぞれの構造内部ではアクチンフィラメントが束または三次元的ネットワークをつくっている．この過程にはさまざまな細胞骨格蛋白質が関与する．たとえばフィラメントを束ねる蛋白質としてα-アクチニンや30 kDa蛋白質，交差させて架橋するものとしてフィラミンや120 kDa蛋白質がある．

また，アクチンフィラメントネットワーク形成に不可欠なフィラメントの枝分かれ構造をつくる Arp2/3 蛋白質複合体がある．さらに，重合に必要なモノマーはラメリポディア後ろ側でのアクチンフィラメント脱重合により供給されると考えられるが，アクチンフィラメントは生体内の高イオン濃度下では脱重合しにくく，そのままでは細胞膜変形が続かないので脱重合を加速する蛋白質（actin depolymerizing factor；ADFやコフィリン）が存在してアクチンモノマーの循環を促進している．また脱重合によって生成したモノマーに結合してその再重合を妨げる thymosinβ4 やフィラメントの不要な伸長を阻害するキャッピング蛋白質があり，これら多様なアクチン結合蛋白質がアクチンフィラメン

トのダイナミクスを時間的・空間的に制御している．

細胞形態は細胞膜を細胞骨格が力学的に「成形」した結果決まる．ある環境下での形の安定性には細胞骨格と細胞膜の弾性的性質のせめぎあいが重要である一方，刺激に応じて形が変化する過程では細胞内でのアクチン結合蛋白質機能の時間的・空間的制御が重要である．とすれば細胞の形とその変化の背後には細胞と環境の相互作用という問題が潜んでいるにちがいない．細胞の形と細胞機能の関係はこれからの研究課題となるだろう．　　　　　〔宮田英威〕

[文献]
1) Lodish, H., Berk A., Zipurski, S. L., Matsudaira, P., Baltimore, D. and Darnell, J. E. : Molecular Cell Biology, Freeman, 2001.
2) Joshi, H. C. *et al.* : Tension and compression in the cytoskeleton of PC12 neurites. *J. Cell Biol.* **101**, 697-705, 1985.
3) イングバー：生物の形を決める力．日経サイエンス **28**, 22-34, 1998.
4) Bar-Ziv, R. *et al.* : Pearling in cells : a clue to understanding cell shape. *Proc. Natl. Acad. Sci.*（*USA*）**96**, 10140-10145, 1999.
5) Killich, T. *et al.* : The locomotion, shape and pseudopodial dynamics of unstimulated *Dicyostelium* cells are not random. *J. Cell Sci.* **106**, 1005-1013, 1993.
6) Stossel, T. P. *et al.* : Nonmuscle actin-binding proteins. *Ann. Rev. Cell Biol.* **1**, 353-402, 1985.
7) Pollard, T. D. and Borisy, G. G. : Cellular motility driven by assembly and disassembly of actin filaments. *Cell* **112**, 453-465, 2003.

4.3　生体膜の動的構造

a.　細胞の膜は動き回る

細胞内の小器官は，ほとんどが膜で囲まれたコンパートメントである．核，小胞体，ゴルジ体，エンドソーム，リソソーム，ミトコンドリアなどが代表的な例である．さらに，細胞を包む細胞膜（細胞形質膜）も1つの細胞小器官といってもよい．これらの細胞内小器官間で，膜上の蛋白質・脂質や，膜で囲まれた内容物を運ぶために，膜は細胞内を激しく動き回っている．マクロファージなどの細胞では，細胞膜をファゴサイトーシスやエンドサイトーシスでどんどん細胞内に取り込み，取り込んだ分だけ，細胞内のゴルジ体やエンドソームからまた細胞膜へと膜を運んでくるが，この過程は15分で細胞膜がすっかり1回ターンオーバーするくらい激しいものである．

b.　膜の形は変幻自在である

違う小器官にある膜は，違った形をもっている．膜の中には初期エンドソームのように丸い形をしたものも多いが，多くの膜は細胞骨格と相互作用したり，また，細胞骨格上のモーター分子に引っ張られたりして変形している．このような大きな変形でも，それに要する時間は短く，秒から分の程度である．細胞内に小胞体やリソソームの管腔ネットワークを張りめぐらせる細胞もあるが，これも，分から数十分程度の時間で完成される．

c.　膜は膜からできる

人工的には脂質のかたまりから膜を形成

させることもできるが，細胞の中では，膜に入る分子のほとんどは小胞体で合成され，そこで膜を増やすという操作で生まれる．つまり，膜がないところに突然膜が生じるわけではない．ここでできた膜は，上で書いたように，細胞中へと運ばれ，またリサイクルされて戻ってきたりしている．また，膜と膜とが融合や開裂を繰り返すことによって，細胞の中での膜の動きのネットワークが可能になっているのである．

d. 膜は二次元の液体である

上記のように，膜は実に動的な構造であるが，このような動的な性質をもつことが可能なのは，膜が高分子のような共有結合でできた構造ではないからである．膜はリン脂質という分子量が800くらいの分子が水中で集合してつくる構造である．これが生体膜をつくるのにきわめて適していたので，地球上のほとんどの生物が同じような生体膜をもつようになったと思われる．膜がちぎれたり融合したり，形を変えたり，量を増減させたりできるのは膜が分子の集合体だからである．このとき，膜が固体であるとこんな具合にはいかないが，液体だからこのような芸当ができる．液体というのは，膜という構造の中で分子が比較的自由に熱運動しているという意味である．すなわち，膜に入っている脂質分子や蛋白質は，膜の二次元面内で，拡散ブラウン運動している．1972年にSingerとNicolsonはこのようなモデルを「流動モザイクモデル fluid mosaic model」と名づけて発表した．細胞膜では蛋白質分子と脂質分子とがモザイク様に混ざり合って存在し，膜の中では自由に動き回る，つまり，液体状態の脂質の中に蛋白質が浮かんだようなものだというモデルで，その後の生体膜の概念を決定づけるものとなった．

e. 生体膜が液体になる原因

リン脂質が横に並んだら，なぜ固体にならずに液体になるのだろうか？それは，リン脂質のアルキル鎖の性質によっている．アルキル鎖は多くの部分でメチレン基が単結合（single bond）でつながった構造をしている．単結合は回転できて，1つのトランス構造と2つのゴーシュ構造のうちのどれかをとりうる．図4.3.1の（a）に示したように，1本のアルキル鎖中の結合がすべてトランスだと，鎖はまっすぐに膜面に垂直に伸び，このような脂質を並べると固体の膜になってしまう．しかし，生体膜中では，熱運動のため，多くの単結合がゴーシュ型をとり，さらに，シス型の二重結合もあるので，それらの部分では鎖が60度横に向いてしまう．このおかげでリン脂質のアルキル鎖がきちんと配向できず，生理温度では固体のように固まることはなく液体状態のまま保たれる．考え方としては，脂質の固まりのバターを温めると溶ける（単結合が熱運動のため向きを変えゴーシュ配向が増える）こと，室温で固体であるバターに対して，アルキル鎖にシス型二重結合の多い植物油は液体であること，と同じである．

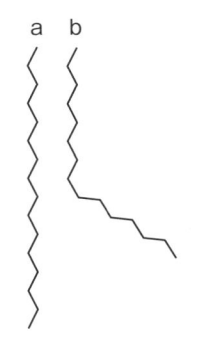

図 4.3.1 アルキル鎖
リン脂質の疎水部をなすアルキル鎖は，熱運動のため各単結合のまわりで回転して，きちんとした配列ができなくなっている（b）．そのため，膜は液体状態を保っている．温度が下がって，単結合が最も安定なトランス型ばかりになると（a），固相の膜になってしまう．

f. 生体膜中での膜分子の運動は遅くなっている

膜分子に蛍光や金微粒子を結合させて動きを見ると，非常に速い拡散運動をしていることがわかる．定量的に解析すると，人工膜上での拡散係数は，$5 \sim 10\ \mu m^2/s$ 程度である．これに対し，細胞膜上での拡散係数は，これらの値の 1/3〜1/100 程度にすぎない．

なぜこのように大きく違うのかということが最近の研究でわかってきた．それは，細胞膜の細胞質表面（内側表面）に網目をつくっている膜骨格のためなのである．膜骨格は細胞膜と細胞骨格の境界構造で，細胞質の中の方の細胞骨格とは違う蛋白質も含み，界面近くでは独自の構造をとる．この膜骨格の網目が細胞膜に強度を与えるだけでなく，膜分子の運動を抑制する働きをもつのである．

まず，膜分子の多くは膜骨格に結合する成分（テザードフラクション）をもつ．結合時間は数十マイクロ秒から分程度のオーダーであると考えられる．「テザー」された膜分子の運動は抑えられる．もう1つは，「囲い込み（corralling）」による運動の抑制である．すべての膜分子は，囲い込みの効果を受ける．というのは，膜骨格にアンカーされた膜貫通型蛋白質は，立体障害に加えて，周囲に摩擦のような効果を与えるため（したがって，膜骨格にアンカーされた動かない蛋白質だけが有効），その周囲にやってくるすべての分子の運動を抑えるのである．これは「ピケット効果」と呼ばれる．さらに，膜貫通型蛋白質に対しては，ピケット効果に加えて，その細胞質ドメインが膜骨格と衝突するという「膜骨格のフェンス効果」によって，網目の中への閉じ込め効果が強化される．このような運動抑制を起こす網目（細胞膜のコンパートメント）の大きさは 30〜200 nm 程度の大きさ（細胞によって異なる）であり，細胞膜上には 10〜100 万個のコンパートメントがある．コンパートメント間を膜分子がホップする頻度は，数ミリ秒から数十ミリ秒に1回程度，膜分子が複合体をつくって大きくなると，数秒から数十秒に1回程度に減少する．囲みの内部では，拡散係数の大きさは，人工膜中での大きさと同じである．このような，テザーと囲い込み効果のため，分子がコンパートメント間を移動（ホップ）するのに時間がかかるため，細胞膜上での分子の拡散は，人工膜中に比べて大幅に遅くなるのである．

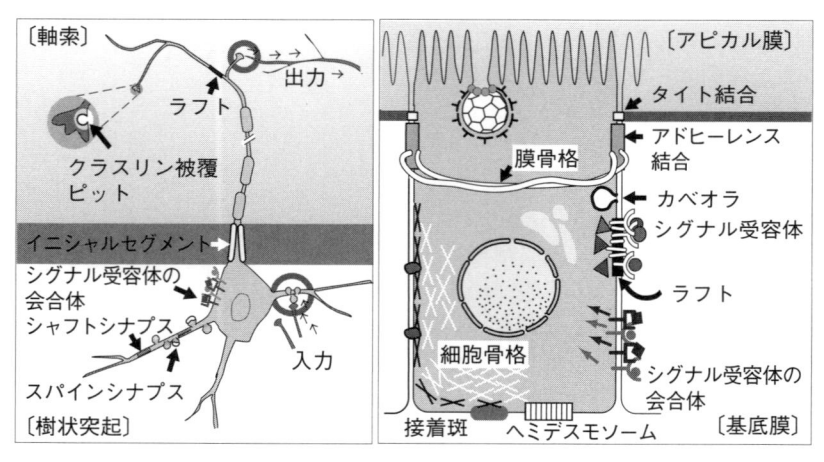

図 4.3.2 神経細胞（左）と上皮細胞（右）の細胞膜の模式図
さまざまな膜分子の会合体やドメイン構造が細胞膜中には存在する．

g. 細胞は細胞膜中の分子の運動を制御し，動的に組織化して働かせている

細胞膜中の分子がすべて動き回っているなら，細胞膜はのっぺらぼうな構造をもち，分子の分布は一様になるはずである．しかし，実際の細胞膜を見ると，のっぺらぼうでも一様でもない（図4.3.2）．細胞間接着構造，クラスリン被覆ピット，カベオラ，ラフト（raft, 筏），受容体の会合体，シグナル分子の複合体などがそこら中にできている．すなわち，細胞は，特定の分子を特定の場所と時間に集めて働かせる，という何らかの手段をもっている．さらに，これによって，細胞膜のもつ多くの機能の制御を行っている．細胞膜が液体であるからこそ，分子は細胞膜中や膜上を動いて集まったりリクルートできたりするのであるが，それに特定の制御を加えているのである．

大切なことは，これらの複合体構造は安定なものではなく，構造は短時間で生成，消滅を繰り返している，ということである．存在時間（寿命）は，たとえば，細胞間接着構造は安定なものでも数時間，クラスリン被覆ピットは数十秒，ラフトは状態によってミリ秒から分程度，シグナル分子の複合体などは数十から数百ミリ秒程度であると考えられている．また，これらの構造に含まれる分子の出入り（滞在時間）は，さらに短い時間スケールで起こっていると考えられる．

h. 膜分子やシグナル分子の動的組織化

膜分子の運動は細胞膜中では遅くなっているし，多くの分子は組織化されている．そのメカニズムが最近わかってきた（図4.3.3）．ここで，重要なことは，組織化というと静的な印象を与えるが，実は非常に動的な組織化であることを理解することである．前段でも述べたが，膜蛋白質やシグナル分子の複合体，膜ドメイン，膜内の小器官などの存在時間は短いし，個々の分子のこのような構造への滞在時間はさらに短い．

このような短寿命機能構造の形成と機能には，以下の5つの過程が重要である（図4.3.3）．第1は，上でも述べた，膜骨格の網目とそこにアンカーされた膜貫通型蛋白質の効果である．たとえばシグナル複合体が形成されると，その部分の網目に複合体を閉じこめ，シグナルの空間的な広がりを防ぐ．

第2は，分子の会合である．シグナル分子に刺激が入ったときに多く生起し，そこでリン酸化等の反応を誘起したり，さらに，細胞質のシグナル分子をリクルートしてシグナル複合体などを形成する（これらも形成されてはすぐに壊れる）．また，ラフトに関与する膜受容体が会合すると，以下で述べるラフトを安定させて成長させる核となり，さらにそこに膜上や細胞質からのシグナル分子のリクルートを誘導する（滞在

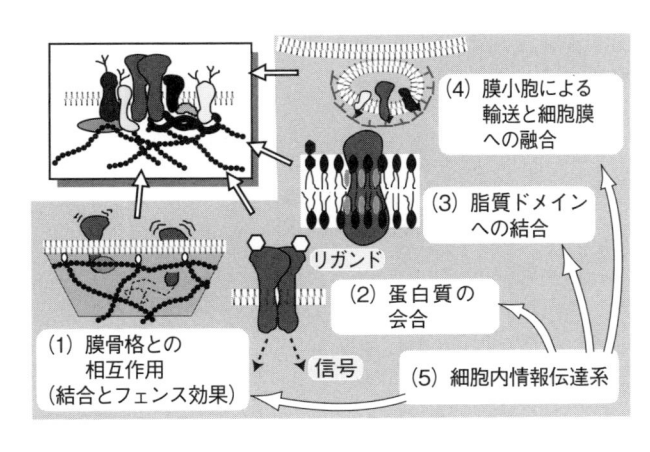

図 4.3.3 細胞膜中で，膜分子の動的組織化を誘導する5つの機構

時間は短い）．このようなことが起こると，膜骨格のコンパートメントに（モノマーのときよりは長時間にわたって）トラップされたり，膜骨格に結合して運動が止まったりして，刺激の受容部位を記憶するのに役立つ．

第3は，ラフトのような脂質ドメインの形成である．とくに，上記のように，外部からの刺激によってラフト関連分子の会合が起こるとラフトは安定化され，さらに，さまざまな分子のリクルートが誘導される．

第4は，膜小胞による輸送である．細胞膜上の特定の部位へ新たに合成された特定の蛋白質をゴルジ体から輸送したり，細胞膜上で活性化された受容体を取り込んで細胞内の特定の部位で特定のシグナル経路を活性化したりする．

第5は，これらの機構を制御するシグナル伝達系の存在である．

多種にわたる蛋白質を含む大きく安定な膜ドメインは，これらの機構が総合的に働いて形成されているように見える．上記の5つの機構は必ずしも大きく安定な膜ドメインをつくるためだけの手段ではなく，さまざまな制御に使われているのだが，大きな膜ドメインを形成するには，これらが総合的に働かなくてはならない．

以上のように8項目に分けて生体膜の動的構造をまとめたが，動的であることが生体膜機能の発現の根本にかかわっている点が本質的に重要である． 〔楠見明弘〕

[文献]
1) Ritchie, K. and Kusumi, A.: Role of the membrane skeleton in creation of microdomains. *Subcellular Biochem.* **37**, 233-245, 2004.
2) Kusumi, A., Koyama-Honda, I. and Suzuki, K.: Molecular dynamics and interactions for creation of signal-induced stabilized rafts from small unstable steady-state rafts. *Traffic* **5**, 213-230, 2004.
3) Kusumi, A. *et al.*: Paradigm shift of the plasma membrane concept from the two-dimensional continuum fluid to the partitioned fluid: high-speed single-molecule tracking of membrane molecules. *Annu. Rev. Biophys. Biomol. Struct.* **34**, 351-378, 2005.

4.4 小胞体での膜蛋白質の生合成と膜結合型リボソーム

　真核細胞には多彩な細胞内小器官（オルガネラ）が存在し，それぞれのオルガネラ膜には特異的な膜蛋白質が局在している．小胞体膜から，ゴルジ体を経て細胞表層膜に至る分泌経路と呼ばれる経路上の膜蛋白質は，ほとんどが小胞体に結合した膜結合型リボソームで合成される（図4.4.1）．これらは，合成と同時に膜内に組み込まれる．細胞外に分泌される可溶性蛋白質は，同様に膜結合型リボソームで合成され小胞体膜を完全に透過し，小胞輸送でゴルジ体を経て細胞外に運び出される．一方，ミトコンドリアやペルオキシソームなどの蛋白質は，合成が完了してから直接それぞれのオルガネラに移行する．

　小胞体への標的化と膜結合型リボソームの形成は，伸長しつつあるポリペプチド鎖のシグナル配列によって決定される．シグナル配列は疎水性アミノ酸残基の集まった疎水性セグメント（H領域）によって特徴づけられる（図4.4.2）．しかし，アミノ酸の配列は多彩で，長さも多様であり特定の決まった配列というわけではない．アミノ末端（N末端）側の配列（N領域）に正電荷が少なくH領域が長いときには，アミノ末端側が膜を透過してI型シグナルアンカー（SA-I）の配向をとる．N領域が透過しないときには，カルボキシル末端（C末端）側が膜を透過して，シグナルペプチド（SP）やII型シグナルアンカー（SA-II）の配向をとる（図4.4.2, 4.4.3 (a)）．N領域の正電荷がアミノ末端ドメインの膜透過を抑制することが知られている[1,2]．小胞体内腔に存在する切断酵素（シグナルペプチダーゼ）がカルボキシル末端側のC領域に作用し，配列が切断されるとSPとなる（図4.4.2）．これらのシグナルは配向や長さなどが大きく異なるが，小胞体への標的化とポリペプチド鎖の膜への進入を規定するという点で機能的に同じと考えてよい[1,2]．

　ポリペプチド鎖を合成しているリボソームからシグナル配列が出現すると，その疎水性セグメントがSRP（シグナル認識粒子 signal recognition particle）によって識別される（図4.4.3 (b)）[1,2]．このとき，SRPはリボソームに作用し，ポリペプチド鎖の伸長を抑制する．この特徴的な作用によって，伸長に共役したポリペプチド鎖の膜への組み込みが達成される．その後，SRPの結合したリボソームはSRP受容体の存在する小胞体に標的化され，蛋白質透過チャ

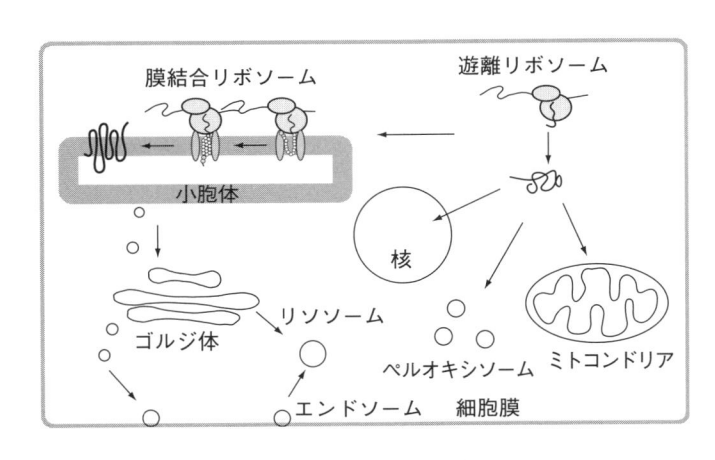

図4.4.1 膜蛋白質の合成様式
分泌経路上の膜蛋白質は小胞体の膜結合型リボソームで合成され膜に組み込まれる．一方，ペルオキシソームやミトコンドリア膜蛋白質は遊離リボソームで合成された後，それぞれの膜に組み込まれる．

(a) シグナル配列の領域構造

	N領域	H領域	C領域
SP	正電荷多	9〜14 残基	切断部位あり
SA-II	正電荷多	19〜25 残基	切断部位なし
SA-I	正電荷少・なし	19〜25 残基	切断なし

(b) トポロジー形成配列

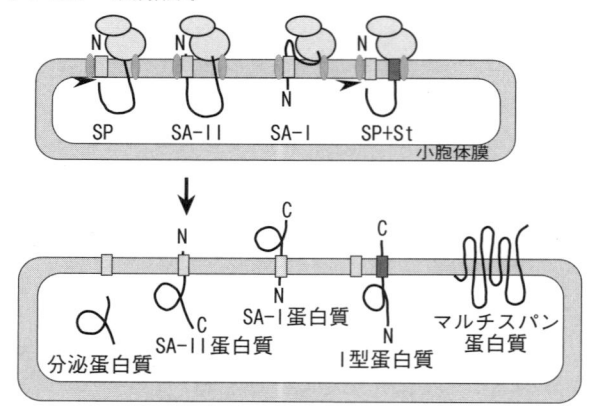

図 4.4.2　シグナル配列の特性 (a) とトポロジー形成配列の機能 (b)

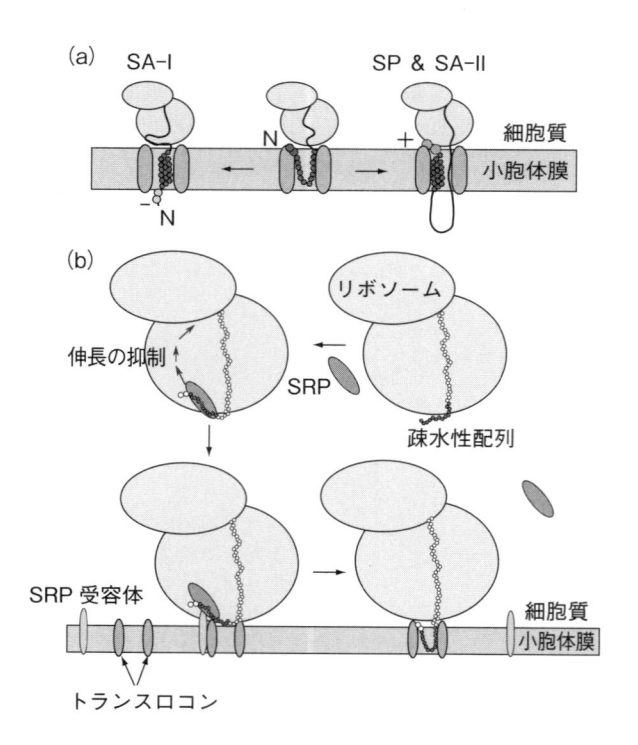

図 4.4.3　トランスロコンでのシグナル配列の配向決定 (a) と SRP による小胞体膜への標的化 (b)

(a) 疎水性セグメントの組み込み開始と停止
　　組み込みの開始　　　組み込みの停止

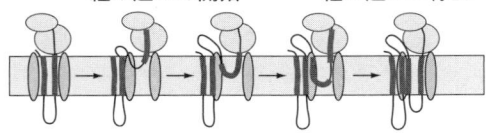

(b) 「内在性 SA-I」による強制的組み込み

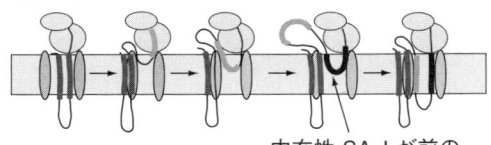

内在性 SA-I が前の
セグメントを組み込む

図 4.4.4 マルチスパン膜蛋白質のトポロジーの形成様式
疎水性配列の自発的組み込み (a) と内在性 SA-I による低疎水性配列の強制的な組み込み (b).

ネル（トランスロコン）に結合する．SRP 受容体の作用で，シグナル配列は SRP から解離しトランスロコン内部に進入してゆく．トランスロコンは α, β, γ の 3 種のヘテロサブユニットからなる Sec61 複合体が 3 から 4 個集合したチャネルである．リボソームの結合したトランスロコンの大まかな形が判明しつつある[3]．

リボソームから伸長してくる膜蛋白質のポリペプチド鎖は，トランスロコンの助けを借りて，膜外部分が小胞体内腔側にまで透過し，膜内セグメントが膜に組み込まれる．SA-II や SP によって開始した膜透過は次に出てくる疎水性の高い配列によって停止し，このセグメントが第 2 の膜貫通部分となる（図 4.4.2）．このようにトランスロコン内での膜透過を抑制する配列を，膜透過停止配列（St）と呼ぶ．複数の膜貫通セグメントを有するマルチスパン膜蛋白質の場合，基本的には疎水性のシグナル配列が膜組み込みを開始し，続く疎水性のセグメントが組み込みを停止するという様式でトポロジー形成が進行する（図 4.4.4 (a)）．しかし，近傍の配向決定傾向の高い膜貫通セグメントによって，自発的には膜に進入

できない疎水性度の低いセグメントが膜に組み込まれる様式も見出されている．すなわち，アミノ末端側を膜透過させる作用の強い配列「SA-I」が分子の内部で作用すると，その前にある膜に入れなかった配列を強制的に膜内に引き込むことができるのである（図 4.4.4 (b)）[4]．この様式では，親水的なセグメントすら膜貫通トポロジーを形成できる．

ミトコンドリアやペルオキシソームへは合成が完了した後，各オルガネラ膜に標的化され，トポロジー形成が進行する．これらの膜蛋白質も疎水性セグメントを有しており小胞体で組み込まれるものと基本的な差異はないように見える．小胞体への標的化シグナルが疎水性セグメントであり，また標的化と組み込みが合成と同時であることを考えると，小胞体以外の膜蛋白質に対しては，小胞体への標的化を回避する機構があるに違いない．疎水性の高い膜蛋白質の各オルガネラ膜への標的化機構とトポロジー形成についての研究が待たれる．

〔阪口雅郎〕

[文献]

1) 阪口雅郎：生体膜上における分子認識：蛋白質の膜透過システム．生体膜のダイナミクス（ニューバイオフィジクス II, 第 4 巻（八田一郎, 村田昌之編）), pp.82-99, 共立出版, 2000.
2) 阪口雅郎：膜蛋白質のトポロジー形成．蛋白質の一生（バイオサイエンスの新世紀, 第 2 巻（中野明彦, 遠藤斗志也編）), pp.92-105, 共立出版, 2000.
3) Beckmann, R., Spahn, C.M.T. et al.: Architecture of the Protein-conducting channel Associated with the translating 80S ribosome. *Cell* **107**, 361-372, 2001.
4) 阪口雅郎：マルチスパン膜蛋白質の立体構造形成：親水性膜貫通セグメントの組み込みをも説明する新しいモデル．細胞工学 **18**, 102-112, 1999.
5) Ota, K., Sakaguchi, M. et al.: Forced transmembrane orientation of hydrophilic polypeptide segments in multispanning membrane proteins. *Mol. Cell* **2**, 495-503, 1998.

4.5 ミトコンドリア

ミトコンドリアは内膜と外膜の2つの膜をもつオルガネラである（図4.5.1）．内膜は高度に折れたたまれており，クリステと呼ばれるひだ状の構造を形成している．一般的に分子の透過性は低く，選択された分子だけが蛋白質によって輸送される．内膜の内側は水溶性の蛋白質が高濃度で存在する箇所で，マトリクスと呼ばれる．外膜は，内膜とは異なって分子の透過性は高く，分子量5000 Da程度までの小分子は自由に通過できる．また，ところどころで内膜と結合している．外膜と内膜の間は膜間スペース（膜間腔）と呼ばれ，その小分子の組成は細胞質とほぼ同じである．以下，本項ではミトコンドリアの機能を各場所ごとに述べる．

a. ミトコンドリアマトリクス

マトリクスにはピルビン酸の酸化や脂肪酸のβ酸化，およびクエン酸回路の酵素群などが存在する．そのため，ピルビン酸の酸化や脂肪酸のβ酸化で生成したアセチルCoAはクエン酸回路に入り，効率的にNADHやFADH$_2$がつくられる．また，マトリクスにはミトコンドリアに固有のDNA，リボソーム，RNAがあり，ミトコンドリア内部では独自に複製・転写・翻訳が行われている．ミトコンドリアDNAは一般にはヒストンと結合していない環状二本鎖DNAである．後述するように，ミトコンドリアは活性酸素の発生源であるのでDNAはダメージを受けやすく，変異が生じる速さは核のDNAの10倍程度になる．含まれる遺伝子の数は37種類であり，内訳は2種類のrRNA，22種類のtRNA，13種類の蛋白質であり，蛋白質はすべてATP合成にかかわるものである．

b. ミトコンドリア内膜

内膜の内側は外側に対して負に帯電しているため，内外で150 mV程度の電位差が内膜にはかかっている．これはミトコンドリアの特徴で，両親媒性の正電荷色素で細胞を染色するとミトコンドリア内部に取り込まれるため，ミトコンドリアがはっきりと染色される（図4.5.2）．電位差の生成・消費には，ミトコンドリア内膜に存在する

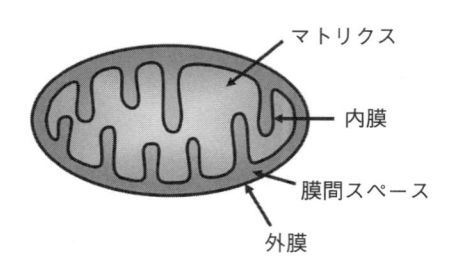

図4.5.1 ミトコンドリアの膜構造
外膜と内膜の2枚の膜から構成されており，それぞれの区分は外側から外膜，膜間スペース，内膜，マトリクスと呼ばれる．

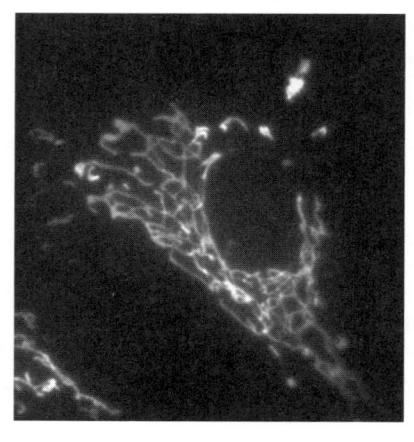

図4.5.2 細胞内のミトコンドリア
副腎皮質由来の繊維芽細胞を蛍光色素TMREで染色した．内外で電位差をもつミトコンドリアが白く見えている．左下に見えるのは，隣の細胞のミトコンドリア．

電子伝達系の蛋白質群とATP合成酵素が深く関与している．

　ミトコンドリアの内膜に電位差がかかるのは，ミトコンドリア内膜にあるプロトンポンプがマトリクスから膜間スペースに向けてプロトンを排出するからである．プロトンポンプは電位に逆らってプロトンを汲み出すことになるので，外部からのエネルギーの供給を必要とする．このエネルギーは電子がミトコンドリア内膜の電子伝達系を高いエネルギー状態から低いエネルギー状態へと順に移動する際に供給される．この移動の過程で電子は3種類のプロトンポンプを通り，電子がプロトンポンプを通る際に得られるエネルギーが，プロトンを電位に逆らって汲み出すエネルギーとなっている．まとめると，ミトコンドリアは電子をエネルギーの高いところ（NADH）から低いところ（酸素）へ移動させることでエネルギーを得てプロトンを汲み出し，その結果膜の両側で生じる電位差という形でエネルギーを蓄えているのである．このように形成された電位差は，ミトコンドリアが仕事をする際に利用される．その代表的な例が，ATP合成である（図4.5.3）．

　生体内でエネルギー源として使われるATPは，ADPとリン酸を結合させることによってつくられる．この結合は高エネルギーの化学結合であり，結合が切られるときに放出されるエネルギーを生体は利用している．ADPとリン酸を結合させるのに必要なエネルギーは，ATP合成酵素がプロトンを電位勾配に沿って移動させることで得ている（⇨4.9）．すなわち，ATP合成酵素はプロトンを移動させることで得られるエネルギーを，ADPとリン酸の間の化学結合のエネルギーに変換している酵素である．プロトンを移動させることにより得られるエネルギーには，内膜の内外にかかる電位差とプロトン濃度勾配の両方が寄与している．

　電子伝達系を流れた電子は，最後にチトクロム c 酸化酵素で酸素を4電子還元して水を形成する．通常の場合では電子伝達系で消費される酸素の1〜2％，電子の流れが滞ったときはもっと高い割合で，電子伝達系において酸素は活性酸素種（reactive oxygen species：ROS）に変換されてしまう．活性酸素種は生理的には細胞の増殖を促進するなどに役立っているが，強い酸化

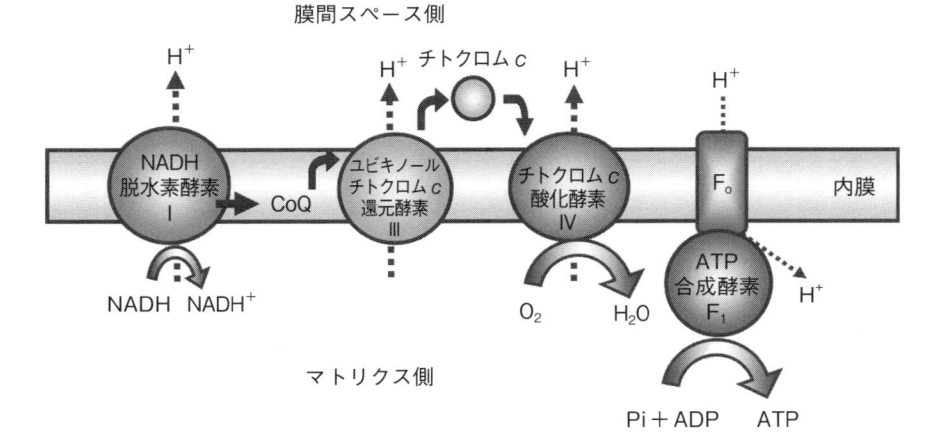

図4.5.3　ミトコンドリアの電子伝達系
黒い矢印は電子の流れを，点線矢印はプロトンの移動を示す．CoQはCoenzyme Q（ユビキノン）である．電子伝達系はプロトンを膜間スペース側に汲み出し，ATP合成酵素はプロトンをマトリクス側に移動させることでATPを合成している．

力をもつためDNAや蛋白質にダメージを与える一面もあり，老化や癌などの原因となると考えられている．また，ROSによってミトコンドリアが障害を受けると，細胞死が誘導されることが報告されている．そのため，ミトコンドリアのROS発生調節機構およびROSに対する防御機構は，ミトコンドリア研究の主要なターゲットとなっている．

c. ミトコンドリア外膜

ミトコンドリア外膜にはvoltage-dependent anion channel（VDAC：別名 porin）が存在するので，分子量5000程度までの小分子が自由に通過できる．このため，膜間スペースと細胞質の小分子の組成はほぼ同じになっていると考えられている．VDACは，この役割に加えて，アポトーシスに重要な役割を果たすことが近年示唆されている．これはどういうことかというと，VDACによって外膜に開いた穴を通ってチトクロム c がミトコンドリアから細胞質に出ると考えられるからである．通常チトクロム c は膜間スペースにあって，電子伝達系の一部として電子伝達を行っている．しかし，いったん細胞質に出ると，Apaf-1という細胞質の蛋白質と結合してカスパーゼ9を活性化し，その結果アポトーシスの信号が下流に伝わり，細胞はアポトーシスを起こす．VDACは普段はチトクロム c が出られるような大きな穴をあけていないが，アポトーシスの信号を受け取るとミトコンドリア外膜に大きな穴をあけ，チトクロム c が外に出られるようにしているという．多くのアポトーシス刺激がミトコンドリアを経て下流に伝わることから，ミトコンドリア外膜は細胞の生死にとって重要な役割を果たしていると思われる．チトクロム c がミトコンドリア外に出る分子メカニズムにはミトコンドリア内膜の蛋白質の関与も知られているが，未だよくわかっていない．〔太田善浩〕

[文献]

〈ミトコンドリア全般に関して〉
1) Alberts, B. *et al.*：細胞の分子生物学第3版（中村桂子他監訳），pp. 655-683, 教育社, 1995.
2) 今堀和友，山川民夫監修：生化学辞典第3版, 東京化学同人, 1998.

〈ミトコンドリアDNAに関して〉
3) 宝来 聰：ミトコンドリアの遺伝子構造とその特徴. 新ミトコンドリア学（内海耕慥，井上正康監修）, pp. 81-87, 共立出版, 2001.

〈活性酸素と老化，病気に関して〉
4) Finkel, T. and Holbrook, N.J.：Oxidants, oxidative stress and the biology of ageing. *Nature* **408**, 239-247, 2000.
5) 石井直明：分子レベルで見る老化（ブルーバックス），講談社, 2001.

〈VDACとアポトーシスに関して〉
6) 辻本賀英：アポトーシスとその制御. 細胞の誕生と死（長田重一，山本 雅編），pp. 127-142, 共立出版, 2001.

4.6 赤血球膜

赤血球膜は均一な膜試料が大量に得やすく，最もよく研究された生体膜である．赤血球自体が血液循環でのガス輸送のために分化した特殊な細胞であり，膜の組成・構造にも赤血球固有の特徴がある．しかし，全身の諸組織には赤血球膜の構成蛋白質と同じものやアイソフォーム，あるいは類似蛋白質などが発現しており，赤血球膜は生体膜研究の雛形として将来的にも重要な題材である．

a. 主な内在性膜蛋白質

(1) バンド3（または anion exchanger 1, AE1）

赤血球膜で最も主要な蛋白質で膜蛋白質全体の25%を占める．バンド3は腎臓にもアイソフォームがあり，またファミリーとしてAE2（全身諸臓器，とくに胃腸管，脳脈絡叢）とAE3（脳神経単位，網膜，心臓，腎臓）が知られている．赤血球バンド3の分子量は100 kDで膜を14回貫通すると考えられている．バンド3はアニオン交換輸送体で，血流中の二酸化炭素輸送において炭酸水素イオンと塩化物イオンの交換を行う．その機構は「内向き構造」と「外向き構造」のping-pongモデルで理解される．N末端側43 kDの領域は細胞質側にあり，膜骨格に結合する（後述）ほかに，解糖系酵素と結合し酵素活性を調節すると考えられている．また，バンド3細胞質領域はヘモグロビンからNOを受け取り放出することで，血管平滑筋を弛緩させ血管拡張を誘導すると示唆されている．

(2) グリコフォリン

グリコフォリンの膜貫通部分は1個で，N末端が細胞外側，C末端が細胞質側にある．5種類（A, B, C, D, E）の中でグリコフォリンAが最も主要である．蛋白質部分は14 kDであるが，15個のO-結合型糖鎖と1個のN-結合型糖鎖があり全体の分子量は36 kDとなる．赤血球膜全体のシアル酸の約60%がグリコフォリンAに結合しており，赤血球の表面電荷の形成に貢献している．グリコフォリンCは膜骨格の連結部複合体に結合している（後述）．

(3) アクアポリン1（AQP1）

水チャネルであるアクアポリンファミリーの1つで，腎臓にも多く発現している．分子量は28 kDで，N末端とC末端は細胞質側にあり膜を6回貫通している．四量体を形成している．電子線結晶解析で三次元構造が明らかにされ，水分子を選択的（プロトンを排除）かつ高効率（30億水分子/秒）に透過させる機構や水銀イオンによる阻害機構などが，チャネル内の疎水的な狭い穴の構造に組み込まれている．

(4) グルコーストランスポーター

D-グルコースの選択的な促進輸送体であり，6種類のアイソフォームがある．赤血球膜のGlut1は分子量55 kDで，N末端とC末端が細胞質側にあり12個の膜貫通部分をもつ．三次元構造モデリングによってヘリックスの配置や分子全体を貫くチャネル構造が推定されている．

b. 膜骨格蛋白質による膜構造の組織化

膜の細胞質側には膜骨格蛋白質による裏打ち構造がある．内在性膜蛋白質と膜骨格蛋白質のさまざまな相互作用が赤血球膜の変形能や安定性のために不可欠である．

(1) スペクトリン

膜骨格の網状構造の主要成分である．分子量260 kDのα鎖と220 kDのβ鎖が平行に会合したヘテロ二量体は，長さ約100 nmの柔軟なひも状分子である．さら

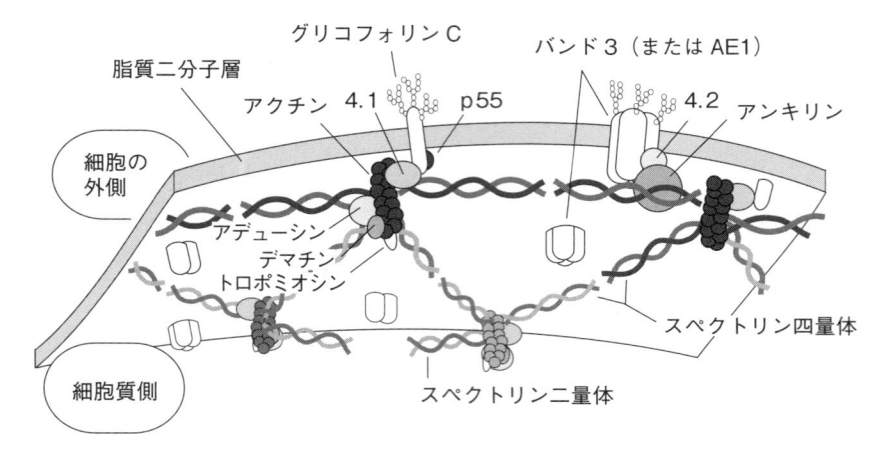

図 4.6.1 赤血球膜の構造を細胞質側から見た模式図

に，2分子の二量体が同じ末端側どうしで結合して長さ約200 nmの四量体を形成し，これが膜骨格の網目の一辺となる．スペクトリンにはアミノ酸106残基の繰り返し配列が存在し（α鎖で22個，β鎖で17個），個々の分節は短いヘリックス3本か4本を含む構造であると推定される．スペクトリン分子の柔軟性はこの構造に起因すると考えられる．スペクトリンは筋，脳など多くの組織にも存在し，無脊椎動物や高等植物にも広く存在する（フォドリン）．また，スペクトリンはアクチン架橋活性をもつ多くの蛋白質（α-アクチニン，ジストロフィン，ABP-120，フィラミン，フィンブリンなど）が属するCHドメインスーパーファミリーのメンバーである．

(2) 連結部複合体

膜骨格の網状構造の各頂点にはスペクトリンとF-アクチンとアクセサリー蛋白質（蛋白質4.1，p55，アデューシン，デマチン，トロポミオシン，トロポモジュリンなど）からなる連結部複合体がある．この複合体はスペクトリン四量体を連結させて網状構造を形成させるだけでなく，膜骨格を膜構造に繋ぎとめている．

赤血球膜にはβ-アクチン12〜14分子からなる約30 nmの短いF-アクチンが存在する．スペクトリンはβ鎖のN末端領域でこのF-アクチンと結合するが，さらに蛋白質4.1（あるいはバンド4.1，分子量78 kD）がスペクトリン-アクチンに結合して安定化する．蛋白質4.1は一方でグリコフォリンCとも結合するので，その結果スペクトリン-アクチンは膜の脂質二分子層膜にリンクされる．蛋白質4.1のスーパーファミリーには細胞膜とF-アクチンを架橋させる共通の性質があり，エズリン（微繊毛），ラディキシン（接着結合部や細胞分裂の分裂溝），タリン（接着斑や細胞膜接着部），モエシンなどが知られている．

(3) バンド3-アンキリン-スペクトリン

アンキリン（分子量215 kD）はスペクトリンβ鎖のC末端近くに結合する一方で，バンド3の細胞質側領域とも結合し，連結部複合体とは別の機構で膜骨格を膜に繋げている．この部分には蛋白質4.2（分子量72 kD）も存在する．アンキリンを介してスペクトリンに繋げられる内在性膜蛋白質として，Na/K ATPアーゼ，電位依存性Naチャネル，CD44などが知られている．アンキリン遺伝子にはANK1，ANK2，ANK3の3種類が知られており，それぞれアンキリンR（赤血球と脳），アンキリンBとC（神経組織），アンキリンG（腎臓，上皮）を発現する．

c. 内在性膜蛋白質の分子運動の調節

内在性膜蛋白質分子の運動状態は，内在性膜蛋白質間や膜骨格との間の相互作用によって調節を受ける．とくにバンド3の分子運動は，回転拡散測定，FRAP（fluorescence recovery after photobleaching）測定，単粒子追跡法，光ピンセット法などによって詳細に調べられている．

(1) 膜骨格への結合

赤血球膜上のバンド3のうち，約1/3の分子は細胞質領域で膜骨格に結合し，回転運動も並進運動も抑えられている．

(2) 内在性膜蛋白質どうしの会合

残り約2/3のバンド3分子は膜骨格に結合しておらず，膜面内で回転運動をしている．バンド3の自己会合状態は，二量体を基本として四量体やより大きな自己集合体も混在し，またバンド3にはグリコフォリンAも会合する．会合体が大きいほど回転運動は遅くなるので，膜骨格に結合していないバンド3の回転拡散の相関時間は条件によって約0.1 msから数 msまでの値をとる．

(3) 膜骨格フェンス・モデル

膜骨格に結合していないバンド3も膜骨格の影響を受ける．バンド3が並進運動をすると，その細胞質領域がスペクトリン四量体に衝突し運動範囲が制限される．つまりスペクトリンの網状構造がバンド3細胞質領域をフェンスのように囲い込み，バンド3の並進運動は径が約110 nmの微小領域内に制限される．この制限は一過的で，時間がたつとバンド3は囲いを越えて隣の囲いにホップして行く．1つの囲いでの平均滞在時間は約350 msである．フェンス内の微小領域でみるとバンド3の並進運動は速いが（26℃での並進拡散係数 4.1×10^{-9} cm^2/s），フェンスを何回も越えなければならない長距離の並進運動はいちじるしく遅くなる（並進拡散係数 4.6×10^{-11} cm^2/s）．

膜骨格のスペクトリン四量体は条件によって二量体に解離したり再び会合したりする．この変化はフェンスのゲートが開いたり（二量体）閉じたり（四量体）するように働き，バンド3の長距離にわたる並進拡散はスペクトリン四量体-二量体の平衡によって調節される．　　〔川崎一則〕

[文献]

1) 藤井寿一，高桑雄一編：赤血球，医学書院，1998.
2) Zhang, D. *et al.*: Crystallographic structure and functional interpretation of the cytoplasmic domain of erythrocyte membrane band 3. *Blood* **96**, 2925-2933, 2000.
3) Murata, K. *et al.*: Structural determinants of water permeation through aquaporin-1. *Nature* **407**, 599-605, 2000.
4) Bennett, V. and Gilligan, M.: The spectrin-based membrane skeleton and micron-scale organization of the plasma membrane. *Annu. Rev. Cell Biol.* **9**, 27-66, 1993.
5) Tsuji, A. *et al.*: Regulation of band 3 mobilities in erythrocyte ghost membranes by protein association and cytoskeletal meshwork. *Biochemistry* **27**, 744-752, 1988.
6) Tomishige, M. *et al.*: Regulation mechanism of the lateral diffusion of band 3 in erythrocyte membranes by the membrane skeleton. *J. Cell Biol.* **142**, 989-1000, 1998.

II. 細胞のエネルギー

4.7 生体エネルギー論

a. 生体のエネルギー変換反応

動物は食物を食べ，消化して酸素呼吸でエネルギー ATP をつくり出す．しかし，食物もまた動植物である．究極的には，生物界のエネルギーのほとんどすべては惑星外から流入する光エネルギーを，光合成で変換したものである．生体が有機物質でできており，生命活動は酵素で進むことが明らかにされた 1960 年代，ATP 合成機構，酵素の探索が進められ，そのエネルギー源である呼吸や光合成との共役機構が大議論を生み今日に至る包括的な理解が生まれた．

b. P. Mitchell の化学浸透圧説

光合成では光エネルギーは電子の流れ（＝酸化還元反応のエネルギー）に変換され，有機物を還元する．呼吸も有機物を酸化する際に出る電子を酸素に流して（還元して）水に変え，エネルギーをもたらす．電子や水素イオンだけを動かす酸化還元反応と，化学結合を変える ATP 合成反応とは直接結びつかないように見えた．この頃 Jagendorf[1] の実験が行われ，葉緑体に光を照射することなく，暗黒下で酸性から中性に移す pH ジャンプで ATP が合成された．このような状況下で P. Mitchell[2] は化学浸透圧説を提唱し（1966），呼吸系，光合成系，細胞のイオン環境などを統一的に説明した．

c. イオン移動とエネルギー：電気化学ポテンシャルによる平衡概念

生体細胞内の pH，イオン環境は一定に保たれている．化学浸透圧説は，このような状況の理解から始まる．あるイオンを標準点から溶液中の別の場所に移動すると，電荷 e をもつイオンは濃度（C）差（拡散力）と，電位（ϕ）差で受ける力（電気力）の両方を受ける．これらを合わせたものを電気化学ポテンシャル（μ）と呼ぶ．

$$\mu = \mu_0 + e\phi + RT \ln[C] \tag{1}$$

ここで μ_0 は標準点での μ，R は化学定数，T は絶対温度を表す．μ の差（$\Delta\mu$）が在地点間でのイオン移動ではエネルギーの出入りがある．同一液体中では平衡により $\Delta\mu = 0$ となる．しかし帯電した電極面近傍などでは，$\Delta\mu$ は一定でも電位差 $\Delta\phi$ 分だけ C が異なる．

この簡単な熱力学式で膜系を考えると，いろいろなことがわかってくる．膜により隔てられた 2 液相間でのイオンの動きを考えよう．もし両液相が同じイオン濃度 C と電位 ϕ にあればイオン移動でエネルギーは変化しない．濃度差があれば，濃度の低い方から高いほうにイオンを動かすにはエネルギーを加えなくてはならず，逆ならエネルギーが出る．また電位差があれば同一濃度の溶液間でもイオン移動に伴い，エネルギー変化が生じる．細胞が内部イオン環境を一定にするにはエネルギーがいることがわかる．逆に両者を組み合わせるいいしくみがあればイオンの動きからエネルギーが得られる．さらに，膜中で一定方向に電子やイオンを動かせば，膜内外に電位差が生まれ，イオンを動かしたりエネルギーを得られるはずである．

化学浸透圧説はこのような観点から生まれた．しかし，エネルギーを実際に利用するには，そのための装置がいる．Mitchell はコロイド化学の知識もあり，生体膜にはこのような装置があると提唱した．膜の内部構造もいまだ不明であったこの時代の生

化学者の多くはイオン濃度差のような物理量が直接酵素に働きかけ，化学反応を起こしたり，運動を起こすという考えを受けいれられず大論争が起こった．しかし，この考えは光合成や呼吸，イオン輸送，べん毛運動など多くの生体現象をうまく説明したので先入観の少ない若手研究者を中心にしだいに広まり，実証された．小さな個人研究所で闘ったMitchelのノーベル賞受賞は，実験装置や人など少なくとも，深く考えることで偉大な研究ができることを実証した．

d. エネルギー変換過程：膜の中での電子移動と膜電位変化

Mitchellはいまだ内部の見えない膜中で，電子や水素イオンが一方向のみに動き，膜内で蛋白質が同じ向きに並んでいると推定した．呼吸や光合成では電子やH^+が膜を横断して一定方向に流れ，電子の動きは電位差$\Delta\phi$をつくり出し，H^+の動きはCを変えてともに$\Delta\mu$をつくり出すと考えた．逆にこれと逆向きにH^+が動くことで$\Delta\mu$によるエネルギーを得てATP合成をする，可逆的な酵素があると考えた．これによりなじめて，膜に孔をあけたり，特定イオンの透過性を変えて$\Delta\phi$のみを変えたりしたときのATP合成と電子伝達系の応答，H^+濃度差なしでもATPが合成される，電子伝達と関係なくATPができるなどといった，それまでの知識だけでは一見矛盾してみえた実験結果の多くが説明された．

やがて，膜蛋白質である光合成反応中心の構造が明らかになり，その中での電子の方向性をもった動きが明らかにされた．Mitchellが予測したように，光合成や呼吸は方向をそろえて膜内に並ぶ色素蛋白質複合体内で進むことがわかった．では構造にもとづきエネルギー変換を考えてみよう．

e. エネルギー変換と化学浸透圧説
(1) 簡単な仮想光合成電子伝達系による$\Delta\mu$の形成例

図4.7.1では光合成系光反応で起こる膜内側から外側に向かう電子移動がキノンの酸化還元と組み合わされた仮想例を示す．光合成反応中心では膜内側のクロロフィル二量体Pから外側の受容体Aに電子が移動し，この動きに伴い膜電位$\Delta\phi$がつくられる．生体膜の厚さ約6nmの板状コンデンサーに単位面積（反応中心の密度）あたり1電荷を与える場合の電位差として$\Delta\phi$は計算され，葉緑体膜では約60 mV内側正の$\Delta\phi$となる．さらに光エネルギー分だけ還元力が増加した電子で還元されたキノンQに外部溶液相からH^+が結合し，2電子と$2H^+$を結合しQH_2となる．QH_2の膜内移動は電荷の移動を伴わないので$\Delta\phi$変化は起きない．膜内側でQH_2はP^+に電子を与えH^+を放出し再びQとなる．電荷をもたないQは膜中を電位差を変えずに動き，外側で再び還元される．このような系では，1光反応あたり$\Delta\phi=60$ mVと$1H^+$の移動が繰り返され，H^+に関する$\Delta\mu$が300〜400 mV分形成される．これを使ってATPを合成できる酵素があれば，光に

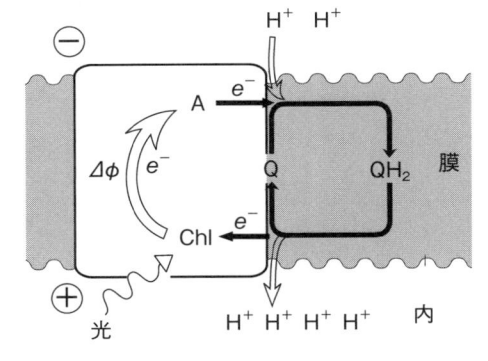

図4.7.1 簡単な仮想的光合成電子伝達系による$\Delta\mu$の形成例
光反応（白矢印）が電子を膜を横切る方向に動かし，電位差がつくられる．電荷の動きを伴わないキノンQH_2，Qの動きはともに電位差を変えない．これが繰り返される．

よりATPができる．Mitchellは光合成系とATP合成系の関係をこのように予測した（図4.7.1）．

(2) 光合成と呼吸：電子と水素イオンの移動反応系

上記の系が成立するためにはQとQH$_2$の反応部位が膜の内外に正しく選択的につくられている必要がある．実際の光合成反応中心複合体では，キノン還元は図4.7.1の膜外側で起こるが内側にはキノン反応部位はない．しかし，その代わりにキノンを外側で酸化し内側で還元するチトクロムb/c複合体がある．実際には，チトクロムb/c複合体中でも膜外向きの電子移動があり$\Delta\phi$形成が行われる．紅色光合成細菌は実際に光合成反応中心とチトクロムb/c複合体を使う環状のエネルギー変換系をもっている．

植物やシアノバクテリアの光合成系では，光合成反応中心が2種直列に働き，その間の電子移動にチトクロムb/c複合体が働いている（図4.7.2）．

(3) 光合成以外の$\Delta\mu$生成反応

呼吸系は光合成の反応中心の代わりに，有機物の還元力で電子を膜横断的に動かす蛋白質複合体Ⅰ（NADH酸化還元酵素）をもち，その内部では$\Delta\phi$形成をする電子移動とH$^+$ポンプ活性がともに進む，同じような還元力を使った電位発生的な電子とH$^+$移動が複合体Ⅱ（チトクロムb/c複合体）と複合体Ⅲ（チトクロム酸化酵素）により行われる．これらの働きにより$\Delta\phi$とH$^+$濃度差（ΔpH）をつくり出し$\Delta\mu$をつくり，同じ膜上のATP合成酵素でATPをつくっている．

光合成細菌の膜系上では呼吸系と光合成系がともにチトクロムb/c複合体を共有して働いている．

(4) バクテリオロドプシン

古細菌ハロバクテリアの膜系上にあるバクテリオロドプシンは光でH$^+$イオンを膜横断的に動かす．この際にはH$^+$が$\Delta\phi$を増大させる方向に光エネルギーで動き同時にH$^+$濃度差も高まる，この$\Delta\mu$を利用したATP合成酵素内でのH$^+$の動きでATP合成が行われる．この場合は電子移動を伴わない．同じ膜上に呼吸系も存在する．

f. H$^+$に関する$\Delta\mu$を利用する

(1) 化学結合をつくる：ATP合成酵素

ATP合成酵素は別に詳しく説明されているように$\Delta\phi$による2–3H$^+$の膜外から内

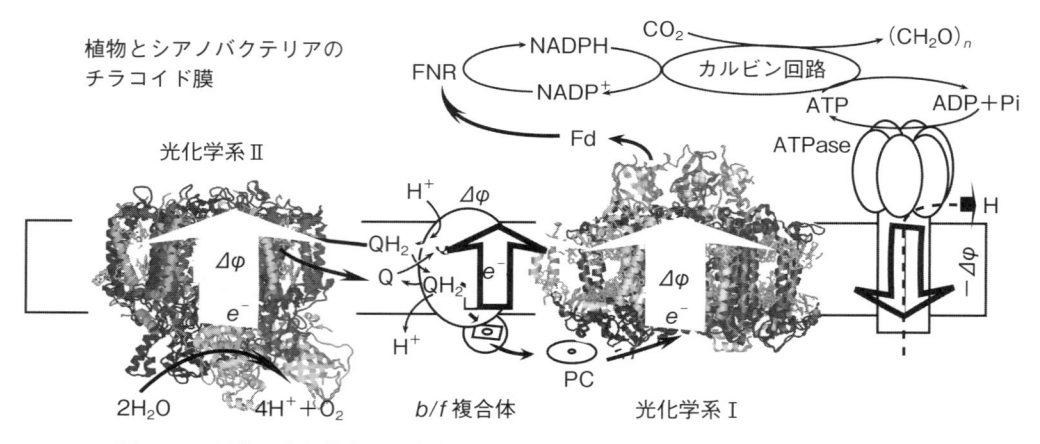

図4.7.2 植物の葉緑体内での光合成における電子とH$^+$イオンの動きと電位差形成
光反応による電子の動き（白矢印）が$\Delta\phi$を形成する．さらに酸化還元反応でH$^+$が内側に運ばれH$^+$に関する$\Delta\mu$（$\Delta\phi$とΔpH）をもっと高める．ATP合成酵素は$\Delta\mu$を消費してATPをつくる．チトクロムb/f複合体中でも電子とH$^+$が動く．

への動きにより1 ATPを合成する．H^+の動きによりこの酵素が回転し，力学的なエネルギーがATPの化学結合の形成に使われることが回転の実測から明らかになりつつある．

(2) 力学エネルギーをつくり出す：べん毛モーター

$\Delta\phi$に従うH^+の動きはべん毛モーターを回転させる．H^+だけでなく，アルカリ性環境では$\Delta\phi$によるNa^+イオンの動きでべん毛を回転する細菌もある．

(3) 他のイオンや物質を動かす：細胞内環境とH^+の$\Delta\mu$

$\Delta\phi$は水素イオンだけでなく他のイオンの$\Delta\mu$も変えるので，H^+イオンの動きに共役して他のイオンや代謝産物，アミノ酸，蛋白質などを膜を横切って輸送する輸送蛋白質，イオンチャネル蛋白質が存在する．これらの働き，イオン間の動きの共役も$\Delta\mu$を考えることではじめて理解できる．

g. イオン透過性と$\Delta\mu$

式（1）の説明でも述べたように同じ溶液相中では$\Delta\mu=0$となる．したがって膜に孔があいて溶液相がつながれば，平衡になり$\Delta\mu$は同一になる．逆に電気的に絶縁されていれば$\Delta\mu$はないに等しい（有限の抵抗をいれ電子の透過性を与えてはじめて$\Delta\phi$が測定されるが，イオン透過性がなければ液相間で電気は流れず$\Delta\mu$は規定できない）．特定イオンの透過性のみを高めると，そのイオンの$\Delta\mu$が内外液相間でゼロとなり，その濃度差に応じた$\Delta\phi$が生じる．たとえばK^+の透過性のみを上げる抗生物質バリノマイシンを加えるとK^+濃度差に応じた膜電位（$\Delta\phi$）を一定時間（K^+移動で濃度差が消えるまで）つくり出せる．

h. 膜表面，蛋白表面でのイオン濃度

同一溶液内でも電位が違えばイオン濃度が違う．中性pH溶液内の，負荷電をもつ解離基が固定されている膜や蛋白質表面では外部溶液に比べて$\Delta\phi$が生じ（膜表面電位と呼ばれ膜電位とは別），式（1）に従い$\Delta\mu$がゼロでもH^+濃度が異なる．たとえば-60 mVの膜表面電位では（葉緑体チラコイド膜で10 mM NaCl存在下での測定値）H^+有効濃度は10倍，有効pHは1ユニット下がることになり，解離基の見かけのpK変化をもたらす．表面電位はイオン濃度を上げたり多価イオンを加えると大きく減少するが，低イオン強度では大きい．細胞内ではイオン濃度は100 mM以上であり，あまり問題にならないが実験条件によってはイオンの動きに大きな影響を与える．蛋白質表面での解離基の解離状態も，同じように考えることができる．中性で負に荷電した膜や蛋白表面の実効電荷や解離度はイオン強度，とくにCa^{2+}等の二価陽イオン濃度に応じて大きく変わり，反応速度を大きく変える．

〔伊藤　繁〕

[文献]

1) Hind, T. and Jagendorf, A.T.: *Proc. Natl. Acad. Sci. USA* **49**, 715-722, 1963.
2) Mitchell, P.: *Biol. Rev.* **41**, 445-502, 1966.

4.8 電子伝達系

　真核生物のミトコンドリア内膜あるいは原核生物の細胞膜にある電子伝達系はNADHを分子状酸素（O_2）によって酸化することによって膜に水素イオン駆動力を蓄積する．それを次節で述べられるようにATP合成酸素が利用してATPを合成する．電子伝達系に含まれるNADH-ユビキノン還元酵素，ユビキノール-チトクロムc還元酵素，および，チトクロム酸化酵素の3つの複合体はどれも電子伝達反応に共役して，水素イオン能動輸送（プロトンポンプ）を行うことによって水素イオン駆動力を蓄積している．その末端酸化酵素であるチトクロム酸化酵素が化学的に安定なO_2を還元することによって細胞はO_2を利用している．このような生理的重要性に加えて，本酵素は活性中心がヘム鉄と銅イオンによってつくられているので，この酵素の発見以来，種々の分光学的研究が組織的に行われている．本節では，電子伝達系成分のうちで研究の最も進んでいるチトクロム酸化酵素の構造と機能について述べる．

　O_2分子は2電子還元は受けやすいが1電子還元はきわめて受けにくいことが知られている．この性質のためヘモグロビンやミオグロビンの蛋白質中のO_2結合部位である還元型ヘム鉄（Fe^{2+}）に結合したO_2はFe^{2+}をFe^{3+}に酸化することができない．しかし，水溶液中の還元型ヘム鉄はO_2によって容易に酸化される．それはあるFe^{2+}に結合したO_2にほかのFe^{2+}が接触して電子を供給することによってO_2が2電子還元を受けるからである．しかし蛋白質中のFe^{2+}-O_2にはほかのFe^{2+}が反応することができない．これがヘモグロビンやミオグロビンの酸素化型の安定性の主な要因であると考えられる．一方，チトクロム酸化酵素の酸素結合部位であるヘムa_3の鉄（Fe_{a3}）の近傍には銅イオン（Cu_B）が配置されていることがX線構造が解明されるよりずっと以前に分光学的に明らかにされていた．このCu_Bが第2の電子供与体となるため，チトクロム酸化酵素は安定なO_2を容易に還元することができると考えられていた．ただし，Cu_BはFe_{a3}から2〜3Å程度しか離れていないと考えられるので，結合したO_2の2電子還元はピコ秒程度のきわめて高速である可能性が高い．一方，Fe^{2+}-O_2の形成は蛋白質中をO_2がヘムa_3まで移動する速度に律速されると考えられる．したがってFe_{a3}^{2+}-O_2の形成は結合したO_2の2電子還元（Fe_{a3}^{3+}-O^--O^--Cu_B^{2+}の形成）に比べてはるかに遅いと考えられるので，Fe^{2+}-O_2を検出することは不可能であると推定されていた．蛋白質内部の疎水的環境に置かれたFe^{3+}-O^--O^--Cu_B^{2+}はある程度安定で，さらに電子が供与されなければ水分子への還元反応は進行しないと推定できる．

　しかし，共鳴ラマン分光法によるこのO_2還元過程の解析により，これらの予想にまったく反して，ミオグロビンやヘモグロビンとほとんど同じ構造で予想外に安定な酸素化型（寿命は4℃で約0.5ミリ秒）のFe-O_2伸縮振動スペクトルが571 cm^{-1}に認められた．この中間体に続いて804 cm^{-1}にFe^{5+}=O伸縮振動に帰属できるスペクトルが検出された．この結果はFe^{2+}-O_2型からFe^{3+}-O^--O^--Cu_B^{2+}が形成されるより-O^--O^--結合の切断される方がはるかに速かったため2電子還元中間体が検出されなかったことを示している[1]．なぜこのように予想外の結果が得られたのかを明らかにするためにはO_2還元中心の構造をX線結晶学により高分解能で解明しなければ

ならない.

図4.8.1に完全還元型ウシ心筋チトクロム酸化酵素のO_2還元部位の2.35Å分解能の構造を示す. 細菌酵素の部位特異的変異の解析により予想されていたようにCu_Bには3残基のヒスチジンが配置していた. さらにまったく予想外にチロシン残基(Tyr244)がCu_Bに配置しているヒスチジンと共有結合を形成し, O_2結合部位の近傍に固定されていた. このチロシンはFe_{a3}に結合したO_2と水素結合を形成することができる位置にあることがO_2の原子モデルをX線構造にあてはめることによって明らかにされた(図4.8.1)[2]. さらに, Cu_Bに3個のイミダゾール基の窒素原子が平面三角形を形成して配置していた. このようなCu^{1+}錯化合物はきわめて安定であることが知られている. したがってCu_B^{1+}は配位子結合能も電子供与能も微弱であることをこのX線構造は示している. 一方, Tyr244は水素結合のネットワークでミトコンドリア内膜の内側(マトリクス側)の分子表面と結合しているのでマトリクス側からプロトンを取り込むことができる(以下に述べるようにプロトンは水素結合を経由して蛋白質内部を輸送される). またTyr244とHis240との間の共有結合はCu_Bからの電子伝達を促進する. このようにTyr244はFe_{a3}^{2+}に結合したO_2へプロトンと電子を供与することができることをこのX線構造は示唆している. しかし, Tyr244とO_2との水素結合距離は3.4Åであり非常に弱いと考えられる. したがってプロトンや電子の効率のよい供与のためには立体構造変化を必要としている. この立体構造変化がFe^{2+}に結合したO_2の2電子還元を律速しているため, 酸素化型(Fe_{a3}^{2+}-O_2)が予想外に安定であると考えられる. しかし, Tyr244とO_2との間に強い水素結合が形成されたら, Tyr244は水素原子を供与してヒドロペルオキシド(Fe_{a3}^{3+}-OOH)を生ずるであろう. さらにチロシンラジカルはCu_Bからの電子によって還元されるとともに水素結合のネットワークを経由してマトリクス側からプロトンを取り込む. このTyr244のもつ酸性プロトンはFe^{3+}-OOHのO-O結合を不安定化する. また, Cu_B^{1+}は酸化された結果, 第4の配位子に対する強い親和性をもつようになる. これら2つの要因はFe_{a3}^{3+}から2電子を引き抜いてO-O結合を切断する反応の引き金(あるいは駆動力)となる. その結果Fe_{a3}^{5+}=OとH_2O-Cu_B^{2+}を形成するため, ヒドロペルオキシド中間体は検出できなかったと考えられる. このとき, Tyr244から酸性プロトンを供与されなくても, Cu_B^{2+}のOH^-

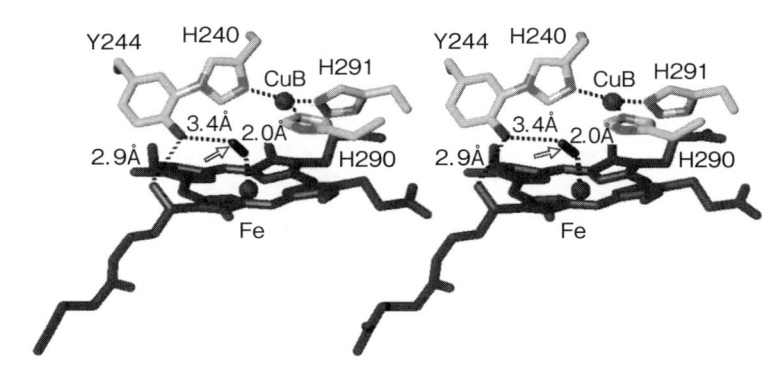

図4.8.1 ウシ心筋チトクロム酸化酵素の還元型2.35Å分解能でのO_2還元中心のX線構造(ステレオ図, 口絵参照)
白矢印で示したモデルは実験的に決定されたX線構造にO_2の原子モデルをTyr244と水素結合可能な配向になるようあてはめた結果である.

に対する強い親和性だけでO-O結合の切断には十分であるかもしれない．この反応過程でオキソ型中間体（Fe＝O）が形成されたとき，O_2は4電子還元を受けていることになる．このようにしてこの酵素は細胞に対する毒性のきわめて強い活性酵素種をほとんど遊離させずにO_2を水にまで還元すると考えられる．水を還元中心でつくるために電子は膜間腔側から，プロトンはマトリクス側から伝達される．このプロトン輸送は電子伝達と強く共役しており，実際に細菌酵素の部位特異的変異解析法を利用して上述のTyr244に至る経路とCu_Bに至るGlu242を含む経路とが検出されている．

プロトンポンプのためにはともかく蛋白質部分の立体構造変化が必要である．ウシ心筋チトクロム酸化酵素の酸化還元に共役した立体構造変化が酸化型2.3Å分解能，還元型2.35Å分解能の構造を比較して，サブユニットⅠのヘリックスⅠとⅡとの間のループ領域に認められた[2]．このうちAsp51は酸化型のとき完全に分子内部に埋め込まれているが還元型では分子表面に移動しミトコンドリア内膜の外側（膜間腔側）の水相に接触している．また酸化型ではAsp51は水素結合のネットワークによってヘムaの側鎖のホルミル基に水素結合しているアルギニン残基（Ary38）と連結していた．このヘムはO_2還元中心にあるヘムa_3の近傍にあって電子供与体として機能していることが知られている．またこのヘムaへは本酵素の電子供与体であるチトクロムcからの電子の直接の受容体である複核の銅中心（Cu_A）から電子が供与される．Arg38はさらにマトリクス側の水分子が浸入することのできる蛋白質分子内部の空洞に接触していた．ペプチド結合は次のようなイミド酸中間体を経由するプロトンの輸送経路になりうる．

$$-CO-NH- + H^+ \rightleftharpoons -C(OH)=N^+H-$$
$$\rightleftharpoons -C(OH)=N- + H^+$$

$$-C(OH)=N- \longrightarrow -CO-NH-$$

第2段階のエノール型からケト型への変換は実質的に不可逆であると推定できる．したがってこのようなペプチド結合はプロトン輸送に方向性を付与すると考えられる．ヘムaはArg38からの水素結合のネットワークに2ヵ所（プロピオン酸とホ

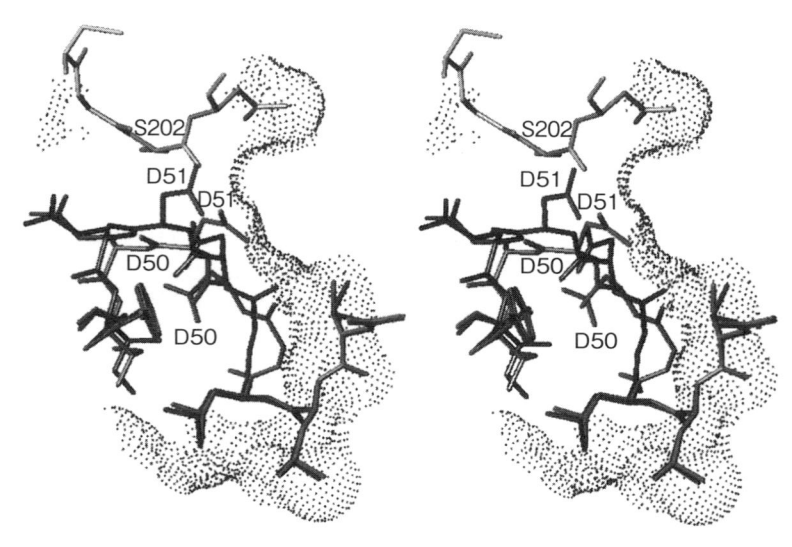

図4.8.2 酸化還元に伴うAsp51の立体構造変化（ステレオ図）
黒は酸化型，灰色は還元型の構造．点によって酸化型の分子表面が示されている．

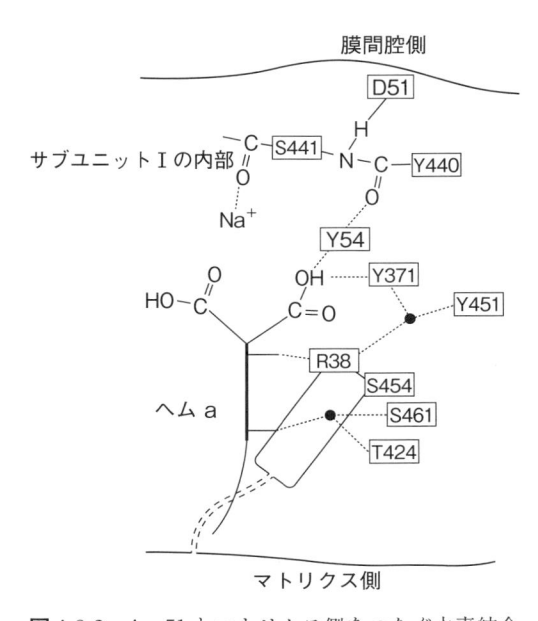

図4.8.3 Asp51とマトリクス側をつなぐ水素結合ネットワークの模式図
ヘムaのポルフィリン面は太い直線で，側鎖のホルミル基とヒドロキシファネシルエチル基のOH基は細い直線で示されている．

ルミル基）で水素結合によって側面から関与している．ヘムaの酸化による正荷電の増加はこの結合のネットワークを経由したプロトン輸送を促進すると考えられる．なお，還元型のときAsp51はこの水素結合のネットワークから脱離している．このようにしてAsp51はヘムaの酸化に共役してマトリクス側から輸送されてきたプロトンを取り込み，還元されたとき膜間腔側に放出される．以上のX線構造はAsp51を含むプロトン輸送系がプロトンを能動輸送することを示している[2]．

ほとんどの好気生物は活性中心に6配位型ヘムと5配位型ヘムと銅イオンをもっていて，O_2還元に共役してプロトンポンプを行う末端酸化酵素をもっている．電子伝達経路もプロトン輸送経路もヘムのポルフィリンの構造までも異なる種々の末端酸化酵素が発見されているので，それら一群はヘム−銅末端酸化酵素スーパーファミリー（superfamily）と呼ばれてい

る．しかしO_2還元中心にヘム鉄と銅イオンが含まれていることは，上述のようにO_2を活性酸素種を遊離させずに水にまで還元するためにこれらの金属が不可欠であることを示している．一方，プロトン輸送は化学的には単純な過程である．したがって酸素還元中心の金属を保持するアミノ酸は生物種によらず完全に保存されているが，プロトン輸送経路は完全には保存されていない．また6配位型ヘムはO_2還元に直接は関与していないが，すべての末端酸化酵素がもっている．この事実もすべてのヘム−銅末端酸化酵素スーパーファミリーの酵素でプロトンポンプと酸素還元が異なる部位で進行する（間接共役）ことを強く示唆している．酸化還元中心でのプロトンポンプ（直接共役）も主張されているが，ポンプされる予定のプロトンと水をつくるために利用される予定のプロトンを区別する機構（これはポンプされる予定のプロトンが水をつくるのに利用されることを防ぐためにぜひ必要である）を示唆する実験事実が得られていない．一方，Asp51のプロトンポンプへの上述のような関与を実験的に示すためにはAsp51の部位特異的変異体をつくる必要がある．　　〔吉川信也〕

[文献]
1) Kitagawa, T. and Ogura, T.: *Progr. Inorg. Chem.* **45**, 431-479, 1997.
2) Yoshikawa, S. *et al.*: *Science* **280**, 1723-1729, 1998.

4.9 ATP 合成

生体のほとんどあらゆる活動は，ATPの無水リン酸結合が加水分解されて，ADP（アデノシン二リン酸）と無機リン酸（P_i）になるときに放出されるエネルギーで支えられている．ADP と P_i は再びATP に合成される．それには，大きく分けて2通りの方法がある．1つは，生物が外から取り込んだ食物を単純に（酸化を伴わずに）分解してATPを合成するやり方である．もう1つは，食物の酸化で生体膜内外に水素イオン（プロトン）の勾配をつくり出しておいて，勾配を流れ落ちる水素イオンのエネルギーを利用してATPを合成するやり方である．後者の方が，前者よりも15〜20倍くらい効率がよい．植物は，太陽光でも水素イオンの勾配をつくり出しATPを合成できる．水素イオンの流れでATPを合成する酵素をATP合成酵素（$F_O F_1$-ATP synthase，または逆反応のATP加水分解反応を触媒する酵素の名称を用いて $F_O F_1$-ATPase）と呼ぶ．この酵素は，細菌の細胞膜，ミトコンドリアの内膜，葉緑体のチラコイド膜に存在し，種を越えて共通の基本構造と分子機構をもっている．ただし，古細菌など一部の細菌でATPを合成している酵素は，標準的な $F_O F_1$ 型のATP合成酵素と（親戚ではあるが）少し異なっており V 型 ATPase と呼ばれる．ATP合成酵素の触媒する反応を式で書くと

$$ADP + P_i + n \times H^+ \text{(外側)}$$
$$\rightleftharpoons ATP + H_2O + n \times H^+ \text{(内側)} \quad (1)$$

となる．この式では，膜で隔てられた2つの溶液相を，F_1 側を内側，その反対側を外側としている．H^+ の項は，水素イオンが膜の外側から内側に移動することを示す．その他の化合物はすべて内側のものである．n の値（つまり何個の水素イオンでATPが合成されるか）は $3 < n < 5$ の範囲で生物種によって異なり，しかも今わかっているかぎり整数ではない．

ATP合成酵素は，回転シャフトを共有する2つのモーターからできている（図4.9.1）．ATPの加水分解で駆動される F_1 モーターと，水素イオンの流れで駆動される F_O（エフオーと続む．エフゼロではない）モーターである．F_1 側（内側）の溶液の水素イオンのポテンシャル（電気化学ポテンシャル＝水素イオン濃度の項＋膜電位の

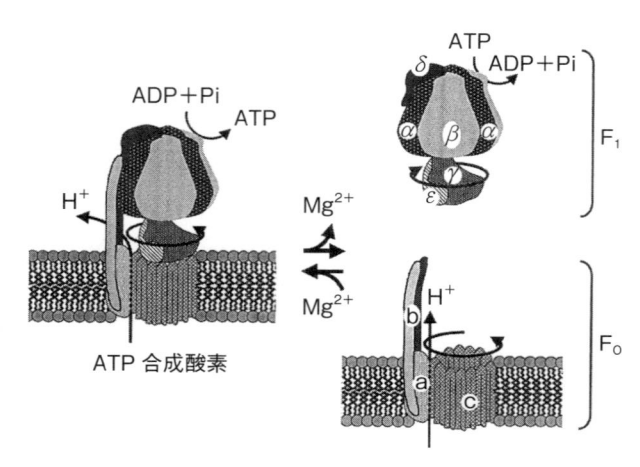

図 4.9.1 ATP合成酵素の模式図
最も簡単な細菌のATP合成酵素の構造を示す．頭部の F_1 と膜に結合した F_O は，溶液からマグネシウムイオンを除くと簡単に分離できる．F_1 は，ATPで回転するモーターであり，F_O は水素イオンの流れで回転するモーターと考えられる（まだ回転の直接観察はできていない）．ATP合成酵素は，この2つのモーターが回転軸を共有して結合したものと考えることができる．

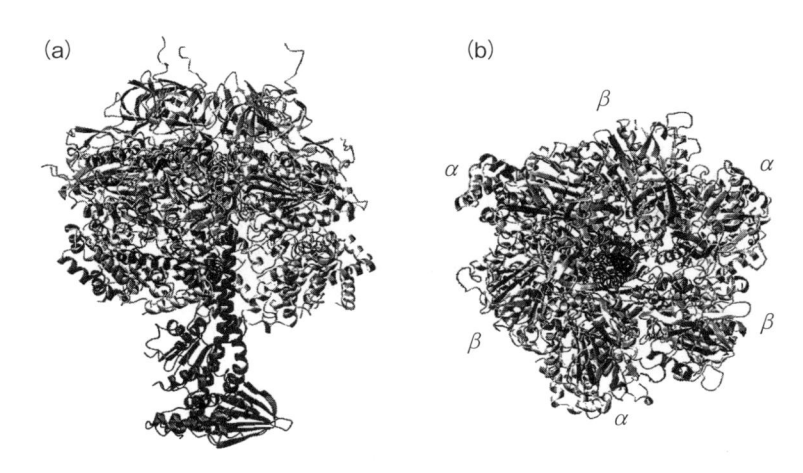

図 4.9.2 F_1 の構造

(a)：横から見た構造．(b)：上から見た構造．$\alpha_3\beta_3$ のリングの中央を，γ の 2 本のヘリックスが貫いている．γ の下の方に ε が結合している．γ と ε は，F_0 の c リングに結合していることがわかっている．この構造では，ε は $\alpha_3\beta_3$ 部分とは離れていて接触していない．別の結晶では，ε の構造は大きく変化して γ のヘリックスと一緒になって $\alpha_3\beta_3$ のリングの中まで侵入している（阻害型の構造と思われる）．

項）が低いとき（式 (1) の平衡が右に傾いている条件のとき），水素イオンは F_0 を通って F_1 側に流れ込む．そのとき，F_0 モーターは回転シャフトを（F_0 から F_1 を見る向きでいうと）時計回りに回すと考えられる．このシャフトの回転は，F_1 の触媒中心の構造を一連の遷移順序で強制的に変化させる．この遷移は ATP 合成に要求される構造遷移そのものであり（そうなるように酵素は設計されている），こうして ATP が合成される．すべての酵素は正逆の両方向の反応を触媒する．したがって，式 (1) の平衡が左に傾いている条件では，F_1 は ATP を加水分解して回転シャフトを反時計回りに回転させ，この強制された回転によって F_0 は水素イオンを F_1 側から反対側に向けて運ぶ．こうして水素イオンが（ポテンシャルの勾配に逆らっても）膜を横断して輸送される．

2 つのモーターは簡単かつ可逆的に分離できる．つまり，溶液からマグネシウムイオンを除くと，F_1 と F_0 に分かれ，マグネシウムイオンを加えると ATP 合成酵素が再構成される．F_1 は，分子量が約 40 万の水に溶ける蛋白質複合体で，ATP を加水分解する活性をもつので，F_1-ATPase とも呼ばれる．F_0 は，膜を貫通する蛋白質を中心とする分子量が約 10 万の蛋白質複合体で，水素イオンを通過させることができる．最も簡単なサブユニット組成をもつ細菌の場合でいうと，F_1 は $\alpha_3\beta_3\gamma\delta\varepsilon$ という 5 種 9 個のサブユニット，F_0 は ab_2c_{10} という 3 種 13 個のサブユニット（ただし，c の数が 11 の細菌もいる）からできている．ミトコンドリアの ATP 合成酵素の場合には，これにさらに数種のサブユニットが付け加わる．

F_1 の構造は，結晶解析で詳細にわかっている（図 4.9.2）．α と β-サブユニットはアミノ酸配列も立体構造もよく似ている．両者ともに ATP（ADP）を結合する．触媒中心は β にある．α に結合する ATP（ADP）の役割ははっきりわからないが，制御にかかわることを示唆する実験結果がある．α と β は F_1 の中で交互に並んで六角形をつくり，その中央に γ のからみあっ

た2本のヘリックスが湾曲しながら貫くように入り込んでいる．F_1の中で3つのαはほとんど同一の構造であるが，βはγがどの方向を向いているかで違っている．まず，1番目のβはAMPPNP（ATPの類似体）を，2番目のβはADPを結合していたが，3番目のβの触媒部位はカラでなにも結合していない．カラのβの構造は他のβのそれとは異なっていて，C末端側の半分のドメインが分子外側に振られていて，その開いたところをγの湾曲の凸部が占めている．基質の結合状態の違いによって，これと少し違った状態のF_1の構造も知られている．この構造では，3つのβすべてにADPが結合している．そして，そのうちの1つは，ちょうど半開きの構造で触媒中心にはADPと硫酸イオン（リン酸の代わりと考えられる）が結合している．γは20度ほどねじれている．これは回転の（ということはつまり触媒の）遷移状態を反映した構造と想像される．ATPの結合によるβの開→閉の動き，ADPの解離によるβの閉→開の動きがF_1の中でうまく同調して，バナナ型の凹凸のあるγの回転運動を引き起こすと考えられる．往復運動が回転運動に変えられるのは，車のエンジンと同じである．

　F_1が回転するモーターであることは，回転を直視する1分子観察によって証明された．F_1をガラス表面に固定し，γに蛍光標識した長いアクチン繊維あるいは小さな粒子を付着させて，ATPによる回転を蛍光，透過光あるいは散乱光で検出する（図4.9.3）．わかった回転の性質は以下のとおりである．①γはF_0側から見て反時計回りに回る．②ATP3分子の加水分解で1回転する（1分子のATPの加水分解サイクルで120度回転）．③ATPが結合するとまず80度回転する．④そこで約2ミリ秒停止してその間に酵素上でATPが加水分解される．⑤ADP（あるいはP_i）が酵素から解離して40度回転する．⑥80度あるいは40度回転しているときの回転スピードは速い（< 0.1ミリ秒）．⑦十分にATPがあるときは1秒に100回転くらいのスピードで回転する．⑧ATPのエネルギーは高い（見かけ上100%近い）効率で回転のエネルギーに変換される．

　F_0の詳細な全体の立体構造はまだわかっていないが，c-サブユニットはリング状に並び，このリングの外側にab_2-サブユニットがあるらしい．まだ直接観察はできていないが，水素イオンの通過に伴いcリングが回転すると考えられる．cリング

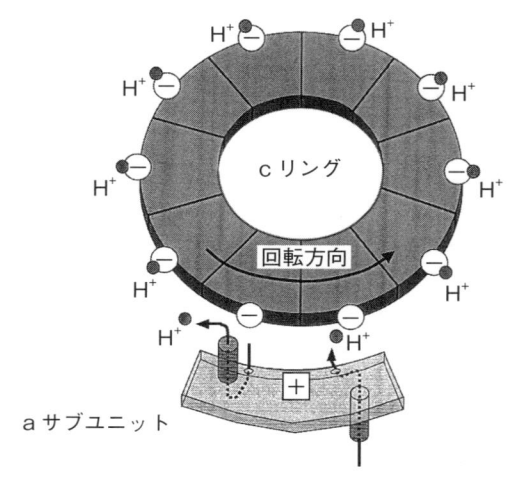

図4.9.3 F_0モーターの「回転ドア」仮説
F_0のa-サブユニットから膜の中央部まで運ばれた水素イオンは，そこでcリングの中の1つのc-サブユニットのカルボキシル基に渡され，負電荷は中和される．電気的に中性のカルボキシル基をもつc-サブユニットはa-c接触面の右側からだけ回転して出てゆくことができる．熱ゆらぎでcリングが回転して先ほどと反対側のa-c接触面まで到達すると，今度は中和したカルボキシル基だけがa-c接触面に入ることができる．そこで水素イオンはa-サブユニットの水素イオンのチャネルを通って反対側に逃れる．この説では，a-サブユニットには2つの半チャネルがあることになる．水素イオンは，a-c接触面ではなく，回転中にcリング自身にそなわっているチャネルを通って反対側に逃れるという考えもある．この場合は，a-c接触面に左から入れるのは，負電荷のc-サブユニットだけと仮定することになり，a-サブユニットには1つの半チャネルだけある．

にはF_1のγとεが結合していて，cリングが回転すればそれと一体になって回転する．aとb-サブユニットは固定子であり，回転の力はaとcリングの接触面で生じているらしい．F_0とF_1の固定子は，お互いに回転しないように$b_2\delta$で連結されている．水素イオンによるcリングの回転のしくみについては，回転ドアのような機構が考えられている（図4.9.3）．これまで，F_1の回転は120度きざみであるからcリングの回転のステップはその約数と思われていた．たとえばcリングが1個の水素イオンで30度回るなら，4個の水素イオンでF_1の120度の回転が引き起こされ（$n=4$），1個のATPが合成される．これは，cリングが12個のc-サブユニットで構成されていることを意味する．しかし最近，これが12個ではなく，10個（酵母，大腸菌），11個（ある種の細菌），あるいは14個（葉緑体）だという報告が相次いでいる．するとnは整数ではないし，種によって異なることになる．また，回転のときにF_0とF_1の間にねじれが生じてしまうがそれはどう処理されるのか，ATP合成酵素の研究にもう1つ未知の峰が現れてきた．

〔吉田賢右〕

[文献]

1) Yoshida, M., Muneyuki, Y. and Hisabori, T.: ATP synthase-A marvelous rotary engine of the cell. *Nature Rev. Cell Biol.* **2**, 669-677, 2001.
2) 吉田賢右，茂木立志編：生体膜のエネルギー装置（シリーズ・バイオサイエンスの新世紀），pp.74-88，共立出版，2000.

III. 膜動輸送

4.10 細胞内トラフィック

真核生物は脂質二重膜によってコンパートメント化された種々のオルガネラをもっている．分泌蛋白質や膜蛋白質は，① 活性発現に必要なさまざまな高次構造形成や翻訳後修飾を受けながら，② それが本来機能するオルガネラや特定の形質膜部分へ正しく小胞輸送（ターゲッティング）されることが必要である．

a. 新生蛋白質の高次構造形成と翻訳後修飾

分泌蛋白質や膜蛋白質は，小胞体上の膜結合型リボソームにおいて翻訳され同時に小胞体内腔に送り込まれ（⇨4.4)），小胞体→ゴルジ体→形質膜（細胞外）を小胞輸送されるが，この過程で活性発現に必要なさまざまな修飾を受ける．

まず，小胞体では，特定のアミノ酸配列をもったポリペプチドは機能発現に必要な高次構造（二次，三次，四次構造）をとる．蛋白質が正しい構造に折りたたまれる（フォールディング）過程は，基本的にはポリペプチドを構成するアミノ酸側鎖の相対的配置がエネルギー的に最も安定なコンフォメーションをとるという自発的な所作によると考えられている（アンフィンゼンドグマ）．しかし，細胞内のように蛋白質濃度が非常に高いところでは，フォールディング途中の蛋白質が疎水性残基どうしの疎水性相互作用などにより凝集などを起こしやすく，新生蛋白質の正しいフォー

ルディングには細胞内の特別なメカニズムが必要とされる．分子シャペロンと呼ばれる一群の蛋白質は，フォールディング途中の疎水性アミノ酸残基などに選択的に結合し，かつ正しいフォールディングを促進する．このような蛋白質の変性や凝集は，熱ショックなどの細胞にとってのストレスに応答しても誘導されることより熱ショック蛋白質，ストレス蛋白質とも呼ばれている．

正しくフォールディングされた蛋白質の多くは，主に2種の翻訳後修飾を受けてはじめて活性発現可能な成熟蛋白質になる．1つは，ホルモンや生理活性ペプチドなどの成熟型生成時にみられ，ペプチド鎖自体が特異的プロテアーゼによって切断されるものである．たとえば，膵臓 β 細胞の粗面小胞体で合成された前駆体プロインスリンが滑面小胞体→ゴルジ体→ β 顆粒と細胞内輸送される過程でプロセシングを受け成熟したインスリンとなる．このほか，副腎皮質刺激ホルモン-β-リポトロビン前駆体などのようなペプチド性ホルモン前駆体から副腎皮質ホルモン（ACTH）やリポトロビン（LPH）などの成熟型が生じる過程などはよく知られている．

もう1つは，ペプチドを構成するアミノ酸側鎖が小胞体でN型糖鎖付加を受けたり，ゴルジ体においてリン酸化，硫酸化，N型，O型糖鎖付加や脂肪酸付加などを受けるものである．糖鎖付加は小胞体内の蛋白質のフォールディングやオルガネラ間の分泌過程の進行，分泌後の蛋白質間相互作用などに深く関与している．

b. 蛋白質のターゲティングと細胞内小胞輸送

小胞体でフォールディングされた新生蛋白質は，小胞輸送と呼ばれる輸送機構によって目的の膜系へターゲットされる．細胞内小胞輸送は基本的に次の3つの素過程よりなる膜動過程である（図4.10.1(a)）．① 供与体膜系での輸送蛋白質の選別と輸送小胞内への積み込みおよび輸送小胞の小胞化，② 輸送小胞の標的膜系（受容体膜系）への移行，③ 輸送小胞と標的膜系の認識と融合，である．分泌過程も上記3つの素過程が連なった小胞輸送系である．つまり，

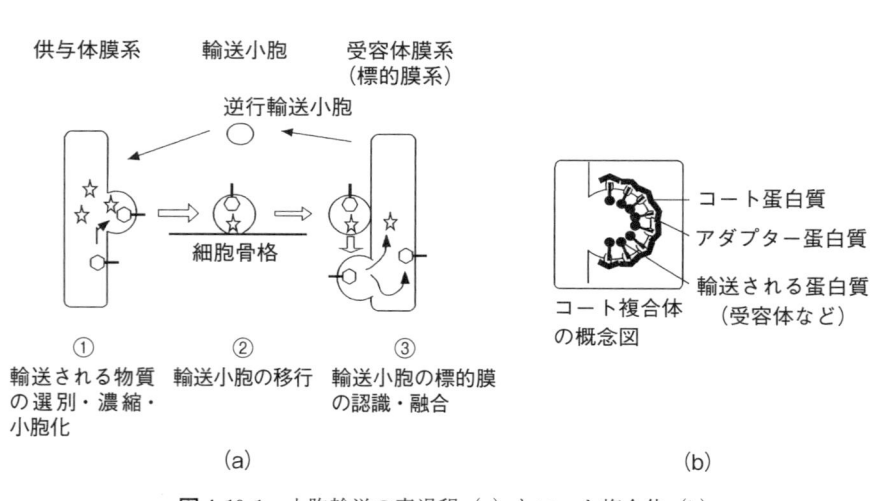

図4.10.1 小胞輸送の素過程（a）とコート複合体（b）
(a) 小胞輸送は3つの素過程よりなる．① 供与体膜系からの輸送される物質の選別・濃縮・小胞化，② 輸送小胞の移行，③ 受容体膜系（標的膜系）への輸送小胞の認識と融合，である．(b) 供与体膜系からの輸送物質の選別と小胞化には，COPI, COPII, クラスリン被覆などのコート複合体が関与していると考えられている．

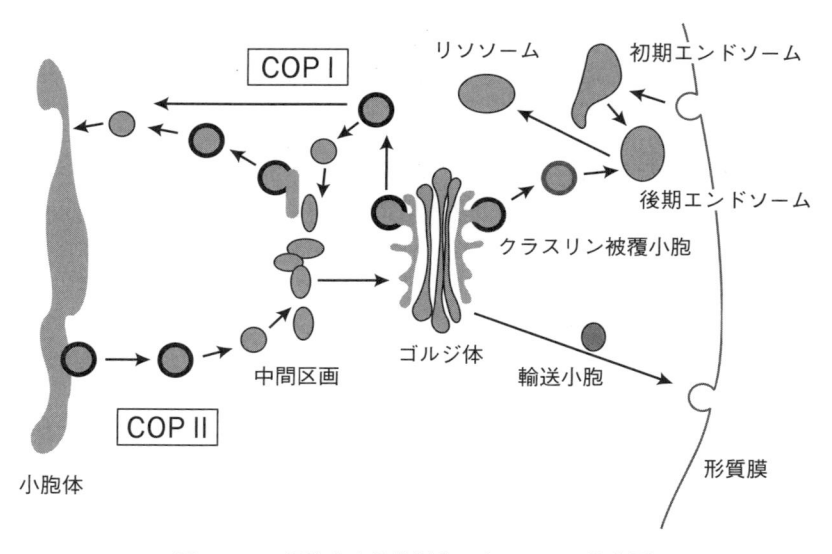

図4.10.2　細胞内小胞輸送ネットワークの概念図
哺乳動物細胞において，小胞体は新生蛋白質の品質管理のセンターであり，ゴルジ体は分泌経路に乗る蛋白質の修飾・選別のセンターとして分泌過程の要である．一方，細胞の物質取り込み過程に関与する膜動過程（⇨4.12）も小胞輸送系であり，その最終コンパートメントであるリソソームに局在する多くの分解系酵素は，ゴルジ体から後期エンドソームを介してリソソームへ輸送される．このように，形質膜をも含めた1つの小胞輸送ネットワークが細胞内に形成されており，小胞輸送が細胞内のオルガネラ間を流通する蛋白質の流れを司っていることがわかる．

小胞体内腔へ送り込まれた蛋白質は，小胞体→ゴルジ体，ゴルジ体→形質膜と，分泌系のオルガネラを順に通り細胞外または形質膜上へと運ばれる（図4.10.2）．

(1) 小胞体⇄ゴルジ体間輸送

小胞体からゴルジ体への順行輸送の場合，小胞体でつくられた新生蛋白質はCOPⅡ小胞内に濃縮され，小胞形成部位（exit siteと呼ばれる）からCOPⅡ小胞として出芽する．動物細胞の場合，小胞体-ゴルジ体間には中間区画（intermediate compartment）が存在し，両オルガネラ間輸送における物質選別に深くかかわっていると考えられている．

小胞体以降の輸送過程へと進む蛋白質の小胞への選別機構には，バルクに小胞内に取り込まれるしくみと，積極的にCOPⅡ小胞に濃縮されるしくみがある．中間区画のマーカーとされるERGIC53/p58や水疱性ウシ口内炎ウイルス（VSVのG蛋白質）などは一次構造上にFFやDXEなどの共通アミノ酸配列（モチーフ）をもち，小胞内へ選択的に濃縮される．一方，小胞体に局在する蛋白質の選別機構には，COPⅡ小胞への取り込みを排除するしくみと，COPⅡ小胞に取り込まれるものの輸送過程を進んでゆく過程で多段階的に回収されるしくみがある．KDEL受容体による小胞体局在蛋白質の回収機構は，後者の有名な例である．プロテインジスルフィドイソメラーゼ（PDI）やBip/GRP78などの小胞体内腔蛋白質は，C末端にKDEL（Lys-Asp-Glu-Leu，酵母ではHDEL）モチーフをもつ．これらの蛋白質はいったんシスゴルジ層（または中間区画）まで輸送されるが，そこでKDEL受容体（ER retention defective 2：ERD2）と結合し，COPⅠ小胞を介してそこから小胞体へ逆行輸送され

る．

また，他の小胞体残留シグナルとしては，I型膜蛋白質のC末端細胞質側にあるダブルリジン（KKXX）モチーフや，II型膜蛋白質のN末端細胞質側にあるダブルアルギニン（RR or RXR）モチーフがある．P450，ミクロソーム型アルデヒド脱水素酵素（msALDH），チトクロムb_5などは，細胞質領域や膜貫通部位に小胞体残留シグナルが存在することが予想されている．しかし，そのアミノ酸配列の特異性は明らかでなく，一義的にシグナル配列のみでその選別が行われているものではないことが示唆されている．

(2) ゴルジ体→形質膜あるいはリソソーム間輸送における蛋白質の選別機構

小胞体から輸送された蛋白質は，ゴルジ体においてさまざまな修飾を受けた後に，トランスゴルジネットワーク（trans-Golgi network：TGN）で選別され，形質膜（または細胞外）あるいはリソソームといった標的膜へと小胞輸送によって運ばれる．とくに，形質膜がアピカル面（上端面）とバソラテラル面（側基底面）といった不連続なドメインを形成しているニューロンや上皮細胞などの極性細胞においては，ゴルジ体で起こる蛋白質の選別は，各ドメインの異なる組成維持のために重要な過程である．

バソラテラル面に輸送される低密度リポ蛋白質受容体（low density lipoprotein receptor：LDL受容体），トランスフェリン受容体，多量体型イムノグロブリン受容体には，アミノ酸15〜20個からなる選別輸送シグナル配列がある．また高次構造として，タイプI型のβ-ターン構造が特徴的である．しかし，この輸送される蛋白質のシグナルを認識し輸送小胞に選択的に詰め込む細胞装置については，まったく知られていない．

一方，アピカル面への輸送シグナルは，輸送される蛋白質の細胞質側の一次構造上には発見されていない．細胞質側にペプチド部分をもたないGPIアンカー型の蛋白質や，N-glycosylationされた蛋白質などがアピカル側に選別輸送されることから，アピカル面への選別シグナルはむしろゴルジ体内腔側にあるとされている．現在予想されているアピカル小胞出芽部分への選別メカニズムとして，「筏（raft）モデル」がある．これは，TGN脂質二重層の内腔側の脂質層上に形成されたスフィンゴ脂質やコレステロールの自己集合によるミクロドメイン内に，アピカル面へ運ばれる蛋白質が濃縮されアピカル小胞が小胞化するプラットフォームが形成されるというものである．

また，ゴルジ体からリソソームへと輸送される選別機構もある．小胞体で生合成されたリソソーム酵素（酸性加水分解酵素）は，ゴルジ体に運ばれMan-6-P（マンノース6リン酸）残基が付加された形となり，TGNにおいて，Man-6-P受容体によって認識される．また，その細胞質側ペプチドモチーフがTGNからの小胞の被覆を構成するクラスリン-アダプター複合体に認識され，輸送小胞に選別・濃縮される．Man-6-P受容体とクラスリンを繋ぐアダプター蛋白質群として，GGAs（Golgi-localizing, gamma-adaptin ear domain homology, ARF-binding proteins）が同定されている．

このTGNでの蛋白質の選別は，極性細胞だけでなく繊維芽細胞などの非極性細胞においても観察されており，ゴルジ体以降の蛋白質の選別輸送におけるTGNの役割は大きいと考えられている．〔村田昌之〕

[文献]

1) 永田和宏他編：分子シャペロンによる細胞機能制御，シュプリンガー・フェアラーク東京，2001.
2) 米田悦啓，中野明彦編：細胞内物質輸送のダイ

ナミズム，シュプリンガー・フェアラーク東京，1999.
3) 中野明彦他編：蛋白質の一生，共立出版，2000.
4) 八田一郎，村田昌之編：生体膜のダイナミクス，共立出版，2000.

4.11 エキソサイトーシス

　すべての細胞は何らかの形で分泌を行っている．分泌現象は長く研究者の興味をひいてきたが，その分子機構が具体的に論じられるようになったのは過去十数年ほどの研究のいちじるしい進展によっている．細胞はさまざまな形式で分泌を行っているが，シグナル（Ca^{2+}濃度の上昇，分泌誘起物質の受容体への結合など）によって制御されるものを調節性分泌（regulated secretion），定常的に起こるものを構成的分泌（constitutive secretion）と呼んでいる．前者の代表的なものは，神経伝達物質やホルモンの放出，後者の例としては酵母における分泌がある．エキソサイトーシス（開口放出あるいは開口分泌）は小胞の内部に含まれる物質が小胞膜と細胞膜の融合によって，細胞外に放出される現象である．エキソサイトーシスの分子機序に関する急速な進歩は，細胞内膜輸送機構の研究，酵母における分泌異常ミュータント（Sec）の解析，各種シナプス蛋白質の同定，シナプスにおける神経伝達物質の放出を強力に阻害する蛋白質毒素（破傷風毒素，ボツリヌス毒素で，これらはいずれも亜鉛依存性プロテアーゼである）の標的蛋白質の同定等によりそれに直接関与する蛋白質が発見されたことに負うところが大きい．

　酵母からヒトに至るまで，エキソサイトーシスは基本的に細胞内膜輸送と同様な分子機構によって起こる．細胞内の膜輸送では，輸送小胞が膜で仕切られたコンパートメント（たとえばゴルジ装置，滑面小胞体など）から発芽（budding）し，輸送さ

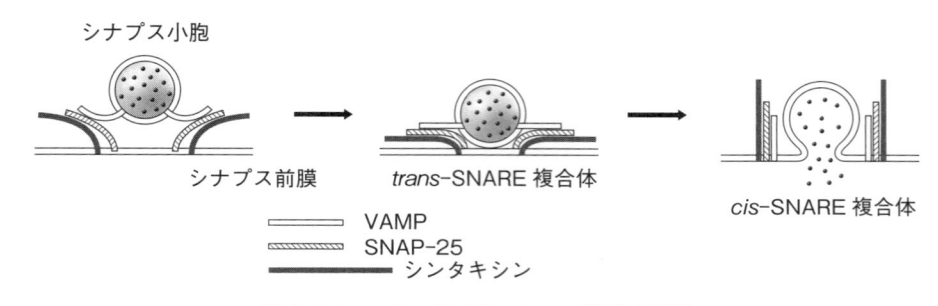

図 4.11.1　エキソサイトーシスの膜融合段階
シンタキシン，SNAP-25, VAMPの3者がゆるい複合体から堅い複合体に変わり，膜融合が起こり，神経伝達物質が放出される．簡略化するため，SNARE複合体は2つのみ描いてある．

れて，膜融合によって他のコンパートメントと融合する．この融合過程がエキソサイトーシスの膜融合と同様な分子機構によっている．膜輸送とエキソサイトーシスに完全に共通する蛋白質分子は細胞質に存在するNSF (*N*-ethylmaleimide-sensitive factor)（酵母ではSec18）とSNAP (soluble NSF attachment protein)（酵母ではSec17）である．前者はATPaseで，後者の存在下でのみ膜に結合する．SNAPが結合する膜蛋白質（SNAP受容体，略称SNARE）はシナプス前末端では主として細胞膜に存在するシンタキシン1, SNAP-25（上記のSNAPとは無関係），シナプス小胞に存在するVAMP（別名シナプトブレビン）である．これらはいずれも破傷風毒素やボツリヌス神経毒素の標的蛋白質であり，神経伝達物質の放出に直接関与する．酵母からヒトに至るまで，膜輸送の部位により，シンタキシン（酵母ではSed5, Sso1など），SNAP-25（酵母ではSec9），VAMP（酵母ではSnc1, Sec22/Sly2など）の異なるアイソフォームが関与し，各輸送部位の特異性を担う．NSFとSNAPは当初，膜融合そのものに関与すると想定されたが，現在ではシャペロンとして，膜融合の際に形成されるSNARE複合体をATP依存的に解離させ，再生すると考えられている．

　それではこれらの蛋白質はどのようにしてエキソサイトーシスを引き起こすのだろうか．最もよく研究されているシナプスにおける神経伝達物質放出を例にとって説明する．この放出は多くのホルモン等の放出と同様，放出部位のCa^{2+}濃度の上昇によって起こる．Ca^{2+}の作用部位としては，遺伝学的・生化学的・生理学的証拠からシナプス小胞膜に存在するCa^{2+}結合蛋白質シナプトタグミンIが最も有力である．シナプス前膜のシンタキシンは閉状態（C末端のコイルH3ドメインがN末端のコイルと結合した状態）で，細胞質蛋白質Munc-18（別名n-Sec1，酵母ではSec1）が結合し，他のSNAREとは結合できない．Munc-13が働いて，Munc-18を離すとともにシンタキシンを開状態（H3ドメインが自由になった状態）に変換する．H3にシナプス前膜のSNAP-25，シナプス小胞のVAMPが結合して*trans*-SNARE複合体を形成する（図4.11.1）．堅く結合した*trans*-SNARE複合体は4本のコイルの束を形成する．このとき放出されるエネルギーが膜融合を駆動するという考えがある．事実，シンタキシン/SNAP-25を組み込んだリポソームとVAMPを組み込んだリポソームは，分のオーダーで融合する．しかし，この結合が膜融合の前の状態であるという可能性も残っている．Ca^{2+}が流入して，シナプトタグミンIがSNAREに結合して，膜融合が起こる．このとき，SNAREに起こる変化がどのようなものであるかはわかっていない．膜融合の結果*trans*-SNARE複合体は*cis*-SNARE複合

体となり，NSFおよびSNAPの作用によって各SNAREに解離し，再利用される．

最近，酵母の液胞どうしの膜融合では，V-ATPase（プロトンポンプ）のV0セクター（膜貫通部をもつサブユニットの集合で，プロトンの移動に関与する）が会合して融合孔（fusion pore）を形成するとの報告が出された（文献3）参照．この場合，SNAREsは2つの膜を近づけるために働き，Ca^{2+}/カルモジュリンがV0に結合して融合孔形成の引き金になる．V0セクターはシナプス小胞，シナプス前膜の両方に存在し，神経伝達物質放出に直接関係するという主張が1980年代からフランス，スイスの研究者たちによってなされてきており，酵母での結果とよく合う．しかし，V0セクターが実際に放出の融合孔として機能しているか否かは今後の検証が必要である．ごく最近の研究によればCa^{2+}/カルモジュリンはシナプスにおいて神経伝達物質放出に直接関与せず，シナプス小胞の動員を制御している．したがって，酵母とシナプスでは少なくともCa^{2+}センサーは違う可能性が高い．融合孔は最初狭いが急激に拡張できる．興味深いのはこの融合孔が拡張せずに閉じて，元の小胞に戻ることが頻繁にあることである．この現象はkiss-and-runと呼ばれ，副腎髄質のクロム親和性顆粒（ノルアドレナリンやアドレナリンを含む）のエキソサイトーシスでは容易に観察される．神経シナプスでは観察は技術的に困難であるが，おそらく存在する．この場合，小胞の中身の一部しか放出されない．

このほかの蛋白質も神経伝達物質放出に関与している．筆者らは細胞質蛋白質シナフィン（別名コンプレキシン）によるSNARE複合体オリゴマーの形成促進が放出に必須であることを証明した．この蛋白質の2種のアイソフォームの同時欠損マウスのシナプスでは，放出が約1/3に低下しており，Ca^{2+}感受性が減少している．この蛋白質は膜融合の直前で作用するらしい．シナプトタグミンやシナフィンの類似蛋白質は酵母には存在せず，両蛋白質は調節性分泌に特徴的なものと考えられる．

〔阿部輝雄〕

[文献]

1) Cowan, W. M. *et al.* (ed.) : Synapses, The Johns Hopkins University Press, 2001.
2) アルバーツ，B. 他（中村桂子他訳）：細胞の分子生物学（第4版），ニュートンプレス，2004.
3) Mayer, A. : What drives membrane fusion in eukaryotes? *Trend Biochem. Sci.* **26** (12), 717-723, 2001.

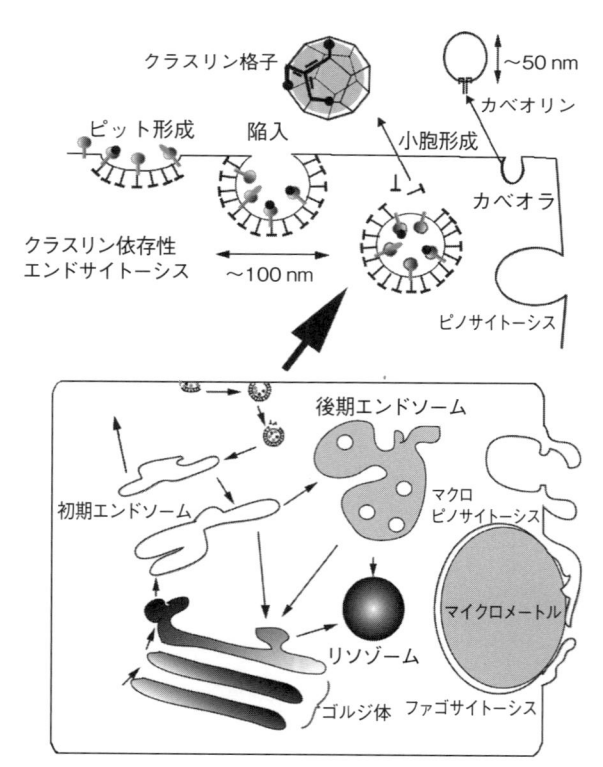

4.12 エンドサイトーシス

a. エンドサイトーシスとは

細胞表面は凹凸に富む構造であり，時に陥没は小胞となって細胞内に運ばれる．この活動がエンドサイトーシスである．細胞は，栄養物質，成長因子，ホルモン，抗原等，さらには自身の膜構成分子（受容体，イオンチャネル，接着分子，特定の脂質や糖質）をエンドサイトーシスよって処理し，① 同化代謝，② 増殖/運動応答の制御，③ 異物の捕捉分解と免疫反応の惹起，④ イオン興奮性の調節や，⑤ 細胞極性の形成など，実に多様な機能に役立てている．

b. エンドサイトーシスのシナリオ

エンドサイトーシスはピット形成，陥入，膜胞遊離の3ステップで成り立ち，① クラスリンやカベオリン等にコートされたピット（径50～100 nm）の小胞化と，② アクチンが裏打ちする大きな膜胞（0.5～2 μm）の形成（ファゴサイトーシス等）の2つの主様式がある．

1) クラスリン依存性エンドサイトーシスは，i) クラスリン，ii) 膜貫通蛋白質，iii) AP-2複合体アダプター，iv) ピット結合性アクセサリーという4カテゴリーの蛋白質群によって進行する．膜貫通蛋白質は，① その細胞質ドメインにチロシン等があるものはAP-2と，② イオンチャネル等はユビキチン化修飾された後アクセサリー蛋白質のエプシン等と，③ G蛋白質

図 4.12.1 エンドサイトーシスのしくみ

上段：エンドサイトーシスのピットとクラスリン依存性エンドサイトーシスのステップ．上方はクラスリン（重鎖と軽鎖を一組としたものが3つ集まったトリスケリオンが一単位）とカベオリン（ヘアピンループ状の蛋白質が集まっている）．平板なクラスリン格子から正二十面体の被覆小胞がつくられる経路，使われるエネルギーの質/量，その供給源は，まだわかっていない．

下段：ファゴサイトーシスとマクロピノサイトーシス．クラスリン依存性エンドサイトーシスと細胞内輸送も描いた．ファゴサイトーシスでは1～5 μmの異物粒子の捕捉と膜胞（ファゴゾーム）へのラッピングが起こる．ファゴソーム内部ではpH低下や酸素ラジカルによる殺菌反応等が進行するが，ある種の細菌は酸性化を阻害し寄生を果たす．マクロピノサイトーシスは，抗原処理やアポトーシスを起こしている細胞の除去に関与していることが示唆されている．

はアレスチンと，いずれもペアをつくり，クラスリン格子に組み込まれる．以降の格子構造変化のステップは，10種を超えるアクセサリー蛋白質のリレーによって進行する．これは，SH3-PRDなどの構造ドメインのペアリング，受容体チロシンキナーゼ，PIターンオーバー（PIキナーゼとリパーゼによるPIP_2やPIP_3，ジアシルグリセロール等の生成），src等の非受容体チロシンキナーゼ等で制御され，コレステロールやホスファチジン酸などの脂質も関与する．小胞遊離にはGTPaseであるダイナミンが関与する．一方，カベオラでは，コレステロールやスフィンゴ脂質がカベオリンとともに形成する膜ドメイン（ラフト）を舞台にG蛋白質や非受容体チロシンキナーゼ等が信号応答に活躍する．カベオラとクラスリン被覆ピットの間では信号がやりとりされている．小胞内在化する膜ドメインはほかにもいくつか示唆されているが，内在化機構は不明である．

2）ファゴサイトーシスでは，膜による細菌や死細胞のラッピング，アクチン集合によるファゴソームの裏打ち強化へと進行する．マクロピノサイトーシスでは，膜が突発的な波打ち（ラフリング）についで大きな液胞と変化し，それがアクチンによって内在化し収縮する．アクチンは，ゲル／ゾル変換（繊維長の変化）と配行／束化の2つのモードで変化し，Ca^{2+}，チロシンリン酸化，PIターンオーバー，rho，rac，cdc42等で制御されている．

c. エンドソームと小胞輸送

エンドサイトーシスによって内在化した小胞は，膜融合によって初期エンドソームと合体する．初期エンドソームでは，後期エンドソームで修飾加工されるものと細胞表面にリサイクルするものとに分離する．後期エンドソームでも，リソソームへの移行と形質膜への再循環が起こる．膜融合は膜蛋白質と組み合って脂質層を組み替える細胞質のSNARE系によって起こる．小胞化は，膜を球状にコートするCOP系によって起こり，ユビキチン化による調節も重要な因子である．エンドソーム内は，空胞型プロトンポンプによって酸性化を受け，リガンドや受容体の構造変化／解離，水分子や陰イオンのフラックスによるエンドソーム形態の変化が誘導される．これら一連のステップが組み合わさって，脂質／蛋白質／糖すべてが選別され，それに伴って固有の信号伝達反応が進行する．〔佐藤　智〕

［文献］

1) Schmid, S. L. : Clathrin-coated vesicle formation protein sorting : an integrated process. *Annu. Rev. Biochem.* **66**, 511-548, 1997.
2) Martin, T. F. : PI (4, 5) P (2) regulation of surface membrane traffic. *Curr. Opin. Cell Biol.* **13**, 493-499, 2001.
3) Hicke, L. : A new ticket for entry into budding vesicles-ubiquitin. *Cell* **106**, 527-530, 2001.
4) Cavalli, V., Corti, M. and Gruenberg, J. : Endocytosis and signaling cascades : a close encounter. *FEBS Lett.* **498**, 190-196, 2001.
5) Ridley, A. J. : Rho proteins, PI 3-kinases, and monocyte/macrophage motility. *FEBS Lett.* **498**, 168-171, 2001.

IV. 細胞の情報

4.13 細胞間認識・接着

細胞どうしが互いに相手を識別し，特定の相手とだけ安定に接着して集合体を形成する性質は，すべての多細胞動物に共通する基本的な細胞の属性である．地球上に最初に生まれた生命は，細菌のような単細胞体制であったと考えられるが，それが細胞間の認識・接着システムを獲得し，発達させることによって，"細胞→組織→器官→個体"という階層性をもった高次多細胞体制を進化させてきたと推定される．これらの細胞接着システムは，単に物理的に細胞を接着（集合）させるだけでなく，細胞内の骨格系やシグナル伝達系と共役することにより，細胞の移動や増殖・分化の制御にもきわめて積極的に，かつ巧妙にかかわっていることが近年明らかにされている．

細胞が互いに接着するためには，まず相手の細胞を認識する必要がある．このような細胞間の認識は，接着を介する細胞集合体（組織や器官）の形成に不可欠であるばかりでなく，受精の際の精子と卵の相互作用，免疫応答におけるさまざまな免疫細胞間の相互作用など，すべての細胞間相互作用に共通してみられる現象である．細胞間の認識と接着は，細胞表面に発現している接着レセプター分子間のホモフィリックな相互作用あるいは接着レセプターとそのリガンド分子（あるいは相手の細胞表面のカウンターレセプター分子）の間のヘテロフィリックな相互作用を通じて行われる．

細胞が集合し，組織や器官を構築する場合，細胞の接着様式には，細胞どうしが直接接着する細胞-細胞間接着と細胞外基質（細胞外マトリクスともいう）を介して間接的に接着する細胞-基質間接着の2通りがある．細胞-細胞間接着は，体の内外の表面を覆っている上皮の細胞で観察される接着様式で，接着した細胞間にはタイトジャンクション（tight junction：TJ），アドヘレンスジャンクション（adherens junction：AJ），デスモゾーム（desmosome：DS）といった，特徴的な分子組成と超分子構造をもつ細胞間接着装置が観察される（図4.13.1）．AJとDSではカドヘリンファミリーに属する接着レセプター分子が，TJではクローディンと呼ばれる膜4回貫通型蛋白質がホモフィリックに結合することによりこれらの細胞間接着装置が維持されている．ただし，接着レセプター分子間のmonovalentな結合親和性はそれほど強くなく，接着レセプター分子が細胞膜上でcisに結合したり，細胞内骨格系に裏打ちされることによって細胞間の結合価数

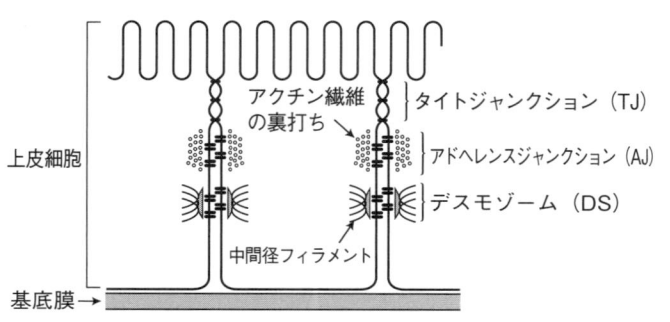

図4.13.1 細胞-細胞間の接着様式と細胞間接着装置
細胞どうしの接着面には，タイトジャンクション（TJ），アドヘレンスジャンクション（AJ），デスモゾーム（DS）の3種類の代表的な細胞間接着装置が観察される．各接着装置は，たとえていえば，"ミシンで縫いつける"ようにぴったりと密着させるのがTJ，"ベルクロー（マジックテープ）で貼り付ける"のがAJ，"ホックでとめる"のがDSである．

(valency)が増加し，それによって細胞間の接着が安定化される．とくに細胞内骨格系にアンカーされることが安定な細胞間接着には不可欠で，AJの接着レセプターはアクチンフィラメントに，DSの接着レセプターは中間径フィラメントにそれぞれ裏打ちされている（⇨4.2）．細胞内骨格系を脱重合させたり，細胞内骨格系への接着レセプターのアンカーを人為的に阻害すると，これらの接着装置の形成は阻害される．なお，神経細胞間には，シナプスと呼ばれる特化した細胞間接着装置があり，電気信号を化学的信号に変換して伝達する役割を果たしている（⇨5.7）．

一方，細胞外基質への接着は，細胞外基質を構成するコラーゲン，フィブロネクチン，ラミニンのような接着蛋白質と細胞表面の接着レセプターとのヘテロフィリックな相互作用により媒介される（⇨1.21）．細胞外基質を認識し，結合する細胞表面レセプターとして中心的役割を果たすのは，インテグリンファミリーの蛋白質である．インテグリンはα鎖とβ鎖のヘテロ二量体蛋白質で，細胞外領域で細胞外基質の接着蛋白質と結合する一方で，細胞内領域はテーリン，テンシン，α-アクチニン等を介して細胞内骨格系に結合しており，細胞の外骨格（細胞外基質）と内骨格（アクチンフィラメントや中間径フィラメント）を物理的に統合する役割を果たす（図4.13.2）．また，インテグリンの細胞内領域には，さまざまな細胞内シグナル伝達因子が直接あるいは間接的に結合しており，インテグリンが細胞外基質の接着蛋白質と結合すると，インテグリンを介してこれらのシグナル伝達因子が活性化される．インテグリンの下流で活性化されるシグナル伝達経路としては，RasからMAPキナーゼに至る経路，PI3キナーゼからAktキナーゼに至る経路，そしてRhoファミリーの低分子量G蛋白質の活性化経路がよく知られている．これらのシグナル経路は，いずれもチロシンキナーゼ型の増殖因子レセプターにより活性化される経路とオーバーラップしており，細胞外基質からインテグリンを介して伝達されるシグナルと増殖因子からそのレセプターを介して伝達されるシグナルが協同的に働くことによって，細胞の増殖や生存維持が制御されている．実際，インテグリンとある種の増殖因子レ

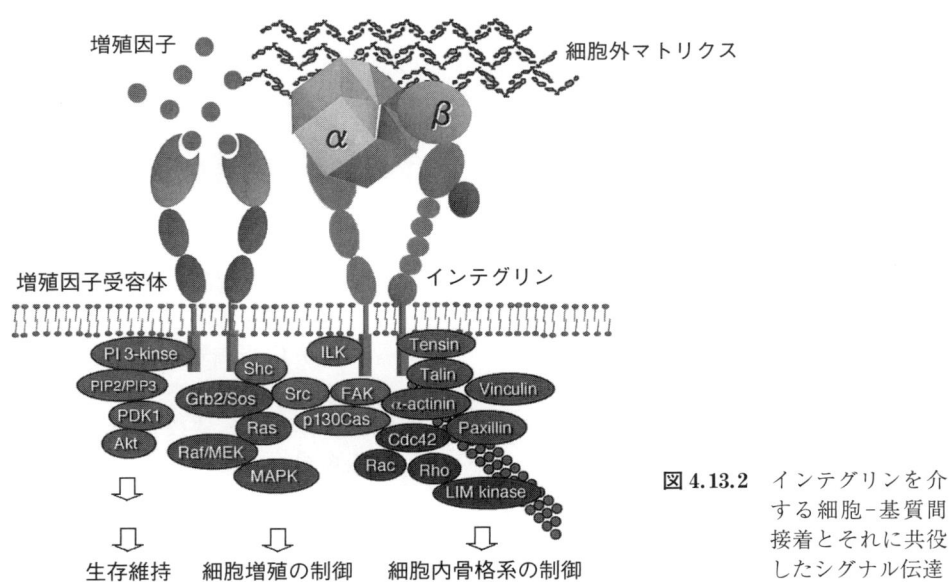

図4.13.2 インテグリンを介する細胞-基質間接着とそれに共役したシグナル伝達

セプターは，細胞膜上で複合体を形成していることが知られている．インテグリンは，増殖因子レセプターのようにそれ自身がキナーゼドメインをもってはいないが，その細胞内領域近傍に集積してくる focal adhesion kinase（FAK）や Src ファミリーのチロシンキナーゼを活性化することができ，「細胞外基質をリガンドとする増殖因子レセプター」として機能していると考えることができる．

　細胞外基質の個々のリガンド蛋白質に書き込まれた情報がどのようにしてインテグリンを介して細胞内に伝達されるのか，とくにインテグリンのコンフォメーションがリガンド蛋白質への結合によりどのように変化し，それが細胞内領域に結合するチロシンキナーゼをどのように活性化するのか，その分子機構の詳細は未だ不明である．しかし，最近になってインテグリンの1つである $\alpha IIb\beta 3$ の立体構造が X 線結晶解析により明らかにされ，それを基盤としたインテグリンの活性化機構に関する新しいモデルが提唱されている．今後，他のインテグリンの立体構造の解明が進むにつれて，インテグリンの活性化機構とその調節機構の理解が進むことが期待される．

〔関口清俊〕

＊　インテグリン（integrin）の名前は，細胞外基質と細胞内骨格系を物理的，機能的に統合する（integrate）ことからつけられた．

[文献]
1) アルバーツ，B. 他（中村桂子他監訳）：細胞の分子生物学（第4版），ニュートンプレス，2004.
2) 関口清俊，鈴木晋太郎編：多細胞体の構築と細胞接着システム，共立出版，2001.
3) 林　正男：新細胞接着分子の世界，羊土社，2001.
4) 高木淳一：インテグリン $\alpha v\beta 3$ の立体構造：気まぐれな巨大細胞接着レセプターの脚線美は本物か？　蛋白質・核酸・酵素 47：153-159，2002.

4.14　膜の受容体

　細胞膜にある受容体（レセプター）は，イオンチャネル受容体，G 蛋白質共役受容体，酵素受容体・酵素共役受容体に大別される．それぞれ特徴的な構造をもち，細胞膜を貫通するセグメントの数で分類できる．イオンチャネル受容体はサブユニットあたり2～4本，G 蛋白質共役受容体は7本，酵素受容体・酵素共役受容体は通常1本である．それぞれの受容体を介する代表的な細胞応答は，興奮の伝達，蛋白質リン酸化による機能修飾，遺伝子発現の調節であり，おおよその応答時間は1ミリ秒，1秒，1時間の程度である（図4.14.1）＊．

　イオンチャネル受容体は，伝達物質作動性イオンチャネルとも呼ばれる．4ないし5個のサブユニットからなり，細胞膜を横切ってイオンを通すチャネル構造をもっている．神経伝達物質と結合すると蛋白質の構造変化によりこのチャネルが開き，濃度勾配に従ってイオンが細胞の内から外，あるいは外から内へ流れる．

　G 蛋白質共役受容体は，神経伝達物質，ホルモン，オータコイド，サイトカインなどの内在性リガンド，光，匂い，味物質，フェロモンなど外来性刺激に対する受容体である．これら細胞外部からの刺激で活性化された受容体が G 蛋白質を活性化し，G 蛋白質が酵素やイオンチャネルを活性化する．

　酵素受容体・酵素共役受容体は，成長因子，増殖因子，ホルモン，サイトカインなどペプチドあるいは蛋白質の受容体である．受容体自身がチロシンキナーゼなどの酵素活性をもつもの（酵素受容体）と，他

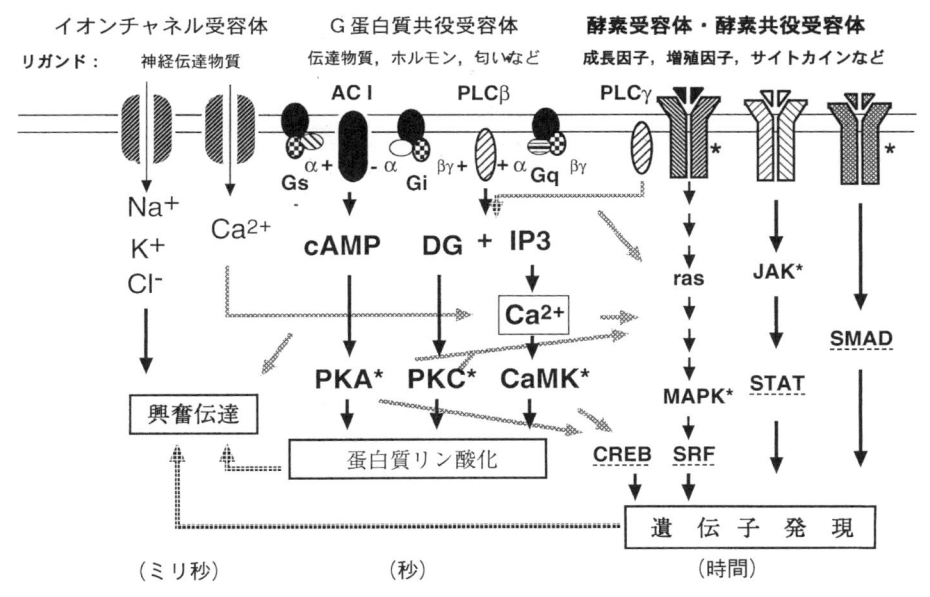

図 4.14.1 膜受容体を介する細胞応答
3種の膜受容体を介する代表的な細胞応答を示した．cAMP（サイクリック AMP），DG（ジアシルグリセロール），IP3（イノシトール三リン酸），Ca²⁺ イオンなどは二次メッセンジャーである．★を記した，PKA, PKC, CaMK, MAPK, 酵素受容体などは蛋白質リン酸化酵素である．下線点線を付した CREB, SRF, STAT, SMAD などは転写因子である．応答時間の異なる3つのシグナル伝達系があるが，この3つの系が完全には独立ではなく，斜めに走る矢印があることに注意されたい．

の蛋白質キナーゼを活性化するもの（酵素共役受容体）がある．受容体刺激の結果，転写因子が活性化される．

a. イオンチャネル受容体

Na⁺ や K⁺ を通す陽イオンチャネル受容体と，Cl⁻ を通す陰イオンチャネル受容体がある．陽イオンチャネルが開くと細胞膜電位がマイナスから0方向へ変化し（脱分極），興奮を起こさせる．逆に，陰イオンチャネルが開くと過分極となり興奮が抑制される．

電気器官や骨格筋にあるニコチン性アセチルコリン受容体が最もよく研究されている．運動神経から放出されるアセチルコリンに応答して，発電器官や骨格筋の興奮を引き起こす．細胞膜を4回貫通するサブユニット5個からなり，2番目の細胞膜貫通セグメント（TM2）5本でイオンを通すチャネルの側壁をつくっている．細胞外にあるN末端部分が長く，そこにアセチルコリンが結合する．アセチルコリンが2分子結合すると，五量体が少しねじれ，そのねじれが TM2 部分にも伝わる．TM2 の中央部分にロイシンが存在し，これがイオンを通るチャネルを塞ぐゲートの役割をしている．TM2 のねじれによりロイシン残基が横に動き，その結果イオンを通す通路が開く．

GABA（γアミノ酪酸）やグリシンの受容体はニコチン受容体と相同性があり，TM2 の同じ場所にロイシンが存在する．ニコチン受容体と同様な様式でゲートが開くものと推測される．GABA やグリシンの受容体は，ゲートが開くと陰イオンが通過する．イオン選択性は TM2 の両端側，膜への入り口で決まると考えられる．ニコチン受容体では，その付近にマイナスに荷電するアミノ酸残基が多いのに対し，GABA やグリシンの受容体ではプラ

スに荷電する残基の比率が高い．脳ではGABA受容体が，脊髄ではグリシン受容体が神経伝達物質作動性陰イオンチャネルとして，シナプス伝達の抑制に働いている．

中枢神経系で興奮性の陽イオンチャネル受容体として働くのは主にグルタミン酸受容体である．グルタミン酸結合部位の立体構造が明らかになっている．グルタミン酸受容体では，ニコチン受容体のTM2に相当する部分が膜を貫通せず，細胞膜貫通セグメントがサブユニットあたり3本である．また，五量体ではなく四量体と考えられる．TM2に相当する部分は，細胞の内側から細胞膜へ部分的に入って出るようになっており，やはりイオンのゲートとして働くと考えられる．立体構造のわかっているK^+イオンチャネルのゲートと，向きは反対だが同じような構造をしていると推測されている．ATP受容体も同様なゲート構造をしていると推測されており，この場合はサブユニットあたりの膜貫通セグメントの数は2本である．

b. G蛋白質共役受容体

光を受容するG蛋白質共役受容体であるロドプシンの立体構造が決定されている．細胞膜を貫通するα-ヘリックスを7本もち，細胞膜貫通部位に光を吸収するレチナールがある．アセチルコリンやアドレナリンの結合部位も，レチナールと同様細胞膜貫通部分にあると考えられる．細胞膜の内側直近に，細胞内第1，第2，第3ループ，C末端尾部根本部分（α-ヘリックス）で囲まれた広い領域があり，ここにG蛋白質が結合すると推測される．アゴニストが結合した受容体は，G蛋白質に作用してGDPの放出を促進し，その結果GTPが結合し，$\alpha_{GDP}\beta\gamma$三量体がα_{GTP}と$\beta\gamma$に解離する．α_{GTP}と$\beta\gamma$が，アデニル酸シクラーゼ，ホスファチジルイノシトール二リン酸ホスホリパーゼ$C\beta$，K^+チャネル，Ca^{2+}チャネルなどの活性化あるいは抑制に働く．

G蛋白質共役受容体は，相互作用するG蛋白質の種類（Gs, Gi/Go, Gq, G12）によって分類されるが，リガンドの種類，受容体のアミノ酸配列の相同性によっても分類される．グルタミン酸やGABAに対するG蛋白質共役受容体はN末端が非常に長く，そこにリガンドが結合する．最近，グルタミン酸受容体の結合部位の立体構造が明らかにされ，二量体を形成していることがわかった．また，GABA受容体では，R1とR2という2種の受容体がヘテロダイマーをつくることで活性になる．うまみの成分であるグルタミン酸とイノシン酸は，ヘテロ二量体に作用することで相乗的な作用を表していることが最近明らかになった．アセチルコリンやアドレナリンの受容体でも二量体を形成しうることが報告されているが，二量体形成が機能発現に必要か否かは明らかではない．

Wntと呼ばれる一群の分泌蛋白質が発生過程で背腹軸の形成など形態形成にかかわっており，その受容体はFrizzledと呼ばれ7回細胞膜貫通型蛋白質である．Frizzledの直接の分子機能は明らかではないが，G蛋白質の活性化を介するものと介さないものがあるらしい．

c. 酵素受容体，酵素共役受容体

繊維芽細胞，上皮細胞，血小板などの増殖因子，神経成長因子などニューロトロフィン，インスリンやインスリン様成長因子，膜結合型リガンドで形態形成にかかわるEphrin等に対する受容体は蛋白質のチロシン残基をリン酸化するチロシンキナーゼである．これらを総称して受容体型チロシンキナーゼ（receptor tyrosine kinase：RTK）と呼ぶ．インスリン受容体は最初から二量体であるが，他の受容体はリガンドが結合すると二量体となる．いずれの場合もリガンドが結合すると相手のサブユニットをリン酸化し，このリン酸化で触媒機能が活性化され，さらにリン酸化が進む．

複数の特定部位のチロシン残基がリン酸化される．リン酸化されたチロシン残基に，SH2ドメイン（src homology domain）をもつ一群の蛋白質が結合する．さらにその蛋白質に結合する蛋白質群が存在し，受容体の周辺に集合体を形成し，蛋白質間をシグナルが伝わる．rasなどの低分子量GTP結合蛋白質，MAPキナーゼ（mitogen activated protein kinase）など一連のシグナル蛋白質を経て，細胞増殖あるいは細胞分化にかかわる特定の遺伝子の発現に導かれる．

サイトカインは白血球でつくられ，白血球などの増殖・分化・成熟・生存維持などにかかわる一群の蛋白質である．インターロイキン，インターフェロンなどを含み，免疫反応や炎症への応答にかかわっている．サイトカイン受容体は，リガンド結合によって二量体化あるいはオリゴマー化が促進される．その結果，JAK（Janus kinase）と呼ばれるチロシンキナーゼを活性化するようになる．活性化されたJAKはSTAT（signal transducer and activator of transcription）と呼ばれる蛋白質をリン酸化し，リン酸化されたSTATは二量体となって細胞内から核内に移行し，転写因子として働く．

細胞内にリン酸化チロシンを脱リン酸化する触媒部位をもち，細胞膜貫通ドメインを1本もつ受容体型チロシンホスファターゼの存在が知られている．ノックアウトマウスなどを用いた実験から，神経回路形成への関与が推測されているが，その活性制御の分子機構は現在明らかではない．

トランスフォーミング増殖因子β（transforming growth factor β：TGF-β）のなかには，アクチビン，骨誘導因子（bone morphogenetic factor：BMP）などが含まれ，中胚葉誘導や体軸決定などに重要な役割を演じている．ほとんどのものがS-S結合でつながった二量体である．TGF-β受容体にはI型とII型があり，いずれもセリン・トレオニンキナーゼである．II型にリガンドが結合すると，I型と結合し，I型をリン酸化する．活性化されたI型が細胞内のSMADと呼ばれる蛋白質をリン酸化する．リン酸化されたSMADは他のサブユニットと二量体を形成し，核内に入り転写因子として作用する．

心房性利尿ペプチド（atrial natriuretic peptide：ANP）に対する受容体は細胞膜1回貫通型サブユニット2個からなるホモダイマーで，細胞内部分にグアニル酸シクラーゼ触媒部位をもつ．ANP刺激で酵素活性が促進され，サイクリックGMPの生産が増加する． 〔佐藤元康・芳賀達也〕

* カドヘリンやN-CAMなどの細胞接着因子，細胞外マトリクスと結合するインテグリンなども一種の受容体と考えることができるが，本節では触れない．また，膜受容体どうしあるいは膜受容体と他の蛋白質や細胞内骨格系を結びつける足場蛋白質が多数知られるようになってきたが，これについても紙面の関係で取り上げない．第1章1.21節，第4章4.13節，文献3）などを参照されたい．また，本節は第5章5.4，5.9節と関連しているので，それらの項も参照されたい．

[文献]

1) Lodish *et al.*（野田春彦他訳）：分子細胞生物学第4版，20-23章，東京化学同人，2001．
2) Haga, T. and Kameyama, K.：Receptor Biochemistry, Encyclopedia of Molecular Biology and Molecular Medicine (ed. Meyers, R. A., Wiley-VCH), vol. 11, pp. 551-591, 2005.
3) 箱嶋敏雄編：大きな構造フレームで捉えるシグナル伝達．蛋白質・核酸・酵素（特集号）**46**(13), 2001．
4) 後藤由季子，松本邦弘編：シグナル伝達のHot Spot．実験医学，特集 **19**(14), 2001．
5) 竹縄忠臣，帯刀益夫編：ここまで分かった形づくりのシグナル伝達．実験医学，特集号 **20**(2), 2002．
6) 中村史雄，五嶋良郎：神経回路形成とチロシンホスファターゼ．細胞工学 **20**(6), 873-881, 2001．
7) Haga, T. and Takeda, S. ed.：G. Protein-coupled receptors：structure, function and ligand screening, CRC, Taylor & Francis Group, 2005.

4.15 シグナルトランスダクション —レセプターと細胞内情報伝達カスケード

多細胞生物体は個々の細胞が連携して組織を構成しているため、細胞間の情報のやりとり、すなわちシグナル伝達が整然と行われることがその生命活動に必要不可欠である。このシグナル伝達系には、細胞内から細胞外へ伝えられるもの、細胞外から細胞膜上の受容体などを介して細胞骨格系・細胞質内へ伝えられるもの、そこからさらに核へ伝えられるもの、また逆に核から細胞骨格系・細胞質内に伝えられるものなど、さまざまなレベルでとらえることができ、さらに、それぞれのレベルにおけるシグナル伝達系には多種多様なものが存在する。たとえば、細胞外からは種々のホルモンや神経伝達物質、その他シグナル分子（ファーストメッセンジャー）によってシグナルが運ばれる。細胞内へのシグナル伝達は、細胞膜上の特異的な受容体を介して行われることが多く、その中の代表的なものとして、三量体 G 蛋白（G_s, G_i, G_{qa}, G_{12a}, $G_{\beta\gamma}$）に作用する 7 回膜貫通型受容体やチロシンキナーゼ受容体などが挙げられる。ファーストメッセンジャーの受容体への結合により細胞膜の内側で cyclic AMP, diacylglycerol, cyclic GMP, IP_3 (inositol 1, 4, 5-trisphosphate) などの分子（セカンドメッセンジャー）が産生あるいは活性化され、細胞内シグナル伝達における上流を担うことになる。cyclic AMP, diacylglycerol, cyclic GMP はそれぞれが PKA (protein kinase A), PKC (protein kinase C), PKG (protein kinase G) に作

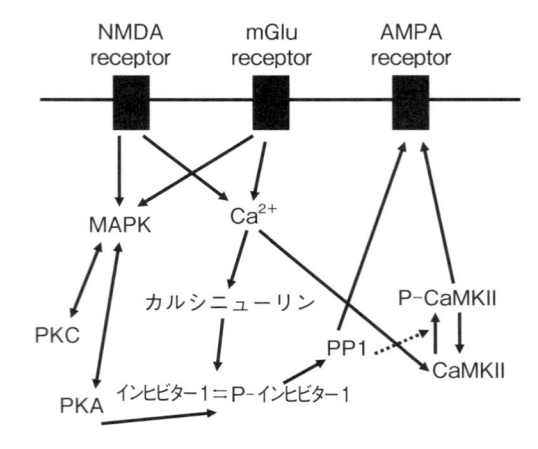

図 4.15.1 興奮性シナプスにおける関連分子
NMDA 受容体が活性化すると Ca^{2+} が細胞内に流入し、さまざまなシグナル伝達が開始される。CaMKII 活性化は LTP の誘導に必須なシグナル伝達過程である。一方、カルシニューリンの活性化は PP1 の活性を上げ、LTD の誘導に重要な役割を果たす。カルシニューリンは CaMKII よりも Ca^{2+}・カルモジュリンとの親和性が高いため、Ca^{2+} の上昇があまり高くないときにはカルシニューリンが活性化されるので、Ca^{2+} の上昇が高いと LTP が、低いと LTD が誘導されると考えられている。その他、MAP キナーゼや A キナーゼ、C キナーゼ、PI3 キナーゼなどさまざまなシグナル系が LTP の誘導や修飾に関与している。

用し、種々の蛋白、酵素、転写因子などの活性や発現、細胞内分布の調節に関与する。IP_3 は小胞体膜上の IP_3 受容体に結合して小胞体内からの Ca^{2+} 放出に関与する。この経路での Ca^{2+} はサードメッセンジャーに位置し、種々の蛋白の活性調節を行っている。

本節では、レセプターと細胞内情報伝達カスケード、およびそれを修飾する蛋白群についての知見を概説する。興奮性シナプスにおける関連分子および関係を図 4.15.1、図 4.15.2、表 4.15.1 に示したのでまずご覧いただきたい。また、他項（⇒ 5.10）にも詳細に記載してあるのでご参照いただきたい。

受容体、足場蛋白、アダプター蛋白、接着分子、細胞骨格蛋白、プロテインキナー

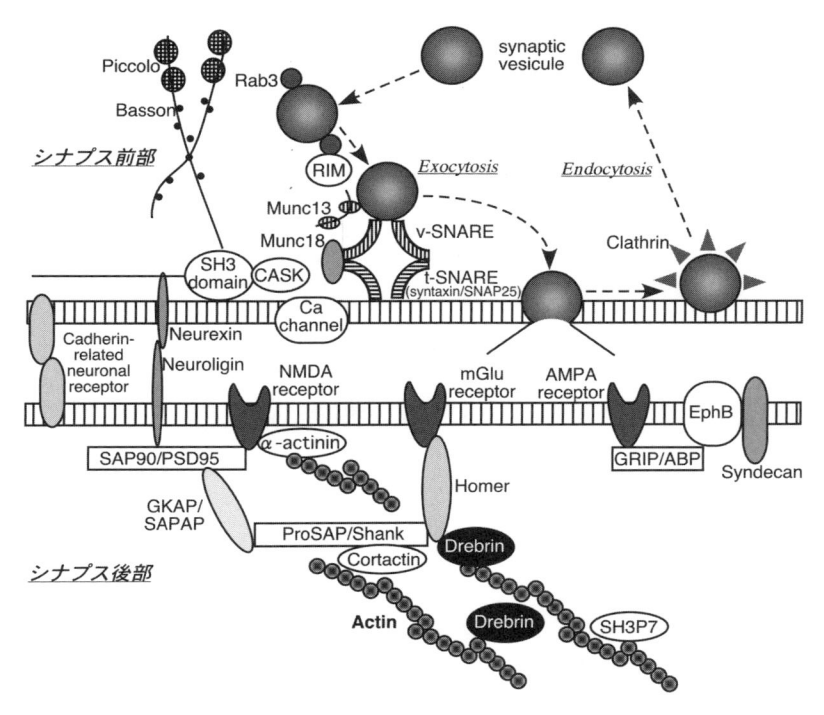

図 4.15.2 NMDA 受容体に関連する蛋白群
近年, 中枢性シナプス機能を担う多くの重要な分子が見出されてきた. なかでもシグナル伝達の主要な役割を果たす NMDA 受容体に関連する蛋白群（NMDA 受容体蛋白複合体）に関する研究がなされている. 主要なものとしては SAP90/PSD95 や α-actinin, neuroligin, 微小管蛋白である Cript, GKAP/SAPAP, その他 ProSAP/Shank, Homer, Cortactin などである. actin 細胞骨格が細胞形態およびシグナル伝達に重要な役割を果たしていることが示唆されている（*TINS* **25**, 251, 2002 を改変）.

ゼ, プロテインホスファターゼなど, 非常に多くのシグナル伝達に関与する分子が存在する. 樹状突起スパインにおける主要な入力は NMDA 型グルタミン酸受容体や AMPA 型グルタミン酸受容体, 代謝型グルタミン酸受容体などを介して行われており, そのスパイン内での分布はスパインシグナル伝達上流にかかわる重要なポイントとなる. NMDA 型および AMPA 型受容体は神経活動依存的にスパインでの分布を変化させ, 両者とも慢性の神経活動依存的な調節を受ける（ホメオスタシス）. 一方, AMPA 型受容体は NSF や GRIP/ABP や PICK1 などの PDZ 蛋白との結合が関与した急性の神経活動依存的な調節も受けることが知られている. NMDA 型受容体は急性の神経活動依存的な調節を受けないと今まで考えられてきたが, 近年 PKC や代謝型グルタミン酸受容体の活性に連関して急性の神経活動依存的な調節を受けうることが明らかにされた. ところで, たいていの成熟スパインにはその大きさにかかわらず NMDA 型受容体が存在するが, AMPA 型受容体は小さなスパインには見出せないことが多々ある. 大きさの違うスパインは機能的に異なる可能性を示しており, 興味深い.

NMDA 型受容体はシグナル伝達に関連する主要な受容体であり, この受容体が活性化すると Ca^{2+} が細胞内に流入し, さ

表 4.15.1　シグナル伝達複合体を形成するシナプス後部蛋白群

NMDA receptor シナプス可塑性に関連 CAMK II や SAP90/PSD95 と結合 **AMPA receptor** シナプス伝達に関与 GRIP や SAP97, PICK1, Narp と結合 **Kinate receptor** シナプス伝達に関与 SAP90/PSD95 と結合 **mGlu receptor**（metabotropic glutamate receptor） G 蛋白やセカンドメッセンジャーのシグナルに関与 Homer と結合 **Homer** 最初期遺伝子産物 mGlu receptor を ProSAP や Ins (1, 4, 5) P3 受容体シグナルにつなげる **Narp**（neuronal activity-regulated pentraxin） 神経活動調節 pentraxin AMPA 受容体の集積を促進 **Neuroligin** 細胞接着分子と考えられている SAP90/PSD95 や β-neurexins と結合 **EphB receptor** チロシンキナーゼ受容体 スパイン形態形成を促進 NMDA 受容体や syndecan と結合 **Syndecan** 細胞接着分子 スパイン形態形成を促進 integrin と結合し，EphB 受容体によりリン酸化される **SAP90/PSD95**（synapse-associated protein 90/postsynaptic density protein 95）	足場蛋白 NMDA 受容体や neuroligin, Ras シグナル機構に関与 **GRIP/ABP1**（glutamate receptor interacting protein/AMPA-receptor binding protein） PDZ ドメイン含有蛋白 AMPA および ephrin 受容体と結合 **ProSAP/Shank** 多ドメイン蛋白 イオンチャンネル型および代謝型受容体と複合体を形成 **GKAP/SAPAP**（guanylate-kinase-associated protein/SP-associated protein） アダプター蛋白 SAP90/PSD95 および ProSAP/Shank 複合体と関連 **Cortactin** actin 結合蛋白 ProSAP/Shank 複合体に関連 **Drebrin** actin 結合蛋白 スパイン形態形成やシナプス可塑性に関与 Homer と結合 **Actin** 5 nm マイクロフィラメントを形成し，樹状突起スパインに多く存在 スパイン形態や受容体の輸送を調節 **Spectrin** 大脳皮質細胞骨格 actin や細胞接着分子，受容体と結合 **CNR**（cadherin-related neuronal receptor） cadherin 関連細胞接着分子 **N-cadherin** 細胞接着分子 catenins や spectrin-actin 細胞骨格と結合

（*TINS*, **25**, 251, 2002 を改変）

まざまなシグナル伝達が開始される（図4.15.1）．NMDA 型受容体は細胞外からの Mg^{2+} によって Ca^{2+} 流入が調節されており，シナプス後細胞が十分な脱分極を起こして Mg^{2+} ブロックが外れると NMDA 型受容体は十分な活性が得られ，Ca^{2+} を流入させることができる．その後，下流のシグナル系が活性化し，最終的には AMPA 受容体のリン酸化や数を変化させることで LTP の誘導が起こるとされているが，その中でも CaMKII の活性化は LTP の誘導に必須なシグナル伝達過程である．CaMKII は，① Ca^{2+}・カルモジュリンに依存して活性が制御される，② 1 つのサブユニットが活性化されると隣のサブユニットのリン酸化が促進される，③ 自己リン酸化型になると Ca^{2+}-非依存的にキナーゼ活性を維持する，などの特徴をもつ．また，リン酸化により NMDA 型受容体の細胞内領域への結合親和性が増し，細胞内から NMDA 型受容体直下の膜へ移動することも知られている．一方で，Ca^{2+} によって活

性化される脱リン酸化酵素としてはカルシニューリンがあるが，カルシニューリンはPP1（protein phosphatase 1）の阻害分子を抑制するため，結果的にカルシニューリンの活性化はPP1の活性を上げ，LTDの誘導に重要な役割を果たすと考えられている．カルシニューリンはCaMKIIよりもCa^{2+}・カルモジュリンとの親和性が高く，Ca^{2+}の上昇があまり高くないときにはカルシニューリンが活性化されるので，Ca^{2+}の上昇が高いとLTPが，低いとLTDが誘導されると考えられている．また，上記以外にもMAPキナーゼやAキナーゼ，Cキナーゼ，PI3キナーゼなどさまざまなシグナル系がLTPの誘導や修飾に関与していることが知られている．なかでもMAPキナーゼはNMDA受容体や代謝型グルタミン酸受容体（mGluR），β-ノルアドレナリン受容体，ムスカリン性アセチルコリン受容体，TrkBなどの活性によって制御されており，活動依存的なLTPに深くかかわっていることが示唆されている．

近年NMDA型受容体を含んだ蛋白複合体（NMDA型受容体蛋白複合体）に関する研究がなされている．Grantらはその複合体内にシグナルアダプターやキナーゼ，ホスファターゼ，細胞骨格制御分子など185種類もの蛋白群を見出している．主なものとしてはSAP/PSD95やα-actinin，CaMKII，neuroligin，微小管蛋白であるCript，GKAP/SAPAP，その他ProSAP/Shank，Homer，Cortactinなどである（図4.15.2）．NMDA型受容体はCa^{2+}濃度依存性にactin結合蛋白質であるα-actininやカルモジュリンと結合することがわかっており，特記すべきは，CaMKIIはNMDA型受容体のNR2サブユニットに結合し，NR2のリン酸化を行うことである．また，同部におけるアクチン細胞骨格系に関する知見は興味深く，actin細胞骨格を破壊するとNMDA受容体活性は下がることが知られている．成熟スパインに局在するactin結合蛋白質であるdrebrinのactinへの結合はα-actininとは競合的であることや，drebrinのホモローグであるactin結合蛋白質SH3P7はリンパ球において抗原受容体からのシグナルをactin細胞骨格へ伝えるためのアダプター蛋白質として働いていることが報告されているし，また，PP1はactin結合蛋白質であるspinophilinと結合することも知られており，シナプスの細胞形態およびシグナル伝達にactin細胞骨格群が重要な役割を果たしていることが示唆される．

現在，シグナル伝達の研究は新しい技術の導入などにより飛躍的に進歩している．とくにプロテオミクスによる蛋白質相互作用解析，インタラクトーム解析，イメージング解析の発展が大きく貢献しており，その結果着実にデータベースの構築が進んでいる．今後も多くの研究者の知恵と工夫でシグナル伝達の研究が発展し，生命活動を明らかにできる日が来ることを願ってやまない．

〔田中聡一・白尾智明〕

[文献]

1) 山本 雅，仙波憲太郎編：シグナル伝達研究2005-'06，羊土社，2005．
2) 山本 雅，仙波憲太郎編：シグナル伝達イラストマップ，羊土社，2004．
3) Grant, S.G.N.：Synapse signaling complexes and networks：machines underlying cognition. *BioEssays* **25**, 1229-1235, 2003.
4) Kennedy, M.B.：Signal-processing machines at the postsynaptic density. *Science* **290**, 750-754, 2000.
5) Rao, A. and Craig, A. M.：Signaling between the actin cytoskeleton and the postsynaptic density of dendritic spines. *Hippocampus* **10**, 527-541, 2000.

4.16 Ca^{2+} シグナルと細胞機能

a. 細胞内 Ca^{2+} 濃度

細胞内遊離 Ca^{2+} 濃度は，細胞外からの刺激に応じて変化し，筋収縮，分泌，転写，増殖，免疫，シナプス可塑性などきわめて多様で重要な細胞機能を制御している．この際の細胞内 Ca^{2+} 濃度変化を Ca^{2+} シグナルと呼ぶ．Ca^{2+} は，さまざまな Ca^{2+} 結合蛋白質に結合して細胞機能をコントロールする（表4.16.1）．最初に発見された Ca^{2+} 結合蛋白質は，横紋筋収縮を制御するトロポニンであった．ついで，カルモジュリンが発見され，Ca^{2+} が筋収縮以外にも多数の細胞機能に関与することが示された．現在までに，さらに多くの Ca^{2+} 結合蛋白質が見出されている．また，イオンチャネルの一部も，細胞内 Ca^{2+} を結合して機能を変化させている．

静止時の細胞内 Ca^{2+} 濃度は 100 nM 程度であるのに対し，細胞外 Ca^{2+} 濃度は，2 mM 程度である．このおよそ10000倍の濃度勾配を維持するためには，つねに細胞外に Ca^{2+} を汲み出す機構が必要である．これを行うのは，細胞膜の Ca^{2+} ポンプと Na^+/Ca^{2+} 交換機構である（図4.16.1）．

細胞内 Ca^{2+} 濃度を上昇させるのは，細胞膜に存在する各種の Ca^{2+} チャネルが重要な経路の1つである．これらの Ca^{2+} チャネルには，膜電位変化，神経伝達物質やホルモン，機械的刺激などに応じるさまざ

表4.16.1 細胞機能を制御する Ca^{2+} 結合蛋白質の例

Ca^{2+} 結合領域	Ca^{2+} 結合蛋白質	制御する蛋白質あるいは機能
EF ハンド構造	トロポニン C	アクチン（横紋筋収縮）
	カルモジュリン	カルモジュリンキナーゼ ミオシン軽鎖キナーゼ ホスホリラーゼキナーゼ アデニル酸シクラーゼ I, III, VIII ホスホジエステラーゼ I カルシニューリン NO 合成酵素 膜電位依存性 Ca^{2+} チャネル Ca^{2+} 依存性 K^+ チャネル（SK チャネル）
	NCS (neuronal calcium sensors)	神経系におけるさまざまな機能
	DREAM	リプレッサー（プロダイノルフィン遺伝子）
	カルシニューリン B	蛋白質脱リン酸化
	カルパイン	蛋白質分解
C2 領域	プロテインキナーゼ C	セリン・スレオニンリン酸化
	ホスホリパーゼ $C\delta^*$	IP_3 と DG 産生
	細胞質ホスホリパーゼ A2	アラキドン酸産生
	シナプトタグミン	開口放出（?）
エンドネキシンフォールド	アネキシンファミリー	膜融合など？

* 分子内に EF ハンド構造ももつ．

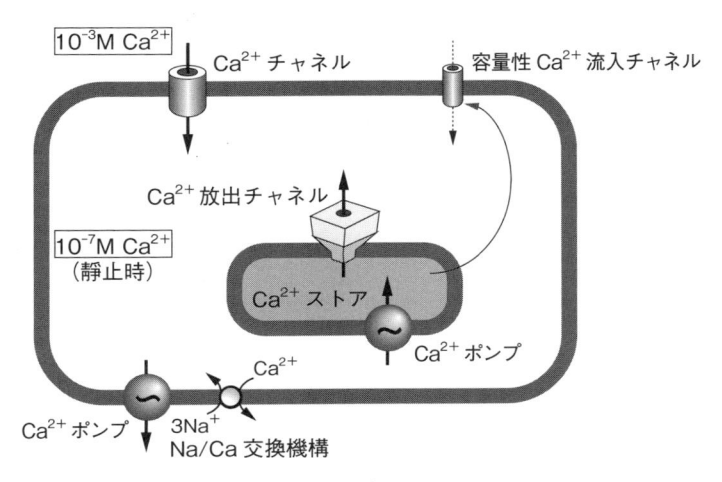

図 4.16.1 細胞内 Ca^{2+} 濃度の制御

細胞内外の 1 万倍の濃度勾配を維持するため，細胞膜には Ca^{2+} ポンプと Na^+/Ca^{2+} 交換機構がある．小胞体膜上にも Ca^{2+} ポンプが存在し，小胞体は細胞内 Ca^{2+} ストアとして機能する．細胞内 Ca^{2+} 濃度上昇は，細胞膜に存在する種々の Ca^{2+} チャネルを介した Ca^{2+} 流入，および小胞体からの Ca^{2+} 放出チャネルを介する Ca^{2+} 動員によって引き起こされる．

まな種類が存在するが，おのおのについては本書の第5章で個別に説明される．また，小胞体膜上にも Ca^{2+} ポンプが発現しており，濃度勾配に逆らって小胞体内腔に Ca^{2+} を取り込み，内腔の総 Ca^{2+} 濃度は mM レベルに達すると考えられている（図4.16.1）．このため，小胞体は細胞内 Ca^{2+} ストアとして機能し，Ca^{2+} 放出チャネル（イノシトール三リン酸（IP_3）受容体とリアノジン受容体）を介して細胞質に Ca^{2+} が動員される．

細胞内 Ca^{2+} 濃度をリアルタイムで可視化する技術が進み，細胞内 Ca^{2+} シグナルは，実に精密に空間的・時間的にコントロールされることが明らかにされている．細胞内 Ca^{2+} 濃度は，急速に上昇する場合もあれば，ゆっくり上昇することもある．また，濃度上昇と下降を繰り返す Ca^{2+} オシレーションがみられることもある．さらに，細胞内でほぼ一様に Ca^{2+} 濃度が上昇することもあるが，細胞の一部で Ca^{2+} スパークと呼ばれる局所的な濃度上昇がみられることもある．また，細胞内の一部で始まった Ca^{2+} 濃度上昇が，一定速度で他の部位へ伝播する Ca^{2+} ウエーブがみられることもある．このようなダイナミックな変化は，Ca^{2+} チャネル，Ca^{2+} 放出チャネル，Ca^{2+} ポンプ，そして Na^+/Ca^{2+} 交換機構が相互作用することによって形成される．この Ca^{2+} シグナル形成がどのようにして行われているのかについて，分子的な理解が進んでいる．

b. 膜電位変化を細胞内へ伝える
(1) 脱分極に伴う Ca^{2+} 流入

興奮性細胞の細胞膜には，脱分極により開口する膜電位依存性 Ca^{2+} チャネルが必ず発現しており，その機能は，例外なく脱分極信号を細胞内に伝達することにある．すなわち，膜電位依存性 Ca^{2+} チャネルは，脱分極を Ca^{2+} シグナルへ変換するトランスデューサー分子であると理解できる．その最もシンプルな形の機能では，脱分極（あるいは活動電位）に応じて細胞内へ Ca^{2+} を流入させ細胞内 Ca^{2+} 濃度を高める（図4.16.2A）．このような機能の例は，

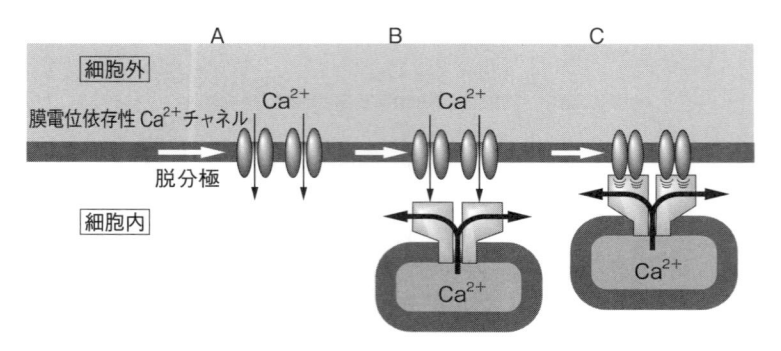

図 4.16.2 脱分極による Ca^{2+} シグナルとその増幅機構
膜電位依存性 Ca^{2+} チャネルは，脱分極を細胞内 Ca^{2+} 濃度上昇へと変換する（A）．リアノジン受容体との相互作用により，Ca^{2+} による Ca^{2+} 放出機構を介して（B），あるいは直接の蛋白質間相互作用により（C），Ca^{2+} シグナルは増幅される．

神経終末に活動電位が達すると Ca^{2+} を流入させ，神経伝達物質の開口放出を起こすことに見出すことができる．神経終末では，膜電位依存性 Ca^{2+} チャネルは開口放出のアクティブゾーンに隣接して存在し，Ca^{2+} チャネルから流入する Ca^{2+} が効率よく開口放出を惹起するようになっている．ある種の平滑筋細胞でも，活動電位に伴う Ca^{2+} 流入により収縮が制御される．平滑筋細胞のように，表面積/体積比が大きい細胞では，膜電位変化は直接に細胞外からの Ca^{2+} 流入によっても，Ca^{2+} シグナルを形成することができる（ただし，そのような細胞でも Ca^{2+} ストアが重要な働きをすることがある）．

(2) 興奮収縮連関

骨格筋細胞や心筋細胞では細胞のサイズが大きく，細胞表面の膜電位依存性 Ca^{2+} チャネルからの Ca^{2+} 流入だけでは収縮を制御する Ca^{2+} シグナルをつくるのに不十分であり，細胞内 Ca^{2+} ストアとの連携が必要となる．横紋筋では，細胞膜が筒状に細胞内に陥入した T 管系が存在し，細胞内へ脱分極を迅速に伝えるいわば情報ハイウェイを形成している．T 管系に脱分極が到達すると，膜電位依存性 L 型 Ca^{2+} チャネルからそれに相対する位置に存在する小胞体膜上のリアノジン受容体へ信号が受け渡される（心筋細胞では T 管系だけでなく細胞表面膜と小胞体が近接する構造をつくることもある）．

リアノジン受容体は，細胞質の Ca^{2+} 濃度上昇によって開口する「Ca^{2+} による Ca^{2+} 放出機構」（Ca^{2+}-induced Ca^{2+} release mechanism）をもっている．このため，心筋細胞では，膜電位依存性 Ca^{2+} チャネル（$Ca_v1.2a$）から流入する Ca^{2+} によってそれに相対する位置のリアノジン受容体（2型）が活性化を受けて Ca^{2+} 放出を起こす（図 4.16.2B）．動物種や，心房筋か心室筋かでも異なるが，最大で 10 倍程度の増幅が行われると考えられている．すなわち，リアノジン受容体は Ca^{2+} シグナルの増幅機構として機能している．

骨格筋細胞では，T 管膜を介した Ca^{2+} 流入は必須でなく，膜電位依存性 Ca^{2+} チャネル（$Ca_v1.1$）とリアノジン受容体（1型）の直接の分子間相互作用によって，細胞膜の脱分極が Ca^{2+} 放出を惹起する（図 4.16.2C）．すなわち，T 管膜に生じた脱分極により Ca^{2+} チャネルがコンフォメーションを変え，それが直接リアノジン受容体に影響を与えて開口させるのである．見方を変えると，これも Ca^{2+} シグナル増幅機構と見ることができる．このような蛋白質間の相互作用を可能にするため，骨格筋

細胞のT管と筋小胞体の連結部（三つ組み構造）には，電位依存性Ca^{2+}チャネルとリアノジン受容体が厳密な位置関係で規則正しく並んでいる．

横紋筋細胞でみられる，細胞膜と小胞体の近接構造は，平滑筋細胞と神経細胞でもみられており，それらの細胞でも増幅機構が存在する可能性が検証されつつある．

c. 細胞内から細胞膜へ信号を伝える
(1) Ca^{2+}スパーク

リアノジン受容体は，主として神経/筋などの興奮性細胞に発現しており，Ca^{2+}スパークと呼ばれる，一過性の限局したCa^{2+}濃度上昇をつくり出す．これは，1分子ないし数分子のリアノジン受容体の開口に対応した局所的Ca^{2+}放出によるものであり，興奮収縮連関におけるCa^{2+}放出の素過程ではないかと考えられている．一方，平滑筋細胞ではこのようなCa^{2+}スパークが細胞膜直下で自発的に生じ，付近のCa^{2+}依存性K^+チャネル（BKチャネル）を活性化することにより一過性の外向き電流（spontaneous transient outward current：STOC）を惹起し，過分極を起こして細胞の興奮性を抑制していると考えられている．すなわち，Ca^{2+}シグナルを介して細胞内小器官から細胞膜へ信号が伝えられる．

(2) ストア共役型Ca^{2+}チャネル

細胞内Ca^{2+}ストアが枯渇すると，細胞膜を介したCa^{2+}流入が活性化されることが知られており，容量性Ca^{2+}流入といわれている（図4.16.1）．電気回路で，コンデンサーが放電すると電流が流れやすくなるのに見立ててこのような名称がつけられている．これはCa^{2+}ストア内腔のCa^{2+}濃度によって制御される細胞膜のCa^{2+}チャネルがあることを示しており，これをストア共役型Ca^{2+}チャネル（store-operated Ca^{2+} channel：SOC）とも呼ぶ．どのような機構により，ストア内腔のCa^{2+}濃度が検出され，それが細胞膜へ伝えられるのか？　細胞膜のチャネルはどのような分子なのか？という疑問に対して，現在活発に研究が進められている．

ショウジョウバエの視細胞の突然変異から見出されたTrpチャネルが，見かけ上SOC機構と類似した機能をもつことが示されている．Trpの哺乳類ホモログが多数発見されており，これらが，SOCチャネルではないかという期待が一時高まったが，現在は同一のものではないという意見も強い．

Ca^{2+}ストアが枯渇したことを細胞膜へ伝達する信号についても，さまざまな見解が示されている．可溶性の物質がCa^{2+}ストアから放出されてシグナル伝達を行うのではないかという報告もあったが，その後の研究はこの見解に対して否定的である．また，IP_3受容体がストア内腔のCa^{2+}濃度を検出し，SOCチャネルとの蛋白-蛋白間相互作用でSOCチャネルを開くのではないかという説も提唱されているが，IP_3受容体を完全に欠失した細胞でも，ストア枯渇により容量性Ca^{2+}流入が観察されており，少なくともすべてのSOCがIP_3受容体と関係するわけではない．したがって，SOC機構は，分子の同定を含めてまだ未解決である．

d. Ca^{2+}ウエーブとオシレーション

細胞内Ca^{2+}濃度変化はじつにダイナミックな変化をしている．横紋筋の興奮収縮連関では，一瞬にして細胞内で一様にCa^{2+}濃度が上昇するように見えるが，空間分解能と時間分解能を上げていくと，T管と小胞体の接合部のところで，脱分極に伴いCa^{2+}スパークの発火頻度が高まることがその素過程であることが見出された．また，多種の細胞で，Ca^{2+}オシレーションやCa^{2+}ウエーブが観察されている．このようなCa^{2+}ウエーブ/オシレーションは，多くの場合細胞外Ca^{2+}を除いても観測され，細胞内Ca^{2+}ストアが関与してい

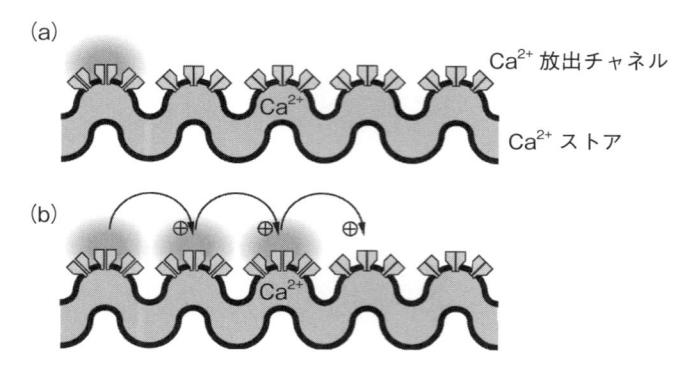

図 4.16.3 Ca^{2+} による Ca^{2+} 放出機構による Ca^{2+} ウエーブの形成機構の模型 Ca^{2+} 放出チャネル（リアノジン受容体と IP_3 受容体）には，Ca^{2+} による活性化機構が存在する．このため，1ヵ所で生じた Ca^{2+} 放出 (a) が次々と隣接する部位の Ca^{2+} 放出を起こす (b) ことにより Ca^{2+} ウエーブが形成されると考えられている．ここでは，一方向だけのウエーブを示したが，実際の細胞内では三次元方向にウエーブは伝わる．

る．

細胞内には，Ca^{2+} 結合部位が高濃度で存在するので，Ca^{2+} の拡散は制限されている．したがって，Ca^{2+} ウエーブは，Ca^{2+} シグナルを細胞全体に伝える有効な手段と理解することができる．また，Ca^{2+} ウエーブの速度は $20\sim100\ \mu m\ s^{-1}$ 程度であるので，Ca^{2+} 濃度上昇に細胞の部位により秒程度の遅れが生じる．外分泌腺細胞のように極性をもった細胞では，このような時間差を用いて極性に沿ったイオンの流れなどをつくり出している．Ca^{2+} 依存性の酵素反応あるいは転写では，Ca^{2+} オシレーションの頻度に依存した活性化が起こることが知られている．Ca^{2+} 濃度の持続的な上昇は，細胞死に至るので，Ca^{2+} オシレーションはそれを避けて細胞機能を制御するための手段と見ることができる．

Ca^{2+} ウエーブ/オシレーションは，リアノジン受容体を介した Ca^{2+} 放出によって起こることが横紋筋細胞においてよく知られている．とくに，障害された心筋細胞で，Ca^{2+} が過負荷されると生じやすくなり，不整脈の原因となることがよく知られている．一方，生理的な Ca^{2+} ウエーブ/オシレーションは，IP_3 受容体を介する Ca^{2+} 放出によることがほとんどではないかと考えられる．平滑筋細胞，外分泌腺細胞，卵細胞，内皮細胞，リンパ球，肝細胞などで，詳しく解析されている．

リアノジン受容体と IP_3 受容体に共通した性質として，ともに μM 前後の Ca^{2+} 濃度によって活性化を受ける．これは，Ca^{2+} を介した Ca^{2+} 放出のフィードバック制御があることを示し，これによって Ca^{2+} ウエーブやオシレーションが生じるのではないかと推測されている（図 4.16.3）．IP_3 受容体 1 型では，2100 番目のグルタミン酸が Ca^{2+} 感受性に必須であることが示されている．このグルタミン酸をアスパラギン酸に変異させることで Ca^{2+} 感受性が約 10 倍低下するが，IP_3 感受性は変化しないことが示されている．このように Ca^{2+} 感受性が低下した変異 IP_3 受容体を発現する細胞では Ca^{2+} シグナルに顕著な変化がみられることが示されており，Ca^{2+} による IP_3 受容体の制御が実際に使われて，Ca^{2+} シグナルパターンの形成に重要な役割を果たしていることが明らかになっている．

e. 展　望

Ca^{2+} シグナルはきわめて複雑な時間的・

空間的パターンを形成する．細胞はどのようにして，この複雑なパターンをつくり，利用するのか？　手がかりは得られているが，謎も多く残されている．Ca^{2+}シグナルに関しては，可視化技術が進んでいる．また，分子遺伝学的手法を用いた研究も盛んである．これらを駆使して，Ca^{2+}という単純な分子が，ほとんどすべての重要な細胞機能制御に何らかのかかわりをもっているという，驚くべき事実の根拠が解明されることが期待される．　　〔飯野正光〕

[文献]
1) Berridge, M. J. et al.: *Nat. Rev. Mol. Cell Biol.* **1**, 11-21, 2000.
2) Iino, M.: *Jpn. J. Physiol.* **49**, 325-333, 1999.
3) Iino, M.: Handbook of Experimental Pharmacology (ed. Endo, M. et al.), pp. 605-623, Springer-Verlag, Berlin, Heidelberg, New York, 2000.
4) Iino, M.: *Jpn. J. Pharmacol.* **82**, 15-20, 2000.

4.17　ストレス応答

　生物をとりまく外部環境が変化して，生育条件が最適でなくなることによって，何らかの抑圧を受けた状態をストレスという．ストレスを受けたとき，主として細胞レベルにおいて生体成分の損傷を修復する，あるいは生理活性の低下を防ぐ機構をストレス応答という．

　ストレスを与える環境要因（ストレス因子）として高温，低温，凍結，活性酸素，紫外線，放射線，強光（とくに光合成生物の場合），化学物質，pH，塩，イオン，重金属，乾燥などの物理的・化学的要因のほか，ウイルスや病原菌などの生物由来の要因もある．前者を非生物的ストレス（abiotic stress），後者を生物的ストレス（biotic stress）と呼ぶ．

　ストレス応答の一般的な機構は，①ストレスの検知，②シグナル伝達，③ストレス遺伝子の誘導，④発現した蛋白質による損傷の修復，およびストレス応答に必要な化合物の合成，である．最も単純な応答では，必要な蛋白質をコードする遺伝子の転写因子にストレス因子が直接作用して遺伝子発現を制御する（図4.17.1）．たとえば微生物がカドミウム，銅，亜鉛などの重金属によるストレスを受けた場合，重金属結合蛋白質（シアノバクテリアではメタロチオネイン様蛋白質SmtA）が合成され，細胞内の過剰の重金属イオンが捕捉される．通常，この重金属結合蛋白質をコードする遺伝子の調節領域には転写因子（シアノバクテリアではSmtB蛋白質）が結合していて，これがリプレッサーとして遺伝

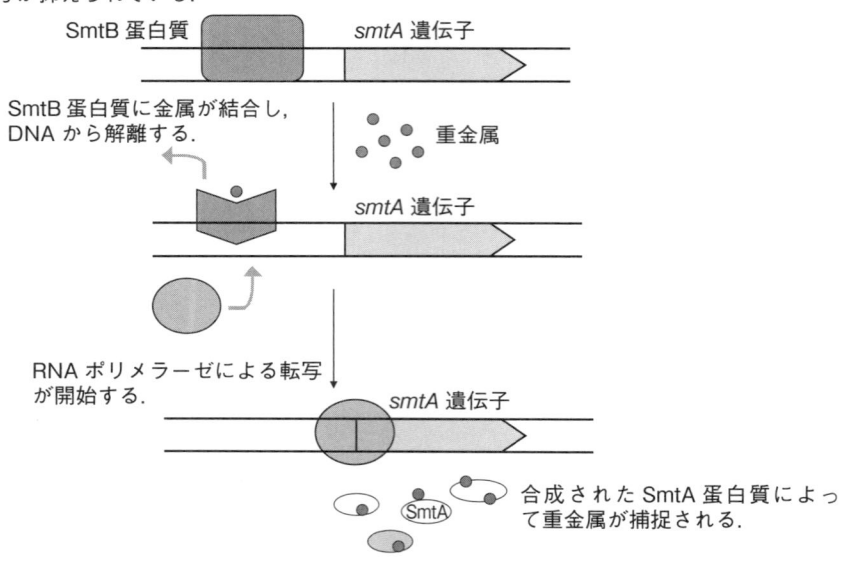

図4.17.1 ストレス検知から遺伝子発現に至る一例（シアノバクテリアの重金属ストレス応答）

子の発現を抑制している．一方，重金属濃度が上昇すると，SmtBは重金属と結合してDNAから解離し，smtA遺伝子の転写が開始する．この場合，転写因子SmtB蛋白質は，重金属を検知するセンサーであると同時に，遺伝子発現に至るシグナル伝達系の働きをしている．

一般的にはストレス応答の機構はもっと複雑で，シグナル伝達に複数の蛋白質の相互作用や，カイネースのカスケードが関与する（⇨4.15）．ストレス検知に関しても，上述のようにストレス因子が直接検知されることもあるが，多くの場合はストレスによって生じる蛋白質，核酸，生体膜などの化学変化，構造変化などの二次的要因がストレス応答の直接的なきっかけとなっている（⇨4.14）．ストレスの違いによって異なるシグナル伝達の系があると同時に，異なったストレスが同じ伝達系によって遺伝子の発現を誘導することもある．以下に応答の機構が比較的よく解明されている熱ショック応答，酸化的ストレス応答，SOS応答について述べる．

a. 熱ショック応答 (heat shock response)

高温ストレスへの応答には，熱変性した蛋白質の凝集を防ぎ，構造と機能を再生するための機構が重要となる．通常の生育温度より10〜15℃高い温度に曝されると細胞内に熱ショック蛋白質（heat shock protein：HSP）と呼ばれる一群の蛋白質が多量に合成され，その後一定期間，生存の上限温度が高くなる．他のストレス因子（重金属，エタノール，活性酸素など）によっても発現が誘導されるため，ストレス蛋白質とも呼ばれている．分子量によっていくつかのファミリーに分類され，その多くは真核生物，原核生物いずれにも存在する．代表的なものとして真核生物ではHSP90, HSP70, HSP60, HSP40, 原核生物ではそれぞれに対応してHtpG, DnaK, GroEL, DnaJなどがある．これらの熱ショック蛋白質は変性した蛋白質の疎水領域に結合して凝集を防いだり，その再生を補助する作用があり，分子シャペロン（⇨1.19）として機能する．

真核生物では熱ショック蛋白質の遺伝子

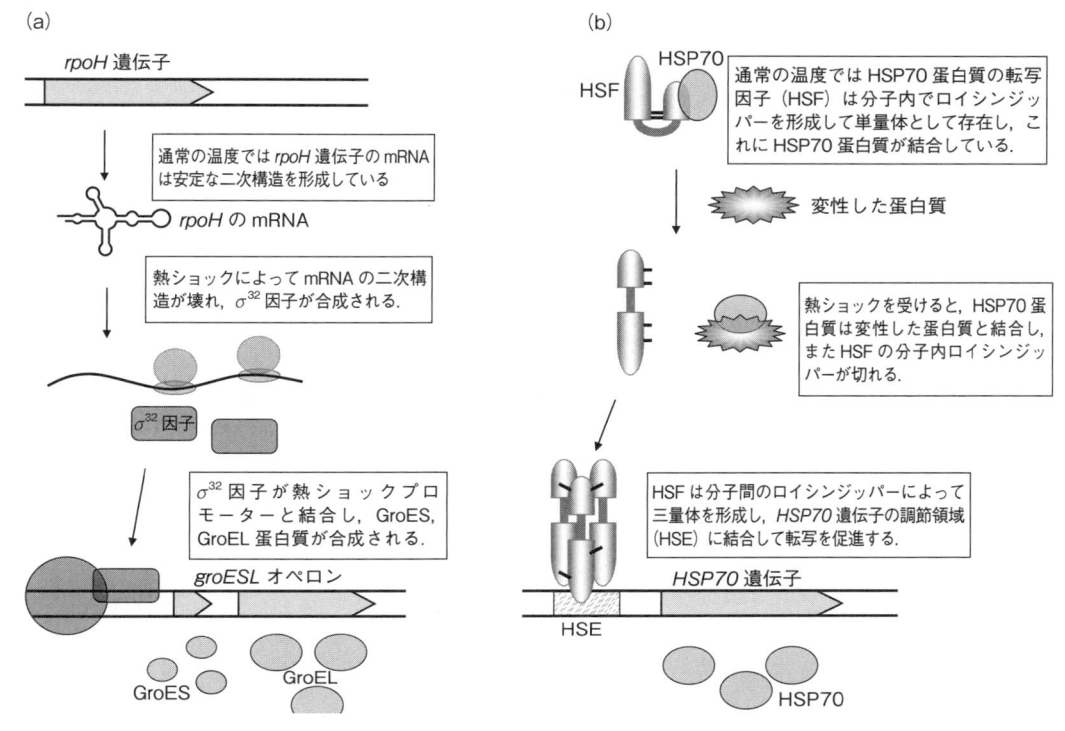

図 4.17.2 熱ショック蛋白質の発現制御の一例
（a）：原核生物，（b）：真核生物．

発現（図4.17.2）が，転写因子（heat shock factor：HSF）によって制御される．HSP70 遺伝子の HSF は分子内でロイシンジッパーを形成した単量体として，HSP70 と結合している．熱ショックによって HSF の構造が変わる，あるいは HSP70 が変性蛋白質に結合すると HSF から HSP70 が解離し，その結果，HSF は分子間のロイシンジッパーによって三量体を形成し，これが HSP70 遺伝子の調節領域に結合して転写が開始される．原核生物の GroEL の発現は RNA ポリメラーゼの σ 因子によって制御される．一般の遺伝子には σ^{70} が結合して転写が開始されるのに対し，熱ショック蛋白質の遺伝子のプロモーター領域には σ^{32} が特異的に認識する領域がある．通常の生育温度では σ^{32} の mRNA（rpoH 遺伝子の転写産物）は安定な二次構造を形成していて翻訳されない．高温になるとこの二次構造がほどけて翻訳が進み，合成された σ^{32} が熱ショック遺伝子のプロモーターに結合し，熱ショック遺伝子の転写が開始される．

b. 酸化的ストレス

酸素分子は生物に必須であるが，これから生成する活性酸素は酸化的ストレスを引き起こす．酸素分子が1個の電子を受け取って生じるスーパーオキシド（$\cdot O_2^-$），さらに1個の電子と2個の H^+ を受け取って生じる過酸化水素（H_2O_2），過酸化水素から生じるヒドロキシラジカル（$\cdot OH$），および一重項酸素を合わせて活性酸素という．これらの活性酸素によって，脂肪酸や核酸は，過酸化物やラジカルが生成して損傷を受ける．活性酸素が生じるのは高温，低温，強光（植物の場合）などの各種ストレスによって葉緑体やミトコンドリアにお

ける電子伝達系が正常に機能しなくなり，酸化還元のバランスが崩れることが一因である．したがって他のストレス因子による副次的なストレスであり，他のストレス応答と同時に起こることもある．酸化的ストレスに対する応答には以下のような蛋白質あるいは化合物が機能する．

（1） アスコルビン酸，β-カロテン，α-トコフェロール（一重項酸素の不活性化）

（2） スーパーオキシドジスムターゼ（・O_2 から H_2O_2 と O_2 を生成）

（3） カタラーゼ（H_2O_2 の分解）

（4） グルタチオンペルオキシダーゼ（還元型グルタチオンを利用して，H_2O_2 を水に，脂肪酸の過酸化物をアルコールに変える）

大腸菌では H_2O_2 存在下で約30種類の蛋白質の合成が誘導される．このうちカタラーゼ，グルタチオン還元酵素（グルタチオンペルオキシダーゼが利用してできた酸化型グルタチオンを還元型にもどす）などを含む9種類の蛋白質の遺伝子は OxyR 蛋白質によって発現調節される．H_2O_2 が存在すると OxyR 蛋白質が酸化されて構造が変わり，カタラーゼなどの遺伝子の転写を促進する．通常細胞内は還元状態であるため，OxyR 蛋白質は不活性であり，酸化還元状態のセンサーとして働いている．別の蛋白質 SoxR は・O_2^- の消去に必要な多くの蛋白質の発現を制御している．それらの中にはマンガンを含むスーパーオキシドジスムターゼ，グルコース-6-リン酸デヒドロゲナーゼ（グルタチオンの還元に必要な NADPH を供給），エンドヌクレアーゼⅣ（DNA の修復に関与）なども含まれている．動物細胞においては活性酸素による転写制御に転写因子 NF-κB 蛋白質が関与している．通常 NF-κB 蛋白質には IκB 蛋白質が結合して転写を促進しない．ウイルスや腫瘍壊死因子などの活性酸素を生成するストレス因子によってキナーゼや蛋白質分解系などが機能し，IκB 蛋白質が解離する．その結果，NF-κB 蛋白質は核に移行して，必要な遺伝子の転写を促進する．

c. 放射線などによる DNA 損傷に対する応答

紫外線や放射線は DNA に損傷を与え，生物の生存を危うくする．紫外線による傷害を避けるため，一部の生物ではフラボノイドやメラニンなどの紫外光を吸収する色素を合成することもある．一般的な応答としては，実際に損傷を受けた DNA を修復する SOS 応答（国際遭難信号に由来している）がよく知られている．DNA に損傷が起きると UvrA, UvrB, UvrC などのピリミジン二量体の除去修復に必要な酵素の遺伝子など，修復に関連した20以上の遺伝子が発現する．大腸菌の場合，これらの遺伝子の調節領域には LexA 蛋白質が結合していて，一連の遺伝子の発現が抑えられている．DNA が損傷して，部分的に一本鎖が生じると，そこへ RecA 蛋白質が結合してフィラメント構造ができる．この DNA・RecA 複合体は LexA 蛋白質の自己切断能を活性化し，その結果 LexA 蛋白質は DNA との結合能を失う．そして LexA 蛋白質によって抑制されていた遺伝子が一斉に発現する．修復が完了して一本鎖部分が消失すると，LexA 蛋白質の濃度も回復し，遺伝子の発現は抑えられる．RecA 蛋白質は遺伝子組換えで中心的な役割を担う一方，放射線，紫外線，化学物質などによる DNA 傷害に対する応答においても，必須の働きをしている．酵母の Rad51 は RecA 蛋白質と相同な蛋白質であり，ヒト，マウスをはじめ真核生物全般に RecA 様蛋白質が存在する．

〔林　秀則〕

[文献]

1) 坂内四郎：ストレス探求（新バイオサイエンスシリーズ），化学同人，1994.
2) 篠崎一雄，山本雅之，岡本　尚，岩淵雅樹：環境応答・適応の分子機構．蛋白質・核酸・酵素

(増刊), 共立出版, 1999.
3) 谷口直之, 淀井淳司編：酸化ストレス・レドックスの生化学（シリーズ・バイオサイエンスの新世紀5), 共立出版, 1999.
4) 渡辺　昭, 篠崎一雄, 寺島一郎編：植物の環境応答. 細胞工学別冊（植物細胞工学シリーズ11), 秀潤社, 1999.
5) 長田和宏, 森　正敬, 吉田賢右編：シャペロンによる細胞機能制御, シュプリンガー・フェアラーク東京, 2001.

第5章　神経生物物理学

5.0 〈総論〉 神経生物物理学

a. 神経生物物理学の目指すもの

生物物理学は物理学の心で生物を理解する学問、および、生物の中に物理学を発見する学問であって、その目指すところは「いのち」と「こころ」のしくみを解明することにあると曽我部はいう[1]。「いのち」のしくみの解明とは「生きているとはどういうことか」を明らかにしようとすることであり、生物個体の階層構造（図5.0.1 (a)）におけるさまざまなレベルにおいて現れる生命現象を研究対象としている。

一方、「こころ」のしくみを解明しようとするのが神経生物物理学であるが、デカルト（René Descartes, 1596-1650）の心身二元論が主張したように、「こころ」は非物質的なものであるという考えが長い間支配的であった。「こころ」は「からだ」と関係がないものとされ、自然科学が対象とすべきもの（あるいは対象とすることができるもの）ではなく、もっぱら、宗教、あるいは、哲学の問題であった。しかしながら、現在では、こころ、魂、その他の精神機能（学習と記憶、意識、情動、自由意志等）も、脳の活動に起因するものであることが明らかであり、神経生物物理学を含む脳科学の対象になりつつある。

b. 感覚系・運動系の神経生物物理学

神経系の理解にはニューロンの機能を理解することが必須である。そのためのもっとも重要な概念は、ホジキン[2a]とハクスレー[2b]により提出された「電気学説」である。これにより、ニューロンがどのようにして信号を伝達するのかがわかった。そして、ニューロンが何を伝達しているのかという1段階上の問題に取り組むことができるようになった。1960年代に、ヒューベル[3a]とウィーゼル[3b]が視覚入力に対応した中枢ニューロンを見出すことに成功し、感覚系、運動系の神経生理学が始まった。

その結果、神経系が情報を符号化（コード）するしくみが解明されてきた。感覚神経が発火する頻度は、入力した刺激の持続時間と強度をコードしている。同様に運動神経の発火頻度は、筋繊維集団の収縮の

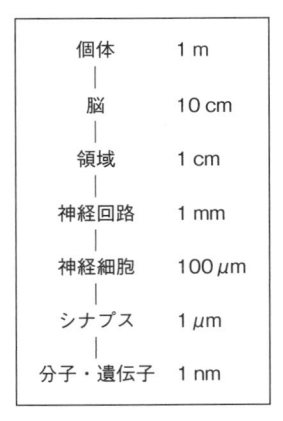

(a) 一般の器官・組織
個体 — 器官 — 組織 — 細胞 — オルガネラ — 分子 — 遺伝子

(b) 中枢神経系
個体　　1 m
脳　　10 cm
領域　　1 cm
神経回路　　1 mm
神経細胞　　100 μm
シナプス　　1 μm
分子・遺伝子　　1 nm

図 5.0.1 多細胞生物の階層構造
空間距離：$10^{-7} \sim 10^{-2}$ m （0.1 μm〜1 cm）、時間：0.1 ms〜100 s

タイミングと強さをコードしている．すなわち，神経系のコーディングは周波数変調（FM）方式である．感覚・運動神経系の両方において，コーディングには多数の細胞が関与していることが多い（これを集団コーディングという）．このため，神経系にはある程度の冗長性があり，それは，情報伝達のエラー防止に寄与している．

FMコーディングによって刺激強度に関する正確な情報を得るためには，神経細胞が発火するまでに十分な時間が経つ必要がある．それゆえFMコーディングは出来事の正確なタイミングの情報を伝達するのには向いていない．しかしながら，ニューロンが同時検出器（coincidence detector）として機能をもつことができれば正確な時間をコードすることができる．つまり，刺激が同時に入ったときにのみ発火することで，入力が入った正確な時間を伝達することができる．これは1ミリ秒程度の非常に短い時定数をもつ状態のニューロンにおいて可能である．

c. 学習と記憶の研究

脳の高次機能は個体レベルの現象として観察される（図5.0.1（b）参照）．そのメカニズムの探究とは，極言すれば，個体レベルの現象と下位の階層における現象とを対応づけることである．現在，脳の高次機能のうち，そういう意味で自然科学の研究対象になっているものは「学習・記憶」のみである．学習・記憶のメカニズムとしては，1970年代の終わりに発見されたシナプス可塑性と対応づけられるに違いないという仮定の下に，さまざまな研究が展開されている．

そのための測定法も多様である（図5.0.2）．最近の，非侵襲的測定法にもとづいたイメージング技術（PET：positron emission tomography，fMRI：functional magnetic resonance imaging）の発展により，ヒト（および動物）の脳の活動部位を知ることが可能になってきた．これらの技術により，脳の傷害部位を特定するほか，ヒトがある心理学的タスクを行っている

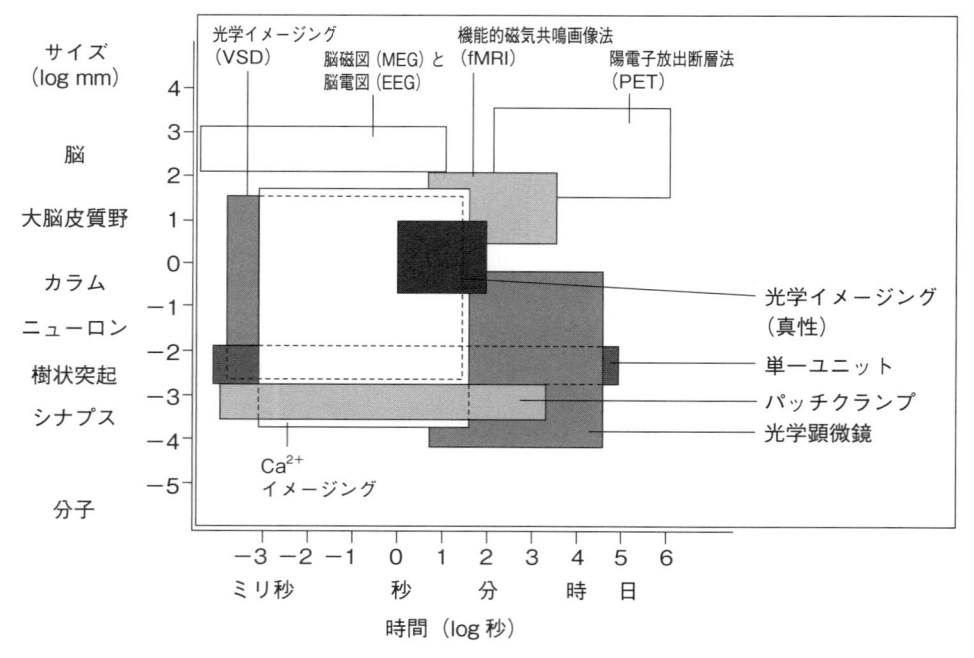

図5.0.2 神経科学における種々の測定方法

（たとえばある記憶を想起する）ときに脳内のどの部位が活性化されているのかを知ることができるようになった．

ミクロなレベルにおいても，還元主義的手法（分子生物学，生化学，電気生理学等）の神経科学への適用が成功して，ニューロンの機能が解明されてきた．また，神経伝達物質の信号伝達および伝達の修飾における役割が解明されてきた．しかしながら，脳機能研究における重要な留意すべき点は，脳という器官の機能をニューロンという構成細胞の機能に還元できないところにある．これが，肝臓や腎臓等のほかの器官と大きく異なる点である．脳機能の研究では「部分と全体」あるいは「ミクロとマクロ」といった洞察が必要で，非線形な性質をもつ構成要素が相互作用することによりシステムレベルで発動する巨視的性質に関する生物物理学的視点が不可欠である．

マクロとミクロを対応づけて全体像を得る上で，現在最も難しい点は，個々のニューロンの活動と神経回路の活動の間をいかにして繋げるか，という点である．ごく最近まで，一時に1個のニューロンの活動を観測できるだけであった．一時に多数のニューロンの活動を観測することが，個々のニューロンの活動が神経回路にどのように寄与しているのかを知る上で，必須である．種々の光学イメージング法とコンピュータ技術の発展により，同時に多数のニューロンの活動を測定できるようになった．また，電気生理学においても，多点電極法の開発が行われつつある．しかしながら，ミクロレベルの実験データをシステムレベルの理解に繋げるには，さらなる技術革新と革新的概念が必要であろう．たとえば，多数のニューロンのうち，どのニューロンがある神経回路を構成しているのかを知ることが必須であるが，これを可能にする方法は未開発である．これがとくに難しいと考えられる理由は，1個のニューロンが複数の神経回路に関与しており，かつ，それがダイナミックに変化していると考えられるからである．

第5章では，上記のような問題意識を保持しつつ，シナプス可塑性のメカニズムに関連する分野およびシナプス可塑性により説明されると考えられる上位階層の事象を中心的に述べる．　〔桐野　豊〕

[文献]
1) 曽我部正博：生物物理学とはなにか―未解決問題への挑戦（シリーズ・ニューバイオフィジクスⅡ 10）序文，共立出版，2003.
2a) Alan L. Hodgkin, "Ionic basis of nervous conduction," Nobel Lecture, 1963.
http://nobelprize.org/medicine/laureates/1963/hodgkin-lecture.pdf
2b) Andrew F. Huxley, "The quantitative analysis of excitation and conduction in nerve," Nobel Lecture, 1963.
http://nobelprize.org/medicine/laureates/1963/huxley-lecture.pdf
3a) David H. Hubel, "Evolution of ideas on the primary visual cortex, 1955-1978: A biased historical account," Nobel Lecture, 1981.
http://nobelprize.org/medicine/laureates/1981/hubel-lecture.pdf
3b) Torsten N. Wiesel, "The postnatal development of the visual cortex and the influence of environment," Nobel Lecture, 1981.
http://nobelprize.org/medicine/laureates/1981/wiesel-lecture.pdf
4) Patricia S. Churchland, "Brain-Wise. Studies in Neurophilosophy," MIT Press, 2002.
5) 桐野　豊，川原茂敬，渡辺　恵，松尾亮太：神経科学キーノート，シュプリンガーフェアラーク東京，2003.

I. イオンチャネル

5.1 イオンチャネルの生物物理学と細胞の電気的性質

a. 生体電気信号

神経細胞を要素とする生体の中心的情報処理器官脳は生体電気信号を利用して外界の情報を解析し，効果器に適切な出力を命令する．ここで，神経細胞の機能として，1つは活動電位を発生して電気的パルスとなった情報を伝える伝導の機能があり，他の1つは神経細胞の軸索終末に達した活動電位を，次の神経細胞に伝えるシナプス伝達の機能がある．前者は膜の電気的興奮性によるもので，後者はシナプスの伝達物質放出機構と，シナプス後細胞の化学的興奮性による．また，膜の電気的あるいは化学的興奮性は神経細胞だけに存在するものではなく，生体外環境の物理的・化学的情報を神経系への電気的入力に変換する受容器細胞，神経系における情報処理の結果を外部に出力する効果器細胞すなわち筋細胞，心筋細胞，平滑筋細胞，腺細胞にも見られる．とくに電気的興奮性は神経細胞・受容器細胞では信号伝達という役割をもつが，効果器細胞では繊毛運動・分泌・収縮など細胞運動過程を，また神経細胞でも軸索終末ではシナプスでの伝達物質の放出を始動する役割をもつ．この場合は Ca^{2+} 依存性の電気的興奮性である．また，神経細胞など電気的興奮性細胞において，非興奮時の細胞内電位は細胞外の電位を基準の零電位として，60から90 mV陰性である．これを静止電位という．静止電位は興奮性細胞だけの特徴ではなく，非興奮性の一般の細胞にみられる．

以上に述べた脳の情報伝達，情報解析に不可欠な生体電気信号は，すべて細胞膜の電位変化に起因する．したがって，神経細胞等の膜興奮性を調べるには，まず細胞膜内外の電位差を導出しなければならない．古典的にはグラハム（Graham）とゲラルド（Gerard），ナスチュク（Nastuk）とホジキン（Hodgkin）によって始められた，先端が 0.5 μm 以下の微小ガラスピペットに高濃度の塩（通常3M KCl）をつめた微小電極を刺入して，細胞内電位を測定する．ところで，この細胞膜電位の発生は次の2つの要因による．第1は，すべての生体細胞は細胞内に K^+ イオンが多く，細胞外に Na^+ イオンが多い等，細胞膜を境にイオン成分の分布が異なっていること．第2に，細胞膜は基本的に薄層の絶縁体である脂質二重膜で構成されるが，そのほかに親水性で特異性のあるイオン通路となるイオンチャネルと呼ばれる各種の蛋白質分子が埋め込まれ，細胞膜は選択的なイオン透過性を有することによる．第1の要因は，膜に各種のイオンポンプがあってATPなど生体内エネルギーを消費して細胞内外の濃度勾配に逆らってイオンを輸送することにより成立し，第2の要因は，イオンチャネルが膜電位それ自体の変化に反応するか（電位依存性チャネルという），細胞内外の情報伝達物質の結合に反応して（化学伝達物質感受性チャネルという）イオン通路を開閉し，電位勾配と濃度勾配に沿って受動的にイオンが高速で拡散輸送されることにより成立する．このとき，イオンチャネルの開閉は蛋白分子の構造変化の一種であるが，イオンの出入りを制御するという意味でゲーティング（gating）と呼ばれる．もちろん，イオンチャネルによっては，構造変化がなく常に一定のイオン透過性を示すものもあり，静止膜電位の成立などに寄与している．

ここで，2つの要因があると，なぜ膜電

位変化が起こるかを簡潔に説明する．いま，一種類のイオンにだけ透過性のあるイオンチャネルが膜に存在し，その膜の内外に透過するイオンについての濃度差があるとする．このような細胞膜は，絶縁膜ではなくイオンチャネルのために一定の電気伝導度すなわちコンダクタンスを示す．しかし，イオンチャネルにおけるイオンの流れは膜電位差によるだけでなく，濃度差によっても受動的に輸送されるために，もし透過イオンが陽イオンであれば濃度の濃い側は負に帯電し，薄い側が正に帯電する．陰イオンの場合は逆になる．これは電気化学では拡散電位と呼ばれるものである．この起電力は，単一イオン選択性膜における透過イオンの平衡電位あるいはネルンスト（Nernst）電位とも呼ばれ，内外の透過イオンの濃度比の対数に比例する．内外の濃度差がないときは，当然，零電位となる．このため，イオンチャネルが埋め込まれた生体膜はコンダクタンスとこの起電力を示す電池が直列に連結したものと等価である．したがって，外部から刺激電流を与えないときは，この起電力が膜電位として現れる．また，このことから，外部電流がなくても，ゲーティングにより別種類のイオンチャネルが開いて，別のイオンに対する透過性が増大すると，膜電位が変化することが容易に理解できる．なお，チャネルのイオン選択性が少なく多種のイオンを透過する場合，あるいは多種のチャネルが混在する場合に，起電力を算出する方法は複雑だが，透過するイオンが互いに独立と考えられるときは比較的容易で，ゴールドマン（Goldman）による定電場仮説式と呼ばれるものが繁用されている．

ここで，電気信号として最も知られている神経細胞の活動電位について述べておく．微小ガラス管電極を神経細胞内に刺入すると，まず60から90 mV陰性の静止電位がみられる．刺激用の第2の電極を刺入し，この電極を通じて細胞内に矩形電流を流す．負電荷を細胞内に注入すれば膜電位は，当然より陰性方向に変化する．電位変化は電流の立ち上がりに比べて遅れがあるが，最終値は電流値に比例し，オームの法則に従う．この電位変化の遅れは細胞膜がきわめて薄い脂質の二重膜であって，膜容量をもつためである．細胞内に陽電荷を注入すると電位変化が10〜20 mV以下の小さい場合は，やはりオームの法則に従い，電位は陽性方向に変化する．膜電位が静止電位より陽性方向に変化して，膜電位の大きさが減少することを生理学では脱分極といい，膜電位が陰性方向に変化して大きさが増大することを過分極という．陽性方向にさらに電流を流して，脱分極がある一定値を超えると，神経細胞膜では急激に膜電位が変化して，細胞内+30ないし+50 mVの陽性電位に逆転する．これを活動電位といい，逆転した陽性電位をオーバーシュート（overshoot）という．また活動電位を発生するのに必要な最小の脱分極を臨界脱分極といい，そのときの膜電位を閾膜（値）電位という．膜電位が一度閾膜電位をこえると，刺激電流を止めても活動電位は中止されず，一定経過の電位変化が起こる（全か無か（all or none）の法則）．活動電位が発生すると，膜電位はオーバーシュートし，数ミリ秒以内に自動的にもとの静止電位に戻る．活動電位をイオンチャネルの開閉から考えると，神経細胞膜のNa^+選択的な電位依存性チャネルが刺激による脱分極により開くとNa^+が流入し，そのために膜電位がさらに陽性方向に移動しさらにNa^+の流入が増加して電位はNa^+の平衡電位に近づく．しかしその結果少し遅れてK^+選択性の電位依存性チャネルが開くとK^+が流出して電位が自律的に静止電位に戻ると説明される．このことは1950年代にホジキンらにより電圧固定法をもちいて古典的に推定された．

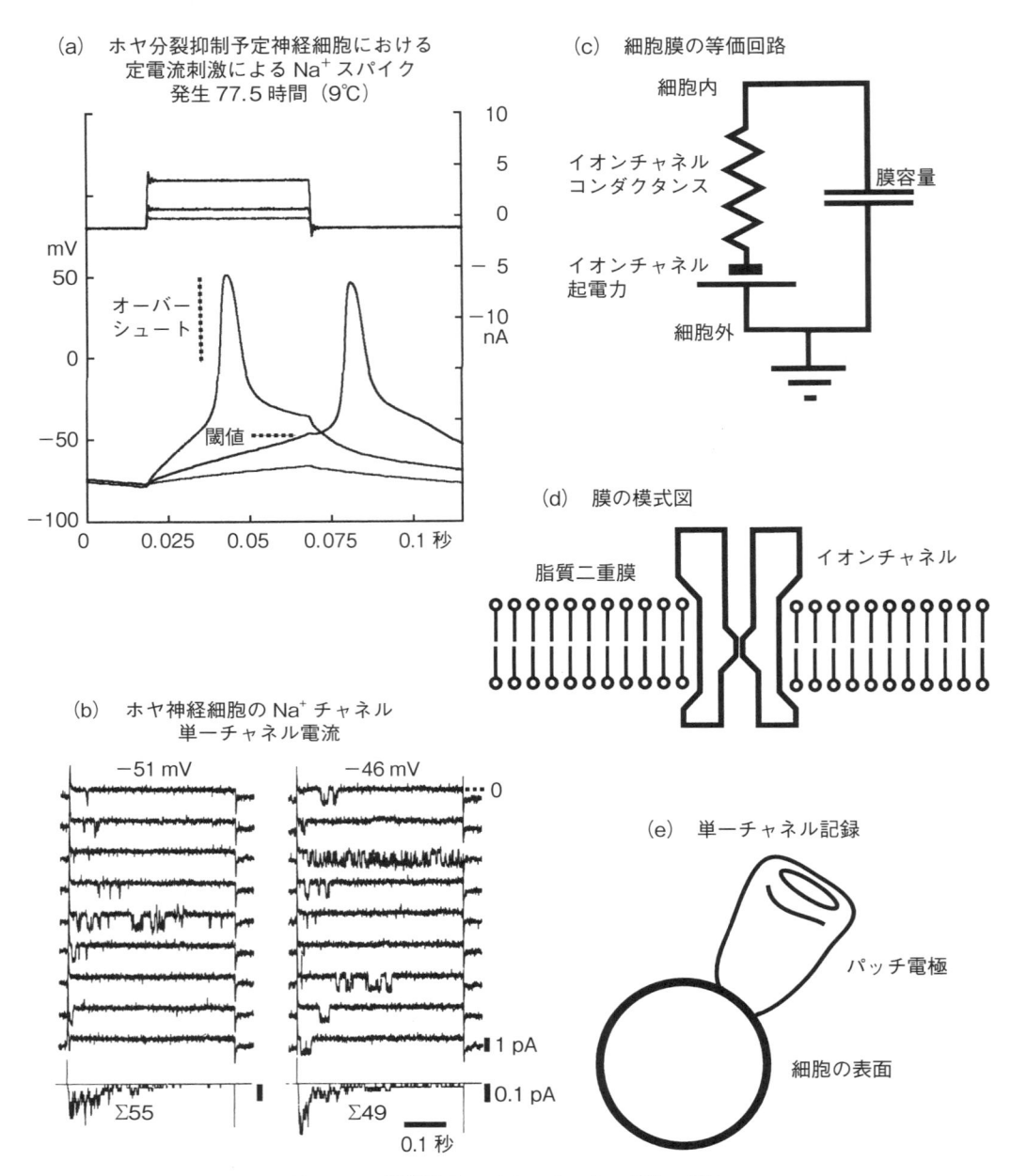

図 5.1.1 活動電位・イオンチャネル電流の測定

(a) ホヤ 8 細胞胚から分離した予定神経細胞を分裂抑制後，神経誘導性細胞と接着して 9℃ で 77.5 時間培養すると神経細胞に特有の Na^+ スパイクが発現した（Tanaka-Kunishima and Takahashi, 2002）．
(b) 同様に分化したホヤ胚予定神経細胞において，Na^+ チャネルの単一チャネル記録を行ったもの（Okamura and Shidara, 1990）．-51 mV および -46 mV における平均加算電流はそれぞれ最下段に示してある．
(c) 細胞膜の電気的等価回路．
(d) 細胞膜における脂質とイオンチャネルの模式図．
(e) 単一チャネル記録法の模式図．

260　　第 5 章　神経生物物理学

b. 単一チャネル電流の記録

実体としてのイオンチャネル分子の存在は，チャネルに特異的に結合する分子があることから推測され，とくにNa^+チャネルでは，特異的な抑制物質であるテトロドトキシン（TTX）分子の膜への結合量を測ることから，チャネルの膜面での密度が $10\sim 1000/\mu m^2$ 程度の有限量であることは知られていた．もし，適当に小さな膜の部分から電流を導出する方法があれば，単一チャネルの電流を記録することが可能である．これに成功したのは，Neher と Sakmann で，実験はまずアセチルコリンによって開く化学伝達物質感受性チャネルについて行われた．先端の開口部面積が数 μm^2 程度のガラスピペットを筋細胞膜表面に押しつけ，この小部分からの電流を記録する．ピペット内のアセチルコリン濃度を下げて，開くチャネルの数を限ると，電流はパルス状になる．このパルス状電流の振幅は，$-100 mV$ において $4 pA$ 程度で単位コンダクタンスは $40 pS$ 程度になる．単純にピペットを細胞膜に押しつけた場合は記録の電流雑音は $1 pA$ 以上あるが，ピペット内部をわずかに陰圧にして細胞膜面とガラス面を極度に密着させると，接触抵抗が数ギガオームに増大する．これをとくにギガシール（gigaseal）といい，この状態では電流雑音が $0.2\sim 0.5 pA$ となる．この single channel recording により，イオンチャネル電流には単位があり，1個のチャネルはほとんどの場合，開状態と閉状態の間を遷移していることがわかった．以上のような記録法をパッチクランプ法といい，これによって，その後，多くのイオンチャネルについて単一チャネル電流の存在が確かめられることになった．また，実際の単一チャネルの電流記録から開閉をチャネル分子の状態遷移の確率過程として解析する方法が確立し，閉状態から開状態への遷移確率，開状態から閉状態への遷移確率が推定され，チャネルの状態遷移が定量的に記載されるようになった．そこで，ホジキンとハクスレー（Huxley）らによる巨視的電流記録の微視的裏付けがなされることになった．

c. イオンチャネルの分子的構造

以上のようなチャネルの実体をさらに確かめるためには，まずチャネル分子の蛋白質としての一次構造が明らかにされる必要があった．たとえば，Na^+ チャネルについては，TTX の特異的結合や，開閉機構に特異的に作用するサソリ毒 α-toxin 蛋白の発見などのおかげで Na^+ チャネルの蛋白質としての精製が進み，その部分的アミノ酸配列がわかると，ついに 1984 年に沼らによって，電気ウナギ電気器官の Na^+ チャネルの一次構造が相補的 DNA の塩基配列の解析から決定された．その結果，Na^+ チャネルは約 2000 アミノ酸残基から成り，分子内に 4 個の機能的サブユニットともいうべき繰り返し構造（領域）があり，その 1 つ 1 つに 6 ヵ所の疎水性の膜貫通部分（S1, S2, S3, S4, S5, S6）があることが明らかにされた．さらにその後，第 5 膜貫通部分（S5）と第 6 膜貫通部分（S6）の間には SS1 および SS2 と呼ばれるイオンが通過するポア内壁の裏打ちをする両媒性の部分が存在することも報告された．K^+ チャネルについては，ショウジョウバエの運動異常を示す突然変異 Shaker が K^+ チャネルの一種である A 電流チャネルの構造遺伝子の変異であることから，塩基配列が決定され，一次構造が推定された．それによると，Shaker KA チャネルは，個々のアミノ酸残基の配列については Na^+ チャネルとの相同性はやや低いが，全体としての構造は Na^+ チャネルの分子内サブユニットの 1 つの単位とよく似ており，4 個の分子が集まって 1 個の K^+ チャネルを形成することが明らかにされた．また，骨格筋の Ca^{2+} チャネルのジヒドロピリジン結合能を利用して精製されたジヒドロピリジン受容体蛋

白の相補的DNAの塩基配列よりCa^{2+}チャネルの一次構造が決定された．それによると，個々のアミノ酸残基の配列についても分子全体の構造についてもNa$^+$チャネルとの相同性があり，膜電位依存性のチャネルはすべて1つの大きな遺伝子族に属し，系統発生的に共通の祖先型から由来した可能性が示唆されている．一方，化学伝達物質感受性チャネルであるアセチルコリン受容体チャネルはNa$^+$チャネルとは別種の一次構造をもち，相同性は高いが異なる5つのサブユニットからなり，各サブユニットには，膜領域やイオンが透過するポア領域も確定されている．さらに，グルタミン酸受容体チャネル，抑制性伝達物質であるGABA受容体チャネルなどもアセチルコリン受容体チャネルと同じ遺伝子族に属することが知られている．

このようなイオンチャネルの一次構造から，陽イオン選択性のNa$^+$，Ca^{2+}，遅延整流性K$^+$，内向き整流性K$^+$チャネルについては，ペプチド結合あるいはカルボキシル基などの陰性極性基である酸素原子がリング状に囲むことによって，陽イオン選択性フィルターをつくっていることが推定された．また，特定アミノ酸残基（ポア内壁すなわちSS1，SS2の部分）に点突然変異を導入する方法により，ポア内壁に透過イオン種特異的に陰性極性基が配列し，透過性に直接関連することが証明された．そこで，チャネルが陽イオンを選択するにはポア内の陰性極性基との何らかの特異的相互作用が必要なこと，またポアの物理的なサイズも選択性の重要な要因であることが知られた．1998年に，ロックフェラー大学のMacKinnonらは，放線菌の一種 *Streptomyces lividans* より得られたK$^+$チャネル蛋白のX線結晶構造解析を3.2Å分解能で行うことに成功した．ここでもちいられたK$^+$チャネルは，2回膜貫通する内向き整流性K$^+$チャネル族の1つで，チャネル膜内領域のうちのとくにポア領域の配列構造は，今までに知られているすべてのK$^+$チャネルと類似している．細胞外側のポアの端にはK$^+$チャネルの特徴配列（アミノ酸配列ではT-V-G-Y-G）がポア内壁に12Åの長さにわたって突き出して狭い選択性フィルターとなっている．K$^+$選択性フィルターは蛋白主鎖の特定部位のカルボニル酸素が複数整列して並んで形成されており，脱水和したK$^+$イオンだけがフィットして配位できる幾何学的配置になっている．

チャネルが脱分極によりなぜ開くのかはまだ不明なところが多い．しかし，少なくとも膜内電場の変化によりチャネルが閉構造から開構造へと変化するのであれば，開閉に伴って，チャネル分子内での双極子あるいは荷電粒子の移動があるはずである．なぜならば，静止時には細胞内が陰性となるから，膜の内側に陽性電荷が変位した構造が安定し，逆に脱分極時には細胞内が陽性となるから，膜の外側へ陽性電荷が変位した構造が安定すると考えられるからである．この移動に伴う変位電流は，実際に電気生理学的方法で微小な容量性電流としてArmstrongとBenzanilla，KeynesとRojasらによってはじめて観測された．ゲーティング機構に対応する分子的構造はNa$^+$チャネルの膜貫通領域であるS1からS6までの配列に特定の点突然変異を導入して調べられた．その結果，S4領域は3個のアミノ酸残基ごとに陽性電荷を示す特異的な配列をもち，この陽性残基の突然変異は電位依存性を変化させる．すなわち膜電位センサーであることが示された．K$^+$チャネルについてもNa$^+$チャネルのS4に相同な部分がやはり電位依存性のゲーティングに関与する．以上は電位依存性チャネルの場合であるが，化学伝達物質感受性チャネルでは伝達物質が結合することにより，構造変化が起こり開状態になると考えられている．電位依存性チャネルの分子的構造については，MacKinnonらがあらたに開状

態のゲーティング部域を含めた K^+ チャネルの X 線解析像を最近報告し，S4 を含む部分の膜電位変化による膜内移動が S5 と S6 の位置を制御してポアを開閉する機構を提案した．しかし，閉状態から開状態への S4 移動の大きさについては他の測定方法から異論があり，今後の研究により，チャネル分子開閉の分子的動態が近く全面的に解明されることが期待される．

〔髙橋國太郎〕

[文献]

1) Hille, B.: Ion Channels of Excitable Membranes, Sinauer, 2001.

5.2　電位依存性イオンチャネル
―Na チャネル，Ca チャネル

細胞興奮の際に膜電位の脱分極をもたらすのは電位依存性 Na チャネル（voltage-gated Na channel：VGNC）および電位依存性 Ca チャネル（voltage-gated Ca channel：VGCC）のイオン透過性の増大である．これらのチャネルの特性が細胞興奮およびそれに付随するさまざまな細胞機能を実現している．VGNC および VGCC の基本構造は図 5.2.1，5.2.2 のようだと考えられている．いずれもいくつかのサブユニットからなるが，イオン選択性，電位依存性，薬物の選択的結合などの重要な性質は，主要な 1 つのサブユニットに起因する．VGNC では α-サブユニット，VGCC では α_1-サブユニットと呼ばれるものがそれである．

a.　電位依存性 Na チャネル

神経細胞軸索や骨格筋細胞における高速の情報伝播に決定的に重要な役割を担うイオンチャネルである．1952 年にホジキン（Hodgkin）とハクスレー（Huxley）は Na イオンに対する「通りやすさ」の選択的増大が脱分極の要因であるという「Na 仮説」によって活動電位の発生機序を解明した．電位依存性 Na チャネルのクローニングによって「通りやすさ」の実体がイオンチャネルと呼ばれる膜蛋白であることが決定的に示されたのは，30 年以上も後のことであった[6]．

VGNC は脱分極によって活性化（activation）するが，脱分極状態が持続してもチャネル自身の性質によって数ミリ秒の

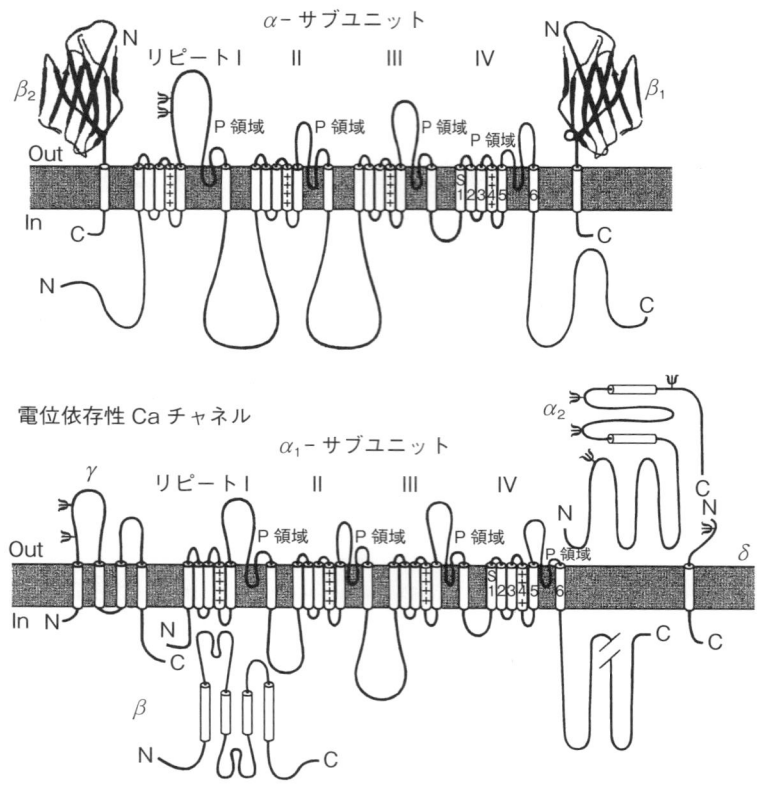

図 5.2.1 電位依存性 Na チャネルおよび電位依存性 Ca チャネルの基本構成

α/α_1-サブユニットは，約 2000 個のアミノ酸残基からなり，α-ヘリックスを形成する膜貫通領域（S1～S6）が 6 個連なった基本単位が 4 回繰り返している（リピート I～IV）．各リピートの基本的構造は電位依存性 K チャネルの 1 個のサブユニットと類似している．各リピートは細胞内で連結（リンク）されており，この部分や C 末端部位はイオンチャネルの機能調節に重要である．α/α_1 以外のサブユニットは副次的（auxiliary）サブユニットであり，機能の調節や細胞内発現部位の調節などにかかわっている．

VGNC では α-サブユニットに電位感受性とイオン選択性があるが，それ以外に β_1 および β_2-サブユニットが存在し，複合体を形成している．哺乳動物の VGNC については現在 9 種の α-サブユニットが発見されており，$Na_v m.n$ のように統一的に命名されている．これらのアミノ酸配列は，電位依存性 Ca^{2+} チャネルに比べて高い相同性をもつ．

VGCC は VGNC と同様に主サブユニット（α_1）と副次的サブユニット（$\alpha_2, \beta, \gamma, \delta$）からなる複合体を形成する．骨格筋の VGCC の α_1-サブユニットがクローニングされた後，homology search によって現在のところ 10 種類の α_1-サブユニットが見つかっている．それぞれの蛋白質は $Ca_v m.n$ と表記することになっている[5]．α_1-サブユニット単独でもイオンチャネルとしての機能を示すが，それだけでは透過性は低く，大きな電流を流すには β-サブユニットの存在が必要である．他の副次的サブユニットの機能はまだよくわかっていない（文献[1] より改変）．

時定数の速い不活性化（fast inactivation）を示す．アミノ酸配列の異なる VGNC でも電気的性質は互いによく似ている．脱分極から活性化に至る，いわゆるゲーティング（gating）過程には膜電位変化の検出と透過性増大の 2 つの過程が必要である．電位変化の検出には膜内での電荷の移動が必要なはずであり，実際，ゲーティング電

S4領域が形成する電位センサー

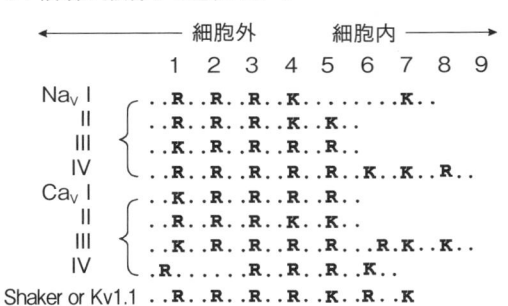

```
          細胞外           細胞内
       1 2 3 4 5 6 7 8 9
Na_V I   ..R..R..R..K......K..
     II  ..R..R..R..K..K......
     III ..R..R..R..R..R......
     IV  ..R..R..R..R..K..R..
Ca_V I   ..R..R..R..R..R......
     II  ..R..R..R..R..R..R..K..
     III ..K..R..R..R..R..R..K..
     IV  ..R..R..R..R..K..
Shaker or Kv1.1 ..R..R..R..R..R..K
```

P領域が形成するイオン選択フィルター

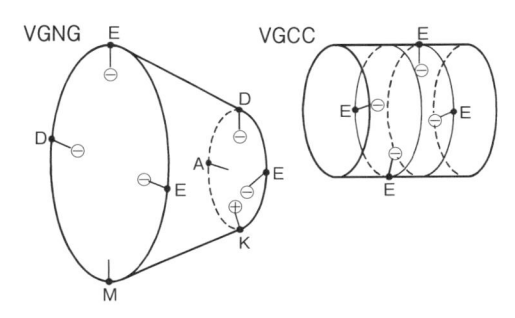

図 5.2.2 イオンチャネルの電位センサーおよびイオン選択フィルター

各リピートのS4領域には正電荷をもつ5〜8個のアミノ酸が3個おきに規則的に並んでおり，膜電位のセンサー部位であると考えられている．S5とS6との間にはP領域と呼ばれる部位があり，電荷をもったアミノ酸残基がチャネルの内側を向いてリング状に並び，イオン種を選択するフィルターを形成すると考えられている．VGCCではすべてのリピートのP領域にグルタミン酸があり，これがCaイオンを選択しているらしい（文献1）より改変）.

負電荷（E：グルタミン酸，D：アスパラギン酸），正電荷（R：アルギニン，K：リシン），中性（M：メチオニン，A：アラニン）.

流として測定されている．S4領域の移動がゲーティング電流の実体であろうと考えられている．透過性の変化はチャネルの何らかの形態変化によるものと考えられており，その詳細が明らかにされつつある．VGNCに対してはフグ毒（TTX），サソリ毒などの多くの毒物の作用が知られている．TTXはP領域に作用してイオンの透過を遮断するが，多くの毒物はゲーティング過程に作用する．これらの薬物の作用部位や作用機序の研究がゲーティング機構の解明につながっている．

蛋白分解酵素を細胞内から作用させると，活性化過程を損なうことなく不活性化過程は消失する．このことから，ボールのような構造が細胞内にあり，これがイオンの通り道を塞ぐために不活性化が起きるとするモデル（ball-and-chain model）が考え出された．リピートIIIとIVとのリンカー部分に対する抗体が不活性化を長引かせることから，この部位がball-and-chainであると考えられている．ホジキンとハクスレーのモデルでは，不活性化は活性化とは独立に進行するとしていたが，研究が進むにつれ，不活性化が活性化に連携（couple）していることがわかってきた．S4部位とball-and-chainとの結合が関係していると考えられている．速い不活性化に加え，数秒から数分の脱分極によってもたらされる遅い不活性化の存在も知られている．その機構の詳細はまだ不明だが，チャネル外側のイオン選択フィルター部分の構造変化によるものと考えられている．

b. 電位依存性Caチャネル

神経，筋，分泌細胞などすべての興奮性細胞の膜に存在するチャネルであり，細胞膜の電気的情報を細胞内の化学的情報に変換する役割を担う．VGCCからのCa^{2+}流入によってもたらされる大きな細胞内Ca^{2+}濃度変化がさまざまな応答を誘起する．たとえば神経終末からの伝達物質放出，分泌細胞からの分泌，筋細胞の収縮，さらにはこれらの細胞における活動の調節や遺伝子発現などである．このような役割に加えてVGCCは膜電位の変動パターンの形成にも重要な役割を果たしている．細胞によってはVGCCからの電流流入によって活動電位を発生する．また，心筋などでは持続時間の長い活動電位の持続相の形成に寄与している．

VGCCはSr^{2+}やBa^{2+}など，他の二価イ

オンに対する透過性が高く，パッチクランプ法による測定の際にはこれらのイオンがしばしば用いられる．一方，La^{3+}，Co^{2+}，Cd^{2+}，Mn^{2+}，Ni^{2+}，Mg^{2+}などの遷移金属イオンはVGCCをブロックする．細胞内外のCa^{2+}イオン濃度比は約1:10000と大きいため，強い定電場整流がみられるが，膜電位が負の範囲では影響は小さい．Ca^{2+}イオンの平衡電位はおよそ$+125$ mVであるにもかかわらず，VGCCを通る電流は$+50$ mVあたりで反転する．これはVGCCがわずかながらもKイオンを通すためである．VGCCは高い多様性をもち，電気的性質と薬理的性質とにもとづいて機能的に分類されてきた．まず活性化の閾値によって高電位活性型（high-voltage activated：HVA）と低閾値活性化型（low-voltage activated：LVA）に分類される．次に不活性化の有無によって分類され，さらに薬物に対する感受性によって分類されている（表5.2.1）．VGCCの活性化および速い不活性化の機序は，VGNCおよび電位依存性Kチャネルと同様であろうと考えられている．それに加え，L型VGCCはCa^{2+}依存性の不活性化を示す．流入したCa^{2+}イオンによってチャネルの活性化が抑制を受けるものであり，過剰なCa^{2+}流入を防ぐ意味があると考えられている．この不活性化にはチャネルの細胞内側に結合したカルモジュリンが関与しているらしい．単一チャネルレベルでL型VGCCの電流を観察すると，一定の膜電位においてもチャネル開口確率の高いモードと低いモードの間を遷移（mode switching）していることがわかる．その機序はまだよくわかっていない．

VGCCからのCa流入はさまざまな細胞応答をトリガーする重要な過程なので，その調節もまたさまざまな細胞応答の焦点となる．調節機序としてVGCCのリン酸化が重要である．たとえばβ-アゴニストによる心収縮の増強はPKAによるL型VGCCのリン酸化の結果である．シナプス前終末においてはGTP結合蛋白$\beta\gamma$サブユニットの直接的結合によってN型お

表5.2.1 電位依存性Caチャネルの分類と性質

VGCCの分類	HVA（高閾値型）				LVA（低閾値型）
機能的分類	L	P/Q	N	R	T
α_1-サブユニットの遺伝子（ヒト）	*CACNA1S, C, D, F*	*CACNA1A*	*CACNA1B*	*CACNA1E*	*CACNA1G, H, I*
α_1-サブユニットの名称	Ca_v1.1, 1.2, 1.3, 1.4	Ca_v2.1	Ca_v2.2	Ca_v2.3	Ca_v3.1, 3.2, 3.3
活性化の範囲	-30 mV以上	-20 mV以上			-70 mV以上
不活性化の範囲	-60〜-10 mV	-120〜-30 mV			-100〜-60 mV
不活性化の時間経過	きわめて遅い（$\tau>500$ ms）	やや遅い（$\tau=50$〜80 ms），部分的			速い（$\tau=20$〜50 ms）
コンダクタンス（110 mM Ba^{2+}）	25 pS	9〜19 pS	20 pS	12 pS	5〜9 pS
選択的阻害薬	dihydropyridine系 phenalkylamine系 benzothiazepine系	ω-AgaIVA	ω-CtxGVIA	Ni^{2+}	Ni^{2+}
生理機能	筋収縮，分泌 遺伝子発現	神経伝達物質放出 Caスパイク			閾値下膜電位振動

単一チャネルコンダクタンスは測定に用いるイオン種と濃度に依存する．
　L, N, P, Q, R型はHVAであり，T型はLVAである．N, P, Q, R, T型は不活性化を示すが，速く完全な不活性化を示すのはT型だけである．臨床的にCa拮抗薬として用いられるdihydropyridine系，phenalkylamine系，benzothiazepine系の薬物によって抑制されるのはL型である．N型は巻貝の毒の成分であるω-ConotoxinGVIAによって選択的に抑制される．P/Q型はクモ毒の成分であるω-AgatoxinIVAによって抑制される．T型はNi^{2+}イオンによる阻害に対して感受性が高い．機能的分類の各タイプに対応するα_1-サブユニットが同定されている．P型とQ型は同じ遺伝子に由来するsplicing variantである．

よびP/Q型VGCCの活性が抑制されることが知られている．オピエートによる痛み情報の遮断はこの機序によるものらしい．興味深いことにシナプス前終末からのCa^{2+}依存性伝達物質放出に関与するsyntaxin1AやSNAP-25は，$Ca_v2.1$および$Ca_v2.2$のリピートII/III間のリンカー部位に結合している．これらの分子はVGCCから流入するCa^{2+}イオンをCa^{2+}結合蛋白質に効率よく供給する役割を担っているとも考えられるが，そればかりではなくVGCCの活性を調節することもわかっている．さらにMint1およびCASKなどのアダプター蛋白質（adaptor protein）がVGCCのC末端に結合していることが知られており，機能調節に関与していると考えられている．

〔宮川博義〕

[文献]

1) Hille, B. : Ion Channels of Excitable Membranes, 3rd ed., Sinauer Associate, 2001.
2) Conley, E. C. and Brammar, W. J. : The Ion Channel Facts Book IV : Voltage-Gated Channels, Academic Press, 1999.
3) Jarvis, S. E. and Zamponi, G. W. : Interactions between presynaptic Ca^{2+} channels, cytoplasmic messengers and proteins of the synaptic vesicle release complex, Trends in Pharmacological Sciences 22, 519-525, 2001.
4) Muth, J. N. et al. : Use of transgenic mice to study voltage-dependent Ca^{2+} channels, Trends in Pharmacological Sciences 22, 526-532, 2001.
5) Ertel, E. A. et al. : Nomenclature of Voltage-Gated Calcium Channels, Neuron 25, 533-535, 2000.
6) Noda, M. et al. : Primary structure of Electrophorus electrius sodium channels deduced from cDNA sequence, Nature 312, 121-127, 1984.

5.3 電位依存性イオンチャネル
―Kチャネル

電位依存性Kチャネル（K_vチャネル）は，始まった活動電位を修飾することが主な役割である．きわめて多種類の分子種が存在し，それぞれが活動電位の持続時間や起こりやすさを決めることで，細胞の興奮性を多様なものにしている．たとえば心筋細胞で見られる長い特異なパターンをもった活動電位や，連続発火する活動電位（バースト）のパターン発生にK_vチャネルが大きくかかわっている．細胞ごとの要求に応えられるような「注文仕立て」されたK_vチャネルが取り揃えられているのである．一方，このような生理的役割を離れて，K_vチャネルには特別な意義がある．Naチャネル，Caチャネル，Kチャネルという電位依存性陽イオンチャネルが超遺伝子族（電位依存性陽イオンチャネル超遺伝子族）を形成し，その中でK_vチャネルだけがホモ四量体という最も単純な構造をもつ．このことがチャネルの構造と機能の関係を明らかにする上で，K_vチャネル，とくにShakerチャネル（ショウジョウバエ由来）を対象に膨大な情報を蓄積してきた理由である．チャネルはどのようにしてイオンを選択的に透過させているのか，膜電位変化をどのようにして認識し，ゲートが開閉するのか．このようなチャネルに共通な分子機構の理解がK_vチャネル分子を通して急速に深まっている．

チャネル分子は，特定の機能を担うひとまとまりの構造であるドメインが組み合わさってできている．イオンを透過させるポアドメインや膜電位センサーを含む電位依

存性ドメインである．これらのドメインは電位依存性陽イオンチャネル分子群に共通に備えられている．一方，Kチャネル遺伝子族の中には電位依存性ドメインをもたず，ポアドメインだけからなるものがある（電位非依存性Kチャネル）．1998年にこのカテゴリーのKチャネルの立体構造が明らかになったことがKチャネル研究を加速することになった．さらに2003年にはK$_v$チャネルの結晶も得られた．これらの成果により Roderick MacKinnon にノーベル化学賞が与えられた（2004）．本稿ではK$_v$チャネルの構造と機能に注目する．

a. 役割

K$_v$チャネルの役割は，膜電位の脱分極によってポア（イオン透過路）が開き，開いたポアを電流が外向きに流れることによって，膜電位を静止膜電位に戻すことである．チャネルがK$^+$選択性であることが，生理的細胞内外のイオン環境では，外向き電流を流すことになる．NaチャネルやCaチャネルの開口による活動電位の脱分極相では，それらのチャネルに遅れて開くK$_v$チャネルにより速やかに再分極し，活動電位を短時間で終わらせることができる．このような基本的な性質（K$^+$選択性と脱分極による活性化）はすべてのK$_v$チャネルに共通である．一方，活動電位のどのタイミングで開いてくるか，またいったん開いたチャネルが再分極した後いつ閉じるか，といったゲートのふるまいがK$_v$チャネル分子種で大きく異なり，活動電位の形を多様に調節している．その結果，単一の活動電位への影響だけでなく，活動電位の連続発火パターンを決めることができる．それは次のような機構による．神経は活動電位がいったん始まってしまうと，刺激に対して反応性を示さない時期（不応期）が出現する．このときK$_v$チャネルの開口で膜電位を速やかに再分極し，不応期から脱出させることができる．このとき，いったん開いたK$_v$チャネルが速やかに閉じれば次の発火が起こりやすくなり，開口したままでいれば後過分極電位が現われ発火しにくくなる．

たとえば高頻度発火ニューロンと呼ばれるものでは，脱分極で開いた後速やかに閉じるK$_v$チャネル（K$_v$3）が存在するため，活動電位の持続時間が短く高頻度で発火できる．これとは逆に活性化が遅く，活動電位が頻回に発火するにつれてようやく活性化してくるもの（HERG [human *ether-à-go-go* related gene]チャネルやKCNQチャネル）がある．これらのK$_v$チャネルは再分極してもなかなか閉じないので，発火閾値が高くなり活動電位が起こりにくくなる．たとえば一定量の刺激が持続しているのに活動電位の発火頻度が次第に落ちてくるという現象（発火頻度順応；spike frequency adaptation）がある．これは，順応という基本的な性質をうみだす機構のひとつである（図5.3.1 (a)）．

このようなK$_v$チャネルの役割を如実に示すものがチャネル病といわれるものである．チャネル分子の異常により発生する疾患の総称である．チャネル病の病態を分子的にさぐることによってチャネル分子の機能と生理的役割の関係を明らかにすることができる．たとえば遺伝的な疾患である良性新生児てんかんでは，活動電位の発火頻度を抑えているKCNQチャネルに異常があるため神経が過興奮し，てんかん発作を起こす．

b. 機能

K$_v$チャネルの分子種ごとの特徴を探るには，ツメガエル卵母細胞など，異所性に発現したチャネルに電圧固定実験を行う．どの電位領域で活性化されるか（電位依存性），電流はどのような時間経過（キネティクス）を示すか，というチャネル電流の表現型が明らかになる．電流活性化に速いものや遅いものがあるだけでなく，速や

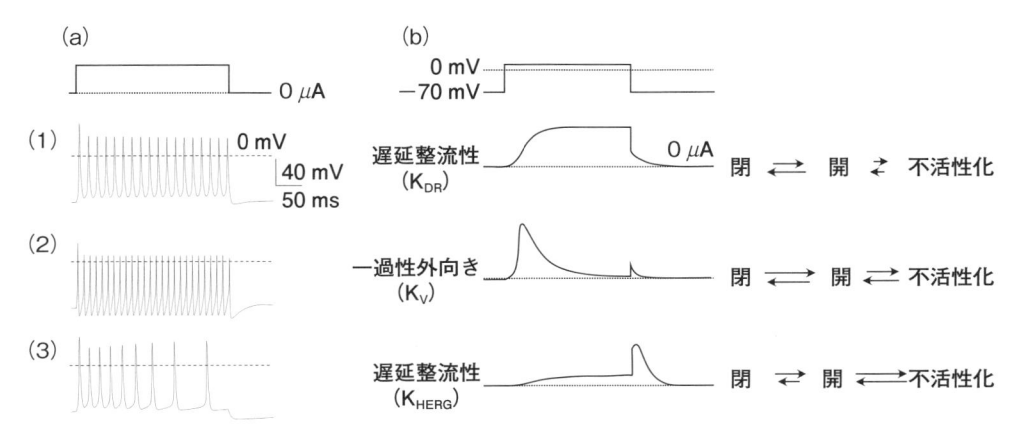

図 5.3.1 活動電位と K_v 電流
(a) 持続的電流刺激に対する活動電位連続発火のシミュレーション．一定量の電流を300ミリ秒間流し，活動電位を誘起した．活動電位開始に必要な電位依存性Naチャネルの性質は変えず，K_vチャネルの性質を変えている．下3図は膜電位変化．(1) ホジキン–ハクスレー方程式による活動電位連続発火．K_vチャネルはホジキンとハクスレーが記述した標準的な遅延整流性Kチャネルである．(2) 高頻度活動電位発火．遅延整流性Kチャネルの性質を変える（活性化する電位を脱分極側にシフトし，脱活性化［開→閉］速度を速くする）ことによって活動電位の持続時間が短縮し発火頻度が高くなった．(3) 発火頻度順応．通常の遅延整流性 K チャネル以外に活性化の遅い HERG チャネルを加えた．活動電位発生の間隔が次第に広くなっている．
(b) 膜電位固定法によるKチャネルの表現型．静止膜電位（-70 mV）に膜電位を固定すると K_v チャネルは閉状態となり電流は流れない．膜電位を脱分極電位にジャンプさせるとチャネルは活性化（閉→開；このとき外向きの電流が流れる）とそれに引き続く不活性化（開→不活性化）を示す（右向きの矢印）．膜電位を元に戻すと逆向きの過程をたどる（左向きの矢印）．上向きのふれは外向き電流．矢印の長さは状態間遷移速度を表す．

かに増大した後にただちに減衰するもの，ほとんど電流が出現せず，電圧を元に戻したときにむしろ大きな電流を発生するものなど，さまざまな電流パターンを示す（図5.3.1 (b)）．これが活動電位の時間経過の中で K_v チャネルの作動するタイミングを規定し，活動電位の形を修飾しているのである．

一見，千差万別にみえる電流パターンは，実はチャネル分子がとる3つの状態の組合せで説明できる．静止膜電位での閉状態（活性化ゲートが閉じている），脱分極で出現する開状態，これに引き続いて起こる不活性化状態（不活性化ゲートが閉じている）である．なかでも，不活性化という概念が電流パターンを読み解くカギである．多くの電位依存性チャネルは脱分極が長く続くと不活性化状態となる．これは電流が流れないという意味では閉状態と同じだが，閉状態とは異なり脱分極で起こりやすい．この3つのカテゴリーの状態が出現する確率とそれが膜電位でどのように変化するか，また状態間の遷移速度がどの程度のものか，このことが電流のパターンを決めている．たとえば，遅延整流性 K チャネルは脱分極で活性化されると電流量は飽和し，減衰しないように見えるが，活動電位の持続時間よりもはるかに長い時間領域ではゆっくりと不活性化する．一方，HERG チャネルは不活性化の速度がきわめて速く，活性化されたものはただちに不活性化されるため脱分極ではほとんど電流が発生しない．前者の場合，閉状態から開状態への遷移速度が速く，開状態から不活性化状態への速度はきわめて遅い．これとまったく逆の場合が HERG チャネルである．

c. 構造とダイナミクス

K_v チャネルがどのような分子機構で働いているかという疑問を解くには立体構造の情報が不可欠である．これまでに主に2つのアプローチがとられてきた．1つは，チャネル分子のパーツ（ドメイン）を切り取って結晶化し，それを組み立てて全体像を構成しようとするもの．もう1つは，チャネルの重要な局所にスポットライトを当て，静止像ではなく動いている像を求めるというものである．

(1) 立体構造

1998年MacKinnonらはKチャネルの結晶化に成功した．ただしそのチャネル（KcsAチャネル：PDBエントリー：1J95）は原核生物（放線菌）由来で2回膜貫通型である．K_vチャネル（6回膜貫通型）のポアドメイン（第5 [S5]，第6 [S6] 膜貫通領域）だけからなる．この構造で特徴的なものは（図5.3.2 (a)），

① M2ヘリックス束（2本の膜貫通領域のうちC末端側のもの．K_vチャネルではS6に相当する）が細胞質側で絞られた構造となり，電流を遮断する活性化ゲートを形成している．

② 選択性特異配列と呼ばれる領域が直径3Å，長さ12Åの細い領域（選択性フィルター）を形成しており，ペプチド骨格の酸素原子が水和水に代わってK^+イオンを取り囲んでいる．

③ 選択性フィルターの細胞内側には直径約10Åの広い空洞（中心空洞）があり，疎水性残基で裏打ちされている．

イオン透過機構の上で重要な構造的特徴は，選択性フィルターと中心空洞の存在である．イオン透過路の半ばにある中心空洞では完全に水和したイオンを収めることができ，二価陽イオンよりも一価陽イオンの方が安定に存在できる．一方，選択性フィルターでは，イオンは完全に脱水和してはじめて収まる．この狭い領域を複数個のイオンが占め，イオンが動くとき互いに追い越せない．これを一列拡散という．選択性フィルターの中には4つのK^+イオン結合部位が直列に存在する．K^+イオンどうしは静電的反発により隣り合って存在することはできず，2つのK^+イオンの間には水分子が挟まれている．したがって4つの結合部位にK^+と水分子が交互に存在し，これがひとかたまりで選択性フィルター内をシフトすることがイオン透過の基本過程である．

ポアドメインの外側に電位依存性ドメインを付け加えればK_vチャネルの全体像が完成するはずである．ごく最近，K_vチャネル構造が明らかになった（Long *et al.*, 2005）．

(2) ダイナミクス

K_vチャネル機能の多様性は，分子種ごとのゲートの振る舞いの差で説明できる．チャネルのダイナミクスを読み取るには，さまざまな方法で特定の部分にスポットライトを当て，その部分の構造変化を見ることが必要である．

活性化ゲート イオンの流れを止めるのはポアを裏打ちしているS6領域のC末端側である．KcsAに対するEPR（電子常磁性共鳴）などの実験では，ヘリックス上のアミノ酸残基に標識を入れ，その距離変化からゲート開閉に伴うヘリックスの動きを知ることができた．活性化ゲートは，S6ヘリックスの途中で折れ曲がり，ヘリックス束の絞りこみが緩められてイオン透過路が開く（図5.3.2 (b)）．

電位センサー チャネル分子の中でもっとも大きな動きがあると考えられているのが電位センサーである．第4膜貫通領域（S4）に正電荷が7個集積しており，そのうちの4個が，静止時に細胞内に向いていたものが脱分極で外に向く．その結果，全体で約13個の電荷が膜電場を横切る．チャネル開口に至る過程は次のようなものである．

① 電位センサーの動きはサブユニット

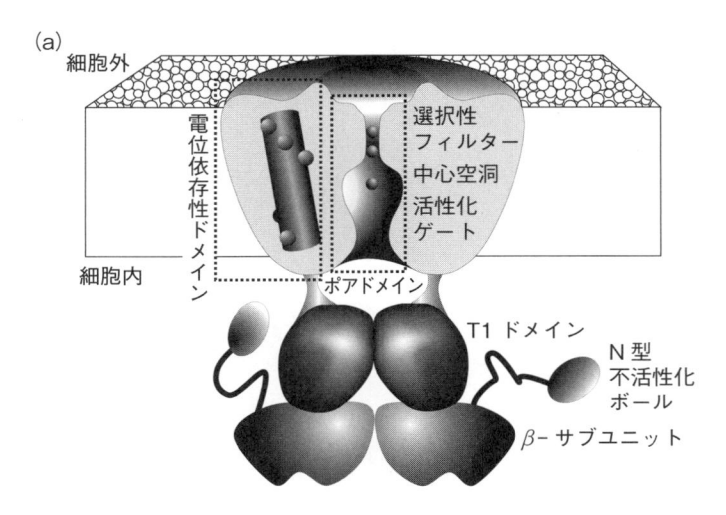

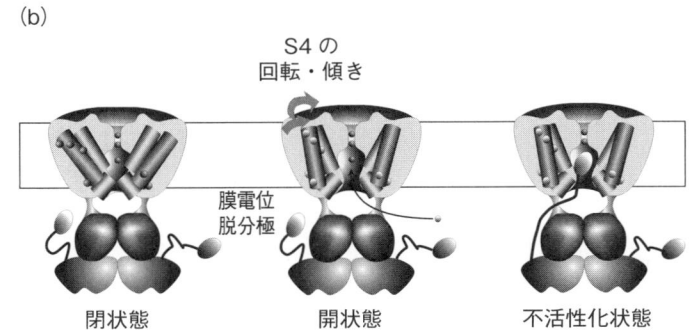

図 5.3.2 K_v チャネルの構造とその変化

(a) 構造の特徴とその名称. K_v チャネルの主サブユニットは, 大きな膜貫通ドメイン（6回膜貫通構造. 電位依存性ドメインとポアドメインからなる）と小さな細胞質ドメイン（T1 ドメイン）からなる. このチャネルでは副サブユニット（β-サブユニット）がT1 ドメインに結合している. ポアドメインの細胞質側に活性化ゲートがある. 電位センサーS4 は α-ヘリックスと考えられており, 正電荷（小さな球）が3残基ごとにあるので, ヘリックス表面をらせん状に並ぶ.

(b) チャネル状態と構造. 膜電位の脱分極によってS4 の正電荷が細胞外に向かって移動する. その動きはヘリックスの回転と傾きの変化である. 途中で折れ曲がったS6 の折れ曲がり部分（活性化ゲート）が閉状態では電流を遮断している. ゲートが開くとイオンは細胞膜ドメインと細胞質ドメインを繋ぐ橋の間をすり抜けてポアに到達する. 活性化ゲートが開いて不活性化ボールが結合すると電流が遮断される（不活性化状態）.

ごとに独立と考えてもよい. その動きは速く, ゲート電流という一過性の電流として捉えることができる.

② 4つの電位センサーがすべて動いた状態が開状態（ホジキン-ハクスレーモデル）ではなく, その後四量体が協同的に構造変化してはじめて開構造となる.

つまりチャネル活性化には, 各サブユニットでの独立した電位センサーの動きと, 四量体として協同性をもった活性化ゲート開口過程が必要である.

それでは電位センサーS4 の実際の動き

はどのようなものだろうか．FRET（蛍光共鳴エネルギー移動）などによる測定では，捉えられたS4の動きはわずかである．ポア軸に対するS4の傾きが小さくなり，軸方向に回転していると考えられている．

現在の研究の焦点は，K_vチャネルがいかにして膜電位の変化を感受し，それをどのように分子内で伝えてゲートを開くに至るのか，という分子内機構をダイナミックな構造変化として捉えることである．今後もK_vチャネルがチャネル研究をリードすることになるだろう．　　〔老木成稔〕

[文献]

1) 老木成稔：機能するKチャネルが見える，蛋白質・核酸・酵素 **45**, 1946-1959, 2000.
2) 老木成稔：カリウムチャネル．イオンシグナルの謎：カルシウムの40億年を渉猟する（唐木英明編），メディカルレビュー社，pp. 99-121, 1999.
3) 老木成稔：Kチャネルの結晶構造に至る道：K選択性透過を担うポア構造，蛋白質・核酸・酵素 **43**, 1990-1997, 1998.
4) 曽我部正博編：イオンチャネル（シリーズ・ニューバイオフィジックス5），共立出版，1997.
5) Morais-Cabral, J. H., Zhou, Y., MacKinnon, R.: Energetic optimization of ion conduction rate by the K^+ selectivity filter, *Nature* **414**, 37-42, 2001.
6) Long, S. B., Campbell, E. B., MacKinnon, R.: Crystal Structure of a Mammalian Voltage-Dependent *Shaker* Family K^+ Channel, *Science* **309**, 897-903, 2005.

5.4 神経伝達物質受容体イオンチャネル

受容体イオンチャネルとは，細胞膜に表在する化学物質受容体が，その分子の一部としてイオン透過を制御する構造を形成するものをいう．イオンチャネル共役型受容体，リガンド制御型イオンチャネルという呼び方もできる．しかし，受容体が別個の分子，たとえばG蛋白などを介してイオン透過を制御する場合（M型Kチャネルなど），細胞における効果としては等価であっても，受容体イオンチャネルとは呼ばれない．

透過イオン種，存在部位，その他いろいろな視点から分類することができるが，分子の類縁性からは，以下の3種類に大別される．

2回膜貫通型　　2X型プリン受容体（P2XR；内在性リガンドはATP）がこれに属する．複数の亜型とそれぞれの中に複数のイソ型が知られ，ホモまたはヘテロ三量体として細胞膜に存在すると考えられている．活性化によって陽イオンを非選択的に透過する．

4回膜貫通型　　ひと昔前，すべての受容体イオンチャネルがこれに属すると考えられていた典型的な分子群で，研究史も長く詳細な解析がなされている．ニコチン性アセチルコリン受容体（nAChR），イオンチャネル共役型グルタミン酸受容体（iGluR），3型セロトニン受容体（5-HT_3R），A型γアミノ酪酸受容体（$GABA_A$R），グリシン受容体（GlyR）が属する．ホモまたはヘテロ多量体（四ないし五量体）を形成して機能する．それぞれに多くの亜型（と

イソ型）が知られる．陽イオンを透過するもの（nAChR, iGluR, 5-HT$_3$R）も陰イオンを透過するもの（GABA$_A$R, GlyR）もあるが，全体として遺伝子配列上の類縁性があり，1つの祖型分子から進化したスーパーファミリーとみなされる．

6回膜貫通型　侵害刺激（機械刺激，熱，酸）のセンサーとして知覚神経末端に存在する非特異的陽イオンチャネル（バニロイド受容体，VR）が，内在性大麻様物質（アナンダミド）を結合して活性化することが最近わかった．しかし体内でもこれが本来性のリガンドとして機能しているかについては議論があり，解明が待たれる．おそらく二量体を形成して機能する．

現在知られるかぎり，いずれの型も分子のN末端に大きな細胞外領域をもち，リガンドとの結合にかかわる（図5.4.1 (a)）．脂溶性の高い膜内領域を偶数個もつので，C末端も細胞外にあるのが本来と思われるが，iGluRではC末端が細胞内にある．これは第2膜内領域（M2）が膜を貫通せず，ヘアピン様になって細胞質側に戻っているためと考えられる（すると膜貫通は3回ということになるが，分子類縁上4回膜貫通型に含める）．またnAChRのδサブユニットのC末端は，細胞内外いずれの場合もあるという．このように第3・第4膜内領域がどちらの向きに貫通していてもよいということは，これらが受容体分子を膜中に立たせる柱として以外には積極的役割をもたないことを意味しているのかもしれない．M2には周期的に親水性アミノ酸が現れ，M2がα-ヘリックス構造をとると，これらが1つの側面に並ぶ．したがって，多量体として集合したとき，各単量体からこの面が派出されてイオンチャネルの孔壁をつくると想像される（図5.4.1 (b)）．

受容体イオンチャネルの透過イオン種選択性は，4回膜貫通型で詳しく調べられている．この型の場合，上述のM2領域が決定的な役割をもつらしい．陽イオンを透過させるnAChRのM2を，陰イオンを透過させるGABA$_A$RのM2に置換してキメラ分子をつくると，陰イオン透過性のnAChRになる．nAChRのα7-サブユニットではM2中の237番グルタミン酸が陰陽イオンの選択に重要という．

さらに陽イオンの間での透過種を決める要因については，iGluRでの解析が詳し

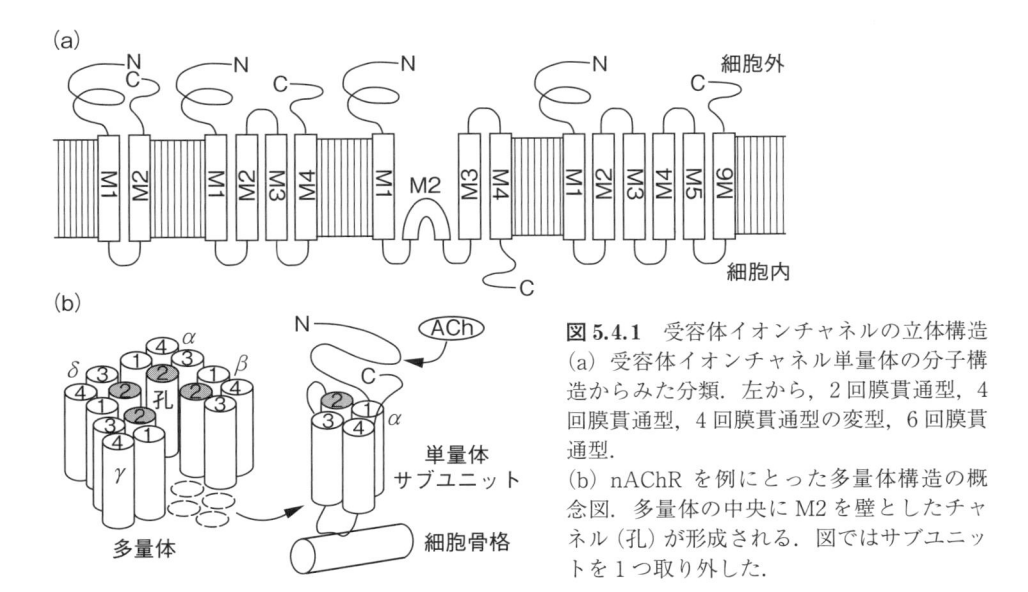

図5.4.1 受容体イオンチャネルの立体構造
(a) 受容体イオンチャネル単量体の分子構造からみた分類．左から，2回膜貫通型，4回膜貫通型，4回膜貫通型の変型，6回膜貫通型．
(b) nAChRを例にとった多量体構造の概念図．多量体の中央にM2を壁としたチャネル（孔）が形成される．図ではサブユニットを1つ取り外した．

い．iGluRのうちAMPA型受容体のM2領域には，Q/R部位と呼ばれる部分がある．ここがグルタミン（Q）であるサブユニットが集合して受容体を形成すると，陽イオンのうちCa^{2+}の透過性が高いものになる．しかし，ここがアルギニン（R）であるサブユニットが1つでも入るとCa^{2+}透過性が失われ，Na^+やK^+などの一価陽イオンしか透過しなくなる．iGluRのうちNMDA型受容体では，その位置はアスパラギンのみで，どのようなサブユニット構成でもNMDA型受容体は常に高いCa^{2+}透過性を示す．

ちなみに触れておくと，AMPA型受容体のQ/R部位を決める遺伝子コドンはCAGで，本来Q指定である．ところが，核内でアデニンデアミナーゼが働くとmRNA上でアデニンが脱アミノ化されてイノシンになり，mRNAのCIGはリボソーム上でCGGとして読まれるため，Qに代わってRが入り，結局遺伝子に規定されていない蛋白質ができあがることになる．これをmRNA編集といい，遺伝学のセントラルドグマを破る特異な現象として，受容体研究分野以外からも多くの研究者が参入して解析がなされている．また，AMPA型受容体が編集を経ずにCa^{2+}透過性をもつと，シナプス後細胞はCa^{2+}過負荷による細胞死に陥りやすくなるはずである．ある種の病態では実際にこの状況が起きているらしく，臨床的にも注目されている．

電位依存性イオンチャネルの場合，イオンが透過するか否かはイオンの大きさ（水中ではイオンは水和しているから，水和水を含めての大きさ）だけでは決まらない（⇨5.1）．また，イオンが順方向に透過する場合と逆方向に透過する場合とで透過しやすさが異なる（整流性）．これらは，透過の際に水和水の剥奪や再水和などの過程がある，いいかえるとチャネルが単なる孔ではないことを示唆するが，受容体イオンチャネルの場合，透過・不透過はほぼ水和イオン半径によって決まり，整流性も少ない．つまりいったん開いたチャネルは孔として近似してよい．ただし，AMPA受容体には顕著な整流性がみられ，イオン透過が化学反応過程を介することを推測させる．

受容体分子の機能はダイナミックに調節を受ける．古くから知られているのは$GABA_AR$のベンゾジアゼピン類（Bzd）による調節である．Bzdの共存によってGABAへの親和性が高まる．これは永く外来性薬物による人為的調節と考えられてきたが，約10年前内在性のBzd様作用物質（エンドゼピン類）が発見されて，生理的調節の反映と考えられるようになった．エンドゼピンはグリア細胞が合成・分泌するペプチドで，その分泌はグリア細胞上の$GABA_B$受容体の活性化によって抑制を受ける．したがって，これはニューロン・グリア連関を介した一種のフィードバック制御と考えられる．

$GABA_AR$を先例として，他の受容体にも同様のリガンドによる調節があるか調べられ，iGluRに類例が見出された．NMDA受容体にはグリシンが増強効果を示す．グルタミン酸が一定の低濃度で存在する状況では，NMDA受容体の活性化はむしろグリシンの存否によって制御されさえする．グリシンは通常GlyRを介して抑制性伝達を担うが，NMDA受容体を介しては興奮性に働く．生体内でどのように「使い分け」られているかは未解明である．部位差とも，溢出物質の側方効果（スピルオーバー）とも考えられる．

NMDA受容体について，もう1つ重要な内在性リガンドはMg^{2+}である．Mg^{2+}はシナプス間隙に高濃度で常在し，これによってNMDA受容体は通常，機能不能の状態におかれている．ところが，AMPA受容体の強い活性化や他の原因によってシナプス後細胞が脱分極状態にあると，こ

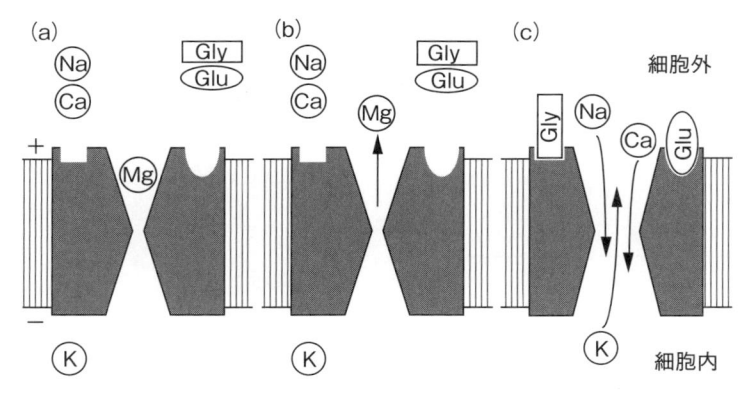

図 5.4.2 NMDA 受容体における多種リガンドによる機能調節の模式図
(a) 静止膜電位下, (b) 脱分極下, (c) 脱分極かつリガンド作用下.

の Mg^{2+} は排除（キックアウト）され, ここでグルタミン酸が来れば NMDA 受容体が活性化される. NMDA 受容体の特徴は, 前述のように Ca^{2+} 透過性にある. すなわち, 他シナプスの活動による脱分極と当シナプスの活動によるグルタミン酸放出とが同時に起こった場合にのみ, 当シナプスに Ca^{2+} 流入が起こることになる（図 5.4.2）. 詳細は 5.17 節に譲るが, この Ca^{2+} はカルモジュリン依存性蛋白キナーゼ等の活性を介して, AMPA 受容体またはその付随分子のリン酸化を促し, その結果当シナプスの伝達効率が長時間増強される. ヘッブは 1949 年, 記憶の本質は, 2 つの入力の同時生起によってシナプスが強化され, 入力の連合が起こることであると提唱したが, NMDA 受容体の Mg^{2+} 抑制と脱分極による解除の発見によって, 今や記憶のヘッブ性は一蛋白質の性質に還元されたことになる.

nAChR に対してもステロイドが調節を行うことが見出されており, ヘテロ多量体の受容体が複数種のリガンドによって制御されるのは, むしろ一般的な性質かもしれない.

受容体がリガンドに暴露され続けると不活性状態に入る. これを脱感作といい, G 蛋白共役型の受容体の脱感作がリン酸化を介するという知見にならって, 受容体蛋白のリン酸化によると考えられているが, 機構の詳細は不明である.

受容体は膜蛋白であるが自由に側方移動はせず, シナプス後膜の特定の位置に局在する. それは直接または介在蛋白を介して細胞内骨格と結合しているためと考えられる. 最近, 細胞骨格との結合の意義は, 局在の保証以外に機能的受容体の数の制御にあるとする見方も行われるようになった. AMPA 受容体の一部は細胞内に係留されていて通常機能しないが, 蛋白キナーゼ活性を介して表在化する. これをサイレントシナプスの活性化といい, 伝達効率増強の機構の 1 つとされるが, このとき細胞骨格との相互作用が必要とされる.

〔小倉明彦〕

[文献]

1) Receptor & Ion Channel Nomenclature Supplement. *Tr. Pharmacol. Sci.* 誌別冊付録（毎年更新される優れた一覧表）.
2) 東田陽博編：イオンチャネル 1・2, メジカルビュー社, 1993.
3) 井村裕夫他編：レセプター—基礎と臨床, 朝倉書店, 1993.

5.5 機械刺激受容チャネル

a. 背景と歴史

あらゆる細胞は機械刺激を感じて応答する．内耳有毛細胞，皮膚触覚器，内臓伸展受容器などの機械受容器はもとより，ごく普通の非感覚細胞も機械刺激に応答する．植物や骨芽細胞は重力を感知して根/茎の成長方向や骨形成を調節する．心筋への過大な伸展刺激は不整脈や心肥大などの深刻な病態を招く．血管内皮細胞は血流や血圧を感知して血管平滑筋の収縮度を制御し，血圧の調節に寄与する．外来刺激のみならず，細胞の成長，分裂，形態変化，運動に伴って細胞の各所に多様な内在力が発生して細胞応答を修飾している．このように細胞の機械刺激受容能は広範な生命現象を支える根本的な機能であり，基礎生物学だけではなく，臨床医学や宇宙医学の発展に欠かせないきわめて重要な研究課題である．しかし，機械刺激の受容から応答に至る分子機構の大半は謎のまま推移してきた．その最大の理由は機械刺激の受容体（センサー）が不明であったことにある．1984年に最初の機械センサーである機械刺激受容（mechanosensitive：MS）チャネルが発見され，1994年にはMSチャネルの遺伝子が大腸菌で同定された．また最近，最も一般的なCa^{2+}透過性MSチャネル遺伝子の1つが真核生物の酵母で発見され（1999），ようやく飛躍的発展が望める状況になってきた．

b. MSチャネルの多様性と遺伝子

MSチャネルは細胞への機械刺激で開閉が制御されるイオンチャネルの総称で，現在明瞭に同定されている唯一の機械センサーである．多くは機械刺激による膜伸展で活性化されるので伸展活性化（stretch activated：SA）チャネルと呼ばれる場合が多い．Ca^{2+}透過性の陽イオン選択型が一般的で，大腸菌からヒト細胞に至る広範な細胞種に発現している．その活性化は膜の脱分極や細胞内Ca^{2+}上昇を導いて，多様な細胞応答を引き起こす．さまざまなイオン選択性（陽イオン，K^+，Ca^{2+}，Cl^-）やコンダクタンス（数十pS〜数nS），あるいは活性化のモード（膜伸展で不活性化，膜の凹み刺激で活性化，ずり応力で活性化）をもつものがあると同時に，既知のイオンチャネル（L型Ca^{2+}チャネル，Ca依存性bigKチャネルなど）で機械感受性を示すものも知られている．現在一次構造がわかっているのは，大腸菌/古細菌由来の巨大なコンダクタンスを有する無選択性のMS（*MscL*, *MscS*）チャネル，哺乳類由来のK^+選択性のMS（*TREK*, *TRAAK*ファミリー，bigK（*slo*）の一部）チャネル，そして陽イオン選択性の酵母MS（*MID1*）チャネルである．このうち高次構造が判明しているのは*MscL*と*MscS*チャネルのみで，前者は膜2回貫通型，後者は膜3回貫通型のサブユニットが膜内でそれぞれホモペンタマーとホモヘプタマーを構成する．

c. MSチャネルの分布と機能

高等動物には，聴器，前庭器，皮膚機械感覚器，筋紡錘，臓器伸展受容器など多様な機械感覚器が分布している．そこで機械刺激を感受するセンサーの実体はMSチャネルであると信じられているが，内耳有毛細胞を除いては技術的理由から十分な解析が行われておらず，その分子実体も明らかではない．一方で，骨格筋，心筋，上皮，神経など，多くの非感覚細胞でパッチクランプ法による詳しい解析が行われてきたが，その生理的役割は必ずしも明らかでは

ない．おそらく体積調節や運動のような細胞の基本的機能にかかわるに違いないが，多くの関心は血圧や血流のような機械刺激の感受にかかわる循環系細胞の MS チャネルに向けられている．内皮細胞には陽イオン選択性の MS チャネル（約 35 pS）が発現しており，この活性化で細胞内 Ca^{2+} 濃度が上昇する．血圧上昇による血管拡張がこのチャネルを活性化して細胞内 Ca^{2+} の上昇を導き，血管収縮性物質（エンドセリン I など）の分泌を亢進する．一方，血流増加によるずり応力上昇に対して内皮細胞の未知の機械受容体が反応して，血管拡張物質（NO など）が分泌され，前者と協同して血圧や血流を調節しているようである．心筋には陽イオン選択性以外に複数種の K^+ 選択性，あるいは Cl^- 選択性の MS チャネルが発現している．これらの役割分担は不明だが，伸展誘発性不整脈発生では陽イオン選択性 MS チャネルの活性化による膜の脱分極が関連するといわれている．伸展依存性心肥大への関与については不明だが，伸展依存性の Ca^{2+} 流入が心肥大のトリガーになるという知見がある．筋ジストロフィーモデルである *mdx* マウスの病態進行に伸展不活性型 MS チャネルの異常亢進による細胞内 Ca^{2+} 上昇が関連するという報告もある．また細胞増殖調節との関連で癌化，あるいは微小重力下での骨脱灰との関連も示唆されている．

d. 活性化機構とブロッカー

MS チャネルの多くは，見かけ上膜伸展に伴う膜張力で活性化する．しかし，機械刺激による細胞膜の伸展度は脂質二層膜の破壊限界（3〜5％）をはるかに超えることから，見かけの膜伸展の背後には新たな脂質の供給がある可能性が高く，脂質膜の張力が真の刺激かどうかには疑問がある．そこで，MS チャネル間を連結する裏打ち細胞骨格に生じる張力が真の刺激ではないかとの考えが提唱されている（図 5.5.1）．細

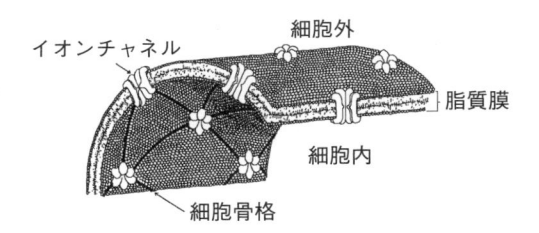

図 5.5.1 裏打ち細胞骨格仮説
細胞膜が伸展するとチャネル蛋白質間を連結する細胞骨格が伸張して MS チャネルを開く．

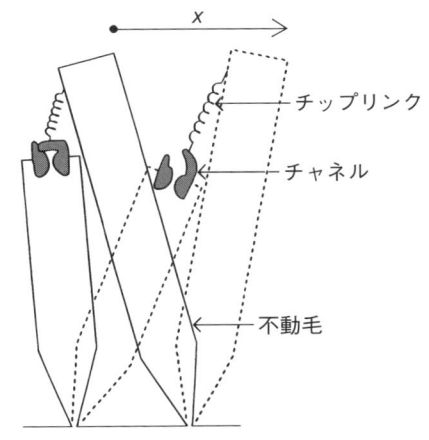

図 5.5.2 チップリンク仮説
機械刺激で有毛細胞の毛束（不動毛）が右側に傾くと，不動毛間を連結するチップリンクが伸張して MS チャネルが開く．

胞骨格は脂質膜より弾性係数が大きいので，微小な変形（伸張）で大きな張力をチャネルに伝えられる可能性がある．内耳有毛細胞の毛束先端に分布すると思われている MS チャネルでは，毛束間を連結するチップリンクという細胞外繊維に生じる張力がチャネルを活性化するとする説が有力である（図 5.5.2）．また最近筆者らは内皮細胞を用いて，膜の変形を伴わずに直接細胞骨格にストレスを与えて MS チャネルを活性化することに成功している．一方，細胞骨格を含まないリポソームに再構成された大腸菌 MscL チャネルは，パッチ電極内の強い陰圧刺激で活性化するので脂質膜に生じる何らかの力で活性化される MS チャネルが存在するのも事実である．この力の

正体は不明だが，脂質二層膜の変形で生じる内葉-外葉間の歪みに起因する可能性がある．外葉あるいは内葉の一方に潜り込む解離性両親媒性薬物（クロルプロマジンやトリニトロフェノールなど），あるいは一方から添加したリゾリン脂質など，脂質膜の変形を誘起する物質によるMSチャネルの活性化がこの説を支持している．MSチャネルの型によって活性化機構が違うのかもしれないが，詳細はチャネルと脂質/細胞骨格複合体の高次構造の解析に待たねばならない．

MSチャネルに特異的なブロッカーは知られていないが，ランタノイドであるガドリニウム（Gd^{3+}）が多くのSAチャネルを10μM程度で強く抑制し，有効なブロッカーとして広く用いられている．このほか，ネオマイシンなどのアミノ配糖体がカチオン選択性のMSチャネルをブロックする．最近クモ（タランチュラ）毒に含まれるペプチド（GsMtx-4）がMSチャネルの特異的ブロッカーになりうることが示され，注目されている．一方，細胞膜に変形をもたらす前述の両親媒性物質はMSチャネルを活性化する．

今後の課題

最近のトピックは，MSチャネルの分子（遺伝子，蛋白質）実体の解明である．とりわけ，生理的に最も重要な陽イオン選択性MSチャネルの遺伝子の発見が注目されている．現在のところ，この型のSAチャネル遺伝子（MID1）は酵母でしか確認されていないが，今後の重要課題は高等生物におけるMID1遺伝子ホモログ，あるいは新規の陽イオン選択性MSチャネル遺伝子の解明である．線虫MEC/DEGファミリーに属する膜2回貫通型イオンチャネル，BNC1（brain sodium channel）と哺乳類皮膚毛包受容器の関連，TRPチャネルファミリーに属するNOPMC（no mechanoreceptor potential C）とVR-OAC（vanilloid receptor-related osmotically activated channel）がそれぞれショウジョウバエの機械受容と哺乳類の皮膚/聴器の機械受容に関連することが示唆されている．残念ながら，これらがMSチャネルであるという直接証明はないが，これらのチャネルファミリーの一部が，高等動物のMSチャネルをコードする可能性が高まっている．最近，TRPチャネルファミリーに属するTRPC1がMSチャネルであることが証明された．さらに，最近ラットの膀胱に分布する伸展受容器においてプリン受容体の1つであるP_2X_3受容体チャネルが伸展感知に関与することが明らかになった．ただし，P_2X_3がMSチャネル活性を示すのではなく，伸展刺激によって細胞内から細胞外へのATP放出が生じ，これがオートクリン，パラクリン的にP_2X_3受容体を活性化するのである．機械刺激に対するATP放出は，血管内皮細胞をはじめとして多くの細胞で観察されており，機械刺激で活性化される陰イオンチャネルの関与も指摘されているが，その実体は未だに謎である．

〔曽我部正博〕

[文献]

1) 吉村健二郎，野村 健，曽我部正博：細胞メカノセンサーの実体と機能，日本物理学会誌 **62**(1), 9-15, 2007.
2) 岸上明生，曽我部正博：機械刺激を感知するイオンチャネル：TRPチャネルを中心に，別冊・医学のあゆみ，162-167, 2005.
3) Martinac, B.: Mechanosensitive ion channels: molecules of mechanotransduction, *J. Cell Sci.* **117**, 2449-60, 2004.
4) 曽我部正博：変形する細胞の"力覚"モデル，*BioNics* **1**(1), 44-49, 2004.
5) 曽我部正博，成瀬恵治，唐 涼瑶：新規MSチャネルSAKCAと新規MSチャネルブロッカーGsMTx-4, 日本薬理学雑誌 **124**(5), 311-318, 2004.
6) 古屋喜四夫，秋田久美，曽我部正博：乳腺における機械刺激とATP放出，日本薬理学雑誌 **123**(6), 397-402, 2004.
7) 早川公英，曽我部正博：インテグリンとメカニカルストレス，Heart View（11月増刊号），103-105, 2003.

5.6 その他のイオンチャネル

通常細胞内のカルシウム濃度は$0.1\mu M$程度と低濃度であるが，細胞外液中にはその1万倍以上の$1\sim 2mM$のカルシウムが存在している．そのため細胞の刺激による細胞内カルシウム濃度の上昇は，細胞内シグナルとして数々の細胞応答を引き起こす．この細胞内カルシウム濃度の上昇には，細胞外からの流入と細胞小器官である小胞体からの放出がある．この細胞内からのカルシウム放出に関与しているのが，リアノジンレセプター（RyR）とIP$_3$レセプター（IP$_3$R）である．

a. リアノジンレセプター

骨格筋の収縮は細胞小器官である筋小胞体からカルシウムが遊離されることによって起こる．この筋小胞体からカルシウムを放出するイオンチャネルがRyRである．横紋筋（骨格筋と心筋）ではRyRが中心的なカルシウム放出チャネルとして機能し，非興奮性細胞ではIP$_3$Rが中心的できわめて重要であり，神経細胞や平滑筋では両レセプターが刺激に応じて使い分けられたり協調的に働いているようである．

筋小胞体のカルシウム放出にかかわるイオンチャネルは早くから研究対象であったが，植物アルカロイドであるリアノジンがこのチャネルを開口固定し，筋拘縮を起こすことが発見され，リアノジンを結合する分子として単離された．これがRyRである．これは分子量約50万の大きな分子で四量体をつくり，その中央がカルシウムを通すチャネルであると考えられている．分

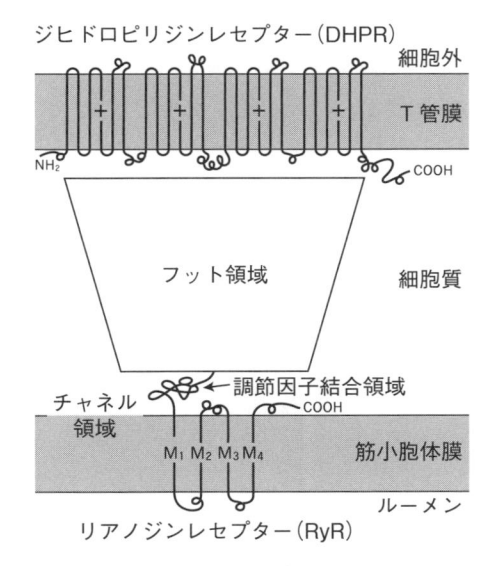

図5.6.1 骨格筋の三つ組構造におけるRyRとDHPRの推定分子構造

膜電位変化によるDHPRの構造変化がRyRのフット部位を通してチャネル部位に伝わり，筋小胞体からのカルシウム放出が起こると考えられる[2]．

子としてはC末端側が4回膜を貫通しチャネルを形成し，N末端側の大きな部分は細胞質側に出ている（図5.6.1）．最近の研究によるとM4のC端側は，さらに4回膜を貫通し，C端に近い2つがポアを形成しており，ポアはKcsAチャネルとの相同性が指摘されている[5]．

このRyRには脊椎動物では遺伝子の異なる1型，2型，3型のサブタイプ（RyR-1, RyR-2, RyR-3）が存在する．いずれもホモ四量体を形成して小胞体膜上のカルシウム放出チャネルを構成する．どのサブタイプも細胞質のカルシウムによって活性化される性質（Ca^{2+}-induced Ca^{2+} release：CICR）をもっている．横紋筋では，細胞膜が嵌入した横管膜系（T管膜）と筋小胞体が約12 nmの間隙をはさんで向かい合う近接構造をとり，RyRは筋小胞体上に存在し，N末端側の大きな部分がいわゆるフット構造を形成し，T間膜上に存在するL型カルシウムチャネル（ジヒドロピリ

ジンレセプター，DHPR）と対峙していわゆる三つ組構造をとっている（図5.6.1）．このRyRは，細胞膜の脱分極に際して，DHPRから情報を受け取ってカルシウムを筋細胞質中へ放出するいわゆる興奮収縮連関に関与する．心筋細胞では，カルシウムスパークを呼ばれる局所的な一過性細胞内カルシウム濃度上昇が観測され，これは数個のRyRを介する単位カルシウム放出と考えられている．心筋細胞の興奮収縮連関では，DHPRを介するカルシウム流入によってCICRを介してRyR-2が活性化され，大量のカルシウムスパークが生じてカルシウム動員につながる．一方，骨格筋の興奮収縮連関では，心筋と異なりCICR機構ではなくDHPRとRyR-1の間の直接カップリングによりカルシウム放出が制御されていると見られている．この過程を電位依存性カルシウム放出（voltage-induced Ca^{2+} release：VICR）ともいう．VICRにおけるDHPRとRyR-1の信号伝達にはDHPRのリピートIIとIIIの間の細胞質ループが関与していることがわかっている．

RyR-1は骨格筋型と呼ばれ骨格筋において大量に存在する．しかし，脳にも発現しており，とくに小脳に多い．骨格筋ではこれが三つ組構造をとり，興奮収縮連関の信号伝達に働いているのである．RyR-2は心筋型と呼ばれ，心筋細胞で大量に発現しているが，平滑筋や脳のほぼ全般の神経細胞にも発現が見られる，興奮性細胞では最も一般的なCICRチャネルであると考えられる．RyR-3は脳型と呼ばれるが，中枢神経だけではなく，平滑筋，骨格筋，一部の上皮細胞やリンパ球培養細胞などにおいても発現している．哺乳動物の脳ではすべてのサブタイプが特徴的なパターンで発現しているが，全体としてはRyR-2の発現量がいちばん多い．また，哺乳動物の骨格筋ではRyR-1が大量発現しているが，RyR-3も少量発現しており，横隔膜で多

い．また，カエルでは骨格筋にRyR-1とRyR-3がほぼ当量発現しており，これらはRyR-α，RyR-βとも呼ばれる．

b. IP_3レセプター

細胞膜に存在するイノシトールリン脂質（phosphatidylinositol：PI）の1つであるPI4,5ビスリン酸（PIP_2）が，細胞外からの刺激によってG-蛋白を介して活性化されたホスホリパーゼC-βによって切断され，ジアシルグリセロールとイノシトール1,4,5-トリスリン酸（IP_3）になる．このIP_3が細胞内シグナル分子として小胞体膜上に存在するIP_3Rに働き小胞体からのカルシウムを遊離させ，このカルシウム濃度変化が細胞内シグナルとして働く．このカルシウム遊離をIP_3-induced Ca^{2+} release（IICR）と呼ぶ．このIP_3Rには遺伝子が異なる3種のサブタイプ（IP_3R-1, IP_3R-2, IP_3R-3）が存在し，その分子量は約30万で，RyRより少し小さい．その発現量はサブタイプごとに異なっている．たとえば，IP_3R-1は中枢神経の主たるサブタイプであり，平滑筋細胞でもこれが主である．一方，肝細胞ではIP_3R-2が主であり，心筋細胞でもこれが主に発現している．ただし，心筋細胞の収縮に関与するのはRyR-2であり，IP_3R-2の生理的機能は不明である．また，IP_3R-3は外分泌腺細胞などで多く発現している．しかし，いずれの細胞でも，すべてのサブタイプが発現していてその量比が異なる．また，リアノジンレセプターと異なりこれらはヘテロ四量体も構成する．

リアノジンレセプターとIP_3レセプターは多くの共通点があり，とくに膜貫通部位と考えられるところではアミノ酸配列の相同性がある．遺伝子配列の相同性を基に系統樹を描くと図5.6.2のようになる．両者は共通の分子から進化したようだ．また，線虫やショウジョウバエでは単一のリアノジンレセプターの遺伝子が同定されて

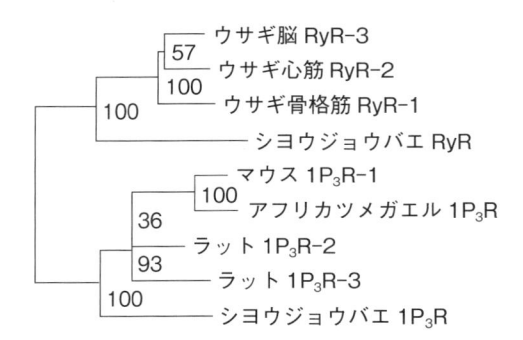

```
            ┌──── ウサギ脳 RyR-3
         ┌57┤
         │  └──── ウサギ心筋 RyR-2
      100┤
         └─────── ウサギ骨格筋 RyR-1
  ───────────── ショウジョウバエ RyR
            ┌──── マウス 1P₃R-1
         100┤
      36 │  └──── アフリカツメガエル 1P₃R
      ┌──┤
      │  └─────── ラット 1P₃R-2
   93 ┤
      └────────── ラット 1P₃R-3
  100
  ───────────── ショウジョウバエ 1P₃R
```

図 5.6.2 細胞内カルシウムチャネルの系統樹
一次構造の相同性にもとづき解析したもの[2].

おり，無脊椎動物で単一だった分子が脊椎動物になって遺伝子重複によって3種のアイソマーになったと思われる．同じことがIP_3レセプターについてもいえる．

c. バクテリアのイオンチャネル

その他の特殊なイオンチャネルとして，バクテリアに存在するKチャネルがある．これはKcsA Kチャネルと呼ばれる．それは真核細胞の内向き整流Kチャネルのように，膜を2回貫通した形で，四量体でチャネルを形成しており，イオンチャネルの中で最初にX線構造解析がなされたものである．放線菌から発見され構造解析がされたが，大腸菌にも存在し，広くバクテリアに存在する．そのKチャネルは，pH感受性，弱い電位感受性があり，整流性も見つかっている．しかしその機能については明らかではない．また，このチャネルは真核細胞に存在するさまざまなKチャネルとの相同性も指摘されている．

〔葛西道生〕

[文献]

1) 竹島　浩：リアノジンレセプターと細胞内Ca^{2+}ストア，生化学 **73**, 5-14, 2001.
2) 竹島　浩：カルシウム放出チャネル/リアノジンレセプターの構造と機能，ブレインサイエンス最前線，pp.82-94, 講談社, 1996.
3) 御子柴克彦, 他：IP₃レセプター，蛋白質・核酸・酵素 **43**, 1596-1602, 1998.
4) 老木成稔：Kチャネルの結晶構造に至る道，蛋白質・核酸・酵素 **43**, 1990-1997, 1998.
5) Du, G. G. *et al.*: Topology of the Ca^{2+} release channel of sketetal muscle sarcoplasmic reticulum (RyRl), *Proc. Nat. Acad. Sci.* **99**, 16725-16730, 2002.

II. シナプス伝達

5.7 ニューロン

ニューロン（神経細胞）は核を含む細胞体から長い神経突起（樹状突起および軸索）を伸ばした構造をもつ．脊椎動物の神経突起は入力部位（樹状突起）と出力部位（軸索）が構造的に明確に分けられる場合が一般的であるが，同一の樹状突起が入出力の両方を担っている場合も少なくない（嗅球僧帽細胞など）．無脊椎動物では入力部位と出力部位の区別が明確でない場合が多い．ニューロンの中でとくに感覚刺激に直接反応したり，感覚受容器から感覚情報を受け取るものを感覚ニューロン，筋肉を支配し筋収縮を生じるものを運動ニューロンと呼ぶ．脊椎動物の軸索の多くはグリア細胞（オリゴデンドロサイトまたはシュワン細胞）が形成する絶縁性の高いミエリン鞘で覆われているが，このような軸索を有髄軸索という．ミエリン鞘をもたない軸索を無髄軸索という．典型的なニューロンの形態を図5.7.1に示す．

ニューロンは神経回路を形成して相互に情報伝達を行う．ニューロンどうしやニューロンと効果器が接する部分にはシナプスが形成され，これを介して情報伝達が行われる．シナプスには化学シナプスと電気シナプスがある．化学シナプスは神経伝達物質を介して，原則的にシナプス前細胞からシナプス後細胞への一方向性の情報伝達が行われるもので，伝達物質とレセプターの種類によりいちじるしく多様性がある．化学シナプスの形成される部位は樹状

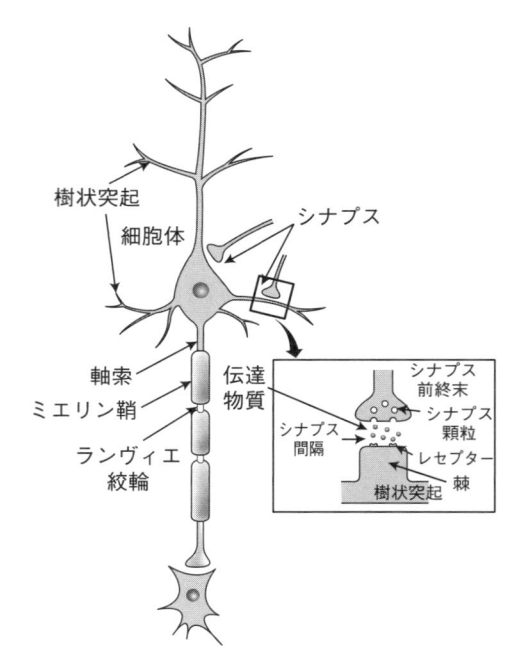

図5.7.1 ニューロンの構造

突起，細胞体，軸索など多様である．樹状突起上のシナプスでは，シナプス後膜側にはしばしば棘（スパイン）と呼ばれる構造が見られる．化学シナプスでは，シナプス前終末が脱分極すると電位依存性カルシウムチャネルの開口が引き金となって細胞間隙に伝達物質が放出され，これがシナプス後膜のレセプターに結合してシナプス後細胞の膜コンダクタンスを変化させる．電気シナプスはシナプス前膜とシナプス後膜の間を貫通するチャネル分子（コネクソン）によって2つの細胞の細胞質が直接結合するギャップ結合が形成されたものであり，脊椎動物の網膜などで見られ，一般的に双方向性に電気緊張的電位の伝達を可能にするものである．以下では化学シナプスについて述べる．

シナプス伝達が行われると，シナプス後細胞ではシナプス電位が生じる．シナプス電位の極性はその反転電位（電位変化がゼロになる電位）と静止電位の関係で決まり（⇨5.1），反転電位が静止電位より高けれ

ば脱分極，低ければ過分極をもたらす．興奮性シナプスはその反転電位が活動電位発生の閾値より高いものであり，ニューロンの発火を増加させる働きをする．抑制性シナプスは逆にその反転電位が閾値より低いものであり，発火を抑制する．興奮性シナプスは一般的に非選択的カチオンチャネル（Na^+，K^+，Ca^{2+} などを透過する）を開口させ，抑制性シナプスは K^+ または Cl^- チャネルを開口させるものである．ただし Cl^- チャネルは興奮性に働く場合もある．脊椎動物の中枢ではグルタミン酸が興奮性，γ-アミノ酪酸（GABA）が抑制性の代表的な伝達物質である．

1つのニューロンにおいて複数のシナプス入力が生じたとき，シナプス電位の重畳が生じるが，シナプス入力は電位変化と同時に膜コンダクタンスも変化させるため，単独のシナプス電位の線形和にはならない．また重畳の生じ方はシナプス入力部位の空間的配置にも依存する．抑制性シナプス入力はその反転電位が静止電位と近いため，それ自体は電位変化をあまり生じないにもかかわらず興奮性入力をいちじるしく減弱させることがある．この場合抑制性シナプスは膜電位を低下させるというより膜コンダクタンスを増加させて，興奮性シナプスの効果を弱めていると考えるのが適当である．

神経細胞が出力を出す（シナプス前終末から伝達物質が放出される）ためにはシナプス前終末の脱分極が必要であるが，このためには必ずしも活動電位は必要ない．入力部位と出力部位が近接しているニューロンでは活動電位を発生せず，電気緊張的電位により出力が決定されるものもある（ノンスパイキングニューロン，たとえば網膜双極細胞）．しかし電気緊張的電位は細胞膜を通る電流の漏れにより減衰するため遠距離の情報伝達には適さない．このため入力部位と出力部位が離れているニューロンは活動電位により出力部位へ情報を伝える（スパイキングニューロン）．活動電位は膜電位が一定の閾値以上に上昇（脱分極）すると悉無律に従って発生し，非減衰的に細胞内を伝わる．活動電位は通常は電位依存性 Na^+ チャネルが開くことが引き金となって発生し，その後 Na^+ チャネルの不活性化と K^+ チャネルの活性化を伴って膜電位が静止レベルに戻るもので，ホジキン-ハクスレー（Hodgkin-Huxley）方程式で記述される（⇨5.1）．いったん発生した活動電位は基本的にすべて同じ波形をもつので，ニューロンがコードする情報はすべて活動

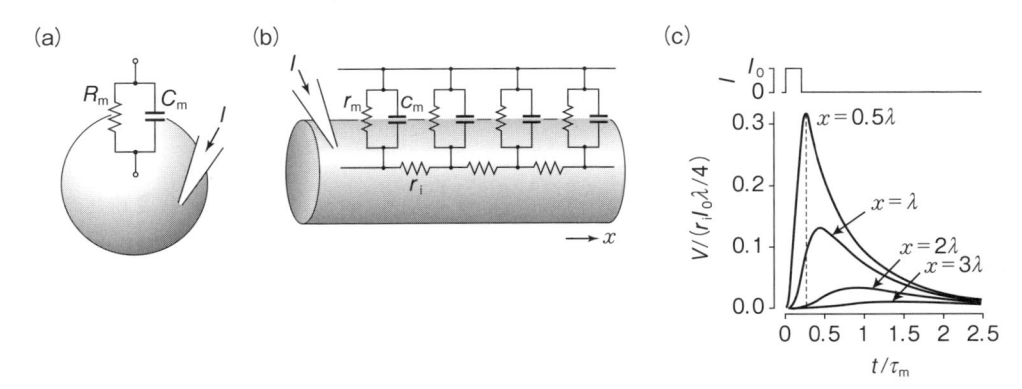

図 5.7.2 ニューロンの等価回路
(a)細胞体の等価回路．(b)ケーブルモデル．(c)無限ケーブルの $x=0$ の点に時刻 $t=0$ で電流パルス（振幅 I_0，持続時間 $0.2\tau_m$，$\tau_m=r_mc_m$ は膜の時定数）を加えたときの電位変化．ケーブル上の位置 x は空間定数 $\lambda=\sqrt{r_m/r_i}$ を単位として表してある．破線で $x=0.5\lambda$ におけるピークの位置を示す．刺激部位から離れるにつれて電位の減衰が大きくなり，またピークに到達するまでの時間が長くなることがわかる．

電位の時系列に含まれることになる.

ニューロンにおいて外部入力によって生じる膜電位変化を考える場合，ニューロンを膜抵抗と膜容量からなる等価電気回路として扱う（図5.7.2）. 微小な電位変化の場合は膜抵抗がオームの法則に従う（線形モデル）として扱ってよい. 細胞体のみを考える場合は空間的広がりは問題にならないので，単に抵抗と容量が並列に並んだ回路を考えればよく，

$$C_m \frac{dV}{dt} + \frac{V}{R_m} = I$$

で表される. ここでVは膜電位，R_mは細胞の膜抵抗，C_mは膜容量であり，Iは外部からの入力電流である. 軸索や樹状突起のような空間的広がりをもつ構造を考える場合は，空間的特性を考える必要がある. この場合，円筒状の膜から構成される等価回路を考えることになり（ケーブル理論），次のケーブル方程式

$$c_m \frac{\partial V}{\partial t} + \frac{V}{r_m} = \frac{1}{r_i} \frac{\partial^2 V}{\partial x^2} + i$$

で表される. ここでr_iは樹状突起（軸索）の細胞質の軸方向単位長さの抵抗，r_mは単位長さの膜抵抗，c_mは単位長さの膜容量，iは単位長さ当たりの外部入力電流である. ケーブルの原点に電流を加えたときの電位は原点から離れるにつれて減衰し，また時間遅れをもつようになる. またケーブルの各部分はローパスフィルターの性質をもつので，時間経過の速いシナプス入力ほど減衰が大きい.

半無限ケーブルの入力抵抗は，原点に一定の電流を注入したときの原点の定常電位から求められ，

$$R_{in} = \sqrt{r_i r_m} = \frac{2}{\pi d^{3/2}} \sqrt{\rho_i \rho_m}$$

となる. ここでdはケーブルの直径，ρ_iは細胞質の抵抗率，ρ_mは単位面積の膜抵抗である. このように樹状突起の入力コンダクタンスが直径の3/2乗に比例するので，1本の樹状突起（直径d）がn本の樹状突起（直径d_k, $k = 1, \cdots, n$）に分岐しているときに

$$d^{3/2} = \sum_k d_k^{3/2}$$

が満たされれば直径dの樹状突起が分岐しないで伸びている場合と電気的に等価になる（ロールモデル）. 多くのニューロンで実際にこの3/2乗則がよく成り立っていることが知られている.

シナプス入力を受けてニューロンが脱分極すると，閾値に達した部位から活動電位が発生する. 脊椎動物の多くのニューロンでは軸索起始部で最も閾値が低いため，樹状突起におけるシナプス電位は電気緊張的に軸索まで伝わった後活動電位が発生する（図5.7.3）. このようにして発生した活動電位は軸索の先端に向けて順行性に伝導すると同時に，樹状突起へ逆行性に伝導する. この様子はパッチクランプ法による同時記録で示されている. ただし樹状突起で活動電位が発生する場合も知られている. 一般に細胞体と樹状突起では電気的特性（電位依存性チャネルの構成）が異なるため，活動電位の波形が異なる.

活動電位は軸索上を形を変えずに一定速度で伝導するため，波動方程式

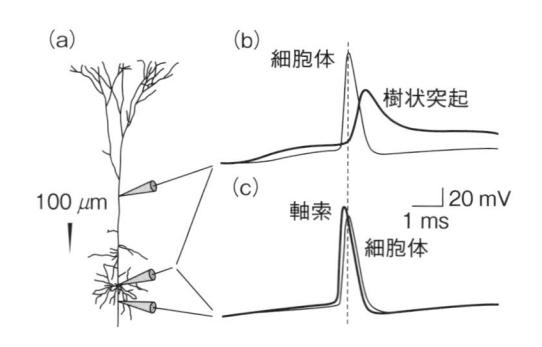

図5.7.3 活動電位の発生[4]
大脳新皮質第5層錐体細胞（a）の樹状突起にシナプス入力を誘発したときの樹状突起（細胞体から270 μm離れた部位）と細胞体の同時電位記録（b），および細胞体と軸索（細胞体から17 μm離れた部位）の同時電位記録（c）を示す. 活動電位が軸索で発生し，細胞体と樹状突起へ逆伝播することがわかる.

$$\frac{\partial^2 V}{\partial x^2} = \frac{1}{\theta^2}\frac{\partial^2 V}{\partial t^2}$$

で表される．ここで θ は伝導速度である．これにケーブル方程式を適用し，異なる軸索の間で I, V, t の関係が不変であることを要請すると，

$$\theta \propto \sqrt{d/\rho_i}$$

の関係が導かれ，（無髄軸索の）伝導速度が直径の平方根に比例することが示される．有髄軸索ではランヴィエ絞輪で活動電位が生じ，ランヴィエ絞輪間のミエリン鞘で覆われた部分を電流がほとんど細胞膜に流れずに伝導する（跳躍伝導という）ため，速い伝導が可能である．伝導速度はミエリン鞘の長さ l に比例するが，ランヴィエ絞輪間での電位の減衰から l は制限される．軸索の直径を d，ミエリン鞘の直径を D とすると，隣り合うランヴィエ絞輪間で，細胞質の軸方向の抵抗は l/d^2 に比例し，膜抵抗と膜容量の逆数はいずれも $(1/l)\ln(D/d)$ に比例する．D/d の値は異なる軸索の間でほぼ一定（$=1/g$）であることが知られているので，隣り合うランヴィエ絞輪間での電位の減衰率が異なる軸索の間で等しいことを要請すると

$$l \propto d\sqrt{-\ln g}$$

の関係が導かれ，有髄軸索での伝導速度が軸索の直径に比例することが示される．

〔渡辺　恵〕

[文献]
1) Johnston, D. and Wu, S. M.-S.: Foundations of Cellular Neurophysiology, MIT Press, 1995.
2) Nicholls J. G., Martin, A. R., Wallace, B. G. and Fuchs, P. A.: From Neuron to Brain, 4th ed. Sinauer, 2001.
3) Shepherd, G. M.: Neurobiology, 3rd ed. Oxford University Press, 1994.
4) Stuart, G., Spruston, N., Sakmann, B. and Hausser, M.: Action potential initiation and backpropagation in neurons of the mammalian CNS, *Trends Neurosci.* **20**: 125-131, 1997.

5.8　シナプス伝達（1）
－プレシナプス

　神経細胞でパルス列にコードされた電気信号は通常，細胞間の間隙を越えることができない．電気信号は軸索末端部において「化学伝達物質の放出」という情報に変換され，さらにシナプス後膜の受容体によりアナログ的なシナプス後電位に変換された後，再びデジタル信号（活動電位）にコードされ遠距離送信される．電気シナプスに比べ煩雑で時間特性も劣るこの化学シナプスによるシナプス伝達が，脳の中では圧倒的に優勢である．可塑的調節や修飾作用を受けやすい点等が進化的に有利であったのだろう．速い情報を担う神経伝達物質の放出と緩徐な修飾作用を担う神経修飾物質の放出がある．

a.　神経伝達物質
（1）　アセチルコリン（ACh）
　ニコチン性受容体を介し神経筋接合部等速い興奮性シナプス伝達に関与する．中枢ではムスカリン受容体を介した修飾作用が主である．Meynert 前脳基底核中にある ACh 性神経細胞の軸索は広く大脳皮質全体に分布し，この繊維系の障害は記憶障害をきたす．ACh は軸索末端部でアセチル-CoA とコリンからコリンアセチルトランスフェラーゼにより合成される．
（2）　アミノ酸
　グルタミン酸（Glu）　　中枢神経内の速い興奮性シナプス伝達の主要な伝達物質であるほか，学習，シナプス形成，神経細胞死等に多くの役割を演じる．イオンチャネル型受容体と代謝型受容体が存在する．

Glu は α-ケトグルタル酸をアミノ化することでつくられる．

γ-アミノ酪酸（GABA） 抑制性シナプス伝達の代表的神経伝達物質である．イオンチャネル型受容体と代謝型受容体が存在する．Glu から glutamate decarboxylase（GAD）の作用によりつくられる．

グリシン（Gly） 脊髄等で抑制性シナプス伝達の伝達物質として働く．NMDA 型グルタミン酸受容体の活性化因子でもある．

(3) モノアミン

ドーパミン（DA） 中脳の黒質および腹側被蓋野のニューロンにおいて，フェニルアラニン，チロシン，ドーパを経て dopa decarboxylase の作用により産生される．受容体はすべて代謝型受容体であり，神経修飾作用を担っている．運動機能，情動，精神機能，薬物依存等に関与している．

ノルアドレナリン（NA） 交感神経節後ニューロンおよび青斑核ニューロンにおいて DA より dopamine β-hydroxylase の作用により産生される．中枢神経系内で NA 繊維は広範に分布し主に神経修飾物質として作用している．受容体はすべて代謝型受容体である．不安等の情動行動と関連している．

セロトニン（5-hydroxytryptophane：5HT） 縫線核ニューロンにおいてトリプトファンより 5-hydroxytryptophane を経て 5-hydroxytryptophane decarboxylase の作用により合成される．繊維は広範に分布し主に修飾作用に関与している．イオンチャネル型受容体，代謝型受容体がある．運動系，視覚系，痛覚系等の修飾，不安，うつ状態等の情動に関与している．

(4) ペプチド

細胞体で産生，修飾を受け小胞となり，軸索末端に輸送される．いったん小胞から放出されたペプチドは軸索先端で再充填されることはない．

オピオイド（opioid） 内在性モルヒネ様物質でありエンドルフィン，エンケファリン等多くの種類が存在する．受容体はすべて代謝型受容体であり，鎮痛作用に関与している．

タキキニン（tachykinin） サブスタンス P（SP）等の一群のペプチドである．SP は脊髄後根神経節細胞，黒質，視床下部等のニューロンで産生される．受容体はすべて代謝型受容体で，痛覚，内分泌機能等の修飾作用に関与している．

b．シナプス小胞（synaptic vesicle）
(1) 量子的放出とシナプス小胞

Katz らは，神経筋接合部（終板）で放出を低下させた条件下では活動電位によって生じる終板電位（end-plate potential：EPP）の大きさに変動が見られ，単位量の整数倍になること，各整数倍事象の確率がポアソン分布に従うこと，自発性終板電位，あるいは活動電位を阻害したときの微小終板電位の大きさはこの単位量であること，から ACh は「量子的」に放出されていると考えた．電子顕微鏡により「シナプス小胞」が発見される以前のことである．ACh は小胞に約 1 万分子充填されている．固定標本を電子顕微鏡で観察した場合，ACh や Glu を含むシナプス小胞は直径約 50 nm の球形で中身が明るく見える．GABA を含む小胞はやや扁平な像を示す．アミン類は中身が高密度に見える小型，および大型の有芯顆粒（dense cored vesicle）に含まれる（図 5.8.1）．大型有芯顆粒にはペプチドも含まれる．ペプチドと GABA は同じ細胞に共存するが放出様式は異なり，ペプチドの放出には反復刺激が必要である．

(2) 小胞等の軸索輸送

有芯顆粒はゴルジ体で形成され速い軸索輸送（約 400 mm/day）により軸索末端部に輸送される．小胞等はモーター蛋白質により ATP 依存性に微小管の上を輸送される．モーター蛋白質としてキネシンスーパーファミリー蛋白質（KIFs）に属する

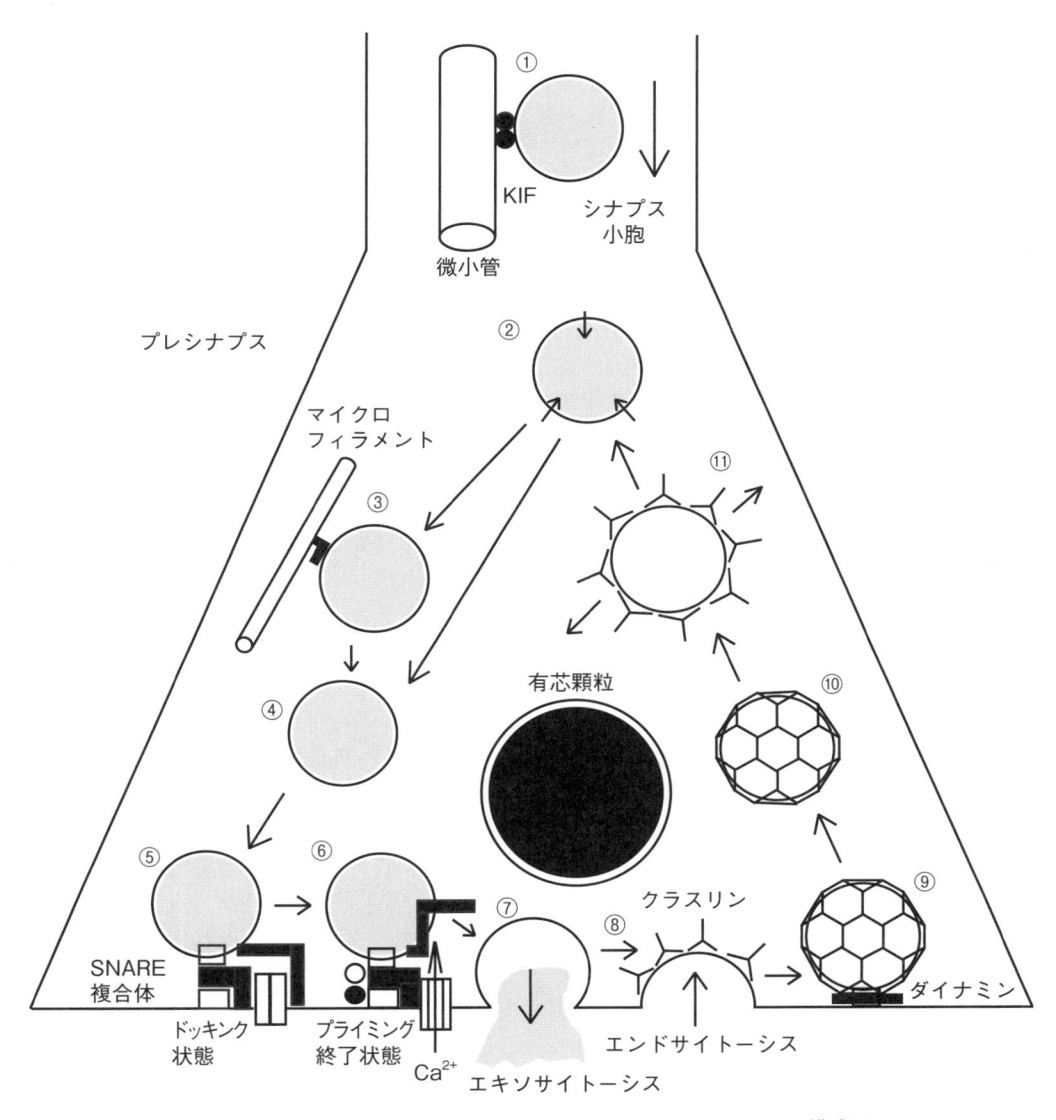

図 5.8.1 プレシナプスにおけるシナプス小胞リサイクリングの模式図

多くの蛋白質が知られている（図 5.8.1 ①）．

（3） 神経伝達物質の小胞等への充填

ACh, Glu, GABA, Gly そしてモノアミン類は小胞等の膜上にそれぞれの物質を選択的に細胞質から小胞内に輸送する輸送体により，小胞内に充填される．小胞内は vesicular-ATPase により H^+ 濃度が高く，伝達物質の輸送体は H^+ の拡散エネルギーを利用し伝達物質を細胞質から小胞内に交換輸送する（図 5.8.1 ②）．

c. シナプス開口放出（エキソサイトーシス）

（1） 貯蔵プール

軸索末端部に存在するシナプス小胞の大半は貯蔵プールに属し活動電位によってもすぐには放出されず，小胞膜上の蛋白質シナプシン1を介して細胞骨格系に結合している．Ca/カルモジュリン依存性蛋白質キナーゼⅡによるシナプシンのリン酸化により細胞骨格系からはずれる（図 5.8.1 ③）．

(2) ドッキング

小胞輸送にかかわる一群の蛋白質として SNARE 蛋白質が知られている．これらは小胞膜やシナプス前膜に存在し，可溶性 NSF（N-ethylmaleimide sensitive factor）結合蛋白（soluble NSF-attachment proteins：SNAP）の受容体と考えられている（**SNA**P **RE**ceptors）．シナプス小胞膜に存在する蛋白質，vesicular SNARE（v-SNARE：VAMP2）とシナプス前膜に存在する target SNARE（t-SNARE：syntaxin 1, SNAP-25）の結合により小胞はシナプス前膜活性帯の膜近傍にドックされる．シンタキシン 1 は Ca^{2+} チャネルとも結合し，シナプス小胞は Ca^{2+} チャネルのごく近傍にドックされるため，Ca^{2+} 流入後，0.2 msec で放出が生じる理由と考えられる（図 5.8.1 ⑤）．ボツリヌス毒素はこれらの蛋白質を特異的に消化し，シナプス開口放出を阻害する．

(3) プライミング

ドッキング後，Ca 依存性膜融合に至るまでに準備過程が必要であることがわかってきた．この過程（プライミング）には Munc-13, Rim, Complexin 等が関与している（図 5.8.1 ⑥）．ドックされプライミングを受けた小胞が即時放出可能プールを構成すると考えられる．低分子量 GTP 結合蛋白質，Rab3 は Rim を介しプライミングに関与している可能性がある．

(4) 膜融合

VAMP, シンタキシン 1, SNAP-25 の 4 本の α-ヘリックスからなるコイルドコイル構造の結合は大変強く，ジッパーのように小胞膜をシナプス前膜に近づけ，これだけで膜融合が生じうるが，何らかの阻止機構により高濃度の Ca^{2+} 流入まで膜融合は阻止されている，と考えられる．活性帯の Ca^{2+} チャネルの開口により Ca^{2+} が流入し局所では 0.1 mM を越える細胞内 Ca^{2+} 濃度に達し，これにより阻止機構が解除され小胞膜は Ca^{2+} 流入から 0.2 msec 以内にシナプス前膜と融合すると考えられる（図 5.8.1 ⑦）．Ca^{2+} センサー蛋白質の候補としてシナプトタグミン等がある．

d. 神経伝達物質の除去，分解

放出された神経伝達物質，修飾物質は酵素によって速やかに分解されたり，再吸収されることによりシナプス近傍から除去される．

(1) アセチルコリン（ACh）

細胞外の ACh エステラーゼにより速やかにコリンと酢酸に分解される．

(2) グルタミン酸（Glu）

グリア細胞に存在する親和性の高い（Km 値は約 20 μM）酸性アミノ酸輸送体により Na^+ と共輸送され細胞内に取り込まれ除去される．

(3) GABA

輸送体により再取り込みされ除去される．

(4) モノアミン

再取り込みによって除去される．またモノアミンオキシダーゼ（monoamine oxidase）により酸化され不活性化される．

(5) ペプチド

ペプチドの除去は拡散や細胞外 peptidase による分解によりゆっくり行われる．受容体に結合したまま細胞内に内在化される場合もある．

e. リサイクリング

(1) エンドサイトーシス

エキソサイトーシスによって神経伝達物質をシナプス間隙に放出した後，小胞膜はシナプス前膜からエンドサイトーシスによって細胞内に回収される．膜を陥入させ Ω 型の被覆ピットを形成させる分子はクラスリン（clathrin）である．3 本の突起をもつクラスリンが重合して五角形と六角形からなる被覆を形成する（図 5.8.1 ⑧）．形成された Ω 型の被覆ピットのくびれをダイナミン（dynamin）が GTP 依存性にく

びり切る（図5.8.1⑨）．
(2) リサイクリング
　細胞内に陥入した小胞からクラスリンが外れ（図5.8.1⑪），神経伝達物質が充填され再び貯蔵プール，放出可能プールへと移行する．VAMP, SNAP-25, シンタキシンからなるコアコンプレックスはエキソサイトーシス以後，エンドサイトーシス以前にαSNAP, NSFの作用によりATP加水分解のエネルギーを用いて解離されるというモデルが提出されている．〔山口和彦〕

[文献]
1) Kandel, E. R., Schwartz, J. H., Jessel, T. M.: Principles of Neural Science, 4th ed., pp. 262-297, McGraw-Hill, 2000.
2) 森　寿，真鍋俊也，渡辺雅彦，岡野栄之，宮川　剛編：脳神経科学イラストレイテッド, pp. 138-207, 羊土社, 2000.
3) Cowan, W. M., Südhof, T. C., Stevens, C. F. (eds.): Synapse, Johns Hopkins Univ. Press, 2000.
4) Chen, Y. A., Scales, S. J., Scheller, R. H.: Sequential SNARE assembly underlies priming and triggering of exocytosis, *Neuron* **30**, 161-170, 2001.
5) Slepnev, V. I., De Camilli, P.: Accessory factors in clathrin-dependent synaptic vesicle endocytosis, *Nature Review* **1**, 161-172, 2000.

5.9　シナプス伝達（2）
　　　－ポストシナプス

　神経細胞はシナプスで信号のやりとりをする．その信号とは，ふつう電気的な信号のことを指している．しかし実際には電気的信号以外の情報もやりとりしている．たとえば，シナプスを介して成長因子や栄養性因子等のホルモンをやりとりし，電気的な測定では検出できないような変化を，相手側の細胞にもたらすような信号伝達も行われている．しかし，ここで論ずるシナプス伝達については，基本的な電気的信号を指すものとする．

　シナプスを信号伝達のしくみから分類すると，電気シナプスと化学シナプスに大別することができる．電気シナプスとは，信号のやりとりをする2つの神経細胞がきわめて狭いギャップ（約2 nm）を挟んで相対し，電気的に導通しうるようなしくみになったもので，接触部分はギャップジャンクションと呼ばれる構造になっている．コネキシン（connexin）という蛋白質6分子が束ねられてできる半チャネル（コネクソン（connexon）と呼ばれる）が両細胞の膜をそれぞれ貫通し，細胞外に突き出た部分どうしで結合し，両細胞を貫通するコネキシン12分子からなるチャネルを形成する．このチャネルは無機イオンや分子量1000程度以下の低分子物質を通過させるので，一方の細胞の電位変化はそのまま瞬間的に他方に伝わる．このような電気シナプスのしくみは非常に速い信号伝達や，多数の神経細胞を同期させるメカニズムとして有用である．ギャップジャンクションは神経細胞体間のみならず，軸索間でも見ら

れる．実効的な整流作用をもち信号の流れる向きを制御しているものもある．

これに比べて化学シナプスと呼ばれるものはより一般的に観察され，ただシナプスという場合は，ふつう化学シナプスを指す．シナプス前終末から神経伝達物質が放出され，それをシナプス後膜が受容することで信号が伝達される．いくつかの反応ステップを経て伝達が行われるので電気シナプスよりは時間がかかるが，それでも多くの場合，数ミリ秒以内に伝達は完了する．信号の流れる向きがはっきりと決まっている（ただし，電気的ではない二次的な信号が逆行性に伝達されることはある，と考えられている）．

化学シナプスにおける信号伝達の特性は，ポストシナプス（シナプス後膜）に存在する神経伝達物質受容体の特性によって決まってくる．多くの場合これらの受容体は，受容体チャネルと呼ばれているタイプのもので（イオンチャネル型受容体（ionotropic receptor）と呼ばれることもある），受容体が同時にイオンチャネルとしての機能も有しているものである．このようなシナプスの場合，信号伝達は速やかに行われ，一般に数ミリ秒程度以内で完了する（速いシナプス伝達）．どのようなイオン選択性をもつチャンネルであるかによって，ポストシナプスに引き起こされる電気的応答が決まる．Na^+イオンを通すようなチャネルが開く場合は一般に興奮性で，EPSP（excitatory postsynaptic potential）と呼ばれる脱分極性の膜電位変化を生じ，Cl^-イオンのような陰イオン選択性の場合は抑制性の応答を引き起こし，IPSP（inhibitory postsynaptic potential）と呼ばれる過分極性の膜電位変化を生ずるのがふつうである．ただし，膜電位がどのように変化するかは厳密には透過するイオンの平衡電位と静止膜電位との関係で決まるので，細胞内外のイオン濃度の状態次第では，幼若神経細胞のGABA受容体の場合のように，Cl^-イオン選択性の受容体チャネルでありながら脱分極をもたらす場合もまれにはある．

化学シナプスにおける受容体にはこのようなイオンチャネル型のもののほかに，G蛋白質共役型受容体と呼ばれるタイプのもの（metabotropic receptorとも呼ばれる）もある．イオンチャネル型の受容体をもつ伝達物質の種類はそれほど多くなく，現在までのところ，アセチルコリン，グルタミン酸，セロトニン，ATP等のプリン，GABA，グリシンの6種類の伝達物質が，イオンチャネル型の受容体をもつことが知られており，それ以外の多数の伝達物質（またはその候補物質）に対する受容体はG蛋白質共役型のものである．イオンチャネル型の受容体をもつ伝達物質についても，グリシン以外のものはG蛋白質共役型の受容体を併せもつ．あらゆる神経伝達物質のうちグリシンについてだけ，G蛋白質共役型の受容体が知られていない．

高等動物の神経系を見ると，興奮性の神経伝達については中枢神経系ではグルタミン酸が伝達物質として働いているシナプスが圧倒的に多く，末梢神経系ではアセチルコリンが働いているケースが多い．

イオンチャネル型受容体はいずれも複数（4〜5）のサブユニットからなるオリゴマー構造をもち，各サブユニットにはいろいろなサブタイプが知られている．このため，それぞれの受容体にはサブユニット構成の異なる多数のアイソフォームが考えられる．実際のシナプスに存在し機能している受容体は，同一種類の受容体であってもそのサブユニット構成が，シナプスの発生過程やシナプス領域内か領域外か，あるいはどのような入力神経の影響を受けているか，等に依存して変化することが知られており，精密に制御されているものと考えられる．

受容体は一般にポストシナプス領域に高密度で凝集し，シナプス伝達効率を高めて

いる．その分布について最も詳細な知見が得られているのは高等動物の骨格筋の神経筋シナプスで，ここではイオンチャネル型受容体であるニコチン性アセチルコリン受容体が$1\,\mu m^2$当たり10000分子程度の密度で存在しており，シナプス外領域の密度より数十倍から100倍オーダー高い．ただ，発生過程の未成熟な幼若シナプスでは，成熟シナプスに比べて受容体のポストシナプス領域への凝集の程度は弱い．また，入力神経を切除すると受容体のシナプス領域とシナプス外領域での密度コントラストは崩れてくる．この現象は，少なくとも神経筋シナプスの場合，シナプス直下の受容体がシナプス外領域へ拡散して薄まるためではなく，ポストシナプスの受容体はそのままで，シナプス外領域に新たな受容体が挿入されることによる部分が大きい．中枢神経系でも同様に受容体はポストシナプス領域に凝集し，入力神経の影響でコントラストが保たれていると考えられている．

ポストシナプスにおけるイオンチャネル型受容体の分布の動的な特性に関しては，神経筋シナプスのような末梢組織の場合と中枢神経系シナプスの場合とで，非常に異なった状況にあることが最近わかってきた．高等動物の神経筋シナプスでは，シナプス領域に高密度で凝集しているニコチン性アセチルコリン受容体は非常に安定した状態で存在し，細胞膜上に長期間とどまって機能し続ける．その代謝回転における半減期は数日以上と大変長く，やがてゆっくりと細胞内に取り込まれ分解されていく．その安定性はシナプスの成熟化やシナプス伝達の活性化とともに増していく．

このような神経筋シナプスのいわば静的なイメージに対して，高等動物の脳，たとえば海馬の神経細胞におけるシナプスでは事情がまったく違う．このシナプスではグルタミン酸が神経伝達物質として働いており，イオンチャネル型グルタミン酸受容体，とくにAMPAタイプのグルタミン酸受容体が直接的な興奮性の信号伝達に主要な働きをしている．このAMPA受容体がきわめて活発なダイナミックな動きをしていることが最近わかってきた．海馬の培養細胞を用いた研究によると，神経細胞のAMPA受容体は平常状態でもつねにある一定のペースで細胞膜上と細胞内プールの間を行き来して循環しており，動的な平衡状態にある，と考えられる．その循環の半減期は数十分程度という報告もあり，かなり活発な動きである．

細胞膜上のAMPA受容体は，エンドサイトーシス様のメカニズムによって細胞内に取り込まれ，細胞内顆粒にプールされた後，エキソサイトーシスによって再び細胞膜上にリサイクルされる，と考えられている．しかも，その循環の動きは，細胞の神経活動を刺激活性化することによって

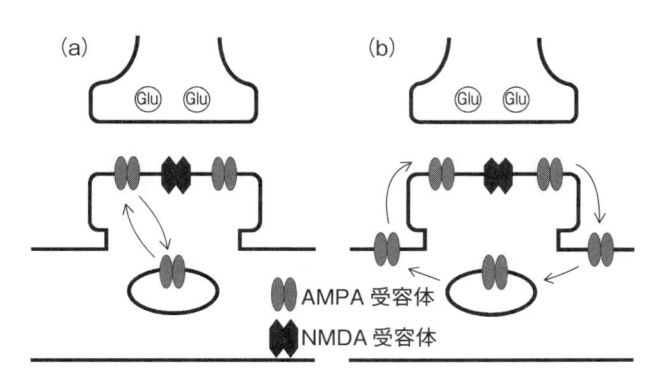

図 5.9.1　中枢神経系シナプスのAMPA受容体の動態

中枢神経細胞シナプスのAMPA型グルタミン酸受容体は平常状態でもつねにポストシナプス膜と細胞内プールとの間を行き来してダイナミックな循環をしており，シナプス活動によってその動きは変動する．細胞内プールから直接シナプス直下膜に挿入されるのか (a)，シナプス外領域に挿入された後シナプス領域に移動するのか (b)，詳細はわかっていない．細胞の状態やシナプス活動の状態によって異なるのかもしれない．

より活発になる．また，脳神経細胞のシナプスは樹状突起上の棘（spine）で形成されていることが多いが，神経活動に伴ってspineそのものができたり消滅したりすることも観察されている．

培養神経細胞での知見が in vivo における脳神経細胞にもそのままあてはまるかどうか検討の余地はあるかもしれないが，このような定常的なリサイクリングは，細胞膜上の機能的受容体の量を種々の条件に応じて急速に変化させ，状況に対して素早く反応するという目的にかなったものと考えることができる．事実，長期増強や長期抑圧等のシナプスの可塑的変化の場合，AMPA受容体のリサイクリングの調節によってシナプス領域の機能的受容体の量が素早く増減し，それが可塑性発現に重要な役割を果たしていることが最近見出されている．海馬で最初に見出されたサイレントシナプスの場合はこのような変化の極端なケースと考えられる．このタイプのシナプスはグルタミン酸作動性のシナプスでありながら，ポストシナプス細胞に機能的なAMPA受容体をほとんどもたず，もう1つのイオンチャネル型グルタミン酸受容体であるNMDA受容体のみをもつ．通常のシナプス信号入力ではNMDA受容体は活性化されにくいので，このようなシナプスはシナプス伝達機能がほとんどない（サイレント）．しかし長期増強を引き起こすような強い入力が加えられるとNMDA受容体が活性化され，それが引き金となってAMPA受容体のシナプス膜への急速な挿入が引き起こされて伝達活性が生ずる，または増強される，と考えられている（⇨5.10）．

このようにAMPA受容体はダイナミックな動きをしているが，AMPA受容体のシナプス局在化の機序についてはわかっていない部分も多く，細胞内プールからの挿入という縦方向の移動のほかに，細胞膜面内移動という横方向の移動によってシナプス部位に凝集してくるという機序も寄与している可能性がある．おそらく両者が連動して働いているのであろう．また，NMDA受容体はAMPA受容体よりはるかに安定な存在であるが，GABA受容体やグリシン受容体など，他の中枢神経系の受容体についてはどうなのか詳細はわかっていない．

上述のようなイオンチャネル型受容体を介した速いシナプス伝達のほかに，G蛋白質共役型受容体を介した遅いシナプス伝達もある．これはシナプス伝達ではあるが，ポストシナプス細胞の活性状態のより長期的な調節，という面が強い場合が多い．その意味で，神経修飾物質と呼ばれるものの作用と明瞭に区別できない部分がある．ポストシナプス細胞での反応は，受容体→G蛋白質→エフェクター（酵素やイオンチャネル等）という反応連鎖を経て進むが，多様なG蛋白質やエフェクターが存在するので非常に複雑である．電気的な信号につながる反応としては，G蛋白質を介して直接的に，またはセカンドメッセンジャーの生成を介して間接的に，ある種のK^+チャネルやCa^{2+}チャネルを開閉する反応が知られている．　　　　　　〔杉山博之〕

[文献]
1) 森 寿，真鍋俊也，渡辺雅彦，岡野栄之，宮川 剛編集：脳神経科学イラストレイテッド，羊土社，2000．
2) Luscher, C. and Frerking, M.: Restless AMPA receptors: implications for synaptic transmission and plasticity, *Trends in Neurosciences* **24**, 665-670, 2001.
3) Sheng, M. and Lee, S. H.: AMPA receptor trafficking and the control of synaptic transmission, *Cell* **105**, 825-828, 2001.
4) Fred Delcomyn（小倉明彦・富永恵子訳）：ニューロンの生物学，トッパン，1999．
5) Gordon L. Fain.: Molecular and cellular physiology of neurons, Harvard University Press, 1999.

5.10 シナプス可塑性

シナプス可塑性は記憶・学習の素過程である．シナプスにおける信号伝達強度が変化することにより神経ネットワークの情報処理に変化が生じ，行動の変化となる．シナプスの結合強度を変更する学習則として，ヘッブ（Hebb）が1949年に発表したものがよく知られている．これはシナプス前とシナプス後細胞が同時に発火した場合，2つの神経細胞間の信号伝達強度を増加させるというものであり，人工神経ネットワークの学習則として使われてきた．1949年当時は，実際の脳におけるシナプス伝達強度の変化はまだ観測されていなかった．一方，てんかん治療のために海馬を切除した H.M. と呼ばれる患者が，術後に重度の順行性健忘症を患っていることが見出され（1953年），海馬が新たな記憶形成に重要な脳部位であることが強く推測された．その後，電気生理実験としてシナプス可塑性が発見されたのは1973年になってからであった．ブリス（Bliss）とレモ（Lømo）がウサギ海馬の歯状回を用い，顆粒細胞への入力繊維に100 Hzという高頻度刺激を3〜4秒間与えることにより，顆粒細胞の集合応答電位が30分〜1時間にわたって増強した状態が続くことを発見した．これ以降，多くの実験がさまざまな脳部位を材料にして行われ，シナプス可塑性に関する膨大なデータが収集された．一方，小脳の回路網はパーセプトロンとみなすことができ，プルキンエ細胞と平行繊維の間にシナプス可塑性があれば演算回路として動作するという仮説にもとづき，伊藤らが小脳においてシナプス伝達効率の長期的な抑制を発見した．

シナプス可塑性には短期的なものと数時間以上持続する長期的なものがある．長期的シナプス可塑性には，長期増強（long-term potentiation：LTP）と長期抑制（long-term depression：LTD）があり，LTPでは一過性の高頻度刺激（たとえば100 Hz-1秒，テタヌス刺激と呼ばれる）により長時間にわたって信号伝達強度の増強が生じる．一方LTDでは，1 Hz-15分といった低頻度刺激により長時間にわたって信号伝達強度の抑制が生ずる．図5.10.1は，海馬のCA1領域においてシナプス前細胞を刺激してシナプス後細胞に刺入した微小電極から興奮性シナプス電流（epsc）

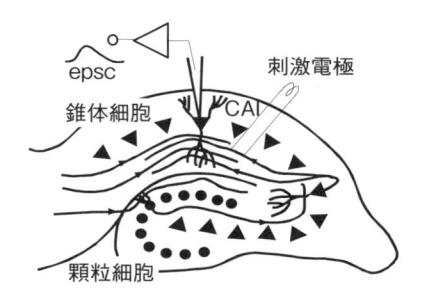

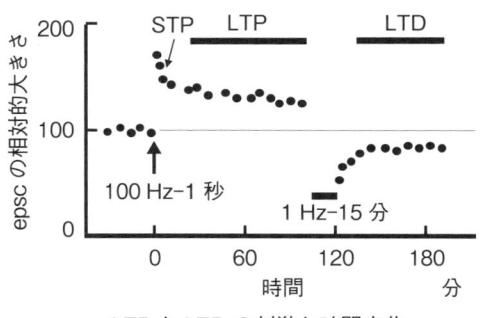

図5.10.1 シナプス長期増強（LTP）と長期抑圧（LTD）の電気生理的現象
シナプス前細胞の軸索を刺激電極で刺激し，シナプス後細胞の細胞体に刺入した微小電極でシナプス電流を測定する．LTP・LTD誘導前のepscの大きさの平均値を100％とし，誘導後のepscの相対値のプロットを模式的に示した．

を測定し，そのピーク値が長時間変化する様子を模式的に示したものである．

上述のように，LTPを誘導する刺激としてはテタヌス刺激（100Hz-1秒）が，LTDを誘導する刺激としては低頻度刺激（1Hz-15分）の刺激が用いられるが，LTP誘導刺激としてシータバースト刺激が用いられることもある．これは，10ミリ秒間隔の刺激を4つ連続させ，これを1セットとして200ミリ秒間隔で数セット与えるものであり，テタヌス刺激に比すると生理的刺激であると考えられている．一方，神経細胞の膜電位は数Hzで振動しているとされ，この膜電位振動の山に同期して刺激を与えると数回の刺激でLTPになり，谷に同期して刺激を与えるとやはり数回の刺激でLTDになるという報告がされている．

図5.10.1では1時間以上にわたる変化が継続する様子を示してある．しかし，ヒトの記憶は一生続くものであり，1時間はむしろ短期的であるともいえる．LTPがどの程度長期間継続するかのはっきりしたデータはないが，1ヵ月程度継続するという報告が存在する．一方，図5.10.1では大きくepscが増強された初期の状態から長期的に安定した状態に15分程度で移行する様子が示されている．この長期的に安定した状態がLTPであり，初期の変化部分はSTP(short-term potentiation)と呼ばれる．LTDにおいても初期の大きな抑制状態が見られ，その後安定したLTDとなる．

LTPの研究の多くが海馬を対象に，LTDの研究の多くが海馬や小脳を対象に行われているが，他の部位でも同様の現象が観測されている．それらの領域として，一次視覚野，前頭葉，体性感覚野，黒質，聴覚野，扁桃体などがあげられる．一方，LTPの現象は興奮性シナプスだけでなく抑制性シナプスでも観測されており，シナプス可塑性は脳の多くの領域で観測される普遍的現象であると考えられる．しかし，すべての神経系で可塑性が観測されるわけではない．

1つの神経細胞には数千から数万以上のシナプスが存在する．1ヵ所のシナプス入力によってLTPやLTDの現象が細胞全体のシナプスで同時に生じたのでは神経ネットワークの処理能力は高くないであろう．実際，LTP・LTDは刺激を受けたシナプスに限局して生ずることが知られており，これを入力特異性と呼ぶ．また刺激強度を強くして同時に刺激するシナプス数を増加させると初めてLTPが観測されるが，この性質を協同性と呼ぶ．また協調性と呼ばれる性質も報告されている．これは，2つの刺激経路を準備しておき，1つ目の経路にはLTPが生じない弱い刺激を与え，2つ目の経路にLTPが生じる強い刺激を与えると，弱い刺激を与えた1つ目の経路にもLTPが生ずる性質である．このようにLTP・LTDにはいくつかの性質があり，これらの組合せによって複雑な信号処理が可能になると考えられる．

100Hz-1秒の高頻度刺激ではLTPを，1Hz-15分の低頻度刺激ではLTDを誘導することは前述のとおりである．刺激周波数と誘導されるLTP・LTDの大きさの関係を図5.10.2に示す．通常，10Hz以下の刺激ではLTDが，それ以上の周波数ではLTPが誘導されることが知られており，

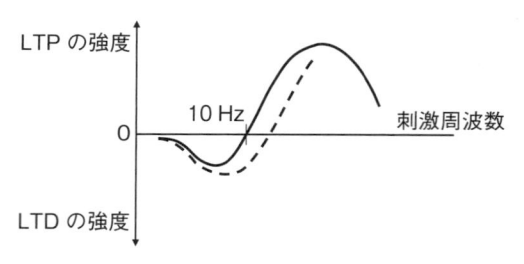

図5.10.2 LTP，LTD誘導の刺激周波数依存性
刺激周波数が10Hz以下のときはLTDが，刺激周波数がそれ以上のときにはLTPが誘導される（実線）．しかし，刺激周波数がより高い場合にはLTPの大きさが減少することが報告されている．一方，直前の刺激によって曲線が左右にシフトする現象（破線）も知られている．

刺激周波数によってLTP・LTDの誘導の違いだけでなく，それらの大きさも制御されると考えられている．また，刺激周波数を非常に高くしたり，シータバースト刺激の回数を増加させたりするとLTP強度がかえって小さくなることが知られている．一方，LTDとLTPを切り分ける分岐周波数は一定ではなく，直前にLTPが誘導されると分岐周波数が高くなり，LTPが誘導されにくく（LTDが誘導されやすく）なり，直前にLTDが誘導されれば分岐周波数が低くなってLTPが誘導されやすく（LTDが誘導されにくく）なることが報告されている．さらにこの分岐周波数は成長環境によっても左右され，誕生直後から暗闇で育てたラットの視覚野では，正常環境で育てた場合に比べると分岐周波数が低くなっていることが報告されている．このように，シナプス可塑性の性質はさまざまな要因によって変化することが知られている．

一方，シナプス前後の細胞の活動電位発生順序が，LTP・LTDのどちらが誘導されるかを決定づける要因であることが報告されている．これはSTDP（spike-timing dependent plasticity）と呼ばれる現象で，シナプス前細胞の活動電位の発生が後細胞より0〜数十ミリ秒先行した場合にはLTPが，逆に数十ミリ秒遅れた場合にはLTDが誘導される．STDPは海馬だけでなく，多くの脳部位において観測されている．

シナプス可塑性の分子メカニズムを図5.10.3に示す．シナプス前細胞から神経伝

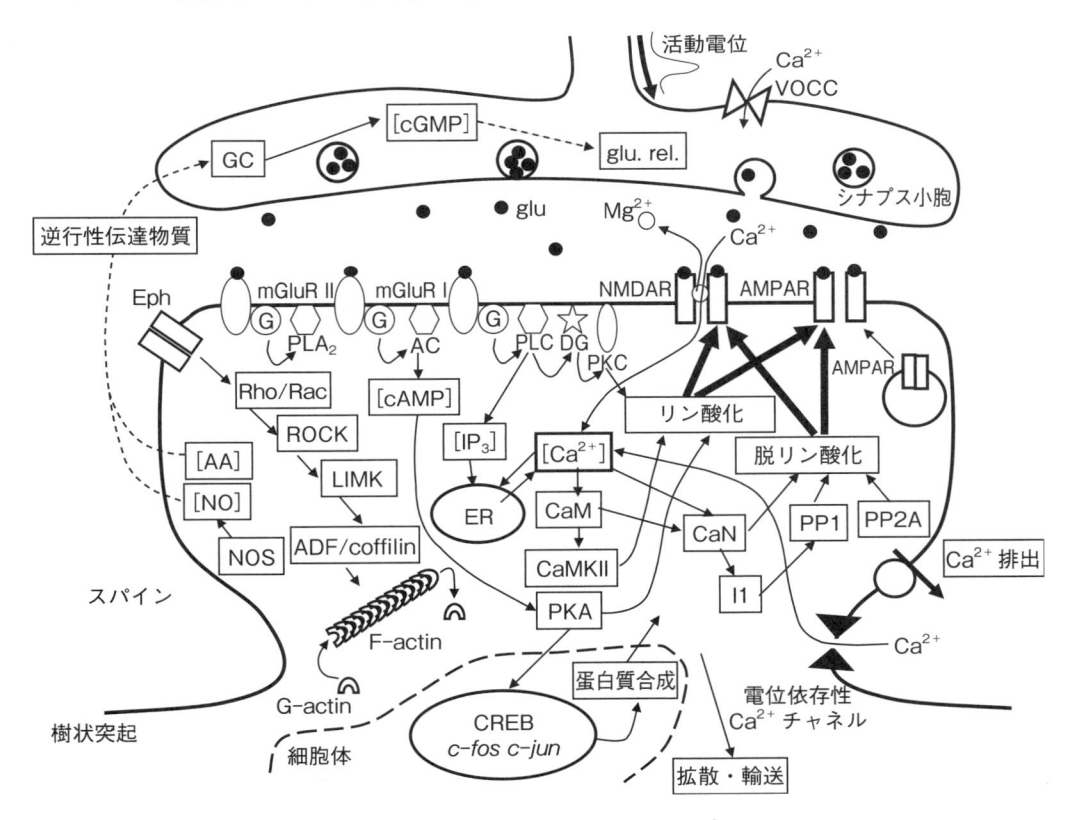

図 5.10.3　LTP・LTDの分子メカニズム
シナプス後膜側（スパイン側）の細胞内 Ca^{2+} 濃度の上昇により，リン酸化酵素と脱リン酸化酵素が活性化され，最終的には AMPA 型レセプターを修飾する．一方，NO などが産生され逆行性伝達物質としてシナプス前細胞に拡散し，伝達物質放出を修飾する．さらに，蛋白質合成の修飾も生じていると考えられている．

達物質グルタミン酸が放出されるとシナプス後膜にある AMPA 型と NMDA 型レセプターに結合する．AMPA 型レセプターはグルタミン酸の結合により開き，シナプス後膜が脱分極する．これにより NMDA 型レセプターを膜電位依存的にブロックしているマグネシウムイオンがはずれる．NMDA 型レセプターはカルシウムイオン（Ca^{2+}）を透過するので，細胞外 Ca^{2+} が細胞内に流入して細胞内 Ca^{2+} 濃度（$[Ca^{2+}]_i$）が上昇する．これがトリガーとなって細胞内酵素系が活性化される．$[Ca^{2+}]_i$ の上昇は NMDA 型レセプター経由だけでなく，電位依存性カルシウムチャネルや細胞内カルシウムイオン貯蔵器官経由での上昇もある．$[Ca^{2+}]_i$ 上昇を抑えると LTP・LTD が誘導されないことから，$[Ca^{2+}]_i$ 上昇が決定的に重要なプロセスであることがわかっている．

$[Ca^{2+}]_i$ の上昇後，スパインに存在するカルモジュリン（CaM）に Ca^{2+} が結合し，これが Ca^{2+}/カルモジュリン依存性キナーゼ II（CaMKII）とカルシニューリン（CaN）を活性化させる．CaMKII は蛋白質をリン酸化する酵素であり，CaN は蛋白質を脱リン酸化する酵素である．CaMKII により AMPA 型レセプターがリン酸化され，その結果，チャネル電流の上昇，チャネルコンダクタンスの上昇，チャネル開確率の上昇などが生ずる．結局，AMPA 型/NMDA 型レセプター活性化→Ca^{2+} 上昇→CaMKII/CaN 活性化→AMPA 型レセプター修飾，と一巡することになる．このスキームにおいて，刺激周波数が高くて $[Ca^{2+}]_i$ 上昇が大きいと活性化 CaMKII 濃度＞活性化 CaN 濃度となり LTP が，逆に刺激周波数が低くて $[Ca^{2+}]_i$ 上昇が小さいと活性化 CaMKII 濃度＜活性化 CaN 濃度となり LTD が誘導されると考えられている．

リン酸化酵素として CaMKII を，脱リン酸化酵素として CaN を取り上げたが，他のリン酸化酵素，プロテインキナーゼ C（PKC），プロテインキナーゼ A（PKA），チロシンキナーゼなど，また他の脱リン酸化酵素，プロテインホスファターゼ 1，プロテインホスファターゼ 2A なども LTP・LTD に関与することが報告されている．しかし，CaMKII のブロッカー投与や遺伝子ノックアウトにより LTP が阻害されるので，CaMKII は LTP の分子メカニズムにおいて中心的役割を果たしているリン酸化酵素であると考えられる．一方，CaN のブロッカー投与により LTD が阻害されるので，CaN は LTD の分子メカニズムにおいて中心的役割を果たしている脱リン酸化酵素であると考えられる．

しかし，AMPA 型レセプターのリン酸化だけではシナプスの長期的変化のメカニズムとしては不十分であろう．これに対しては，蛋白質の合成阻害剤により LTP の大きさが小さくなることや，LTP によって蛋白質合成が促進されることが見出され，蛋白質合成の活性化が LTP によって生ずる可能性が示唆されている．さらに，LTP によってスパインの形状が変化したり新たなスパインが形成されたりする現象も見出されている．これにはアクチンなどの細胞骨格系が関与していると考えられている．一方，サイレントシナプスの存在も報告されている．サイレントシナプスでは主に NMDA 型レセプターが存在し，マグネシウムブロックにより通常のシナプス伝達には寄与できない．しかし LTP によって AMPA 型レセプターもシナプスに発現し，通常のシナプス伝達に関与するようになる，というメカニズムが示唆されている．この現象にはグルタミン酸受容体の PSD への移動・挿入（トラフィッキング）が深くかかわっていると考えられている．

これまでシナプス後細胞のメカニズムについてだけ述べてきたが，シナプス前細胞のメカニズムとして，LTP により伝達物質放出確率が上昇する現象が報告されている．これはシナプス後膜側で NO（一酸化

窒素)が産生されて逆行性伝達物質としてシナプス前膜側に拡散し,放出確率を上昇させると考えられている.

シナプス可塑性は記憶・学習の素過程である.これを裏づけるものとして,CaMKIIの働きを阻害するとLTPの誘導が阻害されるだけでなく,モリスの水迷路学習も阻害されることが示されている.さらに,NMDA型レセプターブロッカーの投与,あるいは部位特異的なNMDA型レセプターのノックアウトによる$[Ca^{2+}]_i$上昇の抑制により,やはりLTPの誘導阻害と水迷路学習の阻害が生ずることが報告されている.しかし,LTP・LTDと行動上の記憶・学習との関係には不明な点が多く,今後の課題が多い.

このように,シナプス可塑性の代表的現象であるLTP・LTDに関しては分子・遺伝子レベルから行動レベルに至るまで,多くの研究がなされてきた.今後はこれまでの研究をベースに,シナプス可塑性の現象とメカニズムの全貌解明,およびマクロスコピックな記憶・学習との関係について明らかにする必要があろう.そのためには,実験研究と構成的研究であるモデル研究の協力がこれまでにも増して重要になるであろう.

〔市川一寿〕

[文献]

1) Abbott, L. F. and Nelson, S. B.: Synaptic plasticity: timing the best, *Nat. Neurosci.* **3**, 1178-1183, 2000.
2) Bliss, T. V. P. and Collingridge, G. L.: A synaptic model of memory: long-term potentiation in the hippocampus, *Nature* **361**, 31-39, 1993.
3) Carlisle, H. J. and Kennedy, M. B.: Spine architecture and synaptic plasticity, *TINS*, **28**, 182-187, 2005.
4) Sanes, J. R. and Lichtman, J. W.: Can molecules explain long-term potentiation? *Nat. Neurosci.* **2**, 597-604, 1999.
5) Soderling, T. R. and Derkach, V. A.: Postsynaptic Protein Phosphorylation and LTP, *TINS* **23**, 75-80, 2000.

III. 感覚系と運動系

5.11 化学感覚

a. 味 覚

動物は,味覚器が体内に有益な食べ物を甘味,旨味や塩味などのように好ましい味をもつと判断するとそれらを摂取する.一方,毒物や腐敗物のような有害な食べ物は苦味や酸味などのような嫌な味をもつと感じられてそれらは摂取されない.舌表面には,味蕾が存在する.1つの味蕾には,多い場合に100近い味細胞が存在しているが,すべての味細胞が味を受容しているのではないことが最近わかってきた.味細胞からのびているデンドライトの先端に存在する微絨毛で味物質が受容されている.およそ15%の味細胞は,求心性の味神経とシナプスを形成しているが,残りの味細胞には味受容に関与する分子が存在していてもシナプスが見られない.ただし,1つの味細胞に色素を注入すると隣接する味細胞に色素が拡散することやギャップジャンクションを形成する分子が味細胞に存在することが示されている.これらの結果から,シナプスをもたない味細胞で受容された味情報は,隣接した味細胞を介して味神経に伝えられる可能性も考えられる.味物質を受容して味受容膜が脱分極すると,シナプス部位に電流が流れ,電位依存性Ca^{2+}チャネルが開口し,細胞内にCa^{2+}イオンが流入し,伝達物質(ATPもしくはセロトニン?)が放出される.電池をなめると,電気味覚が生ずることがボルタの時代から知られていた.電気味覚は,味受容膜からシ

ナプス部位まで電流が流れ，電位依存性Ca^{2+}チャネルを直接刺激することにより生ずる．

近年，味細胞に発現している旨味，甘味，苦味，塩味，酸味の五基本味に対する受容体（候補）が次々と見つけられた．旨味，甘味および苦味は，味物質が環状ヌクレオチド（cAMPやcGMP）やイノシトールトリスリン酸（IP_3）の増減を引き起こす．これらの結果に参考にして，GTP結合蛋白質と共役する7回膜貫通型の受容体（GPCR）がクローニングされた．味細胞に存在するGPCRは，旨味および甘味受容に関与するT1rsと苦味受容に関与するT2rsの2つのファミリーに分かれる．また，酸味と塩味はイオンチャネルとしての機能を有する受容体で受容されていると考えられている．

甘味受容体を構成するT1r3は，マウスの甘味感受性に関与する遺伝子座（Sac）に注目して複数のグループによりクローニングされた．ラットT1r3は，単独で発現させても甘味受容体としての機能は示さないが，T1r2と共発現させるとショ糖とサッカリンを受容することが示された．

旨味受容体に関しては，旨味を呈するグルタミン酸が脳内で神経伝達物質として働くことに注目して，代謝型グルタミン酸受容体に似た構造を有する受容体がクローニングされた．ただし，味覚では旨味物質のグルタミン酸だけを受容したときよりも，ヌクレオチド系の旨味物質（イノシン酸やグアニル酸）が共存したときの方が旨味をより強く感じること（相乗作用）が知られていたが，この受容体では相乗作用が見られなかった．一方，T1rsのT1r1とT1r3を共発現するとグルタミン酸などのL-アミノ酸を受容するだけでなく，ヌクレオチドの相乗作用が見られた．この結果は，T1r1とT1r3の複合体が旨味受容体の有力な候補であることを示している．

T2rsは，数十種類の受容体から構成されている．機能が調べられているT2rの苦味選択性は，高いことが示されている．たとえば，強制発現させた苦味受容体（mT2r5）は，刺激に用いられた10種類あまりの苦味物質の中でシクロヘキサミドに選択的に応答した．一方，ラットの個々の味細胞の苦味選択性に関する実験では，キニーネに応答する細胞の3/4は他の苦味物質に応答するというように細胞レベルの選択性は高くない．これらの結果は，1つの味細胞がいくつかのT2rを発現しているためと考えられている．ただし，比較的疎水的な性質を有し，かつ，少しでも水に溶解する化学物質は，すべて苦味を有すると考えられる．すなわち，苦味物質の種類は非常に多いものと予想される．そこで，苦味の受容がGPCRを介する経路だけではなく他の経路で行われている可能性も考えられる．苦味物質によっては，フォスフォディエステラーゼを直接阻害することや，GTP結合蛋白質を直接活性化することも示されている．また，各種苦味物質は神経細胞や人工脂質小胞（リポソーム）に界面電位を変化させることにより脱分極を引き起こすことから，味細胞にも同様の機構で興奮を引き起こす可能性も考えられる．

味細胞の多くには，ガストデューシンと呼ばれるGTP結合蛋白質が存在している．ガストデューシンは，視細胞に発現しているトランスデューシンと同様に環状ヌクレオチドを分解する酵素（PDE）を活性化する性質がある．このため，cAMPやcGMPなどが味細胞を興奮させるという生理学的な実験結果を考えると，ガストデューシンの役割に関しては否定的に考えざるを得なかった．最近，ガストデューシンのγサブユニットがIP_3およびジアシルグリセロール（DG）の合成酵素（PLCβ）を活性化する経路が注目されている．PLCβが活性化され，非選択性陽イオンチャネルのトランジェントリセプターポテンシャルのTRPM5を開口させる経路

が旨味，甘味および苦味受容で機能していると考えられている．

b. 嗅　覚

嗅覚系は，一般的な匂いを受容する主嗅覚系とフェロモンを受容する鋤鼻系（副嗅覚系）から構成されている．陸棲脊椎動物の嗅細胞は，無数といっていいほど多種類存在する匂い分子を高感度で感知し，微小な化学構造の違いを識別する機能を有する．また，水棲動物は，揮発性の匂い物質よりも種類の少ない水中のアミノ酸や胆汁酸などの水溶性物質を匂い物質として受容する．匂い分子やフェロモン分子は，嗅細胞や鋤鼻感覚細胞に存在する受容体に結合して，細胞電位を変化させる．細胞の電位変化はインパルス信号に変換され，嗅神経および鋤鼻神経を介して情報がそれぞれ嗅球と副嗅球に送られる．鼻腔内に存在する嗅上皮は，嗅細胞，支持細胞と基底細胞から構成されている．有害物質により損傷を受ける可能性が高い嗅細胞は，30から60日たつと基底細胞から分化した新しい嗅細胞と置き換わる．1個の嗅細胞の嗅小胞からは，10本近くの嗅繊毛が嗅粘液層にのびている．嗅細胞の細胞体からのびている神経軸索の末端は，嗅覚一次中枢である嗅球の僧帽細胞と呼ばれる神経細胞とシナプス結合している．

嗅細胞には，数百におよぶ大きなファミリーを形成する7回膜貫通型の嗅覚GPCRが存在する．匂い物質は，嗅覚GPCRと結合するとGTPの存在下で嗅繊毛内のATPをcAMPに変換する酵素（アデニル酸シクラーゼ）を活性化し，cAMPの合成を引き起こす．cAMPは，嗅繊毛に存在するイオンチャネル（cAMP作動性チャネル）を開口させる．この結果，嗅細胞が脱分極して神経インパルスが発生する．

ただし，すべての揮発性の匂い物質がcAMPを産生する性質をもっているわけではない．たとえば，一番数多くの種類の匂い物質について調べられているウシガエルでは，40％近い匂い物質はcAMPを産生させない．また，サカナが受容する水溶性の匂い物質は，cAMPの産生を促さない．cAMPの産生を引き起こさない揮発性の匂い物質の中にはIP_3を産生させる匂い物質が存在する．匂い物質によるセカンドメッセンジャーの産生は選択的であり，匂い物質は，cAMPかIP_3のいずれか1つしか増加させない．また，種々のアミノ酸はサカナの嗅繊毛にIP_3の産生を引き起こす．多くの動物の嗅細胞にIP_3を注入すると，興奮性の応答が発現することから，匂いの受容の際にはIP_3もセカンドメッセンジャーとして働いていると考えられる．すなわち，あるグループの匂い物質は，嗅繊毛内のIP_3濃度を増加させ，嗅細胞内のIP_3はIP_3作動性チャネルを開口させることにより嗅細胞を脱分極させる．

匂い受容の大きな特徴の1つは，匂いに対する順応（慣れ）が生ずることにある．順応は，さまざまな段階で生ずる．匂い応答の際にcAMP作動性チャネル，IP_3作動性チャネルおよび電位依存性Ca^{2+}チャネルを介して流入したCa^{2+}イオンは，フォスフォディエステラーゼの活性化，cAMP作動性チャネルおよびIP_3作動性チャネルの抑制，受容体のリン酸化による不活性化を引き起こす．また，cAMPを介したリン酸化も順応に関与している．ただし，1つの嗅細胞にある匂い物質を与えて匂い応答が順応した後に他の匂い物質を与えると新たな応答が生ずることから，Ca^{2+}イオンやcAMPに依存しない受容サイトレベルでの順応も生じていることが推測される．

一般に，1つの嗅細胞には1種類の嗅覚GPCRのみが発現しているが，ウシガエルのほとんどの細胞はcAMPを選択的に増加させる匂い物質と増加させない匂い物質の両者に応答する．また，情報伝達に関係する分子のRT-PCR法による解析は，cAMP合成酵素とIP_3合成酵素が1つの嗅

細胞に共存することを示した．刺激物質ごとに1つの受容体が違う細胞内情報伝達経路と共役することは一般的に考えにくい．単一嗅細胞を用いた交差順応実験は，単一嗅細胞には，嗅覚GPCRとともに未だに同定されていない複数の種類の匂い受容体が存在することを直接的に示した．

　嗅細胞は，嗅球の糸球体で僧帽細胞とシナプスを形成している．僧帽細胞は，嗅皮質に匂い情報を送っている．同じ嗅覚GPCRを発現している嗅細胞は，限られた数の糸球体に入力していることが明らかになっている．さらに，同じ嗅覚GPCRの入力を受けている僧帽細胞が，嗅皮質の特定の複数の領域に出力している可能性が示された．このように，匂い情報は嗅球や嗅皮質で統合されている．しかしながら，嗅細胞の匂い選択性がそれほど高くないためにその情報の統合の度合いは緩やかなものである．嗅細胞，僧帽細胞，さらに高次の神経細胞の複数のまったく異なる匂いを有する匂い物質に対する応答が調べられたが，いずれのレベルでも複数種類の匂い物質の中のただ1つに応答する割合が劇的に増えることはない．

　フェロモンは，ヒトでも生理作用を有することが示されている．たとえば，共同生活をしている女性どうしの月経周期は，だんだん同期してくる．月経周期を延長するフェロモンと短縮するフェロモンがヒトに存在することが見出され，これらの2種類のフェロモンが月経周期の同期を引き起こすと考えられている．また，フェロモンを受容する可能性を有する遺伝子がヒトの嗅上皮に存在することが示された．フェロモンは，一般的には鋤鼻器と呼ばれる器官で受容される．鋤鼻器は鼻腔内には存在するが，匂いを受容する嗅上皮とは独立している．嗅細胞は嗅繊毛を有するが，鋤鼻感覚細胞は微絨毛を有している点で形態的な違いが見られる．哺乳動物のフェロモン受容には，cAMPは主要な情報伝達経路には寄与しない．フェロモンはG_iもしくはG_oを介してIP_3およびDGの産生を引き起こす．その結果，鋤鼻感覚細胞に存在する非選択性陽イオンチャネルTRPC2が開口し，脱分極が生ずる．また，IP_3も，直接あるいは間接的にイオンチャネルを開口させることにより感覚細胞を脱分極させる．

　嗅細胞とは異なり，鋤鼻感覚細胞の選択性は非常に高い．何種類かのフェロモンで刺激しても，ほとんどの感覚細胞は1種類のフェロモンにのみ応答する．また，フェロモンは，時として流産のような体にドラスチックな効果を引き起こすので，その情報の受容が厳密に行われなければならない．鋤鼻感覚細胞からクローニングされた細胞外ドメインが短いGPCRファミリーはG_iを共役し，長いGPCRファミリーはG_oと共役することにより，フェロモンを受容する可能性が考えられている．また，齧歯類では，G_iおよびG_oを介して受容されたフェロモン情報は，一次中枢である副嗅球の吻側部と尾側部にそれぞれ選択的に送られる．

〔柏柳　誠〕

[文献]

1) Lindemann, B. : Receptors and transduction in taste, *Nature* **413**, 219-225, 2001.
2) 都甲　潔編：感性バイオセンサー，朝倉書店，2001.
3) 日本化学会編：味とにおいの分子認識，学会出版センター，1999.
4) 本庄　厳編：CLIENT 21 感覚器，中山書店，2000.
5) M. Kashiwayanagi : Molecular recognition and intracellular transduction mechanisms in olfactory and vomeronasal systems, *In* Hormones, Brain and Behavior, Vol.2, Academic Press, New York (D. Pfaff, ed.), pp.1-16, 2002.
6) 特集：味覚のメカニズムに迫る，生体の化学，2005.

5.12 聴　　覚

聴覚の受容器である蝸牛は，平衡感覚の受容器である前庭器から分化し，進化したもので，両受容器を合わせて内耳という．蝸牛の断面をみると，前庭階，鼓室階，中央階の3つに分かれており，中央階と鼓室階の境界にある基底板の上にコルチ器が載っている（図5.12.1）．コルチ器のなかに内有毛細胞と外有毛細胞がある．基底板が音によって振動すると，これらの有毛細胞が振動する．有毛細胞は音を聴感覚に変換させる受容細胞である．von Békésy は 1940 年代に，蝸牛基底板の振動様式について，音刺激により基底膜に沿って進行波が発生することを実証し，進行波説を唱えた．基底板上で進行波の振幅が最大となる場所は，高い周波数ほど蝸牛の入り口寄りとなる．つまり聴覚路の各神経核に存在する周波数局在は，蝸牛基底板の機械的な周波数選択性で決定される．

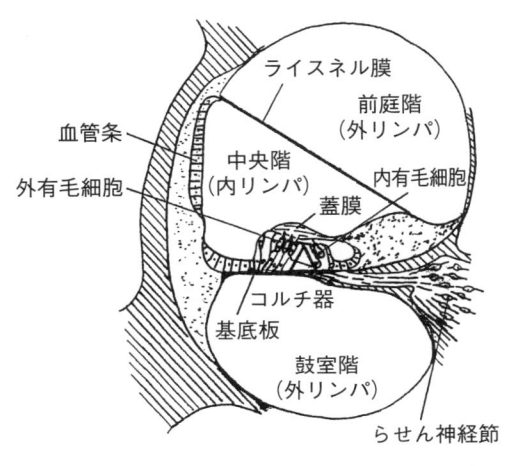

図 5.12.1 蝸牛内部の構造（谷口郁雄, 1999）

感覚変換の最初の過程に関与する有毛細胞の受容器電位を測定するため，Russel ら（1983）は内有毛細胞にガラス微小電極を刺入した．その結果，静止電位は -30〜-50 mV で，音刺激を与えると音の波形に一致した交流成分が重なることを明らかにした．有毛細胞に通電すると膜電位は変化し，約 $+1.2$ mA の電流で約 $+80$ mV の膜電位となり，これより上および下の電位で観察される交流成分が消失した．この $+80$ mV という電位は中央階の蝸牛内直流電位と一致する．この結果は蝸牛マイクロフォン電位の成因に関する古典的な Davis のカーボンマイクロフォン説を裏づけた．交流成分を発生させる電流の主な流入口は有毛細胞の上表面にある不動毛の先端に存在する（Hudspeth, 1982）．その変換電流は K^+ イオンの流入によるもので，この K^+ チャンネルは Ca^{2+} によって活性化される．

有毛細胞は蝸牛神経繊維とシナプスを形成する．音の情報は有毛細胞で化学的情報に変換された後，このシナプスで電気的神経情報である活動電位に変換される．音の物理的情報は，すべて活動電位の発火頻度とそのパターンに変換され，上位中枢へと送られる．

蝸牛神経繊維の音に対する応答パターンは単純で，たとえば，純音刺激の場合は音の開始点で強く反応し，その後，しだいに減少して，やがて定常状態となる．音の位相に対しては，周波数が比較的低い 5 kHz 以下の場合，放電頻度は刺激波形の半波に一致したパターンとなる．つまり，蝸牛神経繊維は基底板の一方向への変位によって興奮し，刺激波形の周期に同期する．これを位相固定性という．音声などの複合音の場合でも，低い周波数成分で構成された母音に対しては，位相固定性が認められる．

蝸牛神経の各繊維には周波数選択性があり，応答を周波数-閾値曲線で表すと，V字型の同調曲線が得られる．同調曲線の閾値の最も低い周波数を特徴周波数という．

同調曲線は，別の周波数の音を加えると，シャープになる．この現象は2音抑圧によるもので，その潜時が非常に短いことから，基底板上での機械的な機序によると考えられている．

蝸牛神経から大脳皮質に至るまでには数個の中継核を経て，数回，シナプスを換える（図5.12.2）．また，聴覚路では，延髄で交差する経路が優位であり，右の耳から入った情報は左の脳へ最初に入力する．最終的には，左右の脳は脳梁を介して連絡し，情報処理が行われる．各神経核の聴ニューロンの応答は，上位になるにつれて複雑となり，大脳皮質には同調曲線が閉じた形のものも存在する．このような特性をもつニューロンは特定の音圧と周波数を検知すると考えられる．Recanzone（1999）らによると，最適音圧をもつニューロンの聴覚皮質での分布は，周波数軸に対して直交する方向にパッチ状に分散する．

聴覚中枢の機能について，最もよくわかっていることは周波数局在である．この周波数局在が大脳にあることを最初に報告したのは，Tunturi（1952）で，イヌの皮質聴覚野から純音に対する誘発電位を記録すると，規則正しい周波数配列が存在することを見出した．その後，微小電極法が開発されると，この方法により各種動物の聴覚路に沿った神経核に周波数局在が確認され，周波数局在は哺乳類に共通する機能的構造であることが明らかとなった．

微小電極でマッピングした周波数局在は静的な構造である．これに対して，光学的にリアルタイムで可視画像化する方法で計測すると，周波数局在はダイナミックに変化する．この光学的計測法の原理は，聴覚

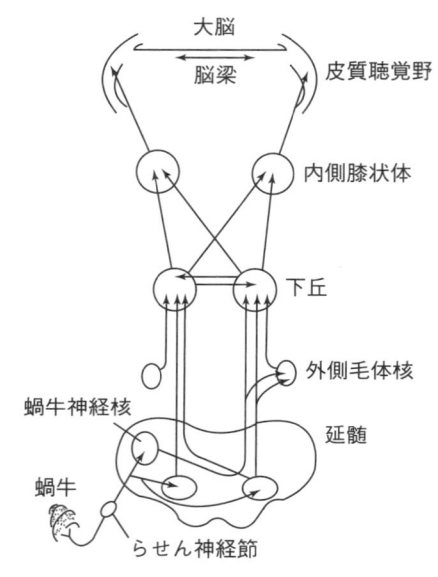

図5.12.2 聴覚系の求心性経路

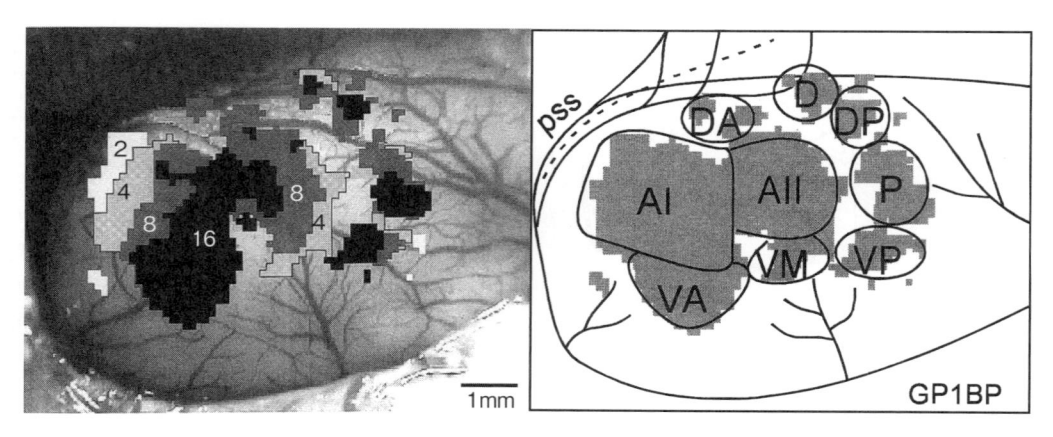

図5.12.3 光学的計測法で観察した皮質聴覚野の周波数局在
左図の数字は周波数（kHz）で，中心のAIおよびAII野には，はっきりした周波数局在が認められる．右図はAI, AII野を囲んでベルト状に多数の領域が存在することを示す（Horikawa, et al., 2001）．

野を膜電位感受性の蛍光色素で染色し，音刺激で活動したニューロンからの光信号を蛍光顕微鏡に搭載したフォトダイオードアレイで検知する．筆者らの計測システムのフォトダイオードアレイは464チャネルあり，各チャネルは聴覚皮質の$188 \times 188\ \mu m$の領域からの光信号を受ける．そのため計測された信号は皮質の多数のニューロンの興奮および抑制活動の和となる．

光学的に計測された周波数局在のバンド幅は微小電極法で計測したときより広くなる（図5.12.3）．これは，微小電極法ではニューロンの閾値での特徴周波数の等高線で表すのに対して，光学的方法では閾値の異なるニューロンの集団からの空間的応答が基礎となっているからである．また，光学的方法の有利な点はリアルタイムでの計測が可能なことで，活動が周波数バンドに沿って伝播する様子を可視化でき，周波数局在が動的な構造として観察される．さらに，この方法によって大脳皮質での側方抑制がはじめて観察された．

聴覚系は音によるコミュニケーションのためには欠くことができないが，もう1つの重要な機能として音源定位がある．聴覚が音源定位のために特殊化したコウモリやフクロウのような動物以外の哺乳類でも鋭い音源定位が可能である．音源定位の手掛かりとなるのは，両耳間の音の強度差と時間差である．Jeffressは両耳間の時間差の情報を処理するモデルを1948年に発表した．このモデルは時間差の情報をニューロン集団の空間的情報に変換するという場所説にもとづいている．Jeffressのモデルは次の3つの要素から構成されている（図5.12.4）．① 対側および同側の耳からの入力が脳のある部位に収束する．② 時間差を検出する部位のニューロンに入力する対側および同側からの繊維が互いに逆方向からはしご状に入力するため遅延回路ができる．③ 時間差検出部位のニューロンは，対側および同側からの入力が同期したとき

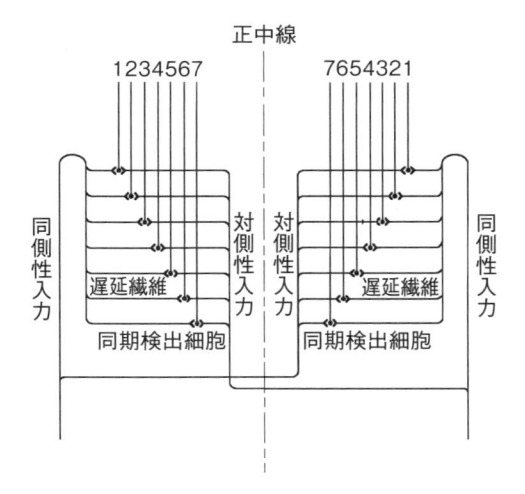

図5.12.4 Jeffressの時間差検出モデル（窪田道典，谷口郁雄，1999）

だけ発火する．同期検出ニューロンが存在すれば，②の構造と合わせると時間差の情報は位置の情報に変換できる．時間差を検出する聴覚中枢の最初の部位としては，哺乳類では上オリーブ内側核，鳥類ではそれに相当する層状核が考えられており，Jeffressのモデルは実験的にも支持されている．

聴覚皮質レベルでの音源定位に関する最新の研究は，サルやモルモットでは聴覚野の尾側の領域が音源定位に関与することを示唆している．　　　　　　　〔谷口郁雄〕

[文献]
1) ピクルス，J. O.（谷口郁雄監訳）：ピクルス聴覚生理学，二瓶社，1988.
2) Popper, A. N. and Fay, R. R.: The Mammalian Auditory Pathway: Neurophysiology, Springer-Verlag, 1992.
3) de Weer, P. and Salzberg, B. M.: Optical Methods in Cell Physiology, John Wiley & Sons, 1986.
4) 堀川順生，谷口郁雄：光学的測定によるモルモット聴覚野の音刺激依存活動，生物物理，215号，1998.
5) Jeffress, L. A.: A place theory of sound localization, *J. Comp. Physiol.* **41**: 35-39, 1948.

5.13 体性感覚

感覚受容器が外界の情報を体内信号として変換し，微妙な違いを区別する上で情報は4つの属性に分けることができる．触覚を例にとると，① 受容器の様式，② 刺激部位の大きさ，③ 刺激強度，④ 刺激タイミングである．すなわち機械受容器としてマイスナー小体，メルケル盤，パッチニ小体，ルフィーニ終末の4種類が様式の違いであり，それぞれの受容器が受けもつ刺激部位の広さ，すなわち受容野サイズが異なる．またいずれの受容器もある強度では刺激と応答が比例し，刺激強度は放電頻度に変換される．また刺激の持続時間は受容器の放電時間経過の変化となり，受容器の種類によっては，刺激印加の始まりと終わりに放電が起こる過渡型と，刺激印加時を通じて放電する持続型があり，これら4属性の情報の違いにより機械刺激が識別される．

この節で扱う体性感覚には5つの様式である触覚，固有感覚，痛覚，温熱感覚，平衡感覚がある．触覚は，皮膚に加えられた機械的刺激の大きさ，形，模様，皮膚上の動きを識別し，固有感覚は，四肢，体躯の位置の認識にかかわり，随意運動と関係する．痛覚は組織の侵襲，化学刺激による痛み，かゆみを検出し，温熱感覚は皮膚周囲の暖かさ，冷たさを感じる．平衡感覚は体の平衡や姿勢の保持のための情報を提供する．5つの感覚情報はそれぞれ専門の受容器により検出され，脳へ送られるが，平衡感覚以外を担う神経細胞はいずれも脊髄後根神経節ニューロン（以下，DRGニューロン）である．また首から上の体性感覚はDRGニューロンと相同的な三叉神経により脳へ伝達される．表5.13.1に感覚様式，刺激，受容器の種類，名称をまとめた．

a. 機械受容器（触覚，固有感覚）

皮膚にあるDRGニューロンの終末には自由終末とカプセル化した終末がある．カプセル終末では，皮膚のくぼみ，へこみがカプセルを変形させ，触覚，固有感覚を検知する．自由終末では痛覚，温熱感覚を検知する．進化の上から体性感覚をみると，より原始的・根源的な感覚が痛覚，温熱感覚で，多くの動物に備わっている．一方，触覚は精密弁別が可能で，類人猿，ヒトにおいてとくに発達している．触覚はさらに，皮膚表面の微妙な接触を感知し，その位置を特定することのできる局所感覚，振動の周波数，強度の検出，接触しているものの表面形状の認識，掌中にある物質の形状認識などがある．

類人猿，ヒトにおける触覚は無毛部分と

表5.13.1 体性感覚受容器

感覚	様式	刺激	受容器の種類	受容器名
体性感覚	身体感覚			DRGニューロン
	触覚	圧力	機械受容器	皮膚機械受容器
	固有感覚	変位	機械受容器	筋・関節受容器
	温熱	温度	温熱受容器	寒冷・温熱受容器
	痛み	機械，温度，化学	機械・温熱・化学受容器	ポリモーダル受容器，温熱受容器，機械受容器
	かゆみ	化学	化学受容器	化学受容器
前庭感覚	平衡	加速度	機械受容器	有毛細胞

有毛部分での受容器は異なっている．無毛部分では指先，手のひら，かかと，唇で感度が最大となっており，指先では受容器がほぼ指紋の渦ごとに整然と配列されている．皮膚の表層近くにはマイスナー小体とメルケル盤が，皮下にはパッチニ小体，ルフィーニ終末がある（図5.13.1）．

　表層近くのマイスナー小体はカプセル状の構造をとり，皮膚上皮細胞乳頭部と機械的につながって振動に対して鋭敏に応答するが，順応が速く，持続的に皮膚がくぼむような刺激には応答しない．指を物体の表面で滑らせるとき，角などの物体形状の凹凸変化を検出する．一方メルケル盤は皮膚上皮細胞の乳様突起中心に位置し，神経終末を取り巻く上皮細胞の半固形状の構造により皮膚への圧縮応力を伝達し，順応の遅い，持続的な応答を引き起こす．接触表面が平らであればメルケル盤は連続的な低頻度放電応答を示し，皮膚がへこむ凸面でDRGニューロンの放電頻度は突然増加し，くぼむ凹面では放電はなくなる．最大の応答出力を示すのは鉛筆の先のような鋭いもので押すときである．また表面近くのDRGニューロンは10〜25個のマイスナー小体，メルケル盤を神経支配し，受容野直径は2〜10 mmで皮膚表層では空間分解能が高く，点字の識別も可能となる．点字を識別する際，メルケル盤とマイスナー小体は点字を構成するドットが受容野を横切る際の活動電位，あるいは途切れたときの無応答を信号とする．個々の受容器の放電パターンだけでは全体像がわからないため，周辺の活性化した受容器と，活性化していない受容器の一群の信号が点字の識別には必要となる．空間分解能はメルケル盤が最も高く，マイスナー小体も個々のドットを見分けるが受容野が大きいため分解能では劣る．

　皮下にあるパッチニ小体は最も振動に敏感な機械受容器で，マイスナー小体に対応して順応の早い，過渡的な応答をする．点字の識別を考えると，パッチニ小体は脳へマイスナー小体，メルケル盤が送る信号のタイミングをとる役割をなす．ルフィーニ終末は順応が遅く，皮膚が引っ張られたり，爪が曲げられたりすると神経終末が圧迫されて持続的な応答をする．ルフィーニ終末からの信号により物を握ったときの形状認識ができる．深部のパッチニ小体，ルフィーニ終末の受容野は広く，皮膚に触れる対象物の全体的な特徴を把握したり，広い範囲の動きの識別に関係する．

　皮膚の機械受容器には，ほぼ同じ受容野をもつ2種類の受容器がある．いずれも皮膚の屈曲が刺激となるが，伝える情報は異なる．図5.13.2に順応特性の異なる2種類の受容器の応答特性を示す．図左の順応の遅い受容器では，物体の形と圧力の情報は平均放電頻度として符号化され，右側

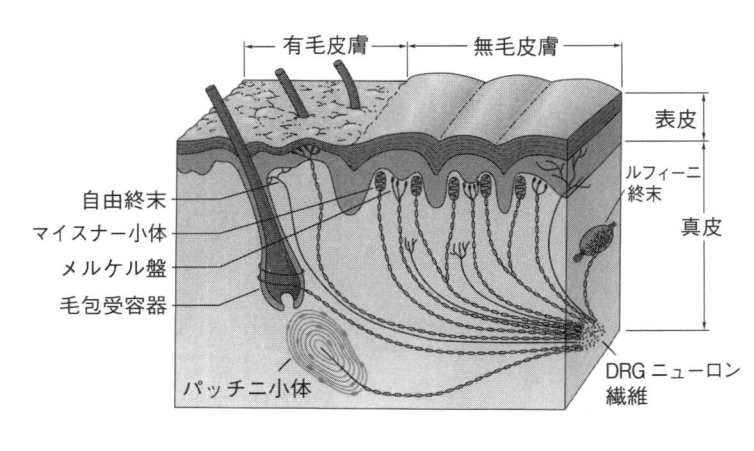

図5.13.1 皮膚の触覚受容器
有毛部と無毛部では，受容器が異なる（Gardner, E. P. et al., 2000 を改変）．

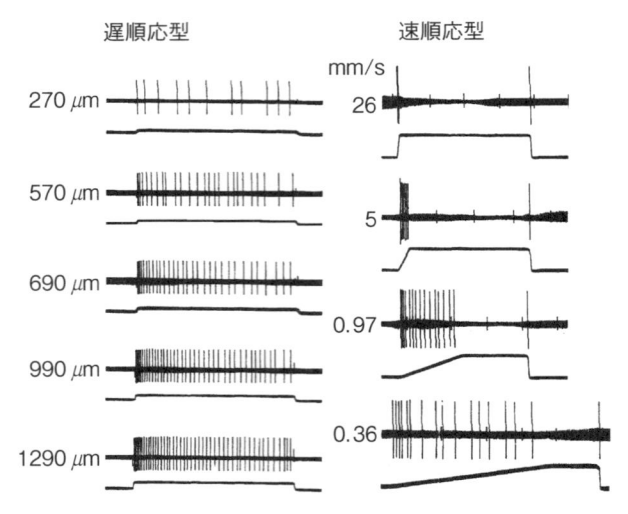

図 5.13.2　触覚受容器の 2 つの応答型
図は細胞外記録による放電とそのときの刺激．遅順応型の左の数字は皮膚に加えられた圧迫強度を表面からのくぼみで表している．速順応型では皮膚への圧迫刺激の速度を左の数字で表している（左図：Mountcastle, V. B. et al. 1966. 右図：Talbot, W. H. et al. 1968）．

の順応の速い受容器では，放電頻度は物体の動きに比例し，活動の持続が動きの時間を伝える．一般的に順応の速い受容器はDRGニューロンに興奮を引き起こす閾値が低い．

DRGニューロンは神経繊維の直径と髄鞘の有無により，4種類に分類される．最も太い有髄神経であるAα繊維と，次に太いAβ繊維は機械受容器信号と固有感覚信号を脳へ伝え，有髄細径神経のAδ繊維と無髄細径のC繊維は痛覚，温熱感覚を伝えている．有髄太径繊維は活動電位の伝達が速く，径の細いもの，無髄繊維は伝達が遅いという特徴がある（⇨5.7）．機械受容器を生理学的に分類するために，軽打，プローブによる圧迫，周期振動などの刺激が使われるが，日常生活では自然刺激はそれらの複合したものとして加えられ，複数の受容器が刺激される．たとえば物をつかんでもち上げ，別の場所に置くことを考える．まずマイスナー小体は物を握る際の指にかかる圧力の増加と，放すときの低下を符号化し，パッチニ小体は指の動きの始まりと終わり，物をもち上げたときと放すときに活動する．メルケル盤は握り始めるとき活動を始め，その後持続的に活動して把握力を伝え，放すときまで活動する．ルフィーニ小体は物をもち上げたときの垂直方向の重力の変化を信号とする．これら4種類の受容器の調和した信号が手の運動系を制御する信号となる．

体表を覆う有毛皮膚においては毛根の周囲に毛包受容器あり，毛の動きを検出する．動物の体毛は tylotrich（T毛），guard（剛毛），down（綿毛）の3種類があり，T毛が最大で数は少ない．T毛と剛毛は1本ずつに別々の毛包受容器があるが，綿毛は毛包受容器からまとめて出る．

四肢と体躯の位置情報を視覚によらないで感覚するのが固有感覚で，これには四肢の静的な位置感覚と，動的な運動感覚がある．これらは筋肉中にある筋紡錘と，腱にあるゴルジ腱器官が筋肉，腱の収縮力を検知し，関節受容器は関節の伸展を検知する．また皮膚にある伸展受容器であるルフィーニ終末，毛根にあるメルケル細胞は唇の動

き，顔の表情をつくる上で重要な働きをしている．

b. 温熱受容器

ヒトは寒い，冷たい，暖かい，熱いをそれぞれの受容器（寒・冷・暖・熱受容器）で感覚するが，これは皮膚温34℃と比較した周囲の空気，接触している物体の温度差を温熱受容器が検出することによる．温熱受容器は温度の関数として放電頻度が変化するが，定常温でも温度依存的に放電があり，皮膚温34℃では2～5インパルス/秒の放電がある．皮膚が徐々に暖められたり，冷やされても定常状態の放電頻度は変化しない．寒受容器は25℃で最大応答を，暖受容器は34℃から放電頻度が比例的に増加し45℃で最大応答を示し，これより上では放電頻度はいちじるしく低下する．すなわち5℃以下の寒冷刺激，45℃以上の熱刺激に対しては温度感覚というより，むしろ痛みを感じる．温度情報の符号化は色覚の符号化と類似し，4種の受容器の出力が温度情報となる．温度上昇は主に暖受容器の，下降は寒受容器の出力を反映し，数秒間定温状態が続くと順応が起こる．

c. 痛みの受容器

組織を傷つけるような刺激を侵害刺激といい，侵害受容器が応答する．切創などはDRGニューロンの自由終末が傷つくという直接刺激が痛みとなるが，やけどなどでは侵害刺激により細胞から放出される化学物質が間接的に痛みを感じるもととなる．痛み物質として知られているものに，ヒスタミン，K^+，ブラジキニン，P物質，酸，ATP，セロトニン，アセチルコリンなどがある．これらの物質は濃度依存的に侵害受容器を刺激し，焼けるような痛みをもたらす．ある種の侵害受容器ではヒスタミンに対してかゆみを生じる．このような受容器をもつ神経繊維ではヒスタミン以外に蛋白質，アレルゲンなどの外来物質によりかゆみは持続する．

侵害受容器は刺激の様式により，機械侵害受容器，温熱侵害受容器，ポリモーダル侵害受容器に分類される．機械侵害受容器はつねられたりするとき感じる強い機械刺激に応じ，受容器はDRGニューロンの自由終末で無髄細径のC繊維である．

温熱侵害受容器には45℃以上の熱刺激に応じるグループと5℃以下の寒冷刺激に応じるグループがある．

ポリモーダル（polymodal）侵害受容器は，機械刺激，温熱刺激，化学刺激などの多様な刺激に応答し，ヒトの場合ゆっくりした焼けるような痛み感覚となる．虫歯による歯の痛みはポリモーダル受容器による．

d. 平衡感覚

脊椎動物では内耳迷路の前庭器官により頭部への直線，回転加速度を検出し，体の平衡や姿勢の保持に役立っている．地球上ではつねに1Gの重力加速度が働き，耳石器官により重力方向を感知している．頭を傾けたり，回転すると，加えられた回転加速度は半規管で検出され，直線，回転加速度に変化があれば，それに対応した姿勢や平衡の調節が図られる．前庭器官は左右にそれぞれ直交する平面からなる3つ（前，外側，後）の半規管が頭部の回転運動を，各半規管が集まる卵形囊と蝸牛管につながる球形囊が直線加速度を感知する．回転運動は半規管内のリンパに慣性を与えることから流動を生じ，これが膨大部のクプラと呼ばれる板状の突起を屈曲させ，これによる有毛細胞の興奮が頭の動きとして感知される．半規管の刺激は眼球運動に鋭敏に反映される（前庭動眼反射）．

一方，卵形囊と球形囊では平衡斑と呼ばれる構造が直線加速度を感知する．平衡斑は耳石膜で覆われ，その中に有毛細胞の感覚毛が埋没している．膜の表面には炭酸カルシウムの結晶である耳石（平衡砂）が散

在し，これが直線加速度により動き，有毛細胞の感覚毛を圧迫することにより有毛細胞に電位変化が生じる．感覚毛の最大のものをキノシリア（動毛），それより短く階段状に配列された感覚毛をステレオシリア（不動毛と呼ばれるが，少しは動く）という．ステレオシリアは先端で直径3 nmのチップリンクと呼ばれるミオシン繊維により相互につながっており，わずかな動きでも変化を伝えやすい構造となっている．またこのチップリンクに加えられた機械的変位が動毛方向に動くと，感覚毛上の陽イオン選択性チャネルのゲートが開けられ，Ca^{2+}，K^+ が有毛細胞に流入して脱分極をもたらし，一方，逆方向の動きに対しては過分極することが最近明らかにされた（⇨5.5）．

　水棲の無脊椎動物では体平衡は原始的な平衡器である平衡胞と呼ばれる球形の器官による．平衡胞の内部には内リンパ液と平衡砂があり，この耳石が動物にかかる加速度により有毛細胞のシリアを押して加速度が感知される．有毛細胞は平衡胞の周囲を取り巻くように配置され，シリアは脊椎動物のようなキノシリア，ステレオシリアには分化していない．またシリア自身が自発的に振動しているため平衡砂は常時少しずつ回転し，水中を浮遊しているような状態（0Gのとき）ではどのシリアも圧迫しないこともあり，ちょうど加速度を検出するためのアイドリング状態にあり，無重量状態が容易に検出できる． 〔榊原　学〕

[文献]
1) Kandel, E. H., *et al.* (eds)：Principles of Neural Science, 4th ed., McGraw-Hill, 2000.
2) シュミット, R. F., テウス, G.（編）（佐藤昭夫監訳）：スタンダード人体生理学, シュプリンガー・フェアラーク東京, 1994.
3) 小幡邦彦, 外山敬介, 高田明和, 熊田　衛：新生理学, 文光堂, 1994.

5.14　視　覚

a. 網　膜

　網膜は，光受容のみならず高次視覚中枢へ情報を送るための前処理という役割を果たしている．ここでは主に哺乳類の網膜について述べる．

(1) 視細胞

　眼球の光学系によって網膜に投影された外界像は，二次元的に配列された視細胞によって生体信号に変換される．各視細胞は，入射した光の強度と波長に応じ

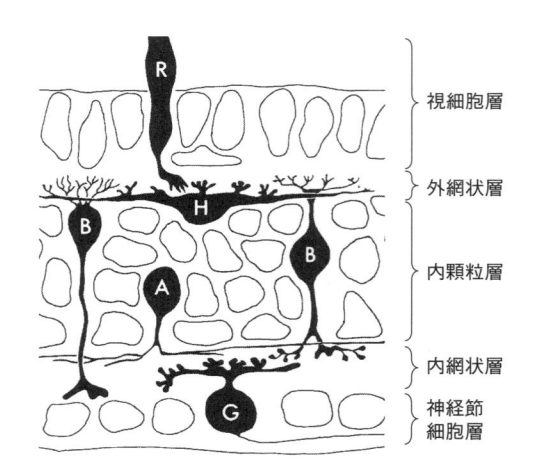

図 5.14.1　網膜の模式図
網膜は厚さ約 0.2 mm のシート状をした神経組織であり，層構造をしている．視細胞層において視細胞（R）の細胞体が密集している層を外顆粒層とも呼ぶ．外網状層では，視細胞・双極細胞（B）・水平細胞（H）がシナプスを形成している．また，内網状層では，双極細胞・アマクリン細胞（A）・神経節細胞（G）がシナプスを形成している．(Dowling, J. E.：The Retina, An approachable part of the brain, The Belknap Press of Harvard University Press, 1987 の図 2.2b から改変)

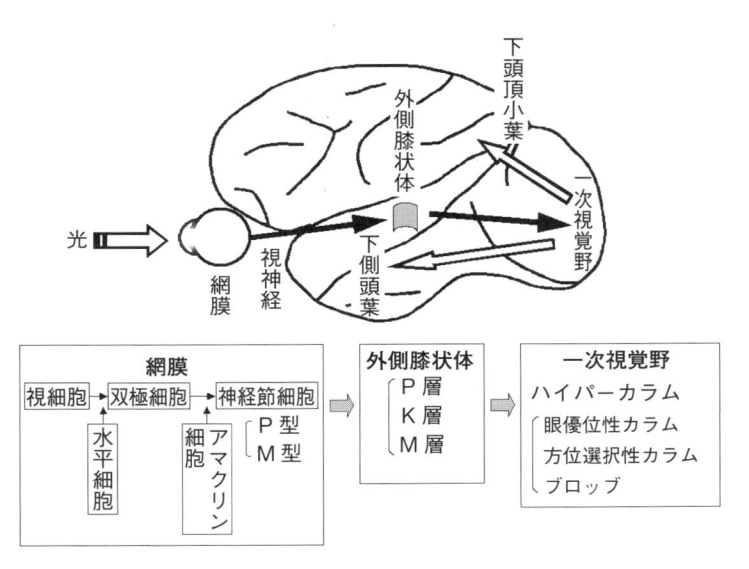

図5.14.2　視覚情報の流れ
光は網膜の視細胞で受容されたのち，双極細胞，水平細胞，アマクリン細胞から構成される回路網で処理され，最終的に神経節細胞（サルではP細胞やM細胞，ネコではX細胞，Y細胞，W細胞がある）から出力される．神経節細胞の軸索の束が視神経を構成する．主に外側膝状体（P層，K層，M層）に伝えられた視覚情報は，一次視覚野のハイパーカラム（眼優位性カラム，方位選択性カラム，ブロブ）で処理された後，視覚前野を経て下側頭葉に至る腹側経路で物体情報が，下頭頂小葉に至る背側経路で空間情報が主に処理される．

て，過分極性の緩電位応答を発生する（⇨7.8）．視細胞は，暗所視で働く桿体と明所視で働く錐体に分類することができる．錐体にはスペクトル感度の異なるサブタイプが存在し，色覚に関与する（⇨7.9, 7.12）．

網膜における視細胞の密度が空間分解能（視力）に大きく影響する．視線を向けた視野領域は錐体が高密度に配列された中心窩に投影されるため，中心視で視力が最も高い．桿体は視線から約20°ずれた周辺部で密度が高いため，暗所では周辺視の方がものが見えやすい．

(2) 双極細胞

網膜第二次ニューロンの双極細胞は，同心円状の受容野をもつ．オン型細胞では，受容野中心部を光刺激すると脱分極性の緩電位応答を発生し，周辺部を光刺激すると過分極応答を発生する．オフ型細胞では，応答の極性がちょうど逆になる．いずれの細胞でも，受容野全体を光刺激すると中心－周辺の拮抗作用によって応答は減弱する．

外網状層で視細胞と双極細胞はシナプス結合している．視細胞の伝達物質はグルタミン酸である．双極細胞の樹状突起には，オン型では代謝型グルタミン酸受容体（mGluR6）が，オフ型ではイオンチャネル型グルタミン酸受容体（非NMDA型）が存在する．暗闇で視細胞から放出されたグルタミン酸はオン型双極細胞のmGluR6に結合するとG蛋白質（G_o）を活性化し，いまだ結論の出ていない過程を経て，最終的に細胞膜に存在する陽イオンチャネルが閉じて過分極する．光刺激によって視細胞からのグルタミン酸放出量は減少するので，オン型双極細胞は脱分極応答を発生する．一方，オフ型双極細胞の非NMDA型グルタミン酸受容体はそれ自体が陽イオン

チャネルを構成しているため，光刺激で視細胞から放出されるグルタミン酸が減少すると，オフ型双極細胞は過分極応答を発生する．

内網状層で双極細胞はアマクリン細胞と神経節細胞にグルタミン酸を介してシナプス伝達を行う．双極細胞の終末部は，オフ型では内網状層の遠位側（a層）に，オン型では近位側（b層）に存在する．アマクリン細胞や神経節細胞にもオフ型とオン型があり，これらの細胞の樹状突起はオフ型ではa層に，オン型ではb層に位置している．このように，双極細胞で形成されたオン情報とオフ情報は別々の経路で視覚中枢に送られる．

(3) 水平細胞

水平細胞は外網状層で視細胞から入力を受ける．水平細胞どうしは電気シナプスによって結合しており，非常に広い受容野をもつ．イオンチャネル型グルタミン酸受容体が発現しており，光刺激で過分極する．双極細胞の受容野周辺部は水平細胞の働き（側抑制）で形成されている．

(4) アマクリン細胞

アマクリン細胞は，光応答からオン型，オフ型，オン/オフ型に分類できる．緩電位応答の上にしばしばスパイク（活動電位）が乗る．細胞形態や含まれる伝達物質・機能蛋白質の種類などから多くのサブタイプに分類できる．神経節細胞の受容野を調整したり運動方向選択性の形成に関与しているものなどがある．

(5) 神経節細胞

ネコの神経節細胞は，光応答の性質からX型，Y型，W型に分類される．X型は，光刺激に対して持続性のスパイク発火を生じる．同心円状をした受容野の中心部における光応答は線形に加算される．形態的にはβ細胞であり，中型の細胞体と比較的狭い樹状突起の広がりをもつ．Y型は，光刺激に対して一過性の応答が顕著である．受容野中心部での光応答の加算は非線形である．形態的にはα細胞であり，大型の細胞体と広い樹状突起の広がりをもつ．軸索も太く，スパイクの伝導速度は最も速い．W型は，受容野の形状がさまざまで，スパイクの伝導速度は遅い．形態学的にも生理学的にもさまざまなサブタイプが含まれる．なお，サルの神経節細胞は次項で述べるようにP型やM型に分類できる．

b. 視交叉

神経節細胞の軸索は視神経となって脳の複数の領域に投射し，スパイクによって情報を減衰させずに送る．ヒトやサルでは視神経の本数（約百万本）は視細胞数の約1%にすぎない．左右の眼球から出た視神経は脳の入口で視交叉を形成する．ヒトでは視神経のうち約55%が交叉して残りが同側の脳へ向かうので，半交叉という．一般に，非交叉繊維は側頭側の網膜神経節細胞に由来し，交叉繊維は鼻側の網膜神経節細胞に由来する．したがって，左視野の情報（レンズの働きにより網膜の右半分に入る）は右脳に，右視野の情報は左脳に送られる．

視神経から中枢に向かう経路には，外側膝状体背側核を経て一次視覚野に向かう膝状体系と，上丘から視床枕核や視床後外側核を経る外膝状体系がある．

c. 外側膝状体

大部分の神経節細胞は外側膝状体に情報を送っている．霊長類の外側膝状体では，2層の大細胞層（M1, M2）と4層の小細胞層（P3-P6）があり，これら各層の下層にはkoniocellular layer（K1-K6）がある．各層は一方の眼からのみ入力を受け取る（同側入力：K2, M2, K3, P3, K5, P5, 対側入力：K1, M1, K4, P4, K6, P6）．サルの網膜神経節細胞のうちmidget型（P細胞）は外側膝状体のP層に投射し，parasol型（M細胞）は外側膝状体のM層に投射する．いずれも同心円状の中心-周辺

拮抗型受容野をもつ．P型はM型に比べて受容野が小さく，色対立型情報を外側膝状体に送る．一方，M型は受容野が大きく，色対立型の性質を示さない．網膜の背側半野は外側膝状体の内側に，腹側半野は外側に，中心野は中央部に投射されており，網膜部位再現がある．

d. 一次視覚野

大脳皮質一次視覚野（V1, 17野，有線野）に存在する神経細胞の多くは，受容野内の光刺激の方位，運動方向，長さ，空間周波数，色といった特徴に選択的に応答する．単純型細胞は細長いオン領域とオフ領域が隣接したサンドイッチ状の受容野をもち，特定の方位のスリット光によく応答する．複雑型細胞ではオン領域とオフ領域は明確に分離されておらず，特定の方位をもったスリット光の点滅にオン・オフ応答を生じる．いずれの細胞でも受容野外にスリット光がはみ出すと末端抑制をかけるものもある．

大脳皮質は6層構造をしており，一次視覚野では主にIV層に外側膝状体からの単眼性入力がある．左右の眼からの入力は規則的に交互に配列されている．入力層から上（II・III層）や下（V・VI層）に情報が伝えられ，両眼入力の収斂が生じる．一方の眼からの入力が優位である細胞群は，皮質に垂直な柱状構造を形成しており，これを眼優位性カラムと呼ぶ．実際には柱状というよりは板状で，各板の厚みは約0.5 mm，長さは10 mm以上にも及ぶ．

方位選択性に関してもカラム構造がある．各神経細胞が最もよく応答するスリット光刺激の方位は皮質表面に沿って連続的に変化する．皮質上の約1 mmで全方位がカバーされる．左右の眼優位性カラムと全方位をカバーする方位選択性カラムが皮質1 mm四方に存在することから，これをハイパーカラムと呼ぶ．

方位選択性を示さない細胞群が密集したブロブと呼ばれる領域が眼優位性カラム内に点在する．ここには色選択性を示したり低空間周波数刺激に応答する細胞が多い．ブロブ間領域では，色選択性はほとんどなく，高空間周波数刺激に応答する細胞が多い．両眼性入力を受ける細胞には視差に感受性をもつものがある．

一次視覚野では，視野が網膜部位対応的に表現されている．したがって，特定の視野領域に関して，方位，運動方向，空間周波数，色といった特徴が抽出できる．各神経細胞はそれぞれの受容野内における視覚情報を個別に処理しているわけではない．皮質では水平結合があり，受容野外の刺激によっても刺激文脈依存性に応答が修飾を受ける．また，高次視覚野からの影響も受けている．

e. 一次視覚野以外の視覚中枢

サルの視覚関連皮質領野は30以上にも細分化されている．一次視覚野から視覚前野を経て下側頭回に至る腹側経路と，下頭頂小葉に至る背側経路がある．前者は物体視，後者は空間視のための経路であると考えられている．いずれの経路においても，含まれる皮質領野間には複雑なフィードバック・フィードフォワード回路がある．腹側経路にあるV4野は形や色の恒常性・曖昧な輪郭をもつ図形の認知などにかかわり，下側頭葉皮質は物体の形態認知あるいは視覚的記憶と深いかかわりがある．一方，背側経路にあるMT野やMST野は，相対運動の検出・広視野の動きと物体の相対的な運動の表現などを行っている．三次元的な運動を処理するシステムや物体の三次元的な位置や立体構造を表現するシステムもこの経路に含まれる．視覚関連領野の機能分化が明らかにされる一方で，それらの領野間・経路間のクロストークや情報統合についてさまざまな検討が行われている．

〔立花政夫〕

[文献]
1) 村上元彦：どうしてものが見えるのか（岩波新書），p. 413，岩波書店，1995.
2) Toyoda, J-I. *et al.*: The Retinal Basis of Vision, Elsevier, 1999.
3) 福田　淳，佐藤宏道：脳と視覚（ブレインサイエンス・シリーズ14），共立出版，2002.

5.15　運　　動

　運動は生物の分子，細胞，個体のあらゆる階層にわたって見られる現象である．多細胞生物の個体としての運動の生成機構は，神経細胞，筋細胞，感覚細胞などが多数相互作用するシステムにおける動的現象として捉えられる．ところが，多様に分化した構成要素からなるシステムの動的振る舞いが，どのような原理でつくり出されるのかについてはまだ未知の点が多い．さらに，運動には生物種やその種が生存する環境に応じた多様性がある．たとえば，単細胞生物やヒトを含む多細胞生物では，環境中の移動運動は普遍的に見られるが，その移動形態は多様である．このことは生物進化の時間スケールにおいて運動という表現型が発展する過程とみなすこともできる．そして，個体の運動は，発達や学習といった異なる時間的スケールでも変化する．このように，運動とは生物があらゆる時空間的スケールにわたって「生きている状態」を表すものであり，その統一的な理解は生物物理学が明らかにすべき最も重要な問題の1つである．ここでは，個体レベルでの運動の力学的特徴，脳神経系の活動と運動制御の関連，運動制御の理論などについて述べる．
　多様な生物種がつくり出す運動は，地上，空中，水中などの環境の力学的な性質に適応しており，ニュートン力学や流体力学に従う．たとえば，脊椎動物の歩行や走行は，筋肉の収縮によって発生した力が骨格へと伝達され，四肢が外界に対して及ぼす力の反作用として推進力が得られる．筋骨格系

は，非常に複雑な剛体力学系であるが，個々の脚は，立脚期に地面に対して力を及ぼし推進力を得て，遊脚期に次の支持点へと移動する，という運動を周期的に繰り返す．また，四肢は歩容と呼ばれる一定の運動パターンにしたがって動くことで，全体としての協調した運動がつくられる．このほか，蠕動運動は，ミミズやカタツムリのような骨格系をもたない生物に見られ，体節を伸縮させ進行波をつくることで移動する．蛇行運動は，ヘビ，ウナギ，ヒルから原生動物の鞭毛に至るまで多様な生物に見られ，体を蛇行させ進行波をつくって移動する．このとき，水中で流体から受ける粘性力と，生物のサイズに応じた慣性力とのバランスによって実際の運動が決まってくる．パドリングも，水鳥の水掻き，ザリガニの遊泳肢，ゾウリムシの繊毛など多種の生物に見られる．これは，幅広の板状の部分を水中で動かしたときの抗力によって推進力を得る方法であるが，パワーストロークで推進力を得て，リターンストロークでは抗力が働かないように動かし方を変化させる．イカのようにジェット推進で移動する生物もいる．空中を移動する場合，大型の鳥類やムササビでは滑空が，小型の鳥類や昆虫では羽ばたきが見られる．これらは空気の流体力学に応じた運動形態をとっている．

このように生物は，形態に応じて力学的にコストのかからない方法で運動すると考えられる．しかし，身体の形態が複雑になれば，多数の自由度の統合が必要になり，どのような運動パターンを選んだらよいかという制御の問題が生じる．ヒトを含む脊椎動物の運動は骨格筋の収縮によって引き起こされるが，これはきわめて複雑な脳神経系によって制御される．以下では，運動に関与する神経機構について，筋肉，脊髄，脳幹，小脳，大脳基底核，大脳の順に，動物の神経生理学，ヒトの非侵襲脳神経系計測，理論的考察を述べる．

筋群は，解剖学的な配置によって，特定の関節を伸ばしたり屈曲したりする伸筋と屈筋，四肢を体幹に近づけたり遠ざけたりする内転筋と外転筋などに分類される．それぞれの筋肉は，脊髄にあるα運動ニューロンからの投射を受けている．1つのα運動ニューロンが支配する筋繊維群は運動単位と呼ばれる．小さなα運動ニューロンは，発生する張力や収縮速度は小さいが持久力のある遅筋（赤筋）を，大きなα運動ニューロンは，張力や収縮力は大きいが持久力のない速筋（白筋）を支配している．運動ニューロン群への興奮性入力が増加すると，サイズ効果に従って，小型のα運動ニューロンから大型のα運動ニューロンへとしだいに動員される運動ニューロンが増えて，筋の発生する収縮力もしだいに大きくなる．筋の長さや張力は固有受容器により，外部から皮膚などへの刺激は外受容器により感知されて上位神経系へと伝えられると同時に，脊髄内で側枝を伸ばしてα運動ニューロンに投射し，脊髄反射回路を形成する．これらは，伸張反射や屈曲反射など一定したパターンの運動を生じる．

ラットやネコなどでは，脊髄の介在ニューロン群が歩行の生成に必要な周期的な活動を生成する．これは中枢パターン発生器(central pattern generator)と呼ばれ，感覚入力や上位神経からの入力を遮断しても，歩行パターンに対応する筋活動を自律的につくり出すことができる．実際の運動中には，上位神経や感覚入力による修飾を受けながら適応的な運動を生成すると考えられる．ヒトの脊髄にも同様な機構があることが示唆されている．中枢パターン発生器の機構は，非線形振動子結合系における自己組織現象である．歩行の基本的なパターンは中枢パターン発生器と筋骨格系の間のリズムの引き込み現象として生成されることが，理論的に示されている．脊髄のニューロンの活動を調節するのは，網様体脊髄路，赤核脊髄路，前庭脊髄路などの脳幹を起源とする脊髄下降路と一次運動野か

ら直接脊髄へ投射する皮質脊髄路である．脳幹は単に上位神経からの信号を中継するだけでなく，協調した運動パターンを引き起こすことができる．たとえば，脳幹の中脳には，歩行を引き起こす部位がある．また，上丘はサッカードと呼ばれる急速な眼球運動を引き起こす．脳幹には，顎・顔面領域の筋活動についての最終出力部位となる神経核も存在する．

ヒトで小脳に損傷が起こると，運動の麻痺は生じないが，協調した運動や姿勢の制御に障害が生じる．小脳は，三層構造の整然とした神経回路網をもち，苔状繊維，登上繊維の2種類の繊維から入力を受け，プルキンエ細胞から出力する．小脳は機能的に3つの部分に分類される．前庭小脳は前庭器官から頭部の動きに関する情報を受けて，前庭神経核に出力を送ることで眼球運動や姿勢制御に関与している．脊髄小脳は，脊髄から筋肉，関節，皮膚などの情報を受け，網様体核や前庭神経核に出力して脊髄下降路により，または，大脳運動野に出力して皮質脊髄路を介して，体幹の姿勢や歩行などの全身運動の調節に関与している．大脳小脳は直接的な感覚情報を受けずに，大脳から入力を受け，運動野などへ出力して計画的な運動の調整にかかわっていると考えられている．とくに，前庭小脳が，頭部の動きによって網膜の視覚像がぶれないように眼球を動かす前庭動眼反射を調節する機構は，動物で詳しく調べられている．苔状繊維のプルキンエ細胞へのシナプスの伝達効率が，網膜像のぶれの誤差信号をコードする登上繊維の入力によって変化し，それによって反射の調節が行われている．このほかの運動においても，小脳のシナプス可塑性によって学習が起こるという可能性が調べられている．これを一般化して，小脳が筋骨格系のニュートン力学の入出力関係を獲得することができるという運動学習の理論が提案され，最近はヒトの小脳の非侵襲計測でこれを検証する研究も行われている．

大脳基底核の障害は，不随意運動やパーキンソン病など，ヒトにおいて特徴的な運動障害をもたらす．大脳基底核は，大脳の広い領域から入力を受け，視床を介して大脳の前頭葉などへ出力したり，脳幹や上丘へ出力して眼球運動や歩行運動の制御に関与している．出力細胞は抑制性であり，通常は運動野や脳幹の運動中枢を抑制しているが，大脳皮質等からの入力があると脱抑制を起こすことで，運動を引き起こす．サルの実験によれば，大脳基底核のニューロンは，運動そのもののパラメータに対する選択性は低いが，運動の文脈や手続きについての選択性は高い．また，運動手続きの学習を行うときに，報酬または報酬を得られると予測される刺激に対して選択性を示すことから，強化学習（reinforcement learning）と呼ばれる理論による説明などがなされている．

大脳皮質には，運動に関与する多くの領野がある．とくに，一次運動野は，脊髄の運動ニューロンを直接支配するニューロンを多くもち，身体の各部位を支配する領域が空間的に配置される体部位再現性という特徴がある．したがって，電気または磁気刺激すると特定の体部位を動かすことができ，損傷があると麻痺が起きる．一次運動野は，他の多くの皮質領野間と相互に結合していると同時に，視床を介して小脳や大脳基底核とやりとりし，さまざまな運動の調節を反映した活動をつくり出すと考えられる．運動前野は一次運動野のすぐ前方に位置するが，その損傷によって習熟した運動が行えなくなる．サルの背側運動前野のニューロンは視覚誘導性の運動の準備に選択性を示す．また，腹側運動前野のニューロンには，特定の動作を行うときに選択的に活動するもの，さらには，他者が同じ特定の動作を行うのを観察するときに活動するものがある．これは「ミラーニューロン」と呼ばれており，特定の動作の表象をコー

ドしている可能性を示している．ヒトの非侵襲計測も同様な領野でのミラーニューロンの存在を示唆している．補足運動野は，一次運動野の内側の前方にあるが，ここに傷害があるヒトは自発的に運動を行うことがむずかしくなったり，自分の意図にそぐわない運動を行ったりする．サルの補足運動野のニューロンは，記憶した連続動作を行うときに高い活動を示す．さらに，帯状皮質運動野は内的な動機づけによる運動発現などに，前頭前野は行動の組織化に関与していると考えられている．

このように脳神経系の特定の部位が，運動制御の特定の側面にかかわっていることを述べてきた．しかし，複雑な環境の中で筋骨格系や脳神経系のシステム全体としての振る舞いは，まだ十分にはわかっていない．また，こうした脳神経系の発生が遺伝子レベルでどこまで規定され，生後の発達過程で神経回路網がどのように構築されるかは，運動の獲得を理解する上で重要な問題である．とくに，ヒトの新生児や乳児における運動の発達過程については，古典的に考えられていた反射から随意運動へという単純な図式が不十分であり，きわめて複雑でダイナミックな特徴をもっていることもわかりつつある． 〔多賀厳太郎〕

[文献]

1) 鈴木良次：生物情報システム論，朝倉書店，1991.
2) 西野仁雄，柳原 大編：運動の神経科学－基礎から応用まで，NAP, 2000.
3) 丹治 順：脳と運動－アクションを実行させる脳，共立出版，1999.
4) 甘利俊一，外山敬介編：脳科学大辞典，朝倉書店，2000.
5) 川人光男：脳の計算理論，産業図書，1996.
6) 多賀厳太郎：脳と身体の動的デザイン－運動・知覚の非線形力学と発達，金子書房，2002.

IV. 脳高次機能

5.16 生物時計

生物が有する時計機構を生物時計というが，具体的には，その発振周期により大きく次の4種類に分類する．レム睡眠－ノンレム睡眠の繰り返しのような約90分周期で発振するウルトラディアン，約1日周期のサーカディアン（サーカ：概，ディアン：日），女性の月経周期のような約1月周期のサーカルーナ，短日性など季節性のシーズナルリズムなどがある．これらのリズムの中でも，サーカディアンリズム機構の分子機構が時計遺伝子の発見に伴い急速に解明されつつある．したがって狭義では生物時計や体内時計という言葉は概日リズム時計を意味することが多い．地球上に生息する多くの生物は，シアノバクテリアからヒトに至るまで，サーカディアンリズム機構を有することが知られており，生物を外界の明暗周期の手がかりがない状態に置くと，その発振周期は24時間ではなく，ヒトの場合約24.3時間と長く，またマウスなどでは23.5時間と短い周期を示す．しかしながら，生物は外界の光情報を使い，地球の自転周期に合わせた24時間周期の昼夜リズムの生活を営んでいる．約24時間のサーカディアンリズムを24時間に合わせることを同調と呼ぶ．このため，生物は普通サーカディアンリズムを示さず，日内リズム（日周リズム）を示すことになる．この24時間の周期変動を体温リズム，睡眠－覚醒リズム，副腎皮質ホルモン分泌リズムなどに伝える機構を出力と呼ぶ．し

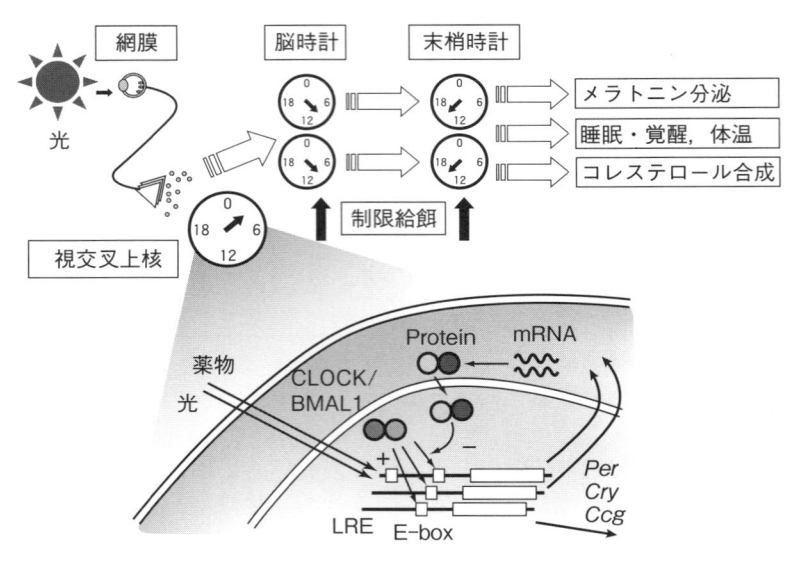

図 5.16.1 サーカディアンリズムシステムの模式図
Per, *Cry* は抑制性の時計遺伝子で BMAL1, CLOCK は促進性の時計遺伝子産物を表す．*Ccg* は clock controlled gene のことで，時計遺伝子制御下にあり出力を担う遺伝子群である．時計システムは主時計，脳時計，末梢時計からなり，時計の位相（針）は場所によって異なっている．光は主時計を介して同調させ，制限給餌は脳時計や末梢時計を直接同調させる．

がって日内リズムは「同調」「発振」「出力」の3要素で構成されていることになる（図5.16.1）．

哺乳動物のサーカディアンリズムは視交叉上核に存在することが以下の歴史的な研究から見出された．この脳部位を破壊すると，睡眠・覚醒リズムや副腎皮質ホルモン分泌リズムが消失する．この脳部位をスライス培養，分散培養しても，電気的活動性やバソプレシンなどの分泌にサーカディアンリズムを見出すことができる．ミュータント動物の視交叉上核を脳移植すると，その周期のリズムを刻むようになる．また，解剖学的には視交叉上核は視床下部の前方に位置し，文字どおり視神経の交叉する上にあり，目からの光情報が入りやすい．また，この位置は体温，睡眠，自律神経，下垂体などを支配するのに好都合な場所でもある．

約24時間周期の発振機構にはショウジョウバエから同定された *Period* (*Per1*, *Per2*, *Per3*) の時計遺伝子産物による *Per* 遺伝子へのネガティブフィードバック機構によるモデルが提唱されている（図5.16.1）．すなわち，*Per* 遺伝子を中心とした転写，翻訳，自己遺伝子の転写制御に約24時間の時間がかかるという考えである．*Per2* 遺伝子のカゼインキナーゼイプシロン1のリン酸化サイトに変異が起こっているヒトの家系で，睡眠-覚醒リズムが速くなる異常が見出されている．一方，このキナーゼの変異により時計の発振周期が短くなるタウミュータントハムスターが存在し，*Per* 遺伝子の機能がハムスターの突然変異のみならずヒトの疾病にかかわっていることが証明された．ところで，*Per* 遺伝子は視交叉上核（主時計）に発現するのみならず，大脳皮質，海馬，小脳などの脳時計にも強く発現することが知られている．さらに心臓，肝臓，骨格筋など末梢組織にも幅広く発現し，かつ明瞭なリズムを刻むことがよく知られている．それぞれのロー

カル時計はその場所の時計機構を司ることから，生体のホメオスタシス維持には視交叉上核を頂点とした体内時計の階層機構が重要であると考えられている．

同調機構には外界の明暗周期による光同調と，光と直接関連しない刺激（非光同調）が知られており，メラトニンやセロトニンといった物質での同調は後者に属する．24時間より長い周期のヒトでは毎日30分程度時計を進め，24時間より短いマウスでは遅らせないといけない．ヒトや動物を外界の明暗の手がかりがない状態にし（時計はフリーランしているという），光照射すると，以前暗期だったところ（主観的暗期と呼ぶ）の終わり（ヒトでは目覚めごろ）では位相の前進を，暗期の始まりでは位相の後退を引き起こす．すなわち，ヒトの場合毎日の明け方の光が時計を前進させ，24時間周期に合わせていることになる．

光同調を担う視神経から視交叉上核への神経経路の主要な伝達物質はグルタミン酸であり，NMDA受容体の役割が重要である．NMDA受容体の活性化，次にCaMKII/IVやMAPKの活性化，*Per1*や*Per2*の一過性mRNA量の増大が行動の位相変化と相関している．PACAP (pituitary adenylate cyclase activating polypeptide) も視神経の伝達物質であるとされており，グルタミン酸の伝達を調節する．光刺激が主観的暗期に特異的に体内時計の位相を動かすのに対して，多くの非光刺激は昼間に作用して体内時計を同調する．このような非光同調因子としては，強制的運動，GABA, neuropeptide Y, ベンゾジアゼピン化合物，メラトニンやセロトニン (5-HT) 受容体刺激薬などがある．

ハムスターにおいて5-HT$_7$受容体刺激や新規な輪回し車の提示による運動量増加が，主観的明期の*Per1, Per2*遺伝子の発現低下を惹起することから，光同調とは異なり非光型の同調時には*Per1*と*Per2*遺伝子発現の低下が重要な過程である．松果体から分泌されるホルモンのメラトニンは非光同調タイプの位相前進を引き起こすことと，それ自身が睡眠効果を有することから，時差ぼけの治療に応用されている．視交叉上核を破壊するとメラトニン分泌リズムも消失することから，松果体は視交叉上核への同調にかかわると同時に，出力器官である．哺乳動物の松果体はそれ自身能動的に発振する機能を失っているし，光受容能力も失っているが，鳥類の松果体は発振，光受容いずれも有しており，鳥の松果体は時計機構システム研究のモデルとなっている．視交叉上核からの出力に関しては，不明な点が多い．おそらく神経性にまた，バソプレシンやVIP，さらに神経成長因子などのようなホルモン系を介して，時計情報を他の脳時計や末梢時計に送っている．また，視交叉上核は視索前野に興奮性と抑制性の出力を出し，睡眠リズムにかかわる．神経の逆行性のトレース実験で視交叉上核が室傍核を介して心臓や肝臓，副腎などへ交感神経を介して出力し，ローカル時計の位相調節にかかわっている．

ラットやマウスに1日のある決まった時刻に餌を提示すると動物は徐々にその時刻を覚え，餌提示の2〜3時間前より行動が活発になってくる．このことは視交叉上核を破壊した動物でも見られることから，視交叉上核非依存性リズムと称される．制限給餌の開始から3日目くらいから時刻の記憶ができ始め，1週間でほぼ完成し，翌日絶食させても，以前の給餌時間帯に動物の活動量は増大してくる．この給餌性リズムは視交叉上核性のリズムに類似している．給餌の周期は22〜31時間の範囲内でないと同調できない．給餌性リズムも絶食させるとフリーランし，餌を提示する時刻を変更すると移行期がみられる．唯一視交叉上核性リズムと異なる点は，能動的な発振系でない点である．給餌性のリズム形成時には視交叉上核の時計遺伝子発現は影響を受けず大脳皮質のみ変わる．視交叉上核を破

壊すると大脳皮質の *Per* の発現リズムは消失するものの，制限給餌を行うと，大脳皮質や肝臓の *Per* は再びリズム性を取り戻し，その発現位相は給餌時間帯に移行する．したがって，脳時計や末梢時計は視交叉上核からの情報のみならず，給餌性（代謝性）の同調の影響を受けることがわかる（図 5.16.1）．　　　　　　　〔柴田重信〕

[文献]
1) 千葉喜彦，高橋清久編：時間生物学ハンドブック，朝倉書店，1996.
2) 小川暢也：時間薬理学，朝倉書店，2001.
3) 海老原史樹文，深田吉孝：生物時計の分子生物学，シュプリンガー・フェアラーク東京，1999.

5.17　学習と記憶

　刺激に対する反応（行動）が経験により変化することを学習と呼ぶ．経験によって中枢神経系のニューロン間の結合が変化し（可塑性），それが神経回路の機能的変化をもたらして行動が変化すると考えられる．神経系の変化の中で学習に直接かかわる変化は記憶痕跡と呼ばれる．学習は記憶の獲得である．記憶は，適切な刺激を用いて引き出すことにより，はじめてその存在が明らかとなる．
　記憶は大きく分けて，陳述記憶と手続き記憶（非陳述記憶）とに分類される（図 5.17.1）．陳述記憶には一連のできごとの記憶（エピソード記憶）と事実に関する知識の記憶（意味記憶）がある．陳述記憶は獲得が比較的速く，また，意識的に思い出すことができる．これに対し，手続き記憶は獲得した運動技能の記憶である．手続き記憶は獲得に多くの回数の学習試行が必要であり，意識的に思い出すことはなく，実行してみてはじめて記憶していることがわかる．通常の学習は両方のカテゴリーの要素を含んでいる．以下では，神経回路が比較的よくわかっている学習について概説する．

a. アメフラシのエラ引っ込め反射学習（非連合学習）

　海産軟体動物のアメフラシは比較的単純な神経系をもっていて，しかも，個体を越えて同定可能な巨大ニューロンが存在するため，神経回路の研究に適している．アメフラシの水管に触ると，傷つかないようにエラを収縮させて引っ込める．このエラ

```
記憶 ─┬─ 陳述記憶 ─┬─ 意味記憶
      │            └─ エピソード記憶（空間学習）
      └─ 手続き記憶 ─┬─ 技能，習慣
        （非陳述記憶）├─ プライミング
                     ├─ 連合学習（恐怖条件付け，瞬目反射条件付け）
                     └─ 非連合学習（エラ引っ込め反射）
```

図 5.17.1 記憶の分類

引っ込め反射は刺激を反復して与えるとしだいに弱くなる．これは「慣れ」と呼ばれる非連合学習の1つである．この学習のメカニズムは単純で，感覚ニューロンから運動ニューロンへのシナプス伝達効率の低下が原因である．この低下には感覚神経終末の Ca^{2+} チャネルの不活性化がかかわっている．伝達効率の低下は数回の刺激では数分間しか持続しないが，刺激の回数を増やすと数週間持続する長期的な慣れが生じる．この長期的な可塑性には蛋白質の合成が必要である．

「感作」は慣れとは逆にエラ引っ込め反射が亢進する現象である．アメフラシの尾に電気ショックを与えると，エラ引っ込め反射が増強される．尾の電気刺激により，セロトニン作動性ニューロンから水管の感覚ニューロンの神経終末上にセロトニンが放出される．セロトニンが感覚神経終末に作用すると細胞内cAMP濃度が増加し，プロテインキナーゼAが活性化し，K^+ チャネルがリン酸化されて K^+ 電流が減少する．その結果，活動電位の脱分極が延長し Ca^{2+} 流入量が増加する．プロテインキナーゼAは，また，活性化されたプロテインキナーゼCとともに，放出可能なシナプス小胞の数を増加させる．これらはすべて感覚神経終末からの神経伝達物質放出量を増加させるように作用する．慣れと同様，感作も刺激の繰り返しにより長期的な可塑性が生じる．

b. 瞬目反射の古典的条件付けと小脳・海馬（連合学習）

古典的条件付けは連合学習であり，2種類の感覚刺激を組み合わせて学習を行う．刺激の1つは，それ自体では反応を引き起こさない中立な刺激を用いる．これは条件刺激（conditioned stimulus：CS）と呼ばれる．もう1つは必ずある特定の反応を引き起こす報酬もしくは忌避刺激を用いる．これは無条件刺激（unconditioned stimulus：US）と呼ばれる．USにより引き起こされる反応を無条件反応（unconditioned response：UR）と呼ぶ．CSとUSを組み合わせて繰り返し与えることにより，CSだけでURによく似た条件反応（conditioned response：CR）を生じるようになる．

瞬目反射の古典的条件付けではCSとして音もしくは光を，USとしては目に対する侵害刺激（空気の吹きつけもしくは電気刺激）を用いる．音と侵害刺激を繰り返し提示することにより，音を聞くだけで瞼を閉じるようになる．この学習はマウスからヒトまで種を越えて広く観察され，また，小脳および脳幹にある基本的神経回路が入力から出力に至るまで明らかとなっている．学習に重要なシナプス可塑性としては，小脳皮質の平行繊維からプルキンエ細胞へのシナプスの長期抑圧（long-term depression：LTD）と，小脳深部核の1つである中位核におけるシナプス可塑性が指摘されている．

小脳皮質のLTDの誘導には平行繊維と登上繊維が同時に興奮することが必要であるが，CSは平行繊維経由で，USは登上

繊維経由でプルキンエ細胞に入力する．近年は小脳皮質のLTDに重要な役割を果たす遺伝子を特異的に欠損したマウスが作製されるようになり，小脳LTDがこの学習において果たす役割を検討することが可能になってきた．

この学習は興味深いことに，CSとUSを500 ms以上離して与えると，小脳に加えて海馬および大脳皮質前頭前野を必要とするようになる．瞬目反射条件付けは，これら上位中枢の機能を明らかにする上でもよい学習実験系である．

c. 恐怖条件付けと扁桃体・海馬（連合学習）

恐怖条件付け（fear conditioning）は瞬目反射条件付けと同様に古典的条件付けの1つである．恐怖条件付けではCSとして音もしくは光を，USとして足への短い電気ショックを用いる．CRとしては驚愕反射の亢進，血圧や心拍数の増加，あるいはフリージング（freezing）が用いられる．恐怖条件付けは瞬目反射条件付けと異なり1回の条件付けで学習し，また，扁桃体が重要な役割を果たしている．扁桃体にNMDA受容体の阻害剤を学習前に投与すると条件付けが阻害されるが，学習後に投与してもCRは阻害されないことから，扁桃体のNMDA受容体依存的なシナプス可塑性が重要であることが明らかとなった．

恐怖条件付けは，動物がおかれた場所（箱）に対しても条件付けることが可能である．ラットをさまざまな空間手がかりがある箱に入れ，しばらくしてから足に電気ショックを与えると，違う箱に入れたときにはフリージングを示さず，条件付けに用いた箱に入れたときにのみフリージングするようになる．この条件付けは文脈恐怖条件付け（contextual fear con-ditioning）と呼ばれ，扁桃体に加えて海馬を必要とする．興味深いことに，条件付けの翌日に海馬を破壊すると文脈恐怖条件付けの記憶は失われるのに対し，数週間経過してから海馬を破壊すると記憶は失われない．このことは，より長期の記憶は海馬以外の場所に形成されることを示している．

恐怖条件付けは1回の条件付けで成立することから，学習後の遺伝子発現の経時変化や長期記憶の形成過程を調べる研究に適している．

d. 空間学習と海馬（エピソード記憶）

ラットは迷路を学習することができる．たとえば，餌を報酬として放射状の迷路を探検させる課題を繰り返すと，すばやく餌の位置に到達するようになる．また，モリスの水迷路では，不透明な水で満たされた円形プールを泳ぎながら，水面下に隠されたプラットフォームを探し出す学習をする．これらのときラットは，実験室内にある空間的に離れた視覚的手がかりを認識し，それらの位置関係を学習している．空間学習の神経回路はよくわかっていないが，海馬を破壊することにより学習能力が失われること，および，海馬のニューロンが特定の場所にラットが来ると発火する性質を示すことから，海馬が重要な役割を果たすと考えられている．

海馬背側部のニューロンはラットの空間座標に特異的に発火する性質を示し，場所細胞（place cell）と呼ばれる．これはちょうど視覚野のニューロンが受容野（receptive field）をもつことに類似しており，そのため，場所細胞を発火させる空間領域をそのニューロンのplace fieldと呼ぶ．海馬には少しずつplace fieldが異なるニューロンが多数存在すると考えられるので，それらが集団として認知地図を形成すると考えられる（認知地図仮説）．視覚野では，ニューロンの受容野の視空間における位置とそのニューロンの細胞体の視覚野における位置が対応した地図を形成しているが，place cellの海馬内での位置関係はそれぞれのplace fieldの空間的位置関係に

は対応していない．また，各ニューロンの place field は，異なる背景の空間に迷路がおかれると変化する．さらに，place field は獲得された後に実験室内を真っ暗にして暗闇の中を歩かせても，大きく変化しない．したがって place field は視覚入力と直接には結合していないと考えられる．

　一方，海馬にはシナプス可塑性である長期増強（long-term potentiation：LTP）と長期抑圧（LTD）がある．可塑性を示すシナプスは何ヵ所かあるが，海馬の CA3 野のニューロンから CA1 野のニューロンへのシナプス結合の LTP が最も詳しく調べられている．LTP が空間学習の神経基盤であるという考えは，薬理的に LTP を阻害する多くの操作が学習障害を起こすことにもとづいている．たとえば，NMDA 受容体阻害薬である APV や dizocilpine は LTP の誘導を阻害することが知られているが，それら薬物を学習前に海馬に投与するとモリスの水迷路学習が障害される．また，CA1 ニューロンの NMDA 受容体サブユニットが欠損した遺伝子組換えマウスは CA1 の NMDA 受容体依存性の LTP が消失しているが，このマウスはモリスの水迷路学習が障害されていて，海馬ニューロンの place field にも機能障害が見られる．しかしながら，LTP が空間学習の神経基盤かどうかについては，現在もさまざまな議論があり，重要な問題となっている．

〔川原茂敬〕

[文献]
1) Squire, L. R. (ed.)：Encyclopedia of Learning and Memory, Gale Group, 1996.
2) Kandel, E. R. *et al.* (ed.)：Principles of Neural Science, Appleton & Lange, 2000.
3) Woodruff-Pak, D. S. and Steinmetz, J. E. (ed.)：Eyeblink Classical Conditioning II Animal Models, Kluwer Academic Publishers, 2001.
4) Maren, S.：Neurobiology of Pavlovian fear conditioning, *Annual Review of Neuroscience* **24**, 897-931, 2001.

5.18　認　　知

　心理学では認知は，知覚，判断，決定，記憶，推論，課題の発見と解決，言語理解と言語使用のように，生体が能動的に情報を収集したり，それにもとづく処理活動を行うことを総称する言葉として定義されている．認知の主体は「生物個体」といわれてはいるものの，認知が無条件に脳の活動と直結しているとは考えられていない．しかし神経科学の分野では認知は大脳皮質の頭頂葉，側頭葉，前頭葉に位置する連合野（図 5.18.1 参照）の機能に結び付けられている．各連合野が認知に果たす役割は，連合野の一部に損傷をもつ人の行動研究から明らかにされてきた．頭頂葉には外界の環境や個人内の環境からの刺激に注意を向ける役割があり，側頭葉にはそれらの刺激が何であるかを同定する役割があり，前頭葉には刺激に対して適切な応答を計画する役割があると考えられている．近年は非侵襲的脳計測法の技術が進歩し，脳に損傷をもたない正常な人の精神活動時の脳部位とそのダイナミカルな変化に関して新たな知見が次々と蓄えられつつある．そこで以下にヒトの認知研究における非侵襲的脳計測法の概略とその限界について，認知と総称される精神活動の基盤にあるといわれる「類別化（categorization）」の研究を例にあげ考察する．

　ヒトは対象物がある特定のカテゴリーに入るか否かを決めるとき，以下のような類別過程を利用している[1]．それは，① 対象がカテゴリーのルールにあてはまるかどうかで決める（ルールの適用），② 対象がカ

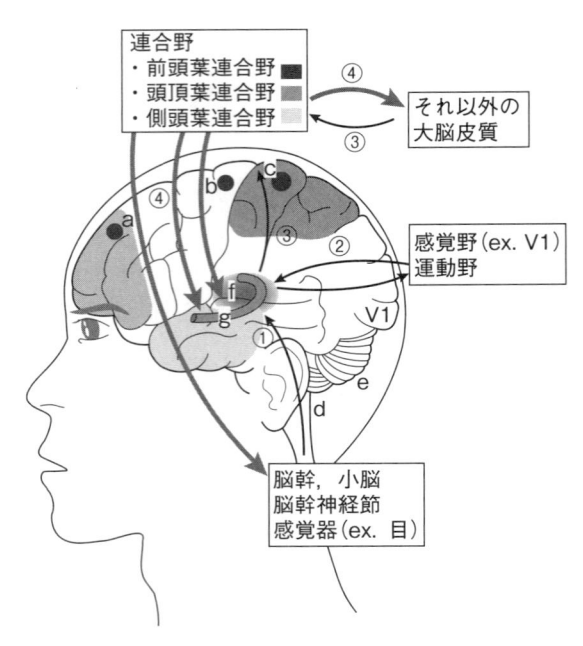

図 5.18.1 認知の模式図とルールにもとづく類別化で活性化する脳部位
認知は ①〜④ の段階を経て成立すると考えられている．① 感覚情報が視床に集まる（入力）．② 視床から適切な感覚野，運動野に情報が伝えられる（認知過程）．③ 処理された情報が連合野に伝えられる（認知過程）．④ 連合野で処理された情報がさまざまな脳部位に伝えられる（出力）．
脳部位の名称：a. 前頭葉前方背側面，b. 運動野前部，c. 頭頂葉上部，d. 脳幹，e. 小脳，f. 視床，g. 海馬．

テゴリーの中ですでに記憶している1つあるいはいくつかの例と似ているかどうかで決める，③ 対象がカテゴリー中の基本形と似ているかどうかで決める，の3種類である．ヒトが実際に3種類の類別過程にかかわる脳機能をもつことは，Kolodny[2]が以下のようにして確認している．すなわち彼は，側頭葉内側の損傷かコルサコフ精神病が原因の健忘症の人と，正常な人の ② に相当すると思われる作業と ③ に相当すると思われる作業に対する正答率を比較した．この結果，健忘症の人では ② に相当する作業の正答率は偶然の正当確率にまで低下し，② がほとんどできないことがわかった．一方，③ に相当する作業では健忘症の人の作業正答率は正常な人と変わらなかった．このことから類別過程の ② と ③ は異なる過程であることが確かめられ

た．次に，① の過程については上に述べた2つの場合のように対象物の類別過程の1つであるものの，このようにしないと類別ができないという証拠は未だない．しかし，対象がカテゴリーのルールにあてはまるかどうかを決める際に必要な，ルールの切り替え（たとえばはじめに色で分類したものを次に形で分類する）が前頭葉前方背側面に損傷のある人はできない[3]ことが明らかにされているので，おそらくこのような患者では，① に相当する類別作業はできないだろうと予想されている．したがって，類別化には3種類の過程が存在すると考えてよいだろう．

ではこれらの類別過程に相当して脳の活動部位でも3種類が区別されるのだろうか．これは空間分解能に優れたfMRIやPETで調べられた．fMRI は functional magnetic resonance imaging（機能的磁気共鳴画像）の略で，血中の還元ヘモグロビンの濃度がもたらす磁化率の変化を捉える手法である．PET は positron emission tomography（陽電子放射断層撮影法）の略で，ヘモグロビンに吸着した放射能（^{15}O など*）から出る放射線を利用して脳血流変化を捉える手法である．

Smith ら[1]は，正常な被験者を，呈示された絵をルールにもとづいて類別を行う群と，記憶にある例にもとづいて類別を行う2つの群に分け，各群の作業時の脳を PET で撮影し比較した．類別作業時の PET 画像を得るために，類別作業を伴わないようにデザインされた作業（呈示された絵を見て，任意に2つの分類群のうちどちらかを答える）中の PET 画像を撮影し，これを類別作業時の PET 画像から差し引いて，類別作業でとくに活性化した脳部位を特定した（PET や fMRI を用いた研究では狙った作業時の脳活動を捉えるためにこのような実験デザインに工夫が必要である）．その結果，ルールにもとづく類別作業のときだけ活性化される脳部位と，ルールと記憶の両方の場合に活性化される脳部位が同定された．ルールにもとづく類別作業時のみに活性化される脳部位は3ヵ所（図 5.18.1 参照）見出された．第1は，頭頂葉上部（c）で，Posner と Dehaene[4] によるとここは空間位置に選択的に注意を向ける部位と考えられている．第2は，前頭葉前方背側面（a）で，ここは D'Esposito ら[5] によるとルールの切り替えに関与する部分と考えられている．第3は，運動野前部（b）で，Smith と Jonides[6] によると作業記憶に関与すると考えられている．したがって PET を用いたときでも，ルールにもとづく類別作業の場合と記憶にある例にもとづく類別作業の場合とでは脳の別の部位が働くことが示された．両方の類別作業の場合に共通して活性化する脳部位は，視覚刺激に対する類別化なので当然後頭葉の視覚野となる．聴覚刺激の類別化では言語処理に関すると知られている左半球の角回が活性化することが確かめられている[7]．

PET や fMRI を用いて観察する場合，視覚刺激が視覚野で処理されていること，空間位置に選択的に注意を向けているときは頭頂葉上部が活性されるなど，脳機能部位に関する位置情報を得るにとどまるが，時間分解能の高い ERP（event related poten-tial）や MEG（magnetoencephalogram：脳磁図）を用いると脳機能のダイナミックな変化をとらえることができる．

神経細胞の電気活動は電場を生成すると同時にそこを流れる電流によって磁場を誘起する．この電場を2点間の電位差として記録したものが EEG（electroencephalogram：脳波）で，磁場を測定したものが MEG である．脳機能を調べる場合には，刺激に伴う EEG，MEG の変化がいちじるしく小さいので，同一の刺激を繰り返し与えて，その際の EEG や MEG を刺激開始時点でそろえて，数十回から数百回加算平均して ERP や MEG を求めて解析する．ERP と MEG は時間分解能に優れ，1～10 msec の早い変化を検出することができる[8]．ERP や MEG から信号の発生源の位置を計算によって推定することもできるがその信頼性は fMRI や PET に比べて低いと考えられている．

さて ERP を用いた視覚情報処理についての研究を紹介しよう．視覚情報のうち物体の空間位置と動きの情報は解剖学的に背側視覚経路を通って V1 から後部頭頂葉に投射されることがわかっており，形や色の情報は腹側視覚経路を通って V1 から側頭葉前部に投射されることが知られている[9,10]．そこで空間位置と動きだけから成る刺激と，形や色だけからなる刺激を被験者に与えて ERP を記録すると，空間位置や動きの刺激に対する ERP の方が速い応答を示した[11,12]．同じ視覚野の神経活動であって

もERPで調べれば時間経過にずれがあったのである．

次に類別化やその他の情報処理でヒトがまずはじめに行うと考えられる，対象に注意を向けるという作業についてERPで研究した結果を紹介する．Hillyard[13]らは，被験者に決められた場所に現れる刺激にだけ注目し，それ以外には注目しないように指示し，ERPを記録した．その結果，刺激に注目しているときは注目していないときにくらべて，刺激後70〜90 msec後に出現する正の振幅（P1）と刺激後140〜190 msec後に出現する負の振幅（N1）がともに増大していることを見出した．P1は後頭葉からの応答であり，この部分は刺激のコントラストや位置に反応する部位であり，その他の認知にかかわる部位は別であることがわかった[14,15]．刺激を色や形，大きさ等の属性で区別して情報を処理するのは，刺激後150 msに出現して200 ms続く負のERPの振幅[13]であることから，通常刺激後70〜90 msで出現するP1要素は空間的に注目することで出現している反応であることが示された．

刺激後150 msに出現する脳の神経活動の応答が視覚刺激の特徴抽出と一致するだろうというHillyardの考えは，Samsら[16]のMEGを用いた研究でも確かめられている．それによると被験者に次の4種類の写真（①顔，②顔を点描画したもの，③日常的に使用されるもの，④灰色の背景の中にある白い円）を見せて，その間のMEGを測定したところ，顔写真に特有の応答が刺激後150〜170 msに現れたという．

PETやfMRIを用いた研究ではその優れた空間分解能によって，ルールにもとづく類別作業が記憶にもとづく類別作業とは別の脳部位の活性化を伴うことがわかった．そして時間分解能に優れたERPやMEGを用いることによって脳の各部位における脳機能の時間的推移，たとえばヒトがいつ対象に注意を向けるのか，視覚刺激はその特徴別にどのような時間経過で処理されるのかもわかった．われわれは脳のどこで何が起こっているかを知りたいときには，まずPETやfMRIのような空間分解能に優れた方法で脳の機能部位を特定し，次に脳がどのような順番で情報が処理されていくかを知りたいときにはERPやMEGのような時間分解能に優れた方法で調べればよいことになる．しかしPETやfMRIで得られる，血流変化の情報とその周辺のニューロン活動の関連が不明であることや，MEGやEEGの磁気的，電気的検出器のもつあいまいな空間情報など，位置決めと時間決めの間に成り立つ不確定性関係は今後もわれわれの頭を悩ます問題である．これを解決する有望な方法の1つとしてTMS（transcranial magnetic stimulation）があるが，発展途上でありその有効性には未だ疑問符がつけられたままである．

〔吉岡　亨・亀山未帆〕

* 一般には，^{19}FでラベルしたFDGというグルコース誘導体と^{15}OでラベルしたH$_2$Oなどが利用されるが，血流変化測定にSmithら[1]が利用したのは^{15}Oの方であった．

[文献]

1) Smith, E. E., Patalano, A. and Jonides. J.: Alternative strategies of categorization, *Cognition* **65**, 167-196. 1998.
2) Kolodny, J. A.: Memory processes in classification learning: An investigation of amnesic performance in categorization of dot patterns and artistic styles, *Psychol. Sci.* **5**, 164-169. 1994.
3) Rubenstein, J., Evans, J. E. and Meyer, D. E.: Task switching in patients with prefrontal cortex damage, Paper presented at the annual meeting of the Cognitive Neuroscience Society, San Francisco, Calif. 1994.
4) Posner, M. I. and Dehaene, S.: Attentional networks, *Trends Neurosci.* **17**, 75-79. 1994.
5) D'Esposito, M., Detre, J.A., Alsop, D. C., Shin, R. K., Atlas, S. and Grossman, M.: The neural basis of the central executive system of working memory, *Nature* **378**, 279-281. 1995.

6) Smith, E. E. and Jonides, J.: Working memory: A view from neuroimaging, *Cogn. Psychol.* **33**, 5-42. 1997.
7) Grossman, M., Robinson, K. and Jaggi, J.: The neural basis for semantic memory: Cognitive evidence from Alzheimer's disease, *Brain Lang.* **55**, 96-98. 1996.
8) Gevins, A.: Electrophysiological imaging of brain function, *In* Brain Mapping The Methods (Toga, A. W. and Mazziotta, J. C. eds.), Academic Press, Inc., pp. 259-276, 1996.
9) Ungerleider, L. G. and Mishikin, M.: Two cortical visual systems, *In* Analysis of Visual Behavior (Ingle, D. J., Goodale, M. A. and Mansfield, R. J. eds.), pp. 549-586, MIT Press, 1982.
10) Baizer, J. S., Ungerleider, L. G. and Desimone, R.: Organization of visual inputs to the inferior temporal and posterior parietal cortex in macaques, *J. Neurosci.* **11**, 168-190. 1991.
11) Sereno, M. I., Dale, A. M., Reppas, J. B., Kwong, K. K., Belliveau, J. W., Brady, T. J., Rosen, B. R. and Tootell, R. G.: Borders of multiple visual areas in humans revealed by functional magnetic resonance imaging, *Science* **268**, 889-893. 1995.
12) Tootell, R. B., Reppas, J. B., Kwong, K. K., Malach, R., Born, R. T., Brady, T. J., Rosen, B. R. and Belliveau, J. W.: Functional analysis of human MT and related visual cortical areas using magnetic resonance imaging, *J. Neurosci.* **15**, 3215-3230. 1995.
13) Hillyard, S. A.: Electrical and magnetic brain recordings: contributions to cognitive neuroscience, *Current Opinions in Neurobiology* **3**, 217-224. 1993.
14) Johannes, S., Knalmann, U., Heinze, H. J. and Mangun, G. R.: Luminance and spatial attention effects on early visual processing, *Cogn. Brain Res.* **2**, 189-205. 1995.
15) Wijers, A. A., Lange, J. J., Mulder, G. and Mulder, L. J. M.: An ERP study of visual spatial attention and letter target detection for isoluminant and nonisoluminant sutimuli, *Psychophysiology* **34**, 553-565. 1997.
16) Sams, M., Hietanen, J. K., Hari, R., Ilmoniemi, R. J. and Lounasmaa, O. V.: *Neuroscience* **77**, 49, 1997.

5.19 情動と動機付け

　ヒトも動物も好きな食物，水，異性の相手など自己にとって報酬となるものには喜びや満足感などの快感を覚え，嫌いな外敵，ヘビ，クモなどには怒り，恐れや悲しみなどの不快感を覚える．これら快感および不快感の脳内での形成過程は，それぞれ快情動および不快情動と呼ばれ，「情動」として総称される．また，喜怒哀楽の感情は，動物もヒトも同じように抱き，ヒトでは人種や文化，時代により変わることのない共通の基本情動である．しかし，ヒトは慈しみ，自尊心，軽蔑，罪悪感など特有の主観的な感情を体験する．これらヒト特有の感情体験の分類は，時代や文化的要因，あるいは言語により異なる細分化情動である．ヒト特有の細分化情動に関する研究は複雑で，客観的な測定が困難である．一方，基本情動は，さまざまな感覚刺激に対する行動や顔の表情，およびそれと表裏一体の関係にある自律神経系，さらには内分泌系の反応様式により外から客観的に観察可能であり，情動発現時に起こる諸現象を手がかりに情動の研究が進められている．情動に伴う諸現象とは，①対象物の認知，②脳内で起こる内的な情動や感情の主観的体験，③動機付け（たとえば対象物が猛獣であれば，それから逃げようという動機が起こる），④自律神経系や内分泌系を介した生理的反応，および⑤相手とのコミュニケーション（顔の表情や言語などにより相手に自分の感情を伝える）などである．これら5つの現象は同時に起こるのではなく，連続した一連の脳内情報処理の一形式として

起こる．

　情動の諸現象に含まれる「動機付け」とは，一般に特定の合目的行動を発現させ，推進し維持していく過程である．動機付けの過程には少なくとも要求（need），動因（drive），誘因（incentive）の3つの側面がある．要求は生体内に生理的なアンバランスが生じたときに，内部環境の恒常性（ホメオスタシス）を維持するために生じてくる欲求ということができる．動因には，生理的動因（身体内部環境のアンバランスや必要物の欠如などにより動物を行動に駆りたてる）と行動的動因（生理的動因にもとづいて行動を維持させる）の二面性があり，前者はある意味では要求と似ている．このような要求や生理的動因が存在するときに，外界にそれに見合う刺激（誘因），たとえば空腹のときに食物，渇き感があるときに水が呈示されると，生理的動因がさらに増強されて，動物はこれらを獲得する行動を開始する．これらの全過程が動機付け行動と呼ばれる．摂食，飲水，性，体温調節行動などいわゆる生理的欲求にもとづく本能行動は主な動機付け行動である．

　本稿では，情動研究の歴史と報酬系について概説し，さらに報酬に関連する神経回路を構成する扁桃体と側坐核の機能について紹介する．

a. 情動研究の背景

　歴史的には，情動の神経学的な研究は17世紀のデカルト（Descartes）まで遡るが，デカルト自身は，ヒトの高次精神機能における情動の役割については否定的であった．その後19世紀に入ると，パブロフ（Pavlov）が「ロシア生理学の父」と呼んだSechenov（1863）が脳の実験生理学的研究を開始し，「脳の反射」の中で思考や情動と反射についての考察から，動物およびヒトの精神活動に反射原理を広げた．James（1884）およびLange（1885）は，情動を生理学的な観点から最初に体系化し，情動は末梢効果器官からの情報により引き起こされる感覚であるとする「末梢説」を提唱した．いわゆる「悲しいから泣くのではなく，泣くから悲しいのだ」という考え方である．Sherrington（1890）は交感神経と脊髄神経根を切断し，脳と末梢効果器との連絡を断たれた動物でも適当な刺激により情動を生じることを明らかにした．Cannon（1927）は中枢神経系の中でも間脳，とくに視床が情動の神経回路において最も重要であるとする「視床説」を提唱し，Bard（1928）も皮質除去ネコで起こる「sham rage：見せかけの怒り」が間脳除去により消失することを示し，Cannonの説を支持した．これらは生体と精神の関係を生理学的に捉えた画期的な概念として，今日の脳研究に多大の示唆を投げかけている．

　HessやRansonとMagounは1921～50年代にかけて，自由行動下ネコの脳幹各部位の系統的な刺激実験により情動（防御）行動の体系化を試みた．しかし，多くの研究者が，大脳辺縁系の情動における役割に注目するようになったのは，1937年以降である．この年，2つの神経科学上特記すべき報告がなされている．1つはKlüverとBucyによる「情動に関する嗅脳部の意義について」と題する，扁桃体と海馬体を含む両側側頭葉切除サルの劇的な行動変化を映画により報告したものである（Klüver and Bucy, 1937）．この症状は今日「クリューヴァー-ビューシー（Klüver-Bucy）症候群」として知られ，動物は情動性の低下や異常を示す．もう1つはPapezによる「情動発現の機構」と題した報告で，情動行動の発現に関与する神経回路を提唱したものである（Papez, 1937）．これは今日でも「ペーペッツ（Papez）の情動回路」として知られ，視床下部→視床前核→帯状回→海馬体→視床下部から構成される．その後，MacLean（1949）は，情動の神経基盤は内臓性の脳（visceral brain）領域であると考えた．この領域は系統発生学

的に古く，Papezの情動回路を構成する部位，そして海馬体，扁桃体，前頭葉眼窩皮質，側坐核が含まれている．これらの領域が，大脳辺縁系（辺縁系：limbic system）であるが，これはBroca（1878）が哺乳類の脳に共通に見られる脳幹の頭端部を環状に取り巻く大脳皮質領域を大辺縁葉（le grand lobe limbique）と呼んだことに由来する．辺縁系は，大脳皮質から間脳および下位脳幹に至る階層構造の中間に位置し，新皮質と間脳および下位脳幹との間のインターフェイスとして機能すると考えられる．

b. 報酬系と嫌悪系

視床下部-下位脳幹系は，辺縁系と密接な繊維連絡を有し，情動表出に重要な役割を果たしている．とくに視床下部には，快情動（快感）にもとづいて行動を発動する特異的な部位が存在する．1953年，OldsとMilnerは，ラットが自ら好んでペダルを押すことにより自分の脳を電気刺激する現象（脳内自己刺激：intracranial self-stimulation）を発見した．その後多くの研究により，ラットだけでなく，他の動物でも，脳内にはこのように電気刺激を好んで求める領域（報酬系）と，逆に電気刺激を回避しようとする領域（嫌悪系）があることが明らかになっている．また，サルやヒトでも，動物と同様に報酬系の存在することが報告されている（図5.19.1）．報酬系は，視床下部外側野を貫いて中脳被蓋の腹外側部と嗅球，辺縁系，大脳皮質などの前脳部を結ぶ内側前脳束（MFB）に一致する領域である．これらの領域とカテコールアミン性神経繊維の投射領域がよく一致していることから，ノルアドレナリンとドーパミンが報酬関連物質であると考えられていたが，現在では，中脳腹側被蓋野から腹側線条体側坐核に投射するドーパミン神経（中脳辺縁ドーパミン経路）の活性化が，報酬や快情動に関与すると考えられている．

自己刺激が最も起こりやすい視床下部外側野は，同時に動機付け行動の起こりやすい部位でもある．ラットの視床下部外側野では，電気刺激により，前部から後部へと温度調節行動と性行動，飲水行動，摂食行動，および性行動の順で動機付け行動の起こりやすい部位が配列している．空腹や渇きなどの生理的欲求は，摂食行動や飲水行動だけでなく，自己刺激行動にも影響を及ぼすことから，自己刺激行動は，摂食，飲水，性行動などの動機付け行動が満たされたときの快感発現に関与する神経機構を賦活することにより発現すると考えられる．

一方，Hess（1936）は，ネコの間脳，脳幹部を系統的に電気刺激し，視床下部刺激により，自然の刺激によって誘発されるのと同様の攻撃行動，あるいは防御行動を誘起できることを発見した．その後の研究により，これらの領域は，扁桃体から腹側扁桃体遠心路，あるいは分界条を介して視床下部前部から内側部および中脳中心灰白質へ続く連続した一連の領域（嫌悪系）の一部であることが明らかにされている．

c. 扁桃体－刺激と情動の連合

辺縁系にはすべての感覚情報が収束しており，辺縁系はこれらの情報を統合して視床下部や下位脳幹に出力している．これら神経ネットワークにおいて，とくに扁桃体は外界の対象物と自己との関係（自己にとって有益か有害か，快か不快か）にもとづく，対象物の生物学的な価値評価と意味認知に重要な役割を果たしており，扁桃体の障害によりさまざまな情動異常が起こる．ネコやサルの両側扁桃体を含む側頭葉の破壊により，価値評価が障害されるクリューヴァー－ビューシー症候群という特異的な症候を呈する．クリューヴァー－ビューシー症候群では，

① 精神盲：食物と非食物の区別など周囲にある物体の価値評価と意味認知ができなくなる，

② 口唇傾向：周囲にあるものを手あたりしだいに口にもっていき，舐めたり，噛んだりする，

③ 性行動の亢進：手術後しばらくして出現する症状で，雌，雄ともに性行動の異常な亢進が起こり，同性，異種の動物に対しても交尾行動を行う，

④ 情動反応の低下：手術前には強い恐れ反応を示したヘビなどを見せても，まったく恐れ反応を示さなくなり，敵に対しても何の反応もなく近づいていき，攻撃され傷つけられるなどの情動異常や異常行動を示す．このような動物を群の中に放つと，群の一員として振る舞うことができず，集団生活ができない．一方，扁桃体の電気刺激により視床下部性情動反応によく似た情動反応が起こる．ネコでは，扁桃体の背内側部や扁桃体と視床下部を結ぶ分界条床核を刺激すると，うなり声やヒッシングを伴う情動反応が起こる．ヒトでは，扁桃体の電気刺激により怒りや恐れの感情が起こる．

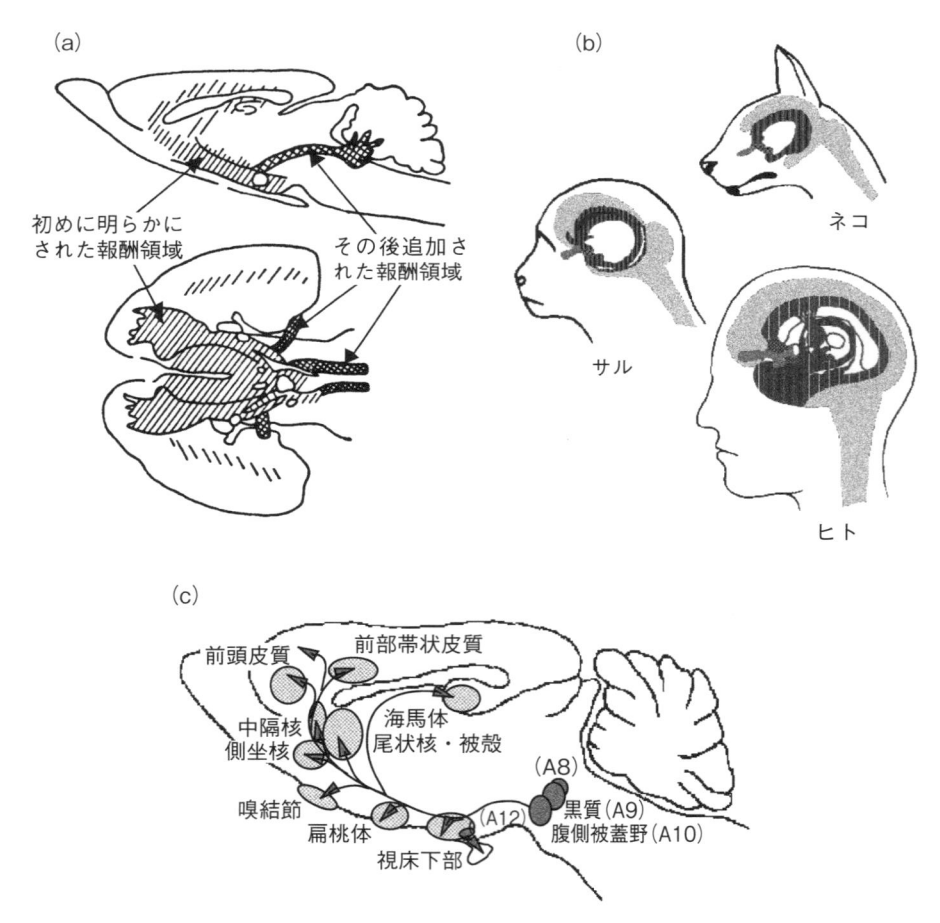

図 5.19.1 ラットおよび他の動物の報酬系
(a) ラットの自己刺激行動が誘発される刺激部位．(b) ネコ，サルおよびヒトの報酬地図．ネコ（Wilkenson, *et al.*, 1963）およびサル（Bursten, *et al.*, 1958）についての報酬地図はそれほど詳細ではなく，この図には脳の類似性にもとづくいくつかの推測が含まれている．ヒトの報酬地図（Bishop, *et al.*, 1963）は，さらに少ないデータと多くの推測にもとづいている（Olds, J., 1976）．(c) ドーパミン神経の投射経路．

一般に，扁桃体を破壊しても，基本的な知覚・認知および運動機能は障害されない．たとえば，物体や顔（個人）の識別などはまったく正常である．さらに，痛覚刺激などの非条件刺激（学習しなくともそれを与えると，必ずなんらかの反応を誘発する刺激）自体に対する反応も正常である．しかし，扁桃体を破壊した動物あるいは両側扁桃体の損傷患者では，条件付け学習が障害される．ラットでは，ある周波数の聴覚刺激を呈示し，その終了直後に嫌悪性の電気ショックを与える恐怖聴覚条件付けを行うと，その聴覚刺激を呈示しただけで血圧上昇およびすくみ反応などの情動反応（恐怖聴覚条件付け学習）が起こるが，扁桃体を破壊した動物では，この恐怖聴覚条件付けを学習できない（Davis, 1994）．また，ヒトでは，条件付けによる情動反応として皮膚コンダクタンスの上昇が指標となるが，両側扁桃体損傷患者では，健常人に見られる条件刺激に対する皮膚コンダクタンス上昇は起こらない（Bechara, et al., 1995）．以上のことから，扁桃体の損傷により感覚刺激の価値評価の障害，ならびにその学習障害が起こることがわかる．

　神経生理学的には，サルやラットの扁桃体には，感覚刺激の好き嫌い（報酬や嫌悪性＝利益や危険）の度合いをインパルス放電頻度（応答強度）にコードする価値評価ニューロンや，報酬刺激や嫌悪刺激そのもの，あるいは報酬刺激や嫌悪刺激と連合する特定の物体または音の1つにだけ応答する意味認知ニューロンが存在し（図5.19.2），感覚刺激と情動の連合学習に深く関与することが報告されている（Nishijo, et al., 1988；Muramoto, et al., 1993）．価値評価ニューロンは，呈示物体に生物学的な価値があることを学習すれば価値の度合い

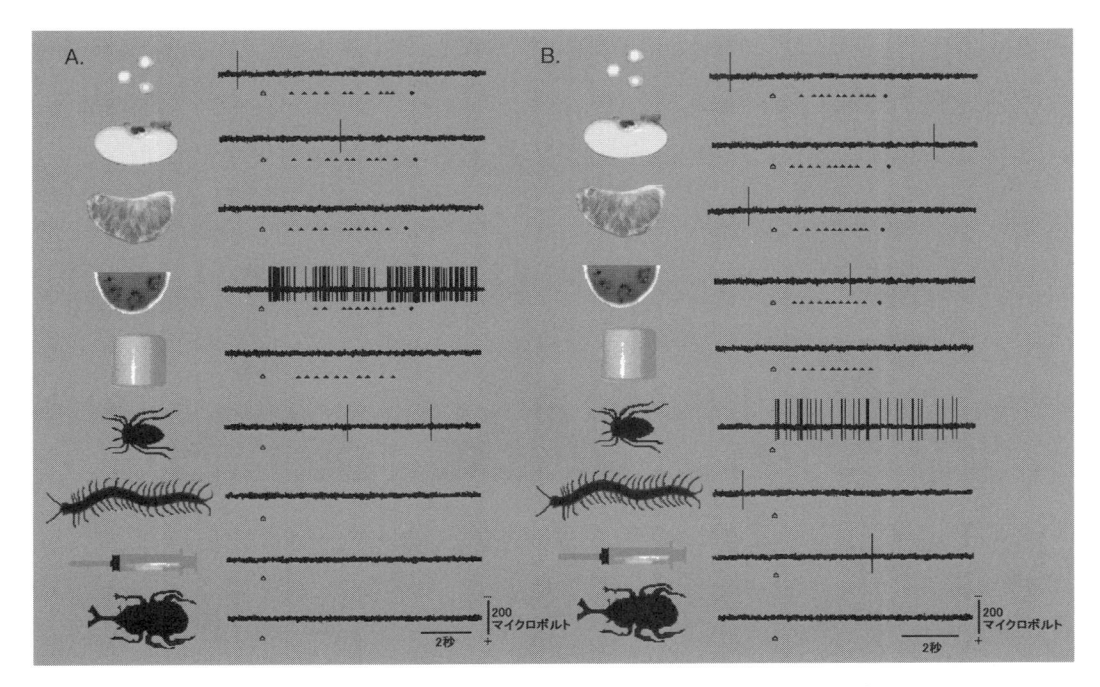

図 5.19.2　サル扁桃体の意味認知ニューロン（Nishijo, et al., 1988）
A：スイカ選択応答型ニューロン，B：クモ選択応答型ニューロン．総数30種類の物体および各種感覚刺激を呈示したうちで，それぞれ報酬性のスイカ（A）および嫌悪性のクモのモデル（B）にだけ応答（インパルス放電数の増加）．△：視覚刺激の開始時点．

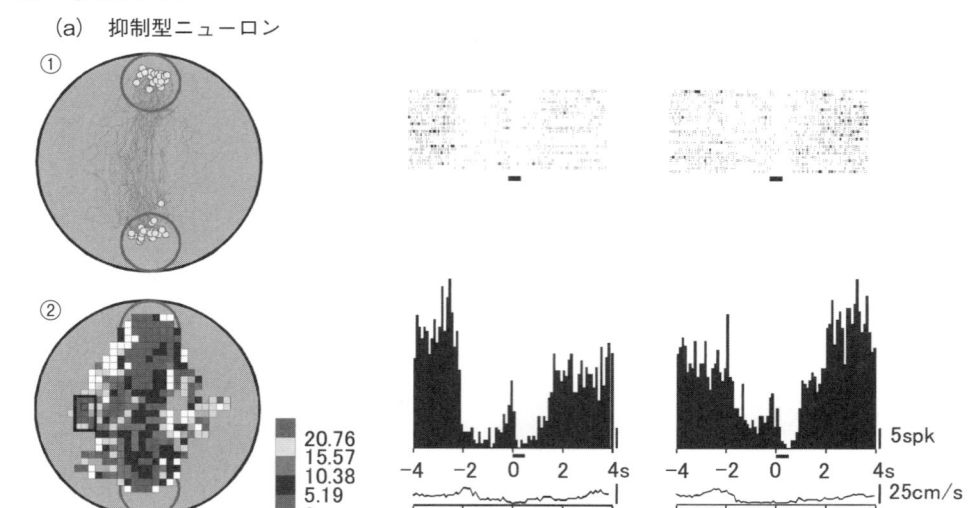

に応じた強度の応答を示し，無意味であることを学習すれば応答が消失する．これら価値評価ニューロンは，呈示物体が無意味であることを学習していても，電気ショックを連合させ嫌悪性の意味を与えると促進応答を示すようになる．意味認知ニューロ

A. 野生型マウス
(a) 抑制型ニューロン

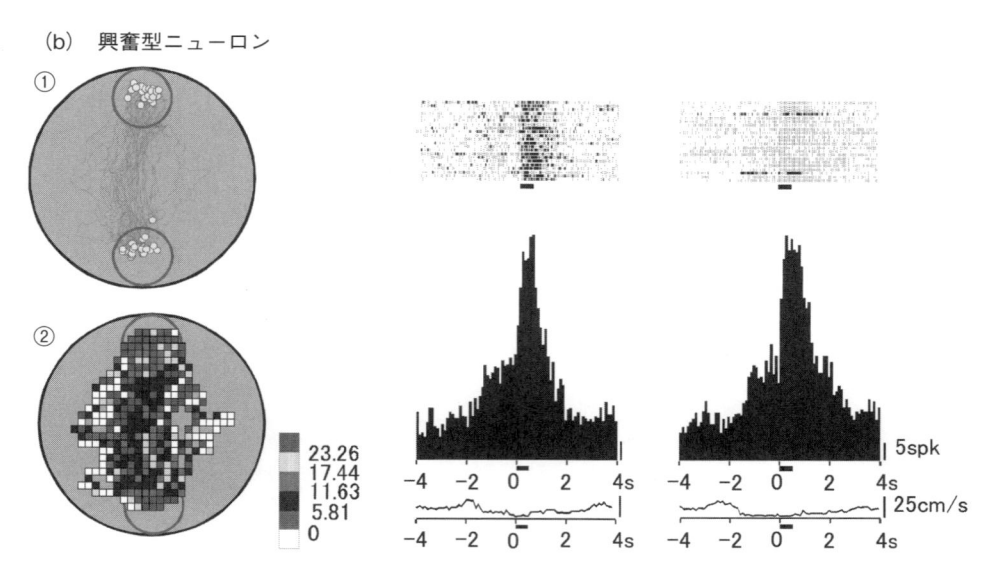

(b) 興奮型ニューロン

図 5.19.3 報酬場所学習課題遂行中の野生型マウス（A）およびドーパミン D2 受容体ノックアウトマウス（B）の側坐核ニューロンの応答例（Tran, *et al.*, 2002）
(a) ICSS に対して抑制応答を示すニューロン．(b) ICSS に対し興奮性応答を示すニューロン．①は動物の移動軌跡，②はニューロン活動のピクセルマップ．外側の大きな円はオープンフィールド．その内側の 2 つの小さな円（12 時と 6 時）は報酬場所．その中の白丸は報酬を獲得した位置，①中の細い線はマウスの移動軌跡．右側のグラフは，それぞれ 12 時（左）および 6 時（右）の 2 ヵ所の報酬獲得前後のニューロン活動のラスターグラムおよび加算ヒストグラムと移動スピード．時間↗

ンも呈示物体の意味を報酬性から嫌悪性，あるいは嫌悪性から報酬性に逆転させると応答が消失する．このように，扁桃体価値評価および意味認知ニューロンは感覚刺激の生物学的意味の学習により，臨機応変の可塑的応答を示すのが特徴である．

B. D2受容体ノックアウトマウス

(a) 抑制型ニューロン

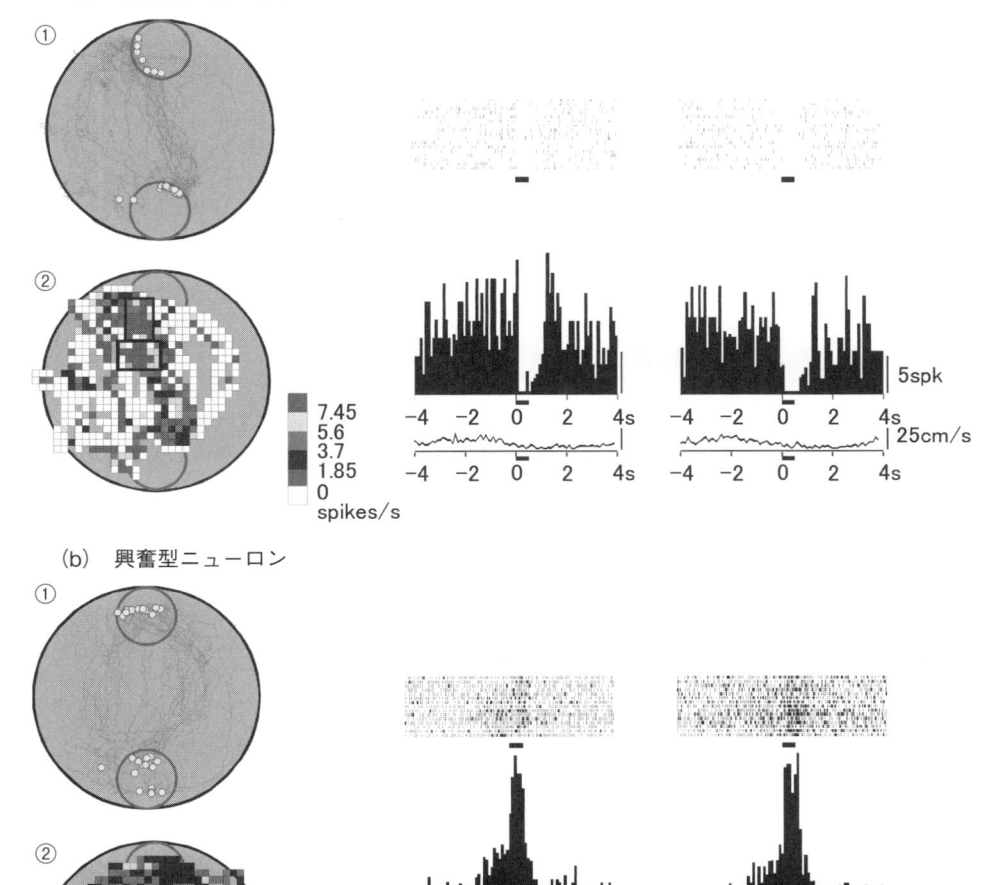

(b) 興奮型ニューロン

↗軸の0は報酬刺激開始時点，ヒストグラム下の横線は刺激の持続時間（＝0.5秒）．

報酬場所学習課題では，2ヵ所の報酬場所を交互に訪れることによって，脳内刺激報酬を獲得できる．野生型では報酬獲得前の−2〜0秒に予期性の抑制応答（Aa）がみられるが，ノックアウトマウスでは予期性応答が欠落（Ba）している．報酬刺激に対する抑制応答は両タイプのマウスで同様にみられる．興奮性ニューロンの報酬予期応答性には野生型とノックアウトで差がない．

5.19 情動と動機付け

ヒトでも実際に，扁桃体の活動が条件付け学習中に上昇することが報告されている（LaBar, et al., 1998）．この研究では，青色あるいは黄色の視覚刺激のうち，いずれか一方の色刺激の呈示直後に左手首に弱い電気ショックを恐怖条件付けとして与える．最初に電気ショックを与えないで，視覚刺激だけを呈示すると，皮膚コンダクタンス反応はみられないが（視覚刺激への慣れ），視覚刺激と電気ショックを連合させると（視覚条件付け），視覚条件刺激に対して皮膚コンダクタンスの上昇を示すようになる（視覚条件付け学習の獲得）．この条件付け学習獲得後に，再び視覚刺激だけを呈示して電気ショックは与えない消去学習を行うと，皮膚コンダクタンス上昇は速やかに減少する（視覚条件付け学習の消去）．fMRI法により扁桃体の活動を観察すると，このような視覚条件付け学習の獲得および消去の最初の数試行では活動の上昇を示したが，その後試行を繰り返すと，活動の上昇は起こらなくなる（慣れ）．さらに，扁桃体内の学習獲得過程で有意の活動上昇を示した領域の大きさと，皮膚コンダクタンス上昇の度合いには正の相関がみられた．すなわち，扁桃体の活動は感覚刺激の生物学的意味付けを変える必要がある状況下では上昇し，情動反応の学習と消去が起こる．この研究結果は，扁桃体のニューロン応答性が感覚刺激の生物学的意味に応じて変化するという神経生理学的な結果を支持する．

d. 側坐核－報酬予測，行動遂行

側坐核は，腹側被蓋野ドーパミン神経からの強い繊維投射を受ける一方で，前頭皮質，扁桃体や海馬体からも繊維投射を受け，これらの脳部位からの情報を収束して，報酬の予測とそれにもとづく接近行動の発現に関与すると考えられている．

筆者らは，報酬，報酬予測および場所認知にかかわる側坐核内ドーパミン系の役割を明らかにするため，ドーパミンD2受容体ノックアウトマウスの側坐核ニューロン活動を記録し，野生型マウスと比較した．この実験では，直径80 cmのオープンフィールドを用いた．マウスはオープンフィールド内を動き回ると報酬性の脳内刺激（ICSS）が与えられる任意の報酬場所探索課題を十分訓練した後，オープンフィールド内の特定の2個所で報酬が与えられる場所学習課題を訓練した．この場所学習課題では，報酬場所に入ってから1秒間そこに滞在するとICSS報酬を獲得できる．ノックアウトマウスは野生型マウスと比較して，オープンフィールド内での活動性が低く，また，場所学習の獲得が遅延していた．図5.19.3は，これらの行動課題を遂行中のマウス側坐核から記録したニューロン応答の例である．記録した側坐核ニューロンは，ICSS報酬に対し促進応答するニューロン（興奮型）と抑制応答するニューロン（抑制型）に大別した．野生型マウスでは，記録した側坐核ニューロンの約40％が報酬および報酬予期の両方に応答したが，ノックアウトマウスでは抑制性の報酬予期応答ニューロンの割合が有意に減少していた．これとは対照的に，場所応答を示すニューロンの数は増加していた．以上の行動学的結果と神経生理学的結果から，腹側被蓋野から側坐核へのD2受容体を介するドーパミン作動性入力は，抑制性の報酬予期応答に関与することが明らかになった．

側坐核は，依存性薬物の作用部位でもある．薬物依存（drug dependence）に陥ったヒトが，その薬物の摂取に対して耐えがたい欲求を生じ乱用する状態が耽溺（addiction）である．ラットなどの動物でもこれら依存性薬物の自己投与が観察されるので，依存形成機序について研究が可能である．アンフェタミンなどの覚せい剤やコカインは，メカニズムは異なるがいずれも側坐核におけるシナプス間隙のドーパ

ミン量を増加させる．一方，モルヒネなどのオピオイド系薬物は，ドーパミン神経系を抑制する GABA 作動性ニューロンを抑制することにより，間接的にドーパミンニューロンを興奮させる．これらのことから，依存性薬物の摂取に対する強迫的な動機付けには，ドーパミン神経系を中心とする報酬系の賦活が関与すると考えられている．さらに，アンフェタミンの自己投与を長期間行わせたラットの側坐核や前頭皮質ではシナプス形態が変化することも報告されている（Robinson and Kolb, 1997）．

おわりに

近年の脳機能画像法の進歩により，ヒトの情動体験や情動行動発現にかかわる脳内システムが明らかにされつつある．一方でゲノミクス・プロテオミクスの手法を用いて，情動にかかわる分子群の検索が行われている．これらの結果と，ニューロン・行動レベルの研究との知見を集積することにより，動物の行動基盤である情動と動機付け，さらには心の脳内メカニズムについて，さらなる研究の展開が望まれる．

〔小野武年・上野照子〕

[文献]

1) 松本　元, 小野武年：情と意の脳科学, 培風館, 2002.
2) 小野武年：生物学的意味の価値評価と認知. 岩波講座 認知科学 6（伊藤正男他編），pp. 71-108, 岩波書店, 1994.
3) 小野武年：情動行動の表出. 岩波講座 認知科学 6（伊藤正男他編），pp. 109-142, 岩波書店, 1994.
4) 小野武年, 西条寿夫：情動・行動のシステム. 岩波講座 現代医学の基礎 7（酒田英夫, 外山敬介編），pp. 131-158, 岩波書店, 1999.
5) 小野武年：大脳辺縁系と情動の仕組み, 別冊日経サイエンス 107 脳と心, pp. 100-113, 日本経済新聞社, 1992.
6) 大村　裕, 小野武年：大脳辺縁系. 概説生理学 下巻（大村裕編），pp. 161-184, 南江堂, 1981.
7) パブロフ（川村　浩訳）：大脳半球の働きについて―条件反射学, 岩波書店, 1975.

5.20 脳の計算論モデルの研究

複雑な構造をもつ脳を理解するには，さまざまな構造のレベル，分子，細胞，領野などそれぞれの構成を解明しなければならない．また同様に機能の面からもさまざまな問いかけが必要になる．一方で，多様なレベルの問いかけが不注意にまじりあうことでしばしば無用な混乱を招く．脳の機能面からの研究に分類と整理の必要性を感じて，3つのレベルを提案したのは，David Marr である．その中の最上位に計算論というアプローチが置かれている．3つのレベルと相互の関係は以下のとおりである．

① 計算論：計算の目標は何か，それが妥当なのはなぜか，それを実行可能にする論理は何か（what and why）.

② 表現とアルゴリズム：その計算論がどのように実行されるか（how）．とくに入力と出力の表現，両者の間の変換のアルゴリズムはいかなるものか．

③ ハードウエアによる実現：表現とアルゴリズムが物質的にどのように実現されるか．

Marr の説明例にもある，スーパーマーケットの現金会計，レジの機械を例にとって考えてみよう．①の計算論：what，顧客ごとの支払い額を四則演算で求める．品目ごとの価格の足し算，値引き額の引き算，消費税の掛け算などが実施される．why，四則演算の個々の選択的適用の妥当性は，数学に従って保証されるが，それと同時に，そのスーパーマーケットの営業会議で決められたサービスキャンペーンとか，時の政府の消費税の課税方式に依存している．こ

の計算論の実行においては，②の表現は，キーボード入力や，バーコードの読み込み，演算のアルゴリズムについても複数の方法が出る．③のハードウエアは，手回し機械か，デジタル計算機かということになる．②，③が，計算機科学として，物質と数学の理論で理解できるのに対して，①の計算論の部分は，その会社の方針や社会の文化の中で妥当性をもっていることに注意したい．レジの中で処理される情報はそれを使用する人間にとって意味をもつものであり，社会的な背景までもが，計算論の解明において対象になるのである．

脳の計算論においても同様に文化や心理学の中での意味付けが重要であり，脳の解釈学とも呼ばれる．脳研究が学際的になる必然性がここにある．

計算機科学においては，汎用性計算機の開発の結果，何を計算するかという①の問題は，②，③とは独立になった．脳においてはしかし，3つのレベルは相互に強く関係している．②，③のレベルでの解明は計算論に向けて進められるべきであることは上記に述べられた．一方，②，③のレベルは脳の構造的・物質的性質そのものとして，またその拘束のもとで解明されるのであり，それがさらに①の可否を左右する．①，③のレベルを切り離すことは，正しい脳の研究の答えを導かないことになる．個々には，どのレベルでの解明を行うのかを明確に設定しながらレベル間の関連を尊重して研究を進めることが大切になる．そのことはまた，理論と実験とが相互に協力した脳研究の必然を示唆している．

以下ではそうした観点から，脳の計算論モデルとして，理論だけでなく，実験につながって展開している例に絞っていくつかあげてみる．

a. 小脳パーセプトロンモデル

解剖学的知見による小脳神経回路に，神経回路の学習モデルとして提案されていたパーセプトロンモデルをもちこんで，小脳の反射学習のしくみを提出したものである．パーセプトロンモデルとは，一定の入力に対して正しい出力を出すよう，教師信号にもとづいて神経細胞どうしの結合を徐々に変化させる学習モデルで，Rosennblatt（1962）により提案された．パターン認識のモデルとして，神経回路の研究の主要な基礎となっている．Marrは小脳皮質においてプルキンエ細胞を運動効果器への出力細胞，そこに投射している平行繊維と登上繊維とをそれぞれ知覚系の入力，特定の運動に関する教師シグナルを担うとみなした．2つが同時に入力したとき，平行繊維のシナプス伝達効率が変化することで，特定の入力と特定の運動をつなぐような条件付き反射運動の学習が成立するという説である（Marr, 1969）．伊藤正男は前庭動眼反射において，頭の動きから生まれる網膜上の視覚像のぶれを解消するような眼球の運動の調整が，このような学習で適応すると仮説をたて，ウサギを用いた実験によって，平行繊維からプルキンエ細胞へのシナプス可塑性があり，それが長期抑制であることを示した（Ito, et al., 1982）．この理論はさらにAlbus，そして川人光男らにより，随意運動の学習の計算理論として発展している（ただし，Marrが計算理論を提唱したのは，小脳モデルの提出から10年以上後の視覚の計算理論提出においてである）．

大脳基底核の強化学習理論：強化学習における大脳基底核の神経活動を，パブロフ学習のアルゴリズムとして提案されたtemporal difference（TD）学習のアルゴリズムをもとにモデル化する理論である．ここで強化学習とは，生体が環境からうけとる試行評価がどこがどのように悪いかではなく，成功か失敗か，報酬か罰かに限定されるような学習である．特定の知覚刺激に対してレバー押しなどの適切な行動を学ぶことで，報酬を得るようなサル

の実験課題において，大脳基底核線条体に投射する中脳のドーパミン性神経の活動が学習に応じて変化し，学習前ではその活動が報酬時に見られるのに対し，学習後には手掛かり刺激の呈示時点で現れるようになる．このようなドーパミン性神経の活動を報酬期待誤差とみなすと，TD学習とのよい対応が出ることが見出された（Schultz, 1998）．さらにこれを取り込んで，知覚入力を運動出力に変換する回路を報酬の期待によって評価して適応的に変化させるモデル（Actor-Criticモデルと呼ばれる）が提出された（たとえばSutton and Barto, 1998）．機械学習などの工学分野からも関心を集めて展開されている．報酬と罰だけで適応学習が実現できる実用的魅力が大きいだけに，脳の計算論としては，目標，妥当性を基本に戻って吟味する慎重な姿勢が必要とされる．

b. 認識における特徴結合の振動同期の理論

自然環境における視覚認識においては，背景から図を分離して取り出す自律的な働きがあることが心理学レベルで知られている．だまし絵はその例を与える．入力が単一物体でなくなると，伝統的な神経回路理論で用いられる神経発火率による情報コードでは対応できないこと，その問題解決法として，神経活動の動的な性質（振動など）への情報コードのもとで動的なリンクとしての表現が有効であることが，Malsburg（1986）により提起された．Gray and Singer（1989）はネコ視覚皮質の神経発火密度における視覚刺激依存的な振動活動は数十Hzで生じることを見出し，図を構成する個々の特徴を表現する視覚皮質の細胞が同期することで，図のまとまりが表現されるという同期振動仮説を提出した．別に，清水博ら（1985）は，視覚認識において柔軟な特徴の結合が記憶との照合のもとに行われる必要があることから，視覚認識において振動同期が起きることを提案した．同期を記憶層と知覚層の間で循環的に収束することで，意味のある図形としての図の部分が選択的に同期活動をして地と区別できることがその後神経回路モデルとして示された（Yamaguchi and Shimizu, 1994）．このような振動同期による動的リンクの仮説は，ヒトの視覚認識における頭皮の脳波で測定されるガンマ波と呼ばれる数十Hzの周波数帯の活動として，領野をつなぐグローバルな結合を示唆する事象として検証が進められている．

c. 海馬のシータリズム依存的記憶記銘のモデル

ラットなどの齧歯類を用いた実験において，ラットの自発行動時に8Hz近辺でのシータリズムと呼ばれる振動活動が，脳波として見られることが知られている（Vanderwolf, 1969など）．ラットの居場所をコードする海馬錐体細胞がシータリズムと特徴的な位相関係をもって発火することが示されシータ位相歳差と呼ばれる（O'Keefe and Recce, 1993；Skaggs, et al., 1996）．シータ位相歳差の役割やメカニズムについて諸説が展開されたが，Yamaguchi（2003）は，神経振動の一種の同期現象として，このパターンが再構成できることを示した．さらにこのパターンの発生により，シナプス可塑性が細胞対の間で位相差選択的，非対称的に増強され，動物が一度経験して得られる時系列情報がリアルタイムで海馬神経回路に貯蔵されること，部分手がかりから時系列が海馬で呼び出されると，新皮質に伝えられて記憶想起を実現できることを示した．海馬はヒトではエピソード記憶に関与する座，すなわち毎日の経験を個人の歴史として蓄えるのに必要なことが知られており，ラットから得られた海馬の記憶のモデルは，ヒトにおいてもエピソード記憶の神経的基盤を与えると期待される．

最後に，生物物理学からの脳の計算論について考察を加えたい．生物物理学の夜明け的な研究はホジキン-ハクスレー（Hodgkin-Huxley）によるヤリイカ巨大神経軸索を用いた神経興奮の現象と機構の解明であった．この系は，後に松本元などによって強調されたように，物理系としては非線形非平衡系として定義され，どの動的な性質が要素間の協力性をもたらして，上位のシステムの生物学的機能（イカ神経では，神経興奮）をもたらすかを示すものである．このような性質は脳という膨大な神経の集合体においても成立しており，神経集合の協力的なダイナミクスにより実行される表現とアルゴリズムが脳の計算論を支えている例が，徐々に明らかになってきている（たとえば Haken, 1996）．このような観点からの研究は物質現象としての時間空間パターンの測定と計算論とを直接につきあわせることを可能にするものであり，脳の計算論における生物物理学的発展の道としておおいに期待される．

〔山口陽子〕

[文献]

1) Marr, D. : Vision, W. H. Freeman and Company, San Francisco, 1982.；乾敏郎，安藤広志（訳）：ビジョン-視覚の計算理論と脳内表現，産業図書，1987.
2) 川人光男：脳の計算理論，産業図書，1996.
3) Haken, H. : Principles of Brain Functioning-A Synergetic Approach to Brain Activity, Behavior and Cognition, Springer Berlin 1996；奈良重俊，山口陽子（訳）：脳機能の原理を探る，非平衡共同現象としての脳神経活動・行動・認識，シュプリンガー・フェアラーク東京，1999.
4) Arbib, M. (ed.) : The Handbook of Brain Theory and Neural Networks, Second edition, The MIT Press, Cambridge, Massachusetts, London, England, 2003.

第6章 生体運動

6.0 〈総論〉生体運動の生物物理

　動物であればどれほど下等であっても、またたとえ植物であっても、すべての生物はそれぞれ固有の運動装置をもち、さまざまな運動方式を備えている。筋収縮・細胞運動・振動・変形といったさまざまな機能に必要な生物系固有の運動様式とそれを担う分子装置を備えている。そこでは、拡散（ブラウン）運動や対流といった非生物的運動や、物質のもつ力学的・電気的性質を巧みに活用している。このような生体運動の様式を表6.0.1にまとめる（⇨6.12）。生体運動を担う分子装置は、典型的な"蛋白質分子機械"（⇨0.5）である。筋肉のような高等動物のマクロな運動器官も、10種類以上の蛋白質分子が規則的に組みあがることによってできあがっている。生体運動系は生物物理学の格好の研究対象でもある。

　生体運動のしくみ（メカニズム）の研究は、筋収縮運動の研究に端を発している。カエルの足に電気刺激を与えて筋収縮運動を引き起こしたというガルバニの実験は、生体運動生理学にとどまらず、生体機能の研究の先駆けとなった。1930年代半ばには筋収縮運動を担う力学酵素としてのミオシン分子が発見・同定され、その酵素機能が研究されるようになった。1940年頃には、ハンガリーのセントジェルジ（A. Szent-Györgyi）の研究室を中心に、筋肉から調製した紐状の蛋白質集合体がATPを加えることによって収縮するという画期的な発見がなされ、その集合体がアクチンとミオシンという少なくとも2種類の蛋白質の複合体（アクトミオシン）であることが見出された。このことによって、生体運動の研究は分子レベルでの研究へと発展する道がつけられた。

　筋収縮系（⇨6.7, 6.8）の研究と並行して、植物細胞に見られる原形質流動、アメーバなどの単細胞生物の不定形運動（アメーバ運動）、精子鞭毛の屈曲運動、細胞分裂（⇨6.13）など、光学顕微鏡によるさまざまな生物運動の観察と記録、それを通しての細胞生物学的研究という生体運動における"出来事探し"の時代が長く続いた。もちろん最近でも"出来事探し"は行われており、いまだに新しい生物運動様式が発見されている。また、1980年代半ばから人工運動系が開発され、人工的な環境下で見出される新しい現象も注目されるようになった。

　このような研究の流れのなかで、筋収縮系の研究に先導されながら、生物運動を構成する多くの蛋白質が精製同定された。1960年代後半から1980年代半ばにかけては、いわば"もの探し"の時代である。この時代には、"もの"の酵素活性や物性（形や大きさ、構造変化、硬さなど）といった、生化学的、蛋白物理化学的な研究が、とくに蛋白質溶液系を用いて行われた。そこでは、吸収・蛍光スペクトル、円二色性、ESRやNMRなどの分光学が強力な

表 6.0.1 生体運動の様式

	運動様式	具体例（運動を担う蛋白質分子：エネルギー源と分子レベルでの運動様式）
細胞自体あるいは細胞の中の運動	変形	筋収縮[*1]（ミオシン：ATP加水分解に伴うアクチンフィラメントとの滑り運動） アメーバ運動[*2]，食・飲作用（アクチン，アクチン調節蛋白質，ミオシン：アクチンフィラメントの重合・脱重合や枝分かれなどの網目構造のダイナミクスや，フィラメントネットワーク構造のゾル・ゲル変換） ツリガネムシ茎の収縮[*2]（スパズミン：Ca^{2+}の吸着に伴うスパズモネームの縮み） 細胞質分裂[*3]（ミオシン：ATP加水分解に伴うリング状アクチンフィラメント束の絞り込みによる細胞質の2分割） 精子の先体反応[*2]（アクチン束：束の捩れ戻りによる精子先体部の伸長） オジギソウの葉の上下運動[*2]（アクチン：アクチンフィラメントの束化とフィラメント切断・脱重合による葉柄細胞の変形）
	流動	原形質流動[*2]（ミオシン：ATP加水分解に伴うアクチンフィラメント束との滑り運動）
	輸送	物質輸送[*4]（キネシン，ミオシン：ATP加水分解に伴う微小管，アクチンフィラメント上での歩行運動による小胞や蛋白質などの輸送） 能動輸送（膜蛋白質：ATP加水分解によるイオンの輸送）
	移動	遺伝子DNA，RNAの複製[*5]（ポリメラーゼ：ヌクレオチドの加水分解） 有糸分裂[*3]（キネシン，微小管：微小管の重合・脱重合と協調した微小管の移動運動による染色体の2分割）
	その他	F_1F_0-ATPase[*6]（ATP合成装置：pH差による回転を伴うATP合成）
細胞の移動運動	遊泳運動	バクテリア[*7]（べん毛モーター：細胞内外のpH差によるべん毛の回転運動） 原生動物[*8]（ダイニン：ATP加水分解に伴う鞭毛，繊毛の屈曲運動）
	基質表面での運動	マイコプラズマ[*2]（P42モーター：ATP加水分解，滑走運動） 白血球，繊維芽細胞，ケラトサイト（アクチン，ミオシン：アクチンフィラメントの重合・脱重合，離合・集散によるゾル・ゲル変換）
	細胞内での寄生運動	リステリア[*9]（アクチン：ATP加水分解に伴うアクチンフィラメントB端での重合と，P端での脱重合による細菌の移動運動）

[*1]6.7, 6.8節参照，[*2]6.12節参照，[*3]6.13節参照，[*4]6.14節参照，[*5]6.5節参照，[*6]6.6節参照，[*7]6.17節参照，[*8]6.16節参照，[*9]6.15節参照

研究手段だった．それにストップフローなどを用いたキネティクス研究が盛んに行われた．長く続いたこの溶液系手法を用いた研究は，技術の進歩とともに今に続いている．現在でも，蛋白質とその複合体の三次元構造解析とそのダイナミクス解明のためには，分光学的手法は有力な研究手段である．しかし，多数分子の平均値を求める時代は，とくに現代の"分子モーターのしくみ探し"に至る上では，1つの道程であったといってもよい．

生体運動機能は酵素活性をもつ蛋白質分子機械によって担われている．そのしくみを明らかにするためには，分子機械の酵素活性と生体機能とを同時計測する必要がある．多数分子の平均値を与える溶液系では，各分子の活性・機能の位相がばらばらである．ストップフロー法やフラッシュ・フォトリシスなどの，瞬時に反応を停止したり開始したりする手法を用いたとしても，出来事の位相を合わせられるのは短時間に限られる．1分子計測の必要性がここにある．

1980年代になってアクチンフィラメント1本の蛍光観察が実現し，1990年代には，1分子蛍光イメージングによって蛋白質1分子の運動や状態を観察・記録できるようになった．さらに，光ピンセットや原子間力顕微鏡（AFM）法などの顕微操

表 6.0.2 生体分子モーターの分類

運動様式	モーターシステム		エネルギー源[*3]	生体機能の例
	レール分子	分子モーター（運動の向き[*1]：運動性[*2]）		
リニアモーター	アクチン	ミオシン（B, P端：P, N）ファミリー	ATP	力発生，滑り運動，アメーバ運動細胞内輸送など
		ミオシンI（B端：N）		細胞運動
		ミオシンII（B端：N）		筋収縮，細胞質分裂など
		ミオシンV（B端：P）		細胞内輸送
		ミオシンVI（P端：P）		細胞内輸送
		ミオシンVII（未知）		聴覚細胞
		ミオシンX（B端：N）		未知
		ミオシンXI（B端：P）		原形質流動
	微小管	ダイニン（＋，−端：P, N）ファミリー	ATP	力発生，滑り運動，細胞内輸送鞭毛・繊毛運動など
		キネシン（＋，−端：P, N）ファミリー	ATP	細胞内輸送，有糸分裂など
		キネシン（＋端：P）		
		Ncd（−端：N）		
	DNA	ポリメラーゼ	NTP[†1]	DNA複製
	RNA	ポリメラーゼ	NTP[†2]	RNA複製
		伸長因子（EF-G）	GTP	蛋白質合成
回転モーター		バクテリアのべん毛モーター（順，逆回転）	イオンの濃度勾配	べん毛の回転運動による推進力発生
		F_0F_1-ATP合成酵素（順回転）	H^+の濃度勾配	ATP合成
		（逆回転）	ATP	H^+の能動輸送
重合モーター[*4]		アクチンの重合	ATP	リステリアの細胞内移動
		微小管の重合	ATP	有糸分裂（染色体分配）

[*1] B端，P端：アクチンフィラメントの重合端（Barbed end）と脱重合端（Pointed end）の意味で，微小管の場合には，それぞれ＋端と−端に対応する．
[*2] P：Processive，N：Non-processive
[*3] ATP, GTP, NTPについては，それぞれのヌクレオチドの加水分解に伴うエネルギー
[*4] 繊維状重合体の一端（アクチンの場合はB端，微小管では＋端）で重合し，他端（P端，−端）で脱重合するというトレッドミル機構によって生じる一方向性運動
[†1] ヌクレオチドであるATP, TTP, GTP, CTPの総称．
[†2] ヌクレオチドであるATP, UTP, GTP, CTPの総称．

作手法が開発され分子モーターが発生するpNオーダーの発生力が計測できるようになり，nmオーダーの分子操作・計測手法が開発されたこと，さらにそれらと並行して，細胞内小胞や蛋白質の輸送を行う非筋ミオシン（Myosin Vなど，アクチンフィラメント上を運動）やキネシン（微小管の上を運動）などの，1分子で機能する"分子モーター"が次々と発見されたこと，そしてアクチンやミオシンをはじめとして各蛋白質の立体（結晶）構造解析が飛躍的に進んだことなどによって，1分子機能を分子構造にもとづいて理解するという"1分子生理学"という新分野が拓かれることとなった．遺伝子組換え技術も日常的なものとなり，自由に蛋白質の構造を改変して新しい機能を検証できるようになったことも大きい．広い意味での"分子モーター"の分類を表6.0.2にまとめる．

今後は"1分子生理学"のもとに1分子

レベルでの構造機能学が本格的に進むだろう．表6.0.2に生体運動を担う生体分子モーターを分類したが，今後はさらにこの表の内容が充実するだろう．研究対象としての分子モーターの種類が増えるだけでなく，分子レベルでの運動のしくみ，分子の立体構造にもとづく分子構造変化－分子間相互作用の詳細，そして，そこにおける状態変化をもたらすエネルギー変換の様態，熱エネルギーや熱ゆらぎといった物理過程のかかわり方の解明が進むだろう．こうして，生体運動の素過程を担う分子モーターの動作原理という"物理学"としての解明に向けて，生体運動の生物物理は発展するだろう．さらにその上で，生物科学としての未来は，システムとしての生体運動系の動作原理を明らかにすることにある．今後は1分子から分子集合体，そして細胞レベルまでの生物階層性を意識した統合的な研究も，生物物理学として発展すると期待される．

〔石渡信一〕

[文献]
1) 柳田敏雄，石渡信一編：ナノピコスペースのイメージングー生物分子モーターのメカニズムを見るー，吉岡書店，1997．
2) 石渡信一編：生体分子モーターの仕組み(シリーズ・ニューバイオフィジックス 4)，共立出版，1997．
3) Howard, J.: Mechanics of motor proteins and the cytoskeleton, Sinauer Associates, 2001.
4) 宝谷紘一，神谷律編：細胞のかたちと運動（シリーズ・ニューバイオフィジックス II-5），共立出版，2000．
5) 柳田敏雄：生物分子モーターーゆらぎと生体機能ー，岩波書店，2002．
6) 各論について：日本生物物理学会誌「生物物理」のバックナンバー（日本生物物理学会ホームページ http://www.biophys.jp/ にて検索）

I. 生体分子モーター

6.1 分子モーター概論

a. 1分子実験系

生体分子モーターはATPなどを加水分解した際に得られる化学エネルギーを，運動エネルギーに変換する蛋白質である．ATP等の加水分解反応には多数の安定な化学状態や力学状態が存在することから，生体分子モーターの運動の分子メカニズムを理解する上で，どの化学状態のときにどのような力学現象が起こるのかを対応づけることが重要である．しかし，従来の研究のような多分子を対象とする実験系は多数分子の平均を扱うので，個々の分子がどのような状態にあり，またその状態にどのくらいの割合の分子が存在するのかなどを推測することが困難であった．そこに登場したのが，モーター蛋白質1分子個々の化学反応や力学反応を測定する1分子実験系である（図6.1.1）．1分子の反応を測定することによって，各分子の状態を測定することができ，化学反応と力学反応との対応関係も明らかにすることができる．

ただし，蛋白質分子は小さすぎて光学顕微鏡を用いても直接見ることができないので，分子の局在を確認するためには，その分子に蛍光標識やビーズを結合するなどして蛋白質の位置を間接的に決定する．近年ではAFM（原子間力顕微鏡）を用いて標識することなく，分子の位置や構造の観察が可能である．さらに，1分子の発する力を測定する際に要求される分解能は以下のとおりである．1回の運動反応に伴う運

多分子系
分子機能を推測するのに多くの仮定を必要とする

アクチン繊維
ミオシン分子

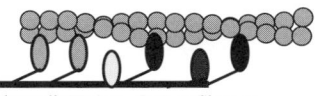

相互作用する分子の数は？
分子の状態は同じ？

1分子系
分子機能を直接観測できる→単純明快

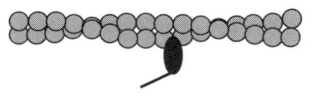

5 pN, 20 nm

図 6.1.1 1分子実験系

動距離は分子の大きさの 10 nm 程度である（図 6.1.1）．力の大きさは，エネルギー＝力×距離なので，モーター蛋白質の分解する 1 分子の ATP の加水分解エネルギー（約 10^{-21} J = 10 pN × 10 nm）を距離 10 nm で割って，最大で 10 pN 程度である．時間のスケールは距離 10 nm をモーター蛋白質の運動の速度約 1000 nm/s で割った 10 ms 程度である．すなわち，1分子運動の大きさは 10 nm・10 pN・10 ms 程度であり，これを測定する装置には 10 倍の分解能，1 nm・1 pN・1 ms が要求される．この測定を可能にする装置として，AFM（原子間力顕微鏡）や光ピンセットが利用されている．

b. 1分子滑り運動系

細胞内の運動には多数の蛋白質が関与し，しかもこれらが三次元的に連係しているため，運動の原理を見出すのは困難であった．そこで，運動機能を変えることなく，実験にかかわる分子の種類を減らし，運動を光学顕微鏡下で観察する実験系として開発されたのが，試験管内滑り運動系である．この実験系では，精製したモーター蛋白質（ミオシン，キネシン，ダイニン）を顕微鏡用のカバーガラスの上に結合し，これとレール蛋白質（アクチン繊維，微小管）を相互作用させる．レール蛋白質に蛍光標識を行うなどして，運動中のレール蛋白質を顕微鏡に取り付けた高感度カメラで観察する．この実験系においてカバーガラス上のモーター分子の密度を下げていくと，ついには，1本のレール蛋白質に，1分子のモーター分子が相互作用するようになる．このときモーター分子を中心として，レール蛋白質繊維が回転しながら移動していく 1 分子による滑り運動が観察される．あるいは，レール蛋白質をガラスに固定して，このレールに蛍光やビーズで標識されたモーター蛋白質を相互作用させて運動を見る方法もある（図 6.1.2）．1分子滑り運動系に 1 分子測定系を組み込むことで，1 分子のナノメートル精度の運動の観察を行うことができる．

モーター蛋白質は，レールからはずれることなく長距離"歩く"分子と（キネシン，ミオシン V，VI，ダイニンなど），レールから頻繁にはずれる"走る"分子に分類される（筋肉ミオシンなど）．長距離"歩く"分子は小さな力から大きな力まで一度に測定ができるので，1 分子実験系に有利である．これに対して，"走る"分子は大きな力を発生する前に，レールから解離してしまうので，1 分子実験系においては，運動のごく一部の性質しか測定ができない．

c. タイトカップリングとルースカップリング

モーター蛋白質は ATP 加水分解に伴う化学反応エネルギーを運動や力発生などの力学エネルギーに変換する．1 回の化学反応に対して，つねに 1 回の力学運動が厳密（タイト）に対応（カップリング）してい

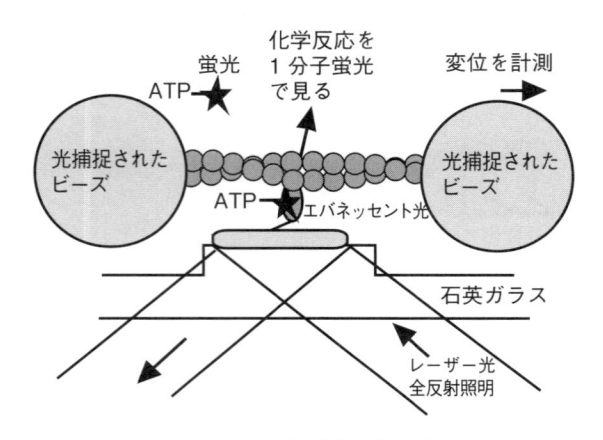

図 6.1.2 1分子滑り運動系

るときをタイトカップリングと呼び，そうでないときをルースカップリング（柔軟な対応）と呼ぶ．生化学の教科書等には，主にタイトカップリングを仮定したモデルがのせられているが，ミオシン分子に関しては，タイトカップリングを主張するグループとルースカップリングを主張するグループがあり，どちらが正しいかの決着はついていない．一方，キネシンは，発生力が小さいときにはタイトカップリングであると考えられているが，力が大きいときには，後戻りする反応が観察されており，必ずしもタイトカップリングではない．タイトカップリングとルースカップリングを見分けるためには，1分子の化学反応と同時に1分子の力学反応を測定する必要があるが（図 6.1.2），現在のところ技術的な困難を伴い，明確な検証がなされていない．

d. エネルギー変換効率

分子モーターはATPの加水分解のエネルギーを利用して，運動や仕事を行う．細胞や器官の運動は主に分子モーターにより行われているので，分子モーターのエネルギー効率は重要である．エネルギー効率はモーター分子の力や速度に依存して変化するが，筋肉の場合は筋肉の最大速度の3分の1の速度のときにエネルギー変換効率は最大約50%に達する．キネシン1分子のエネルギー変換効率は約40%である．これらの数値は車のガソリンのエネルギー変換効率10%に比べてはるかに高い．

〔樋口秀男〕

[文献]

1) 樋口秀男, 石島秋彦：ナノピコスペースのイメージング, 80-101, 吉岡書店, 1997.
2) 石渡信一編：生体分子モーターの仕組み（シリーズ・ニューバイオフィジックス4）, 共立出版, 1997.
3) Howard, J.: Mechanics of motor proteins and the cytoskeleton, Sinauer Associates, 2001.
4) 合原一幸, 岡田康志編：1分子生物学, 岩波書店, 2004.

6.2 アクチン・ミオシン分子モーター系

a. 筋肉の分子モーター，ミオシン（ミオシンII）とアクチン

骨格筋は，速く動きしかも強い力を出すべく進化した器官である．筋肉のミオシン（ミオシンII）は，フィラメントをつくる長い棒状部分（尾部）に，2個の頭がついた構造をしている（図6.2.1）．この頭部がモーター機能をもっていて，アクチンフィラメントと相互作用し，その結果両フィラメントの滑り合いが起こる．

ミオシン頭部は，大きく分けて2つのドメインから成っている（図6.2.1）．アクチン結合部位とATP結合部位とがある先端側のモータードメインと，軽鎖と呼ばれる分子量の小さいサブユニットが2個結合している軽鎖ドメインである．モータードメインのATPが結合するところは，ちょうどポケットのような窪みになっている．アクチン結合部位のところには，塩基性アミノ酸の多い柔らかいループがあって，アクチンとの相互作用に働いている．

ミオシン頭部がATPによって構造変化を起こすかどうか長い間不明だったが，大きな構造変化を起こすことが，電子顕微鏡やX線・蛍光を使った研究から明らかになった．モータードメインと軽鎖ドメインの間の境界で折れ曲がって，つまり両ドメイン間の角度が大きく変わって構造変化する．折れ曲がり，ATP結合，アクチン結合の3つの部位は，おのおの数nm離れており，互いに影響を及ぼし合っている．たとえば，ATPが結合するとアクチンへの結合が弱くなり，折れ曲がり方が変わる．立体構造上の離れた場所どうしで情報をやりとりするという，生体高分子の特性をうまく使っている．

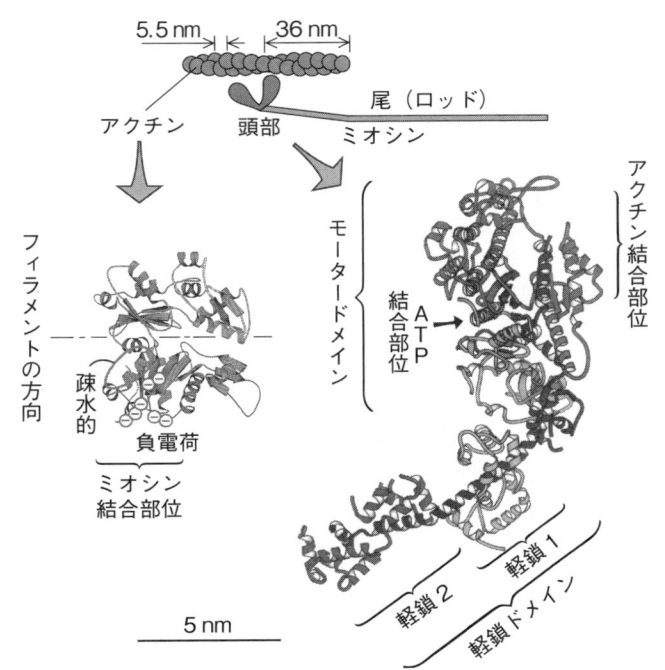

図6.2.1 筋肉のミオシン（ミオシンII）とアクチンの立体構造

b. 構造と機能をめぐる長年の論争

ミオシンとアクチンの分子機構に関しては，機械的機構と，確率的機構の間で，長年にわたって論争が続いてきた．機械的な考え方は，現在レバーアーム説（図6.2.2）として欧米を中心に強く支持されている．ATPが結合したミオシン頭部がアクチンに結合すると，ATP分解反応によってミオシン頭部に大きな構造変化が起こり，この構造変化によって動きが生じるというモデルである．ミオシン頭部内の軽鎖ドメインが，ちょうどレバーアームの働きをするので，この名がある．化学反応と構造変化がタイトにカップルすると考えており，ATPを1個分解すると，1回動くことになる．

これに対して，確率的なメカニズムで動くというルースカップリング説が大沢によって出された．入力エネルギー（ATP分解）と力学的な出力（動きや力）は，1:1に対応せず状況に応じて変わり，ルースにカップルしているという考えである．進んだり戻ったりしながら，進む方が確率が高いので全体としては進むという動き方をする（図6.2.3）．熱エネルギーと同程度の小さいエネルギーでも一方向に動くことができ，負荷などの状況の変化に対しても機械的でなく柔軟な応答が可能である．

1980年代半ばに，蛍光顕微鏡下でアクチン・ミオシンの働きを観察する方法が開発され，大きな進展がもたらされた．カバーガラス表面にミオシンをしいて，蛍光標識したアクチンフィラメント1本がその上を動く様子を観察するものである．柳田らは，ミオシンがATP1個を分解する間に，10個以上のアクチンモノマー上を滑るという，ルースカップリング説を支持する結果を得た．一方，ミオシンの構造変化と同じ10 nm程度しか動かないという報告が，Spudichのグループを中心に出され，論争は決着が着かなかった．

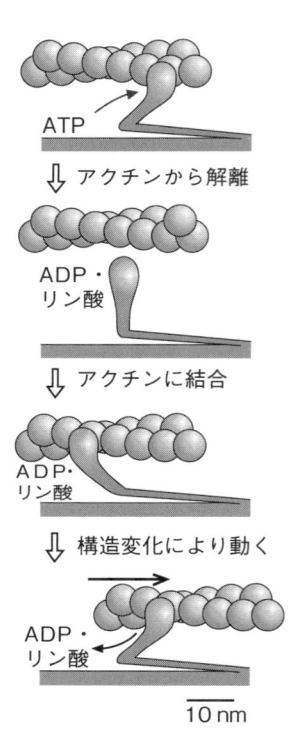

図6.2.2 機械的な分子機構モデルのレバーアーム説
ATPを分解するとき，ミオシン頭部の軽鎖ドメインが大きく角度を変え，ちょうどレバーアームが動くようにして，動きや力が発生すると考える．

図6.2.3 確率的な機構モデルのルースカップリング説
入力（ATP分解）と出力（動きや力）は確率的にカップルしており，分子は行きつ戻りつしながら確率的に進んでいくと考える．

c. アクチン・ミオシンの1分子計測

生体分子1個を，活性を保持したまま光学顕微鏡下で扱う1分子研究が，1990年代に誕生した．大沢は，分子1個の研究がとても実現するとは思えなかった1980年

頃から，その重要性を説いてきた．このような背景のもと，日本の独創的な分野として，生体分子モーターの研究から1分子研究が産まれた．

柳田のグループは，ガラスの微小針にアクチンフィラメント1本を捕まえて，分子1個の出す力を計ることにはじめて成功し，ミオシン頭部が1分子あたり約2 pNの力を出すことを明らかにした．さらに，蛍光1分子イメージングを実現し，モーター分子1個の動きを直接観察することに成功した．

光ピンセット法を使って，ミオシンの1分子計測が行われるようになった．ミオシン分子1個による動きは，4〜6 nmとするものから，15〜20 nmとするものまで，研究グループにより異なった結果が報告された．レバーアーム説では，分子1個による動きは約10 nm以下と考えられるので，1分子計測の結果からも論争の決着をみることはなかった．

d. さまざまなミオシンの構造と機能

1970年代に，頭が1個しかなく長い尾部をもたないミオシンが発見され，ミオシンIと呼ばれた．1990年代に入ると，たくさんの種類のミオシンが高等動物・植物や単細胞生物から見つかり，ミオシンスーパーファミリーを形成していることが明らかになった．現在では，ミオシンIからXVIIIまでの18種類のサブファミリーに分類されている．2個の頭部と，長いコイルドコイルの尾部をもっている伝統的なミオシンは，ミオシンIIと呼ばれるようになった．

これら多様なミオシンによって，細胞運動，原形質流動，細胞分裂，細胞内の小胞・小器官・顆粒等の輸送など，多くの機能が果たされている．サブファミリーの機能に関しては，いまだ未解明のものが多い．

頭部のモータードメインは，スーパーファミリー内で，高い類似性が保たれている．モーター機能を保持している部分の特徴と考えられる．頭部の軽鎖ドメインは，軽鎖結合部位（IQモチーフ）が1個のものから7個のものまであり，頭部の長さに大きなバラエティがある．なお，分子のもつ頭の個数は，1個のものと2個のものとがある．分子内の頭の個数と，頭の長さとに相関はないようである．尾部は，サブファミリーごとに大きく異なっており，多様な細胞内機能を果たすために適した構造となっている．

e. ミオシン頭部の長さと1ステップの距離

レバーアーム説にもとづけば，ミオシンの動く速度はレバーアームの長さに比例するはずである．遺伝子工学的にミオシンIIの軽鎖ドメインの長さを変えて，蛍光顕微鏡下での滑り速度が比べられた．その結果，軽鎖ドメインの長さに比例してミオシンの滑り速度が速くなった．レバーアーム説を支持する結果である．

細胞内で物質輸送を行っているミオシンVという種類のミオシンは，軽鎖ドメインの軽鎖結合部位が6個あり，長い頭部をもっている．電子顕微鏡観察から，レバーアームを長い足のように使って，アクチンの上を歩いているかのように見える像が報告された．結合している2つのミオシン頭部の間隔は，平均約36 nmで，アクチンフィラメント二重らせんの繰り返し周期に一致していた．さらに，光ピンセット法を使ってミオシン1分子の動きを計ると，36 nm間隔のステップで動くことが示された．長い頭を使ってミオシンが大股で歩くように動くと考えれば，レバーアーム説でよく説明される（図6.2.4）．

ところが最近，遺伝子工学で軽鎖ドメインの軽鎖結合部位を6個から1個にして，頭の長さを短くしたミオシンVを用いても，光ピンセット法で計ったステップ間隔は約35 nmで変わらない，という結果が

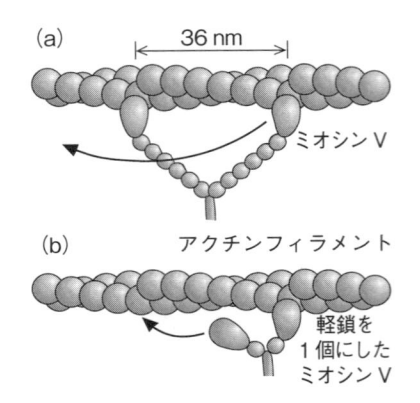

図6.2.4　長い頭で歩く？ミオシンV
（a）ミオシンVは，軽鎖ドメインの軽鎖結合部位が6個あり長さがミオシンIIより3倍長い．アクチンとの相互作用では，約36 nmステップで動く．36 nmはアクチンフィラメント二重らせんの繰り返しの長さと一致している．（b）ミオシン頭部の軽鎖の個数を1個に短くしても，動くときのステップは約35 nmと変わらなかった．

報告された．単純にレバーアーム説では説明できない結果である．

f. 車軸藻の俊足ミオシンや反対向きに走るミオシンVI

　きれいな湖底に生えている車軸藻のミオシンは，アクチンケーブルに沿って原形質流動を引き起こしている．速いといわれる骨格筋ミオシンの毎秒10 μmよりも，ずっと速い毎秒60 μmの滑り速度でアクチンを走らせることが発見された．遺伝子解析から，ミオシンXIの仲間とされている．軽鎖ドメインは軽鎖結合部位6個でミオシンVと同じ長さである．しかし現在のところ，なぜ俊足であるかわかっておらず，興味深い問題として残っている．

　ミオシンがアクチン上で動く向きは，どのミオシンも同じ向きと長い間考えられていた．ところが，反対向きに動くミオシンが見つかった．ミオシン頭部の折れ曲がり部分（モータードメインと軽鎖ドメインとの境界）は，いろいろなミオシンでアミノ酸配列がよく保存されていて，重要な役割を果たしていると考えられている．ただ，細胞内で物質の輸送を担っているミオシンVIだけ，この部分に大きな違いがあった．そこで，蛍光顕微鏡下でアクチンの走りを調べると，ミオシンVIは他のミオシンとは反対向きに走った．

　アクチンフィラメントに結合したときのミオシン頭部の立体構造が，電子顕微鏡像から計算された．アクチン上でのミオシン頭部の軽鎖ドメインの向きが，ミオシンVIでは通常のミオシンとは反対の向きになっていた．観察された構造は，レバーアームを振り終わった後のものと考えられるので，ミオシンVIも通常のミオシンもどちらも，進んで行く方向に軽鎖ドメインが向いていることになる．したがって，レバーアーム説の根拠と考えられている．

g. ミオシンは分子内にエネルギーを蓄えるのか

　ATP分解反応を1分子で観察することは，至難と考えられていた．ふだんはブラウン運動で激しく動いているATP分子が，ミオシンと反応している間だけとどまって動かないことを利用すれば，反応中だけ蛍光像が観察できるというコロンブスの卵的な考えで1分子観察が実現した．

　ミオシン頭部1分子の出す力を計りながら，同時にATP 1個が分解されるところを計るという，むずかしい実験が行われた．光ピンセット法で捕まえた2個のビーズの間に1本のアクチンフィラメントを張り，ガラス表面上のミオシン頭部1分子と相互作用させる．ナノメートル計測で力を求めるのと同時に，蛍光標識ATPを用いてATP分解の1分子計測を行った．

　力の発生とADP放出のタイミングを調べると，予想に反して，両者が同期して起こるものばかりでなく，ADPの解離から数百ミリ秒遅れて力が発生する例が，ほぼ半数の割合で見られた．ADPの放出より後に仕事がなされるのであれば，ルース

図6.2.5 分子1個を直接捕まえ，その出す力を1分子計測

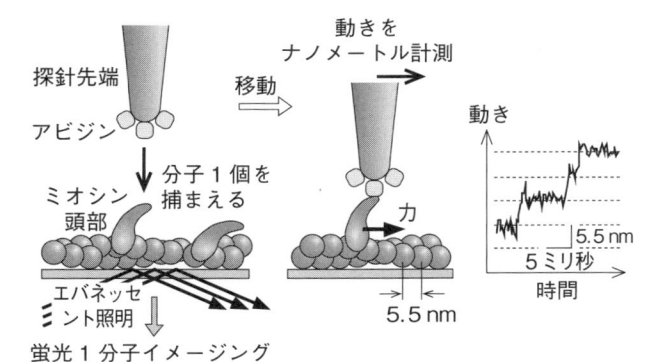

探針先端にミオシンII頭部1分子を捕まえ，アクチンとの相互作用による動きを測ったところ，1個のATPを分解する間に5.5 nmステップを複数回行って動くことが発見された．5.5 nmは，アクチンモノマーの間隔と一致している（Kitamura, K. *et al.*：*Nature* **397**, 129-134, 1999）．

カップリング説の直接証拠といえ，蛋白質分子内部にエネルギーを何らかの形で貯めておくことができる，という可能性も考えられる．

h. 1個のATP分解の間に複数回ステップして動く

粘り強い技術開発により，ミオシン頭部1分子を微小ガラス針の探針先端に捕まえ，蛍光で1分子であることを確認した後，分子1個の動きと力を計ることが実現した．カバーガラス表面のアクチンフィラメントと相互作用させ，ミオシンII頭部1分子の動きを計測した（図6.2.5）．

ミオシンの動きは，一定間隔の複数回のステップからなることがわかった．ステップは，アクチン分子間の間隔5.5 nmとほぼ一致する大きさだった．1回の動きで，1〜5回ステップしていた．ステップ間隔が数ミリ秒と速く，ATP濃度に依存しないことから，1個のATPを分解する間に平均2.5回，最高5回のステップをすると結論された．

逆向きのステップも，少ないながらも見つかった．これらの発見は，確率的な分子機構であるというルースカップリング説の直接証拠であるといえる．

以上のように，レバーアーム説（構造変化説）とルースカップリング説（確率的分子機構）の両説を支持するような研究結果がシーソーゲームのように出されており，分子機構解明の決着は今後の課題として残されている． 〔徳永万喜洋〕

[文献]

1) Huxley, H. E.：Past, present and future experiments on muscle, *Philos. Trans. R. Soc. Lond. B.* **355**, 539-543, 2000.
2) Geeves, M. A.：Stretching the lever-arm theory, *Nature* **415** (6868), 129-131, 2002.
3) Oosawa, F., Hayashi, S.：The loose coupling mechanism in molecular machines of living cells. *Adv. Biophys.* **22**, 151-183, 1986.
4) Yanagida, T. *et al.*：Single-motor mechanics and models of the myosin motor, *Philos. Trans. R. Soc. Lond. B.* **355**, 441-447, 2000.
5) 須藤和夫監修：特集 細胞内の"動き"を司るミオシンモーター，細胞工学11月号，**18** (11), 1999.
6) *Philos. Trans. R. Soc. Lond. B.* **359**, No. 1452, 2004 [種々のミオシンのReview特集号].
7) 池辺光男企画：特集 分子モーター：動く分子を追う！実験医学3月号，**17** (4), 1999.
8) 徳永万喜洋：分子でできた究極の微小モーター．新生物物理の最前線（日本生物物理学会編）（講談社ブルーバックス），第4章，講談社，2002.

〈ホームページ〉
Myosin Home Page;http://www.mrc-lmb.cam.ac.uk/myosin/myosin.html

6.3 キネシン・微小管分子モーター系

キネシンは，ATP加水分解によって生ずるエネルギーを利用して，微小管上を一方向に運動する分子モーターである．神経細胞内で微小管に沿って小胞を輸送する分子として1985年に報告されて以来，そのモータードメインと似たアミノ酸配列をもつ分子が多数発見され，キネシン様蛋白質，キネシンファミリー分子モーターなどと呼ばれている．これらはさらに14のサブファミリーに分類されており，その構造，運動速度・方向，細胞内での役割などにおいてさまざまな性質をもつ．キネシンに関する研究は比較的新しい分野であり，日々進展しているため，これを網羅するような教科書はあまりないが，インターネット上に優れたホームページがあり，キネシンファミリー分子モーターについて最新の情報を得ることができる（http://www.proweb.org/kinesin/, http://cb.m.u-tokyo.ac.jp/KIF/）．

a. キネシン分子微小管の構造

キネシン（キネシンファミリーに属する他の分子モーターと区別して，在来型キネシン（conventional kinesin）と呼ばれることもある）は，骨格筋ミオシンなどと同様，2つの頭部をもつダイマーである（図6.3.1）．ミオシンと比較して，その頭部は小さく，約325アミノ酸残基から成り大きさ数ナノメートルである．頭部のアミノ酸配列はすべてのキネシンファミリー分子モーターで相同性が高いが，それに続くネックと呼ばれる部分は，異なるサブファミリーに属する分子ではかなり異なることがある．在来型キネシンのネックはさらに，ネックリンカーとネックコイルドコイルに分けられる．キネシン分子の力発生に必要な部分は，モータードメインと呼ばれるが，通常これは頭部とネックリンカーを含む．キネシンファミリー分子モーターの尾部はさまざまに異なり，これらが異なる荷物や軽鎖などに結合すると考えられている．

在来型キネシンを含むいくつかのキネシンファミリー分子モーターについては，その頭部の結晶構造が2〜4Åの分解能で知られている．ATP結合部位を含むコア部分の三次元構造がミオシンのそれと似ていること，また，逆向きに運動するNcdを含む数種のキネシンファミリー分子モーターで，その頭部の立体構造が類似していることなどがわかっている．アミノ酸配列からも予想されるように，ネックの三次元構造は，キネシンとNcdで異なっている．

キネシン頭部は，微小管を構成するチューブリンダイマーと，1対1の割合で結合することができる．このとき1個のキネシン頭部は，α-チューブリンとβ-チューブリンの両方に結合部位をもつ．微小管に結合したキネシン頭部の立体構造は，電子顕微鏡画像からのコンピュータ三次元再構成法によって研究されている．

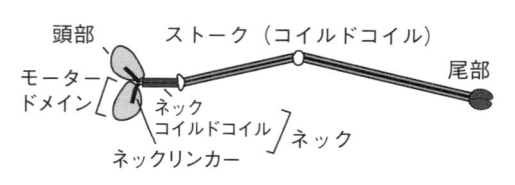

図 6.3.1 キネシン分子の構造

b. キネシン分子の運動の特徴

キネシンはいったん微小管に結合すると，複数のATPを加水分解して微小管上を1μm以上連続的に動くことができる．この性質は，プロセッシビティと呼ばれ，少数のモーターが微小管から離れることなく1つの荷物を運ぶために有利であると考えられる．キネシンが微小管に沿ってプロセッシブに運動する様子は，キネシン分子を特殊な蛍光色素で標識し，最新の顕微鏡技術を用いることによって，実際に観察することができる．当初プロセッシビティはキネシンに特有のものと考えられたが，最近ではミオシンファミリーにもプロセッシビティをもつ分子があることがわかっている．また，キネシンファミリー分子モーターでも，Ncd等にはプロセッシビティが観察されていない．

キネシンのプロセッシブな動きを，光ピンセット法などを用いてさらに詳しく調べると，8 nmのステップ状の変位が観察される．これは，微小管を構成する隣り合うチューブリンダイマーの間隔に相当する．すなわちキネシンは，8 nmごとに並んだチューブリンダイマーの敷石を1つ1つたどって進んでいく「歩くモーター」であるといえる．キネシンはATP 1分子を加水分解して数 pNの力を発生するが，負荷があまり大きくないときは，1分子のATPを加水分解するごとに8 nm進む．

2つの頭部をもつキネシン分子が8 nmステップでプロセッシブに運動するメカニズムとして一般に信じられているのが，hand-over-handモデルであり（図6.3.2），これを示す有力な証拠も得られている．このモデルは，ヒトが2本の足を使って歩くように，キネシンが2つの頭部で交互に微小管に結合し，ATPを加水分解し，力を発生して進むというものである．キネシン頭部は，微小管に結合するとADPを解離し，新たなATPを結合してこれを加水分解し，再び微小管から解離するというサイ

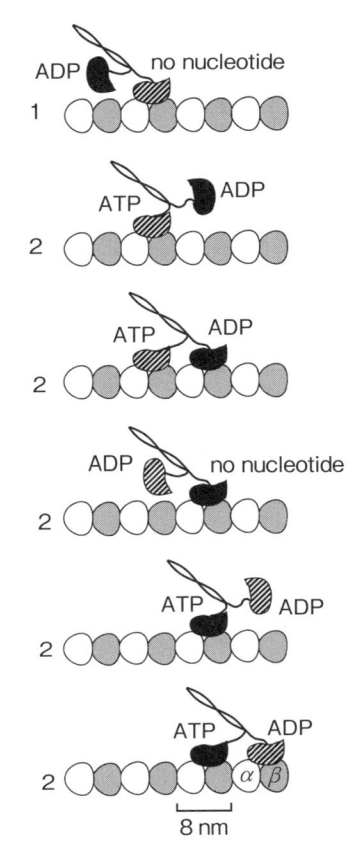

図 6.3.2 双頭のキネシン分子が微小管上を運動するメカニズムを説明するモデルの例

クルを繰り返す．両頭部が同時に微小管から離れることなくhand-over-handモデルで進むために，キネシンの頭部は他方の頭部がどのような状態にあるかを知らなければならない．このような情報伝達が起こっていることを示す生化学的な実験結果も報告されている．

hand-over-handモデルでは，キネシンが2つの頭部をもつということがプロセッシビティの前提条件である．ところが近年，頭部を1つしかもたないキネシンファミリー分子モーターであるKIF1Aが，微小管上をプロセッシブに動くことが報告された．単頭キネシンのプロセッシビティの機構とその生体内での意義は，今後解明す

べき問題である．

c. キネシンの運動とネックの働き

近年，キネシンのネックと呼ばれる部分がその運動に非常に重要な働きをもつことがわかってきた．まず，微小管上を逆向きに運動する Ncd の頭部にキネシンのネックとストークを繋いだキメラ分子は，キネシンと同様の方向に動いた．逆にキネシンの頭部と Ncd のネック/ストークからなるキメラは，Ncd の方向に動き，ここでネックに変異を入れると再びキネシンの方向に動いた．結晶構造の研究などからキネシンのネックリンカーは，β-ストランドを形成して頭部に結合した状態と，きちんとした構造をとらず頭部から離れた状態と2つの構造を取りうることがわかっている．たとえば図 6.3.2 のステップ 1 から 2 のように，この 2 状態の間を遷移することによって，キネシン分子が動くというモデルが提唱されている．双頭の分子の場合にはさらに，このネックリンカーの動きによって他方の頭部が進行方向に押し出され，この方向にあるチューブリン分子に結合しやすくなると考えられる．このモデルはこれまでに報告されている研究結果の多くを説明するが，これに反するデータもあり直接には証明されていない． 〔広瀬恵子〕

［文献］
1) Vale, R. D. and Milligan, R. A.: The way things move: Looking under the hood of molecular motor proteins, Science **288**, 88-95, 2000.
2) Kreis, T. and Vale, R. D.: Guidebook to the Cytoskeletal and Motor Proteins (2nd ed.), Oxford University Press, 1999.
3) Howard, J.: Mechanics of motor proteins and the cytoskeleton, Sinauer Associates, 2001.

6.4 ダイニン・微小管分子モーター系

a. ダイニンの分子構造

ダイニンは微小管と相互作用して力発生・運動を行うモーター蛋白質であり，複数の重鎖，中間鎖，軽鎖などからなる巨大複合体である．モータードメインは重鎖にあり，重鎖は AAA ATPase のモチーフを含むので，ダイニンは AAA ファミリーの一員とされる[1]．G 蛋白質と同じファミリーに属するミオシンやキネシンとは構造的に異なるので，運動メカニズムも本質的に異なるものと考えられる．

ダイニンは，細胞内小胞輸送や細胞分裂などを担う細胞質ダイニンと，9+2 構造をもつ鞭毛・繊毛の運動の原動力となる軸糸ダイニンに大別される．両者とも微小管上をそのマイナス端方向へ動くことにより，モーター分子としての役割を果たしている．細胞質ダイニンには 2 種の重鎖遺伝子があり，それぞれが別個にホモダイマーを形成して双頭構造をとる．軸糸ダイニンには 10 種類以上の重鎖遺伝子があり，生物種により違いはあるが，外腕ダイニンは異なる重鎖 2 本あるいは 3 本からなるヘテロダイマーあるいはヘテロ三量体であり，ダブレット微小管上に 24 nm の周期で結合している．内腕ダイニンはモノマーあるいはヘテロダイマーであり，6〜7 種類の内腕ダイニンがダブレット微小管の 96 nm 周期の中に規則的に配置されている．中間鎖や軽鎖はダイニン重鎖に結合しているが，その種類や数は重鎖の種類によって異なる．内腕ダイニン重鎖は中間軽鎖としてアクチンを結合しているものが多い．

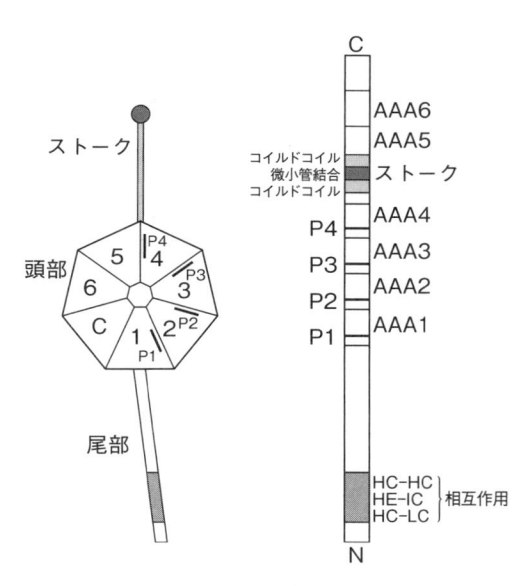

図 6.4.1　ダイニン重鎖の分子構造

b. ダイニン重鎖とモータードメイン

アミノ酸数が 4500 から 5200，質量が 500 kD 以上もある重鎖において，その C 末端側の約 3 分の 2 は AAA モチーフが 6 ないしは 7 個連なり，それらがリング状に並んで，直径約 14 nm のドーナツ状の構造をとる．最初の 4 個の AAA モチーフは ATP 結合のコンセンサス配列（P ループ）を含むが，5 番目以降の AAA モチーフではそれらが変化しており ATP 結合部位はないものと思われる．4 個目と 5 個目の AAA モチーフの間に α-ヘリックスを多く含む領域が 2 ヵ所あり，この領域が逆並行のコイルドコイルを形成してリング構造から突き出し，長さが 15 nm ほどのストークを形成する．この 2 つの α-ヘリックスに挟まれた領域は球状構造をとりストークヘッドと呼ばれ，この先端で微小管と結合する．

重鎖の N 末端側は尾部と呼ばれ，C 末端側のリング構造とはリンカーを介してつながっている．尾部は中間鎖や軽鎖を結合するとともに重鎖どうしが会合してダイマーや三量体を形成する．細胞質ダイニンでは中間鎖がダイナクチン複合体に結合し，ダイナクチン複合体が細胞内輸送をする小胞などのカーゴや，キネトコアや細胞膜などのターゲットに結合する．また軸糸ダイニンでは尾部がドッキング蛋白質などを介してダブレット微小管の A 小管に結合する．

c. ダイニンの運動特性

モーター蛋白質としての運動特性は，さまざまな in vitro 運動系で計測されている．motility assay（ガラスなどの基板に付着した多分子のダイニンが微小管を動かす系）では，ダイニンが微小管のマイナス端へ向かって動くモーター分子であることが確認された．微小管の滑り運動速度は，細胞質ダイニンが約 1 μm/s，軸糸ダイニンは 5〜15 μm/s で，生体内で見られる運動速度とほぼ一致している．細胞質ダイニン，軸糸ダイニンともに，キネシンと同様，プロセッシビティ（1 分子でも微小管上を連続的に移動する性質）をもつことが示されている．とくに，単頭（モノマー）である内腕ダイニンがプロセッシブな運動を示し，かつ duty ratio（1 回の ATPase サイクルのうちの微小管と結合している時間が

占める割合）が小さいという報告[2]は，キネシンで見られる性質と異なる点で注目される．

1分子のダイニンを結合したビーズを光ピンセットで捕捉して，1分子ダイニンが出す力を計測すると，その最大値は約5 pN程度である[2〜4]．これはキネシンやミオシンなどの他のモーター蛋白質が出す最大力と同じレベルの力である．また，ビーズの動きを高分解能で観察することにより，ダイニンのメカニカルなステップサイズが8 nmであることがわかった．最近，細胞質ダイニンは，負荷が小さくなるとステップサイズを24 nmや32 nmという大きい値に変化させるギアチェンジの機能をもつ，という報告がある[5]．ただし，これらのステップサイズがATP1分子の加水分解に対応したものであるかどうかは明らかではない．

軸糸の内腕ダイニンの多くの種類は，微小管をその長軸方向に滑らせるだけでなく，微小管をその長軸のまわりに回転させるようなトルクを発生する．この回転運動の軌跡のピッチは500〜800 nmであり[6]，微小管上のチューブリンダイマーの表面格子の基本らせんに由来するヘリカルピッチ（12, 40, 64 nm）やプロトフィラメントのスーパーツイストのピッチ（2〜6 μm）とは異なるので，それらのダイニンは単にチューブリンダイマーの表面格子によって規定される軌跡を追っているのではないと考えられる．この回転運動が，統御のとれた滑り運動により屈曲を形成・伝播していく鞭毛・繊毛運動において，どのような役割を果たしているのかは不明である．

鞭毛軸糸の滑り運動により9+2構造がばらけたダブレット微小管にのっているダイニンは，運動の方向を微小管のプラス端とマイナス端の間でスイッチして振動現象を示す[3]．このことは，ダイニンが微小管上を両方向に動きうることを示唆し，鞭毛運動で見られる周期的振動運動との関連で注目されることに加え，ダイニン分子の中に（上記のギアチェンジとは別に）外界の状況に応じて出力をコントロールするシステムをもつことを意味している．

d. ダイニンの運動メカニズム

複数存在するATP結合部位に関しては，1つ目と3つ目のPループはATPを加水分解するが，2つ目と4つ目のPループはATP加水分解をほとんど行わないらしい．それらの役割はまだ明らかではないが，加水分解をしない部位へのATPやADPの結合により，ATP加水分解活性やモーター活性を調節していることが示されている．これらの調節系はダイニンの種類により異なり，軸糸ダイニンでは，ADP存在下でモーター活性が上昇するもの，高濃度ATP存在下で運動を止めるもの，ヌクレオチド非存在下で微小管と結合しないものなどがあり，ダイニンにおけるATPやADPによる調節系の複雑さと多様性を示している．

ダイニン分子のストークや尾部のリング構造に対する角度がヌクレオチド条件によって異なるということが，電子顕微鏡による形態観察から明らかにされた[7]．ATPの結合・分解・解離により引き起こされるリング構造内の構造変化がストークや尾部の角度変化をひき起こし，それがダイニン分子の運動メカニズムであるというモデルが提唱されている．リング構造内にあるATP加水分解部位と，ストークの先端にある微小管結合部位はコイルドコイル構造でつながり，距離にして15 nm以上も離れているので，クロスブリッジサイクルを行うための微小管との結合・解離がATPの加水分解とどのようにカップルしているのか，すなわちメカノケミカルカップリングがどのようなものか，が大きな焦点となっている．最近，運動活性をもつダイニン重鎖のリコンビナント系が確立され，蛋白質分子レベルでの直接的な構造と機能の

相関についての研究が可能になったので，ダイニンの運動メカニズムの解明が期待される．　　　　　　　　　〔豊島陽子〕

[文献]

1) Mocz, G. and Gibbons, I. R.: Model for the motor component of dynein heavy chain based on homology to the AAA family of oligomeric ATPases, *Structure* (Camb) **9**, 93-103, 2001.
2) Sakakibara, H. *et al.*: Inner-arm dynein c of *Chlamydomonas* flagella is a single-headed processive motor, *Nature* **400**, 586-90, 1999.
3) Shingyoji, C. *et al.*: Dynein arms are oscillating force generators, *Nature* **393**, 711-714, 1998.
4) Hirakawa, E. *et al.*: Processive movement of single 22S dynein molecules occurs only at low ATP concentrations, *Proc. Natl. Acad. Sci. USA* **97**, 2533-2537, 2000.
5) Mallik, R. *et al.*: Cytoplasmic dynein functions as a gear in response to load, *Nature* **427**, 649-652, 2004.
6) Vale, R. and Toyoshima, Y. Y.: Rotation and translocation of microtubules *in vitro* induced by dyneins from *Tetrahymena* cilia, *Cell* **52**, 459-469, 1988.
7) Burgess, S.A. *et al.*: Dynein structure and power stroke, *Nature* **421**, 715-718, 2003.

6.5　DNAモーター

細胞分裂時にDNAを複製するDNAポリメラーゼ，遺伝情報発現のためにDNAをRNAに転写するRNAポリメラーゼ，DNAを分解するエキソヌクレアーゼ，DNAの二本鎖を一本鎖に巻き戻すヘリカーゼなどは，それぞれの機能に伴ってATPあるいは他のヌクレオチドを加水分解して得たエネルギーを使って，DNAに沿って一方向に動く．これらを総称して，DNAモーターと呼ぶ．1990年代のはじめにSchaferらが1分子のRNAポリメラーゼが転写を行っている様子を光学顕微鏡で観察することに成功してから，1分子イメージングや1分子操作，1分子計測技術を使ったDNAモーターの研究が次々と行われている．ここでは，そのうちのいくつかの研究について簡単に紹介する．

まずSchaferらはtethered particle motion（TPM）法を開発した（図6.5.1 (a)）．大腸菌のRNAポリメラーゼ分子と鋳型DNAからなる転写複合体をガラス表面に固定する．DNAの片方の端にビーズをつける．このビーズのブラウン運動を顕微鏡下で観察する．溶液中に基質（4種類のヌクレオチド）を加え転写を開始させると，ビーズの動きが変化していく．ビーズをDNAの下流（RNAポリメラーゼが転写していく方向の端）につけた場合，RNAポリメラーゼによる転写が進むとRNAポリメラーゼがDNAをたぐり寄せるため，ビーズのブラウン運動の範囲は徐々に小さくなる．もし，ビーズをDNAの上流につ

けておけばブラウン運動の径は徐々に大きくなる．そしてその径の大きさの変化からRNAポリメラーゼの転写速度を知ることができる．この実験で求められた転写の平均速度はおよそ10塩基/secで，同じ条件下での溶液中のRNAポリメラーゼの転写速度とほぼ同じ値であった．この方法は，複雑な装置を使うことなく，1分子の酵素が働いている様子を直接観察したという点で，非常に画期的である．

その後Gellesらは，TPM法と光ピンセット法を組み合わせて，大腸菌RNAポリメラーゼ1分子が転写中に発生する力の測定に成功した（図6.5.1(b)）．DNAの片端につけたビーズを光ピンセットで捕まえてDNAを引っ張ることによって，RNAポリメラーゼにさまざまな負荷を与えて転写速度を測定し，負荷の大きさと転写速度との関係を明らかにした．基質がたっぷりある条件下でRNAポリメラーゼは最大25 pNの力でDNAを捕まえていることがわかった．この力は細胞骨格のモーターであるキネシン分子やミオシン分子が出す力（～5 pN）と比較してかなり大きい．この値から計算すると，RNAポリメラーゼはRNA合成時に基質を加水分解することによって得られる自由エネルギーを，非常に効率よく機械的な仕事に換えていることになる．

筆者らはTPM法を使って，RNAポリメラーゼがDNAの右巻き二重らせん構造をなぞりながら，DNAの塩基を読んでRNAを合成していることを明らかにした（図6.5.1(c)）．DNAの端につけるビーズに，ビーズの回転運動を観察するための目印として小さな蛍光ビーズを付けておく．転写を開始させると，RNAポリメラーゼがDNAをねじるので，DNAの端につけたビーズが回転する．DNAの回転を直接見るのはむずかしいが，ビーズをつけることによってDNAの回転運動が拡大されるので，市販の蛍光顕微鏡を使って簡単に観察できる．

TMP法以外にもDNAモーターを調べるのに有効な方法が開発されている．同じ塩基数の一本鎖DNAと二本鎖DNAでは，それらを同じ力で引っ張ったとき，長さが異なる（6.5 pN以上の力では一本鎖DNAの方が長い）．WuiteらはこのT質を利用して，T7DNAポリメラーゼの活性を測定した（図6.5.1(d)）．まず，プライマーのついた一本鎖DNAの両端にビーズをつける．片方のビーズはピペットで，もう1つを光ピンセットで捕える．このようにして捕捉したDNA分子につねに一定の力がかかるように光ピンセットの位置を制御する．一本鎖DNAが二本鎖DNAに変わっていくに従って，DNAの長さは短くなっていくので，光ピンセットの位置がピペットの位置に近づく．記録された光ピンセットの位置の変化から，一本鎖DNAがDNAポリメラーゼによって二本鎖DNAに変えられる様子がわかる．さらに彼らは，DNAポリメラーゼ1分子が最大34 pNの力を出すことを明らかにした．

Strickらは，磁気ビーズを使って光ピンセットの代わりに磁石でDNAを引っ張ったり，磁石を回転させることによってDNAをねじったりして大変興味深い実験を行った．DNAの片端をガラス基板に固定し，もう一方の端に磁気ビーズをつけて磁石で上方向に引っ張る．磁石を回転させ，DNAをねじっていくとスーパーコイルができる．DNAの長さはスーパーコイルになった分だけ短くなる．数十回ねじって多くのスーパーコイルをつくっておいたところにトポイソメラーゼII（トポII）とATPを加えると，トポIIがスーパーコイルを解消し，その分だけDNAは伸びていく．彼らは，DNAの長さ変化を高感度に検出することによって，トポIIが1分子のATPを加水分解する間に，2つのスーパーコイルを解消する様子を観察することに成功した（図6.5.1(e)）．

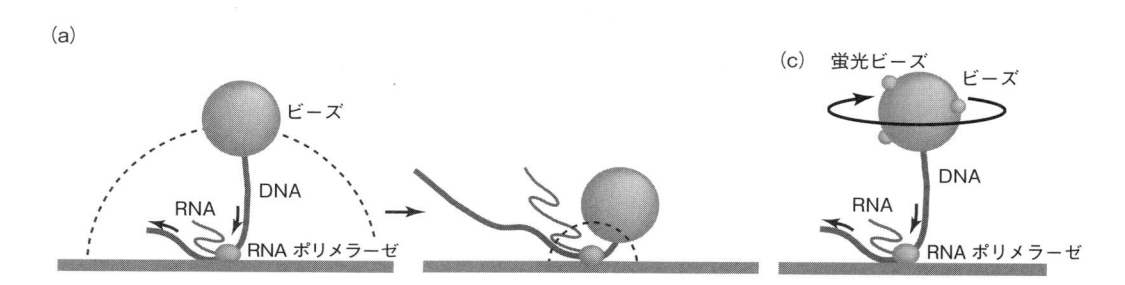

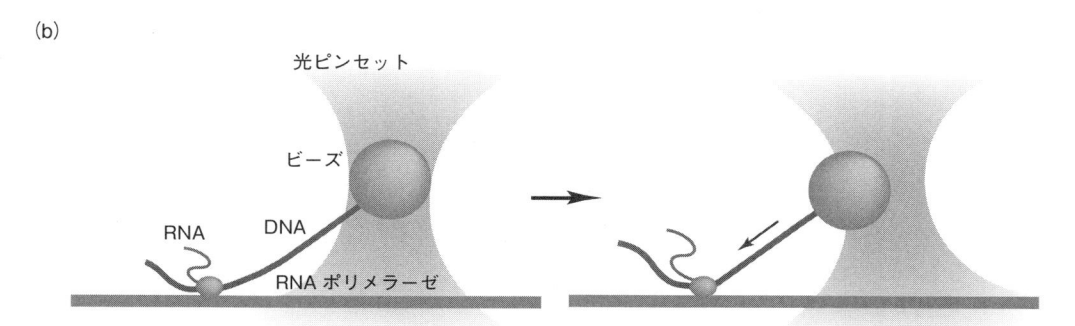

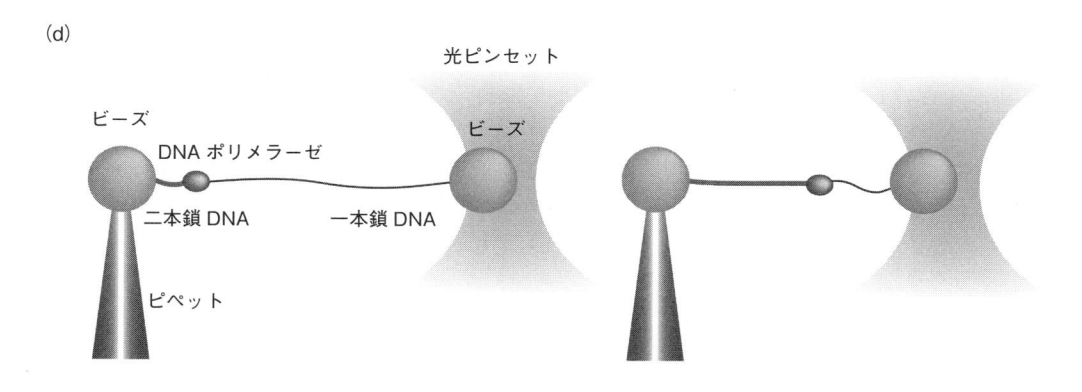

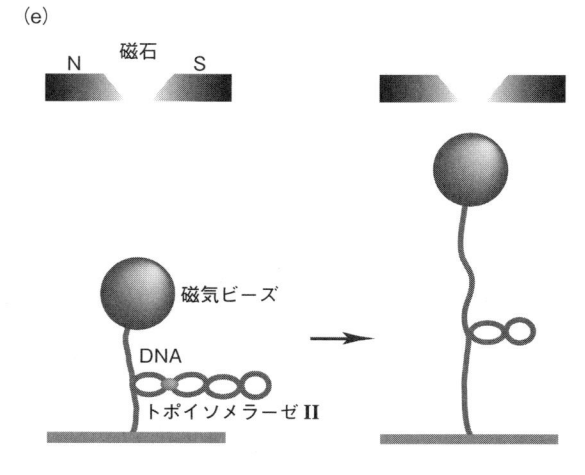

図 6.5.1 DNA モーターの 1 分子解析実験の模式図

(a) tethered particle motion（TPM）法による RNA ポリメラーゼ 1 分子の転写の観察
(b) 1 分子の RNA ポリメラーゼが発生する力の測定
(c) RNA ポリメラーゼによる DNA の回転の可視化
(d) T7DNA ポリメラーゼ活性の 1 分子解析
(e) トポイソメラーゼ II による DNA スーパーコイル解消の観察

6.5 DNA モーター　　355

最近ここで紹介したT7DNAポリメラーゼや原核生物のRNAポリメラーゼ，それらとDNAやヌクレオチドとの複合体，またその他のDNAモーターのX線結晶構造が高い分解能で解かれて，機能に重要な残基や金属イオンが酵素触媒の効率や正確さにどのように寄与しているのかなどが議論されている．構造が明らかになることで，個々の分子が機能するときどのような動きをしていそうか，ということがイメージできる．そしてそのイメージが1分子解析の実験へとつながっていく．バクテリアのDNAポリメラーゼは"指"，"手のひら"，"親指"と呼ばれるサブドメインからなる"手"のような形をしている．ヘリカーゼやエクソヌクレアーゼなどのDNA結合酵素はドーナツ型をしているものが多い．このような構造と，これらの酵素が働きながらDNAに沿って長距離連続的に動くメカニズムとの関係の解明に1分子解析の研究が貢献し，近い将来それらの分子メカニズムが解明されることが期待される．

〔原田慶恵〕

[文献]
1) Schafer, D. A. et al.: Transcription by single molecules of RNA polymerase observed by light microscopy, *Nature* **352**, 444-448, 1991.
2) Yin, H. et al.: Transcription against an applied force, *Science* **270**, 1653-1657, 1995.
3) Harada, Y. et al.: Direct observation of DNA rotation during transcription by E. coli RNA polymerase, *Nature* **409**, 113-115, 2001.
4) Wuite, G. J. L. et al.: Single-molecule studies of the effect of template tension on T7 DNA polymerase activity, *Nature* **404**, 103-106, 2000.
5) Strick, T. R. et al.: Single-molecule analysis of DNA uncoiling by a type II topoisomerase, *Nature* **404**, 901-904, 2000.

6.6 F_1モーターの回転メカニズム

a. ATP合成酵素のF_1モーター

F_1は，膜蛋白質であるF_0F_1-ATP合成酵素の水溶性部分である．それ単独で高いATP加水分解活性をもつことから，F_1-ATPaseと呼ばれている．近年の研究から，F_1-ATPaseが，ATPを加水分解して分子中央のサブユニットを回転する分子モーターであることが明らかにされた[1]．本節では，明らかにされつつあるF_1の回転メカニズム[2,3]を中心に解説するため，ここではF_1-ATPaseをF_1モーターと呼ぶ．生体内では，F_1モーターはもう1つの回転モーターであるF_0と結合し，ATP合成酵素を形成する（ATP合成酵素全体に関する詳細は4.9節を参考されたい）．F_0モーターは生体膜に埋まっており，電気化学ポテンシャルに沿ってプロトンがF_0内部を通過するときにトルクを発生する．

F_1モーターとF_0モーターは，それぞれの回転子・固定子どうしで結合している．このとき，2つのモーターの回転方向は互いに逆向きとなっている．生理的条件下では，F_0モーターの駆動力であるプロトンの電気化学ポテンシャルは，F_1モーターの駆動力であるATP加水分解の自由エネルギーより大きい．したがって，F_0モーターは，F_1モーターより強力なトルクを発生し，F_1モーターを逆向きに回転させる．その結果，F_1モーターは逆反応であるATPの合成反応を触媒する．また，F_1モーターの駆動力がF_0の駆動力より大きい場合には，F_1モーターがF_0を逆向きに回転させ，プロトンを逆方向に能動輸送す

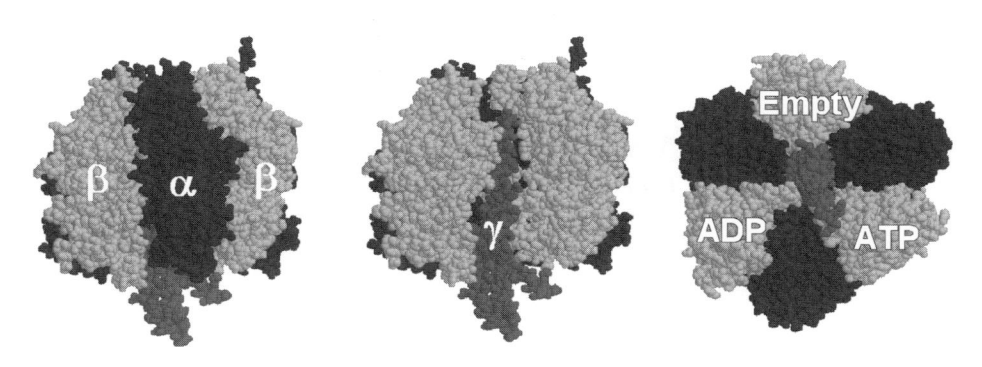

図 6.6.1 F_1 モーターの結晶構造（口絵参照）
左：横から見た図．α と β が交互に並んでいる．中：手前の α を除いた図．分子中央に棒状の構造の γ が見える．右：下から見た図．3 つの β は 120° おきに並んで γ を取り囲んでいる．順番に ATP を結合することでトルクを発生する．

る．つまり，この 2 つのモーターは可逆的に働く回転モーターなのである．

b. F_1 モーターの立体構造

図 6.6.1 に，1994 年に John Walker によって初めて解かれた F_1 モーターの結晶構造[4]を示す．F_1 モーターの回転子は γ サブユニットであり，分子中央に位置する．そのまわりには，それぞれ 3 つの α，β サブユニットが交互に並んでリング構造を形成している．ATP 加水分解の触媒反応部位は，β サブユニットにある．結晶構造中では，3 つの β サブユニットは，それぞれ異なる反応状態にあった．1 つの β は ATP のアナログである AMP-PNP を結合しており，もう 1 つは ADP 結合状態，3 つ目は何も結合していないカラ状態であった．この構造は，F_1 が回転モーターであることを予言し，その反応メカニズムを提唱した Paul Boyer の binding-change mechanism[5]説と一致する．Boyer は，その説において「3 つの β はつねに互いに異なる反応状態にある．そして，3 つの β が協同的にそれぞれ次の反応状態へと移行するときに，回転子 γ が回転する」と提唱していた．この説に従えば，結晶構造から予想される F_1 モーターの回転方向は反時計回りであり，これは F_1 モーターの回転運動の 1 分子観察[1]によって確認された．F_1 モーターの回転が実証された 1997 年，Boyer と Walker はノーベル化学賞を受賞している．

c. F_1 モーターの回転の 1 分子観察

F_1 分子の直径は約 10 nm で，その中で回転する γ の直径は 2 nm しかない．そのため，F_1 モーターの回転運動を光学顕微鏡で計測するためには，大きな目印を接続する必要がある．初期の実験では，蛍光色素で標識された長さ 0.5〜5 μm のアクチン繊維が使われていたが，最近は直径 300 nm 程度のプラスティックビーズや磁気ビーズが使用されている．また，水溶液中での激しいブラウン運動を抑えるために，固定子である $\alpha_3\beta_3$ リングはガラス基板に固定される．ここに ATP を添加すると，顕微鏡下で可視化プローブが反時計回りに回転する様子が観察される．

この 1 分子計測実験では，F_1 モーターはプローブにかかる水の粘性抵抗に逆らって回転運動をしている．そのため，その粘性抵抗から F_1 モーターの回転トルクを求めることができる．測定の結果，トルクの値は約 40 pNnm で，可視化プローブの大きさによらず一定であることが示された[6]．

また，F_1 モーターは，高濃度の ATP 存

在下（10 μM 以上）では連続的なスムースな回転をするが，低濃度の ATP 存在下（0.6 μM 以下）では，120°おきのステップ回転をする[6]．これは，低濃度 ATP では，ごくまれにしか ATP 分子が F_1 モーターに結合しないため，次の ATP が結合するまで F_1 が停止するからである．また，120°のステップ幅は，結晶構造中で β が 120°おきに γ を取り囲んでいることに一致する．

ステップとステップの待ち時間，つまり ATP 結合の待ち時間の解析から，1 回のステップ回転は，1 回の ATP 結合によって引き起こされていることがわかった．このことは，1 回のステップ当たり 1 個の ATP 分子が消費されることを意味し，後に超微小溶液チャンバーを用いた実験によって証明された[7]．トルクに回転角度をかけるとモーターの出力が求まる．F_1 モーターの場合，1 回の ATP 加水分解で $40\,\mathrm{pNnm} \times 2\pi/3 = 80\,\mathrm{pNnm}$ が出力である．この値は，細胞内で ATP1 分子が加水分解される際に放出される自由エネルギーに匹敵する．そこで，この実験系に既知の量の ADP と Pi を添加し自由エネルギーが 80 pNnm となる条件で実験を行った結果，出力はやはり 80 pNnm であった[6,8]．つまり，入力エネルギーと出力がつりあっているのである．これだけ見ると，このモーターは 100％に達する効率で働けるように思われる．しかし，ここで見ているのは回転運動を通して水溶液中に散逸する熱量であり，熱力学でいう仕事ではない．エネルギー変換効率を正確に調べるためには，F_1 モーターが保存力に対してどれだけ仕事をするのかを計測する必要がある．

d. β の協同性

F_1 モーターのトルク発生部位である 3 つの β サブユニットは，互いに協調しながら ATP 加水分解反応を進める．たとえば，120°ステップ回転と，蛍光標識した ATP 分子の結合・解離を同時に観察した実験から，β サブユニットは順番に ATP を結合し，各 β への ATP 結合は，つねに特定の 120°ステップの引き金となっていることが示された[9]．このような β サブユニット間の強い協同性は，γ の回転によるものと考えられている[10]．すなわち，ある β が ATP を結合して γ を回転させると，他の β と γ の物理的な接触の仕方が変わる．これが引き金となって，それぞれの β の反応が次に進むと考えられている．つまり，3 つの β は γ を介して機械的にかみ合っており，互いに相手の反応状態に影響を及ぼしていると考えられる．

e. サブステップ

粘性が無視できるほど非常に小さな可視化プローブを γ に接続し，その動きをレーザー暗視野顕微鏡で可視化する実験が行われた[11]．その結果，120°ステップが 90°と 30°の 2 つのサブステップからなることが明らかになった．このサブステップの角度の大きさは，後に 80°と 40°であると修正された[12]．また，サブステップの解析からは，80°サブステップは ATP 結合によるもので，40°サブステップは時定数が 1 msec の 2 つの反応の後に起こることが示された．しかし，この高速回転計測だけでは 2 つの反応の同定はできなかった．その後，変異型 F_1 や基質アナログ（ATPγS）を用いることで ATP 加水分解を遅くした条件で，回転観察が行われた．その結果，80°サブステップと 40°サブステップの間の 2 つの反応のうち，片方が ATP 加水分解反応であることが明らかとなった[12]．ATP 加水分解が，はじめの 1 msec の反応なのか，それとも 40°サブステップを引き起こす反応なのかは明らかでない．しかし，それまでの生化学実験から，ATP 加水分解そのものはエネルギーを放出する反応ではないとされている[5]．したがって，ATP 加水分解は，40°サブステップの直接の引

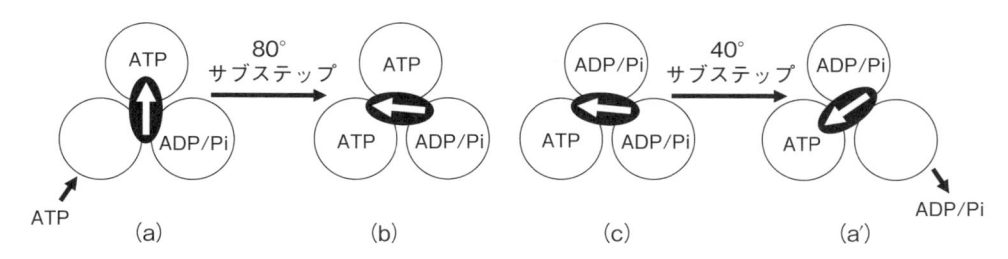

図 6.6.2 F_1 モーターの回転メカニズム
3つの丸は β，矢印は γ の向きを表している．ADP/Pi は，ADP とリン酸のどちらかもしくはどちらも結合した状態を示す．
(a) ATP 結合を待っている状態
(b) 80° サブステップが起こり，ATP 加水分解を待っている状態
(c) ATP 加水分解が起こり，生成物の解離を待っている状態
(a') 生成物解離によって 40° サブステップが起こり，120° ステップ回転は終了する．(a) とは γ の向きが 120° ずれている．

き金ではない初めの 1 msec の反応であると考えられている．そして，40° サブステップを引き起こすのは，生成物である ADP もしくはリン酸の解離であると考えられている．

f. 回転モデル

それまでの回転1分子計測の結果にもとづき，現在考えられているモデルを図 6.6.2 に示す．まず，カラ型の β に ATP が結合し，80° サブステップが起こる．これが引き金となって，すでに ATP を結合していた β で ATP 加水分解が起こる．この後，別の β から生成物が解離して 40° サブステップが起こる．これによって 120° ステップ回転が終了し，3つの β はすべて次の反応状態に進む．すべての反応状態（カラ型，ATP 結合型，ADP/Pi 結合型）は，初めの状態から反時計回りに 120° 回転する．現在のところ，ADP とリン酸がどのタイミングで解離するのか不明である．そのため，図中の ADP/Pi は，ADP とリン酸のどちらか，もしくはどちらも結合している状態を表している．

g. 逆回転による ATP 合成

F_1 モーター本来の生理的役割は ATP 合成である．はじめに，F_O モーターが F_1 モーターを逆回転することで F_1 モーターは ATP を合成すると説明した．しかし，これはよく考えると非常にユニークな特徴である．蛋白質の一部分を機械的に操作するだけで，本来エネルギー的に非常に不利な反応が起こるというのである．このような機能は，他の分子モーターではまったく考えられていない．実際にこのような反応が起きるのだろうか？ これを検証するため，ガラス基板に多数の F_1 モーターを固定し，さらに γ に磁気ビーズを接続して，外部磁場を用いて一斉に逆回転させる実験が行われた[13]．溶液中の ATP 量を生物化学発光によって測定することで，逆回転時に ATP の合成反応が起きていることが確認された．しかし，この実験では実際に何分子の F_1 モーターが機能しているか明確ではなかったため，F_1 モーター1回転あたりの ATP 合成量を見積もることが難しいという問題点があった．

そこで，1分子の F_1 モーターだけに注目し，逆回転させたときの ATP 合成量を測定する実験が行われた[7]．この一連の研究では，まずマイクロ加工技術を用いて作製したミクロンサイズの小さな容器が開発された[14]．次に，この超微小な容器の中

に F_1 モーターを閉じ込めて逆回転する実験が実施された．合成されたATPの分子数はわずかであるが，容器の体積が非常に小さいためATP濃度は急上昇する．そのため，外部磁場から F_1 モーターを開放させると，F_1 モーターは再びATPを加水分解しながら回転する．その速度上昇からATPの合成量を見積もることができる．この実験によって，それまで制御サブユニットであると考えられていた ε サブユニットが，高効率のATP合成に必要であることが明らかにされた．ATP合成時における ε の役割に関しては，今後の研究を待たなければならないが，最近の研究ではATP合成条件では ε が大きな構造変化をするという報告があり[15〜17]，この構造変化とATP合成効率の関係解明が待たれる．

〔野地博行〕

[文献]

1) Noji, H., Yasuda, R., Yoshida, M. and Kinosita, K., Jr.: Direct observation of the rotation of F_1-ATPase, *Nature* **386**, 299-302, 1997.
2) Yoshida, M., Muneyuki, E. and Hisabori, T.: ATP synthase—a marvellous rotary engine of the cell, *Nat. Rev. Mol. Cell. Biol.* **2**, 669-77, 2001.
3) Kinosita, K., Jr., Adachi, K. and Itoh, H.: Rotation of F_1-ATPase: how an ATP-driven molecular machine may work, *Annu. Rev. Biophys. Biomol. Struct.* **33**, 245-68, 2004.
4) Abrahams, J.P., Leslie, A.G., Lutter, R. and Walker, J.E.: Structure at 2.8 A resolution of F_1-ATPase from bovine heart mitochondria, *Nature* **370**, 621-8, 1994.
5) Boyer, P.D.: The ATP synthase—a splendid molecular machine, *Annu. Rev. Biochem.* **66**, 717-49, 1997.
6) Yasuda, R., Noji, H., Kinosita, K., Jr. and Yoshida, M.: F_1-ATPase is a highly efficient molecular motor that rotates with discrete 120 degree steps, *Cell* **93**, 1117-24, 1998.
7) Rondelez, Y. *et al.*: Highly coupled ATP synthesis by F_1-ATPase single molecules, *Nature* **433**, 773-7, 2005.
8) Noji, H. *et al.*: Purine but not pyrimidine nucleotides support rotation of F(1)-ATPase, *J. Biol. Chem.* **276**, 25480-6, 2001.
9) Nishizaka, T. *et al.*: Chemomechanical coupling in F_1-ATPase revealed by simultaneous observation of nucleotide kinetics and rotation, *Nat. Struct. Mol. Biol.* **11**, 142-8, 2004.
10) Oster, G. and Wang, H.: Reverse engineering a protein: the mechanochemistry of ATP synthase, *Biochim. Biophys. Acta.* **1458**, 482-510, 2000.
11) Yasuda, R., Noji, H., Yoshida, M., Kinosita, K., Jr. and Itoh, H.: Resolution of distinct rotational substeps by submillisecond kinetic analysis of F_1-ATPase, *Nature* **410**, 898-904, 2001.
12) Shimabukuro, K. *et al.*: Catalysis and rotation of F_1 motor: cleavage of ATP at the catalytic site occurs in 1 ms before 40 degree substep rotation, *Proc. Natl. Acad. Sci. USA* **100**, 14731-6, 2003.
13) Itoh, H. *et al.*: Mechanically driven ATP synthesis by F_1-ATPase, *Nature* **427**, 465-8, 2004.
14) Rondelez, Y. *et al.*: Microfabricated arrays of femtoliter chambers allow single molecule enzymology, *Nat. Biotechnol.* **23**, 361-5, 2005.
15) Tsunoda, S.P. *et al.*: Large conformational changes of the epsilon subunit in the bacterial F_1F_0 ATP synthase provide a ratchet action to regulate this rotary motor enzyme, *Proc. Natl. Acad. Sci. USA* **98**, 6560-4, 2001.
16) Suzuki, T. *et al.*: F_0F_1-ATPase/synthase is geared to the synthesis mode by conformational rearrangement of epsilon subunit in response to proton motive force and ADP/ATP balance, *J. Biol. Chem.* **278**, 46840-6, 2003.
17) Bulygin, V.V., Duncan, T.M. and Cross, R.L.: Rotor/stator interactions of the epsilon subunit in E. coli ATP synthase and implications for enzyme regulation, *J. Biol. Chem.* **279**, 35616-21, 2004.

II. 筋収縮運動系

6.7 筋収縮・制御の分子機構

筋収縮系には大別して2つの状態がある（基本構造については6.8節参照）．力を発生して収縮するON状態と，力を発生せず弛緩するOFF状態である．電気刺激によって細胞内電位がある閾値を越えると，筋収縮系が活性化して力を発生する．電気刺激をさらに強くしても発生力が増強されることはない．その意味で，筋細胞は0か1のいずれかの状態をとる．これを，筋肉における"全か無かの法則（悉無律：all-or-none law）"という[1,2]．

筋収縮の分子機構とは，ON状態における筋収縮系の力発生と収縮（短縮）の分子レベルでのしくみのことである．制御の分子機構とは，電気刺激による筋収縮系のOFF状態からON状態への（逆に，電気刺激が止んだあとのON状態からOFF状態への）状態変化の調節に関する分子レベルにおけるしくみのことである．図6.7.1に，筋収縮系における状態の流れをまとめる（フィードバックループを示す右側の矢印にも注意）．

筋収縮の分子機構については，1954年にNature誌上に並んで発表された，A. F. Huxley and R. NiedergerkeとH. E. Huxley and J. Hansonによる2つの論文によって，細い（アクチン）フィラメント（⇨6.8, 6.10, 6.11）と太い（ミオシン）フィラメント（⇨6.8, 6.9）と呼ばれる2種類の筋フィラメントが，その長さを変えることなくお互いに位置をずらすことによって収縮する

という"滑り運動機構"が提案された．"滑り運動機構"の強い証拠となったのは，光学顕微鏡と電子顕微鏡による，骨格筋の横紋構造（⇨6.8）の観察結果であった．筋収縮系が短縮しても，太いフィラメントの束からなるA帯の長さや細いフィラメントの長さは変化せず，変化したのは，太いフィラメントと細いフィラメントの重なり部分の大きさであった（ただし，光学顕微鏡観察については，0.2 μm程度の空間分解能の範囲内でのことであり，電子顕微鏡

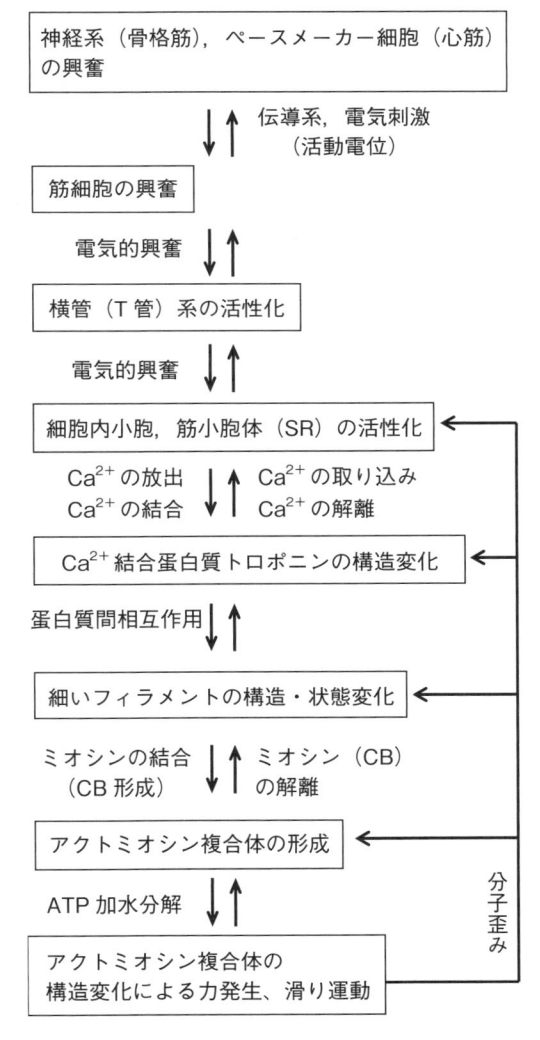

図 6.7.1 筋収縮系の状態の流れ

観察については固定試料についてのものである）．

つぎに，"滑り運動"をもたらす分子論に研究が集中することとなった．1960年代になると，太いフィラメントから突出している突起（ミオシン分子の頭部）が細いフィラメントに結合している様子が電子顕微鏡観察によって捉えられ，これがクロスブリッジ（CB）と呼ばれるようになった（⇨6.8，6.9）．1960年代後半には，CBこそが力を発生している部分であり，発生力はCBの数に比例するという"滑り運動機構"の筋生理学的，微細構造学的な証拠が積み重ねられた．その結果，ON状態にある筋収縮系では，基本的にはCBは独立の力発生装置として働くと考えられるようになった（⇨6.2，6.9）．

CBはATP加水分解反応に伴って，細いフィラメント中のアクチン分子と結合して構造変化をする（⇨6.2，6.8，6.9）．この構造変化は"首振り運動"と呼ばれてきた．その後，ミオシン頭部の立体構造が明らかになり，"首振り運動"の実態は，頭部内部を支点とする"レバーアーム"（⇨6.2，6.9）の角度変化であることが明らかとなった．このようにして，ATP加水分解に伴って解放される化学エネルギーの一部が力学的な仕事に変換される．さらに，CBの形成と解離の素過程の中に熱運動（ブラウン運動）が関与しているという証拠も存在する．筋収縮分子モーターにおけるエネルギー変換のメカニズムは，今後，化学反応と熱揺動とを含めてその全貌が明らかにされるだろう[3]．

筋収縮系の基本的な収縮特性を図6.7.2にまとめる．筋収縮系はCa^{2+}濃度（pCa値＝$-\log[Ca^{2+}]$）に応じてON状態とOFF状態の間を転移する．筋節（サルコメア：sarcomere）長一定の条件（等尺条件：isometric condition）で発生する張力は等尺性張力といわれ，筋収縮系が発生する最大力を表す．この最大発生力とpCa値との関係はS字状に変化する（図6.7.2(a)）．骨格筋と心筋との大きな違いは，この転移の鋭さにある．心筋の方がCa^{2+}濃度変化に対して緩やかに転移する．そして，ON状態にある等尺性張力の筋節長依存性は，太いフィラメントと細いフィラメントの重なりの大きさに比例する（図6.7.2(b)；pCa<5で，筋節長(ii)と(iii)の間の，直線的に変化する部分）．一方中間の活性化状態（図6.7.2(b)；pCa〜6）では，この張力－筋節長関係は異なる振る舞いを示す．Ca^{2+}濃度が低いときには，等尺性張力は必ずしも両フィラメントの重なりの大きさに比例しない（図6.7.2(b)）．

最大活性化状態にある筋収縮系に加わる外力（＝外部負荷）が等尺性張力（P_0）よりも小さいと，筋節はほぼ一定の速度で短縮する．この短縮速度と負荷との関係は，図6.7.2(c)に見られるように双曲線関係にある（厳密には，P_0付近では双曲線関係から外れる[2]）．一定の負荷のもとでの短縮のことを等張性収縮（isotonic contraction）と呼ぶ．等張性収縮においては，力を発生する状態にあるCBと，結合はしているが力を発生しない状態にあって，滑り運動に対して抵抗として働くCBとがバランスすることによって，一定の負荷のもとで一定の短縮速度が決まると考えられている．逆にP_0以上の外力が加わると，筋節はほぼ一定の速度で伸展するが，外力が大きくなってある閾値（P_c）を越えると，収縮力とのバランスがくずれて一気に引き伸ばされる（図6.7.2(c)）．

一方，収縮と弛緩の中間の活性化状態が実現すると"全か無かの法則"が破れ，骨格筋，心筋の収縮系（細胞膜や内部膜系を除去した収縮要素の部分）は自励振動することが知られている．この自励振動状態はSPOC（spontaneous oscillatory contraction）状態と名づけられた．SPOC状態では，横紋構造の各筋節の長さが自発的に，ゆっくりとした収縮相と素早い伸長

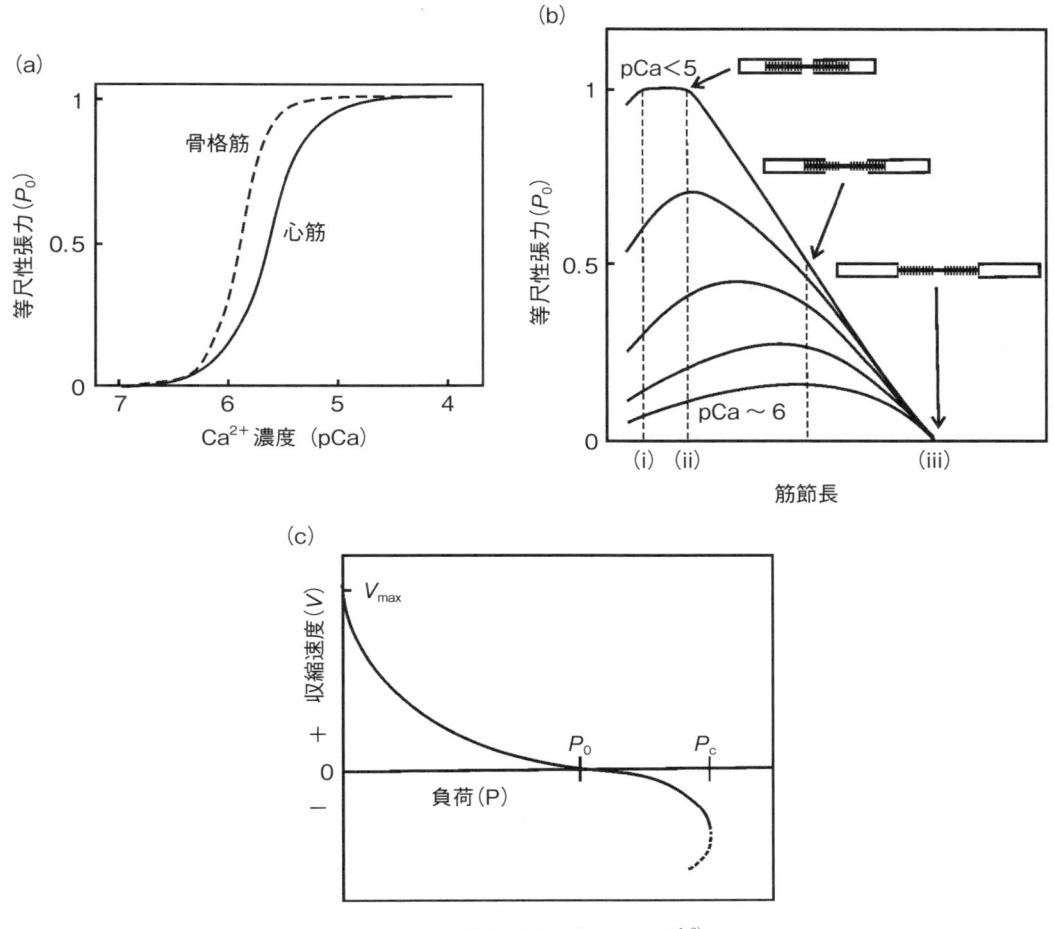

図 6.7.2 筋収縮系の基本的性質[1,2]
(a) 等尺性張力-pCa（Ca^{2+}濃度）関係．
(b) 等尺性張力-筋節長関係（上から下に向けてCa^{2+}濃度が減少）．(i), (ii), (iii)は筋節構造（筋節の最小単位を表す模式図を参照）に特徴的な筋節長．高等動物の横紋筋の場合，それぞれ2.0〜2.3 μm, 2.2〜2.5 μm, 3.6〜3.9 μm（数値に幅があるのは，筋フィラメントの長さが筋肉の種類によって異なるため）．(i)は細いフィラメントの先端がぶつかる筋節長，(ii)はすべてのCBが形成される筋節長，(iii)は2種類の筋フィラメントの重なりがなくなる筋節長．
(c) 収縮速度-負荷関係．V_{max}は無負荷で得られる最大短縮速度，P_0は等尺性張力（最大発生力），P_cは臨界負荷．縦軸の＋側では筋節は短縮し，－側では伸展する．

相からなる鋸波状に振動するが，伸長相は隣接する筋節へと次々に伝播する（SPOC波）．このような，筋収縮系の状態を表す状態図を図6.7.3に示す．一定のATP濃度において（疲労過多などの非正常状態でなければ，筋細胞中のATP濃度は一定に保たれる），ADP濃度（z軸）や無機リン酸（Pi）濃度（y軸）に応じて，弛緩，SPOC，収縮の3状態が出現する[3]．とくにADPとPiが高濃度で共存する非生理的な条件下（とりわけ図6.7.3のy-z平面上）では，心筋，骨格筋を問わず，広いSPOC領域が存在する．ところがx軸上では，Ca^{2+}濃度に応じて弛緩状態と収縮状

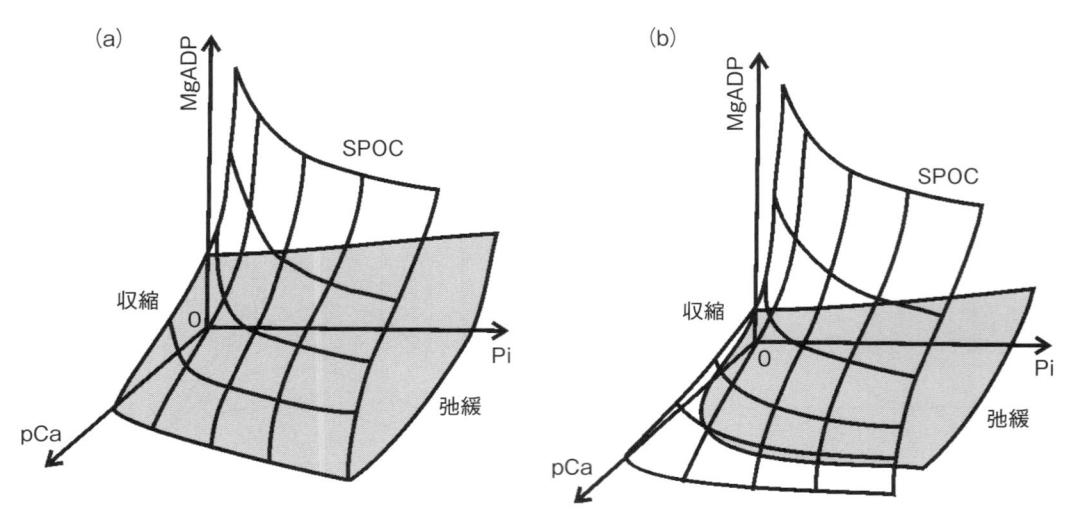

図 6.7.3 筋収縮系の状態図[3]

粗い網曲面の手前側が収縮領域,灰色曲面の向こう側が弛緩領域,これら2枚の曲面に挟まれた領域がSPOC領域.MgATP濃度一定(〜1 mM)の条件下での三次元状態図(x軸,pCa8〜5;y軸,Pi濃度0〜10 mM;z軸,MgADP濃度0〜10 mM).z軸上の3重点(収縮,SPOC,弛緩の3状態が集中する点)におけるMgADP濃度は,MgATP濃度が高いほど高くなる.骨格筋と心筋の違いは,1) 心筋収縮系にはx軸上およびx-y面上に広いSPOC領域が存在すること,2) 心筋の3重点の位置が骨格筋に比べて低いことである.3重点におけるMgADP濃度は,MgATP濃度に対して,心筋の場合ほぼ1であるのに対して,骨格筋では数倍高い.すなわちATPに対するADPの感受性は,心筋と比べて骨格筋の方が相対的に低い.
(a) 骨格筋収縮系の状態図.(b) 心筋収縮系の状態図.

態の間を転移するが,心筋(図 6.7.3 (b))ではその中間にSPOC状態が出現する.一方,骨格筋(図 6.7.3 (a))では出現しにくい.

筋収縮系を自由自在に機能させるためには,必要なときにだけON状態にし,必要のないときにはOFF状態にしておきたい.そこでON/OFF状態を制御するためのシステムが存在する(図 6.7.1).典型的な横紋筋(骨格筋,心筋)の場合には,アクチン結合蛋白質トロポミオシン,トロポニンがアクチンの状態を制御する.トロポニンはEbashi(江橋節郎)によって発見されたCa^{2+}結合蛋白質であり,トロポニンがCa^{2+}を結合していないときには,トロポミオシンと協調してアクチンの状態(構造)をOFFに(抑制)し,ミオシンとの相互作用を阻害する[4,5].トロポニンにCa^{2+}が結合すると,この阻害機能が解除され,ミオシンとアクチンの相互作用が可能になり,ATP加水分解活性が上昇して力を発生するCBの数が増える.この制御の分子機構については,トロポニンからのCa^{2+}の解離に応じてトロポミオシン分子がアクチンフィラメント上を移動し,アクチン分子のミオシン結合部位を物理的に覆うという立体障害(steric block)機構が提唱されてきたが,近年はアクチン分子の構造変化を含めたアロステリック(allosteric)制御機構が有力視されている.

このような筋収縮系の状態を制御する上位の制御系はCa^{2+}を貯蔵し,細胞質内のCa^{2+}濃度を調節する筋小胞体(sarcoplasmic reticulum:SR)と呼ばれる膜小胞である.OFFからON状態への転移過程は,電気刺激に誘発されて,SR内部に貯蔵されたCa^{2+}が細胞質内部に放出されることによって生じる.電気刺激が止

むと逆過程が起こる．SRの膜に埋め込まれているCa^{2+}ATPaseの酵素機能が働き，細胞質からCa^{2+}をSR内部に汲み上げる．この能動輸送によって細胞質内のCa^{2+}濃度が筋収縮のための臨界濃度（約$1\mu M$，pCa=6.0）以下になり，筋収縮系はOFF状態になる（図6.7.2 (a)）．

上でまとめたように，筋収縮系のON/OFF状態の制御は，基本的にはトロポニンへのCa^{2+}の結合・解離によって行われているが，他の要因も関与していることを強調したい．たとえば，ミオシン分子がアクチンに結合することによっても，細いフィラメントの状態はON側にシフトする．とくに活性化状態がONとOFFの中間にある場合には，筋収縮系の状態はCBの形成によってON状態側にシフトすることが知られている．ということは，通常の収縮，弛緩の制御過程においても，Ca^{2+}がトロポニンに結合し，細いフィラメントが徐々にON状態になりつつある過渡状態では，徐々に結合ミオシン分子（CB）の数が増えることによって，正のフィードバック作用が働き，ON状態への時間経過が加速されることになる（図6.7.1中の右側の矢印参照）．

さらに筋収縮系においては，コネクチン/タイチンと呼ばれる巨大蛋白質が存在し，太いフィラメントとZ線とを繋ぐ弾性要素として機能する（⇨6.8）．これが引き伸ばされると静止張力（筋繊維をOFF状態で引き伸ばすことによって生じる受動張力）として現れる．コネクチン/タイチンは，弛緩時での弾性を担う受動的な要素としてだけでなく，アクチンとの直接的な相互作用やkinase活性など，多様な機能の存在が注目されている．

ところで，とくに心筋には筋長効果（stretch activation）と呼ばれる性質がある．ON状態で筋繊維を引っ張るといっそうの活性化が生じるという性質で，心筋の特徴の中で最も重要なものといってよい（心臓レベルでのこの性質は，Frank-Starlingの法則と呼ばれる）．コネクチン/タイチンが引き伸ばされることによって，コネクチン/タイチンと結合する筋フィラメントの構造が変化し（あるいは，分子が歪み），そのことを通じてCBの状態や細いフィラメントの活性化が生じる可能性が示唆されている（図6.7.1のフィードバックループ参照）．

さらに，ミオシンに結合している軽鎖（light chain）やトロポニンのリン酸化・脱リン酸化によっても筋収縮系の活性化レベルが調節を受けることがわかっている．また，C蛋白質といった太いフィラメントに結合している調節蛋白質の関与も指摘されている．このように，筋収縮系の制御機構については，いまだに分子レベルでの全容が解明されたとはいえない．とくに生物物理学の課題としては，細いフィラメントを構成する蛋白質の構造変化（および分子歪み）にもとづく筋収縮制御機構の解明がなされること，そして，これまで分子モーターの単なるトラック（レール）とみなされてきたアクチンフィラメントのダイナミクスが分子モーター機能に果たす積極的なかかわりを分子レベルだけでなく分子集団（システム）として解明することが求められる．

筋収縮・力発生の分子機構については，A. F. Huxleyによる滑り運動のモデル（理論的な枠組み）が基本的には正しいと一般に認められている．しかしながら，その枠組みだけで分子システムの運動特性がすべて理解できたとはいえない．とくに，CB間の協調性についての実験・理論両面からの解明が待たれる．筋収縮系の研究は，力と運動，酵素活性とエネルギー消費，すなわち，化学エネルギーから力学的仕事へのエネルギー変換，酵素化学反応に伴う分子の構造変化・力発生・分子歪みの生成と，その逆過程として，力学過程による酵素化学反応の変調（真の意味でのメカノケ

ミカルカップリング），分子集団（システム）としての高次の協調機能など，生体機能のしくみを解明しようという生物物理学にとって，研究テーマの宝庫である．分子レベルでの最新の研究成果や，今後の具体的課題については 6.1, 6.2 節に詳しい．

〔石渡信一〕

[文献]
1) 富田忠雄，杉晴夫編：筋肉の生理学（新生理学体系第 4 巻），医学書院，1986.
2) 福永哲夫編：筋の科学事典－構造・機能・運動－，朝倉書店，2002.
3) 石渡信一編：生体分子モーターの仕組み（シリーズ・ニューバイオフィジックス 4），共立出版，1997.
4) Ebashi, S. and Endo, M. : Calcium ions and muscle contraction, *Prog. Biophys. Mol. Biol.* **18**, 123-83, 1968.
5) Ebashi, S., Endo, M. and Ohtsuki, I. : Control of muscle contraction, *Quart. Rev. Biophys.* **2**, 351-84, 1969.

6.8 筋フィラメントの格子構造

骨格筋（skeletal muscle）と心筋（cardiac muscle）の細胞（筋繊維（muscle fiber）と呼ばれる）には，ミオシンとアクチンの 2 種類の蛋白質が多量に含まれる．それぞれの蛋白質はミオシンフィラメント（太いフィラメント thick filament），アクチンフィラメント（細いフィラメント：thin filament）と呼ばれる繊維状会合体（筋フィラメント：myofilament）を形成している．筋収縮のメカニズムの研究は，収縮はこの 2 種類のフィラメントの間に発生する滑りの力によるものである（筋収縮の滑り説）との発見から始まった．

この発見までには，筋収縮は ATP の化学的エネルギーを力学的エネルギーに変換する過程であること，ミオシン分子が ATP を加水分解する酵素であること，さらに当初のミオシン標品にはミオシンとアクチンという 2 つの蛋白質が含まれていることが知られていた．しかし，多くの研究者は，アクチンとミオシンが単一のフィラメントを形成していて，このフィラメント自体がゴム糸のように長くなったり短くなったりすることで筋の収縮が起こるとの考え方に共感していた．分子のミクロな形態変化がマクロの変化と直結しているとのこの考え方は，当時，ゴム弾性の理解に成功した物理学の影響が見られる．実際，この説は，主に筋収縮の研究分野に入ってきた物理学者らによって唱えられた．

1954 年，A. F. Huxley と R. Niedergerke は，カエル骨格筋の単一筋繊維を使って，収縮に伴う横紋構造の変化を調べた（図

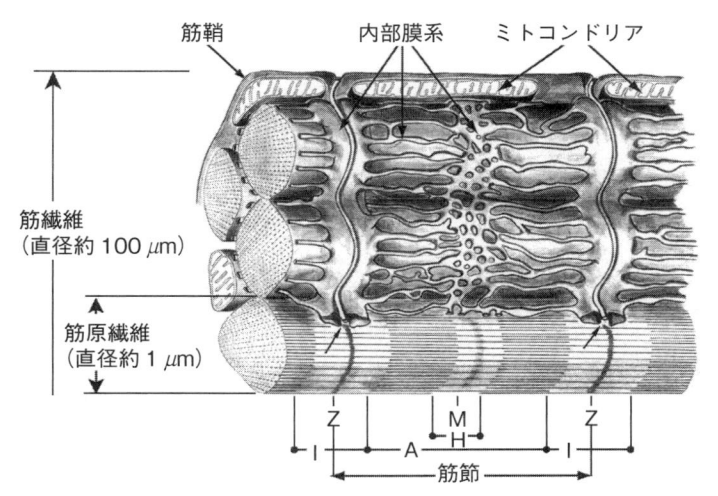

図6.8.1 ネコの心筋細胞の模式図 筋細胞（muscle cell）または筋繊維（muscle fiber）は筋原繊維（myofibril）の束である．グリセリン処理で筋鞘（sarcolemma），内部膜系およびミトコンドリアを破壊したのち，ミキサーで砕いて単一筋原繊維を得る．筋原繊維どうしで横紋構造の周期は揃っている．横紋構造には，I帯，A帯，H帯，M線，Z線などが区別され，隣り合った2本のZ線間を単一筋節（sarcomere）と呼ぶ（原図：Fawcett-DW & McNutt-MS：*J. Cell Biol.* **42**：1-45, 1969による）．

6.8.1を参照）．横紋構造には，蛋白質濃度が比較的高く複屈折性の強いA帯と，蛋白質濃度も複屈折性も比較的低いI帯が交互に存在する．横紋の一単位を筋節（sarcomere）と呼ぶ．彼らは，原因がなんであれ，筋長が，それゆえ筋節長が変化してもI帯の長さが変わるだけで，A帯の長さは一定に保たれることを確認した．この論文と並んで出版されたH. E. HuxleyとJ. S. Hansonの論文では，ウサギ骨格筋の単一筋原繊維を使って横紋の観察をし，同一の結論に達した．この論文の筆者らは前年に，ミオシンがフィラメントを形成し，そのミオシンフィラメントこそがA帯を形成する「太いフィラメント」であることを発見していた．これらの結果より，アクチンから成る「細いフィラメント」と太いフィラメントは図6.8.2のように配置していること，筋の収縮は，細いフィラメントが太いフィラメントの間に滑り込むことによって起き，太いフィラメント自体の長さは変化しない，との結論に達した．

それまでの研究では，横紋構造の変化について一致した結論が得られていなかった．1954年のこれらの論文では光学顕微鏡を使っての測定に細心の注意が払われた．横紋構造は屈折率の差によるものであるから，屈折率をコントラストに変換する方法である干渉顕微法や位相差顕微法を適用してはじめて横紋を観察できる．ところがこれらの顕微法は横紋の境界や筋繊維の縁など，屈折率が大きく変化する境界では異常なコントラストを生じる．さらに，光学顕微鏡の分解能の理論的限界は0.2〜0.3 μm程度であるため，横紋の幅の定量的測定にはこの限界に近い分解能を実現する必要がある（I帯は中央のZ線で2分されているし，A帯の中央部にはH帯があり，これらを考慮すると横紋の内の各部の幅はちょうど0.2〜0.3 μm程度となる）．これらを同時に満足させるために，A. F. Huxleyらは単一筋繊維（直径50〜100 μm程度）を屈折率の高いアルブミン水溶液の中に置いて，新たに開発した干渉顕微鏡を用いた．H. E. Huxleyらは，単一筋原繊維（直径1 μm程度）を，位相差顕微鏡で観察した．前者の方法では，試料が厚いためにA帯の幅の測定精度は劣るが，生きた筋細胞を直接観察できるという大きな利点がある．後者の方法では，試料が薄いために幅の測定精度に勝るが，グリセリン処理筋（筋細胞をグリセリン50％溶液で抽出した筋モデル；細胞の膜系は破壊されており電気刺激には反応しないが，フィラメント構造とATPによる収縮能を保存する）から得た単一筋原繊維を用いているため，

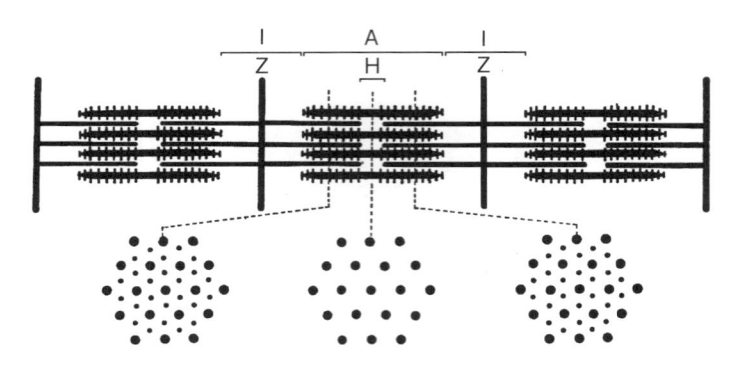

図 6.8.2 筋フィラメント格子構造の模式図
主としてミオシンから成る太いフィラメント（thick filament）と，主としてアクチンから成る細いフィラメント（thin filament）の2種の筋フィラメントが特徴的な六角格子を形成する．筋収縮はこの2種の筋フィラメントが互いに滑ることである．滑りの力は，太いフィラメント上に周期的に突起を形成するミオシン分子の頭部が細いフィラメントと相互作用することによって発生すると考えられている．張力発生時にはミオシン突起は架橋構造 cross-bridge を形成する（原図：Huxley, H.E. : *Science* **164**, 1356-1366, 1969 による）．

結果の解釈に注意を要する．後者の実験では，高塩濃度溶液がミオシンフィラメントのみを選択的に溶解するという生化学の実験手法を応用し，その結果 A 帯のみが消失することも示した．

A 帯の内の H 帯では太いフィラメントのみが六角格子を形成し，I 帯では細いフィラメントのみが六角格子を形成する．A 帯の両端（H 帯を除いた部分）では，2種類のフィラメントが互いの六角格子の中に入り込み二重の六角格子を形成する（図 6.8.2 参照）．生物試料の超薄切片（厚さ 10 nm 程度）を調製する方法を開発することによって，H. E. Huxley はこの格子構造を証明した．無脊椎動物の横紋筋では，二重格子構造が異なり，細いフィラメントが長く数も多い．

これらの実験事実の積み重ねによって，「筋収縮の滑り説」は確立されたが，それと同時に，滑りの力を発生するメカニズムについての探究が始まった．すでに 1954 年の論文で，Huxley-Niedergerke は，2種類のフィラメントの重なり部分に等間隔に存在する点で力が発生すると考えると，強縮時の張力が重なり部分の長さに比例して増すとの実験事実をよく説明する，と指摘している．H. E. Huxley の超薄切片の電子顕微鏡観察でも，2種類のフィラメントが重なる部分に等間隔で架橋構造（cross-bridge）が観察された．この架橋構造をさらに詳細に調べるため，H. E. Huxley は電子顕微鏡の負染色法という別の方法を開発して，試験管内で再構成したミオシンフィラメントと筋から単離した太いフィラメントを比較した．この結果，双方とも中心に対して対称（2極性）であり，長さ方向に一定間隔でミオシン頭部からなる突起をもつことを示した．このミオシン頭部こそが細いフィラメントと相互作用し（架橋を形成し）張力を発生する部位であると考えた．負染色法は J. Hanson と J. Lowy によっても応用され，I 帯から単離した細いフィラメントと試験管中で重合させたアクチンフィラメントは基本的に同じものであると結論された（図 6.8.3 参照）．

以上では，筋収縮の滑り説が確立するまでの研究過程の説明をしながら，筋フィラメントの格子構造を説明してきた．以下で

図 6.8.3 筋フィラメント中の分子会合
(a) ミオシン分子尾部の会合模式図. (b) 太いフィラメント上のミオシン頭部(架橋構造)の配置. (c) 細いフィラメントを形成するアクチン, トロポミオシン, トロポニンの配置. ((a) Offer, G.: Fibrous protein structure (Squire, J.M. and Vibert, J.J. eds.), pp. 307-356, Academic Press, 1987 による. (b) Squire, J.M : *Comments Mol. Cell Biophys.* **3**, 467-494, 1986 による. (c) 著者原図.)

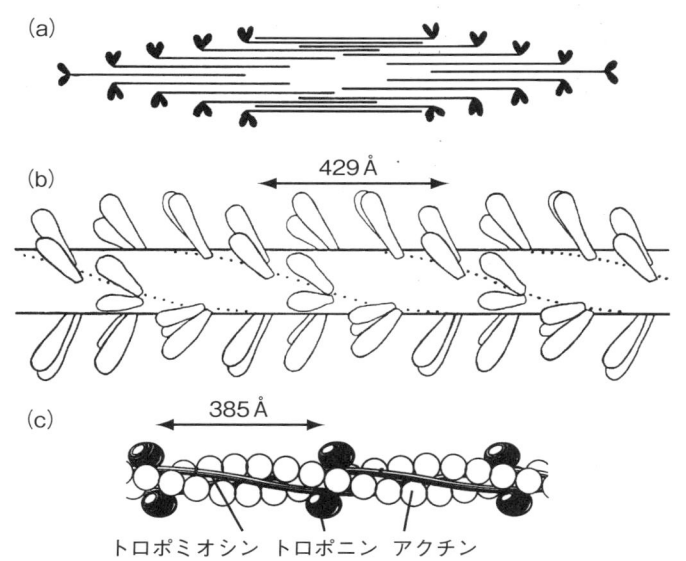

は,その後得られた知見と未解決の問題をまとめたい.

その前に平滑筋(smooth muscle)の分子構造についてひとこと触れたい.血管,消化管,子宮などの内臓筋はすべて平滑筋である.この名前は,骨格筋および心筋とは異なり横紋構造が見られないことに由来する.細胞レベルでは,平滑筋細胞は骨格筋に比して小さい.分子レベルでは,平滑筋でもミオシンとアクチンはそれぞれ太いフィラメント(形態は横紋筋と異なるが)と細いフィラメントを形成しているが,横紋筋のような秩序立った格子構造をもたない.

平滑筋との比較で考えると,横紋筋の秩序立った格子構造は単位断面積あたりの張力を大きくし,張力の発生・停止を迅速にするとの生理的意義があると考えられる.しかしながら格子構造の生理的意義は十分には理解されていない.生理的意義とは別に,秩序立った格子構造が研究を進める上で重要な役割を果たしている点は忘れてはならない.格子には高密度(フィラメント間隔約 10〜40 nm,蛋白質濃度換算で約 10〜20 mg/ml)の筋フィラメントが高度に配向(平均方向のまわりの平均分散が約 3〜5°)しているため,たとえば,生筋にX線繊維回折の方法を適用して,筋フィラメントの構造変化を張力などのマクロな物理量と同時に実時間(ミリ秒の時間分解能)で追跡することができる.このように,器官・細胞の振る舞いを分子レベルでの現象と直接対応させて計測できる実験系はまれである.現代の生物学では,器官・細胞の現象を蛋白質分子間の相互作用の詳細に還元して理解することは不可欠であるが,今後はこれらの知見を統合して器官・細胞の現象の全体としての理解をめざすべきであろう.今後の研究でも,筋フィラメントの格子構造の価値は高い.

ミオシン頭部は張力発生部位であるので,太いフィラメント上でのミオシン頭部(架橋構造)の配置と姿勢を知ることは,張力発生のメカニズムを理解するためにも必要であろう.しかし,この配置と姿勢はまだ正確にはわかっていない.ミオシン頭部の配置が完全ならせん対称性をもたないこと,ミオシン頭部の姿勢がばらばらであること,などの理由から既存の構造解析の方法がうまく使えない.また,生物種・筋の種類によって差が大きいとの事情もある.太いフィラメント上での頭部の配置

は，フィラメント中のミオシン分子の会合状態で決定され，会合状態はミオシン尾部の自己集合で決まると考えられる．尾部の自己集合は2極性会合である．すなわち，フィラメント中央部では反平行に，フィラメント両端に向かっては平行に集合する．ミオシン尾部はほぼ全長にわたってα-ヘリックスのコイルドコイルである．太いフィラメント中でのミオシン尾部の会合状態も未知である．生体内でもミオシン尾部の自己集合で太いフィラメントが形成されるとしても，（ある種の筋では）フィラメントの長さが揃っていることまで試験管内の自己集合では再現できない．筋中では長さを揃える因子が別にあると考えられる．太いフィラメントには，ミオシンのほかにC蛋白質，X蛋白質，M蛋白質が規則的に結合しているが，これらの蛋白質の機能は十分に理解されていない．なお平滑筋はミオシン頭部のリン酸化によって活性が調節されているが，太いフィラメント表面での頭部の姿勢がリン酸化状態によって大きく異なると考えられており，その詳細の解明が待たれる．

　細いフィラメントの骨格はアクチン分子のらせん状会合体（多量体，アクチンフィラメント）である．アクチンフィラメントの機能発現のメカニズムを理解するための研究は3つの点で重要である．第1に，アクチンはフィラメントとして筋収縮に関与している．これはミオシンが単一分子でもアクチンフィラメント上を滑るのと対照的である．また，ミオシンが「モーター蛋白質」で，アクチンフィラメントはそれが走る「レール」であるとの見方は単純に過ぎよう．アクチンフィラメントは筋の力発生に積極的に関与するに違いないと考えられるが，その詳細は明らかではない．第2に，アクチンフィラメントはカルシウム調節に深く関与している．江橋節郎らが骨格筋・心筋におけるカルシウム調節機構を発見したとき同時に，カルシウム受容体としてのトロポニンが発見され，トロポニンとともに調節を担う蛋白質としてトロポミオシンが再発見された．江橋らはその発見の直後に，これらの調節蛋白質がアクチンフィラメント上に規則的に結合して，細いフィラメントを形成しているとの構造モデルを提出した（図6.8.3(c)）参照．カルシウム調節は，アクチンフィラメントの複数の状態の間の平衡を変化させると考えられているが，その実体は不明である．最近，トロポニンとトロポミオシン単独（それぞれの部分）の結晶構造が解明された．アクチンフィラメント研究の第3の意義は，細胞運動全般を理解するためである．アクチンフィラメントはすべての細胞に存在し，細胞内のオルガネラや蛋白質複合体の配置を決め，それらの移動を担う．

　これらの機能発現のメカニズムを理解するには，アクチンフィラメントの柔らかさなど動的特性を知ることがどうしても必要であり，それを知るには単量体どうしの相互作用部位のアミノ酸側鎖の構造，つまりアクチンフィラメントの原子構造が不可欠であるが，それは未知である．アクチン単量体の原子構造はアクチン-DNase I複合体の結晶構造として得られており，その単量体の原子構造とアクチンフィラメント配向ゾルのX線繊維回折パターンとから，アクチンフィラメントの原子モデルが提案されており，それらは真実に近いと考えられている．細いフィラメント全体の構造も詳しいことはわかっていない．それゆえ，カルシウム調節に伴う細いフィラメントの構造変化の詳細も未知である．

　太いフィラメントはその中央でM線という構造で束ねられている．M線はM蛋白質やコネクチン（タイチン）の一部（後述）など数種の蛋白質から成るが，構造の詳細は未知である．一方，細いフィラメントのB端はZ線で束ねられている．Z線は筋節の境界であるから，隣どうしの筋節に属し極性が互いに異なるアクチンフィラメ

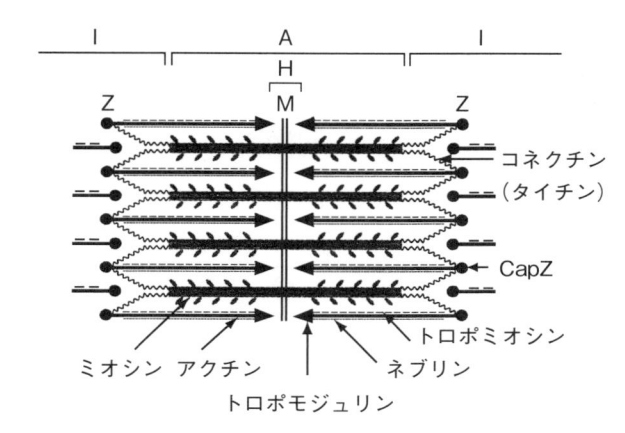

図 6.8.4 筋フィラメント格子中の「足場蛋白質」と「キャップ蛋白質」
（原図：Littlefield, R. and Fowler, V. M.: *Annu. Rev. Cell Dev. Biol.* **14**, 487-525, 1998 による）

ントを束ねている．この構造は α-アクチニンなどの蛋白質から成るが，低分解能の構造が得られているにすぎない．M線もZ線もその構造は筋種によって大きく異なる．横紋筋の格子構造の強度は，筋が最大張力を発揮したときに辛うじて破断するのを防げる程度であるから，最大張力の大きな筋では力学的に強いM線やZ線などを発達させているのであろうか．

これまで，筋節中で太いフィラメントと細いフィラメントの間には架橋構造以外に連結する構造を考慮してこなかった．しかし丸山工作らの研究によって，第3の筋フィラメントとしてコネクチン（タイチンとも呼ばれる）フィラメントが発見された（図6.8.4）．① コネクチンは分子量300万という既知蛋白質では最大の分子量をもつ．② 1分子は引き延ばすと $2\,\mu m$ に達する長さとなり，1分子でZ線と太いフィラメントを結び，太いフィラメント上ではさらにM線まで達している．③ 球状に折りたたまれた部分とそれらを連結する伸びた構造からなり，球状の部分は張力によって伸ばされるため，分子全体がゴム糸のように弾性をもつ，という特徴的な蛋白質である．コネクチンフィラメントの発見は3つの意義がある．第1に，すべての横紋筋は弛緩状態でも伸展すれば静止張力を出して適当な筋長にもどろうとするし，またある限度以上に短縮しない．この弾性は，最適な筋長ではじめて効率的に機能する心筋においてとくに重要である．コネクチンフィラメントはこの筋の静止弾性のほとんどを説明する．第2に，太いフィラメントを収縮中に筋節の中央に保持する役割を担っている．張力の大きさは2種のフィラメントの重なりの長さに比例するので，収縮中にそれぞれの太いフィラメントの位置は不安定となる．すなわち，中央位置がM線から一方へずれると，ずれた側の半分で細いフィラメントとの接触が増え，張力が大きくなり，さらにそちらへずれる結果となる．第3に，太いフィラメントの長さを決める役割をも担っている可能性がある．コネクチンは発見された当時，奇妙な例外的な蛋白質と見られていた．しかし，その後細胞中にはこのように巨大で，よく伸展し，弾性をもった蛋白質が多種存在し，それらが細胞内オルガネラの配置を決める「足場」として重要な役割を担っていることがわかってきた．コネクチンフィラメントの発見は「足場蛋白質」の最初の例であった．哺乳類骨格筋では，ネブリンという別な長大な蛋白質が細いフィラメントに沿って存在していることが知られている．

細いフィラメントのZ線側末端はB端，H帯側末端はP端と呼ばれる．筋中の細いフィラメントは，B端にはCapZという蛋白質が，P端にはトロポモジュリンという蛋白質がそれぞれ結合して（図6.8.4），

アクチンフィラメントの伸長・短縮を阻害している．興味深いことに，これらの蛋白質が結合していても両端でのアクチン単量体の交換は行われているらしい．この交換は寿命の尽きたアクチンを廃棄する過程の一環であるのか，またこれらの蛋白質は細いフィラメントの長さを一定に保つことに貢献しているのか，さらに筋細胞への分化に伴うフィラメント格子の形成過程にどのように貢献しているのか，今後の研究が待たれる．トロポモジュリンの一部とCapZの全分子の結晶構造も解明されたが，これらの問題への回答を得るには，アクチンフィラメントとこれら分子の結合状態の構造を知る必要があり，それは未知である．

〔前田雄一郎〕

[文献]

1) Huxley, A. F. and Niedergerke, R.: Structural changes in muscle during contraction; Interference microscopy of living muscle fibres, *Nature*（*London*）**173**, 971-973, 1954.
2) Huxley, H. E. and Hanson, J.: Changes in the cross-striations of muscle during contraction and stretch, and their structural interpretation, *Nature*（*London*）**173**, 973-976, 1954.
3) Maruyama, K.: Connectin/titin, giant elastic protein of muscle, *FASEB J* **11**, 341-315, 1997.
4) Granzier, H., Labeit, S.: Cardiac titin: an adjustable multi-functional spring, *J. Physiol.* **541**（Pt 2）335-342, 2002.
5) Littlefield, R. and Fowler, V. M.: Defining actin filament length in striated muscle: rulers and caps or dynamic stability? *Annu. Rev. Cell Dev. Biol.* **14**: 487-525, 1998.
6) 前田雄一郎：筋肉アクチン-ミオシン系，(I)素反応（丸山工作編：生命科学の基礎4 生体運動），pp. 81-183, 学会出版センター, 1982.

6.9 ミオシンの構造と機能

ミオシンはATPの加水分解で生じるエネルギーを利用して，アクチンフィラメント上で滑り運動したり力を出したりする「モーター蛋白質」の1つである．ミオシンは筋肉の収縮蛋白質として50年以上も前に発見されたものだが，その後，筋肉以外のいろいろな細胞に多彩な形態をもつミオシン様蛋白質が存在していることが明らかになった．現在では，こうしたミオシン様蛋白質群は，その形態あるいはアミノ酸配列を基準にして18種類のミオシンファミリーに分類されている．このなかで，筋肉から発見されたミオシンは，ミオシンIIと呼ばれる．

ミオシンIIは分子量約20万の重鎖2本と，分子量約2万の軽鎖4本からなる六量体の蛋白質で，ATP加水分解部位やアクチンとの結合部位をもつ球状の頭部ドメイン（あるいはモータードメインとも呼ばれる）2つと，「太いフィラメント」の形成にかかわる棒状の尾部ドメインからできている．このうち重鎖は頭部ドメインと尾部ドメイン双方にまたがっており，軽鎖は頭部ドメインの頸部に2本ずつ結合している．酵素分解で，頭部ドメインと尾部ドメインは簡単に切断，分離できる．酵素切断で得られた頭部ドメインはミオシンサブフラグメント1 (S1)，尾部ドメインはミオシンロッドと呼ばれる．

ニワトリ骨格筋ミオシンIIのS1の立体構造を図6.9.1に示す．興味深いことに，ミオシン分子ははさみのような形をしており，50Kクレフトと呼ばれる溝で上下

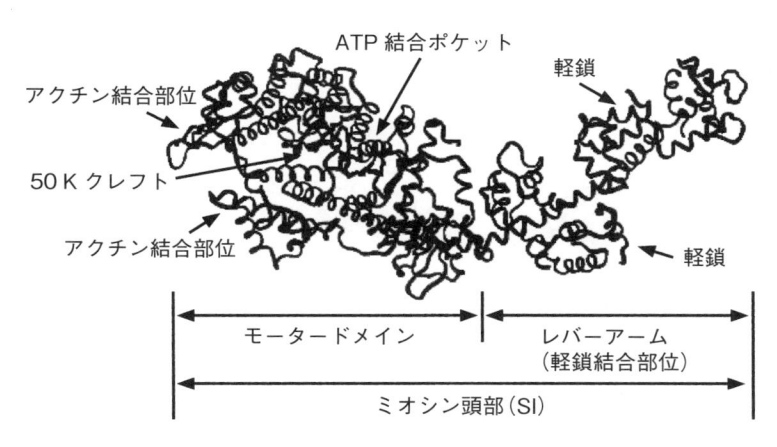

図 6.9.1 ミオシンⅡモータードメイン（ニワトリ骨格筋ミオシン）の立体構造

に分かれている．ATPを結合し，加水分解するATP結合ポケットはこの50Kクレフトの基部に位置している．分子の先端部分はα-らせん構造に富んでおり，アクチン結合部位を構成している．ATP結合ポケットとそのまわりの構造はα-らせん構造とともにβ-シート構造にも富んでおり，GTP加水分解活性をもつG蛋白質の1つであるRasのGTP結合領域ときわめて似た立体構造をとる．微小管上で滑り運動するモーター蛋白質であるキネシンのATP結合領域も，ミオシンやRasのものとよく似ている．RasのようなG蛋白質のGTP結合ポケット，あるいはミオシンやキネシンのATP結合ポケット周辺にはPループ，スイッチⅠループ，スイッチⅡループと呼ばれるよく保存された3つのループ構造が存在し，GTPやATPの結合，加水分解にかかわっている．こうした事実から，ミオシンやキネシンのようなモーター蛋白質もRasのようなG蛋白質も，同じ先祖蛋白質から進化してきたと考えることができる．進化の過程で，先祖蛋白質は，まず，GTPの結合，加水分解により情報管理を行うG蛋白質と，ATPの結合，加水分解で仕事をするモーター蛋白質に分離し，その後，微小管上で仕事をするキネシンファミリーとアクチンフィラメント上で仕事をするミオシンファミリーに分離したのだろう．こうした過程で，ミオシンは，独自のアクチン結合部位とともにコンバーター，レバーアームと呼ばれる構造も発達させてきた．コンバーターは，ミオシン頭部ドメインの基部に位置する独立した小さなドメインである．このコンバーターには長いα-らせんが接続しており，このα-らせんに2本の軽鎖が結合してレバーアームと呼ばれる構造を形成している（図6.9.1）．後述のように，ATP加水分解に伴いコンバーターが回転して，それに接続しているレバーアームは大きく振れる（図6.9.2）．

ミオシンによるATP加水分解サイクルでは，まずATPはATP結合ポケット上部に開いている入口から筒状のポケットに入り込み，M・ATP（Mはミオシンを意味する）という複合体を形成する（図6.9.3）．その直後に，ミオシンは"異性化"という構造変化を経てM*・ATPという状態に入る（M*はMとは違う構造のミオシンを意味する）．この異性化で，レバーアームの位置は図6.9.2のようにdownからupに変わる．また，スイッチⅡループ上のアミノ酸残基側鎖はATPを加水分解できる位置につく．この結果，ATPは加水分解され，ミオシンは再び構造変化を起

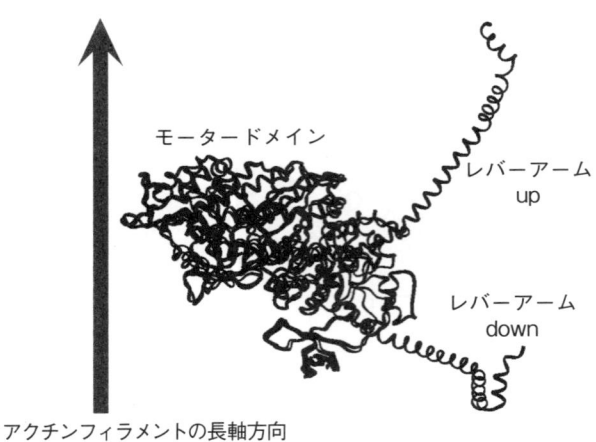

図 6.9.2 ミオシンⅡのレバーアームの動き

こして $M^{**}\cdot ADP\cdot Pi$ という新しい状態に入る．ATP結合ポケットは筒状で，この時点では加水分解産物のADPとリン酸が詰まっている．また，ポケット入口近くにはADPが，基部にはリン酸が位置している．つまり，このままではADPが邪魔をして，リン酸はATP結合ポケットの入口からは出て行けない．ミオシン単独の場合，加水分解産物であるADPの解離はゆっくりした過程なので，このATP加水分解サイクルでは $M^{**}\cdot ADP\cdot Pi$ という状態がいちばん安定となる．定常状態では，ふつう90％以上のミオシン分子がこの状態にいることになる．この状態ではリン酸は入口からは出られないが，Pループ，スイッチⅠループ，スイッチⅡループという3つのループに取り囲まれたATP結合ポケットの基部にある裏口からゆっくりと放出される．このように，ATP加水分解産物のリン酸は筒状のATP結合ポケットの入口とは反対側の裏口から放出されるので，「バックドア酵素」と呼ばれる．こうしてリン酸が解離すると，ミオシンは $M\cdot ADP$ という状態に入る．その後，ADPが入口から放出され，ミオシンはもとのMという状態に戻り，再びATPを結合するというサイクルが繰り返される．いったん持ち上がったレバーアームはリン酸の放出とともに元の位置（図6.9.2, downの位置）に振り戻される．こうしてミオシンのATP加水分解サイクル1回ごとにレバーアームが1回振り下ろされることになる．このレバーアームの動きでアクチンフィラメント上でのミオシンの滑り運動を説明できる（レバーアーム機構）．これに対して，ミオシンの滑り運動はアクチンフィラメント上での方向性をもった一次元ブラウン運動で，ATPの加水分解エネルギーはブラウン運動に方向性を与えるために使われるという考えもある．ミオシン滑り運動がどちらの機構で駆動されているのか，まだ決着はついていない．

　生理的イオン環境でのミオシンのATP加水分解速度はきわめて遅い．ところがアクチンフィラメントは，ミオシンのATP加水分解速度を劇的に上昇させる．ミオシンはアクチンと相互作用してはじめて仕事をするので，仕事をしているときにだけエネルギー消費が高まるようになっている．ミオシンのATP加水分解サイクルでは，アクチンフィラメントは $M^{**}\cdot ADP\cdot Pi$ という状態のミオシンと相互作用し，おそらくATP結合ポケットの裏口を強制的に開いてリン酸放出速度を上昇させるのだろう．リン酸放出に伴い，それまで弱かったアクチンフィラメントとミオシンの結合が強まり，「弱い相互作用状態」から「強い相互作用状態」への転移が起こる（図

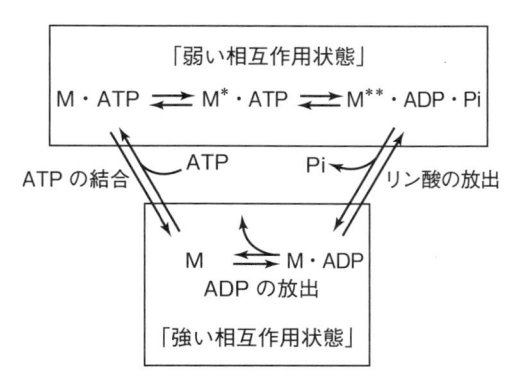

```
「弱い相互作用状態」
M・ATP ⇌ M*・ATP ⇌ M**・ADP・Pi
```
ATPの結合 ↖ ATP   Pi ↗ リン酸の放出
```
        M ⇌ M・ADP
        ADPの放出
「強い相互作用状態」
```

図 6.9.3 ミオシンの ATP 加水分解サイクル

6.9.3). 同時にレバーアームが振り下ろされる. レバーアーム機構で考えれば, この瞬間に力が出ることになる. このときアクチンフィラメントとの結合も強まっているので, 足で地面をける瞬間に滑らないですむわけである. いったん強まったアクチンフィラメントとミオシンの相互作用は, ATPがミオシンに再結合した瞬間に弱まり, その後にレバーアームが振り上げられる. レバーアームの動きが有効な仕事になるように, アクチンフィラメントとの相互作用の強弱もレバーアームの動きに合わせて調節されている.

18種類ものミオシンファミリーに属する蛋白質のモータードメインの一次構造は, 他の領域に比べると互いによく似ている. とくに, ATP結合, 加水分解にかかわるPループ, スイッチIループ, スイッチIIループの一次構造はよく保存されている. この保存された領域の一次構造を用いれば, 解読されたゲノムからミオシンファミリーに属する遺伝子を探し出すことができる. このようにして, ヒトではほぼ40のミオシンファミリー遺伝子が存在することが判明した. その3分の1ほどは骨格筋由来のミオシンIIによく似た形態をもつと予想され, ミオシンIIというサブファミリーに分類される. モータードメインの一次構造が似ていることから, ミオシンII以外のサブファミリーに属するミオシン様蛋白質もミオシンIIと同じ分子機構でモーター活性を発揮していると予想される. これに対して, モータードメイン外では, サブファミリー間に構造上の共通性は見出されない. たとえば, ミオシンIXと呼ばれるサブファミリーに属する蛋白質の尾部にはコイルドコイル領域はまったくなく, それに代わってGAP (GTPase activating protein) ドメインというシグナル伝達にかかわるドメインがついている. このような事実から, 先祖蛋白質のモータードメインが次々と利用できるドメインと融合し, 多彩な形態のミオシンファミリーが生み出されたと考えることができる.

〔須藤和夫〕

[文献]

1) ストライヤー, L. (入村達郎他監訳): 分子モーター. ストライヤー生化学 (第5版), 東京化学同人, 2004.
2) ボルティモア, D. 他 (野田春彦他訳): 細胞運動と形. 分子細胞生物学 (第4版), 東京化学同人, 2001.
3) アルバーツ, B. 他 (中村桂子監訳): 細胞骨格. 細胞の分子生物学 (第4版), ニュートンプレス, 2004.

6.10 アクチンの構造と機能

筋肉で発見されたアクチンは真核細胞で最も多量に存在する細胞内蛋白質である．筋肉細胞では全細胞蛋白質の 10% を占めている．また，進化の過程において最もよく保存されており，人間とトリの骨格筋アクチンは同一であり，アメーバとは 80% 同一である．筋肉収縮，細胞運動，細胞の形態保持，細胞質分裂，細胞内輸送等，さまざまな細胞機能に関与している．近年原核細胞である種々の細菌にもアクチン様蛋白質 MreB が存在し，アクチンと同じようなフィラメントを形成していることが知られるようになった．

in vitro では低イオン濃度でアクチンは球状（globular）モノマーの G アクチンとして存在し，塩を加えると重合して繊維状（filamentous）F アクチンになる．この重合には ATP の ADP と Pi への加水分解を伴う．塩濃度を下げると再び脱重合する．この可逆的なアクチン重合が多くの細胞運動の核心である．細胞毒として知られているカビのアルカロイドの一種サイトカラシン D はアクチンフィラメントを脱重合させ，一方，毒キノコのファロイジンは脱重合を阻止することによって細胞を害する．非筋細胞中のアクチンの構造は非常にダイナミックに変化している．細胞中で塩濃度はほぼ一定であり，アクチンの重合，長さ，安定性は塩濃度の変化ではなく，さまざまなアクチン結合蛋白質によって調節されている．一方，筋肉中ではアクチンフィラメントの（+）端はアクチンキャッピング蛋白質 CapZ が Z 線（Z ディスク）とつなげ，その（−）端にはトロポモジュリンが結合して長さの揃った細いフィラメントを形成している．ネブリンはアクチンフィラメントの全長にわたり，Z 線からその（−）端まで結合している．筋肉収縮時にはアクチンフィラメントは長さを変えることはないが，その柔らかさがミオシンとの相互作用に重要な役割を果たしていると思われる．

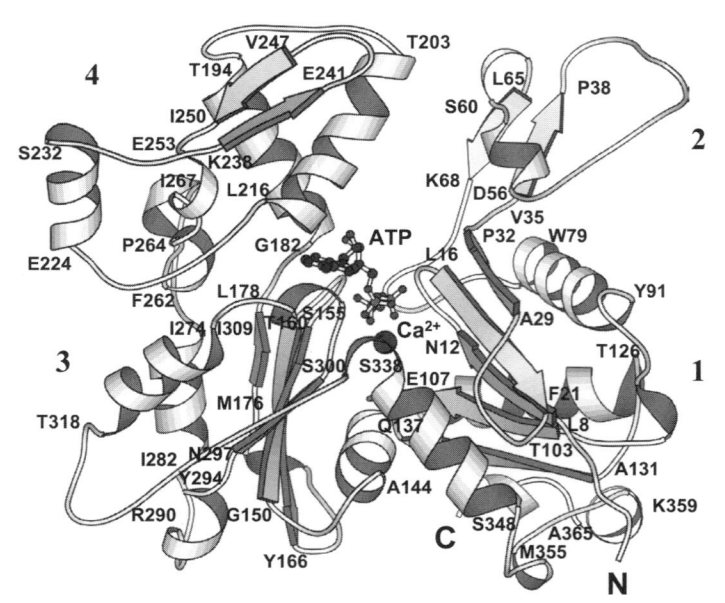

図 6.10.1 アクチンの立体構造のリボンモデル
（図は Kabsch *et al.*: *Nature* **347**, 37-44, 1990（PDB 番号 1ATN）のデータを使い，MolScript (Kraulis, P. J.: *J. Appl. Cryst.* **24**, 946-950, 1991) で作成）．

Gアクチンの立体構造はDNase Iとの複合体として1990年にKabschらによって明らかにされた（図6.10.1）．大きさは55×55×35 Åで少し扁平な形をしており，2つのドメインからなる．ドメイン間の裂け目にATPとCa^{2+}が結合しておりアクチン分子の安定性に寄与している．各ドメインはさらに2つのサブドメイン1, 2と3, 4に分かれており，サブドメイン1は，アミノ酸配列1-32, 70-144, 338-375からなり，サブドメイン2は33-69, サブドメイン3は145-180, 270-337, また，サブドメイン4は181-269よりなる．サブドメイン1と3は同じような構造をしており，5つのβ-ストランドをもつ．サブドメイン2と4は1と3に挿入されてできたように見える．アミノ酸配列での相同性はないが，ヘキソキナーゼや熱ショック蛋白質HSC 70と似た構造をもつ．アクチンフィラメントの構造はHolmesらによりX線散乱や電子顕微鏡，さらには生化学的な研究から得られた情報を使い，アクチンモノマーの結晶構造をフィラメント内に配置させることによって決められた．Fアクチンは左巻きのヘリックスとして，モノマーを−166.2°回転させ，27.5 Å上に移動させて得られる（genetic helix）．この構造は2本の右巻きヘリックス（long-pitch helix）がより合わさった二重らせんとしても見ることができる．フィラメント中でのモノマー間の相互作用はlong-pitchヘリックスの方がgeneticヘリックスよりも強い．

　このモデルに使われたアクチンモノマーの構造はDNase Iとの複合体であり，DNase Iの結合によってアクチンの構造が大きく変化している可能性がある．さらに重合時にアクチンに構造変化が生じることが予測されるので，フィラメント構造でアクチンモノマーの結晶構造をそのまま用いることはできないが，HolmesらのFアクチンモデルでは，結晶構造をそれほど変えることなく組み立てることができた．

　図6.10.2にHolmesらのモデルを改良したLorenzらのFアクチンモデルを示す．このモデルにおけるアクチンモノマーの構造を結晶構造と比べると，DNase I結合ループと疎水性ループ262-274が大きく変化している以外は構造的差異は小さい．一方DNase Iとの複合体以外にもprofilinやgelsolin等との複合体のアクチンの立体構造が明らかになった．これらアクチン結合蛋白質はDNase Iと異なる部位でアクチンと結合している．さらにADP-アクチン単体での結晶構造も解明されており，これら構造を比較することにより，アクチン

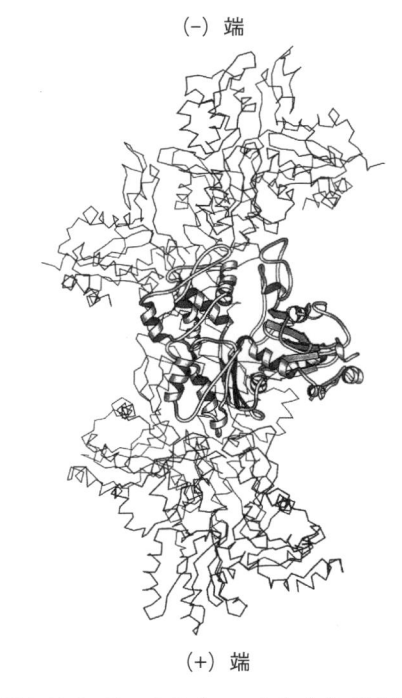

図6.10.2 5つのモノマーからなるFアクチンの構造

フィラメント中のアクチンモノマーの配向を見やすくするために，4つのアクチンモノマーは主鎖のCα原子を線でつなげたバックボーンモデルで描いてあり，まん中のアクチンモノマーは図6.10.1と同じリボンモデルで描いてある（図はLorenz et al.: *J. Mol. Biol.* **234**, 826-836, 1993のデータを使い，MolScriptで作成した）（図6.10.1, 図6.10.2は理研播磨研究所山下敦子博士の提供による）．

モノマーがいくつかの構造をとることがわかる．なかでもサブドメイン2の構造が大きく異なっており，とくにDNase I結合ループは，DNase Iとの複合体中でははっきりした構造が見えず，profilinやgelsolin等との複合体ではβ-ストランドだったのが，ADP-アクチン単体の構造ではα-ヘリックス構造をとっている．アクチンフィラメント形成時，サブドメイン2がかなり構造変化することが示唆される．アクチンのさまざまなアイソフォームの比較から，アミノ酸置換が立体構造上ではクラスターとして生じており，サブドメイン2と4はよく保存されているのがわかる．一方，DNase I結合ループを酵素で切断したり，このループを隣合うアクチンのC末端と架橋したりすると，ミオシンと相互作用して力発生する機能が損なわれる．これらは，サブドメイン2の構造変化がアクチンの機能にきわめて重要な役割を担っていることを示唆している．

原核細胞のアクチン様蛋白質MreBの立体構造は310以上のCα原子の位置がアクチンと重なるが，アクチンにおいて40-48, 262-274, 353-375の挿入部位がみられ，これがアクチンとしての特色を出しているのであろう．DNase I結合ループである40-48はC末端とlong-pitchヘリックスにおけるアクチン-モノマー間の相互作用部位を形成しており，262-274は疎水性のプラグを形成してgeneticヘリックスに沿って3つのアクチン-モノマー間の相互作用部位としてアクチンフィラメントの構造を決めており，353-375はさまざまなアクチン結合蛋白質との相互作用部位を形成している．

アクチンの機能として最も重要なものの1つに，ミオシンと相互作用して力発生することがあげられる．アクチンおよびミオシンS1の結晶構造と，アクチン-S1複合体の電子顕微鏡像の三次元再構成から，アクチン上のミオシン結合部位が決められた．ミオシン頭部はアクチンフィラメントのlong-pitchヘリックスに沿って2つのアクチン分子（筋肉中のZ線に向かってn番目と$n-1$番目）と相互作用する．収縮時には4つの部位が関与しており，ATP加水分解反応と力発生の過程の間にこれら部位との相互作用を行うことによって，アクチン-ミオシン分子間の滑りが生じると考えられている．アクチン上には2組のイオン相互作用部位と，2組の疎水性相互作用部位がある．n番目のアクチンのサブドメイン1にある負電荷を帯びた1-4と24/25アミノ酸残基が1組の部位を形成しており，ミオシンのリシンを豊富に含み正電荷を多くもつ50 k/20 kループ（626-647）と相互作用し，一方，$n-1$番目のアクチンのサブドメイン1の95-100あるいは93-95アミノ酸残基が2組目の部位を形成しており，ミオシンの567-578アミノ酸残基とイオン相互作用を行う．力発生サイクルで最後の状態であると考えられている硬直状態における強い相互作用では，n番目のアクチンの疎水性アミノ酸残基である341-354および144-148と，$n-1$番目のアクチンの40-42が1組の疎水性部位を形成しており，ミオシンの疎水性アミノ酸残基529-558と相互作用する．また，2番目の強い結合部位はアクチンのサブドメイン1と3の間のつなぎ部分にある332-334プロリン残基がミオシンの404-415アミノ酸残基と相互作用する．

骨格筋中ではアクチンフィラメントに筋収縮制御蛋白質であるトロポミオシンとトロポニンが結合して細いフィラメントを形成している．トロポミオシンは長さ約40 nmの細長い分子で頭-尾と結合して細いフィラメントのlong-pitchヘリックスに沿って巻きついており，1分子が7つのアクチン分子に結合している．トロポニンは三量体TnT, TnI, TnCからなる複合蛋白質である．TnTは18.5 nmほどの長い分子でTnI, TnC, トロポミオシン，アク

チンと相互作用し，トロポニン複合体をトロポミオシン-アクチンと結びつける糊のような役割を果たしている．TnIとTnCはトロポニンの球状領域を形成している．TnIはトロポミオシンとともにアクチン-ミオシン相互作用を阻害するように働くサブユニットであり，TnCはカルシウムイオン（Ca^{2+}）結合サブユニットで，Ca^{2+}が結合したとき，TnIの阻害作用を解除するように働くカルシウムセンサーである．Ca^{2+}のTnC結合がどのようにしてアクチン-ミオシン相互作用を活性化するのかについて，立体障害説がある．これによると，トロポニン存在下でトロポミオシンは細いフィラメント上で2つの位置，"オン"と"オフ"状態をとる．Ca^{2+}非存在下（オフ状態）では，アクチン上のミオシンとの相互作用部位をふさぎ，Ca^{2+}がTnCに結合するとトロポミオシンの位置をずらし（オン状態），アクチンのミオシン相互作用部位を露出させる．最近はこのオンとオフの二状態のトロポミオシンの位置にさらにミオシンのアクチンへの強い結合によって引き起こされる状態でのトロポミオシンの位置を加えた三状態（blocked, closed, open states）モデルが提出されている．この説では，制御がトロポミオシンのアクチン上の位置変化により生じる．一方，Ca^{2+}がTnCに結合すると，その構造変化がTnT，トロポミオシンを経てアクチンの構造変化を起こさせミオシンとの相互作用を活性状態にするという，アクチンオン・オフ説もある．細いフィラメントの電子顕微鏡像三次元再構成やX線小角散乱実験はCa^{2+}濃度に応じてトロポミオシンの位置が変化することを示しており，立体障害説を支持している．しかしながら，これら実験から細いフィラメントに生じるカルシウム感受性の構造変化がトロポミオシンの位置変化であると同定することは定かではない．一方，蛍光エネルギー移動（FRET法）で，アクチンとトロポミオシンあるいはトロポニンの特定部位にラベルした色素の間の距離を測定すると，Ca^{2+}によるトロポミオシンの位置変化は見られず，むしろトロポニンが大きく位置を変えることが明らかになった．このことは，立体障害説ではなく，Ca^{2+}のTnC結合により誘起されるアクチン自体の構造変化が重要であるとするアクチンオン・オフ説を支持している．アクチンはミオシンの単なるレールではなく，アクチンのもつダイナミックな構造がアクチン-ミオシンによるモーター駆動ならびにその制御に重要であると思われる．

〔三木正雄〕

[文献]

1) Lodish, H. 他（野田春彦他訳）：分子細胞生物学（第4版），東京化学同人，2001.
2) Kabsch, W. and Vandekerckhove, J.: Structure and function of actin, *Annu. Rev. Biphys. Biomol. Struct.* **21**, 49-76, 1992.
3) van den Ent, *et al.*: Prokaryotic origin of the actin cytoskeleton, *Nature* **413**, 39-44, 2001.
4) Egelman, E. H.: Actin allostery again? *Nature Structural Biology* **8**, 735-736, 2001.
5) Milligan, R. A.: Protein-protein interactions in the rigor actomyosin complex, *Proc. Natl. Acad. Sci. USA* **93**, 21-26, 1996.
6) Gordon, A. M. *et al.*: Regulation of contraction in striated muscle, *Physiological reviews* **80**, 853-924, 2000.
7) Thomas D. D., dos Remedios, C. G. (eds.): Molecular Interactions of Actin, Results and Problems in Cell Differentiation 36, Springer-Verlag, Berlin Heidelberg, 2002.

6.11 アクチンの重合・脱重合ダイナミクス

　動物・植物の違いを問わず，アクチンは広く生物界に分布している運動性蛋白質である．その中で，現在，最も研究が進んでいるウサギ骨格筋のアクチンは，375個のアミノ酸からなるシングルポリペプチドが，4個のサブドメインからなる立体構造を形成している（G-アクチン）．細胞中で，G-アクチンはhead-to-tailの結合様式をもった数珠状の二本鎖となって緩やかに右巻きらせんを形成している（F-アクチン）．重合に伴う単量体の自由エネルギー減少はたかだかkTの数倍で，重合は基本的に可逆反応である．したがって，溶液中のF-アクチンは，一定量のG-アクチンとの間に重合・脱重合の平衡関係をつくる．しかし，生理的イオン濃度にある細胞中では平衡が重合に大きく偏り，しかもそれに加えて，ATPの加水分解反応と緩やかに共役しているために，生きた細胞内のようにATP再生系によってATPが供給される系では，その分余計に重合に偏って定常状態をつくる．興味深いことに，F-アクチンの脱重合反応はATPの合成を伴わない．したがって，ATP加水分解反応まで含めれば，全体として非可逆過程であり，エネルギーフローがあることになる．

a. 核形成，重合成長，定常状態

　アクチン重合の素反応を考察しよう．ATP存在下，低塩濃度，中性pH，室温の溶液条件では，ATP-G-アクチン複合体が安定であり平衡はG側に大きくシフトしている．これに高濃度の塩を加え生理的条件に近づけると，重合反応が開始するが，初期の「遅れ（lag-time）」が観察される．これは，重合体成長の核になる「オリゴマーの形成」に要する時間である．複数個の単量体の衝突が必要条件となるこの核形成は，大きなプラスの自由エネルギー変化（δ）を伴う確率の低い現象であり，したがって，「核」は熱力学的に不安定な過渡的構造であるが，もし，まわりに十分量の単量体があれば，「核」は単量体と次々に反応し安定になる．これは，付加重合に伴う単量体の自由エネルギー変化（ε）がマイナスの値であり，このマイナスが次々と加算される結果，1本の重合体としての全自由エネルギー変化がマイナスに転じ，熱力学的に安定化し，F-アクチンが成長するのである．この自由エネルギー変化の関係を，重合度iの重合体の自由エネルギーf_iを使って定量的に示すと，次のように近似される．

$$f_i = \delta + (i-1)\varepsilon \qquad (1)$$

ただし$\delta > 0$, $\varepsilon < 0$.

b. 凝縮現象と臨界濃度

　上の議論から明らかなように，たとえ溶媒条件が重合側に偏っていても，アクチン単量体の濃度が低いと，核形成の確率はゼロに等しく，重合は期待できない．この関係を逆にいえば，溶液中のアクチン濃度がある一定値を超えると，急激に重合体が出現する．この濃度を，臨界アクチン濃度と呼ぶ．臨界と呼ばれる理由は，この値を超えて加えられたアクチンは全部重合体になるからである．近似的には，式（1）のf_iがプラスからマイナスに転ずるアクチン濃度である．ちょうど，一定量の気体を温度一定で圧力上昇させたときに，突然，一定圧以上の気体が液体に相変化する凝縮現象にたとえられるのである．

c. トレッドミル機構

　ところで，式（1）は，基本的に可逆

表 6.11.1　アクチンのトレッドミル現象[1,2]

ADP（2 mM）存在下と ATP（2 mM）存在下のケース（前者は可逆過程，後者は非可逆過程）について実験的に求められた重合・脱重合の速度定数

ヌクレオチド	$k(+, B)$	$k(-, B)$	C_B	$k(+, P)$	$k(-, P)$	C_P	C_C
ADP	3.8	7.2	1.9	0.14	0.27	1.9	1.9
ATP	11.6	1.4	0.12	1.3	0.8	0.62	0.17

注）単位は，$k(+)$ は [$1/\mu M/sec$]，$k(-)$ は [$1/sec$]，C（臨界濃度）は [μM]．B, P はそれぞれ F-アクチンの B 端，P 端を表す略号．$C_B = k(-, B)/k(+, B)$，$C_P = k(-, P)/k(+, P)$．$C_C = \{k(-, B) + k(-, P)\}/\{k(+, B) + k(+, P)\}$ は F-アクチン全体としての臨界アクチン濃度．

反応を表している．したがって，重合体（i-mer）に，$(i+1)$ 番目の単量体が付加する素反応では，重合体（i-mer）の一方の端に付加するか，反対側の端に付加するか，実現確率は互いに等しく 1/2 になる．つまり新しく生成される head-to-tail の結合は，どちらの場合も同じ 1 個なので，$(i+1)$ 番目の単量体の自由エネルギー変化に差は考えられないからである．しかし，実際には，すでに述べたように ATP の加水分解反応（非可逆反応）が緩やかに共役しているので，両端での重合確率が異なる可能性がある．実際に，*in vitro* の実験結果から，両端の重合・脱重合の速度定数は ATP の存在によって非対称な値になることが明らかになっている（表 6.11.1）．いい換えれば，両端の見かけの臨界アクチン濃度が異なり，そのために，全体の臨界アクチン濃度がそれらの中間の値になって定常状態が成立する（$C_B < C_C < C_P$）．B 端の成長が P 端の短縮とバランスする，つまり「単量体の流れ」が生ずるのである．その原因は明らかに ATP 加水分解反応との共役である．つまり，F-アクチンには，ATP の自由エネルギーを使って自分自身を新陳代謝する能力があるというのが，トレッドミル機構と呼ばれている現象の本質である．細胞中では，アクチンのトレッドミル機構を調節するさまざまな因子があり，たとえば，2 価イオンのような無機分子や，ATP/ADP のような有機分子，さらに細胞種に特有な G-アクチン結合蛋白質が存在する．たとえば thymosinβ4 には重合阻害，profilin は重合促進の性質があることが知られている． 〔御橋廣眞〕

[文献]
1) 御橋廣眞：アクチンのトレッドミリング，生物物理 **25**, 75-83, 1985
2) 鈴木直哉，御橋廣眞：アクチンフィラメントの動的極性構造，生物物理 **30**, 220-226, 1990.

III. 細胞運動系

6.12 いろいろな細胞運動系

アクチン繊維とその上を走るモーター蛋白質ミオシンは，筋収縮に限らずさまざまな細胞運動の担い手である．ミオシンは，微小管系モーター蛋白質，キネシンやダイニンとともにATPの化学エネルギーを運動のエネルギーに変換する．しかし，ATPの化学エネルギーを使わない運動系もある．どんな細胞運動があるだろうか．

動かない植物でもその細胞の中では活発な原形質流動が見られる．タマネギやムラサキツユクサなどは顕微鏡で容易に観察できる．水生植物，車軸藻（Chara, Nitella）では原形質流動の速度が100 μm/sに達するものもある．細胞膜直下に原形質ゲルに埋まった葉緑体をつなぐ糸に沿って原形質ゾル層が細胞を巡回する形で流れている（図6.12.1）．この糸は方向を揃えたアクチン繊維束からなり，ゾル内にあるミオシンと相互作用して流動力を発生する．この車軸藻ミオシンは in vitro 運動アッセイで骨格筋ミオシンより5～10倍速くアクチン繊維を走らせる特異なミオシンである．ミオシンスーパーファミリーのXI型に属し，タバコ培養細胞やシロイヌナズナなどの植物に存在するミオシンは今のところすべてXI型に属している．しかし，車軸藻ミオシンほど速いミオシンは見つかっていない．

1000 μm/sと非常な速さの原形質流動が真性粘菌（Physarum polysephalum）で見られる．これは周辺のゲル層にあるアクトミオシン網目構造の収縮により押し出されたゾル層が細い道を通るために生ずる受動的な流れである．細胞内では常にゾル－ゲル変換が生じ，アクチン－ミオシン相互作用を介してアメーバ運動をする．培養細胞の細胞移動もアメーバ運動である．運動方向の先端部にはアクチン繊維の網目構造があり，ミオシンIIや膜局在性ミオシンIとの相互作用でruffling運動する．最先端部で長いアクチン繊維の束（filopodia）を伸ばし，足場をつくって先導する．そこでは種々のアクチン結合蛋白質，プロフィリン，ADF/コフィリン，Arp2/3複合体等々の作用でアクチンの重合・脱重合が繰り返され，ダイナミックな構造変化を伴って細胞は前進する．同様のメカニズムで神経軸索突起が伸長する．軸索は微小管に富んだ構造だが，成長の先端（growth cone）には微小管はなくアクチンが多量に存在する．

filopodiaの伸長には，ミオシンによる力が関与していると思われる．しかし，ミオ

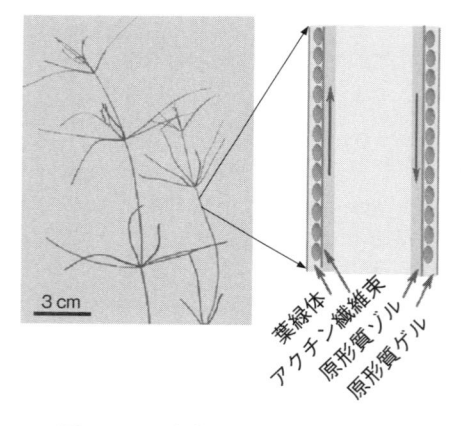

図 6.12.1 車軸藻と原形質流動の模式図
(a) 車軸藻の節から節まで1個の多核細胞（節間細胞）で，上向き下向きの原形質の流れが細胞を周回する．触れると一瞬に流動を停止し，しばらくすると2～5分かけてゆっくり流動が回復する．
(b) 葉緑体の列をつなぐ糸はアクチン繊維が方向を揃えて束になっている．原形質ゾル内のミオシンと相互作用をして一方向の流れ（原形質流動）を生む．

シンに関係なく，アクチン重合の力で細胞膜をもち上げて伸長する例がある．ナマコ精子の先体反応では，わずかの pH の上昇でアクチン-プロフィリン複合体が解離し急激なアクチン重合が起こって受精のための突起（先体）が伸びる．アクチン重合を利用して細胞内を移動し，隣接細胞へ感染を広げるリステリア細菌の運動と同様のメカニズムである．カブトガニ精子の先体反応では，あらかじめアクチン繊維の束が形成されとぐろを巻いた状態で細胞内に用意されている．その一端は核を貫いて頭部先端に達している．受精に当たってこの先端から一気にとぐろが直線状に伸び卵表層のゼリー層を突き抜けて細胞質に達する．とぐろはアクチン繊維束内の"ねじれ"構造により，ちょうどホースを巻いたときと同様に安定化しているが，"ねじれ"が戻れば直線状になる．この力が先体反応の原動力であって，ミオシンは関与していない．アクチン繊維に ADF/コフィリンが結合すると，二重らせんが 4〜5°緩くなる等の例から推察すれば，アクチン繊維結合蛋白質の結合解離によるわずかの構造変化が"ねじれ"を戻し大きな運動を生むための力発生の源になると考えられる．

蛋白質の重合を利用した生体運動にアクチンが関与する必然性はない．池に棲む単細胞生物ツリガネムシは，その名のとおり釣り鐘の形をしており，長い柄の先に鐘に当たる細胞体がある．柄は接触などに反応して瞬時に（数ミリ秒，その速度約 10 cm/s）らせん状に縮み，ホースを巻いた形になる．柄の中のらせん状の器官スパスモネームには，スパスミンが重合した繊維の束が存在する．蛋白質の負電荷の反発力で伸びているが，刺激が来ると，Ca^{2+} を放出してスパスミンの負電荷を打ち消し繊維はランダムコイル状になる．このときのエントロピー変化を収縮の仕事に換えている．スパスミンは EF ハンド構造をもち 2 個 Ca^{2+} を結合する．スパスミンは中心体（centriole）に局在するセントリン（Ca^{2+} を 4 個結合）と相同な蛋白質で，セントリンは試験管内で再重合するが，スパスミンの重合は確認されていない．セントリンは緑藻類クラミドモナス鞭毛の基部に存在する（9+2）構造の中心 2 本の微小管を囲ん

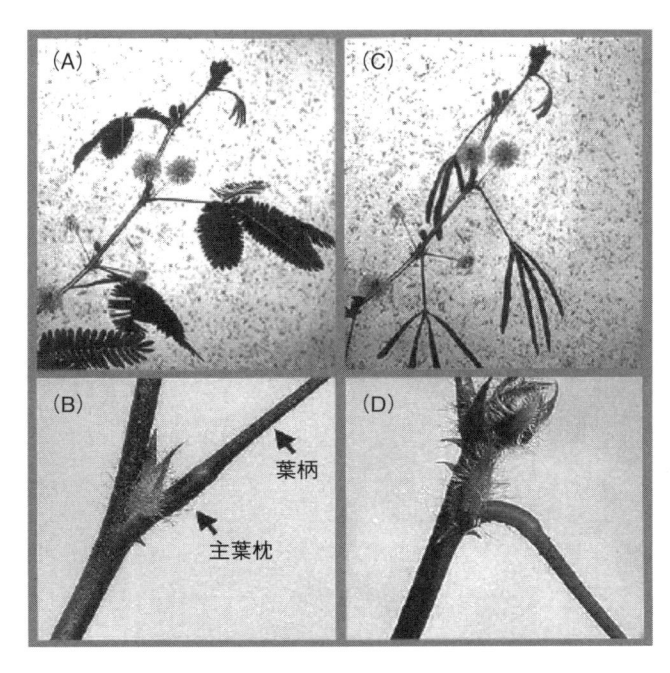

図 6.12.2 オジギソウ
オジギソウ（A）は，接触などで刺激されると，葉を閉じ（C），葉柄を下垂させる（B と D）．このおじぎ運動は，主葉枕（B）の下部組織において，膨圧が減少することにより発生している．(Kameyama et al., *Nature* **407**, 37, 2000 より，土屋隆英氏の御厚意による)

で多角形の形をしているが，鞭毛脱毛時に収縮する．

接触に反応して運動するよく知られた例はオジギソウである．タッチを感じて細胞が脱分極し，運動器官である主葉枕（しゅようちん）に電気信号として伝える．その結果，主葉枕下部の浸透圧が変化し水分が減少して葉は下に垂れお辞儀をする（図6.12.2）．このときCa^{2+}依存アクチン繊維切断蛋白質であるゲルゾリン/フラグミンが働いて，アクチン繊維の束がほぐれるという．アクチンのリン酸化により切断蛋白質が解離して，ふたたびアクチン繊維は束となり葉も元に戻る．水移動のメカニズムはいまだ解明されていない．

動物の接触感覚には，運動を司る細胞骨格がイオンチャネルと直結している．線虫（C. elegans）の背をまつげでソーッと触れると，驚いて逃げ足速くはい出す．現在8つの関連遺伝子が確認されており，そのうちMEC-4, -6, -10はNaチャネル構成遺伝子，MEC-7, -12はチューブリンβ, αであることが判明している．分泌蛋白質で構成される外界の足場とイオンチャネルとを接続するリンカーがある．細胞内でもチャネルと微小管を直接連結する蛋白質（群）がある．これが一般的なタッチレセプターに共通な構造である．ショウジョウバエの胴体にある体毛の触覚アンテナ（bristle）もタッチレセプターである．bristleの根元で神経細胞と接触し信号を送るが，bristleの揺れがリンカーを通して直接チャネルに伝えられ，またチャネルの開閉が直接細胞内リンカーにより微小管に伝えられる．素早く外敵から逃れるために素早い反応が要求される．0.2ミリ秒という速い受容反応はタッチとチャネルと細胞内骨格とが直結することで達成される技であって，途中にメッセンジャーを介しては起こりそうにない．隣接神経細胞への信号伝達に微小管がどのような役割を果たしているか，その詳細はわかっていない．

一方，脊椎動物の聴覚では，アクチン繊維束の運動がかかわっている．聴覚や頭の位置と加速を感知するのは耳の奥にある蝸牛管内に並んだ有毛細胞が担う．有毛細胞の表面に並ぶ微絨毛（stereo cilia）はアクチン繊維の束からなる．微絨毛は奥ほど短くなり共鳴の相違で音色を聞き分ける．1個の細胞の微絨毛も段階的に長さが異なり，微絨毛の先端からtip linkと呼ばれる細い糸（直径8～10 nmで，二重らせん構造をしている）が隣接する微絨毛のチャネルと連結している．音の空気振動がリンパ液中の微絨毛の振動を引き起こすとき，微絨毛の長さが異なるためtip linkに張力が発生してチャネルが開く．これによる脱分極で神経に信号が伝えられる．揺れが戻ったときのtip linkのたるみはチャネルと連結したミオシンIがアクチン繊維上を滑り運動して元に戻す．tip linkは電子顕微鏡で確認されているが，その構成蛋白質は同定されておらず，モデルも暫定的である．また，微絨毛にはミオシンVIIがあり順応（adaptation）にかかわっているらしい．

真核生物に存在する細胞骨格蛋白質アクチン，チューブリンは原核生物バクテリアには存在しない．しかし，その祖先と思われる蛋白質があり，細胞の形態維持に重要な役割を果たしている．T. maritimaの遺伝子MreB産物は試験管内においてATP存在下で重合し，その二次構造および三次元結晶構造は筋肉アクチンと酷似している．Septum形成に必須のFtsZはチューブリンと相同性がありprotofilamentに重合する．真核生物がどのようにアクチンやチューブリンとそのモーター蛋白質との相互作用のシステムを編み出し"運動性"を獲得していったのか，その過程は謎である．

〔藤目杉江〕

[文献]
1) 神谷 律，丸山工作：細胞の運動，培風館，1992.

6.13 細胞分裂

a. 核分裂

細胞分裂の過程は，核分裂と細胞質分裂に分けられる．細胞質分裂は，核分裂の後期の終わり，または終期に起こる（⇨b. 細胞質分裂）．

核分裂には2つのタイプがある．核膜が消失するものと消失しないものである．酵母，ゾウリムシなどでは核膜は消失しないが，動物，植物などでは消失する．核が消失するタイプでは，核膜の消失と形成，染色体の凝縮，運動，脱凝縮が起こり，5つの分裂過程（前期，前中期，中期，後期，終期）に分けられてきた（図6.13.1）．つまり，①核内で染色体の凝縮が始まると前期である．②前中期に核膜が消失し，染色体が赤道面に集積し始める．これと同時に，分裂装置が形成され始める．2つの中心体のまわりに形成された微小管が染色体とともに一体化して分裂装置となる．③中期には，染色体が赤道面に集合する．④後期に染色体が染色分体に分離し，赤道面から中心体方向に動く．⑤最後に終期で，脱凝縮し始めた染色体のまわりに核膜が形成され，染色体胞となる．たくさんの染色体胞は融合して，1つの核を形成する．核膜が消失しないタイプの核分裂は，4分裂過程（前期，中期，後期，終期）に分けられ，終期に2核に分割される．

染色体を分離する構造である分裂装置は，紡錘体と星状体とからなる（図6.13.1）．紡錘体の中央は赤道面と呼ばれ，中期に染色体が並んでいる．卵の分裂装置は，双星状体ともいわれるように星状体が大きい．星状体の中心には中心体があり，そこには中心小体が通常1対ある（図6.13.2）．一方，星状体が小さい場合や，紡錘体だけが認められる場合もある．分裂装置と細胞質分裂の関係は一般に以下のとおりである．分裂装置が細胞の中央にあると，細胞は等分裂する．分裂装置が細胞の周辺部分にあっても，分裂装置の軸が表面と平行であると，細胞は等分裂する．分裂装置が細胞の周辺部分にあり，その軸が表面と垂直であると，細胞は不等分裂（非対称分裂）する．

細胞分裂は有糸分裂ともいわれてきた．分裂の際に糸状の構造，すなわち染色体糸，紡錘糸，星糸が見られたからである．これらの糸は微小管の束である．微小管は断面が直径25 nm程度で，チューブリン分子が管状に結合した細胞骨格の一種である．微小管は両端で性質が違い，チューブリンが付加しやすい端は（＋）端と呼ばれ，逆にチューブリンが付加しにくい端は（−）端と呼ばれている．微小管はチューブリンと動的平衡にあり，微小管量はさまざまな細胞の条件，外的環境条件で変化する（微小管のダイナミクス）．微小管が重合され

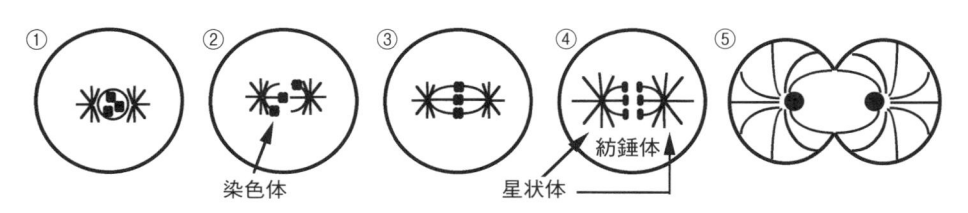

図 6.13.1 核分裂の各時期
①前期，②前中期，③中期，④後期，⑤終期である．終期には細胞質分裂が始まっている様子を示す．分裂装置は細胞の中央にあって，等分裂を示す．

る場所をMTOC（microtubule organizing center：微小管重合中心）と呼ぶ．MTOCの1つが中心体である．一般に細胞内では，微小管は中心体に（−）端を向けて，細胞周辺部へ伸びている．それゆえ核分裂中，多くの微小管では，中心体付近の（−）端でチューブリンを解離し，中心体から離れた（＋）端でチューブリンを結合する．動原体には，微小管は（＋）端で結合していて，染色体に作用する力に対応してチューブリンを結合・解離して，伸縮する（図6.13.2）．

前中期と後期とで相反する方向に染色体運動が見られる．前中期には，核内に散らばっていた染色体が赤道面に向かって運動する．反対に後期には，染色分体に分かれた染色体は，中心体方向へ動く．この時期の染色体運動では，後期A（染色体が中心体に接近する運動）と後期B（中心体間の分離運動，紡錘体の伸長運動）とに識別される．運動において，染色体には2つの相反する力がつねに作用している（図6.13.2）．中心体からの引力と反発力である．モーター蛋白質ダイニンやキネシン様蛋白質は微小管上を（−）端方向へ運動し，キネシンは（＋）端方向へ運動して，力を発生する（⇨6.3, 6.4）．中心体からの引力は染色体の動原体にあるダイニンが微小管上を中心体方向へ引っ張り，それに加えて中心体付近にあるキネシン様蛋白質が微小管を引っ張ることによって発生する．後期Aの染色体運動は主にこれらの引力によって起こる．微小管は染色体の動原体以外の腕にあるキネシンと結合し，これが染色体を中心体から引き離す反発力となる．前中期には2つの動原体に作用する引力は釣り合うので，染色体は主に染色体の腕に作用する反発力によって，赤道面に移動す

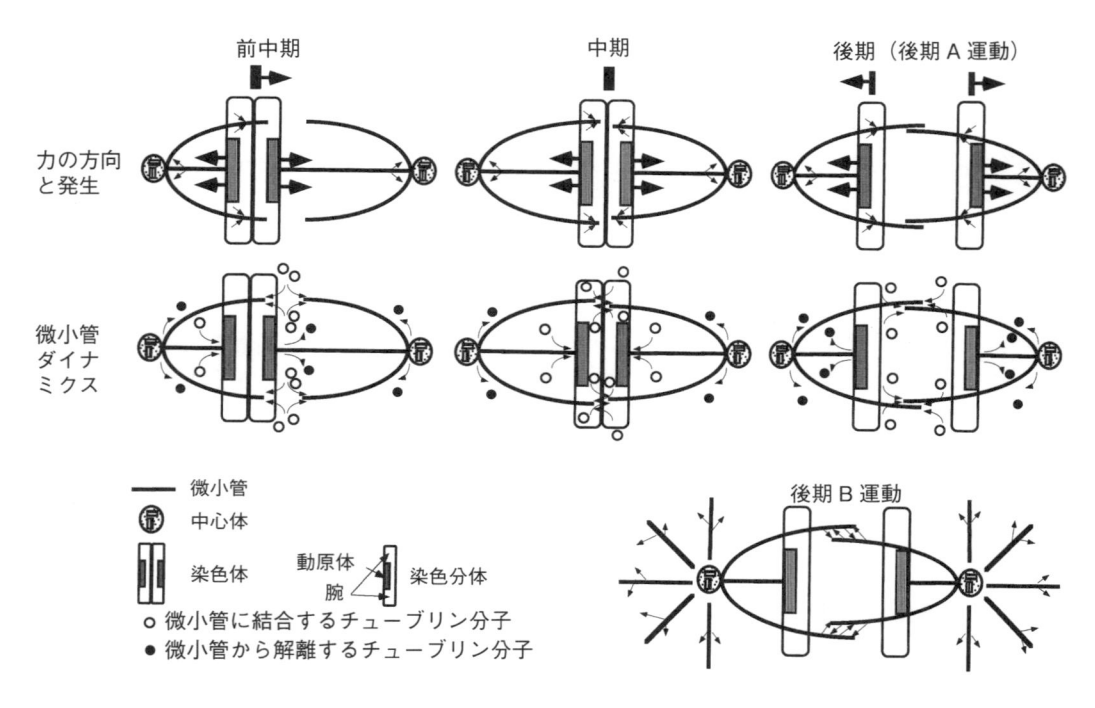

図6.13.2 核分裂期の運動における力の発生と微小管ダイナミクス
左は前中期，中央は中期，右は後期の分裂装置（星状体は省略）を示す．上段には各期で染色体に作用する力の和とそれぞれの部分で発生する力，下段には微小管ダイナミクスを示した．右下端には，後期B運動における力の発生を示す．

る．後期Bは微小管と細胞質との相互作用で起こり，2つのしくみが知られている．1つは紡錘体の中央部にある重複している微小管に作用する力で，そこにあるキネシンによって，それぞれの中心体からの微小管は中心体方向へ押し離される．もう1つは星状体微小管が細胞質ダイニンによって引っ張られる力で，2つの中心体が染色体，半紡錘体とともに離反する．

染色体の運動以外の核の消失と形成，染色体の凝縮，脱凝縮も，核分裂において興味深い現象であるが，この項では扱わない（⇨2.10）．　　　　　　　〔浜口幸久〕

b. 細胞質分裂

S期に合成されて倍加したDNAは2セットの染色分体となり，核分裂によって分離する．細胞質分裂がこれらを2つの娘細胞に分配する．DNAはこのようにつねに同一のコピーが子孫の細胞に受け継がれていくが，細胞質については2つの場合がある．2つの娘細胞の大きさも細胞質の量も同じ場合，すなわち，母細胞の中央で分裂する場合は均等分裂と呼ぶ．高等動物の発生の過程では，細胞質が2つの娘細胞に不均等に分配される場合がある．この場合，通常は2つの娘細胞の大きさも異なる．このような細胞質分裂を不等分裂という（非対称分裂ということもある）．不等分裂により異なる性質の細胞が生じてくる

ので，この過程は動物の発生にとって重要な意義がある．極端な不等分裂は動物の卵形成にも見られる．卵細胞が発生初期に分裂していく場合，とくに卵割といい，等分裂を等割，不等分裂を不等割という．

核分裂が微小管によって担われるのと異なり，細胞質分裂はアクチン繊維系が担う．2つの細胞骨格繊維系が，このようにはっきり役割を分担しているところは興味深い．これらの2段階は細胞分裂周期の中で正しい時期に正しい順序で行われる必要があり，そのために細胞内の情報伝達系による整然とした制御のもとにあると想像される．またこれらのできごとは細胞内の正しい部位で行われなければならず，空間的な制御も重要である．

動物細胞や細胞性粘菌の細胞質分裂は分裂面の細胞表層がくびれることによって進行する．このくびれ部分（分裂溝）の細胞膜直下には多数のアクチン繊維が分裂面に平行に配列した束をつくっている．これを収縮環（contractile ring）と呼ぶ．収縮環にはミオシンも含まれ，アクチンとミオシンの相互作用によって収縮し，細胞を2分する．このために，収縮環を構成するアクチン繊維は方向性が逆のものが混合して存在し，またその一端（barbed end）は細胞膜の内側に付着している．収縮環の直径は細胞の大きさに依存するのでさまざまだが，その幅と厚さは細胞が違ってもさほど

表 6.13.1　各種細胞における収縮環の大きさ

	細胞直径 (μm)	収縮環			分裂タイプ
		幅 (μm)	厚み (μm)	繊維間距離 (nm)	
イモリ卵	2000	16	0.1–0.2	10–15	ハート型
イカ卵	1000	10–20	0.1–0.2		ハート型
Nassula	120	5	0.1–0.2		対称
ウニ卵	75	3–17	0.1–0.2		対称
クラゲ卵	60	6	0.1–0.2	10–20	対称
Tetrahymena	22–30	1.5	0.1–0.4		対称
HeLa 細胞	20	10	0.1–0.2	10–15	対称
マウス乳腺細胞	10	1	0.2		対称
分裂酵母	3	0.2	0.1		対称

違わない．また，アクチン繊維の密度も細胞による違いはないと考えられている（表6.13.1）．原始的な真核細胞である出芽酵母や分裂酵母でも収縮環が形成されるが，分裂はその収縮と隔壁の陥入がカップルして起こると考えられている．一方，高等植物の細胞では収縮環は形成されず，膜小胞から構成される隔膜形成体（phragmoplast）が分裂位置に形成され，これがさらに細胞板を形成して分裂する．

収縮環は細胞が分裂するときにだけ形成される一過性の構造である．収縮環がどのようにして形成され，分裂後にどのようにして消失していくのかという問題が，細胞質分裂の分子機構のなかでも主要な未解決の問題である．ウニ卵では終期の開始とともにアクチン繊維が分裂面の表層に集合してくる．はじめはランダムに集合するが，次第に分裂面に平行に束ねられ，緊密な束になる（図6.13.3）．束ねられる前に卵の分裂位置の直径は小さくなるのですでに収縮が始まっていることがわかる．最近のカエル卵，分裂酵母の研究から，ミオシンがアクチンより早く分裂位置に集合することがわかった．またミオシンが集合しないとアクチン繊維も集合することができない．これらの成分の集合の機構はまだわかっていない．

分裂溝ができる位置の決定は，はじめに述べたような理由から細胞の増殖や，動物の発生に重要である．動物細胞ではこれは分裂装置の星状体，あるいは紡錘体によって決定されると考えられている（図6.13.4）．前者は卵細胞のような大型の細胞，後者は培養細胞のような小型でかつ星状体が発達しないような細胞に見られる．いずれの場合も微小管が分裂位置決定に関与し，なんらかのシグナルを細胞表層に送っていると考えられている．一方，分裂酵母ではこのような分裂位置は核の位置によって決定されると考えられている．

最近，収縮環形成がどのようなシグナル分子によって制御されているのかがようやくわかりかけてきた．低分子量G蛋白質（低分子量GTPase）Rhoを特異的に失活させるボツリヌス菌の菌体外酵素C3を細胞内に顕微注入することにより，収縮環形成が阻害されることが知られ，Rhoが分裂シグナル伝達にかかわっていることがわかった．その後，Rhoを活性化するRhoGEF（guanine nucleotide exchange factor）やRhoを不活性化するRhoGAP（GTPase-activating protein）も細胞質分裂にかかわっていることが報告された．またRhoの下流因子として，diaphanous/forminファミリーの蛋白質がアクチン繊維の組織化に関係している可能性，蛋白質キナーゼやミオシンホスファターゼがミオシンのリン酸化に働いている可能性などが

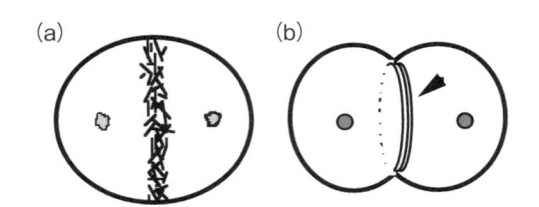

図6.13.3 ウニ卵の細胞質分裂
(a) 細胞分裂終期に赤道部の細胞表層にアクチン繊維が集合する．
(b) 集合したアクチン繊維は束ねられて収縮環となる（矢印）．

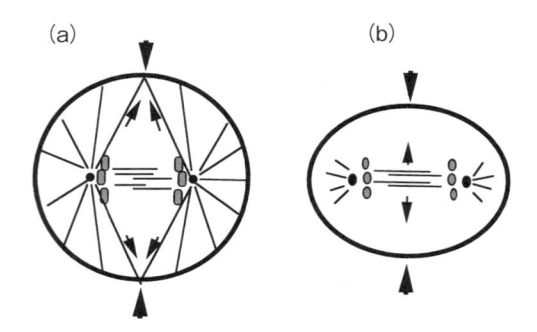

図6.13.4 動物細胞の分裂シグナル伝達の2つの様式
(a) 分裂装置星状体微小管からの伝達（小矢印）
(b) 分裂装置紡錘体微小管からの伝達（小矢印）
大矢印は分裂位置を示す．

指摘されている． 〔馬渕一誠〕

[文献]
1) アルバーツ，B. 他（中村桂子他監訳）：細胞の分子生物学（第4版），ニュートンプレス，2004.
2) ボルティモア，D. 他 （野田春彦他訳）：分子細胞生物学（第4版），東京化学同人，2001.
3) カープ，G.（山本正幸，渡辺雄一郎監訳）：分子細胞生物学，東京化学同人，2000.
4) ステッビング，H. ハイアムス，J. S.（毛利秀雄，馬渕一誠訳）：細胞運動，共立出版，1981.
5) Heath, I. B.：*Int. Rev. Cytol.* **64**, 1-80, 1980.
6) *Cell Structure & Function* **26** (6)（12月号）2001.
7) 生体の科学 **53**（3）（5-6月号），特集 細胞質分裂，2002.

6.14 細胞内物質輸送

細胞の構造と機能は，細胞内で生合成された蛋白質や細胞外から取り込んだ伝達物質などのさまざまな生体高分子を，それらが機能発現する場へと運ぶ優れた輸送機構により維持されている．本節では細胞内物質輸送機構の代表例として神経軸索内輸送（axonal transport）に焦点を当て，軸索の成長・維持における物質輸送と成長端における細胞運動を概説する．

神経細胞において軸索の構造と機能を維持するために必要な物質のほとんどは細胞体で合成され，軸索へと供給されている．一方，軸索内あるいは終末のシナプス結合部などでの代謝産物は細胞体へと戻されて処理される．これら数多くの物質が軸索内を方向性をもち長距離にわたって供給されるために，微小管に依存した輸送機構が存在する．また軸索成長時には，その先端には運動性に富む特殊な構造体である成長円錐が出現し，この運動はアクチン系の運動機構により制御されている．

a. 微小管依存性輸送

神経軸索内の微小管は軸索の長さ方向に配向して存在し，そのすべてがプラス端を終末側，マイナス端を細胞体側に向ける極性を示している．アイソトープを利用した個体レベルの生化学的実験から，軸索内輸送は速度の異なる2つのグループ，すなわち膜系小器官を運ぶ速い輸送（fast axonal transport；50〜400 mm/day）と細胞骨格蛋白質を運ぶ遅い輸送（slow axonal transport；1〜5 mm/day）とに分けられる．

(1) 速い軸索内輸送

速い輸送は，細胞体から終末への順行性（anterograde）輸送と，終末から細胞体への逆行性（retrograde）輸送とに分けられる．速い輸送の速度は，神経細胞の種類や状況などによらずほぼ一定である．

順行性輸送は，終末にあるシナプス接合部での活発な代謝と消費を補償するために存在しており，シナプスで放出される神経伝達物質などを含む膜小胞やミトコンドリアなどがこの輸送系により運ばれる．この輸送系は，モーター蛋白質であるキネシン（kinesin）がATP存在下で膜小胞を微小管のプラス端に向けて運ぶことによる．キネシンは，120 kDaの重鎖2個，64 kDaの軽鎖2個から成る分子である．キネシンの構造や運動機構の詳細については本章第3節を参照されたい．キネシンにはモータードメインや分子全体の相同性から多数の類縁蛋白質が発見されており，キネシン・スーパーファミリーと呼ばれる一群を構成している．これらは神経軸索内輸送だけでなく，細胞分裂や細胞内小胞輸送などにも関与することが明らかにされている．これらはモータードメインの位置によりN末端型（ヒトKHC，マウスKIF5A/B/C，KIF1A/B/C，KIF3，KIF4など），中央型（マウスKIF2など），C末端型（マウスKIFC2/3，ショウジョウバエNcdなど）の3つのタイプに分類される．また，多くのキネシンは2つの相同なモータードメインにより構成されるホモ二量体であるが，

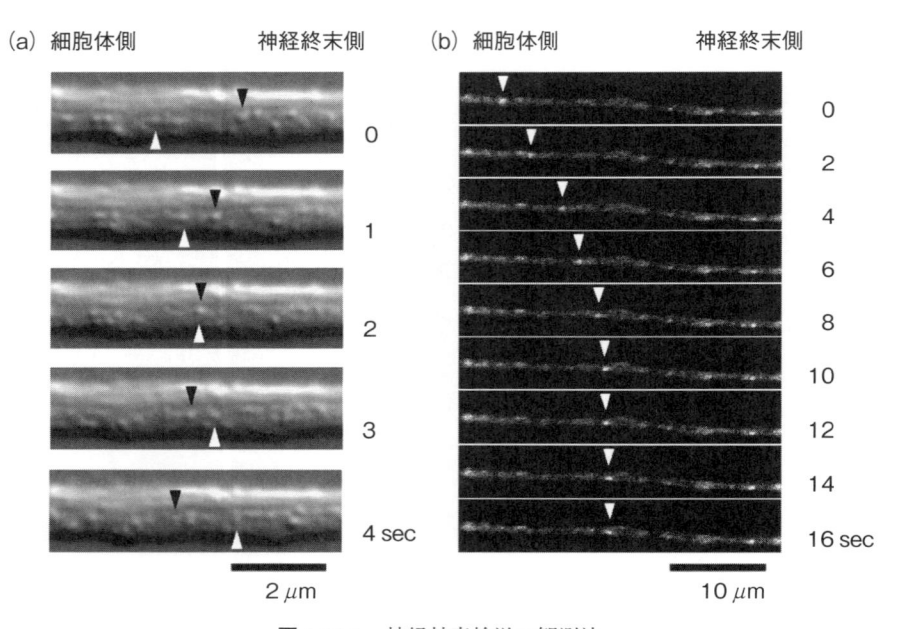

図 6.14.1　神経軸索輸送の観測法
（a）ビデオ増強微分干渉顕微鏡法（video-enhanced DIC microscopy）による膜系小器官の輸送の観測．順行性（△）および逆行性（▼）に輸送される膜系小器官を同時に観測することができる．
（b）蛍光顕微鏡法による特定物質の輸送の観測．この例では，GFP融合シナプトファイシンを細胞内で発現させ，シナプス小胞前駆体の輸送を観察している．
（c）ラジオアイソトープを用いた生化学的観測法．神経節などに放射性標識アミノ酸を注入後，神経繊維を摘出・断片化する．各断片中に含まれる蛋白質を電気泳動で分離し，放射活性を測定して定量化する．放射性標識アミノ酸の注入から神経繊維摘出までの時間を変化させることにより，軸索輸送を時系列で観測することができる（次頁）．

(c)

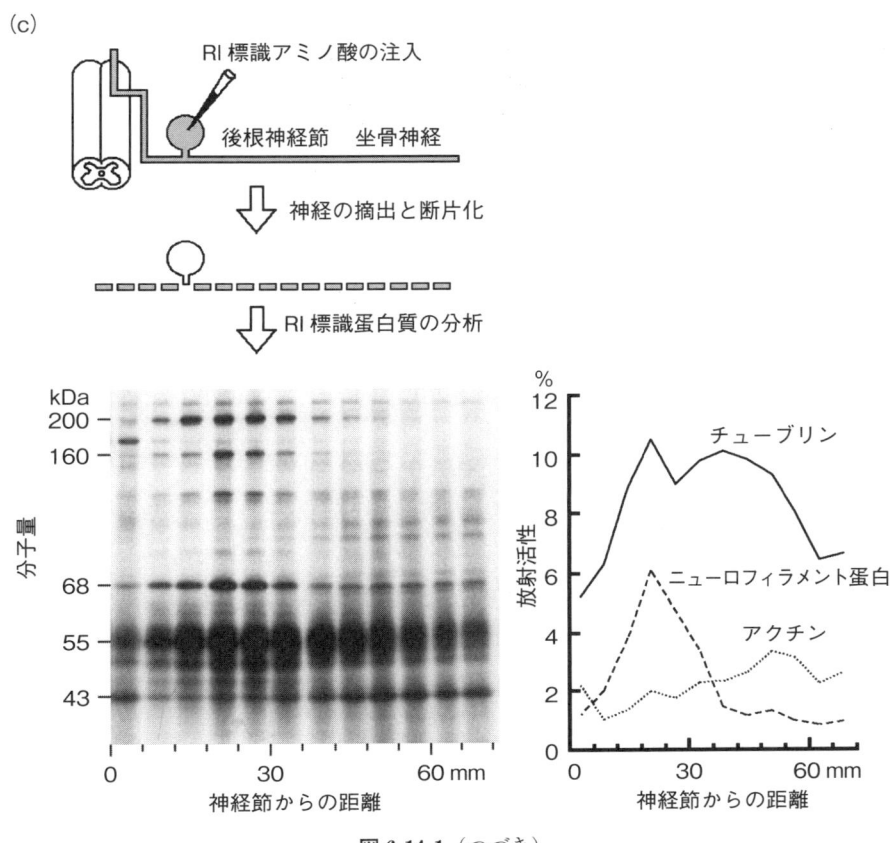

図 6.14.1（つづき）

ヘテロ二量体，ホモ四量体，単量体より成るキネシンも存在する．N末端型および中央型に属するさまざまなキネシンが，それぞれ特定の膜小胞を細胞体から終末へと運んでいると考えられている．たとえばマウスKIF1Aは神経細胞に特異的に発現しており，シナプトファイシン（synaptophysin）などを含むシナプス小胞前駆体を細胞体から終末へと輸送している．また，マウスKIF1Bは多くの細胞に発現しており，ミトコンドリアを微小管の（＋）端方向へ運ぶ．一方，C末端型キネシンは他の2つのタイプとは異なり，微小管の（−）端方向へ動く．このタイプに属するマウスKIFC2は神経細胞に特異的に発現して細胞体と樹状突起に局在しており，樹状突起内において多胞体様の膜小胞を運ぶ．キネシンと膜系小器官の結合は，膜上に存在する膜貫通型蛋白質あるいはそれらに結合する足場（scaffold）蛋白質などを介して行われており，これら介在する蛋白質の違いによりおのおののキネシンが運ぶべき膜系小器官を選別・認識していると考えられている．このような蛋白質としてERに存在するキネクチン（kinectin）やKIF3A/Bに結合するKAP3などが候補にあげられている．

逆行性輸送は，軸索内あるいは終末のシナプス結合部での代謝産物を細胞体に戻して処理するための，また軸索の成長・再生において重要なある種の細胞外情報を細胞体へとフィードバックするための重要な機構である．この輸送系は，膜小胞に結合したモーター蛋白質である細胞

質ダイニン（cytoplasmic dynein）による．細胞質ダイニンは微小管結合蛋白質（microtubule-associated proteins：MAPs）の1つであるMAP1Cとして知られていたが，1987年ATP存在下で微小管上を（−）端方向へ動く逆行性モーター分子であることが明らかにされた．細胞質ダイニンは，530 kDaの重鎖2個，74 kDaの中間鎖3個，55 kDaの軽中間鎖4個から成る巨大な分子である．重鎖の中央からC末端にかけて球状の頭部となってATPおよび微小管に結合するモータードメインを構成する．細胞質ダイニンは，ダイナクチン（dynactin）複合体と呼ばれる蛋白質複合体を介して膜系小器官と結合する．このダイナクチン複合体は，ポリペプチド（p150[Glued], p135[Glued], dynamitin）やアクチン関連蛋白質（Arp1）などの10個のサブユニットから構成され，細胞質ダイニンの働きを調節している．細胞質ダイニンは軸索内輸送だけでなく，リソゾームやエンドソームの輸送，小胞体からゴルジ体への輸送などにも関与していることが報告されている．また，細胞質ダイニンにも多様性のあることが知られている．

(2) 遅い軸索内輸送

遅い輸送は順行性のみであり，細胞骨格蛋白質であるチューブリン（tubulin），ニューロフィラメント蛋白質（neurofilament proteins），アクチン（actin）および細胞骨格結合蛋白質などが輸送される．この輸送系の役割は，軸索構造の補修や成長のための材料の供給であると考えられている．アイソトープを用いた生化学的実験から，遅い輸送はニューロフィラメント蛋白質を主体とする最も遅い輸送成分SCa（slow component a）とアクチンを主体とするやや速い輸送成分SCb（slow component b）との2種類に分類され，チューブリンは両方の輸送成分に含まれる．また，個体レベルの生理的状況の変化に対応して，遅い輸送の速度は変化する．

遅い輸送の機構はいまだ明らかになっていない．これまでの生化学的，細胞生物学的なさまざまな実験結果にもとづき，相対する2つの仮説が提唱されている．1つは細胞骨格蛋白質の重合体が運ばれるとするポリマー輸送仮説であり，もう1つは細胞骨格蛋白質がサブユニットあるいはオリゴマーの状態で運ばれるとするサブユニット輸送仮説である．最近の*in vitro*あるいは*in vivo*の実験から，ニューロフィラメントの輸送については微小管とモーター蛋白質の関与を示唆する結果が得られている．また，培養神経細胞内に発現させたGFP融合ニューロフィラメントが，フィラメント様の形態で軸索中を双方向の一時的な速い運動（速い輸送と同程度の速度）と停止とを繰り返しながら正味の動きとして順方向に輸送されるとする報告がある．一方，フィラメントではなく，蛋白凝集体の形で動く場合も観察されており，軸索成熟度などの要因によって輸送形態が変化する可能性も示唆されている．いずれにしても，細胞骨格蛋白の輸送速度は，モーター分子の速度ではなく，細胞骨格ダイナミクスに依存する部分が大きいと考えられる．今後，さまざまな観測技術の活用により，遅い輸送の機構が明らかになるものと期待される．

b. アクチン依存性運動

神経軸索先端の成長円錐には運動性に富む構造体として糸状仮足（filopodium）や葉状仮足（lamellipodium）が存在し，軸索の伸展方向を決定する重要な役割をもつと考えられている．これらの構造体の運動はアクチン繊維とミオシンとの相互作用に起因していることが知られている．糸状仮足内ではアクチン繊維の重合は先端で起こり，脱重合は後方で起こる．このアクチン繊維はミオシン依存的に後方に輸送され，この量に反比例して成長円錐が前進すると考えられている．成長円錐においては，ミ

オシンⅠ, Ⅱ, Ⅴの3種類の存在が知られている．ミオシンの構造や運動機構の詳細については6.2節および6.9節を参照されたい．これらミオシンの成長円錐における存在領域は少しずつ異なっている．ミオシンⅠは成長円錐の形質膜直下の部位に結合しており，葉状仮足に局在する．ミオシンⅡおよびⅤは成長円錐全体に存在している．細胞生物学的な実験から，ミオシンⅤは糸状仮足の伸展に，ミオシンⅡは糸状仮足内のアクチン繊維の運動制御に，ミオシンⅠは葉状仮足の運動に，とそれぞれ分業して成長円錐の運動を制御していることが示唆されている．また，ミオシンⅤに関しては成長円錐内の膜小胞との結合が認められることから，微小管-キネシン系により成長円錐中央領域へと運ばれてきた膜小胞をさらにアクチン繊維-ミオシンⅤにより周辺領域へと輸送していると考えられている．

〔田代朋子〕

[文献]

1) Almenar-Queralt, A. and Goldstein, L. S. B.: Linkers, packages and pathways: new concepts in axonal transport, *Current Opinion in Neurobiology* **11**, 550-557, 2001.
2) Bray, D.: Cell Movements (2nd ed.), Garland, 2000.
3) Goldstein, L. S. B. and Yang, Z.: Microtubule-based transport systems in neuron: the roles of kinesins and dyneins, *Annual Review of Neuroscience* **23**, 39-71, 2000.
4) Hirokawa, N.: Kinesin and dynein superfamily protein and the mechanism of organelle transport, *Science* **279**, 519-526, 1998.

6.15 細胞内バクテリア運動

赤痢菌（*Shigella*）やリステリア（*Listeria monocytogenes*）は上皮細胞に侵入すると数十分後には増殖・分裂を始める．さらに1時間後にはバクテリアの一端からアクチンの凝集束（アクチンコメットと表現する）が形成され，それに押し出されるようにして毎分数～十数 μm の速さでバクテリアはランダムに運動する．運動するバクテリアが細胞の形質膜に突き当たると細胞の表面から長さ10～20 μm の突起（pseudopod）が出現し，その先端にはバクテリアが包まれている．バクテリアの細胞内運動と突起形成はつねに随伴しており，また突起によってバクテリアは隣接細胞へ移る．伸びた突起が隣接細胞膜と接触すると突起は相手細胞にエンドサイトーシスされながら細胞内へ挿入される．先端にいるバクテリアは突起と相手の二重の形質膜に取り囲まれるが，バクテリアが分泌する膜溶解蛋白質の作用で突起内から新しい細胞質へ離脱し，そこで再び増殖・分裂・運動を繰り返す．このようにいったん細胞へ侵入したバクテリアは細胞外へ出ることなく次々と周囲の細胞へ感染を拡大する（図6.15.1）．したがってバクテリアの細胞内運動は，バクテリアが細胞から細胞へ移動し，増殖・分裂しながら感染を拡大するために行われる．

赤痢菌とリステリアの細胞内運動はバクテリアから産生されるおのおのの VirG（IcsA とも称される）と ActA により誘導される．両者のアミノ酸配列はまったく異なるが，いずれもバクテリアの分裂とともに分

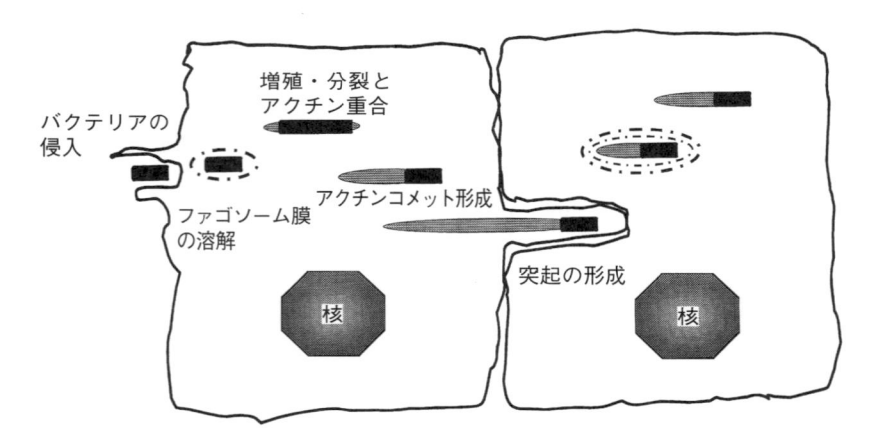

図 6.15.1 アクチン重合にもとづくバクテリアの細胞内運動と隣接細胞への移動
赤痢菌やリステリアは細胞へ侵入後，ただちにファゴソーム膜を溶解して細胞質へ移行する．その後，増殖・分裂しながらバクテリアの分裂壁とは反対側の一極にVirGやActAが次第に極在化する．その過程でバクテリアの周囲にアクチンの重合が引き起こされる．VirGやActAがバクテリアの一極にキャップ状に極在すると，その部位でアクチン重合がさらに促進されバクテリアは移動を始める．移動に従ってバクテリアの尾部で重合したアクチンがコメットを形成する．運動するバクテリアの一部は突起（pseudopod）となって細胞膜を突出させ，これを隣接細胞へ挿入して新しい細胞質へ移行してゆく．

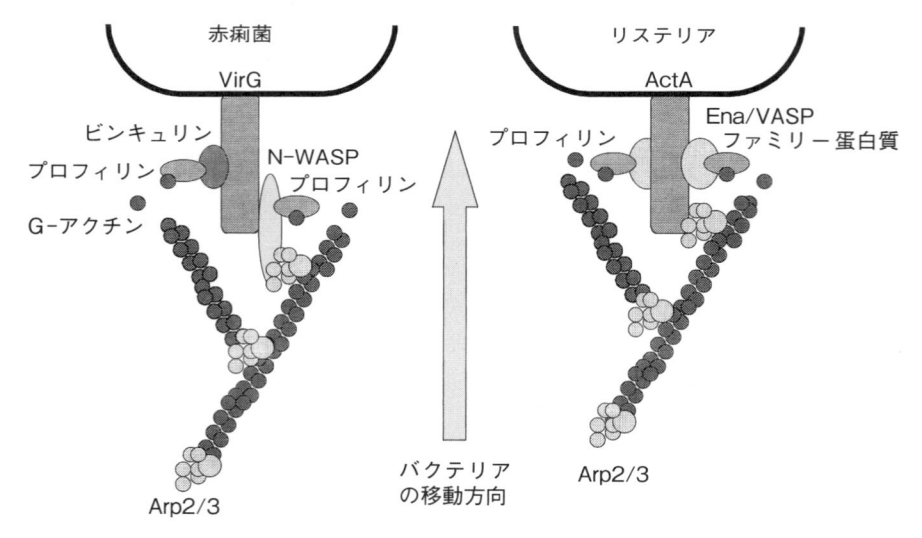

図 6.15.2 VirG および ActA による細胞内アクチン重合モデル[2]

裂壁の対極に集積する．これらの蛋白質はArp2/3を含む複数のアクチン重合にかかわる蛋白質とバクテリアの表面で複合体を形成する．バクテリアの分裂が進み，VirGやActAが菌体の一極にキャップ状に集積すると，アクチンの重合と伸長が促進されバクテリアは運動を始める．バクテリアの移動した軌跡に沿って重合したアクチンのコメットが形成される（図6.15.1）．

赤痢菌のVirGは1102アミノ酸からな

る．そのN末端にはシグナル配列があり，C末端の343アミノ酸で菌体の外膜と結合している．中央部にはグリシンに富む6つの繰り返し領域があり，この領域で宿主のN-WASPとビンキュリンが結合する．VirGと結合したN-WASPにCdc42が結合するとN-WASPは活性化され，N-WASPのC末端の酸性アミノ酸領域とプロリンリッチ領域（PRR領域）にArp2/3とプロフィリンがおのおの結合する．プロフィリンはG-アクチンと結合しアクチンフィラメントの重合端におけるアクチン重合を促進する．Arp2/3がN-WASPに結合すると，Arp2/3は活性化されアクチン重合を開始する（図6.15.2）．リステリアのActAは639アミノ酸からなり，N末端にはシグナル配列があり，C末端の25アミノ酸で菌の細胞壁へ結合している．ActAのN末端から30アミノ酸残基から263アミノ酸残基にいたる領域はアクチン重合に必要で，Arp2/3が直接結合し，さらに結合したArp2/3は活性化される．またActAのこの領域内に存在するPRR領域にEna/VASPファミリー蛋白質（Ena：Drosophila Enabled, Mena：mammalian Enabled, Evl：Ena/VASP-like protein, VASP：vasodilator-stimulated phosphoprotein）が結合する．Ena/VASPファミリー蛋白質はさらにプロフィリンと結合する．したがってActAは，ActA-VASP-プロフィリンおよびActA-Arp2/3の複合体を形成し，前者によってリステリア表面のG-アクチン濃度は局部的に高くなり，ActA-Arp2/3複合体によるアクチン重合と伸長が促進される．Arp2/3はアクチンフィラメントの側鎖に結合しそこからアクチン重合を引き起こす（図6.15.2）．運動する赤痢菌あるいはリステリアから生じるアクチンコメットは，約70度の角度をもつ樹状アクチンフィラメント構造を示す（図6.15.2）．この構造は宿主細胞の葉状突起（lamellipodium）形成で構築される樹状アクチンフィラメントに類似する．赤痢菌とリステリア以外にも，*Burkholdoria pseudomallei*, *Mycobacterium marinum*, *Rickettsia conorii* がマクロファージの細胞質でArp2/3を利用して運動することが知られている．

〔笹川千尋〕

[文献]

1) Suzuki, T. and Sasakawa, C.：Molecular basis of the intracelluar spreading of *Shigella*, *Infect. Immun. Minireview.* **69**, 5959-5966, 2001.
2) Cossart, P. and Sansonetti, P. J.：Bacteria invasion：the paradigms of enteroinvasive pathogens, *Science* **304**, 242-248, 2004.

6.16 鞭毛・繊毛運動系

a. 鞭毛・繊毛とは

真核生物の鞭毛・繊毛は原生動物，藻類，動物に広く存在する毛状の細胞運動器官である．1～数本の構造として生えている場合に鞭毛，多数が密集して生えている場合に繊毛と呼ばれるが，両者はまったく同じもので，内部構造と動作原理に違いはない．いずれも 10～100 Hz という高速で屈曲波を伝播する運動を行う[*1]．単細胞生物や精子では水中を遊泳するための駆動装置として，動物では粘膜上の物質輸送装置として使われている．なお，細菌にもべん毛と呼ばれる運動装置が存在するが（⇒6.17），これは構造，動作原理ともにまったく異なるもので，進化的にも関係ない．

鞭毛・繊毛は細胞膜に覆われた器官で，内部は 9 本の微小管（周辺微小管）が 2 本の微小管（中心対微小管）を円筒状に囲んだ構造（9+2構造）をもつ．この内部構造を軸糸と呼ぶ（図 6.16.1）．周辺微小管は断面が円状の A 小管と，断面が C 字形の B 小管が連結した 2 連微小管である．この軸糸の構造はごくまれな例外を除いて原生動物からヒトに至るまで保存されているので，鞭毛・繊毛は真核生物の誕生とともに出現した，古い起源の細胞器官であると考えられる．電子顕微鏡により，軸糸には微小管のほかに，周辺微小管の A 小管上に並んだダイニン内腕と外腕，周辺微小管から中心小管に向かって伸びるスポーク，周辺微小管どうしを結合するネキシンリンクなどの構造が認められる．そのうち，ダイニン内腕，外腕は鞭毛・繊毛運動の原動力を発生するモーター蛋白質複合体である．ダイニン外腕は 1 種類の複合体で，24 nm の周期で一列に並んでいる．それに対して，ダイニン内腕は 7 種存在し，それぞれ 96 nm 周期で，全体として複雑なパターンで配列する．その他の構造の配列もおおむね 96 nm の周期性をもつ．単細胞緑藻クラミドモナスではこれらの構造を欠失した突然変異株が多数得られており，その解析から各構造の構成蛋白質が明らかにされている．それによれば，たとえばスポークは約 20 種の蛋白質から成る．軸糸全体

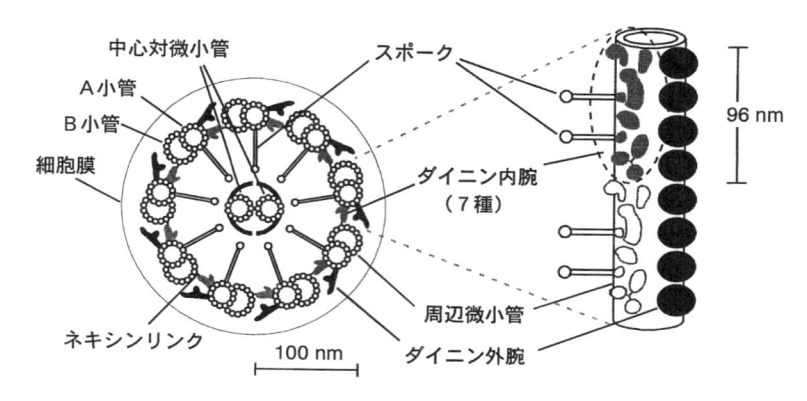

図 6.16.1 鞭毛・繊毛の構造
左：鞭毛の断面像模式図．右：周辺微小管（A 小管）上のダイニンとスポークの配列．クラミドモナス鞭毛にもとづく．ダイニン内腕は計 7 種存在する．点線で囲んだ部分の突起のうち，多くはダイニン内腕であるが，それ以外の構造もあると考えられる．

では，構成蛋白質の種類は250に及ぶといわれる．

b. 滑り運動による波動の発生

鞭毛・繊毛運動の最大の特徴は，自律的に屈曲波を発生することである．神経回路の働きによって波動を発生するヘビやミミズなどと違い，鞭毛・繊毛はそれ自身に波動を生じる機能がある．また，心筋の場合とは違い，鞭毛・繊毛の細胞膜は振動運動の発生に本質的な役割は果たしていない．そのことは，次のような簡単な除膜細胞の実験で示すことができる．すなわち，ウニ精子やクラミドモナス細胞を界面活性剤処理によって細胞膜を除去し，ATPを加えると，膜を除去する前と同様の鞭毛の波動が発生し，除膜細胞は水中を遊泳する，という実験である．そのような波動は，細胞体を除いて軸糸だけにしても発生させることができる．

軸糸の運動の基礎は，周辺微小管上に配列したダイニン腕と，隣接する周辺微小管が相互作用して，局所的に滑り運動を発生することである．1971年，SummersとGibbonsは上記のような界面活性剤処理鞭毛を断片化し，それに軽い蛋白質分解酵素処理をしてからATPを加えると，周辺微小管が軸糸から滑り出してくるというめざましい現象を発見した．蛋白質分解酵素処理によって周辺微小管どうしを結合する蛋白質が優先的に分解され，微小管間の運動に制限がなくなったために，長距離にわたる滑り運動が誘発されたと解釈される．その他多くの実験により，現在では軸糸の波動が微小管間の滑り運動に由来することは確定したといってよい．

9本の周辺微小管の間の滑りが軸糸の規則正しい波動として現れるためには，隣接する微小管の滑りが，時間的空間的に厳密に調節されていなければならない．9対の微小管間すべてで滑り運動が起こってしまったら，軸糸はまったく屈曲しないはずである．屈曲と微小管の滑り量の間には簡単な関係がある．軸糸上の任意の位置における隣接微小管間の相対的滑り量は，その位置における軸糸の接線と基部における接線とが成す角に比例する，というものである．したがって，軸糸の波形が正弦波様である場合，微小管の相対的滑り量は波動の周期に応じて交互に正負の値をとることになる．ダイニンの能動的滑り運動は一方向にだけ起こると考えられるので，隣接微小管が正逆両方向の滑りをするためには，回転対称に並んだ9組の微小管対のうちの反対に位置する2組が交互に力を出さなくてはならない．そのようなスイッチングがどのようにして起こるのか，興味深い問題である．

周辺微小管の滑り運動を制御して軸糸の屈曲を生じさせる機構として，軸糸構造のうちの何が重要であろうか．中心対微小管とスポークが重要な役割を果たしている可能性が提唱されたことがある．クラミドモナスの突然変異株でこれらの構造を欠失したものは，ダイニン自体は運動性をもつが，鞭毛の波動運動を行うことができないというのがその根拠である．ところが，その後これらの突然変異株に再度突然変異を誘発して，運動性を回復した復帰突然変異株を得たところ，中心対微小管やスポークの欠失が修復されないまま運動性が回復した変異株があることが発見された．したがって，この考えは否定された．それらの復帰突然変異株では，中心対微小管などの欠失変異に加えて，第2の変異（サプレッサー変異）が起こった結果，運動性が回復したのである．サプレッサーはダイニンの重鎖あるいはダイニンの活性を制御する蛋白質群の変異であった．このことは，中心対微小管とスポークの本来の機能がダイニン力発生の制御に関連していることを示唆する．

以上から，鞭毛・繊毛の波動運動の発生には，軸糸内のダイニンと微小管，それにネキシンリンクを加えた構造が重要である

ことが強く示唆される．とりわけ，多種のダイニンの力発生の性質と，それら相互の協調の機構が重要であると考えられる．その中で何が最も重要な要素であるかはまだ決定していないが，軸糸ダイニンに関していくつかの興味深い知見が得られている．前述のように軸糸ダイニンは外腕と内腕に大別される．クラミドモナスの場合，外腕はATPase活性をもつ重鎖（分子量50万以上）3種[*2]のほかに10種程度のサブユニットを含む巨大分子複合体である（⇨6.4）．それぞれの重鎖に微小管と相互作用して運動を発生する活性がある．一方，内腕には異種の重鎖を1本ずつ含む複合体6種（a～e, g）と，異種重鎖を2本含む複合体1種（fまたはI1と呼ばれる）の存在が確認されている．個々の複合体はいずれも3～5種程度の蛋白質からなり，外腕に比べれば単純である．fとf以外のダイニン内腕とは，構成と機能的な性質が大きく異なっている．したがって，軸糸ダイニンは，①外腕，②内腕f，③内腕のf以外，の3種に分類できる．

クラミドモナスでは，さまざまなダイニンを欠失した突然変異株が得られており，それらの解析から，各ダイニンの役割が推定されている．外腕を完全に失ったものは，鞭毛打頻度は野生株の約40％に減少しているが，鞭毛打波形自体はほぼ正常である．一方，各種の内腕を失った変異株は，鞭毛打頻度は野生株とあまり変わらないが，屈曲の角度が減少している．したがって，簡単にいえば，鞭毛・繊毛の正しい波形は内腕によって形成され，外腕はその運動のパワーを増強する役割をもつ，と考えることができる．

このように，ダイニン欠失変異株の多くはいずれも一定の運動性を示すが，興味深いことに，上記の3種のダイニン群のうち2群を欠失した二重変異株はまったく運動性を示さない．すなわち，多種の軸糸ダイニンはある程度は機能的に重複しているが，一定の組合せのダイニンの共存が波動の発生に不可欠である．

各ダイニンは軸糸から単離して精製することができる．それぞれをガラス表面に塗布してから，細胞質微小管とATPを加えると，微小管がガラス表面上を滑走する現象が観察される．このガラス器内運動検定法により，発生する運動の速度がダイニンごとに大きく異なることが判明した．このことは，鞭毛・繊毛の微小管上には，運動速度の異なる複数のモーターが共存していることを意味する．鞭毛・繊毛においては，微小管間の滑り速度と力が波動の位相に応じて大きく変化する必要がある．複数のダイニンの共存が運動に必要であることは，そのことと関連しているのであろう．

軸糸ダイニンは，自律的に波動を発生する機構の主役として，他のモーター蛋白質にはない性質をもっている可能性がある．そのことの反映と考えられるのが，高速微小振動という現象である．軸糸が全長にわたってガラス表面に付着している状態でATPを添加すると，軸糸は屈曲運動を行うかわりに，長軸方向に微小振幅で往復運動を行う．振幅は4～20 nm，振動数は200～600 Hzに及ぶ．そのような振動は，周辺微小管上の少数のダイニンに，光ピンセットで保持した細胞質微小管を接触させても発生させることができるので，個々のダイニン腕が示す性質であると考えられる[*3]．この振動の発生機構として，ダイニンには，それ自体が受ける力によって力発生を停止する性質がある，という仮定にもとづく考えが提唱されている．軸糸微小管は，互いにネキシンリンクで結ばれているが，そのリンクは弾性要素として働く．ダイニンにそのような性質があれば，滑り運動の変位が増大するに従ってダイニンは大きな弾性力を受け，力発生を停止し，微小管から解離すると考えられる．すると，弾性力によって後ろ向きに滑らされるので，能動的な力と受動的な力による運動が交互

に繰り返されることになる．軸糸をごくわずかの蛋白質分解酵素で処理して弾性要素の一部を切断すると振動振幅が増大するという事実は，この説を支持している．

突然変異株軸糸の高速微小振動現象の解析から，中心対微小管とスポークは微小管の滑り運動の振幅を増大させる機能をもち，滑りの振幅が大きくなった軸糸は自動的に波動を発生する性質があることが示唆されている．しかし，振幅調節のしくみや，振幅が大きくなると自動的に波動が発生するしくみに関してはまだほとんど何もわかっていない．現在，屈曲波の発生機構に関しては複数のモデルが提唱されているが，その大部分は，軸糸の曲率あるいは軸糸内部構造の歪みがダイニンの力発生を調節するという，フィードバック機構を前提にしたものである．各モデルを検証する研究はまだほとんど行われていない．今後，屈曲を発生する人工システムの構築など，実験的に鞭毛・繊毛の運動機構に迫る研究が行われることが期待される．

〔神谷　律〕

*1 ただし，その波形にはさまざまなものがあり，鞭毛は対称的な波形，繊毛は非対称な波形で打つことが多い．
*2 多細胞生物の鞭毛・繊毛では，外腕に含まれる重鎖は2種．
*3 単離したダイニンでは振動は観察されないので，ダイニン以外の要素も関与している可能性が大きい．

[文献]
1) Bray, D.: Cell Movements. From molecules to motility (2nd ed.), Garland, 2001.
2) 石渡信一編：生体分子モーターの仕組み（シリーズ・ニューバイオフィジックス 4），共立出版，1997.
3) 宝谷紘一，神谷律編：細胞のかたちと運動（シリーズ・ニューバイオフィジックス II 5），共立出版，2000.

6.17 バクテリアのべん毛運動系

バクテリアはべん毛を使って水中を泳いでいる．そのときべん毛は鞭打ち運動ではなく回転運動をする．（バクテリアの「べん毛」は，真核生物の鞭毛とは構造的にも機能的にもまったく異なる．そのため，真核生物の鞭毛と区別するため「べん毛」と平仮名で表記している．）また，水ならば淡水や海水，さらに土くれの間隙のわずかな水や動物の体液，植物の樹液であってもいい．水さえあればバクテリアは活発に動き回り繁殖することができるのである．

べん毛の数や長さなどは種ごとに異なり，泳ぐ速度や推進力も異なる．例外もあるが一般的にいって，粘性の高い溶液に棲むバクテリアはたくさんのべん毛をもち，粘性の低い溶液に棲むものは多くが単毛である．単毛は多くの場合，菌体の長軸方向の端から生える極毛であるが，中には菌体の横腹から生える側毛と呼ばれるものもあり，流体力学的に高効率であることが必ずしも生存に有利であるとは限らないようだ．

べん毛はらせん形の管状繊維で，ふつう1種類の蛋白質フラジェリンが重合してできる．中には構造の類似した数種類のフラジェリンからできているべん毛もあるが，形態や機能はフラジェリンの種類にはよらない．べん毛は構成蛋白質フラジェリンの種特異性を超越しており，らせんの巻き方とピッチ，らせん半径で定義される幾何学的実体である．自然界では，（歴史的に）ノーマルと呼ばれる左巻きらせん（ピッチ 2.6 μm，らせん半径 0.6 μm）と，カーリー

と呼ばれる右巻きらせん（ピッチ，らせん半径ともにノーマルのほぼ半分）がもっとも多く見られる．

べん毛の回転は，べん毛モーター（細胞膜に埋まっているので外からは見えない）で生じた回転力（トルク）が，フックと呼ばれる短いジョイントを通してべん毛繊維に伝えられる．べん毛はこれら全構造を指す用語なので，従来からべん毛と呼んでいた部分はべん毛繊維と呼ぶのが正しい．べん毛モーターは両方向に回転することができる．べん毛が多数あるとき，いくつかのべん毛モーターが逆回転すると，べん毛繊維どうしがもつれる．このもつれはべん毛繊維がノーマルからカーリーへ形を変えることで解消され，もつれから解放されたべん毛繊維はただちにカーリーからノーマルに戻る．このようならせん形の一過的な変化を，べん毛の「多型変換」と呼ぶ．このダイナミックな変化の過程で，これら2つのらせん以外にいくつかの中間的ならせんが現れるが，それぞれのらせんが固有のらせんパラメータをもつのが特徴である．すなわち，べん毛の多型変換は，1つのらせんから他のらせんにカクッカクッと不連続的に起こる．これはらせん構造の構成ユニット（11本の素繊維）が反映されているためである．

べん毛モーターは蛋白質でできた回転モーターである（図6.17.1参照）．たくさんのべん毛からなるバクテリアでは個々のべん毛の平均回転数が毎秒数100回転であるが，単毛では毎秒1000回転以上のものもある．トルク発生のエネルギー源はプロトン駆動力である．すなわち，水素イオンの電気化学的ポテンシャルにより生じた細胞の外側から内側に向かって流れるプロトンにより駆動される．具体的なメカニズムについてはまだわかっていない．回転メカニズムに関してはたくさんの仮説があるが，その原理は大きく分けると2つに分けられる．

1）電磁気力を原動力とする説

回転子と固定子の間の電磁相互作用で引力あるいは反発力が生じる．2つの素子の間を通るプロトンの流れによって周期的な電磁ポテンシャルが発生し，回転が起こる．この系のエネルギー変換効率は100％であるという．そのため，この仮説はタイトカップリング説と呼ばれる．

2）ブラウン運動を原動力とする説

回転子と固定子はブラウン運動によりお

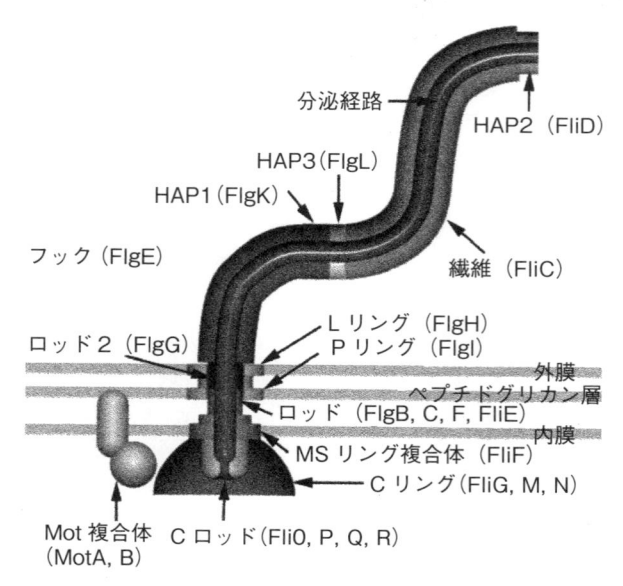

図6.17.1 べん毛モーターの模式図
べん毛モーターの構造単位とその構成蛋白質（カッコの中：蛋白質名，遺伝子名をそのまま使っている）とを示している．

互いにランダムに回転している．固定子を通るプロトンの流れで固定子がラチェットのように働き，回転を一方向に制御する．エネルギー変換効率は100％より低く，ルースカップリング説とも呼ばれる．

べん毛モーターの構造的素子（回転子基部，軸，軸受など）はそれぞれ固有の蛋白質からなり，それは約20種類にも及ぶ．べん毛モーターの本体は化学的機械的処理にきわめて強く，生化学的に精製されたものはべん毛基部体と呼ばれる．べん毛全体を支えるのは菌体の外膜に埋めこまれた軸受である．これは真円に近いリング状内径をもち，軸との間隙はサブナノ領域にあるため，従来機械に用いられてきた潤滑法が有効に使えない．それにもかかわらず，効率よく回転していることを考えると，そのメカニズムに超潤滑（摩擦熱ゼロ）が使われているのではないかとの説も出ている．

構造的素子とは対照的に，回転子や固定子などトルク発生に直接かかわる機能的素子は，化学的機械的処理に弱く単離精製が困難であり，したがってその構造解析も遅れている．液体ヘリウムを用いた急速凍結法でありのままの菌体内部を観察すると，基部体の下からカップ状に開いた構造がありCリングと呼んでいる．これは回転子の一部つまりトルク発生器であり，さらに回転方向を制御する切換えスイッチにもなっている．

べん毛の大部分は細胞外に突き出た構造体である．ということは，細胞内で合成されたべん毛蛋白質は何らかの方法で菌体外に運ばれなければならない．ところが，ほとんどのべん毛蛋白質はシグナル配列をもっていないので，ふつうの膜蛋白質が通過する一般的分泌経路（GSP）を通ることはできない．べん毛の軸構造（繊維，フック，軸など）はいずれも中空な構造体であるので，その中心の穴がべん毛蛋白質の分泌経路であると考えられている．

しかし，分泌経路はつねに穴が開いているわけではない．その経路への入り口の開閉を厳重に制御する装置が必要である（そうでないと，膜電位が維持できないし，細胞質が流出してしまう）．先ほどの急速凍結法で，Cリングとともに分泌装置と思われる構造体が見つかり，Cロッドと名づけられた．Cロッドは5～6種類の蛋白質からなっている．Cロッドまで分泌蛋白質を運んでくるシャペロン群がいくつか知られているが，その1つはATPase活性をもっているので，そのATP加水分解エネルギーで蛋白質をCロッドの入り口に押し込むと考えられている．

Cリングはべん毛モーターの機能的素子として，トルク発生に関与するばかりでなく，べん毛蛋白質の分泌にも不可欠である．すなわち，Cリングの3つの構成蛋白質（FliG, FliM, FliN）のどれを欠損してもロッド以上の構造はできない．さらに，Cリングは分泌蛋白質の輸送量を調節する計量カップとしての役割ももっている．細胞中のどこかで合成されたべん毛蛋白質は，形成中のべん毛の根元に運ばれるのではない．むしろ，べん毛蛋白質は初めからべん毛の根元，たぶんCリング周辺で局所的に合成され，すぐ近くにあるCロッドを通って分泌されるのであろう．

たくさんのべん毛欠損ミュータントから精製したべん毛基部体の中間体を，小さいものから順に並べていくと，べん毛の構築過程がわかる．その構築過程の順を追う．

① 細胞膜内にべん毛の回転子基部（MSリング複合体）が自己集合する．

② MSリング複合体の細胞質側に輸送装置（CロッドとCリング）がつくられる．

③ 輸送装置からロッド蛋白質が送り出され，ペリプラズマ空間にロッドが形成される．その先にフックの形成も始まるが外膜に阻まれて伸長することができない．

④ 一般的分泌経路を通ってきた2種類の蛋白質によって軸受（FlgHとFlgI 2つの蛋白質からなる複合体）が形成され，外

膜に穴があくと，フックの伸長が再開する．

⑤ フックが一定の長さに達すると，ロッド/フック蛋白質の輸送モードは停止し，フラジェリンの輸送モードに切り替わる．

⑥ フックの先に2種類の蛋白質が分離ゾーンを形成し，その先にべん毛繊維が伸長する．このころモーター周辺に固定子（Mot複合体）が形成され，べん毛モーターは回転を始める．べん毛は回転しながら，世代を越えて伸び続ける．

べん毛の構築には40個あまりの遺伝子が必要である．構成蛋白質以外にも遺伝子発現の制御を行う遺伝子や，蛋白質輸送に関与するシャペロン類，構築過程で一過的に必要とされるキャップ蛋白質など，完成したべん毛には含まれていないものが多くある．シャペロンのような，いわば「おとなしい因子」の多くはべん毛構築を効率的に進める上で不可欠であるが，なくても構築が阻害されるわけではない．このような効率すなわち構築時間を含めた形態形成の解明は現在進行中である．

べん毛モーターの回転メカニズムの解明には機能計測が不可欠であるが，ここでは紙数の関係で構造解析に話を絞った．

最後に，べん毛と病原性のかかわりについて簡単に触れよう．サルモネラ菌や赤痢菌など感染性病原菌はホスト細胞の中に侵入して，ホスト細胞の中で生き続けるので，毒素を出してホスト細胞を殺してしまう毒素分泌型病原菌とは感染メカニズムが異なる．これらの病原菌はホスト細胞に侵入するとき，アクチン結合蛋白質などいわゆる病原性因子を注入し，ホスト細胞の細胞骨格を破壊，再構築してしまう．その結果，ホスト細胞はアメーバー運動によって病原菌を自分の中に取り込むのである．感染の第一歩はホスト細胞と病原菌の接触であるが，そのとき病原菌は針状突起物を使ってホストに病原性因子を注入する．この針状突起物は形状がべん毛基部体に酷似しているが，フックにあたる部分がまっすぐなため「ニードル」と名前がつけられた．病原性因子を注入するための注射針のようでもあるため日常的に「毒針」と呼ばれている．ニードル基部体とべん毛基部体の構成蛋白質は高い配列相同性をもち，形態的にも蛋白質輸送装置（分類上，タイプIIIと呼ばれる）として機能的にも酷似しているため，進化的に同一の起源をもつと考えられている．さらに最近，フラジェリンは動植物に防御反応を引き起こすことが報告され始め，べん毛と病原性の由来はますます近いものになっている．蛋白質輸送装置として進化してきたべん毛がある時点で運動装置として回転し始めたのは神のいたずらであるとささやかれている．

〔相沢慎一〕

[文献]

1) Aizawa, S. I. : Flagella. Encyclopedia of Microbiology, vol. 2, pp. 380-389, Academic Press, 2000.
2) 相沢慎一：べん毛モーター蛋白質，蛋白質・核酸・酵素臨時増刊号，**46**(11), 1750-1753, 2001.
3) 相沢慎一：バクテリアのべん毛モーター（PNPシリーズ），共立出版，1998.

6.18 細胞骨格のダイナミクス

真核生物には3種類の細胞骨格がある．いずれも蛋白質が繊維状に重合した構造体を基本にしており，直径の小さなものからアクチン繊維（6 nm），中間径繊維（10 nm），微小管（25 nm）である．アクチン繊維では分子量43000の球状蛋白質であるアクチン，微小管ではこれも球状蛋白質であるα-チューブリンとβ-チューブリンという2種類のチューブリン（いずれも分子量は50000）が1:1に結合したヘテロダイマー，というように基本構成単位が均一であるのに対して，中間径繊維の基本構成単位は棒状蛋白質であり，ケラチンやビメンチンなど少なくとも6種類のタイプに分類される多様な集団である．また，アクチン分子にはアデニンヌクレオチド結合部位が1分子に1ヵ所，チューブリンにもα・βそれぞれにグアニンヌクレオチド結合部位が1ヵ所ずつ存在し，これらのヌクレオチドの加水分解が重合や脱重合の制御に直接関与するのに対して，中間径繊維蛋白質はヌクレオチドを結合することはない．

アクチン繊維のダイナミクスは本章6.11節に詳しいので参照されたいが，基本的には繊維の端におけるサブユニットの結合と解離の平衡反応で説明が可能な現象である．ATPの加水分解によって生じるADP-アクチンの結合・解離の速度定数が変化することで，ポリマーの一端からもう一端へサブユニットが「流れる」トレッドミリングという現象が起こるが，これも通常の結合・解離の平衡反応のバイアスがかかったものとして説明が可能である．近接場蛍光顕微鏡による重合素過程直視による最近の研究でも，少なくとも重合過程は結合・解離反応とそのゆらぎで説明可能であるという結果が出ている．アクチンよりもかなり太い微小管では非修飾直視系（暗視野顕微鏡，微分干渉顕微鏡）による研究が進んでおり，単純な結合・解離の平衡反応では説明ができない現象が見つかっている．微小管総量に変化が見られない条件下で個々の微小管の動態を観察すると，それぞれの微小管が独立に重合と脱重合を繰り返すことがわかる．このとき，個々の微小管の重合速度は脱重合速度よりも約1桁遅いが，重合状態にある時間は脱重合状態にある時間よりも約1桁長い．したがって，1本1本は独立に振る舞っていても全体としては定常状態であることが保証されている．ダイナミックインスタビリティ（動的不安定性）と呼ばれるこの動態は微小管に固有のダイナミクスである．この動態が起こるための重要な要素はチューブリンに結合するグアニンヌクレオチドである．α-チューブリンの結合部位は外部との交換ができない部位であり，ここに結合したGTPは加水分解されないので問題にならない．これに対して，β-チューブリンでは結合部位にGTPがある（GTP-チューブリンの）場合は重合可能だが，GDP（GDP-チューブリン）の場合にはまったく重合できない．このGTPはチューブリンが微小管の端に結合すると少し遅れて加水分解される．その結果，微小管の中央の大部分はGDP-チューブリンで構成されているが，端のおよそ1層だけがGTP-チューブリンからなる「GTPキャップ」ができる．この「キャップ」が端に存在する間は微小管の構造は維持され重合反応が進行するが，端にGDP-チューブリンが露出すると微小管は構造を維持できなくなって脱重合が始まる．脱重合する端に再び「キャップ」が形成されると重合

が再開される．このときの様子をクライオ電子顕微鏡で詳細に観察すると，重合する端ではチューブリンダイマーが長軸方向につながったプロトフィラメントどうしが平行に並んだシートが形成された後，それが伸長とともに徐々に「丸まり」ながら両方の端がつながって閉じて円筒型になっていくのに対して，脱重合する端では，個々のプロトフィラメントが微小管の外側に大きく反ったカール状になり，ある程度の長さを保ったまま「バナナの皮をむく」ように微小管から脱落していくようである．このように重合と脱重合は単純な逆反応ではなく異質な状態変化であるが，これはGTP-チューブリンからなるプロトフィラメントとGDP-チューブリンからなるプロトフィラメントの曲率の違い（GTP-チューブリンのときにはまっすぐであり，GDP-チューブリンのときには大きく曲がっている）と横方向の相互作用の相違が大きな原因と考えられている．

　中間径繊維の動態については電子顕微鏡などによる静的な観察が主に行われているのみで，ダイナミクスの解析はまだほとんど行われていない．以下は形態的な観察と生化学的な実験にもとづく現在までの理解である．中間径繊維のサブユニットは前述のように多様性に富むが，大きさも性質も異なったN末端ドメインとC末端ドメイン，およびそれらにはさまれたアミノ酸310から350残基からなる中央のロッドドメインの3部分から成る基本構造はいずれにも共通である．ロッドドメイン部分はコイルドコイル（coiled-coil）をつくるα-ヘリックス構造をとっている．この部分でコイルドコイルをつくったホモダイマーが基本になり，2分子が逆平行に結合してテトラマーができ，それが長軸方向や横方向に結合して最終的に中間径繊維が形成される．構成蛋白質の極性が重合体内でも保たれているアクチン繊維と微小管では長軸方向に極性があるのに対して，中間径繊維はテトラマー形成の段階でサブユニットにあった方向性が失われて長軸方向には無極性の繊維となる．また，アクチン繊維と微小管の重合・脱重合が重合体の端でのみ起こる反応であるのに対して，中間径繊維のサブユニットの付加と解離は繊維の中間部分で起こっていると考えられている．しかし詳しい機構についてはまったくわかっていない．異種の中間径繊維間で大きさも構造も大変よく保存されているロッドドメインとは対照的に，両端のドメインは多様性に富んでいる．種類による違いはあるものの，端のドメインはフィラメント形成に何らかの役割を演じているようである．おおむね，N末端ドメインはダイマーからフィラメントが形成されるまでの重合過程に関与し，C末端ドメインはフィラメントのネットワーク形成に関与すると考えられている．N末端ドメインはリン酸化されることで細胞内での重合・脱重合の動態に関与していると考えられている．中間径繊維は発見されてから相当期間，8M尿素などの蛋白質変性条件以外では脱重合させることが困難だったため，不可逆な重合反応によって構築されるコラーゲン繊維のような静的な構造と考えられていた．しかし，N末端ドメインのリン酸化によって脱重合が起こることが稲垣らによって発見され[1]，アクチン繊維や微小管と同様に生理的条件下で可逆的に重合・脱重合を行う動的な構造であることがわかってきた．しかし，さまざまな中間径繊維が種々のリン酸化酵素によってリン酸化されるため，制御機構についてはまだ不明の点が多い．結合するヌクレオチドの内在的な加水分解が脱重合に必要であるという前2者とは異なり，中間径繊維の場合にはリン酸化酵素という構造外の要素が制御にかかわる点が特徴的である．しかし，リン酸化もエネルギー消費過程の1つととらえると，細胞骨格は何らかの形でエネルギーを使って脱重合することが可能な蛋白質の高次構造体という共通の

性質をもっているということもできる.

 生体内では細胞はさまざまな形態をとる.細胞と外部との境界は細胞膜によって仕切られているが,その形態の維持にはアクチン繊維を中心とした細胞骨格が重要な働きをしている.多くの細胞では膜直下に表層(cell cortex)と呼ばれるアクチン繊維のネットワークが張りめぐらされている.ここでは,アクチン繊維どうしはさまざまな架橋蛋白質によって縦横につなげられ,網状のネットワークが構築される.とくにアメーバやマクロファージなどでは発達しており,運動に重要な役割を担っている.アクチン繊維はまた,細胞膜にもつながっている.膜を貫通する内在性の蛋白質に直接結合する例も見られるが,たいていはアダプターとかリンカーと呼ばれる蛋白質を介した間接的な結合である.このような蛋白質の代表的なものがERMファミリーである.

 細胞膜とアクチン繊維との相互作用がもっともよく研究されているのが赤血球である.赤血球は寿命が尽きるまでの約4ヵ月もの間,細い毛細血管の中を通り抜けるような物理的ストレスをたえず受け続ける.このストレスに対抗して形態を維持していくために,膜骨格あるいは裏打ち構造と呼ばれる非常に強固な構造が細胞膜の内側に発達して内側からしっかりと支えている.ここにはアクチン結合能をもつ細長いスペクトリンと呼ばれる蛋白質が膜の表面に沿って縦横に張りめぐらされている.スペクトリンはアンキリンという別の蛋白質を介して膜蛋白質であるバンドⅢと,あるいはERMファミリーの一員であるバンド4.1蛋白質を介してアクチン繊維や膜蛋白質グリコフォリンと結合し,フェンス状の二次元ネットワークを膜直下に形成している.

 細胞骨格による膜構造の変型を模倣する系として,アクチン封入リポソームがつくられている.いくつかのアクチン架橋蛋白質を共存させると,その束化能の違いによって異なった膜の変型が起こる.チューブリンを封入したリポソームでも,微小管の重合に伴って突起が形成されるのが観察されている. 〔伊藤知彦〕

[文献]

1) Inagaki, M. *et al.*: Site-specific phosphorylation induces disassembly of vimentin filaments *in vitro*, Nature **328**, 649-652, 1987.
2) アルバーツ,B. 他(中村桂子他訳):細胞の分子生物学(第4版),ニュートンプレス,2004.
3) 宝谷紘一,神谷 律編:細胞のかたちと運動(シリーズ・ニューバイオフィジックスⅡ-5),共立出版,2000.
4) Bray, D: Cell Movements-From molecules to motility (2nd ed.), Garland Publishing, 2000.

第7章 光生物学

7.0 〈総論〉 光生物学

a. 生命のエネルギーはすべて光から

地球上の生物は太陽の光エネルギーによって生きている．そのエネルギーは植物のもつ光合成系によって化学エネルギーに変換され，食物連鎖を通じてあまねく動植物の世界に分配されている．光合成の副産物としての酸素は，生物がより効率よく食物を利用するのに役立っている．光は単にエネルギー源としてだけではなく，個体の存続のための環境要因として利用するしくみをつくってきた．動物の視覚は，光を感じて位置や環境の情報を得るためにあまねく使われている手段である．植物では光を使って発芽，形態形成，さらには細胞内の葉緑体形成などを巧みに行うことで，光合成を効率よく行わせることができるようになっている．また動植物を通じて，昼夜を見分けて活動するための生物時計，季節の周期を光として感じる系が発達している．しかしながら光はこのような恩恵ばかりを与えているのではない．光障害と呼ばれるものがあり，遺伝子であるDNAの損傷によってもたらされる発癌，免疫抑制などがある．それには紫外線をDNAの塩基が直接吸収して起こす遺伝子の変異以外にも，酸素の恵みを利用するための電子伝達系を構成する色素分子などが，可視光を吸収してできるラジカルがもたらす活性酸素による障害がある．生物の面白いところは，障害はやむをえないものとして，それを直したり防いだりするシステムを合わせてつくり上げていることにもあるだろう．

b. 蛋白質ダイナミクス研究対象としての光センサー

これらの光生理現象では，入り口である光センサーが物理化学的な分光学的方法で研究できることもあり，生物物理の重要な分野の1つとなってきた．光センサーの役割は，色素分子が担っている場合が多いが，それらは構造的にも周囲の蛋白部分から区別され，誘導体との置換などが可能である．視覚の場合には蛋白質と複合体を形成しているレチナール，光合成の場合にはカロテノイドなどよりなるアンテナ色素，クロロフィルなどよりなる反応中心のように，早くから構造が確定していた．それを囲む蛋白質も色を目印にして比較的純度の高い標品が多量に得られることもあって，化学，物理学との連携で研究が進められてきた．

視覚にあずかるロドプシンでは，可視光によってもたらされたレチナールの異性化がそのセンサーをとりまく蛋白質の機能発現の発端になる．光合成系では蛋白質を支持台としておかれた光によって誘導された低分子物質間の電子移動が，化学エネルギーの生産をもたらす．そのことから，主に分光的な方法である，紫外可視分光，赤外分光，NMR，ESR，さらにはX線回折を駆使し，普通の蛋白質ではとらえること

のむずかしい反応中間体をとらえ，その構造や，反応のダイナミクスから光レセプターの反応機構を解明してゆく1つの研究分野ができている．これにはレーザーを使ってフェムト秒にまで至る時間分解法，極低温で光照射による励起を行い，中間体を安定に保つ低温分光法などがある．

さらにこの分野の発展に大きく貢献したのが，同じくレチナールをもつバクテリオロドプシンである．純粋な試料を得やすく扱いやすいことなど多くの実験上の利点をもち，研究材料として多くの研究者を集めてこの分野の研究底辺をもち上げる結果をもたらした．おそらく反応過程が最もよくわかっている蛋白質の1つであり，今後もその立場は変わることはないだろう．

植物の赤色光制御における光の直接のセンサーであるフィトクロムについて，似た蛋白質をコードする遺伝子が，葉緑体の先祖と思われるシアノバクテリアから見つかっている．また青色光制御のセンサーが，DNAの光回復酵素の光センサーでもあるフラビンを直接のセンサーとするクリプトクロムによって担われていることがわかってきている．生物の昼夜のリズムを刻む概日時計の機構は，遺伝子発現の解析から明らかになりつつあるが，その光のセンサーはこのクリプトクロムと同定された．PYPと略称される photoactive yellow protein はクマル酸を発色団にもち，まだその情報伝達に関する経路などはわからないものの，バクテリオロドプシンとともに光受容蛋白質の利点をいかしての反応過程の研究が行われている．

c. 光によって解明が進む情報伝達経路

光合成の光センサーの下流にあるエネルギー生産系は，生化学の教科書にもあって早くから確立してきた．光から視感覚に至る電気信号の発生機序は，ここ10年間の情報伝達分子を含むチャネルの開閉に至る細胞生物学，分子生物学の一大成果として詳細が明らかにされ，他の細胞内情報伝達系の解明への1つの代表例となった．フィトクロムではその最後の発現形態である生理機能も解明されながら，それを結ぶ生化学的な機構の解明が遅れていた．しかし，最近の分子細胞生物学の進展とゲノムプロジェクトの進行によってその手がかりが得られつつある．基礎医学の分野に属する光障害などの分子レベルでの解明が進んでいることも，軌を一にするものである．

分子生物学のテクニックの向上とともに，情報伝達系に関する知識は膨大なものになってきているが，そのなかで光の情報伝達系は生物種ごとにその独自な目的に見合った系をもっている．生物は目的に合った化学機構を手当りしだいに取り込んできたようである．生物の統一像をつくり上げようとする前に，予断を排除して対象を徹底的に解明すべきであろう．光情報伝達系では光という非常に制御しやすい刺激を利用できる点で，そのための利点をもっていると思われる．

d. 変化してゆく光生物学

光生物学というのは，もともとは光の関与する生物現象を解明する学問であった．それは現在でも変わりはないが，光生物学の研究で光の利用が進み大きな成果がもたらされるとともに，本来光に無関係な生理現象の解明にも光生物学の技法が適用され，光生物学の範囲が拡がることになってきた．

光生物学と名のつく国際学会，国際色の強い米国の国内学会に出席して感じるのは，世界的に見て光生物学というのがヒトを対象にした，医学に深く根差した基礎科学だということである．そこで最も活発に活動しているグループは，分子生物学，分子遺伝学と結んで早くから活発に研究が行われてきた光による障害を研究している人たちとともに，光を利用した病気の診断・治療に関する基礎科学の人た

ちが多い．フォトダイナミックセラピー（photodynamic therapy：PDT），光線力学的治療と訳される方法などが対象の典型で，光化学，レーザー，細胞生物学，病理学などの知識を集大成した学際的な学問分野である．

〔前田章夫〕

[文献]
1) 日本光生物学協会編：シリーズ光が拓く生命科学（1～8巻），共立出版，1999～2001．

I. 光エネルギーの利用

7.1 電子移動，励起移動

a. 電子移動

生物において電子移動反応は生体エネルギー変換に重要な役割を果たす．たとえば，光合成の反応中心は電子移動反応を利用して ATP を合成する．またチトクロム c とチトクロム酸化酵素の間でも電子移動反応が起こる．このように蛋白質は長距離の電子移動反応を媒介することができる．電子供与体をドナー，電子受容体をアクセプターと呼ぶ．近年の構造生物学の進展により，電子移動反応に関与するさまざまな蛋白質の立体構造が実験的に明らかになってきた．しかし，生体中の電子移動反応の理解をさらに深めるには理論計算が役にたつ．ここでは電子移動反応理論の概説を行う．電子移動反応速度定数 k には電子状態からの寄与（電子因子）と原子核のゆらぎからの寄与（核因子）が効く．

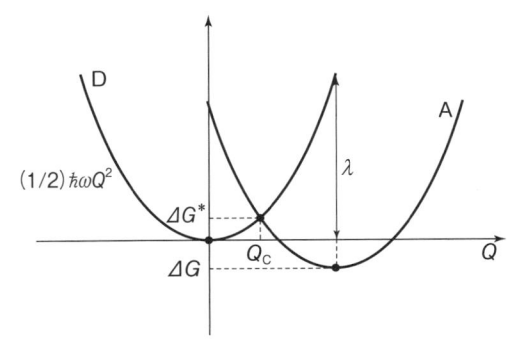

図 7.1.1 電子移動反応のエネルギー図
Q は反応座標，ΔG はエネルギーギャップ，λ は溶媒再配置エネルギーである．

まず核因子を調べてみる．図7.1.1に電子移動反応のモデルを示す．図中で左のエネルギー面は電子供与体に電子が局在した状態（始状態），右側は電子受容体に電子が局在した状態（終状態）に対応する．電子がドナーに局在している反応の始状態では，系は曲線Dの上を熱ゆらぎしている．反応座標が $Q=Q_C$ に達すると，始状態と終状態のエネルギーが等しくなる．その点では電子はドナーからアクセプターに移動することができる．始状態の熱平衡を仮定すると，$Q=Q_C$ が実現される熱力学的な重率は $\exp[-\Delta G^*/(k_B T)]$ に比例する．ここでは $\Delta G^*=(\Delta G+\lambda)^2/4\lambda$ は活性化自由エネルギーである．また k_B はボルツマン定数，T は絶対温度，λ は溶媒再配置エネルギーである．核因子はフランク-コンドン因子とも呼ばれ，

$$(核因子) = \frac{1}{\sqrt{4\pi\lambda k_B T}} \times \exp\left[-\frac{(\Delta G+\lambda)^2}{4\lambda k_B T}\right]$$

と書かれる．

速度定数 k に対する核因子の寄与のエネルギーギャップ依存性を考えてみよう．λ を一定とすると $(\Delta G+\lambda)>0$ のとき ΔG が減少するにつれて k は増大する．この領域を正則領域と呼ぶ．$(\Delta G+\lambda)=0$ のとき k は最大値をとる．この条件をマッチング条件と呼ぶ．さらに ΔG が減少し $(\Delta G+\lambda)<0$ になると，ΔG が減少すればするほど活性化自由エネルギー ΔG^* が増大し，それとともに k が減少してしまう．この領域を逆転領域と呼ぶ．この結果を図示したのが図7.1.2である．図7.1.2のベル型のプロットはエネルギーギャップ則を表している．

一方，電子因子はどのように書けるであろうか？ 電子がドナーに局在した状態ベクトルを $|\phi_D\rangle$，アクセプターに局在した状態ベクトルを $|\phi_A\rangle$ とし，ドナーとアクセプターの2状態モデルを考えてみよう．系のハミルトニアンを H とする．$H_{DA}=\langle\phi_D|H|\phi_A\rangle$ の値がゼロの場合，ドナーに局在した電子はいつまででもドナーに局在したままで電子移動反応は起こらない．ハミルトニアンの非対角項 H_{DA} はドナー状態とアクセプター状態の混合の度合いを表している．H_{DA} の値が十分小さいとき，電子移動反応の速度定数 k は非断熱近似を用いてフェルミの黄金律に従って導出される．電子因子は

$$\frac{2\pi}{\hbar}|H_{DA}|^2$$

と書かれ，最終的に電子移動速度定数 k は

$$k = \frac{2\pi}{\hbar}|H_{DA}|^2 \frac{1}{\sqrt{4\pi\lambda k_B T}}$$
$$\times \exp\left[-\frac{(\Delta G+\lambda)^2}{4\lambda k_B T}\right]$$

で与えられる．この式をマーカス則と呼ぶ．蛋白質中長距離電子移動の場合，電子は媒質の軌道を仮想的に用いた super-exchange 機構でドナーからアクセプターにトンネル移動すると考えられる．そして，k はドナーとアクセプターの間の距離が増大すると指数関数的に減衰する．電子因子は電子移動を媒介する物質のどのよう

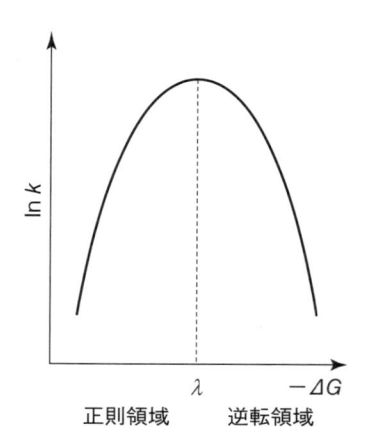

図 7.1.2 速度定数のエネルギーギャップ依存性
ベル型のプロットはエネルギーギャップ則を表している．図の左側が正則領域，右側が逆転領域に相当する．

な特徴で決まっているのであろうか？ Beratan や Onuchic らは，super-exchange 機構で電子がトンネル移動するときに，主要な経路が存在すると仮定した（pathway model）．そしてその経路はできるだけ短く，かつ化学結合が多く含まれるようになっていると考えた．pathway model では電子因子が減衰する割合は化学結合，水素結合，そして結合のない空間，の順に大きくなっている．Stuchebrukhov らは，原子 a と原子 b との間のトンネリングカレント J_{ab} を用いて，

$$H_{DA} = \hbar \sum_{a \in S_D} \sum_{b \notin S_D} J_{ab}$$

という式を利用して電子因子を計算している．ただし，S_D はドナーとアクセプターの間を平面で区切ったとき，ドナーがある方の空間である．一方，Dutton らはさまざまな電子移動蛋白質について観測される電子移動速度を説明する経験的な式を求めた．

$$\log_{10} k_{ET} = 13.0 - (1.2 - 0.8\rho)(R_{DA} - 3.6) - 3.1(\Delta G + \lambda)^2/\lambda$$

ここで，ρ は蛋白質のパッキング密度で，R_{DA} はドナー-アクセプター間の距離である．この式はダットンプロットと呼ばれている．

b. 励起移動

電子移動反応はドナーとアクセプターの間で電子がやりとりされる反応であった．励起移動反応は励起状態が供与体（ドナー）から受容体（アクセプター）に移る反応である．アミノ酸の中には紫外光を吸収するトリプトファンなどのアミノ酸もある．しかし地表での太陽光エネルギー密度が最も高いのは可視光である．そして，可視光を吸収する色素分子を蛋白質の中に取り込んだアンテナ系が生物のエネルギー変換に重要な役割を果たしている．近年アンテナ系の立体構造が実験によって詳細に明らかにされてきた．アンテナ系などで起こる励起移動現象をさらに深く理解するためには励起移動反応の理論計算が役に立つ．まず，フェルスターモデルを考える．一般に分子が光エネルギーを吸収する性質は分子の遷移双極子モーメントに起因する．そして，ドナーとアクセプターの間の励起移動反応はドナーとアクセプターの双極子-双極子相互作用によって媒介される．ドナーとアクセプターの間の双極子-双極子相互作用が振動準位の幅と比べて十分小さい場合，励起移動速度定数はフェルスターの式

$$k_{ET} = \left(\frac{R_0}{R}\right)^6 / \tau_D$$

で表される．ここで R はドナーとアクセプターの間の距離，τ_D はドナー分子の励起状態の寿命である．R_0 は励起移動反応の特徴的な距離である．R がこの R_0 よりも小さいとドナーが基底状態に落ちる前に励起移動できるが，R_0 よりも遠くなると励起移動する前にドナー分子は励起状態から基底状態に落ち込んでしまう．またこの式をみると速度定数は R の 6 乗に反比例することがわかる．特性距離 R_0 は以下の式を満たす．

$$R_0 = 8.79 \times 10^{-5} (J\kappa^2 n^{-4} \phi_D)^{1/6} \text{ Å}$$

$$J = \int \varepsilon_A(\lambda) f_D(\lambda) \lambda^4 d\lambda$$

ここで，n は屈折率，ϕ_D はドナーの量子収率，ε_A はアクセプターの吸収スペクトル，f_D はドナーの発光スペクトル，そして λ は波長である．κ は 2 つの分子の遷移双極子ベクトル $\boldsymbol{d}_1, \boldsymbol{d}_2$ の相対的な配向による量である．

$$\kappa = [(\boldsymbol{d}_1 \cdot \boldsymbol{d}_2) - 3(\boldsymbol{d}_2 \cdot \boldsymbol{R}_{2,1})(\boldsymbol{d}_1 \cdot \boldsymbol{R}_{2,1})/(\boldsymbol{R}_{2,1})^2]/(|\boldsymbol{d}_1||\boldsymbol{d}_2|), \quad \boldsymbol{R}_{2,1} = \boldsymbol{R}_2 - \boldsymbol{R}_1$$

ここで，$\boldsymbol{R}_1$ と $\boldsymbol{R}_2$ は 2 つの分子のそれぞれの位置ベクトルである．このようにドナーとアクセプターの間の双極子-双極子相互作用が小さいときには励起移動の速度定数はフェルスターモデルで説明できる．しかし相互作用が大きいときには，励起状態は

ドナーとアクセプターの間で非局在化した励起子モデルを用いて説明されなければならない． 〔倭 剛久〕

[文献]
1) Schatz, G. C. and Ratner, M. A.（佐藤 伸他訳）：反応量子化学，化学同人，1998.
2) Cantor, C. R. and Schimmel, P. R.: Biophysical Chemistry, Part II, Freeman, 1980.
3) 垣谷俊昭：光・物質・生命と反応 下，丸善，1998.
4) Devault, D.: Quantum mechanical tunneling in biological systems, Cambridge University Press, 1984.

7.2 生体の発色団

生体内にはカロテノイド，レチノイド，クロロフィルなど多様な発色団があり，重要な役割を果たしている．発色団の物理的な基礎と重要な発色団の性質について簡単に述べる．

a. 吸収スペクトルと遷移双極子モーメント

分子内部の荷電粒子の位置ベクトルを r_i，電荷を Q_i とすると分子の電気双極子モーメントは

$$\boldsymbol{\mu} = \sum_i Q_i \boldsymbol{r}_i$$

で表される．電子状態遷移前後の波動関数 ψ_k, ψ_m を用いると，電気双極子遷移モーメントは

$$m_{mk} = <m|\boldsymbol{\mu}|k> = \int \psi_m^* \boldsymbol{\mu} \psi_k dq$$

で与えられる．電気双極子遷移モーメントが0の遷移が禁制遷移，0でない遷移が許容遷移となる．次に分子の電子状態の遷移確率を考える．異なる電子状態に対する分子のエネルギーレベルが $E_i (i=1, 2, 3\cdots)$ で与えられるとする．便宜上，三次元空間で $\nu = (E_k - E_m)/h$ の振動数で振動する等方的な調和振動子を考える．調和振動子の基底状態から第一励起状態への電気双極子遷移モーメントの2乗は

$$|\boldsymbol{\mu}_0|^2 = \frac{3he^2}{8\pi^2 m\nu}$$

で与えられる．m は電子の質量，h はプランク定数，e は電気素量である．着目する分子の電子遷移確率の大小は

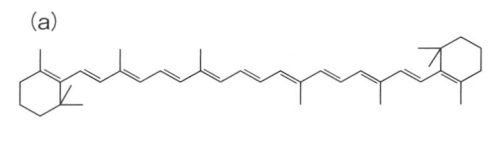

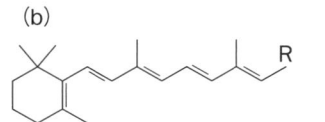

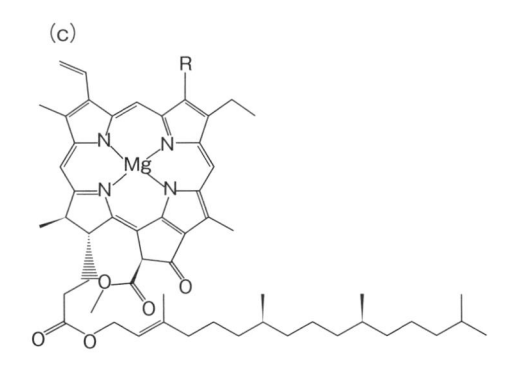

図 7.2.1 発色団の化学構造
(a) β,β-カロテン．(b) レチノイド．R が -CH$_2$OH の場合レチノール，-CHO の場合レチナール，-CO$_2$H の場合をレチノイン酸と呼ぶ．
(c) クロロフィル．R が -CH$_3$ の場合をクロロフィル a，-CHO の場合をクロロフィル b と呼ぶ．

$$f_{km} \equiv |m_{mk}|^2/|m_0|^2 = \frac{8\pi^2 m(E_k-E_m)|m_{km}|^2}{3h^2 e^2}$$

で定義される振動子強度の大きさで評価することができる．

b. カロテノイド

カロテノイドは自然界に広く分布する色素分子であり現在までに 600 種以上が発見されている．吸収波長は 450 nm 前後で赤・橙・黄をしている．8 個のイソプレノイド単位からなるテトラテルペノイドの総称がカロテノイドであり，炭化水素であるものをカロテン，酸素官能基を含むものをキサントフィルと呼ぶ．図 7.2.1 (a) にカロテノイドの化学構造式を示す．また，図 7.2.2 に紅色光合成細菌の反応中心（RC）

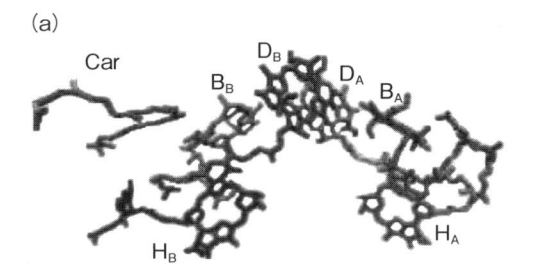

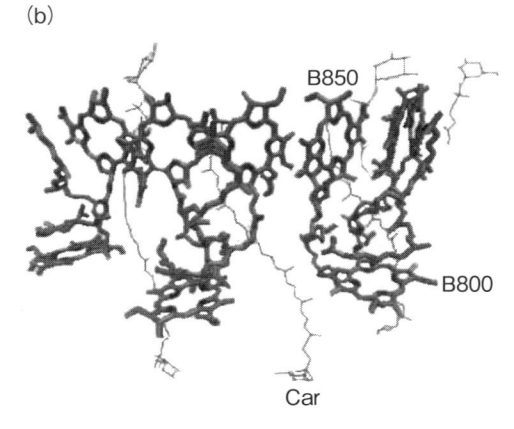

図 7.2.2 蛋白質中の発色団
(a) 紅色光合成細菌 *Rhodobacter sphaeroides* の反応中心（1PCR より）．添字は A ブランチ，B ブランチを示している．D はスペシャルペアを構成するバクテリオクロロフィル a．B はバクテリオクロロフィル a モノマー．H はバクテリオフェオフィチン a モノマー．Car はカロテノイド．
(b) 紅色光合成細菌 *Rhodopseudomonas acidophila* の集光複合体 II（LH-II）の立体構造．B800 と B850 はバクテリオクロロフィル a．Car はカロテノイドを示す．

や集光複合体 II（LH-II）の中の発色団の構造を示す．生体中のカロテノイドは光捕獲のみならず活性酸素の除去など生体防御のために重要な役割を果たしていることが知られている．

c. レチノイド

レチノイドは 4 個のイソプレノイド単位が連結した骨格をもつ．すなわち β,β-カロテンを半分に分けた構造をもっている．カロテノイドやクロロフィル/バクテリオクロロフィルが主として生体防御や光

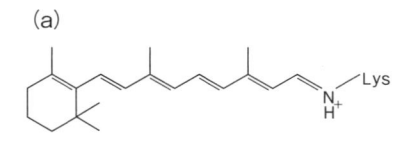

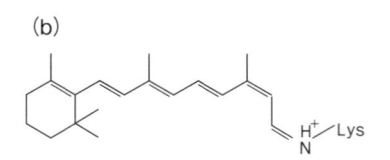

図 7.2.3 プロトン化シッフ塩基レチナールの光異性化反応
Lys 残基に結合している．(a) all-trans レチナールと (b) 13-cis レチナール．

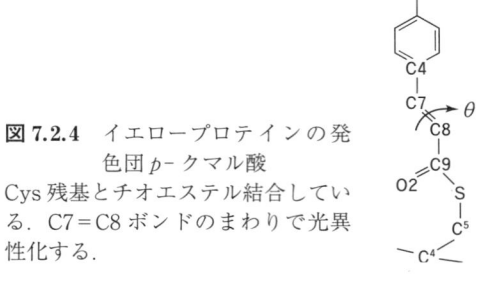

図 7.2.4 イエロープロテインの発色団 p-クマル酸
Cys 残基とチオエステル結合している．C7=C8 ボンドのまわりで光異性化する．

捕集の役割を担っているのに対して，レチナール蛋白質中でポリペプチド鎖にシッフ塩基結合したプロトン化シッフ塩基レチナールは主として生体の光情報伝達や光駆動イオンポンプ機能に関して重要な役割を果たしている．図 7.2.1 (b) にレチノイドの化学構造式を示す．レチノイドは溶液中では紫外領域に吸収をもつがロドプシンなどのレチナール蛋白質中のシッフ塩基レチナールは可視領域に吸収をもつ．この吸収波長のシフトのことをオプシンシフトと呼ぶ．蛋白質と発色団の相互作用がオプシンシフトの要因となっている．オプシンシフトは視覚の情報処理において重要である．バクテリオロドプシン中ではプロトン化シッフ塩基レチナールの光異性化反応が引き金となって光サイクルが始まり，光駆動プロトンポンプが働く．バクテリオロドプシンの光異性化反応では図 7.2.3 (a)→(b)

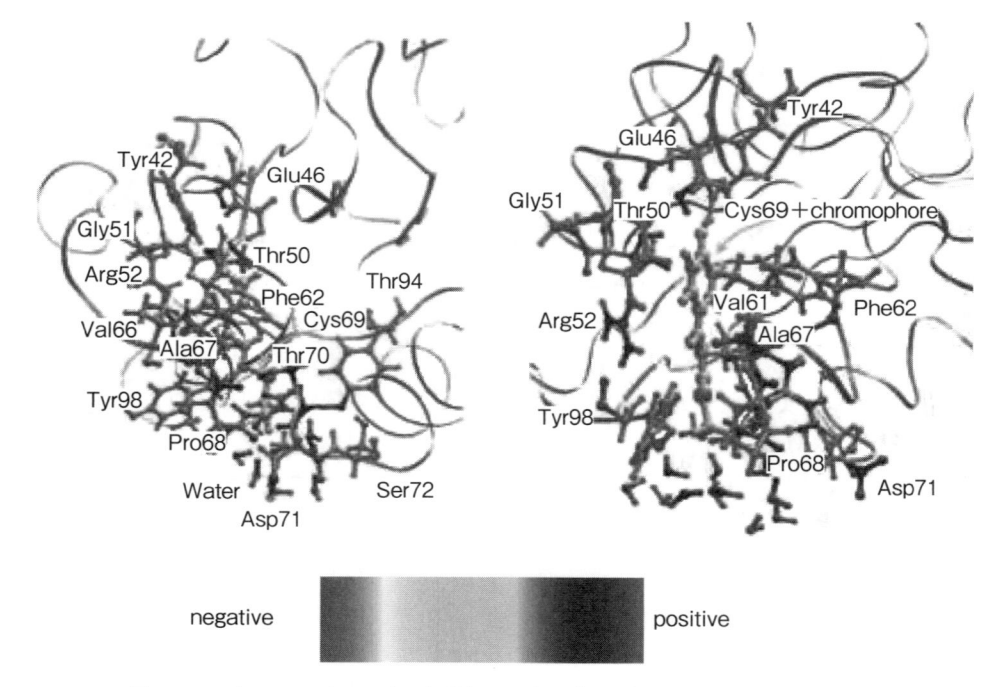

図 7.2.5 イエロープロテインと発色団の相互作用（文献 5 より）（口絵参照）

第 7 章 光生物学

のよう部位特異的な超高速異性化反応が起こる．近年レチナールとは異なる発色団（p-クマル酸）をもつ光受容蛋白質，イエロープロテインが注目を集めている．イエロープロテインは *H. halophila* の青色光に対する負の走光性に関与するセンサー蛋白質である．図 7.2.4 にイエロープロテインの発色団を示す．イエロープロテインが光子を吸収すると，発色団は図 7.2.4 のように光異性化反応を起こし，光サイクルを開始する．詳細な電子状態計算の結果，図 7.2.5 にように蛋白質中の原子が光異性化反応を制御していることがわかってきた．図 7.2.5 で青色の原子が反応を促進している原子，赤色の原子が反応を抑制している原子である．光異性化反応への寄与を色分けして表している（口絵参照）．

d. クロロフィル

クロロフィルはポルフィリン環構造をもったテトラピロールで中心にマグネシウムを配置している．緑色硫黄細菌は光化学系Ⅰのみをもち，バクテリオクロロフィル a を有する．紅色光合成細菌は光化学系Ⅱのみをもち，バクテリオクロロフィル a をもつ（ただし，*Rhodopseudomonus viridis* の場合はバクテリオクロロフィル b）．バクテリオクロロフィル a とクロロフィル a の違いは，前者は B 環が水素化されていて，かつ A 環のビニル基がアセチル基になっている点である．バクテリオクロロフィル a では B 環の二重結合がクロロフィル a に対して 1 つ減少している．クロロフィル a が 430 nm と 663 nm に吸収極大をもつのに対してバクテリオクロロフィル a は 760 nm に吸収極大をもつ．酸素発生型光合成を行うシアノバクテリアや植物の葉緑体は光合成系ⅠとⅡをあわせもち，直列につないで利用する．シアノバクテリアはクロロフィル a を有する．クロロフィル a は地表にふりそそぐ太陽エネルギーの赤色と青色を吸収して緑色を反射する．

残った近赤外領域の光を紅色細菌や緑色硫黄細菌が利用する．クロロフィル a に対してクロロフィル b は吸収極大が 453 nm と 642 nm である．クロロフィル b はクロロフィル a から 2 つの酵素反応を経て合成されることが知られている（CAO 遺伝子）．クロロフィル b をもつ緑藻類はさらに利用できる波長領域を広げていることになる．

〔倭　剛久〕

[文献]

1) Kohen, E. Santus, R. and Hirschberg, J. G.: Photobiology, Academic Press, 1995.
2) 日本物理学会編：生体とエネルギーの物理，裳華房，2000．
3) Björn, L. O.: Photobiology, The Science of Light and Life, Kluwer Academic Publishers, 2002.
4) 倭　剛久：タンパク質における量子力学の導入（物理科学，この 1 年），パリティ **19** (1)，56-58, 2004.
5) Yamada, A., Ishikura, T. and Yamato, T.: Direct measure of functional importance visualized atom-by-atom for photoactive yellow protein: Application to photoisomerization reaction, *Proteins: Structure, Function, and Bioinformatics*, **55**, 1070-1077, 2004.

7.3 光駆動ポンプ

膜蛋白質であるポンプやトランスポーターは濃度勾配に逆らってイオンや物質を輸送（能動輸送）することができる．一般に能動輸送を理解するためには，蛋白質の構造を決定し，イオンや物質の輸送経路を決定した上で，方向性を決定するスイッチ機構を蛋白質の構造変化として明らかにしなければならない．最近になって次々と重要な分子ポンプ蛋白質の立体構造が決定されているにもかかわらず，スイッチ機構はまったくのブラックボックスである．このような現状において，光駆動プロトンポンプとして光エネルギーをプロトンの濃度勾配という電気化学的エネルギーに変換するバクテリオロドプシン（bR）は，分子ポンプのトップランナーとして詳細な研究が行われ，深い理解が得られてきた．

bR は古細菌の一種である高度好塩菌，*Halobacterium salinarum* の細胞膜に存在する分子量 26 kDa，248 アミノ酸残基からなる膜蛋白質で，1971 年に発見された．bR は三量体を形成して膜にパッチ状に存在しており，この紫膜と呼ばれる部分には蛋白質としては bR のみが含まれる．これまで紫膜中で二次元結晶を形成していることを利用して，電子線回折を用いた構造解析が行われ立体構造が明らかにされてきた．一方，より高分解能の構造解析には三次元結晶を用いた X 線結晶構造解析が行われ，内部結合水を含む構造が明らかになった．その構造は，α-ヘリックスが膜を 7 回貫通した形となっており，膜貫通領域のほぼ中央に発色団である全トランス

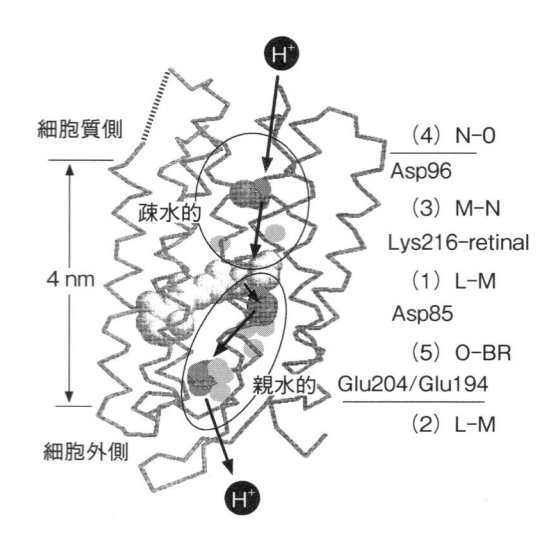

図7.3.1 バクテリオロドプシンの構造とプロトン輸送経路

レチナールシッフ塩基を境に，親水的な細胞外側の領域はプロトン放出に，疎水的な細胞質側の領域はプロトン取込みに関与する．プロトン結合基と水分子が，蛋白質骨格の上に強調して描かれている．各中間体間の遷移とプロトン輸送の素過程との対応を図の右側に示す．

型レチナールがリジン残基の ε-アミノ基とプロトン化したシッフ塩基結合（$-C=NH^+-$）を介して結合している（図7.3.1）．

bR が光を受けると，全トランス型レチナールの 13 シス型への光異性化が起こる．光エネルギーはレチナールの異性化に伴う構造変化を通じて蛋白質中に蓄積されるのである．異性化反応に続いて蛋白質部位の構造変化が誘起され K, L, M, N, O と名づけられた可視吸収の異なる中間体を経由して反応サイクルが進む．この過程でプロトンは蛋白質内部を順次移動してゆき，約 10 ミリ秒で反応サイクルが終了するとプロトンが 1 つ細胞質側から細胞外側へ輸送されることになる．したがって，中間体の蛋白質構造変化を解析することでプロトンポンプのダイナミクスを調べることができる．

bR のプロトンポンプにおいては，異性化によって向きを変えるレチナールシッフ

塩基部分がスイッチとなってプロトン輸送反応の中心になっていることが予想できる．実際，シッフ塩基の脱プロトン化とプロトン化の反応は，細胞外側へのプロトンの放出と，細胞質側からのプロトンの取込みに対応する．bRの立体構造によればシッフ塩基を境とした細胞外側部位と細胞質側部位で構造的な違いがみられる．細胞外側部位には親水性の残基（アスパラギン酸，アルギニン，チロシン等）や水分子が存在する一方，プロトンの取込み側である細胞質側には疎水性の残基（ロイシン，バリン，フェニルアラニン等）が集まっている（図7.3.1）．この構造上の違いは，シッフ塩基のプロトンがまずはじめに細胞外側へ移動することによるプロトンポンプの一方向性という機能を実現するための環境をつくっている．以下に示すように，膜貫通領域では細胞外側部位と細胞質側部位にあるアスパラギン酸（Asp85, Asp96）と，その間にあるシッフ塩基をプロトンは経由する．細胞外側表面にはプロトンを細胞外側へ放出するグルタミン酸残基（Glu204/Glu194）が存在する．

膜内部の誘電率の低い環境下でプロトン化シッフ塩基の正電荷を安定に存在させるため，bRには対電荷として解離したAsp85が存在する．低温赤外分光法によるカルボン酸の解離状態の測定から，シッフ塩基プロトンの解離に伴ってAsp85のプロトン化が観測された．したがって，プロトンポンプはまずシッフ塩基からAsp85へのプロトン移動によって始まるのである（図7.3.1）．この反応は，光化学反応サイクル中のL中間体からM中間体への遷移に伴う反応に対応しており，光を吸収してから50マイクロ秒程度で起こる．シッフ塩基からAsp85へのプロトン移動はレチナールの異性化に伴うシッフ塩基とAsp85との再配置に伴う両者のpKaの変化によると考えられる．最初のプロトン移動の結果，細胞外側部分に形成されている静電的なバランスが変化して，プロトンの放出が起こる．bRのプロトンポンプにおいては，プロトンの放出がはじめに起こりそれから取込みが起こるのである．プロトンの放出は，シッフ塩基からAsp85へのプロトン移動の直後に起こるが，細胞外側部位の解離性のアミノ酸残基であるGlu204やArg82等を非解離性の残基に置き換えると，プロトン放出反応はプロトン取込み反応の後に起こる．これは，プロトン放出基またはプロトン放出を制御するアミノ酸残基がなくなったためと考えられる．

プロトンの取込み反応は，脱プロトン化したシッフ塩基が再プロトン化する反応から始まる．この反応は，M中間体からN中間体への過程で引き起こされるが，シッフ塩基にプロトンを供給する細胞質側部位のAsp96はまわりを疎水性の残基に囲まれているため，非常に高いpKaをもちそのままの状態ではプロトンを解離させることはできない．そこで，蛋白質の構造変化が起きてAsp96のまわりの環境を変化させると考えられる．電子線，X線などによる結晶構造解析によって細胞質側部位での構造変化が報告されている．プロトンの通り道は，Asp85やAsp96等が存在するB, C, Gヘリックスで形成されるが，M中間体の生成に伴いこれらのヘリックスが動き，M中間体からN中間体への変化過程ではヘリックスのFの細胞質側部位が外側へ大きく傾くことが示された．ヘリックスFが外側に傾くことで水分子が進入して，疎水的な環境にあったAsp96のまわりの環境が親水的なものへと変化してpKaを低下させるものと考えられている．解離したAsp96は，N中間体からO中間体になる過程で細胞質側表面に存在するカルボン酸などからプロトンをもらい，その結果正味1個のプロトンが膜の内側から外側に輸送されたことになる．細胞質側でプロトンを受け渡しするシッフ塩基とAsp96は10Å以上離れており，両者間のプロト

ン移動には細胞質側の水分子が働いているものと考えられる．プロトンの放出は，細胞外側部位に光反応前から形成されている静電的な関係がプロトン化シッフ塩基からAsp85へのプロトン移動に伴って変化することで引き起こされるため，マイクロ秒の時間領域の速い反応である．一方，細胞質側からのプロトンの取込みは，蛋白質の大きな構造変化を必要とするためミリ秒のオーダーで起こる反応である．シッフ塩基を境にした構造の非対称性が，プロトンの放出と取込みを時間的に分けている．

　それではbRのプロトンポンプにおける一方向性を決めているスイッチとはどのようなものであろうか．スイッチの役割は，M中間体の生成とともにアクセスを細胞外側から細胞質側へと変化させる一方，プロトン取込みに伴って再度アクセスを細胞外側へと変化させることである（図7.3.1）．これまでの変異体に対するポンプ活性の実験から，シッフ塩基近傍の局所構造こそがスイッチを構成することが示唆されている．シッフ塩基部分でのレチナールの捻れや，そのまわりの蛋白質側鎖，水分子などの特異な構造が方向性をもった反応を約束しているものと考えられる．シッフ塩基部分で一方向性を決定する微細構造変化を解明するため，分光法や回折法などのさまざまな実験的手法，さらには理論的な手法を用いた研究が活発に行われている．

〔神取秀樹〕

[文献]
1) 神取秀樹，前田章夫：バクテリオロドプシンはどのようにして光をエネルギーに変換するのか？ 蛋白質・核酸・酵素 **42**, 821-833, 1997.
2) 茂木立志，神取秀樹：バクテリオロドプシンの結晶構造とプロトン輸送機構，蛋白質・核酸・酵素 **44**, 51-57, 1999.
3) 山崎洋一，神取秀樹：バクテリオロドプシン，光エネルギーを利用するプロトンポンプ（シリーズニューバイオフィジックスII第3巻ポンプとトランスポーター），pp. 109-123, 共立出版，2000.
4) バクテリオロドプシンに関する総説の特集号. *Biochim. Biophys. Acta* **1460**, 1-240, 2000.
5) 神取秀樹：バクテリオロドプシン，地上最小のイオンポンプ（バイオサイエンスの新世紀7, 生体膜のエネルギー装置），pp. 194-206, 共立出版，2000.

7.4 光合成

a. 宇宙空間に浮かぶ地球

絶対零度，真空に近い宇宙空間に浮かぶ惑星地球には時たま落ちる隕石以外には，物質はほとんど出入りしない．太陽光のみが流入し，しばし表層にとどまった後，周波数を変え熱として放出される．エネルギーの出入りの均衡がくずれれば温度は変動する．太古の太陽は今より暗く，地球大気は高 CO_2 低 O_2 だったらしい．地球誕生後まもなく 38 億年前に生命が生まれ，おそらく酸素を出さない光合成細菌型の光合成がまず生まれ，さらに 27 億年前には酸素を出すシアノバクテリアの光合成が生まれた．光合成は酸素大気を形成し，やがてわれわれヒトが生まれた．

b. 光合成の目的

地球のほぼ全表面に生物が存在し，この膨大な量の生物体をつくり増殖させるエネルギーのほとんどは，光エネルギーでまかなわれる．光合成の目的は，光エネルギーを色素の励起エネルギーとして分子内にとらえ，生物（細胞内の代謝系）が利用できる還元力（NADPH の形成）や高エネルギー化合物 ATP の形に変換することである．光のエネルギーは電子の流れにかわり，電子移動により化学エネルギーが得られる．

H_2S などを電子源として，電子を取り出す細菌型光合成が，生命誕生のすぐ後に始まったと考えられ，真性細菌の多くは光合成細菌の仲間か，光合成能力を失った細菌と考えられる．その後，H_2O を電子源とする酸素発生型光合成がシアノバクテリアにより始められ，その放出する酸素により大気組成が変わった．酸素呼吸をする生物の繁栄と進化が進み，シアノバクテリアの真核細胞内への共生により藻類が，さらに 5 億年前の地上進出で多様な地上植物が生まれた．

c. 光を集めるアンテナ色素蛋白質複合体

光合成は，植物の葉緑体内のチラコイド膜，あるいは細菌細胞の細胞膜上に存在する，大量の色素を含む膜蛋白質上で行われる．可視光（太陽光）のエネルギーを吸収すると色素の分子軌道上の電子は励起状態の軌道に上がる．この励起状態は色素分子間を移動し，化学反応を担う反応中心に移動する．励起エネルギーをとらえ移動させる色素をアンテナ色素と呼ぶ．

光合成では，クロロフィル a, b, c, d，バクテリオクロロフィル a, b, c, d，カロテノイド，フィコエリスン，フィコシアニンなどの色素が使われる．これらは，色素の巨大自己会合体（緑色光合成細菌のフィコビリゾーム），膜外結合型の色素蛋白質複合体（フィコビリン蛋白質など），膜内色素蛋白質複合体などの形で存在し，さまざまな色を示す．アンテナ系の中では，より高エネルギー（青，黄色を吸収する）の吸収帯をもつ色素からより低エネルギー（赤側に）吸収帯をもつクロロフィルなどに励起エネルギーが移動する．異なった色素のエネルギー準位をうまく並べて配置する，あるいは色素間距離や，蛋白質と色素の相互作用を調節することで，エネルギーレベルが変えられる．植物では反応中心あたり 50〜200 分子のアンテナ色素があり，この間を効率よくエネルギーが移動する．移動速度は色素間の距離が近いほど高く通常 1 ピコ秒から数百ピコ秒で進行する．

例として膜内アンテナ蛋白質複合体としてよく知られている紅色光合成細菌の LH2（light harvesting protein 2）の構造を

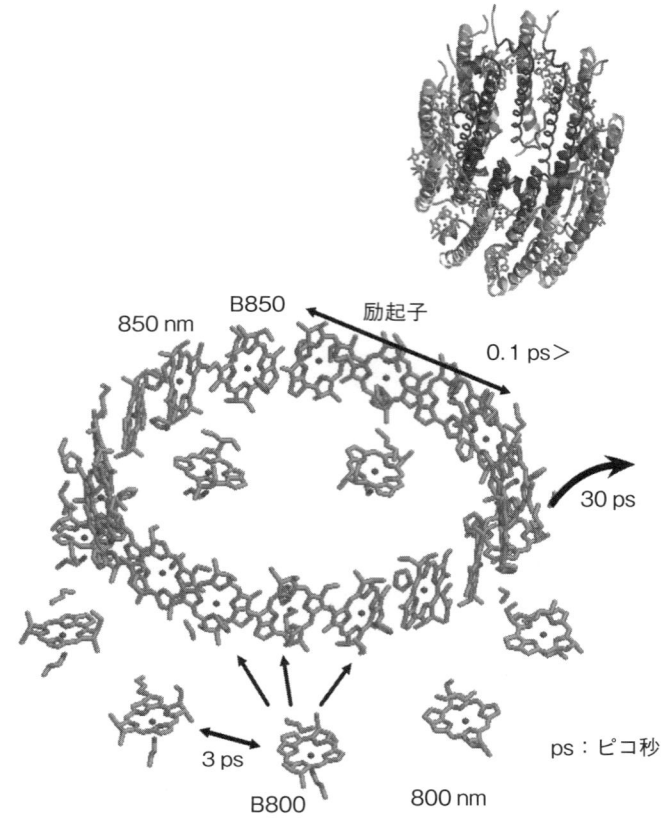

図7.4.1 紅色光合成細菌膜上のアンテナ色素複合体LH2（上）と内部のバクテリオクロロフィルa（B800，B850）の配置と機能

図7.4.1に示す[1]．この中には450〜550 nm光を吸収するカロテノイド（Car），600〜800 nm光を吸収するバクテリオクロロフィルa単量体（B800），間隔が狭く輪状に配置され強い相互作用を示す850 nm光を吸収するバクテリオクロロフィルa（B850）があり，励起エネルギーはCar→B800→B850と高速（1ピコ秒以内）で効率よく移動し，さらに→別のアンテナ色素蛋白質（LH2）→反応中心複合体へと，数十ピコ秒以内に90％以上の量子効率で運ばれる．しかし，励起エネルギー準位の差分だけエネルギー効率は減少する．いろいろな構造，色素からなるさまざまな吸収帯をもつアンテナ色素蛋白質複合体が生物ごとに発達している．

d. 光エネルギーを電子の動きに変える：光合成反応中心色素蛋白質複合体

(1) 光化学系 II 型反応中心複合体

通常の光合成細菌では約50分子，植物では約200分子のアンテナ色素によりとらえられた励起エネルギーは，反応中心複合体内のクロロフィル二量体分子（スペシャルペア：植物光化学系 II ではP680，紅色細菌ではP800とそれぞれ吸収ピークの波長から呼ばれる）に移動する（図7.4.2）[2]．スペシャルペアでは，励起状態の分子軌道に上がった電子は，隣接のクロロフィル（Chl），さらにクロロフィルの中心金属で

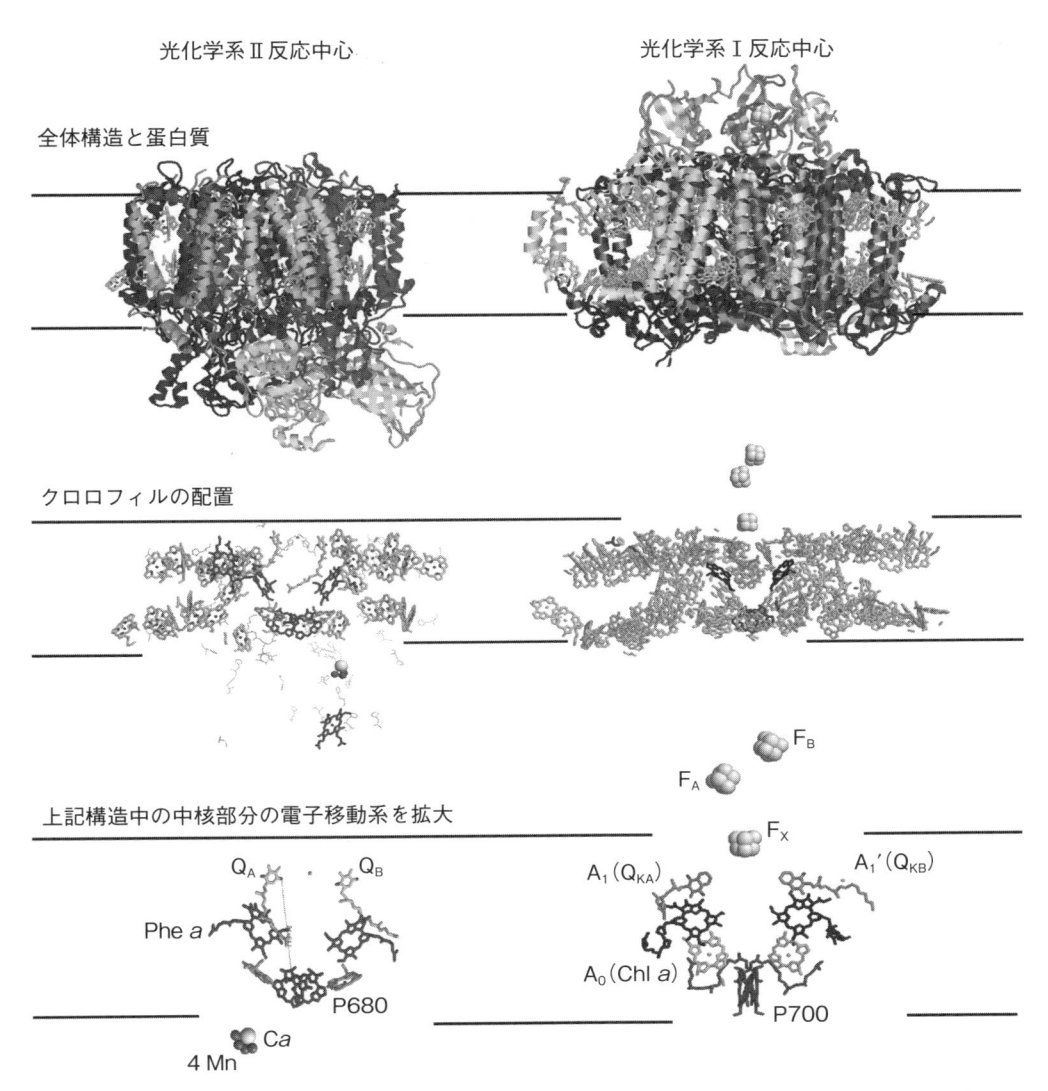

図7.4.2 光化学系 I, II 光合成反応中心の膜断面側からみた構造（上），内部のクロロフィルやキノンの配置（中），中核部分の電子移動成分（下）（口絵参照）

外形の違う I, II 型反応中心の内部はかなり似ていることがわかり，同一起源と考えられるようになった．

ある Mg をもたない電子受容体分子フェオフィチン（Phe）に約3.5ピコ秒で到達する．フェオフィチンから250ピコ秒でさらにキノン A（Q_A）に電子が移動する．ここまでの電子の動きは膜を横断する形であり，約60 mV 程度のキノン側が負の膜電位を形成し ATP 合成に必要なエネルギーの一部を供給する．Q_A からは200マイクロ秒でキノン B（Q_B）に電子が移動し，2電子還元された Q_B は $2H^+$ を吸着しキノール QH_2 となる．光化学系 II では電子を失った酸化型のスペシャルペア $P680^+$ は水分解により得られる電子により，還元される（水を分解し，廃棄物として O_2 を出す）．

(2) チトクロム b_6/f 複合体での電子移動

QH_2 は，蛋白質内の Q_B 結合部位を離れて脂質二重膜内に移動し，次の複合体（植

7.4 光合成

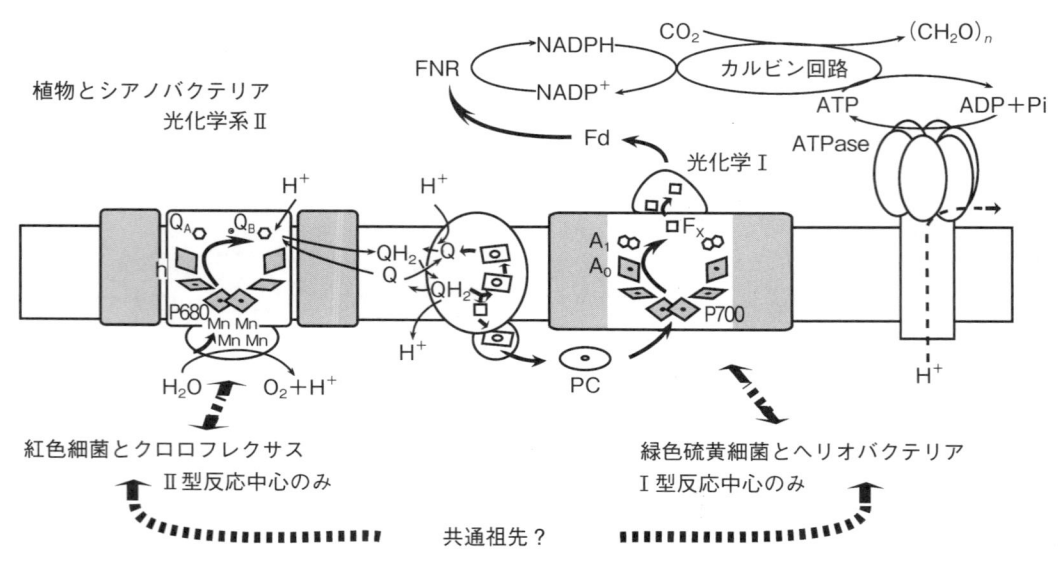

図 7.4.3 植物/シアノバクテリア型光合成の模式図，細菌の光合成反応中心との関係
植物/シアノバクテリア型（上）には光化学系 II と光化学系 I があり，チトクロム b/f 複合体を介して直列に働く．紅色光合成細菌は酸素発生をしない II 型（光化学系 II から Mn を除いたような形），緑色硫黄光合成細菌とヘリオバクテリアは嫌気性の I 型反応中心のみをもつ．光化学系 II のみが酸素を出す．植物/シアノバクテリア型は主要色素としてクロロフィル a を，光合成細菌の I, II 型反応中心はバクテリオクロロフィルを使う．灰色部分は色素を結合している蛋白質．

物/シアノバクテリアではチトクロム b_6/f 複合体，光合成細菌ではチトクロム b/c 複合体）に QH_2 が供給される（図 7.4.3）．この複合体内では電子と水素イオンが移動する．QH_2 の還元力を消費して ATP 合成に必要な水素イオン濃度差と膜電位が形成される．この部分は呼吸系と共通である．この結果，還元力の弱まった電子は水溶性のチトクロム c，あるいは銅蛋白質プラストシアニンに渡される．

細菌型光合成では，電子を失い酸化型となったスペシャルペア $P860^+$ にチトクロム c が再び電子を供給して，循環型の電子移動系を完結する．

(3) 光化学系 I 反応中心複合体での光反応

植物/シアノバクテリア型の光合成では，チトクロム c（主に藻類）あるいはプラストシアニンから，電子はさらに膜内にある光化学系 I 反応中心のスペシャルペアクロロフィル a（P700）に移動する（図 7.4.3）．光化学系 I 反応中心複合体は PsaA/PsaB（各 70kDa）の蛋白質上に，約 100 分子のアンテナクロロフィルと 20 分子のカロテノイド色素をリング状にもつ[3]．中核部には色素が少なく光化学系 II と似ている．アンテナ色素からの励起エネルギー移動でP700 が励起され，電子受容体クロロフィル a（A_0 と呼ばれる）に電子が約 3 ピコ秒で移動し，さらにフィロキノン A_1（Q_{KA}）に 30 ピコ秒で，さらに 200 ナノ秒で鉄硫黄センター F_X，さらに数マイクロ秒で膜外側に結合した蛋白質 PsaC 内部の鉄硫黄センター $F_A \cdot F_B$ に電子が移動する．これらの PSI 内の電子移動も膜を横断するので，膜電位を生じ，ATP 合成に貢献する．還元力の強い F_AF_B はさらに，膜外水溶性蛋白質フェレドキシン（Fd）を還元し，電子は→フェレドキシン NADP 還元酵素（FNR）→$NADP^+$ と移動し，最終産

物 NADPH$_2$ がつくられ，炭酸固定反応に必要な還元力が供給される．

膜蛋白内部での膜横断的な電子移動により生じる膜電位変化と，酸化還元反応に伴い膜内外で動く H$^+$, チトクロム $b/c(b_6/f)$ 複合体の H$^+$ ポンプ活性により移動する H$^+$ により，膜内外での H$^+$ 濃度差がつくられる．この力により，膜上の ATP 合成酵素が回転し，ATP 合成が行われる．ATP と NADPH$_2$ を使いストロマと呼ばれる葉緑体内部の溶液中でカルビン回路により炭酸固定が進行する（図 7.4.3）．

(4) 水の分解系と酸素発生

光エネルギーを利用して H$_2$O 分子から電子を引き抜き，O$_2$ をつくり出す酸素発生反応は，光合成だけにある反応系である．この反応は光化学系 II 反応中心に結合した 4 原子の Mn により行われ，この Mn 原子の配置と配位アミノ酸の構造が明らかになった（図 7.4.2）．H$_2$O の分解には 4 電子を引き抜くことが必要であり，光化学系 II の反応中心 P680 が 4 回光反応を行うと 1 分子の酸素が発生する．2H$_2$O が Mn に配位し，段階的にこの反応が進むが，反応過程の詳細は未解明である．

e. 光合成系の進化

植物型光合成では光化学系 I, II の 2 つの反応中心が光反応に働く．遺伝子および立体構造の研究から，鉄硫黄センターをもつ光化学系 I 反応中心は絶対嫌気性の緑色硫黄光合成細菌やヘリオバクテリアの I 型反応中心と構造が似ている[3]．一方，光化学系 II 反応中心は，紅色光合成細菌の II 型反応中心と，酸素発生 Mn 部分以外では似た構造をもつことがわかった（図 7.4.3）．

緑色細菌とヘリオバクテリアのみが左右対称（ホモダイマー）型[4]で他のすべての反応中心はみな左右非対称な構造をもつ．色素としては植物/シアノバクテリアは 680〜700 nm に吸収帯があるクロロフィル a を，光合成細菌は 800〜1000 nm に吸収帯をもつバクテリオクロロフィル a, g などを反応中心で使う．これらの事実から，紅色細菌の II 型反応中心から酸素を出す光化学系 II が，左右対称の緑色硫黄細菌の I 型反応中心から左右非対称の光化学系 I ができたと考えられている（図 7.4.3）．それぞれ別系統の光合成細菌群の中で進化した 2 系統の反応中心が，シアノバクテリアというさらに進化した細菌の膜上で連結され，色素も，近赤外光を主に使うバクテリオクロロフィルから可視光を使えるクロロフィル a に変え，酸素を発生するようになった過程はまだ謎である．しかし，720〜740 nm を吸収するクロロフィル d を反応中心にもち酸素発生をするシアノバクテリア（アカリオクロリス）も発見され[5]，新しい視点から光合成進化を考える必要が出てきた．基本的には細菌の非酸素発生型の蛋白質をベースに新たな機能が加わってきたと考えられ，かなり多様な光合成系を生み出してきたことがわかりつつある．

〔伊藤　繁〕

[文献]

1) Prince, S. M., Papiz, M. Z., Freer, A. A., McDermott, G., Hawthornthwaite-Lawless, A. M., Cogdell, R. J. and Isaacs, N. W.: *J. Mol. Biol.* **268**, 412-423, 1997.
2) Loll, B., Kern, J., Saenger, W., Zouni, A. and Biesiadka, J.: *Nature* **438**, 1040-1044, 2005.
3) Jordan, P., Fromme, P., Witt, H. T., Klukas, O., Saenger, W. and Krauss, N.: *Nature* **411**, 909-917, 2001.
4) Miyamoto, R., Iwaki, M., Mino, H., Harada, J., Itoh S. and Oh-Oka, H.: *Biochemistry* **45**, 6306-6316, 2006.
5) Hu, Q., Miyashita, H., Iwasaki, I. I., Kurano, N., Miyachi, S., Iwaki, M. and Itoh, S.: *Proc. Natl. Acad. Sci. USA.*, Oct 27, **95**, 1331, 1998.

7.5 光合成反応中心と光捕捉蛋白質複合体

　光合成の初期反応は，光合成膜中に埋め込まれた蛋白質複合体およびその複合体内に存在する色素分子がその機能を担っている．光を捕捉する働きをもつ複合体（集光型アンテナ蛋白質複合体）が光を吸収し，その光エネルギーは反応中心複合体に伝えられる．反応中心は複数の蛋白質サブユニットから構成される複合体で，多くの光合成色素分子がその中に含まれている．この複合体では，光捕捉蛋白質複合体から伝達された光エネルギーを用いて，光合成色素の最初の電子供与体で電荷分離反応が起こり，さらに種々の電子供与体，受容体間で膜を横切るきわめて量子効率の高い電子伝達反応が進行する．すなわち，光のエネルギーがこの反応中心で化学的酸化還元反応のエネルギーに変換される．

　高等植物や藻類（紅藻およびシアノバクテリア）と光合成細菌では，光合成の光化学反応における反応中心の分子構築が異なっている．細菌型光合成は高等植物のものに比べて単純化された系であり，高等植物などの光化学反応との違いは，光化学系（反応中心）を1つしかもたないこと，水を分解して酸素を発生する機能がないことなどである．しかし，それぞれの光化学系反応中心（複合体）の立体構造の特徴を含めて，両者の光合成のメカニズムには多くの共通点がある．

　光合成反応中心（光化学系）のうち，これまでに立体構造に関する研究が進んでいるのは光合成細菌のものである．*Blastochloris*（以前は *Rhodopseudomonas*）*viridis* の反応中心複合体は，最初にX線結晶解析で立体構造が明らかになった膜蛋白質であり（2.3 Å分解能），その後，2種の紅色光合成細菌（*Rhodobacter sphaeroides*，2.65 Å分解能および *Thermochromatium tepidum*，2.2 Å分解能）の反応中心複合体の結晶構造が明らかになっている．

　図 7.5.1 はX線結晶解析で明らかになった *Blastochloris viridis* の反応中心複合体の全立体構造である．この反応中心複合体は，4つの蛋白質サブユニット（H, M,

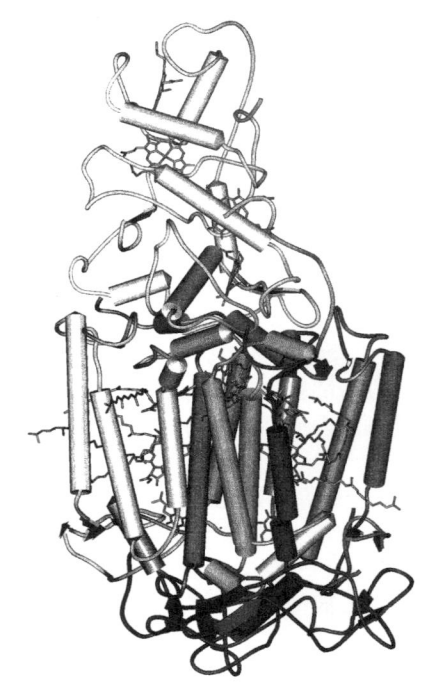

図 7.5.1 紅色光合成細菌 *Blastochloris viridis* の反応中心複合体の全体構造

中央部分（10本の膜貫通ヘリックス）にL, Mサブユニット，その下部にHサブユニット（1本の膜貫通ヘリックスが中央部に出ている），上部にチトクロムサブ（ヘムを4つもっている）が位置している．バクテリオクロロフィル，キノンなどの電子伝達に関与する補欠分子（光合成色素）は，中央のL, Mサブユニットに挟まれて存在する．

Lおよびチトクロム）と，バクテリオクロロフィル（高等植物でのクロロフィルに相当），キノンなど電子伝達に関与する多くの補欠分子（光合成色素）から構成されている．中央に位置するL, M両サブユニットは，それぞれ5本の膜貫通ヘリックスから構成されていて，この中央部分が光合成膜の脂質二重層中に存在する．また，下側にHサブユニットが，その反対側（中央部の上側）にC型チトクロムサブユニットが結合している．このチトクロムサブユニットは，*Rhodobacter sphaeroides* の場合には存在しない．Hサブユニットからチトクロムサブユニットまでは約130 Å，膜中に埋もれているL, Mサブユニットの長さは脂質二重層膜の厚みに相当して約50 Åである．補欠分子（色素分子）はL, Mサブユニットに挟まれて，電子伝達の順序に従って配列している．チトクロムサブユニットに近い上部に最初の電荷分離を起こす電子供与体であるバクテリオクロロフィル二量体（しばしばスペシャルペアと呼ばれる）があり，これから放出された電子は，単量体のバクテリオクロロフィル（アクセサリーと呼ばれる）を経て，中間的な電子受容体であるバクテリオフェオフィチン（バクテリオクロロフィルの中心マグネシウムがないもの）に，さらには反応中心複合体内での最終的な電子受容体であるキノンに伝達される．バクテリオクロロフィル二量体以外は，それぞれ2分子存在していて，それがバクテリオクロロフィル二量体と非ヘム鉄原子（2つのキノン分子の間に存在する）を結ぶ軸によって，2回回転対称の関係で配列している．その結果，バクテリオクロロフィル二量体からキノンに至る電子伝達の経路は2つ存在することになるが，そのうち1つだけが実際の電子伝達に使われると考えられている．また，これらの色素分子を取り囲んでいるL, Mサブユニットも，同じ2回軸によって2回回転対称の関係にある．

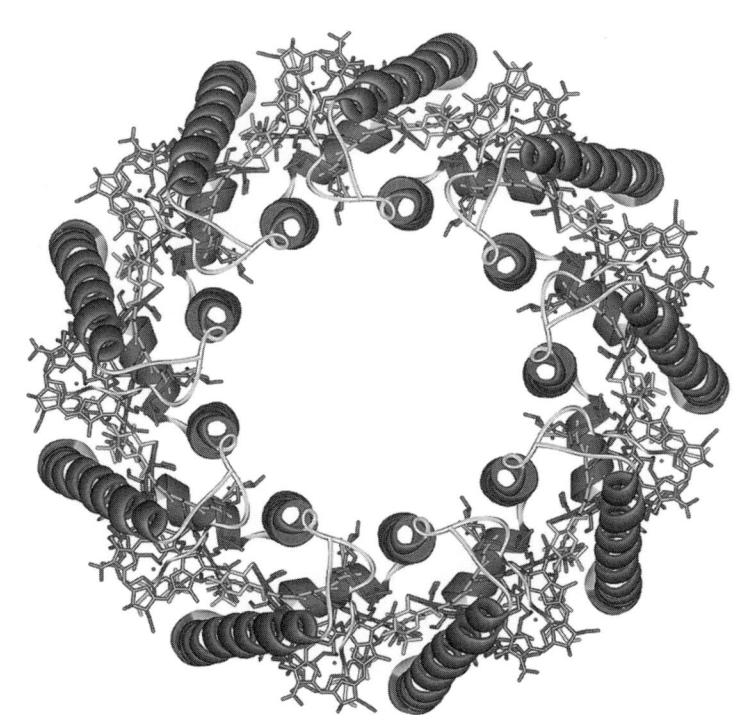

図7.5.2 紅色光合成細菌 *Rhodopseudomonas acidophila* の集光型アンテナ蛋白質複合体，LH-II の結晶構造（2.5 Å分解能）
これは九量体構造（9回回転対称）であるが，*Rhodospirillum molischianum* 由来のLH-II（2.4 Å分解能）は八量体構造になっている．中央部の9本のヘリックスがα-サブユニット，その外側にある9本のヘリックスがβ-サブユニットであり，その中にある27分子のバクテリオクロロフィルのうち，18分子は膜表面近くに，9分子は脂質二重層膜の真中あたりに位置する．

光合成細菌では，反応中心複合体は集光型アンテナ蛋白質複合体から光エネルギーを受けとる．膜内に存在する集光型アンテナ蛋白質複合体には，主にLH-IIおよびLH-Iという2種類があり，光エネルギーはまずLH-IIが吸収し，これが反応中心複合体とさらなる複合体をつくるLH-Iに伝達され，最終的には反応中心複合体にまで伝達される．LH-Iについては反応中心との複合体として，4.8 Å分解能での結晶構造が明らかになっている．LH-1の2種類の短い蛋白質サブユニット（α，β-サブユニットと呼ばれ，それぞれ1本の膜貫通ヘリックスをもつ）は，反応中心複合体のまわりで15量体を形成して取り囲んでいるが，安全なリング構造はとっておらず，リング構造が崩れたところにはWと名づけられた1本の膜貫通ヘリックスが会合している．LH-IIの結晶構造については2種の光合成細菌のものが明らかになっている（最近，LH-IIと吸収波長の異なる変異複合体LH-IIIの結晶構造が明らかになったが，基本的にはLH-IIの構造に類似している）．図7.5.2に光合成細菌 *Rhodopseudomonas acidophila* のLH-II複合体の結晶構造を示す．これは九量体構造（9回回転対称）をとっていて，各単量体あたり，LH-Iの場合とほぼ同様のα, β-サブユニットと3つのバクテリオクロロフィルが存在する．3つのバクテリオクロロフィルのうち2つは，そのポルフィリン平面が膜表面にほぼ垂直になるようにして膜表面に近いところでスタックしていて，他の1つは脂質二重層膜の真ん中あたりで，そのポルフィリン平面が膜表面と平行に近い角度になるように位置している．このバクテリオクロロフィルの化学的環境の違いによって，異なる波長の光を吸収することができるようになっており，捕捉できる光の波長幅を広げている．

　高等植物や藻類（紅藻およびシアノバクテリア）の2つの光化学系，PS-Iおよび PS-IIについても，最近，それぞれの結晶構造が原子分解能あるいはそれに近い分解能で明らかになった（いずれもシアノバクテリア *Synechococcus elongatus* 由来で，PS-Iについては2.5 Å分解能，PS-IIについては3.5 Å分解能）．それぞれの光化学系では，それぞれ構成する蛋白質サブユニット，電子伝達に関与する補欠分子の数は，光合成細菌の反応中心複合体の場合に比べてはるかに多く複雑であるが，PS-IもPS-IIも，そのコア部分は光合成細菌の反応中心複合体と高い構造上の共通点を有している．すなわち，それぞれの中心部分はヘテロ二量体で構成されており，その蛋白質サブユニットもその中に取り込まれるように位置している補欠分子も，紅色光合成細菌の反応中心複合体にみられた擬似的な2回回転対称を維持して配列している．

〔三木邦夫〕

[文献]

1) Nogi, T. and Miki, K.: Structural basis of bacterial photosynthetic reaction centers, *J. Biochem.* **130**, 319-329, 2001.
2) Deisenhofer, J. and Michel, H.: Nobel lecture. The photosynthetic reaction centre from the purple bacterium *Rhodopseudomonas viridis*, *EMBO J.* **8**, 2149-2170, 1989.
3) Isaacs, N. W. et al.: Light-harvesting mechanisms in purple photosynthetic bacteria, *Curr. Opin. Struct. Biol.* **5**, 794-7, 1995.
4) Saenger, W. et al.: The assembly of protein subunits and cofactors in photosystem I, *Curr. Opin. Struct. Biol.* **12**, 244-254, 2002.
5) 平野 優，三木邦夫：光合成細菌の集光系および光エネルギー変換系蛋白質複合体，蛋白質・核酸・酵素 **50**, 1180-1188, 2005.

II. 光による情報伝達

7.6 生物発光

　生物が光る不思議さにはだれしも無関心ではおられないであろう．

　太古の昔から生物は太陽の光エネルギーを化学エネルギーに変換し，自らの生存に必要な物質生産を行う一方，生体反応で物質を酸化して励起分子をつくり出し，光エネルギーに変換して自らも光を放ってきた．光る生物にはさまざまなものがある．バクテリアやキノコ類からほとんどの無脊椎動物門，そして硬骨魚類に至るきわめて広範囲で発光生物が見出されている．その光り方も多彩である．たとえばホタルや夜光虫，発光クラゲ，ホタルイカ，発光キノコ，発光バクテリアなどは体内で光るが，ウミホタルや発光ゴカイ，発光ウミウシなどは発光液を体外に放出して光る．現在知られている生物種は150万といわれているが，そのなかで現在約700種の発光生物が知られている．地球上にはいったい何種類の生物がいるかは現在でも不明であるが，一説には1億種とも2億種ともいわれている．したがってこの先何種の発光生物が見出されるのか検討がつかない．とくに未知の生物が棲息する深海には発光生物が多く，今後さらに思いもよらないユニークな発光系をそなえた生物が見出されるであろうということは想像にかたくない．生物発光の進化的オリジンは太古の昔，生息環境が嫌気的雰囲気から好気的雰囲気になる際の酸素毒性に対する有機化合物を利用した解毒・防御反応と考えられており，生物はその現象を進化の過程でさまざまな目的に利用したと考えられる．たとえば仲間どうしの交信，メーティング（配偶行動），捕食者の攻撃からの防御・威嚇・逃げる際の目くらまし，餌の吸引などであり，その利用法は多岐にわたる[1]．

　生物発光は酵素や蛋白が関与する一種の化学発光（物質の化学変化によって光が放出される現象）とみなすことができる．すなわち発光基質ルシフェリンが発光酵素ルシフェラーゼの働きで酸素により酸化されて化学的に不安定な過酸化物となり，ついでそのものが分解するときに電子的励起状態の分子を生じる．この電子的励起状態の分子が基底状態に戻るときに光が放出される．一般には電子的励起状態は分子が光を吸収したときに生じる．生物・化学発光では物質の化学変化により電子的励起状態の分子が生じる．励起状態の分子が光を発する過程は光の吸収とは逆の過程である．そこで発光反応について理解を深めるために，まず光の吸収で生じる電子的励起状態について簡単に説明する[2,3]．

a. 分子軌道－結合性軌道と反結合性軌道

　複数の原子が共有結合して形成される分子はいくつかの結合電子をもっている．結合電子は「分子軌道」（molecular orbital）という特定の軌道に収納される．分子軌道の数は結合電子の数と同じだけあり，エネルギーレベルに違いがある．結合電子はエネルギーレベルの低い分子軌道から2個ずつ詰まっていく．このとき2電子は逆スピン状態で対をつくりながら詰まっていく．この様子を模式図に表すと図7.6.1（a）のようになる．電子の詰まった分子軌道のことを「結合性軌道」と呼び，残りの電子の詰まっていないエネルギーレベルの高い分子軌道を「反結合性軌道」と呼ぶ．このうちエネルギーレベルの最も高い結合性軌道をHOMO（highest occupied molecular

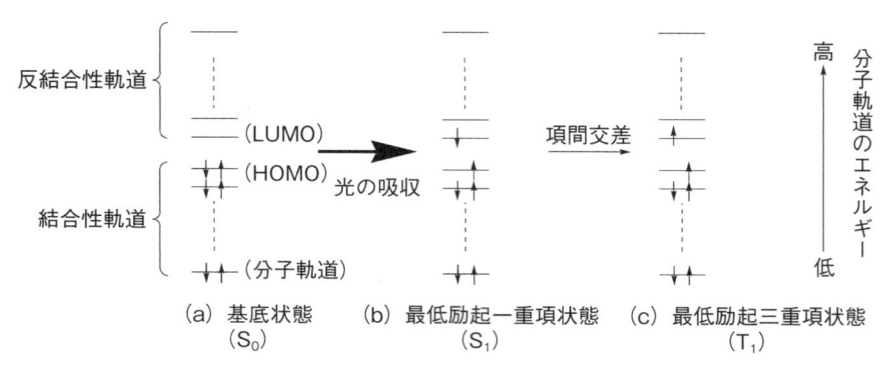

図 7.6.1　分子軌道と電子的励起状態の概念図

orbital）と呼び，エネルギーレベルの最も低い反結合性軌道を LUMO (lowest unoccupied molecular orbital) と呼ぶ．軌道のレベルは一般に σ 軌道＜π 軌道＜π* 軌道＜σ* 軌道である（* は反結合性軌道であることを示す）．

b. 基底一重項状態

結合性軌道に電子が全部詰まった状態を「基底状態」と呼ぶ（図 7.6.1 (a)）．通常分子は偶数個の結合電子をもつので，基底状態では電子のスピンの総和は 0 である．この状態を「一重項」の基底状態と呼ぶ（S_0 と表す．S は一重項（singlet）を表し，0 は基底状態を表す）．

c. 励起一重項状態と励起三重項状態

基底状態の分子に HOMO-LUMO のエネルギーギャップ以上の適切なエネルギー（波長）をもった光を照射すると結合性軌道にある電子1個がスピンの向きを保ったままエネルギーレベルの高い反結合性軌道にたたき上げられ，高エネルギー状態となる．これが電子遷移であり，その状態を電子的励起状態という．図 7.6.1 (b) は HOMO（最もエネルギーレベルの高い結合性軌道）にある電子が LUMO（最もエネルギーレベルの低い反結合性軌道）に励起された状態を示す．この状態でも分子全体のスピンの総和は 0 であるので最低励起一重項状態と呼ばれ，S_1 と表す（1 は励起状態のうちで最低のエネルギーレベルを意味する）．この S_1 状態の分子はスピンの向きを反転し S_1 状態よりやや安定な励起状態へ変化する（図 7.6.1 (c)）．この過程を項間交差と呼ぶ．この状態では HOMO-LUMO にある2個の電子のスピンの向きが同じ（三重項状態）であり，この状態のことを最低励起三重項状態と呼ぶ（T_1 と表す．T は三重項（triplet）の意味）．

d. 励起状態の分子の運命－蛍光，りん光，エネルギー移動

高エネルギー状態にある最低励起一重項状態 S_1 の分子は基底状態の分子より励起エネルギーの分だけ過剰なエネルギーをもっていることになり，エキシマー・エキサイプレックスの形成，酸化・還元反応（電子移動反応），C-H 結合や C-C 結合の開裂や形成，炭素骨格の転位，異性化などさまざまな化学反応（光化学反応）を起こす．光化学反応しない電子的励起分子は，短時間のうちにさまざまな経路で過剰な励起エネルギーを放出して基底状態 S_0 に戻る．これらを励起状態の失活過程と呼ぶが，その過程の主なものは以下のとおりである（図 7.6.2）．

① S_1 状態から熱エネルギーを放出して基底状態 S_0 に戻る（S_1 からの無輻射失活）．

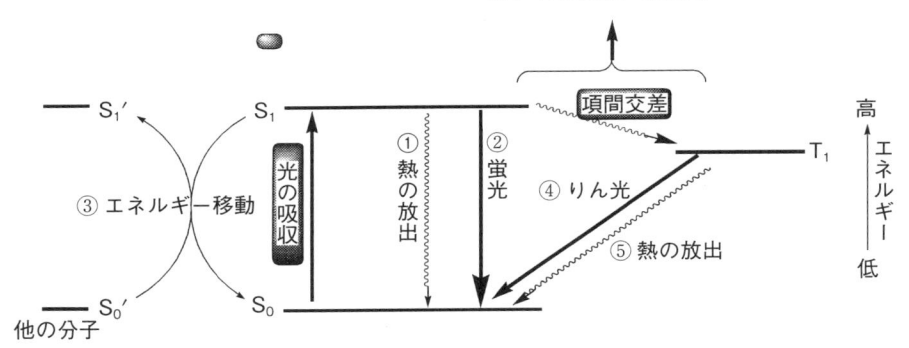

図7.6.2 励起状態の分子の運命

② S_1状態から光を放出して基底状態S_0に戻る（この光が蛍光）.

③ S_1状態から他の分子に励起エネルギーを与えてS_0に戻る．他の分子は励起状態S_1となる（エネルギー移動）.

④ S_1状態からT_1状態になり（この過程を項間交差という），このT_1状態から光を放出して基底状態S_0に戻る（これがリン光）.

⑤ T_1から熱を放出してS_0に戻る過程もある（T_1からの無輻射失活）.

なおエキシマー・エキサイプレックスを形成した励起錯体から蛍光を発して失活する過程もある.

e. 化学発光と生物発光

化学発光では物質の化学反応によって直接S_1状態の励起分子が生じ（化学励起：chemiexitation），そこから蛍光が放出される．化学反応で励起状態の分子ができる様子を図7.6.3を使って説明する．化学発光を起こす反応の大部分は酸化反応に伴うものである．まず有機化合物が酸化されて有機過酸化物が生じる．この過酸化物は大変不安定なためエネルギーレベルがきわめて高い．すなわちこの有機過酸化物は分解

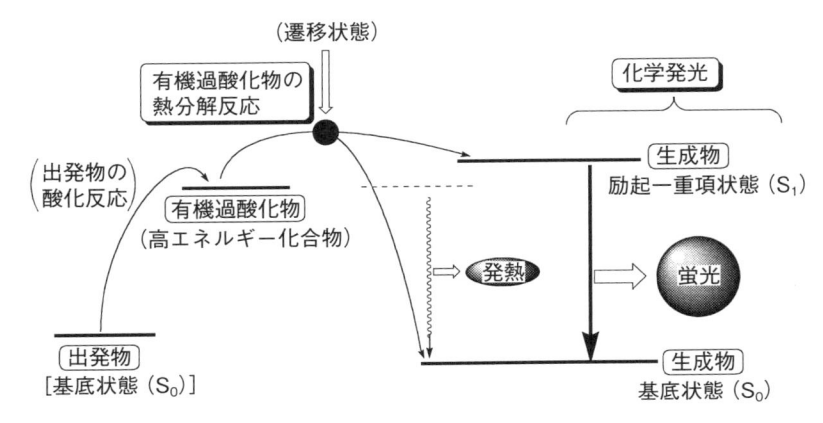

図7.6.3 化学発光におけるエネルギー概念図

7.6 生物発光

するのにほんのわずかな活性化エネルギーしか必要とせず，また分解に伴い大量の反応熱を放出しうる．この反応熱と活性化エネルギーの総和が基底状態の生成物を S_1 励起状態に押し上げるのに十分な大きさである場合，光を吸収したときと同じ S_1 状態の分解生成物が生じうる．化学発光する有機過酸化物の基本構造は図 7.6.4 に示したような 4 員環構造（ジオキセタン，ジオキセタノンと呼ぶ）をもつ．図 7.6.5 はテトラメチルジオキセタンが 2 分子のアセトンに分解する際の化学励起のエネルギー関係を図示したものである．テトラメチルジオキセタンがアセトンに熱分解するとき，264 kJ/mol の反応熱が発生し，またその活性化エネルギーは 113 kJ/mol である．すなわち分解するときの遷移状態は 377 kJ/mol の高さにあり，このレベルは生成物アセトンを S_1 状態に押し上げる電子的励起エネルギー 356 kJ/mol に比べ十分に大きい．このテトラメチルジオキセタンがアセトンに熱分解するときの遷移状態のポテンシャル面が，アセトンの S_1 状態のポテンシャル面とうまくクロスすると分解の過程で生成物はアセトンの S_1 状態に移る．テトラメチルジオキセタンの場合，アセトンの S_1 状態が生成する効率（確率）$\Phi(S_1)$ は 0.0043 であり，圧倒的に T_1 状態になる効率の方が高い（$\Phi(T_1)=0.36$）．

生物発光では発光基質ルシフェリンが発光酵素ルシフェラーゼの作用で酸素酸化されてジオキセタノン誘導体が生成し，それが分解する過程で S_1 励起状態の分子が生成するのであり，反応機構的には化学発光と大差はないが，ジオキセタノン誘導体の生成と分解および光の放出が蛋白内環境下で起きる点が唯一の違いである．しかしこのことが発光効率や発光波長などに大きな違いをもたらす．

f. 化学発光と生物発光の効率

過酸化物が分解するとき，100% の効率で発光種の S_1 状態の分子が生じるわけではない．一般に化学反応で S_1 状態の発光種が生じる割合は数 % 以下の場合が多い（図 7.6.5）また S_1 状態の分子が生じてもそのすべてが蛍光を放出して基底状態に戻

図 7.6.4 高エネルギー有機過酸化物の基本構造

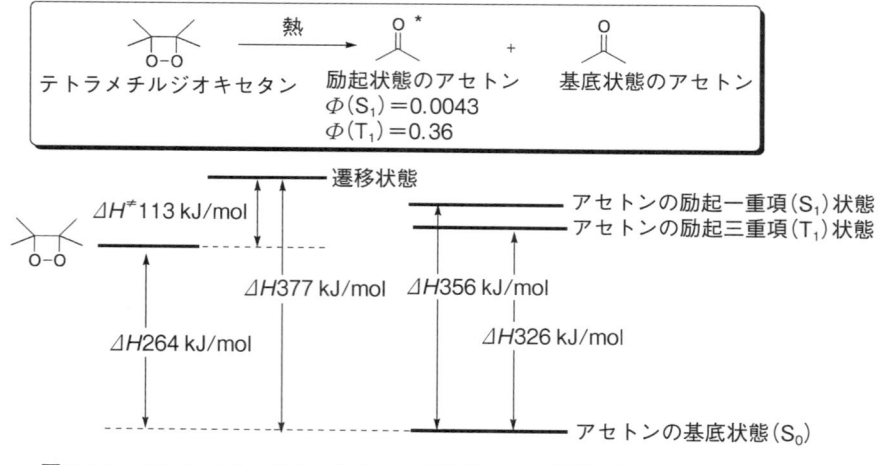

図 7.6.5 テトラメチルジオキセタンの熱分解による化学励起のエネルギーの概念図

るわけではない．したがって一般には化学発光の発光効率は 1% 以下というようにきわめて低い場合が多い．

　一方，生物発光は発光効率がきわめて高い．酵素，蛋白質が関与することにより，化学発光とは異なって，過酸化物からの S_1 状態の分子の生成効率や，S_1 状態の分子からの蛍光の量子収率がきわめて高くなっているのである．後でも述べるがホタルの場合，発光効率は 88% にもなり，熱を発することなく効率よく光を発する（いわゆる冷光）．ホタルではいかに S_1 状態の分子の生成効率や，S_1 状態の分子からの蛍光の量子収率が高いかがわかる．化学発光とは異なり，なぜ生物発光で発光効率が高くなるかについては不明な点が多い．発光基質ルシフェリンが発光酵素であるルシフェラーゼ蛋白中に取り込まれているという，特殊な環境場が S_1 状態の分子の生成効率や，S_1 状態の分子からの蛍光の量子収率を大きくしているわけであるが，詳細な分子機構はよくわかっていない．

g. ホタルの発光反応

　ホタルの発光反応では発光基質であるホタルルシフェリンと発光酵素であるホタルルシフェラーゼのほかに，ATP（adenosine triphosphate：アデノシン三リン酸），Mg^{2+} が必要である．ホタル生物発光における一連の化学変化を図 7.6.6 に示す．すなわちホタルルシフェリン（1）のカルボキシル基（CO_2H）が Mg^{2+} の存在下でルシフェラーゼの作用でまず ATP と反応して AMP（adenosine monophosphate：アデノシン一リン酸）化され，ルシフェリン-AMP 誘導体（2）が生じる．ついで（2）は同じルシフェラーゼの作用で酸素分子（O_2）と反応し，ペルオキシドアニオン中間体（3）を生成する．（3）はさらに酵素内で不安定なジオキセタノン（4）に変換される．この（4）はルシフェラーゼ環境内でプロトンを失いながら CO_2 と S_1 状態のオキシルシフェリン（5^*）に分解する．このとき，効率よく（5）の S_1 状態の（5^*）が生じる（*印は励起状態であることを示す）．さらに脱プロトン化すると S_1 状態のジアニオン（6^*）となる．この（6^*）が，基底状態

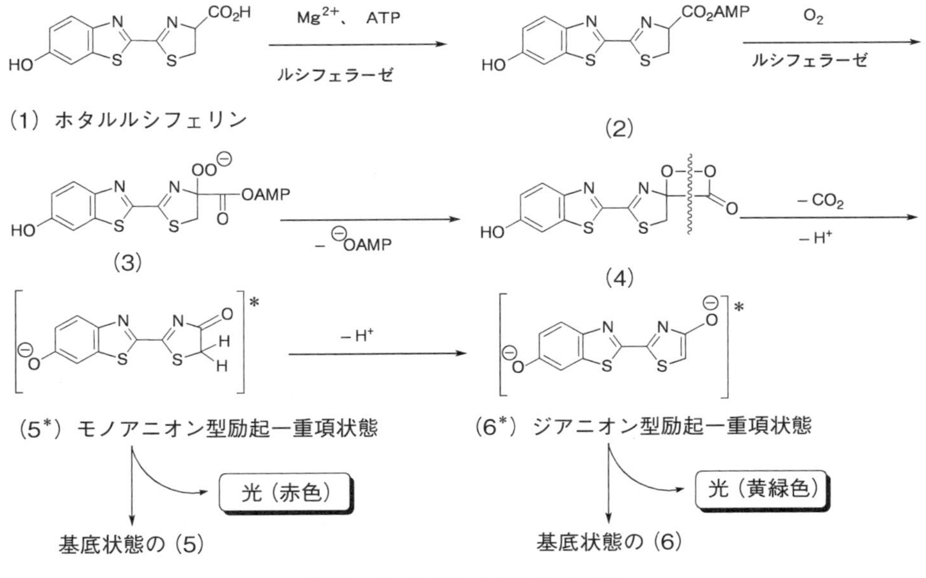

図 7.6.6 ホタルの生物発光反応

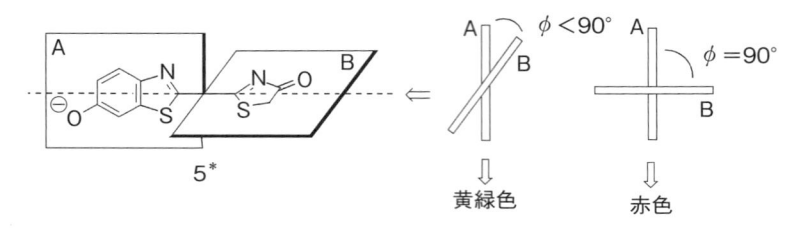

図7.6.7 ホタルの発光色の二面角依存性

S_0 に戻るとき効率よく黄緑色の蛍光を発するといわれている．これがホタルの光である．なお，試験管内で生体内の pH（pH 7.6 ぐらい）よりもやや酸性（pH 5～6）で生物発光をさせると赤色の発光が観測されるが，これは脱プロトン化していない（5*）からの発光とされている．ホタルルシフェリン（1）の生物発光の発光効率は約88%（発光量が理論的発光量の88%である）で大変効率が高い（ホタルのルシフェリンはほとんど化学発光しない）．ヒカリコメツキや鉄道虫などのホタルと近縁の発光昆虫もホタルとおなじホタルルシフェリン（1）を発光基質として用いている．なお鉄道虫は頭が赤く，胴体が緑色に光る．最近の研究ではホタルの黄緑色や鉄道虫の緑色と赤色の光はいずれも（5*）から発するとされている．発光色の違いはベンゾチアゾール環を含む A 環とチアゾリノン環を含む B 環部の二面角（dihedral angle）ϕ の違いによると説明しており（図7.6.7），現在も活発に議論されている[4]．またホタルが明滅するのは発光器内で周期的に一酸化窒素 NO が生成され，それによってミトコンドリアにおける酸素の消費が阻害され，結果的には発光に必要な酸素濃度が周期的に変動するためとされている[5]．

おわりに

発光生物には夜光虫，発光キノコ，ウミホタル，発光クラゲ，発光巻貝，ホタルイカ，発光ゴカイなど発光機構がまだよく解明されていないものがたくさんあり，課題は山積みである．一方，発光基質や酵素の化学構造が解明されている場合でも，蛋白質との相互作用様式については不明な点が多い．とくに蛋白質がどのようにして発光色を制御し，また発光効率を高めているかについてはほとんどわかっていないのが現状である．発光色制御機構や高効率発光の分子機構がわかれば，青く光るホタルの人工生物発光系の開発も夢ではない．

〔丹羽治樹〕

[文献]
1) 羽根田弥太：発光生物，恒星社厚生閣，1980．
2) 今井一洋：化学発光と生物発光-基礎と実験，広川書店，1988．
3) 稲葉文男，後藤俊夫，中野 稔：最新ルミネッセンスの測定と応用，NTS，1990．
4) Branchini, B. R. et al.: J. Am. Chem. Soc. **124**, 2112-2113, 2002.
5) Trimmer, B. A. et al.: Science **292**, 2413-2414, 2001.

7.7 視細胞の分光感度

ここでは昆虫の複眼を例にとって，視細胞分光感度の決定機構について解説する．

複眼は，個眼という小さな単位が多数集まってできている．1つの個眼には数個の視細胞が含まれる．視細胞数は，アゲハでは9個，ショウジョウバエでは8個である．視細胞はその長軸に沿った面の1つに微絨毛を密生し，感桿分体を形成する．微絨毛の膜には視物質が含まれる．ショウジョウバエの個眼は感桿分体が光学的に独立した分散型タイプである．しかしこれはむしろ例外的な構造で，多くの種では感桿分体がすべて集合して，感桿という1つの構造をつくり上げている．アゲハの個眼は，このような集合型感桿をもつものの典型例である（図7.1.1）．

微絨毛膜の集合体である感桿は，細胞体部分に比べて必然的に脂質含有量が多くなる．そのため細胞体に比べて屈折率が高い．したがって感桿は，1本の独立したライトガイドとして機能する．角膜レンズに到達した光は円錐晶体で感桿上端に集められ，感桿に入射する．感桿に入射した

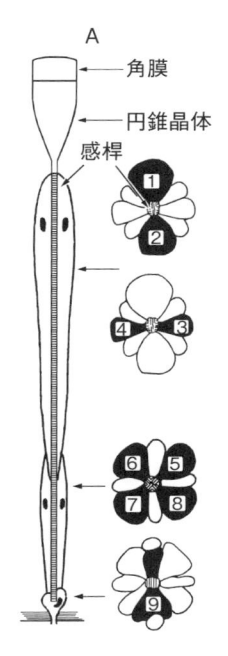

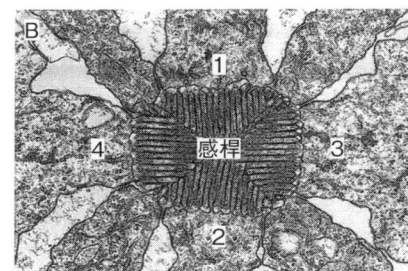

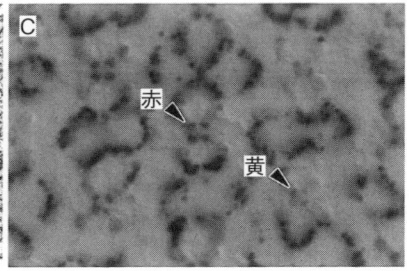

タイプ	割合	色素	蛍光	視細胞の分光感度（視物質mRNA)				
				R1	R2	R3,4	R5-8	R9
1	50%	赤	−	紫外or青 (UV or B)	青or紫外 (B or UV)	複峰性緑 (L1+L2)	赤 (L3)	赤? (L1+L2)
2	25%	赤	+	紫 (UV)	紫 (UV)	単峰性緑 (L1+L2)	広帯域 (L2+L3)	赤? (L1+L2)
3	25%	黄	−	青 (B)	青 (B)	複峰性緑 (L1+L2)	複峰性緑 (L2)	緑? (L1+L2)

図7.7.1　アゲハ個眼の構造
A：アゲハ個眼の模式図．1〜9は視細胞の番号．視細胞1〜4番は個眼遠位部の約3分の2で，視細胞5〜8番は近位部約3分の1で感桿を形成する．視細胞9番は個眼基部でわずかに微絨毛を伸ばす．B：個眼遠位部横断切片の電子顕微鏡像．視細胞1〜4番が微絨毛を出して感桿を形成している．C：アゲハ複眼横断切片の光学顕微鏡像．無染色．個眼中央の感桿周囲に，色素のかたまりが4つの点として見える．濃く見える色素が赤，薄く見える色素が黄色．表は，3つのタイプの個眼に含まれる色受容細胞の種類と位置，発現する視物質などをまとめたもの．色受容タイプは細胞内記録・染色法の結果に基づく．UV, B, L1〜3はそれぞれ，紫外受容型，青受容型，長波長受容型3種の視物質オプシン．*in situ* ハイブリダイゼーションでmRNAの分布を調べた結果に基づく．

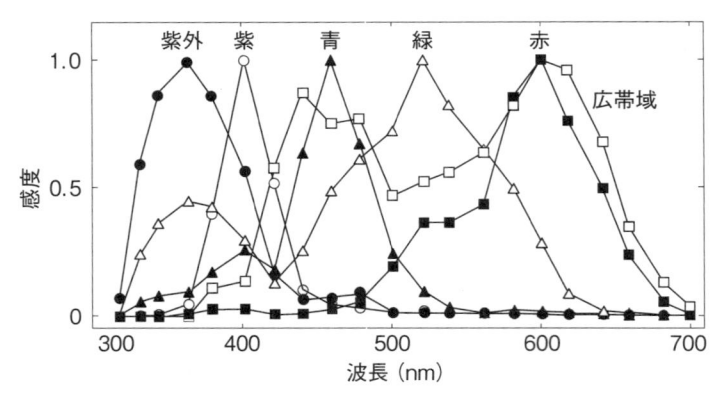

図7.7.2 アゲハ視細胞の分光感度6種

光は外部に射出することなく感桿内を伝播する．ただし，アゲハ感桿のように直径が2μm程度と非常に細いものである場合，感桿のすぐ外側を伝播するエバネッセント光の割合が大きくなり，これが分光感度に大きな影響及ぼす（後述）．

アゲハ複眼には，分光感度の異なる視細胞－色受容細胞－が6種類見つかっている（図7.7.2）．一方，視物質は5種類がクローニングされている．視物質と色受容細胞の間には明確な1:1の関係はない．たとえば，紫外線受容型視物質（UV）は紫外線受容細胞と紫受容細胞の両方に発現する．また，広帯域受容細胞には緑視物質（L2）と赤視物質（L3）とが重複して発現している．つまり，視細胞の分光感度は視物質の分光吸収特性だけでは決まらないのである．

6種の色受容細胞は，そのすべてが1つの個眼に含まれるわけではない．含まれる色受容細胞の組合せによって，個眼は3つのタイプに分類される．たとえばタイプ1には，紫外線，青，緑，赤の4種類がある．すなわち，タイプ1の個眼に入った光は4種類の色受容細胞を同時に刺激することになる．個眼には光学素子である感桿が1つしかないので，1つの個眼は視野の1画素に対応する．1画素に複数の色受容細胞があれば，理論的には1画素内での色分解が可能である．実際，アゲハが色を識別する

のに必要な最小視角度は約1度で，その角度は1個眼の受容角とほぼ等しい．

感桿がこのような構造をとると，隣り合う視細胞が互いにフィルター効果を及ぼし合うことにもなる．たとえば，青受容細胞について考えよう．青受容細胞は側面に紫外線受容細胞1つと緑受容細胞2つを伴っている．紫外線は紫外線受容細胞で吸収されるので，青受容細胞に届く紫外線強度は相対的に弱くなる．その結果，青受容細胞の紫外線感度は見かけ上，低下する．同じことが緑の光についても起こる．その結果，青受容細胞は短波長側と長波長側の双方からフィルター効果を受け，分光感度は視物質そのものの分光吸収特性よりも細かくなる．側面に存在する視細胞によって起こるこの現象を，側方遮蔽（lateral filtering）と呼ぶ．これとは別に，個眼の遠位部にある視細胞は近位部の視細胞に対して，当然，強いフィルター効果をもつ．赤受容細胞の紫外線感度が非常に低いのはそのためである．

個眼のタイプは，感桿周囲にある色素の色で識別できる（図7.7.1）．タイプ1とタイプ2では色素が赤く，タイプ3では黄色い．これらの色素は，エバネッセント光を吸収することで視細胞の分光感度に影響を与えている．たとえば，600 nmに感度極大をもつ赤受容細胞の分光感度は，600 nmに最大吸収をもつ視物質の吸収曲

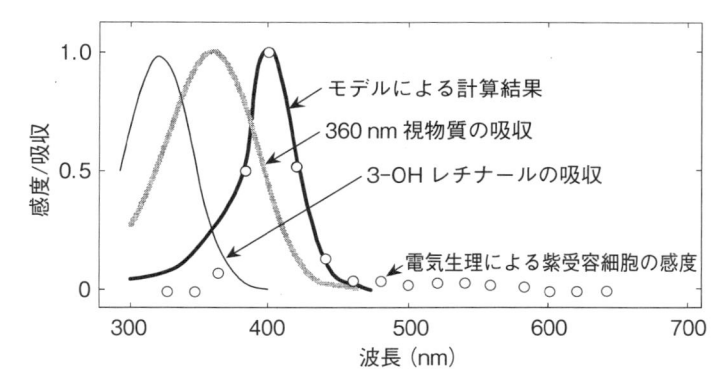

図 7.7.3 紫受容細胞分光感度の生成機構

紫外受容型視物質に対して，3OH-レチノールが紫外線吸収フィルターとして働いた結果，紫受容細胞の鋭い分光感度が生成される．感度および吸収曲線はすべて相対値で示してある．

線とは一致しない．しかし，575 nmを吸収する視物質が赤色素のフィルター効果を受けていると仮定すれば，赤受容細胞の分光感度が説明できる．実際，赤受容細胞は赤色素をもつタイプ1の近位層に存在する．すなわち，個眼内の色素は，鳥類やは虫類の錐体内節に存在する油滴と類似したものであるということができる．色素そのものは，おそらくカロチノイド系の物質であろう．

タイプ2は，紫外線下で蛍光を発するという特長をもつ．この蛍光は，個眼遠位部に含まれる3OH-レチナールに由来する．生理学的には，蛍光よりもむしろ紫外線吸収の方が重要である．タイプ1個眼には紫外線受容細胞がある．一方，タイプ2個眼には紫受容細胞がある．どちらも，視物質としてはUVを含む．UVの分光吸収の極大を360 nmとすればその吸収は紫外線受容細胞の感度とよく一致する．しかし，もちろん，400 nmに極大をもつ紫受容細胞の感度とは一致しない．紫受容細胞の感度にはもう1つ，非常に細いという特徴もある．この特異な分光感度は，3OH-レチナールが330 nmを吸収極大とする紫外線吸収フィルターであると仮定するとよく説明できる（図7.7.3）．タイプ2個眼には，紫外線に感度のない単峰性緑受容細胞があり，これも同じ機構で説明される．

アゲハでは紫外線吸収フィルターである3OH-レチナールは，ハエの視細胞では逆に，増感色素として機能する．ハエの複眼には，紫外部と青に複峰性の分光感度をもつ視細胞がある．この細胞に含まれる視物質は，青感受性である．しかしこの視物質には，発色団としての11-シス-3OH-レチナールが結合している．3OH-レチナールは紫外線を吸収し，そのエネルギーを11-シス-3OH-レチナールに伝達する．エネルギーを受けた11-シス-3OH-レチナールはオールトランス型に異性化し，通常の光情報変換系が活性化する．したがって，視細胞は青とともに紫外線でも高い感度を示すことになる．　　〔蟻川謙太郎〕

[文献]
1) Stavenga, D. G. and Hardie, R. C. (eds.): Facets of Vision, Springer-Verlag, 1989.
2) Eguchi, E. and Tominaga, Y. (eds.): Atlas of Arthropod Sensory receptors-Dynamic Morphology in Relation to Function, Springer-Verlag, 1999.

7.8 光受容におけるシグナル伝達

光受容におけるシグナル伝達系は脊椎動物の視細胞で最も明らかになっている。はじめに、この脊椎動物視細胞におけるシグナル伝達系をわかりやすく解説し、次に無脊椎動物視細胞の光受容シグナル伝達系の現状を見てみよう。

a. 脊椎動物視細胞での光シグナルの細胞内情報伝達系

光受容のシグナル伝達のメカニズムが脊椎動物の視細胞ではじめて明らかとなったのは、その特殊な細胞構造（桿体外節）による。脊椎動物細胞では光受容とシグナル伝達分子の位置する円盤膜は筒（形質膜）の中に浮いている。この円盤膜と、電気信号を出す筒（形質膜）との間は隙間があるため直接信号は伝わらない。視細胞研究はこの2つの膜の間に信号を送るセカンドメッセンジャー（二次情報伝達体）がサイクリックGMP（cGMP）かカルシウムかの激しい研究競争により進展したといっても過言ではないだろう。この競争に終止符を打ったのが、当時新しい電気生理の手法であるパッチクランプ法を用いた旧ソ連のグループで、サイクリックGMPがセカンドメッセンジャーであることを証明した。

視細胞のセカンドメッセンジャーが明らかにされた1980年の半ば、神経系や内分泌系のレセプターが次々とクローニングにより明らかにされた。これらのレセプターのアミノ酸配列は視物質ロドプシンに最も相同性が高いことを知った薬理学者、神経化学者などが視細胞研究に参加した。その結果、10年足らずで視細胞情報伝達系の詳細がほとんどを明らかになり、視細胞がG蛋白質共役型情報伝達系で最も解明の進んだシステムとなった。ここでは、それらの成果をもとに光レセプターのロドプシンによるG蛋白質共役型情報伝達系の活性化、不活性化のしくみを解説する。

(1) 光受容におけるシグナル伝達分子

図7.8.1は視細胞膜における光受容にシグナル伝達系のメカニズムのモデルである。京都竜安寺の石庭にも似たこの図にある小岩がシグナル伝達に関与する分子に相当している。これらシグナル伝達分子の役割をはじめに紹介しておこう。

ロドプシン 光を受容する蛋白質である。α-ヘリックスが膜を7回貫通する構造をとり、ヘリックスの篭の中にある発色団はレチナールである。光を受容する前はレチナールは11-シス型をとっており、光により全トランス型に異性化し、活性型のメタロドプシン（M）となる。G蛋白質共役型レセプターの代表として最もよく研究されており、その立体構造も明らかになっている。

G蛋白質 $G\alpha$, $G\beta$, $G\gamma$ の三量体からなる。生理的条件では $G\beta$, $G\gamma$ は会合して一緒に振る舞う。レセプターからの信号は α-サブユニットが受け取り、効果器に伝える。レセプター、効果器との共役の特異性、そのアミノ酸配列の相同性から α-サブユニットは5種の代表的なクラス（Gi, Gs, Go, Gt, Gq）に分けられる。脊椎動物視細胞のG蛋白質はトランスデューシン（Gt）と呼ばれる。

PDE G蛋白質からの情報を受け取り、セカンドメッセンジャーの濃度を調節する効果器の1つ。ホスホジエステラーゼ（PDE）は11種のクラスに分けられるが脊椎動物視細胞のホスホジエステラーゼはPDE6である。PDEは、触媒部位を有し分子量がわずかに異なる $P\alpha$, $P\beta$ とその触媒活性を阻害する $P\gamma$ が2つからなる。サ

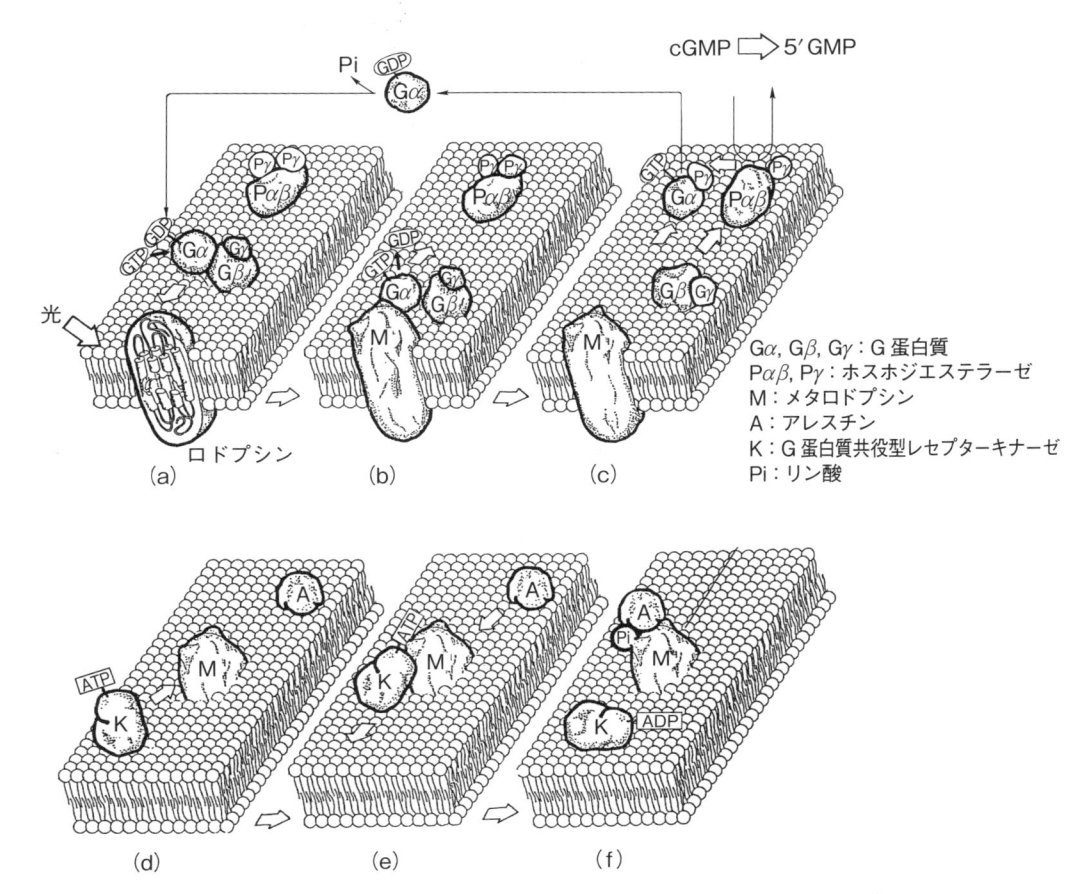

図 7.8.1 脊椎動物視細胞における光シグナルの伝達と抑制のメカニズム

イクリックGMPを加水分解して5′GMPを産出する．

GRK (K)　G蛋白質共役型レセプターキナーゼの一種．活性化されたG蛋白質共役型レセプターのC末端のセリンまたはトレオニンをリン酸化する酵素．リン酸化により活性型のレセプターを不活性化する．

アレスチン (A)　アレスト (arrest) は止めるという意味．リン酸化されたレセプターに特異的に結合する．分子の構造としてはG蛋白質のα-サブユニットに似ているため，レセプターにアレスチンが結合するとG蛋白質が会合できないため，レセプターからの信号が停止する．

これ以外に調節蛋白質として感度調節に関与するs-モジュリン，グアニル酸シクラーゼを調節するリカバリン等，脇役がさらに見出されている．

(2) 光シグナルから電気シグナルへ

1) 光シグナルが入力する前はロドプシンの発色団レチナールは11-シス型をしている．G蛋白質はGα-サブユニットにGDPが結合しGβ・γ-サブユニットと会合した三量体構造をとっている．ホスホジエステラーゼは活性部位Pα, Pβにそれぞれ Pγが会合して触媒活性が阻害されている．

2) ロドプシンが光シグナルを受けた結果レチナールが全トランス型に異性化し，活性型のメタロドプシンとなる．G蛋白質はレセプターと会合し，Gα-サブユニットに会合していたGDPが細胞質のGTPと交

(a) 脊椎動物光受容シグナル伝達系

光 ⇝ R
R* → Gt → ホスホジエステラーゼ → [cGMP]↓ → gcGMP↓

(b) 無脊椎動物光受容シグナル伝達系

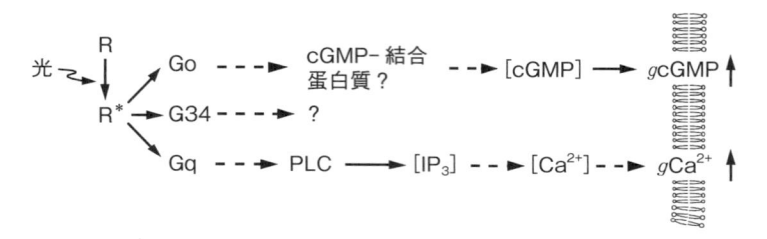

光 ⇝ R
R* → Go ---→ cGMP-結合蛋白質? ---→ [cGMP] → gcGMP↑
R* → G34 ---→ ?
R* → Gq ---→ PLC → [IP$_3$] ---→ [Ca^{2+}] ---→ gCa^{2+}↑

図7.8.2 脊椎動物(a)と無脊椎動物(b)の視細胞における情報伝達機構の違い

換する.その結果,GTPと結合したGα-サブユニットはGβ・γ-サブユニットから離れ,効果器であるホスホジエステラーゼ(PDE)に向かう.

3) 光情報を担ったG蛋白質のGTP・Gα-サブユニットはホスホジエステラーゼの阻害因子Pγ-サブユニットに作用してそれを取り除く.形質膜のイオンチャネルはサイクリックGMPが高濃度のとき閉じられているが,サイクリックGMPが活性化されたホスホジエステラーゼにより分解され濃度が低下してイオンチャネルからはずれ,イオンチャネルが開き過分極性の受容器電位が発生する.

(3) 脱感作のメカニズム

光を受けた光受容細胞がどのような過程をへて興奮に至るかを見てきた.興奮があまり続くと,新しい情報を受け取れない.次に興奮を静める(脱感作)機構を示す.

1) 細胞膜表面を漂っていたロドプシンキナーゼは光シグナルを受けた活性型のメタロドプシンを見つけて接近していく.アレスチンは待機中である.

2) ロドプシンキナーゼはメタロドプシンと会合することにより活性化されATPのリン酸基をメタロドプシンのC末端のループのセリン残基に移す.

3) リン酸化されたメタロドプシンのC末端のループにアレスチンが会合する.アレスチン分子はG蛋白質のα-サブユニットと似ているため,新たなG蛋白質はメタロドプシンにより活性化されない.このことにより一度光信号を受けたロドプシンの役割は終わる.

b. 無脊椎動物の視細胞における光シグナル伝達機構

ロドプシンなどG蛋白質共役型情報伝達系にかかわる情報伝達分子は基本的に,レセプター,G蛋白質,効果器,イオンチャネルである.それでは無脊椎動物と脊椎動物の視細胞の情報伝達機構はどのように違うのであろうか? 図7.8.2(a)は図7.8.1に示した脊椎動物視細胞での信号の流れを書き直したもので,光シグナルの流れは,ロドプシン-G蛋白質(Gt:トラン

スデューシン)-ホスホジエステラーゼ-サイクリックGMPに伝えられ形質膜のイオンチャネルで電気信号に変換される．これに比べて無脊椎動物の光情報の流れは3本書いてあり，さらに？マークが多い．無脊椎動物の視細胞の情報伝達機構はいまだに解明されていないので，このスキームは今後，修正が加わるであろう．

　無脊椎動物と脊椎動物の情報伝達機構はそれほど変わらないものだと思われてきた．しかし，無脊椎動物視細胞ではトランスデューシン型のG蛋白質も，光活性化されるホスホジエステラーゼも見出されない．一方，無脊椎動物頭足類の視細胞では百日咳毒素に特異的にADPリボシル化されるGoクラスと，ホスホリパーゼCを効果器とするGqクラスの2種類のG蛋白質がロドプシンと共役することが明らかにされた．それ以外に百日咳毒素，コレラ毒素の両方に光依存的にADPリボシル化されるG34が見出されている(タコ視細胞)が，詳細は今後の課題である．

　Gqの効果器はホスホリパーゼCであるが，そこから下流のイオンチャネルまでの経路がわかっていない．一方Go, G34は効果器そのものが明らかになっていない．それではこの3つのG蛋白質が本当に無脊椎動物の視細胞での情報伝達系にかかわっているのであろうか？

　G蛋白質など生化学的研究には眼の大きいイカ・タコが使われてきたのに比べて，電気生理は遺伝子操作の容易なショウジョウバエの複眼や視細胞の大きいカブトガニの腹眼が用いられてきた．視覚異常のショウジョウバエはホスホリパーゼCの欠如がみられたため，Gq-ホスホリパーゼCが無脊椎動物の視細胞の唯一の光情報伝達経路とされた．その後，ショウジョウバエでも光活性化されるサイクリックGMPイオンチャネルが見出され複数の経路があることがわかった．カブトガニの視細胞からは3つの性質の異なった光活性化イオンチャネルが記録されており，それに対する薬物の効果の研究から，サイクリックGMP, サイクリックAMP, Ca^{2+}により応答することが示された．最近ホタテ貝やイソアワモチでもGq, Goの複数のG蛋白質やサイクリックGMPで開閉するイオンチャネルが見出されている．このように無脊椎動物情報伝達系は脊椎動物と異なった複数のG蛋白質共役系が用いられている．

〔津田基之〕

[文献]
1) 津田基之，前田章夫編：視覚のメカニズム，蛋白質・核酸・酵素(増刊) **34**, 1989.
2) 津田基之編：生物のスーパーセンサー，共立出版，1997.
3) 津田基之編：知覚のセンサー，生物の巧みなシグナルの獲得，吉岡書店，1998.
4) 津田基之：視細胞における光電変換，ぶんしん出版，1998.
5) 津田基之編：生物の光環境センサー，共立出版，1999.
6) 大石 正，小野高明編：光環境と生物の進化，共立出版，2000.

7.9 視物質

　視物質とは動物の眼の中にある感光性の蛋白質である．眼の中の網膜にある視細胞の中に局在しており，光を受けて変化し，その変化は神経のインパルスに変換され，光情報として中枢に伝えられる．

　視物質は 11 シス・レチナールを発色団として含む．周囲の蛋白質部分によってレチナールの π 電子が摂動を受け，光により励起されるエネルギーの大きさが変化する．その大きさがアミノ酸残基の種類によって変わる．最もよく研究されている視物質は暗視に働く桿体細胞に含まれるロドプシンである．ロドプシンは 1876 年に光によりその赤い色が消えることがカエル網膜で発見され，翌年 Khuene によって胆汁酸塩ではじめて抽出された膜蛋白質である．牛肉が食卓によくのぼり，その眼球は食用に適さないため，ウシのものが最もよく研究されている．

　ウシのロドプシンは 498 nm に吸収極大（α 吸収帯）をもち，340 nm に小さな β 吸収帯と芳香族アミノ酸による 280 nm の γ 吸収帯をもつ．前2者は含まれる補欠分子族レチナールによるものである．レチナールは 6s シス 11 シス 12s トランス型であり，6員環とポリエン鎖平面は 30 度の角度をなし，また C6 から C13 までのポリエン鎖の平面と C13 から N までの平面は 130 度傾いている．ポリエン鎖の傾きが可視部の吸収帯に円偏光二色性を生み出している．視物質の発色団として，レチナール，3,4-デヒドロレチナール，3-ヒドロキシレチナール，4-ヒドロキシレチナールが知られている．まわりの蛋白質が同じでも発色団が異なれば吸収極大波長がわずかに異なり，動物はその生息場所や季節の光環境に合わせて発色団を選んでいる．

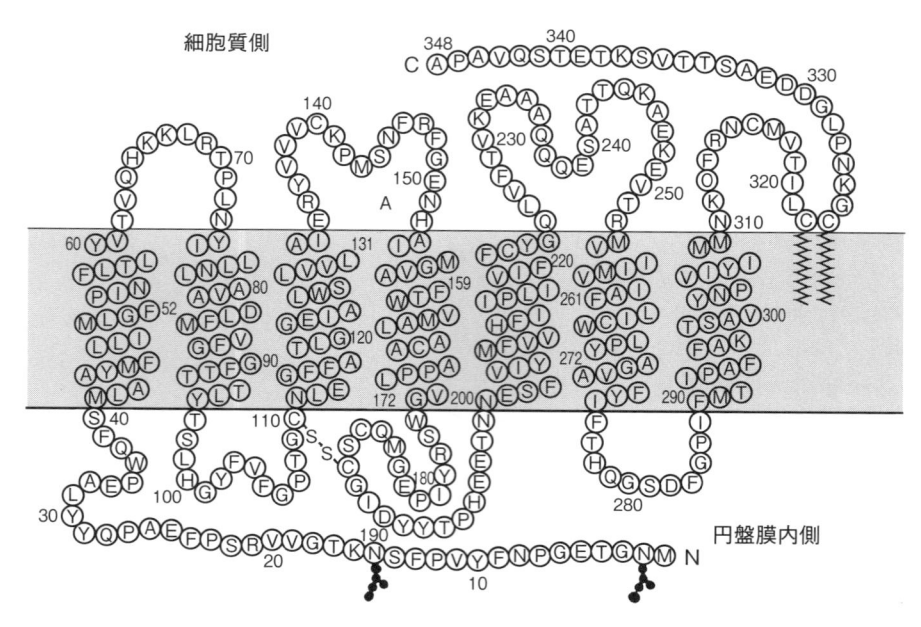

図 7.9.1 ウシ・ロドプシンのアミノ酸配列と円盤膜内での折れたたみモデル

メタⅡ　ヒプソ　パラ　メタⅠ　ルミ　バソ
(380 nm) (430 nm) (465 nm) (478 nm) (497 nm) (543 nm)
(0℃)　(−269℃) (3℃)　(−20℃) (−70℃) (−195℃)

ロドプシン
(498 nm)
(20℃)

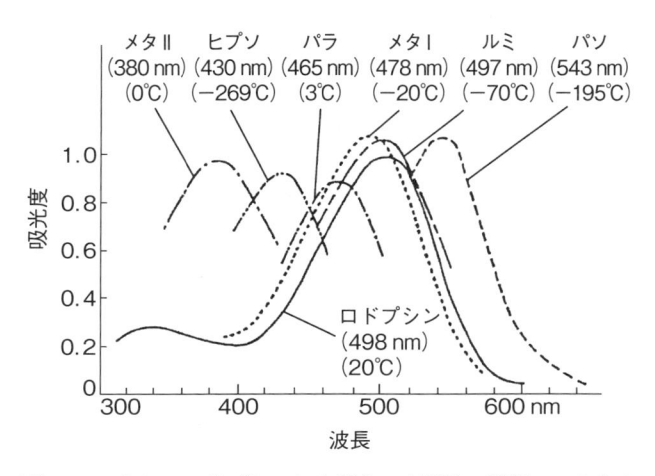

図 7.9.2 ウシ・ロドプシンおよびその中間体の吸収スペクトル

発色団レチナールは296番目のリジン残基（K）のεアミノ基にプロトン付加したシッフ塩基結合しており，そのプロトン化を113番目のグルタミン酸残基側鎖のカルボキシル基の負電荷が安定化している．また110番目と187番目のシステイン残基（C）がジスルフィド結合して，立体構造を安定化している．膜蛋白質には翻訳後修飾で糖鎖が付加しているものが多いが，ロドプシンも2番目と15番目のアスパラギン残基にマンノサミン，グルコサミン，ガラクトサミンなどの6〜8残基の糖鎖がついている．また細胞内情報伝達に関与する蛋白質は脂肪酸修飾を受けている場合が多いが，ロドプシンも322および323番目のシステイン残基（C）がパルミチン酸をチオエステル結合で付加し，その脂肪酸の鎖が膜に突き刺さっている．脊椎動物のロドプシンの既知アミノ酸配列を並べてみると，それらは非常に高い相同性を示し，70％以上のアミノ酸残基が保存されている．錐体視物質や無脊椎動物の視物質とはアミノ酸配列の相同性は低く，40％程度である．

ロドプシンは光受容後細胞内情報伝達に働くトランスデューシン（G蛋白質の一種）と相互作用する．この相互作用部位はロドプシンの細胞質側であり，ループ1/2（膜貫通部分をN末端側から番号をつけ，それらをつなぐループ部分は，それがつなぐ膜貫通部分の番号2つと/で表す），3/4，および5/6，さらにC末端の部分は機能的に重要な意味をもっているものと考えられている．とくにショウジョウバエと脊椎動物のロドプシンはループ1/2で最も相同性が高い．ループ3/4のアミノ酸配列ERYは，Yが他の芳香族アミノ酸に変わっている場合もあるが，G蛋白質活性化型受容体に共通する配列であるのでトランスデューシンの活性化に重要と思われる．光吸収後C末端付近の334, 338, 343のセリン（S）がリン酸化される．細胞の外側に当たる部分，すなわち円盤膜の内側については，ループ4/5は脊椎動物からショウジョウバエに至るまで一次構造がよく保存されているので，何らかの機能的重要性を示唆している．

脊椎動物の視物質は光を吸収すると，室温ではレチナールがオプシンから離れ，色が消える．ロドプシンの場合についてくわしく見ると，液体窒素温度（−195℃）で照射すると吸収スペクトルは長波長移動し，光平衡状態になってスペクトル変化は止まる．この試料を室温にすると，ロドプ

7.9 視物質

シンの退色が観察され，−195℃で中間体が生成していたことがわかる．この中間体をバソロドプシンと呼ぶ．このバソロドプシンは液体窒素温度で光可逆的にロドプシンに戻る．また照射光の波長と照射時間によっては−195℃でアイソロドプシンが生成するが，ロドプシン↔バソロドプシン↔アイソロドプシンは光可逆的に変化する．このおのおののレチナールは11−シス型，全トランス型，9−シス型であるので，光は炭素・炭素二重結合のシス・トランス異性化を起こすことに寄与していることになる．バソロドプシンを含む試料は昇温の過程で吸収スペクトル変化を示し，熱反応でバソロドプシンは図7.9.2に示すような

スペクトルをもつルミロドプシン，メタロドプシンI，メタロドプシンIIを経て，レチナールとオプシンに分解する．

極低温での反応が室温で起こっている現象と同じかどうかという疑問があったが，ピコ秒やフェムト秒閃光分解装置によって，バソロドプシンなど低温で見つけられた中間体が室温でも生成することが確認された．さらにバソロドプシンの前に吸収スペクトルの異なるフォトロドプシン（λ_{max}：570 nm）の存在することが示され，この最初の中間体は室温で約100フェムト秒で出現することがわかった．この時間領域では発色団まわりの蛋白質の構造変化が起こるには速すぎて，発色団のとくに

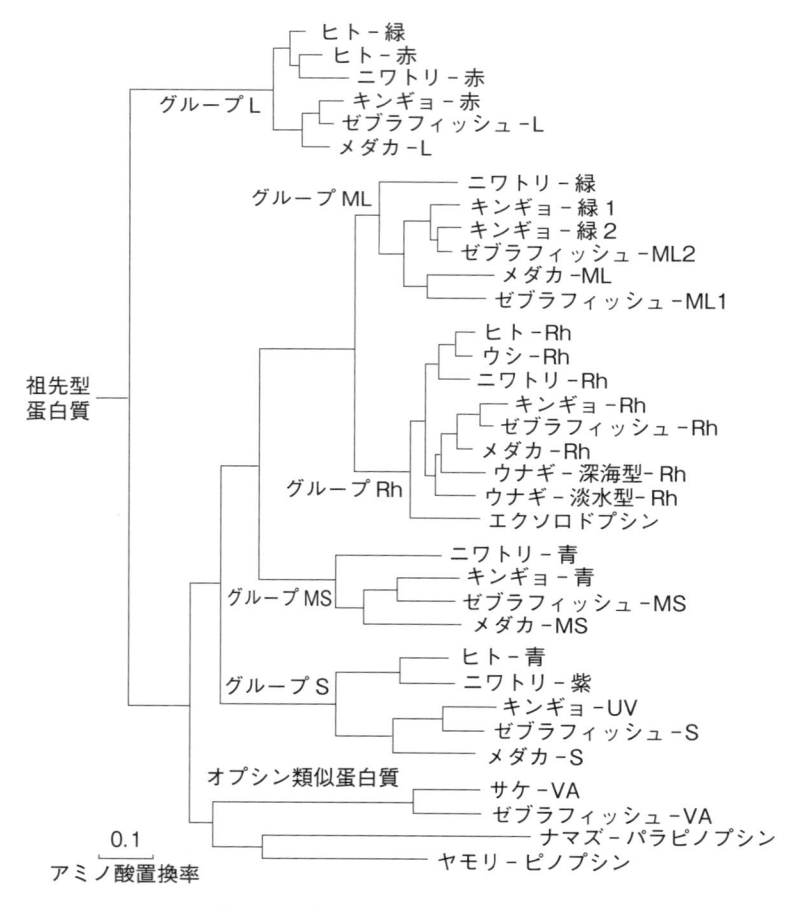

図7.9.3 脊椎動物視物質の分子系統樹

C11＝C12二重結合がシスからトランスに異性化するのみであり，したがって発色団はねじれたトランス型になっていると推定される．次にフォトロドプシンは，45ピコ秒の時定数で色が異なるバソロドプシン（λ_{max}：535 nm）に変化する．バソロドプシンへの変化でC11＝C12は完全にトランス型に変わるが，発色団全体はまだ蛋白質の影響でねじれが残っていると推定される．バソロドプシンは30ナノ秒の時定数でルミロドプシンに変化する．ルミロドプシン（λ_{max}：497 nm）への変化では発色団周辺の蛋白質の変化が発色団の構造変化に追随し，とくにβイオノン環近傍の構造変化が起こると推定されている．ルミロドプシンは75マイクロ秒の時定数でメタロドプシンI（λ_{max}：478 nm）に変化する．この時間領域では蛋白質の部分的変化が追随でき，蛋白質内部に構造変化が起こっていると推定される．さらにメタロドプシンIは時定数10ミリ秒でメタロドプシンII（λ_{max}：380 nm）に変化する．ここではオプシン内部で発色団の構造変化に誘導されて起こった構造変化が蛋白質表面にまで展開していると推定される．このメタロドプシンIIはシッフ塩基が脱プロトン化しており，細胞内情報伝達過程の次の分子であるトランスデューシンと相互作用して活性化する．さらにメタロドプシンIIはロドプシンキナーゼ（RK）によってC末端付近のセリン残基がリン酸化され，アレスチンが結合してトランスデューシンを活性化できなくなる．これにより情報伝達のスイッチが切られる．その後全トランスレチナールがオプシンから遊離する．オプシンはホスファターゼにより脱リン酸化を受け，11-シスレチナールが結合することによって再生し，ロドプシンとなる．室温でのロドプシンの退色過程では色の異なる中間体が10^3秒おきに出現するがその理由は不明である．

ロドプシン以外の視物質も，生成温度やスペクトル変化の大きさは異なるものの，ロドプシンと同じようなベクトル移動を示す中間体を生ずる．

視物質は進化的にはG蛋白質共役型受容体（G-protein coupled receptor：GPCR）スーパーファミリーに属している．ヒトの場合，薄明視に関与するロドプシンのほかに，色覚に関与する赤色覚色素，緑色覚色素，青色覚色素の3種類の視物質をもつ．赤色覚色素と緑色覚色素の360残基のアミノ酸配列はわずか15残基しか違わず，進化的に最近（4000万年ほど前）分岐したと考えられる．ロドプシン，赤色覚色素，青色覚色素のアミノ酸配列は40％ほどの相同性がある．脊椎動物の視物質のアミノ酸配列の相同性をもとに系統樹を描くと図7.9.3のようになる．これによると，脊椎動物の視物質は現存する最も古い動物の属する無顎網が出現したときには6種類の視物質をもっていたと推定され，それらは，L, S, A, MS, ML, Rhの順に分岐出現したと考えられる．Lグループは約510 nmより長波長，MLとRhは大体480 nmから510 nmの間に，MSはおおよそ480 nmと420 nmの間に，Sは420 nmより短波長側にそれぞれ吸収極大波長をもつ．無脊椎動物の視物質とは情報伝達の次のG蛋白質の種類が異なり，それに続く経路が異なっているので，脊椎動物になってから多様化したと考えられる．　　　〔徳永史生〕

[文献]

1) 徳永史生：光のセンサー，（シリーズ・ニューバイオフィジックス6，生物のスーパーセンサー），17-30，共立出版，1997.
2) 久富 修，徳永史生：ロドプシンおよびアイオドプシンの分子進化，光シグナルトランスダクション（蓮沼仰嗣，木村成道，徳永史生編）シュプリンガー・フェアラーク東京，139-145，1999.
3) A. Terakita：The posins, *Genome Biol.* **6**(3), 213, 2005.

7.10 カロテノイド蛋白質

　カロテノイド蛋白質とはカロテノイドを分子内に結合する蛋白質を総称していう．色素としてカロテノイドだけを含むものの報告例は少数で，他の色素分子を同時に含む場合もある．また存在が確認されてはいるが，生体内での機能が明確にされていない場合も多い．

　カロテノイドはポリエンに分類される分子群で，炭素数40（$C_{40}H_{56}$）を基本骨格にもつ（⇨7.2）．側鎖，末端の環構造の置換により多くの分子種が生成し，生物界全体では700種以上が知られている．脂溶性の物質であるために，細胞内では生体膜に存在するか，蛋白質と結合するか，または脂質ミセルに溶解していることが多い．

　カロテノイド蛋白質は光合成系で機能する蛋白質に多く見ることができる（厳密な定義に基づくと，光合成系で機能する蛋白質はクロロフィル-カロテノイド-蛋白質であるが，カロテノイドに関しても構造・機能相関などを解析するのにはよい試料なので，ここで取り上げる）．光合成細菌の反応中心にはシス型のカロテノイドが1分子結合し，バクテリオクロロフィルの三重項状態を消去する機能をもつ．代表例として紅色光合成細菌 *Blastochloris*（*Rhodopseudomonas*）*viridis*（PDBデータ：2PRC，3PRC）や *Rhodobacter sphaeroides*（PDBデータ：4RCR，1M3X）が知られる．酸素発生型光合成生物の反応中心として好熱性シアノバクテリア *Themosynechococcus*（*Synechococcus*）*elongatus* の光化学反応中心ⅠおよびⅡの結晶構造も最近明らかにされた（それぞれPDBデータ：1JB0，1S5L）．また光合成のアンテナ色素蛋白質複合体にはクロロフィルとともにカロテノイドが必ず結合しており，光エネルギー吸収とクロロフィルへの励起エネルギー移動に貢献している（⇨9.10）．代表例としては，紅色光合成細菌の *Rhodoblastus acidophilus*（*Rhodopsuedomonas acidophila*）strain 10050 LH Ⅱ（PDBデータ：1KZU），*Phaeospirillum*（*Rhodospirillim*）*molischianum* LH Ⅱ（PDBデータ：1LGM），渦鞭毛藻がもつペリディニン・クロロフィル *a*・蛋白質（PCP，PDBデータ：1PPR）や，高等植物，緑藻に存在する光捕集性クロロフィル蛋白質Ⅱ（LHC Ⅱ，PDBデータ：1RWT）がある．アンテナとして機能するカロテノイドの分子種は限定されており，植物中に存在するカロテノイドの一部のみである．原核光合成生物シアノバクテリアの細胞表面にはカロテノイド蛋白質が存在することが知られるが，機能は明らかにされていない．高等植物ではマンゴーの実やニンジンの根から単離されている．前者はリポ蛋白質である．これらの生理機能も未解明である．

　無脊椎動物では保護色のためのカロテノイド蛋白質の存在が知られる．その代表例が甲殻類の体表にあるクラスタシアニンであり，その結晶構造も明らかになっている（PDBデータ：1GKA，1H91）．クラスタシアニンにはアスタキサンチンと呼ばれるキサントフィルが結合している．色を変えるのはカロテノイドの吸収特性を変化させることである（以下の段落参照）．哺乳類の肝臓にも代謝の中間体として機能するカロテノイド蛋白質の存在が知られる．脊椎動物においては，β-カロテンは代謝を受けてレチナールとなり，視覚において光受容体となるロドプシンを構成するが，これはレチナール蛋白質と呼ばれ，カロテノイド蛋白質と呼ばれることはない．カロテノイド蛋白質が，信号伝達に直接関与してい

るという証拠は現在までのところ報告されていない．

　カロテノイドの光学特性は，有機溶媒中とカロテノイド蛋白質中では大きく異なる．カロテノイドは共役二重結合の長さに応じて，吸収する紫外光，可視光の波長が異なり，一般に共役二重結合長が長いほど，長波長側に吸収極大が移行する．蛋白質と結合すると吸収極大が長波長側に移行する現象が知られている．クラスタシアニンでは100 nm以上の長波長シフトが起こっている．このシフトは有機溶媒中では溶媒の屈折率（n）によって決まる分極率（$\alpha = (n^2-1)/(n^2+2)$）に依存して起こり，αが大きいほど長波長シフト量が増大するという強い相関がある．しかし蛋白質中ではカロテノイド分子全体を取り巻く溶媒環境（周囲のアミノ酸による平均的な分極率）によって決定されるというよりは，局所的なアミノ酸との相互作用の違いでシフト量が決定されると考えられる．事実，シアノバクテリア *Arthrospira maxima* に存在する水溶性のカロテノイド蛋白質では，N末端が切れた場合，3′-ヒドロキシエキネノンと呼ばれるカロテノイドの色がオレンジから赤へ変化することが観測されている．

　カロテノイドの特殊な存在形態として走光性を示す藻類の眼点がある．眼点にはカロテノイドが存在するが，蛋白質との結合，光受容体としての機能などには不明な点が多い．　　　　　　　　　　　〔三室　守〕

[文献]
1) 垣谷俊昭，三室　守編：電子と生命－新しいバイオエナジェティックスの展開（シリーズ・ニューバイオフィジックス II-2），共立出版，2000.
2) 秋本誠志，山崎　巌，三室　守：光合成系カロテノイドの励起緩和ダイナミクス，レーザー研究 **31**, 2003.
3) 津田基之編：生物のスーパーセンサー（シリーズ・ニューバイオフィジックス 6），共立出版，1998.
4) Frank, H. A., Young, A. J., Britton, G. and Cogdell, R. J. (eds): The Photochemistry of Carotenoids, Kluwer Academic Publishers, Dordrecht, 1999.

7.11 視細胞

　脊椎動物の網膜（retina）は発生過程において終脳の一部が伸長してできた突起として始まる．やがて球形の突起はへこみ，眼杯（eye cup）を形成する．これが網膜の最初の形で，脳室に面した上下の上皮（上衣）細胞群が向き合うかたちで網膜が形成される．このとき強膜側の外層の細胞群のうち脳室に面した上衣細胞は色素上皮細胞となり，内層の細胞群で脳室に面した上衣細胞は視細胞（photoreceptor cells）へと分化する．やがて脳室に相当する部分は消失し，わずかに網膜下腔（subretinal space）として遺残する．これにより視細胞は神経網膜の最外層に位置し，色素上皮細胞と相対する．視細胞には明るいところで機能（昼間視）し，色覚に関与する錐状体視細胞（cone）と薄暗いところで機能（薄明視）し，明暗のみに関与する杆状体視細胞（rod）とが存在する．光軸が網膜と交わる中心窩には錐状体視細胞が密に分布するが，周辺部にはほとんど分布しない．逆に杆状体視細胞は中心窩では少ないが，周辺部には密に分布している．したがって，網膜中における数では杆状体視細胞が圧倒的に多い．杆状体視細胞には光受容物質（視物質：visual pigment）としてロドプシン（rhodopsin）が含まれ，錐状体視細胞には細胞によりそれぞれ光吸収極大の異なるアイオドプシン（iodopsin）が含まれる（赤錐状体，緑錐状体，青錐状体）．しかし，光受容過程はいずれの視細胞においても基

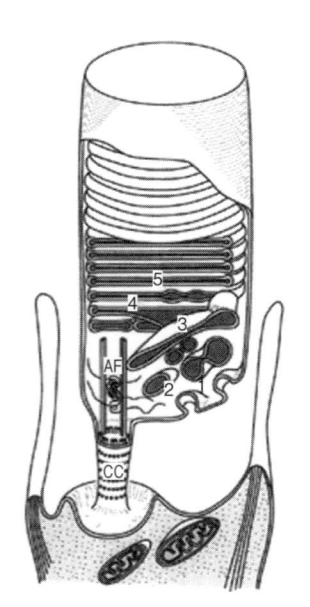

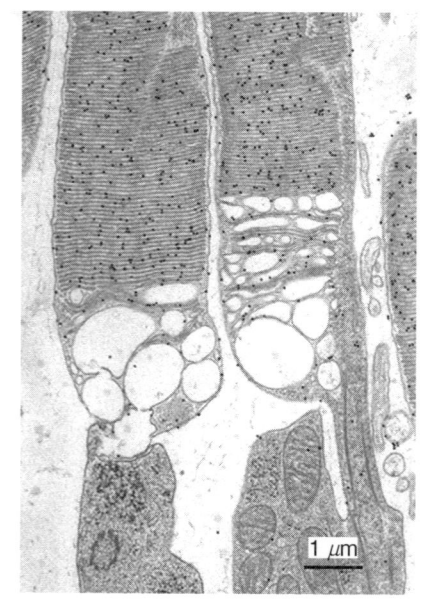

図7.11.1　（左図）杆状体視細胞外節における円盤膜形成過程の模式図と（右図）マウス杆状体視細胞外節，内節部の電子顕微鏡像
外節に認められる黒い粒子は抗オプシン抗体によるオプシンの免疫標識である．

本的には同じであると考えられたため，生化学的・生理学的研究の多くは杆状体を用いて行われた．

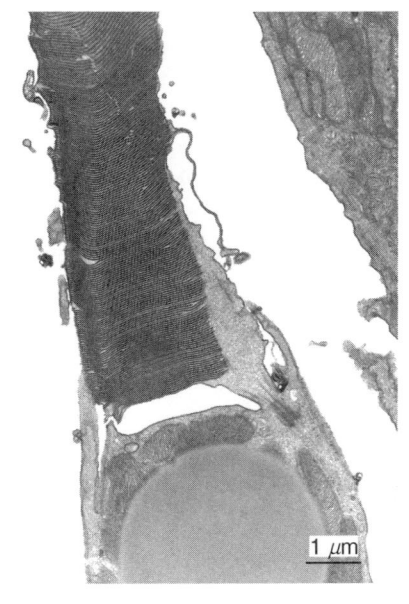

図 7.11.2 カエルの錐状体視細胞の電子顕微鏡写真
マウスの杆状体視細胞と異なり外節と内節は比較的短い結合繊毛でつながれている．内節エリプソイドの中心に油滴が認められる．なおマウスでは錐体視細胞はきわめて少ない．

視細胞の構造

視細胞は構造的にも機能的にも分化した細胞である．光受容の場である外節（outer segment），蛋白合成とエネルギー産生の場である内節（inner segment），核を含む細胞体（soma），細胞体と神経終末（シナプス：synapse）を結ぶ細長い内繊維部，そして双極細胞や水平細胞に情報を伝達する神経終末部とに分かれている．外節と内節は繊毛構造をなす結合繊毛（connecting cilium）によって結ばれている．錐状体，杆状体を問わず外節は何百もの円盤状の膜性の袋（disc membrane）の堆積から成る．そして，この円盤膜の堆積を形質膜（細胞膜）が覆っている．錐状体ではこの外節が先の尖った錐状を示し，また円盤膜の一部がそれを覆う形質膜の一部と融合し連続している．つまり，円盤膜内腔が外部と連絡していることになる．これに比べ，杆状体では外節は筒状で distal と proximal の円盤膜の外形はほぼ同一である．また，円盤膜と外節形質膜の連絡はない．視物質ロドプシンは円盤膜の内在性蛋白質で全内在性蛋白質の約 80％ を占めるといわれている．毎日 20〜40 枚程度の円盤膜が外節先端部から網膜下腔に放出（shedding）されるが，ほぼ同数の新しい円盤膜が外節基部でつく

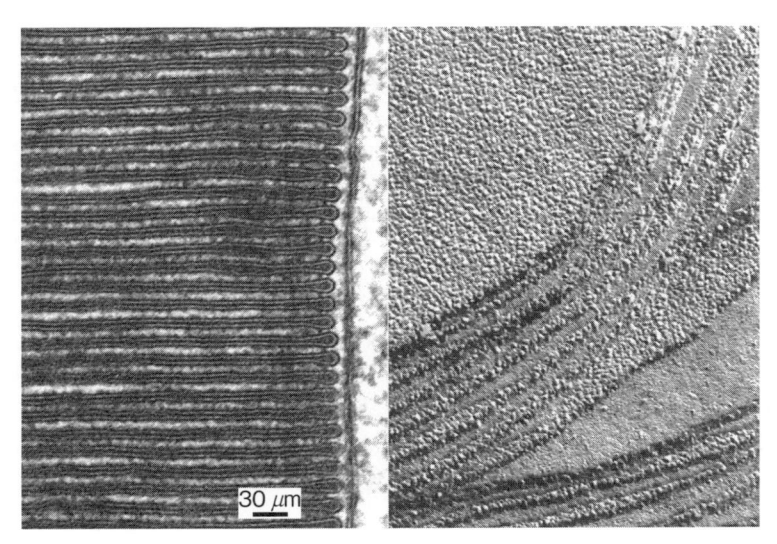

図 7.11.3
左図：カエル杆状体視細胞外節の切片像（高倍率像）
　円盤膜が膜性の袋であることがよくわかる．
右図：左と同様部分の freeze fracture replica 像
　この像では脂質二重層である膜の真中の疎水性面に沿って割断されるので膜内の構造を面としてとらえることができる．膜内に多くの粒子（内在性膜蛋白質：大半は視物質）が高密度で存在するのがよくわかる．

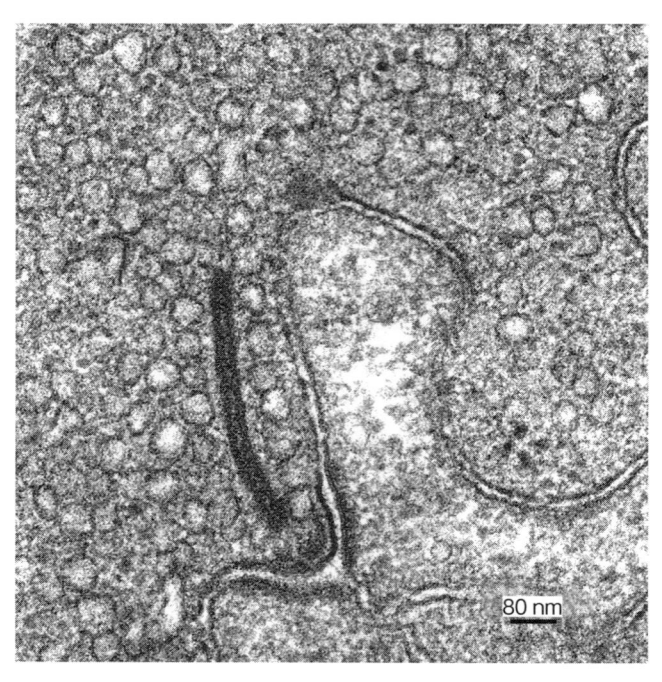

図 7.11.4 カエル視細胞終末部の高倍率切片像
多くのシナプス小胞とともにシナプスリボンと呼ばれる特殊な構造が認められる．

られ付加される（renewal）．網膜下腔に放出された外節円盤膜はただちに色素上皮細胞に貪食される．光情報処理蛋白であるトランスデューシン（G蛋白質），cGMP分解酵素（PDE），およびそれらの機能調節蛋白質などはすべてこの円盤膜の周辺蛋白質として存在する．外節は光受容のためだけに分化した構造であるから，そこには蛋白質合成のためのリボソームもエネルギー（ATP）産生のためのミトコンドリアも存在しない．必要な蛋白質やエネルギーはすべて内節で合成され，結合繊毛を通して外節に供給される．一方，内節はエリプソイド（ellipsoid）とミオイド（myoid）と呼ばれる部分から成る．エリプソイドにはミトコンドリアの集団が認められ，エネルギー産生の場と考えられている．とくに錐状体ではこの部分がよく発達し，その中心に油滴（oil droplet）と呼ばれる構造がしばしば観察される．油滴の機能はまだよくわかっていない．ミオイドには多くの粗面小胞体，ゴルジ装置が認められることから蛋白質合成を担っているものと考えられる．終末部は中枢神経系にみられる通常のシナプスとは異なり，独特の陥凹型の複合シナプスを形成する．すなわち，二次ニューロンである水平細胞や双極細胞の突起が視細胞終末部に貫入するため，終末部が膨らみこれらのニューロンの突起を包み込むような形態を形成する．また，活性部位にはシナプスリボンと呼ばれる特別な構造が存在する．機能はまだ明らかではないが，多くのシナプス小胞がそこに付着していることから，それらを連続的に放出するためのしくみと考えられている．一般に錐状体視細胞ではこの終末部は大きく発達し，cone pedicle と呼ばれる．また，杆状体の終末部は錐状体ほど発達せず球状を呈するので，rod spherule と呼ばれている．

〔臼倉治郎〕

[文献]
1) 山田英智，市川　厚，黒住一昌監訳：ブルーム・フォーセット組織学，廣川書店，1991.
2) Young, R. W.：The renewal of photoreceptor cell outer segments, *J. Cell Biol.* **33**, 61-72, 1967.
3) The retina. A Model for Cell Biology Studies, Part I (eds. Adler, R. and Farber, D.)：Academic Press, 1986.
4) Dowling, J. E. (ed.)：The retina. An Approachable Part of the Brain, The Belknap Press of Harvard University Press, 1987.
5) Hargrave, P. A. (ed.)：Method in Neurosciences：vol. 15, Photoreceptor cells, Academic Press, 1993.
6) Michael, F. Marmor, M. F. and Wolfensberger, T. J. (eds)：The Retinal Pigments Epithelium, Oxford University Press, 1998.

7.12 色　　覚

　色覚はその名のとおり色を識別する能力のことをいう．色には色相（色み，光の波長の識別）と明度（明るさ），さらには，その色が白（灰色）によってどの程度希釈されているかを表す彩度（あざやかさ）という3つの指標がある．ヒトは色相を約200段階に区別でき，明度，彩度はそれぞれ500段階，20段階に区別できるといわれている．したがって，これらの数値を掛け合わせると，ヒトは約200万色を区別できることになる[1]．ここでは，色覚のうち，波長識別に焦点を絞り，その分子的な基礎を概説する．

　カラーテレビの画面が基本的には3つの色，赤，緑，青の点からできていることはよく知られている．これは，われわれの眼が外界からの光の色（波長）を3つの色に分解して識別していることに関係している（ヘルムホルツ（Helmholtz）の3原色説）．つまり，眼の中には吸収極大波長が赤（560 nm），緑（530 nm），青（420 nm）にある3つの視物質が存在し，外界からの光がそれぞれの視物質に異なる効率で吸収され，その情報が神経細胞で統合され，波長識別能が生じるのである．

　眼の中に色をみる視物質が3つ含まれているのは重要なことである．ヒトの視覚は約400 nmから700 nmまでをカバーしているが，最も単純な例として異なる波長の単色光を区別する場合を考えてみよう[2]．

　まず，動物が図7.12.1 (a) のように1つの視物質をもつ場合を考えよう．波長の違う2つの光（λ_1 と λ_2）はこの視物質に

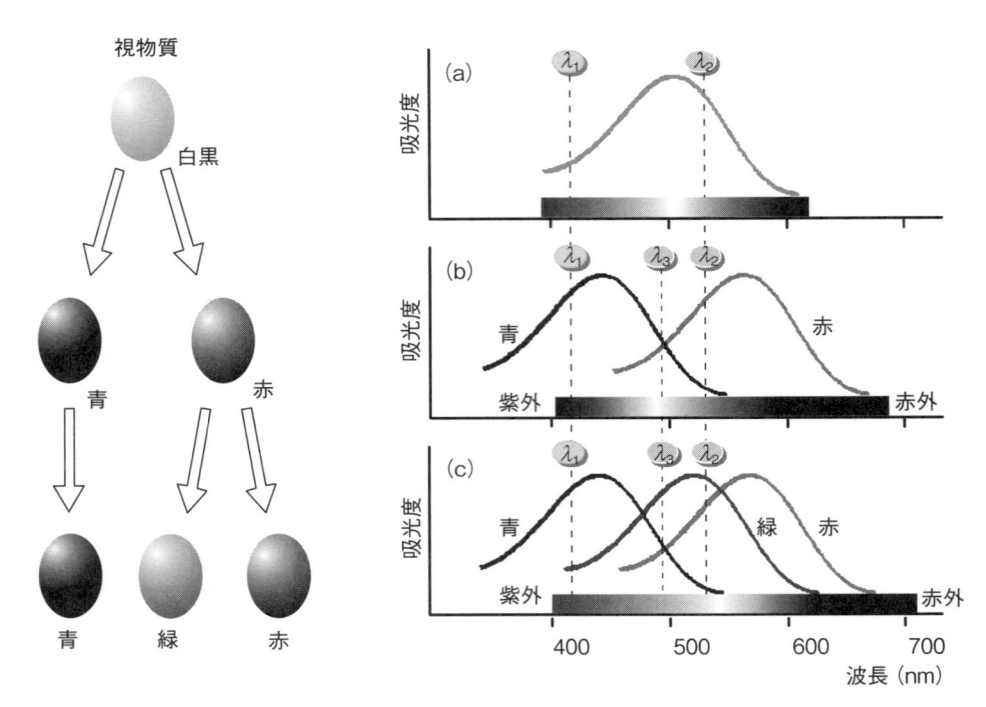

図 7.12.1 視物質の数と波長識別能
眼の中に視物質が1つ、2つ、および3つある場合の波長識別能の違いを模式的に表した．視物質を1つしかもたないと波長識別は不可能であり、2つでは不完全である．3つあると完全な波長識別が可能になる．

異なる効率で吸収されるが、それぞれの光は発色団の異性化反応を誘起し、光シグナルとしてG蛋白質に伝えられ、最終的に視細胞の興奮を引き起こす．つまり、視物質に吸収される光の波長の違いは吸収効率の違いになり、その違いは同じ波長の光の強度（振幅）の違いと区別ができない．したがって、波長の違いは色としては区別されず、白黒の世界になる．

では、2つの視物質があればどうであろうか．それを表したのが図7.12.1（b）で、先ほどの λ_1 あるいは λ_2 の波長の光はそれぞれの視物質に異なる割合で吸収される．しかし、1つの波長の光はその光強度に関係なく2つの視物質にある決まった割合で吸収される．したがって、光強度と波長は独立の変数となり、それぞれの視物質からの情報が統合されると色の弁別ができるようになる．

しかし、色の違う視物質が2つあるだけではすべての光の波長を識別できない．たとえば、図7.12.1（b）の λ_3 の波長の光は、2つの視物質に同じ効率で吸収される．一方、われわれが白色光として見ている光はすべての波長領域の光が混じった光である．多くの視物質は発色団としてレチナールをもっており、その吸収スペクトルは極大波長は違うが波長軸に対してちょうど平行移動したような形をしている．つまり、白色光は2つの視物質に同じように（すなわち同じ効率で）吸収される．したがって、2つの視物質しか含まれていないと、ある色を示す λ_3 の光と白色光が区別できなくなり、色として識別できる波長領域の中間に白色光と区別できない波長領域が生じることになる．眼の中に2つの視物質し

か含まれていないと色覚異常になるが，それはこのような理由からである．

上記の困難はもう1つの視物質が眼に含まれていると解消する（図7.12.1 (c)）．つまり，2つの視物質が同じ効率で吸収する波長の光（λ_3）は3番目の視物質で違った効率で吸収され，そのため，すべての波長領域の光が色として区別できるようになる．以上のことから，色識別には最低3つの視物質が必要になるのである．

さて，色を見る動物のすべてが3つの視物質をもっているかというとそうではない．それを示したのが図7.12.2で，ヒトには上記のように赤，緑，青の視物質があるが，ニワトリでは4つの視物質が含まれている．視物質が4つあると，識別できる波長領域が広がるか，違う波長の色をさらに細かく識別できると考えられる．したがって，ニワトリのほうがヒトよりも波長識別に関する潜在的な能力は高い．

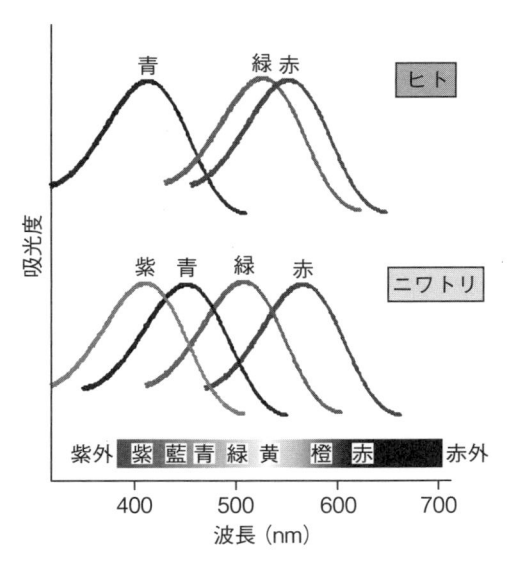

図7.12.2 ヒトとニワトリの視物質の吸収スペクトル

ヒトには赤，緑，青に吸収極大波長をもつ3つの視物質が含まれている．ニワトリでは4つの視物質が含まれている．なお，両動物にはこれらの視物質以外に薄暗がりで働く視物質（ロドプシン）が1つ含まれている．

なぜヒトとニワトリでは色を見る視物質の数が違うのだろうか．この問いに答えるためには視物質の分子進化を考える必要がある[3]．図7.12.3は視物質のアミノ酸配列をもとにした分子系統樹で，図から先祖型の視物質は動物の進化の過程で，赤，紫，青，緑と，4つの色の違う視物質のグループに順番に分かれてきたことがわかる．ニワトリは4つの色を見る視物質を含んでいるが，それは，進化の過程で分岐したそれぞれのグループの視物質を現在ももっていることによる．一方，ヒトの場合は特別で，このように赤グループの中に2つと紫グループの中に1つもっている．

なぜこのような違いがあるのだろうか．それを解く手がかりは，イヌやネコ，マウスなどの哺乳類が色を識別する能力が弱いことである．つまり，哺乳類は爬虫類や鳥類から進化する過程で一度夜行性になり，色を見る視物質遺伝子をなくしたのである．その後ヒトへの進化の過程で，まだ残っていた赤グループの視物質遺伝子を重複させて新しい視物質をつくり，3原色的な色覚を取り戻したと考えられている．

視物質の分子系統樹から，色をみる視物質は分子進化の過程で先祖型の視物質から分岐してきたことがわかる．視物質は可視光を吸収するために発色団としてレチナールあるいはその誘導体を含んでいるが，ヒトやニワトリの視物質はすべてレチナールを含んでいる．したがって，視物質の吸収極大波長の違いは，それぞれの視物質のアミノ酸配列の違いに由来する．

ここで，分子の吸収極大波長がシフトするメカニズムを考えてみよう．吸収極大波長はその分子の基底状態と励起状態のエネルギー差に対応するエネルギーをもつ光子の波長である．したがって，吸収極大波長が長波長にシフトするには，基底状態のエネルギーが上がる（つまり，基底状態が不安定になる）か，あるいは，励起状態のエネルギーが下がる（安定化される）かすれ

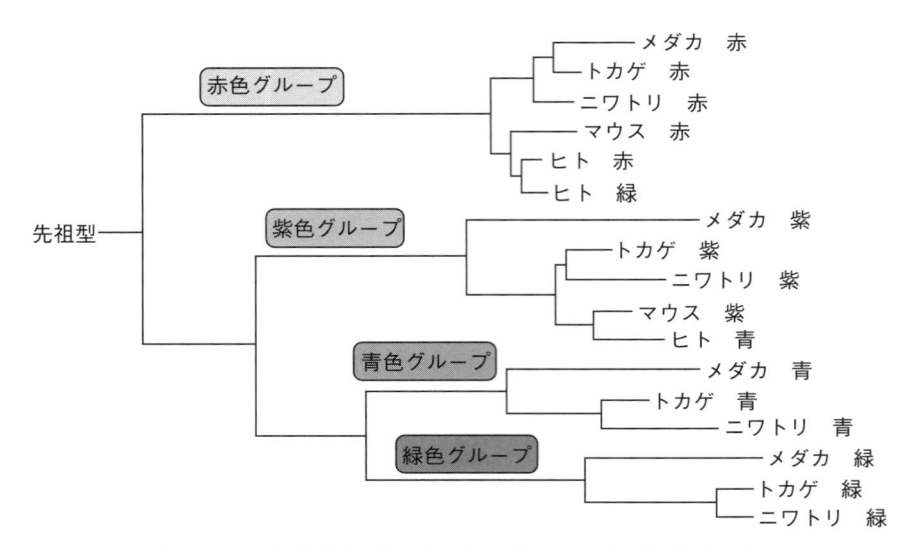

図 7.12.3 脊椎動物の色を見る視物質の分子系統樹（小柳ら）
分子進化の過程で先祖型の視物質は 4 つの色を見る視物質のグループに分岐した．ニワトリではそれぞれのグループの視物質を 1 つずつもっているが，ヒトでは赤グループに 2 つ，紫グループに 1 つの視物質をもっている．

ばよい．また，逆に吸収極大波長が短波長にシフトするには上記と逆のことが起こればよい．量子化学計算を基礎とした研究から，吸収極大波長のシフトの機構が詳細に解析されている[4]．そのうち，生物学的に最も重要なものは，発色団とそのまわりのアミノ酸残基との静電的相互作用である．静電的相互作用を起こすアミノ酸残基として，側鎖に永久双極子モーメントをもつもの（水酸基を含むセリン，トレオニン，チロシンなど）や分極率の高いもの（トリプトファンなど）が知られている．これらのアミノ酸残基が発色団のまわりに存在すると，その位置によって発色団の基底状態あるいは励起状態が電気的に安定化されて吸収極大波長が長波長あるいは短波長にシフトする．1 個のアミノ酸残基に由来するシフトはそれほど大きくはないが，数個集まると大きなシフトが引き起こされる．実際，ヒトの赤（560 nm）と緑（530 nm）を感じる視物質では，それぞれ 364 個のアミノ酸のうち，N 末端から 164, 261, 269 番目に存在する 3 つの残基の違いによって両者の吸収極大波長の差がほぼ再現されることが示されている[5]．動物の進化の過程で，視物質のアミノ酸配列も変化してきたが，このメカニズムによって視物質の吸収極大のバラエティが生まれてきたと考えられている．

〔七田芳則〕

[文献]
1) 池田光男，芹沢昌子：どうしてものが見えるのか，平凡社，1992.
2) 金子章道：生理学（入来正躬，外山敬介編），pp. 187-212, 文光堂，1986.
3) Shichida, Y. : The Retinal Basis of Vision (Toyoda. J. *et al.* eds.), pp. 23-37, Elsevier Science, The Netherland, 1999.
4) 垣谷俊昭：光・物質・生命と反応，丸善，1999.
5) Asenjo, A. B., Rim. J. and Oprian, D. D. : *Neuron* **12**, 1131-1138, 1994.

第8章 構造生物物理，計算生物物理

8.0 〈総論〉
構造生物学の展開

1950年代に，DNA二重らせん構造とミオグロビンの三次元分子構造モデルがそれぞれ提唱された．その時点で，生命現象がこれらナノメートルサイズのきわめて微小な生体高分子を単位として営まれているという分子生物学の概念ができあがった．すなわち，蛋白質は，水や生体膜を主な溶媒とした生理的環境下では，遺伝情報であるDNA塩基配列によって規定されたアミノ酸の並び方（以下では，アミノ酸配列と呼ぶ）に応じて固有の立体構造を自発的に形成する．蛋白質は，この固有の立体構造にもとづいて，それぞれ異なる機能を発揮している．生体高分子のナノメートルサイズの立体構造を精度よく決定する実験は容易でなかったため，以後は，しばらくの間，生命現象に関連する遺伝子を単離し，その蛋白質を同定する研究に焦点が移っていった．1980年代末から，欧米を中心に日本国内においても，文字通り生体高分子の立体構造をもとに生命現象を理解しようとする「構造生物学（structural biology）」が盛んになった．ここで，構造生物学は「生命現象を，個々の分子の特異的な立体構造とその上で発現される固有の機能に立脚して予測・解析・検証を行い，理解する研究分野」と定義される．この分野の急速な発展の背景には，X線結晶解析技術，核磁気共鳴（NMR）溶液構造解析技術，電子顕微鏡技術等の要素技術がそれぞれ進歩したことと，DNA組換え技術を用いた遺伝子工学の利用が立体構造決定に必要な高純度の試料の大量調整を可能にしたこと，コンピュータによる解析技術・データベース・コンピュータネットワーク等の支援環境が充実してきたことがあげられる．その結果，ウイルス，細菌から植物，ヒト等高等動物に至るさまざまな生物種の，生命現象に重要な働きをしている生体高分子の立体構造が大量に決定され始め，機能部位の立体構造を基にした分子認識や酵素反応メカニズムの理解によって，生物学・薬学・医学の議論が盛んに行われるようになってきた．

さらに，最近のゲノム解析の急速な進展によって，個々の蛋白質の立体構造を決定してその機能を構造的に明らかにする，という構造生物学から，生体内での蛋白質ネットワーク全体に対する網羅的な構造生物学（構造ゲノム科学あるいは構造プロテオミクスと呼ばれる）へと変貌しようとしている．ゲノム解析が行われる以前の生物学は，分子・細胞・組織の各階層において，それぞれのユニットごとの一次元的な解析が主であった．たとえば，蛋白質分子のレベルでは，ある蛋白質について，そのアミノ酸配列は何か，立体構造はどうか，生化学的機能は何か，細胞内ではどこにいるか，などの研究が個別に行われてきた．構造生物学に関してもそのような状況が続いていたが，ゲノム解析の開始と成熟は，これらの研究に関するパラダイムシフトを

生じさせ,「ある細胞内には,1～nまでの有限の種類の蛋白質が発現しており,その有限種の蛋白質群が相互作用を行って細胞全体としての機能を発現している」と理解されるようになり,従来の一次元的研究の質を落とさないままで,二次元的な研究へと展開することが必須となってきた．こうして,ゲノム情報から生物個体へとつなぐ,すなわちgenotype（遺伝子型）からphenotype（発現型）へのパスを,蛋白質の立体構造を基に解析することが主要な課題として意識され始めているのである．

本章8.10節で紹介するように,これら研究の成果として解析された蛋白質・核酸・糖等の生体高分子の立体構造は,蛋白質立体構造データベース（protein data bank：PDB）に整理されて蓄積されている．この構造データを基にして,蛋白質立体構造の博物学が進んでいる．実際,アミノ酸配列の比較では類似性が認められなくとも,ペプチド鎖に沿ったα-ヘリックスやβ-構造等の二次構造の種類・長さとその出現のしかた（フォールド）を比較するとよく似ている場合がしばしばある．多くの場合には,立体構造のほうがアミノ酸配列よりも保守的でよく保存されているという経験則があるため,それらはスーパーファミリーを構成する．さらに,これらの蛋白質では,全体の立体構造がよく似ていても,活性部位の違いによって異なる分子を認識するため,従来の生物学ではまったく異なる分子として分類されていたものが,実はよく似た構造と認識メカニズムをもっていることもある．すなわち,立体構造に従って蛋白質を分類することに,新しい意味が出現したのである．この博物学にもとづいて,帰納的に立体構造の構築原理やルールを抽出することにより,本章8.6節,8.7節で述べられるように,アミノ酸配列からの立体構造予測も行われる．とくに,相同性（ホモロジー）検索による方法では,2つのアミノ酸配列がよく類似していて,共通祖先をもつことが明らかな場合には,そのうち片方の立体構造が既知であれば,それを基に立体構造モデルを組み立てられ,活性部位の推定も可能である．

一方,このような経験的な解析では,あるアミノ酸配列がなぜある立体構造だけを特異的にとるのか,という理由は不明なままである．コンピュータシミュレーションによって,そのアミノ酸配列をもつペプチド鎖が溶媒中でとりうる構造を探索し,アンサンブルを得ることによって,自由エネルギー的に安定あるいは準安定な立体構造の分布と,その間の障壁の解析によるダイナミクスを解析することができる．これらは,第1原理からの予測法と呼ばれ,本章8.5節で紹介される．

これらの構造予測法は,人工蛋白質の設計や医薬品の設計等の創薬開発へ活用される．立体構造にもとづく創薬開発は,すでに20年前からcomputer aided drug design（CADD）などと呼ばれて期待されたが,むしろhigh throughput screening（HTS）による手法へと一時流れが変わった．しかし,HTSでは試みるべき実験対象が膨大となること,蛋白質基質複合体の立体構造解析が進み分子認識機序が次々に明らかにされてきたこと,構造ゲノム科学・構造プロテオミクスの進展によって立体構造決定がさらに迅速になること,などの理由から,再び構造生物学にもとづく創薬開発（structure based drug design）が見直されている．実験による構造決定と,コンピュータシミュレーションによる精度の高い分子複合体モデルの構築によって,今後,ますます,構造生物学にもとづく創薬開発への期待が高まっている．〔中村春木〕

I. 構造生物物理

8.1 溶液のNMR

NMR（核磁気共鳴）法は，蛋白質をはじめとする生体高分子を調べる上でよく用いられる分光法である．静的および動的な情報を原子レベルで得ることができ，また，これらの情報をもとに構造計算を行うことによって立体構造を決定することも可能である．溶液NMR法は，試料の結晶化操作を必要とせず，生理的状態に近い溶液中で測定を行うことができる点が特徴である．温度，pH，イオン強度などの溶液条件を変化させることによって生じる立体構造，会合状態の変化を原子レベルで観測できる唯一の方法でもある．

本節では，溶液NMR法を蛋白質へ適用する場合について述べる．

a. 観測対象原子核

蛋白質を溶液NMR法で解析する際に最も重要な原子核は，水素核（プロトン；^{1}H）である．^{1}Hのもつ核スピンのスピン量子数は，高分解能NMR測定に不可欠な1/2であり，かつ，蛋白質構成原子のうち最も含有率が高いのが水素であるため多くの情報が得られる．これは，立体構造を決定するための鍵にもなる．窒素核と炭素核ではスピン量子数1/2をもつ安定同位体の^{15}Nと^{13}Cを必要とするが，天然状態で

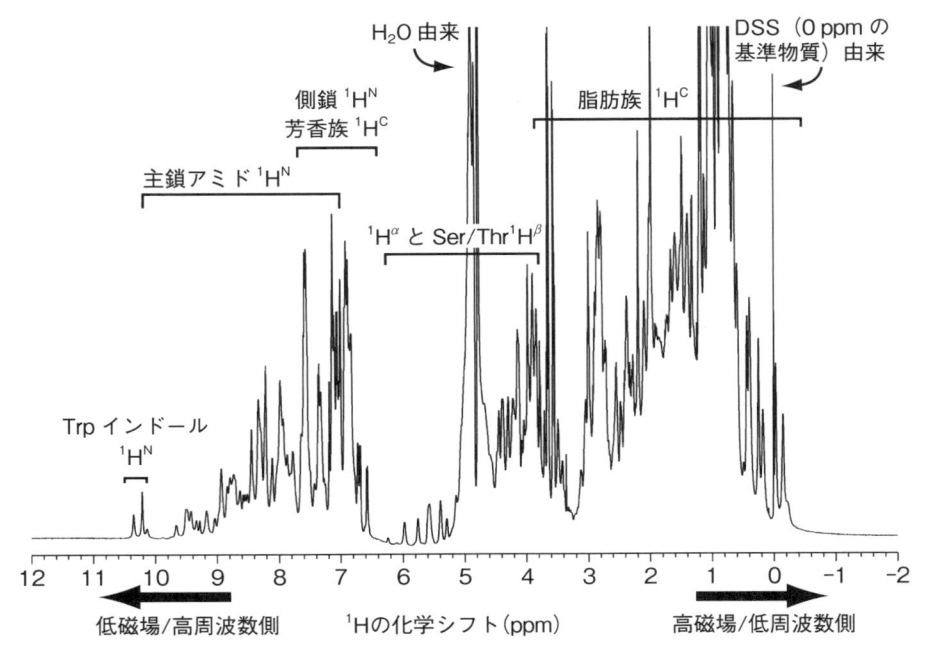

図8.1.1 蛋白質の一次元^{1}H-NMRスペクトル
横軸は化学シフト，縦にNMR信号強度を示す．化学シフトが大きい方を低磁場側あるいは高周波数側と呼ぶ．蛋白質溶液中に含まれる多くの^{1}Hの信号が重なり合って観測されている．化学シフトの分散がよいので特定の立体構造をもつことがわかる．（試料：1 mM Cdc24pのPB1ドメイン（98残基, 分子量11 kDa）, pH 6.3, 25℃, 600 MHzの装置にて測定．）

は ^{14}N と ^{12}C が 100％近い存在比を占めるため標識することが必要となる．窒素源として ^{15}N 塩化アンモニウム，炭素源として ^{13}C グルコースを含む M9 最少培地で組換え大腸菌を培養する，あるいは最近では ^{15}N/^{13}C 標識アミノ酸と大腸菌や小麦胚芽の抽出液を混合した無細胞系を用いて標識試料を調製することが多い．一般に，数百 μM の濃度の試料が 250 μl 程度必要である．

b. 化学シフト

核スピンは，静磁場の強さと個々の原子構造を反映した核磁気回転比によって決まる共鳴周波数をもつが，同じ核スピン種であっても化学的環境によって若干共鳴周波数が異なる（化学シフト）（図8.1.1）．化学シフトは，その核スピンまわりの電子の密度や分布によって形成される局所磁場による磁気遮蔽が起因であり，かかわっている化学結合の状態，空間的に近接した π 電子の環電流などによって影響を受ける．とくに蛋白質では，芳香環やカルボニル基の π 電子による環電流効果が顕著である（図8.1.2）．^{13}C$^\alpha$，^{13}C$^\beta$，^{13}C′，^{1}H$^\alpha$，^{1}H^N，^{15}N^H の化学シフトは，二次構造中においてランダム構造の化学シフトから変位し，その変位の方向が α-ヘリックスと β-シートで異なる．これは，二次シフトやコンフォメーションシフトと呼ばれ，二次構造の推定によく用いられる．折りたたまってコンパクトな立体構造をもつ蛋白質由来の NMR 信号の化学シフトは分散がよく，これを指標に特定の立体構造の有無を検定するスクリーニングを行うことができる（図8.1.1）．

c. J 結合（スピン–スピン結合；スカラー結合）

核スピンどうしが電子を通じてつながっている，つまり化学結合を形成していると核スピンと電子スピンとの相互作用を通じて核スピンどうしに J 結合が生じる（図

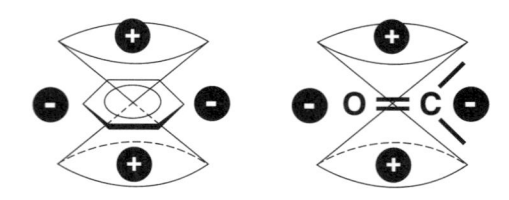

図8.1.2 芳香環（左）とカルボニル基（右）の環電流効果による磁気遮蔽効果
溶液中において磁気遮蔽が強まる領域（＋）と弱まる領域（－）を示す．円錐状に強まる領域が生じる．強まる領域にある核スピンの化学シフトは高磁場シフト，弱まる領域では逆に低磁場シフトする．芳香環の ^{1}H は低磁場シフトすることがわかる．

8.1.3）．2 つの原子どうしを隔てる結合の数が増すにつれて弱くなり，通常，結合の数が 3 つまでは観測されるが，4 つ，5 つであっても観測されることがある．H–C–C–H のように結合の数を 3 つ隔てた ^{1}H どうしの場合ではビシナル結合（$^3J_{H,H}$）と呼ばれ，H–C–C–H のなす二面角に依存した J 結合定数をもつ（Karplus の式）．たとえば，^{1}H$^\alpha$ と ^{1}H^N 間の $^3J_{H\alpha, HN}$ は，主鎖二面角 ϕ を反映し，^{1}H$^\alpha$ と ^{1}H$^\beta$ 間の $^3J_{H\alpha, H\beta}$ は，側鎖二面角 χ_1 を反映する．また，水素結合を介した弱い J 結合を観測することで，実験的に直接水素結合を同定することができる．^{15}N/^{13}C 標識された試料における単結合の大きい J 結合定数（^1J）を介した磁化移動を用い，核スピン相互の結合を効率よく解析するためのパルス系列が数多くデザインされている．

d. NOE（核オーバーハウザー効果）

核スピンどうしが空間的に近接しているとお互いの核磁気モーメント間に双極子–双極子相互作用が生じる．その結果，2 つの核スピン間に磁化の交換が起こり（NOE），この効率は核スピン間の距離の 6 乗に反比例する．運動性によって影響を受けるが，^{1}H どうしで NOE が観測されれば，約 5 Å 以内にその ^{1}H どうしが位置していることになる．距離情報を含むため立体構

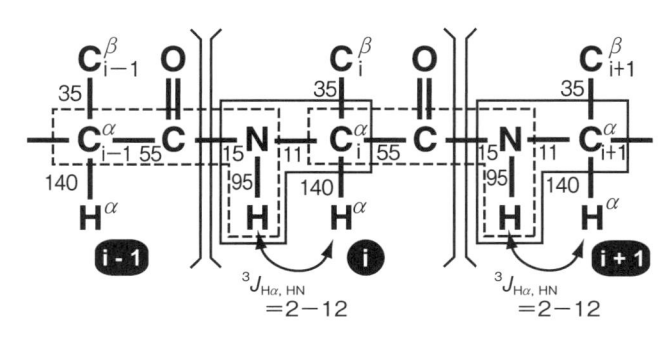

図 8.1.3 蛋白質内の共有結合と J 結合定数
共有結合の近傍の数字は，^{1}H/^{15}N/^{13}C で標識されている場合のおおよその J 結合定数（単位：Hz）を示し，$^3J_{H\alpha, HN}$ 以外は単結合の大きい J 結合定数（^1J）を示している．連続する 3 残基（i−1, i, i+1）をそれぞれ括弧で，側鎖は $^{13}C^\beta$ まで示した．アミドの $^1H^N$, $^{15}N^H$ と同じ残基内の $^{13}C^\alpha$ との相関および 1 つ前の残基の $^{13}C^\alpha$ との相関をそれぞれ実線と破線で囲んである．

造決定には不可欠である．

e. 各原子核由来の信号の帰属

蛋白質には多くの水素，窒素，炭素が含まれているため，各原子核から固有の化学シフトをもつ多くの NMR 信号が観測される（図 8.1.1）．そのため，各信号が蛋白質内のどの原子核由来のものかを決定する帰属（アサインメント）という作業が原子レベルでの解析には必須である．帰属の成否が得られる情報量を左右するため，最も重要な作業といえる．

^{13}C/^{15}N 二重標識試料を用いる ^{1}H/^{15}N/^{13}C の異種核多次元相関分光法が主流となっているため，その帰属方法について説明する．基本的に，化学結合を介してアミドの $^1H^N$, $^{15}N^H$ と種々のタイプの ^{13}C の相関をとる測定をデザインして解析する．たとえば，$^1H^N$, $^{15}N^H$ と同じ残基内の $^{13}C^\alpha$ との相関（図 8.1.3 の実線囲み），および $^1H^N$, $^{15}N^H$ と 1 つ前の残基の $^{13}C^\alpha$ との相関（同，破線囲み）を観る．すると，残基（i）の $^{13}C^\alpha_i$ には，残基内（i）と 1 つ後の残基（i+1）の $^1H^N$, $^{15}N^H$ の両方からの相関が観られる．$^{13}C^\alpha$ を介して隣接する残基の相関がわかり，この関係をすべて見つければ全残基の $^1H^N$, $^{15}N^H$, $^{13}C^\alpha$ について連鎖帰属を行うことができる．$^{13}C^\alpha$ との相関づけのみだとほぼ同じ化学シフトをもつものがある場合もあるので，$^{13}C^\beta$ や $^{13}C'$ との相関づけも行うことで帰属の曖昧さが減少する．さらに，$^1H^N$, $^{15}N^H$ と側鎖の ^{13}C, ^{1}H を相関づけることで側鎖の帰属を行うことができる．連鎖帰属において，$^1H^N$, $^{15}N^H$ 由来の信号の帰属が最も重要であり，水の ^{1}H との速い交換により $^1H^N$ を観測しにくくなる pH 7.5 以上の塩基性条件下での全帰属は困難である．また，$^1H^N$, $^{15}N^H$ への磁化移動の途中で，主に $^{13}C^\alpha$ と $^1H^\alpha$ との双極子−双極子相互作用から生じる磁気緩和に起因する磁化減衰によって信号観測が困難になるため，アミド検出をせずに ^{13}C と ^{13}C に結合した ^{1}H との相関のみから側鎖の帰属を行うことが多い．

高分子量の試料に対応するため，非交換性 ^{1}H を重水素（^{2}H）へと置換した試料を用い，前述の双極子−双極子相互作用による磁化減衰をできるだけなくして測定することが最近行われている．また，磁気緩和の原因となる双極子−双極子相互作用の効果と化学シフトの異方性の効果を打ち消す測定法（TROSY）を合わせて用いるこ

とが多い．TROSY は，^{1}H 共鳴周波数が 1 GHz となるあたりの静磁場下で最も効率がよく，現在市販の NMR 装置の最高のものは 0.95 GHz（950MHz）であることから，できるだけ高磁場の NMR 装置を用いることが重要となる．これまでに，分子量の大きいもので 110 kDa の試料（同種八量体）や 82 kDa（単量体）の試料において，主鎖帰属と二次構造の同定が報告されている．

f. 立体構造決定

NOE 相関（NOESY）スペクトルを測定し，約 5 Å 以内にある ^{1}H どうしの相対的な位置関係を収集する．そして，前述の各原子核由来の信号の帰属結果をもとに，蛋白質内のどの ^{1}H どうしの位置関係であるか帰属する．この作業によって得られる短距離の相対的な位置関係を数千程度収集し，これらすべてを満たすように ^{1}H の位置関係を求めるのが立体構造決定の原理である（ディスタンス・ジオメトリー計算）．J 結合定数の観測や二次シフトから得られる二面角の情報と，交換性水素の重水素交換実験や J 結合定数の直接観測から得られる水素結合の情報も計算に導入する場合が多い．計算法としては，各種立体構造情報を疑似エネルギーポテンシャルとする分子動力学計算を利用したシミュレーティド・アニーリング法がよく用いられる．近年，NOE 相関信号の帰属と立体構造計算を自動的に相補させて行うソフトウェア（CYANA, ARIA-CNS）の利用により，立体構造決定のハイスループット化がなされてきている．現状では，分子量 30 kDa 以下の試料についての立体構造決定がほとんどであるが，試料を選択的に重水素化する，試料を配向媒体により弱く配向させる，常磁性効果を利用するといった技術によって，より高分子量の試料の立体構造決定，より精密な立体構造決定が可能となっている．前者 2 つの技術を用いて，分子量の大きいもので 82 kDa の試料の立体構造決定が報告されている．

g. その他の情報

標識試料を用いた主鎖アミドやメチル基の磁気緩和速度の測定や定常状態の異種核間 NOE の測定，交換性水素の重水素交換速度の測定を行うことで動的な情報を得ることができる．また，リガンド結合に伴う化学シフト，拡散速度の変化や交差飽和現象を利用して，リガンドスクリーニングや結合部位の同定が行うことができる．弱い相互作用を検出できることが溶液 NMR 法の大きな特徴である．

最後に，連鎖帰属や立体構造決定の基本原理を確立した Kurt Wüthrich 博士にノーベル化学賞（2002 年）が与えられたことを付記する． 〔吉永壮佐・稲垣冬彦〕

[文献]
1) 阿久津秀雄 他編：NMR 分光法，学会出版センター，2003.
2) 西村善文：基礎生化学実験法第 3 巻，蛋白質 I，第 18 章 核磁気共鳴（NMR）による立体構造解析，東京化学同人，2001.
3) 荒田洋治：蛋白質の NMR，共立出版，1996.
4) Wüthrich, K.: NMR of Proteins and Nucleic Acids, Wiley, New York, 1986.；京極好正，小林祐次訳：蛋白質と核酸の NMR，東京化学同人，1991.

8.2 固体のNMR

NMRパラメータとして重要な化学シフト異方性や隣接スピン間の双極子相互作用に関する情報は，溶液NMRにおいては分子の速いゆらぎのために平均化されて消滅する．しかし，核オーバーハウザー効果や磁気緩和時間などを通じて間接的に観測され，距離幾何学，分子動力学などの計算科学の援用により生体分子の三次元（3D）構造構築の基礎となっている．一方，固体NMRではこれらのパラメータは，スペクトルから直接かつ正確に測定でき，原子間の距離やそれを結ぶベクトルと特定軸の間の角度情報を与え，3D構造の直接決定を可能にする．一般に，構造蛋白質，膜蛋白質，膜ペプチド，アミロイド蛋白質，核酸，多糖など生体分子集合体は，結晶化の困難さと有効分子量の巨大化により，X線回折や多次元溶液NMRの適用が困難で，固体NMRの適用が期待される．しかし固体NMRから期待すべき情報は，回折法によって得られる静的な3D構造よりは，生理的条件における動的な3D構造である．実際，生理的条件からみて十分な水和試料が望ましく，このために生じる分子のゆらぎに関する情報がきわめて重要である．intactな膜蛋白質や膜ペプチドを研究対象とするとき，これら固体NMRパラメータのみによる解析は現実には困難である．蛋白質のそれぞれの残基からみた3D構造やダイナミクスを問題にするには，むしろ各残基を識別する能力にすぐれる等方^{13}Cシフトの局所構造依存性，すなわちコンフォメーション依存^{13}C化学シフトにもとづく解析が現実的である．

a. コンフォメーション依存^{13}C化学シフト

蛋白質やペプチド中のアミノ酸残基がα-ヘリックス，β-シート，ランダムコイルなどの局部構造をとる場合，それらの^{13}C NMR信号は最大8 ppmに及ぶコンフォメーション依存^{13}Cシフトを示す．これは隣接残基のシーケンスにはよらず，残基の種類，局部コンフォメーション，水素結合により変化する[1]．各残基のシフトは表8.2.1に示すように，α-ヘリックス，β-シートなどの^{13}C化学シフトをホモポリペプチドから得ると，問題の残基がいかなる蛋白質由来であっても，局所的な3D構造の評価が可能になる．アミノ酸残基の種類が少ないコラーゲン，絹フィブロインなど構造蛋白質では，3D構造がこのような手続きでただちに決まる．より複雑な蛋白質，ペプチドでは，^{13}C標識アミノ酸を用いた残基の標識や部位特異的変異株による信号の帰属などが必要となる．後述の原子間距離測定からエンケファリンやアミロイド蛋白質の高次構造を解析する場合でも，これらのコンフォメーション依存シフトの併用は，解析に要する時間の大幅な短縮化をもたらす．

しかし，最近TALOSなど球状蛋白質溶液の^{13}C化学シフトのデータベースを，固体^{13}Cシフトの基準に使う向きもある．この場合は，固体NMR測定においては必ずしも直接観測しないランダムコイル状態のシフトを基準にすること，溶液と固体の化学シフトの比較においては，つねに体積磁化率の補正を考慮する必要があるなど，化学シフト値の誤差1～2 ppmがつきまとうことに注意をはらう必要がある．そのため表8.2.1のような固体NMR測定によるデータベースは，このようなあいまいさをさけることができる．

表 8.2.1　α-ヘリックス, β-シート構造を示す ^{13}C シフト（TMS基準）

ポリペプチド中の残基	C-α			C-β			C=O		
	α-ヘリックス	β-シート	差	α-ヘリックス	β-シート	差	α-ヘリックス	β-シート	差
Ala	52.4	48.2	4.2	14.9	19.9	−5.0	176.4	171.8	4.6
	52.3	48.7	3.6	14.8	20.0	−5.2	176.2	171.6	4.6
	52.8	49.3	3.5	15.5	20.3	−4.8	176.8	172.2	4.6
Leu	55.7	50.5	5.2	39.5	43.3	3.8	175.7	170.5	5.2
	55.8	51.2	4.6	43.7	39.6	(4.1)	175.8	171.3	4.5
Glu (OBzl)	56.4	51.2	5.2	25.6	29.0	−3.4	175.6	171.0	4.6
	56.8	51.1	5.7	25.9	29.7	−3.8	175.4	172.2	3.2
Asp (OBzl)	53.4	49.2	4.2	33.8	38.1	−4.3	174.9	169.8	5.1
	53.6			34.2			174.9		
Val	65.5	58.4	7.1	28.7	32.4	−3.7	174.9	171.8	3.1
		58.2			32.4			171.5	
Ile	63.9	57.8	6.1	34.8	39.4	−4.6	174.9	172.7	2.2
		57.1			33.1			171.0	
Lys	57.4			29.9			176.5		
Lys (Z)	57.6	51.4	6.2	29.3	28.5	−0.8	175.7	170.4	5.3
Arg	57.1			28.9			176.8		
Phe	61.3	53.2	8.1	35.0	39.3	−4.3	175.2	169.0	6.2
Met	57.2	52.2	5.0	30.2	34.8	−4.6	175.1	170.6	4.5
Gly		43.2						168.4	
		44.3						169.2	
							171.6	168.5	3.1

b. 膜蛋白質構造とダイナミクス

膜蛋白質は生体膜を通じての物質輸送, 信号伝達など, 種々の局面に重要な役割を果たし, 生物学的意義のみならずゲノム科学にもとづく創薬への応用など, それらの解析はきわめて重要である. とはいえ, 大量発現および結晶化の困難さのために, 3D 構造が明らかにされた膜蛋白質の種類はきわめて少ない. 固体 NMR では生理的環境下における 3D 構造とダイナミクスの解析が可能で, 受容体分子におけるリガンド分子との相互作用による構造変化, 表面構造を中心として回折データの相補的手段として, その役割が大いに期待される.

高度好塩菌の紫膜中に唯一存在し, 受容体と同様 7 回膜貫通ヘリックスをもつバクテリオロドプシン（bR）は, レチナールの光異性化反応に伴い細胞質から細胞外側にプロトンを輸送するプロトンポンプのみならず, 大量発現と同位体標識の容易さから, 受容体モデルのプロトタイプとして, その分子機構に関心がもたれる膜蛋白質である. 固体高分解能 NMR による bR 研究は, 特定のアミノ酸たとえば Ala, Val をそれぞれ [3-^{13}C]-, [1-^{13}C] Ala-, [1-^{13}C] Val などに置換した人工培地から ^{13}C 標識 bR を調製し, その ^{13}CNMR 測定から観測すべき局部構造の選択と測定感度の向上をはかる[2,3]. 実際, [3-^{13}C] Ala-標識 bR の ^{13}C NMR では, 5 種類の単一炭素信号を含む 12 本の NMR 信号が分離できた. bR は 29 の Ala 残基を含み, そのうち膜外に突出している C および N 末端に 7 ヵ所, 膜貫通ヘリックス, ループに 22 ヵ

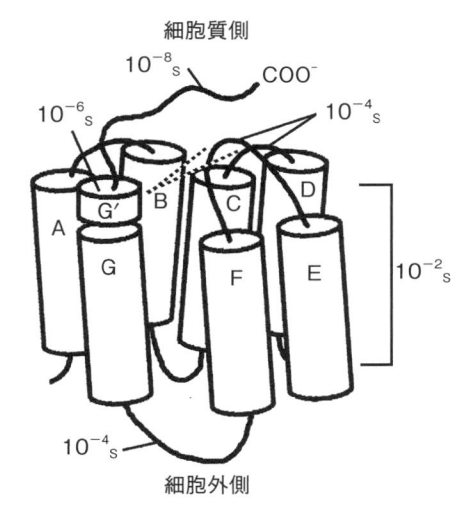

図 8.2.1 バクテリオロドプシンの動的構造
A-G は膜貫通 α-ヘリックス．G′ は固体 NMR で検出可能な C 末端 α-ヘリックス．数字はそれぞれの部位におけるゆらぎの相関時間．

所，都合 29 種類の Ala 残基があるが，交差分極（cross polarization: CP）とマジック角回転（magic angle sample spinning: MAS）とを組み合わせた CP-MAS 法と，高出力デカップリングと MAS の組合せによる DD-MAS 法によるスペクトルを比較することにより，ゆらぎの大きい膜表面に突出している C および N 末端由来の信号の識別が可能になる[2,3]．さらに，部位特異変位株を対象試料に選ぶことにより分離信号の 60% 以上の帰属に成功している．このとき，表 8.2.1 に示す各アミノ酸残基のコンフォメーション依存シフト値と対比して，^{13}C シフト値からも膜貫通ヘリックスにあるか，ランダムコイルよりも低磁場側に見られるループ領域にあるか，容易に区別ができる．図 8.2.1 に示すように，G ヘリックスより膜外に突出した C 末端側に α-ヘリックス G′ が存在し，C-D および E-F ループと関与する電荷の間に点線で示す塩橋や金属イオンを介して細胞質表面複合体を形成する．これらの複合体の安定性は，イオン強度，温度，pH，二次元（2D）結晶か 3D 結晶であるかによっても異なり，生理的には細胞質側におけるプロトンの取り込み制御に関与している．

bR がこのような分離のよい ^{13}CNMR 信号を与える背景は，紫膜では三量体 bR が六方晶の 2D 結晶格子を形成するためである[3]．固体高分解能 NMR から得た膜蛋白質の描像は，大方の X 線回折が可能な結晶としてのイメージとは異なって，流動性に富む生体膜中にあるため部位によってゆらぎの程度が大きく異なる"柔軟"構造である[3]．これは，測定に必要な MAS やプロトンデカップリングによる信号の先鋭化が，分子固有のゆらぎの周波数と干渉して信号の先鋭化に成功せず信号が消滅するため，そのようなゆらぎの存在が明らかになる．実際，[2-^{13}C]- や [1-^{13}C]-Ala 標識 bR のループ領域からの信号が，MAS との干渉で消滅し，ゆらぎの相関時間が 10^{-4} 秒に及ぶことが明らかになった[2,3]（図 8.2.1）．一方，膜貫通ヘリックスのゆらぎが 10^{-2} 秒とおさまるのは 2D 結晶を形成するためで，W12L，W80L 等 2D 結晶の形成が困難な変位株や，野生株の脂質二重層への再構成系ではこのゆらぎが 10^{-4} 秒と増大している[3]．この場合は，標識体によって異なるが，膜貫通ヘリックスの一部およびループ部位の信号が，プロトンデカップリングあるいは MAS 周波数との干渉により消滅することがあるので注意を要する．

しかし，蛋白質を二次元結晶や，まして や三次元結晶として大量に取り扱うことができるのは例外的である．そのために，一般には膜蛋白質を脂質二重層へと再構成して，単量体としての取り扱いをする必要があり，上で述べた信号の干渉の問題はつねに留意すべきである[4]．

c. 3D 構造の構築

固体 NMR パラメータによる分子の 3D 構造の構築には，距離測定，角度測定のいずれをベースにするかにより，それぞれ非配向，配向試料を用いる．^{13}C，^{15}N などの異

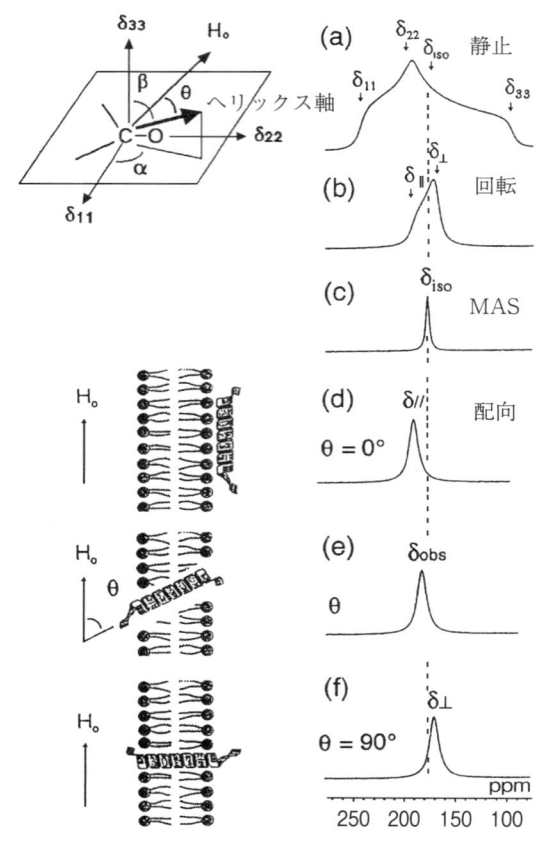

図 8.2.2 脂質二重層に対して配向する $[1-^{13}C]$ 標識ペプチド鎖
左側上段：カルボニル ^{13}C シフトテンソルの主軸．右側：それぞれの配向によって得られるスペクトルパターン．(a), (b), (c) はそれぞれ，ヘリックスが回転しない場合，100 Hz 程度の遅いマジック角回転，高速回転によって得られる ^{13}C NMR スペクトル．(d), (e), (f)はそれぞれ左側の配向に対応．

核原子対を対象とする回転エコー二重共鳴（REDOR），$^{13}C-^{13}C$ 同種原子対を対象とする回転共鳴（RR）いずれも，測定対象核を同位体標識しておく必要がある．実験精度からは後者の場合がはるかに優れている[4]．距離測定の原理は，対象とする IS 原子対間の双極子-双極子相互作用を MAS 条件下で選択的に復活させ，その値を正しく評価することにある[5]．しかし，多数の核を同時に同位体標識すると I_nS_m 多スピン系となり，希釈などでいかに孤立 IS 原子対のみを選択するかの工夫次第で測定誤差が決まる．つねに実験条件に最大の注意を払い誤差を最小化することが必須で，そのコツは文献[4]にまとめてある．実際，3D 構造の構築に至るには，±0.05 Å の精度，確度の実験が必要で，N-Acetyl-Pro-Gly-Phe やエンケファリンにその例を示した[1,2]．仮に，個々の測定精度を±0.2 Å に緩和すると現実的には 3D 構造の構築は不可能になる．なお，この方法で現実に対処できるのはアミノ酸残基 5 個からなるペプチド程度までで，それ以上の大きさになると結晶性，解析の煩雑さその他により対応は困難になる．

一方，角度測定にもとづく 3D 構造の決

定には，ペプチドを取り込ませた脂質二重層のガラスプレート上への配向や[6]，あるいは膜分断，融合活性のあるメリチンやオピオイドペプチドを10％含み長軸に変形した脂質二重層すなわち自発磁場配向膜[3]を用いる．後者の場合における長軸巨大リポソームは，その磁化率の異方性により図8.2.2左側に示すようにNMR磁場に対して平行に配向する．ちなみに脂質が外部磁場に対してどのように配向するかは^{31}P化学シフトの異方性パターンの解析から容易に知ることができる．さらに，ペプチドが生体膜に対してどのように配向するかは，膜存在下での[1-^{13}C]標識ペプチドのstatic NMR測定によって知ることができる．ヘリックス軸のみの回転を考慮して，膜表面にあるペプチド（図8.2.2 (d)）はMASによって平均化される等方ピークδ_{iso}よりも低磁場にある$\delta_{//}$，二重膜法線に対して平行に取り込まれた場合は等方ピークよりも高磁場の$\delta_{\perp}$に信号が表れる（図8.2.2 (f)）．法線に任意の角度で取り込まれた場合の解析も可能で，この事情はガラスプレートを用いたPIESMAやPISAによる解析と類似している[3]．　　[斉藤　肇]

[文献]
1) Saitô, H., Tuzi, S., Naito, A.: *Annu. Rep. NMR Spectrosc.* **36**, 79-121, 1998.
2) Saitô, H., Tuzi, S., Yamaguchi, S., Tanio, M., Naito, A.: *Biochim. Biophys. Acta.* **1460**, 39-48, 2001.
3) Saitô, H., Tuzi, S., Tanio, M., Naito, A.: *Annu. Rep. NMR Spectrsc.* **47**, 39-108, 2002.
4) Saitô, H.: *Chem. Phys. Lipids* **132**, 101-112, 2004.
5) Naito, A., Saitô, H.: In Encyclopedia of Nuclear Magnetic Resonance: Supplemental Volume 9, 283-291, Wiley, 2002.
6) Opella, S. J., Stuart, P. L., Valentine, K. G. Q.: *Rev. Biophys.* **19**, 7, 1987.
7) より詳しくは，Saitô, H., Ando, I., Naito, A.: Solid State NMR Spectroscopy for Biopolymers: Principles and Applications, Springer, Dordrecht, 2006.

8.3　X線回折

通常，目に見えない小さな分子を見るためには顕微鏡が用いられるが，蛋白質分子のように数多くの原子から構成され，内部構造が複雑な分子を見るためには限界がある．このような複雑な系では，X線や中性子線あるいは電子線などを蛋白質分子に照射して，分子を構成する個々の原子からの回折・散乱波の強度分布から分子構造を決定する回折・散乱法が有効である．ここでは，原子レベルの分解能で蛋白質の分子構造が決定できる結晶解析法と，結晶解析法には及ばないものの低分解能で溶液構造が決定できる溶液散乱法について紹介する．

a. 結晶解析法

結晶解析法は，結晶（蛋白質結晶）に原子間距離に対応する波長（1～1.5 Å）のX線や中性子線あるいは電子線などを照射し，生じる回折斑点の強度分布から蛋白質の分子構造を決定する方法である．現在では，線源強度などの点からX線を利用した結晶解析法（X線結晶解析法）が一般的で，蛋白質の立体構造を原子レベルで解析する最も有効な方法として広く利用されている[1~3]．結晶解析法では，蛋白質の結晶化が不可欠である．なぜならば，蛋白質の立体構造を原子レベルで詳細に解析するためには，蛋白質を結晶化して溶液中で激しく動き回っている蛋白質分子を静止させる必要があるからである．また，蛋白質分子を規則正しく配列させることによって，結晶からの回折強度が相乗的に強められ，精度よく回折X線強度を測定することがで

きるようになる．したがって，蛋白質結晶の良否はX線結晶構造解析の精度を左右するきわめて重要な要因である．

図8.3.1は，蛋白質の結晶化から構造決定に至るX線結晶解析の流れを示している．蛋白質の結晶化と位相角 α の決定（位相問題）は，X線結晶解析の成否を左右するきわめて重要なプロセスで，これらが解決すると残りの操作はスムーズに進行して構造解析が終了する．蛋白質の結晶化は理論的な取り扱いが不十分で，しばしば結晶化がボトルネックとなって構造解析ができないことがある．現在では，微量の蛋白質で数多くの結晶化条件が検索できる市販の結晶化キットを用い，数多くの条件で結晶化を試みて，良質の蛋白質結晶が得られるように努めている．

一方，位相問題は，結晶からの回折波 $A(\boldsymbol{S})(\propto F(hkl))$ が回折波の振幅の2乗 $|A(\boldsymbol{S})|^2 (=回折強度)$ としてX線フィルムなどに記録されるとき（図8.3.1），回折波の位相情報（複素量の位相角）が失われ

蛋白質の結晶化

0.5 mm

回折X線の強度 $I(hkl)$ 測定

$I(hkl)$

$\rho(xyz)$

分子モデルの作成

位相角 α の計算（表8.3.1参照）

$$I(hkl) = |F(hkl)|^2 = \left| \sum_j f_j \cdot \exp[2\pi i (hx_j + ky_j + lz_j)] \right|^2$$

$$F(hkl) = |F(hkl)| \cdot \exp(i\alpha)$$

電子密度 $\rho(xyz)$ の計算

$$\rho(xyz) = V^{-1} \sum_h \sum_k \sum_l F(hkl) \cdot \exp[-2\pi i (hx + ky + lz)]$$

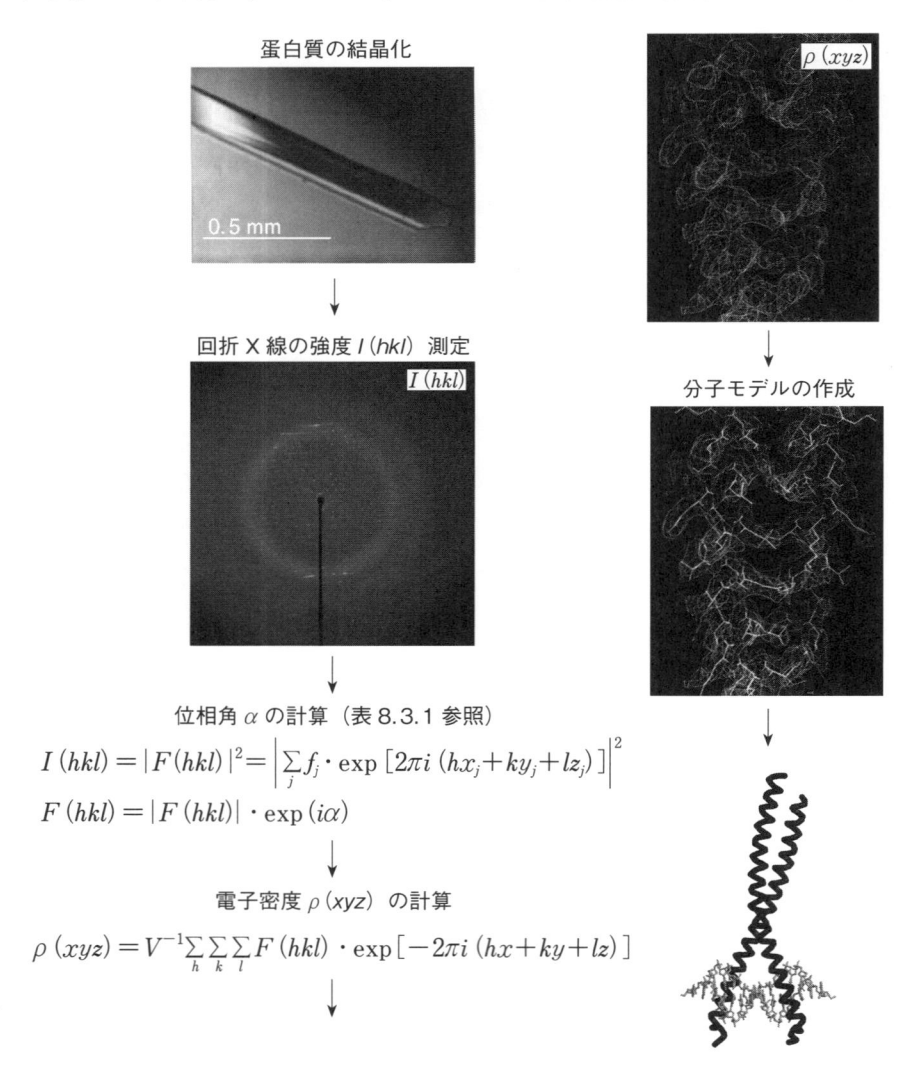

図8.3.1　蛋白質のX線結晶解析の流れ（口絵参照）

る問題である．電子密度は $\rho(xyz)$ は，
$$\rho(xyz) = V^{-1}\sum_h\sum_k\sum_l F(hkl)$$
$$\cdot \exp[-2\pi i(hx+ky+lz)]$$
で表されるので，$F(hkl)$ が求められないと $\rho(xyz)$ が計算できない．表8.3.1は，蛋白質のX線結晶解析で利用される位相決定法とその特徴，および位相決定に必要な回折強度データの種類をまとめたものである．最近では，遺伝子工学的に蛋白質のメチオニン残基をセレノメチオニンに置換し，セレン原子からの異常分散差を利用して位相決定する多波長異常分散法（MAD法）が主流になっている．波長が可変でエネルギー分解能に優れ，線源強度が実験室のX線源に比べて格段に強い放射光はMAD法に最適で，従来の重原子多重同型置換法に代わるものとして注目されている．

b. 溶液散乱法

溶液散乱法は，溶液（蛋白質溶液）にX線や中性子線を照射したときに生じる散乱波の強度の角度分布から蛋白質の構造を決定する方法である．構造研究の手段としては古典的な方法であるが，溶液中では溶質（蛋白質）分子が激しく動き回っているので，結晶解析法のように原子レベルの詳細な構造情報は得られない．しかし，蛋白質などの生体高分子は細胞内において複合体を形成し，その高次構造は周囲の環境（溶媒条件など）に大きく依存するので，これらの構造変化を引き起こす因子を明らかにすることは，蛋白質の構造と機能の関係を明らかにする上できわめて重要である．溶液散乱法は分解能が低く結晶解析法に遠く及ばないが，生体高分子やその集合体の高次構造が生理的条件に近い状態で解析できることや，物理的な要因（圧力や温度）や化学的な要因（pH，イオン強度，光，リガンド分子など）によって引き起こされる蛋白質の構造変化が時分割的に解析できることなど，より機能に密着した構造研究が

表8.3.1 位相決定法とその特徴および位相決定に必要な回折強度データの種類

方　法	収集する強度データの種類 （照射するX線の波長）	特　徴
重原子同型置換法	1. ネイティブ結晶（波長 λ） 2. 重原子同型置換体1（波長 λ） 3. 重原子同型置換体2（波長 λ）	重原子同型置換体結晶[*1]とネイティブ結晶の回折強度の差から位相角を計算
分子置換法	1. ネイティブ結晶（波長 λ）	構造が類似した蛋白質分子の位相角を利用して位相角を計算
多波長異常分散法	1. ネイティブ結晶[*2]（波長 λ_1） 2. ネイティブ結晶（波長 λ_2） 3. ネイティブ結晶（波長 λ_3）	異なる波長のX線を利用しその異常分散差の違いを利用して位相角を計算

[*1] 重原子同型置換体結晶とは，結晶化で得られた蛋白質結晶（ネイティブ結晶）を重原子試薬が含まれる溶液に浸したり，蛋白質を重原子試薬と共結晶化させたりして，結晶中の蛋白質分子を重原子で化学修飾したもので，ネイティブ結晶とは化学修飾部位以外すべて同じ結晶（同型）のことをいう．

[*2] 多波長異常分散法におけるネイティブ結晶は，金属（FeやZnなど）蛋白質を除いて，重原子で蛋白質を修飾する必要がある．蛋白質の修飾には，結晶化で得られた蛋白質結晶を重原子試薬が含まれる溶液に浸したり（多波長異常分散法の場合は，必ずしも重原子で化学修飾する前の結晶と同型である必要がない），蛋白質を重原子試薬と共結晶化させる化学修飾法と，遺伝子工学的にメチオニンをセレノメチオニンに置換して蛋白質分子に取り込ませる生物学的な方法がある．

可能である．

　溶液散乱法から得られる構造パラメータは，分子の慣性半径，体積，最大長，分子量などである．通常は，これらの構造パラメータを満足する簡単な初期モデル（楕円体や角・円柱など）をつくり，モデルから計算される理論散乱強度と比較して，trial-and-errorでモデルを修正して最終の構造モデルを構築する．しかし，初期モデルが電子顕微鏡などで得られていないと一義的に構造が決定できないことがあるので，コントラスト変調法などを併用して，さらに多くの構造情報を抽出する．コントラスト変調法は，溶液散乱が溶質と溶媒の電子密度差（中性子では散乱密度差）によって生じることに着目して，電子密度の異なる溶媒で溶液散乱を測定して，分子の構造情報を抽出する方法である．

　このコントラスト変調法を用いてSvergunは，十分に大きな半径Rの球体で蛋白質分子の体積を定義し，その内部に小さな球体を最密に充填するモデル（dummy atom model（DAM））を初期モデルとして，次式のχ^2を徐冷法（simulated annealing）で最小化する方法を開発した[4]．

$$\chi^2 = \frac{1}{M}\sum_{i=1}^{M}\sum_{j=1}^{N(1)}[I_{\exp}^{(i)}(S_j) - I^{(i)}(S_j)/\sigma(S_j)]^2$$

ここで，Mはコントラスト変調法で溶媒の電子密度を変化させて測定した溶液散乱データの数，$I_{\exp}^{(i)}(S_j)$はi番目の溶媒の電子密度で測定した溶液散乱データである．また，$I^{(i)}(S_j)$はDAMから理論的に計算される散乱強度データ，$\sigma(S_j)$は誤差関数である．χ^2の最小化は，実測の溶液散乱データとDAMから理論的に計算される散乱強度データの差の2乗を最小にすることを意味しており，実測のデータに最もよく一致したDAMが最終の構造モデルとなる．この方法では，DAMの小球内部の電子密度は一定とされるが，DAMの小球内の電子密度をphase 1, phase 2, phase 3, …というように段階的に変化させることができるので，生体超分子複合体のように蛋白質やDNA/RNA，脂質，糖質など電子密度の異なる複数の異なる成分から構成されている場合は，それぞれの構成成分の複合体内での存在様式が明らかになる．この方法の有効性については，すでにX線結晶構造解析されている蛋白質やリボソームについて確かめられており，溶液散乱法でも，低分解能の結晶構造解析と同程度の分解能の溶液構造解析が可能である[4]．

　溶液散乱法では，このほかに，①結晶構造と溶液構造を比較してその違いの解析，②主鎖の折れたたまりのコンパクト性や蛋白質分子の球状性の評価，③非天然状態の蛋白質の構造解析，④第2ビリアル係数の算出とフラクタル次元の見積もり，など他の手法では得られない貴重な構造情報が得られるので，種々の手法と併用することによって，蛋白質の構造と機能の関連がより詳細に解明できる．〔佐藤　衛〕

[文献]

1) 平山令明：生命科学のための結晶解析入門，丸善，1996.
2) ドレント，J.（竹中章郎，勝部幸輝，笹田義夫訳）：蛋白質のX線結晶構造解析法，シュプリンガー・フェアラーク東京，1998.
3) 佐藤　衛：蛋白質のX線解析，共立出版，1998.
4) Svergun, D. I. : Restoring low resolution structure of biological macromolecules from solution scattering using simulated annealing., *Biophysical Journal* **76**, 2879-2886, 1999.

8.4 電子顕微鏡と画像再構成

電子線に対する軽原子の散乱断面積は、実験室系のX線のそれに比較し十万倍も大きく、電子線は試料と強く相互作用する。また荷電粒子であるため、電磁レンズを用いることで試料の実像を得ることができる。以上の特性から、蛋白質1分子の解像をすることが可能である。二次元結晶やらせん状に並んだ集合体から溶液中に分散した単分子まで、扱える試料の形態は広い。一方、散乱断面積が大きいことは試料の厚みに強い制限を課す。通常、1000 Å（100 nm）を超える厚さの試料の像を正しく扱うことは困難である。X線による弾性散乱が原子の電子密度を反映するのに対して、電子線では遮蔽された原子のクーロンポテンシャルと呼ばれるものが反映される。したがって原子の核構造の影響が顕著に現れ、X線のような明瞭な原子番号依存性はない。透過型電子顕微鏡では、電子線の透過力が強くほとんど軸上の電子線のみを使うため焦点深度が深く、焦点を変えても三次元構造の異なった断面を解像することはできない。対象が十分に薄い場合、電子顕微鏡像は対象の投影像となる。さらに電子顕微鏡の周波数特性（コントラスト伝達関数、CTF）は、一様でなく、得られる像はCTFにより歪められる（後述）。これらのことから正しい像解釈のためにはコンピュータによる画像解析が必須となる。

従来から行われてきた負染色法では、試料をウランやタングステン等の重金属塩で染色し乾燥させて観察するので、染色むらや試料の変性は避けられなかった。一方、低温電子顕微鏡法では、試料溶液を試料グリッドに載せ液体エタンや液体プロパン中で急速凍結した後（氷包埋法）、そのまま低温に保ち電子顕微鏡で観察する[1,2]。染色なしの水和した状態という生理的な条件に近い環境で、試料を観察できる。得られる像のコントラストは試料と氷（糖やタンニン酸に包埋する場合もある）との電子散乱断面積の差によるので小さく、非常にS/Nは悪いが、多くの像を平均することにより三次元構造の解析が行われている。二次元結晶では、原子モデルの構築が可能な3 Å分解能、らせん対称性を利用できる試料では二次構造の解像が可能な4.6〜10 Å分解能で解析がなされている。また、結晶を使用しない単粒子解析法では、正二十面体対称性を利用した球状ウイルスの解析で7〜9 Å分解能が達成されているほか、対称性のない分子でも20 Åよりよい分解能での構造解析が普通に行われるようになってきている。

得られる情報は分解能により当然異なる（表8.4.1）。分解能が20〜30 Å程度の場合、蛋白質のドメインやサブユニットの形状、位置を知ることができる。電子顕微鏡法で解析した分子複合体とX線結晶解析等で得られた構成蛋白質の原子モデルとを相補的に利用した解析も行われている。10〜7 Å分解能ではα-ヘリックスが棒状に解像でき、膜蛋白質の膜貫通ヘリックスの配置等が明らかにされてきた。さらに、電子線回折が利用でき原子モデルが得られた場

表8.4.1 分解能と見えるものの目安

分解能（Å^{-1}）	見えるもの
30〜20	ドメイン，サブユニット構造
10〜7	α-ヘリックス
5	β-シート
3.5	アミノ酸
3.0	電荷
2.5	水
2.0	芳香環のへこみ

合，電子線に対する散乱強度が対象の荷電状態によって異なるため電荷を解像できる可能性もある[2]．

電子顕微鏡による蛋白質の構造解析で分解能を制限する主因は，電子線照射による試料損傷である．電子線照射によりラジカルが生成し，それによって周囲の原子の結合が次々に破壊され，蛋白質は最後には蒸発してしまう．低温にすることによって試料損傷を大幅に低減でき，液体窒素温度で1/10，液体ヘリウム温度で1/20になる．この場合でも許される照射電子線量は限られ，二次構造の解像の目安である10Åよりよい分解能での構造解析のためには，10〜20 electrons/Å^2 以下にしなければならない．

氷に包埋した蛋白質の電子顕微鏡像は，位相コントラスト（試料との相互作用（弾性散乱）で位相を変えられた電子とそのまま透過した電子との干渉による）により主に形成される．電子線の吸収により形成される振幅コントラストの寄与は非常に少なく，全コントラストの数%に過ぎない．前述のように電子顕微鏡の周波数特性（CTF）は一様でない．図8.4.1に理論上の概形を示す．CTFは焦点のずれ（デフォーカス）の関数で位相コントラストの場合，基本的に sin 型をしており，値の大きなところでは対応する成分が強調され，ゼロ点付近では失われる．この結果，得られる像はCTFにより歪められ，対象の輪郭が強調され，周囲にコントラストの反転した縁取りが現れる．焦点が合っていると低周波領域のCTFの値がほとんどゼロになるため，コントラストは非常に悪く何も写っていないように見える．そのため，通常大きく焦点をずらして（数千〜数万Å程度）像を撮影する必要がある．また，CTFの正負が変わると位相が反転してしまう（像の白黒が反転してしまう）ため，画像解析による補正が必須になる．デフォーカスを大きくすると高周波（高分解能）領域での振動が激しくなるだけでなく振幅の減衰が大きくなる．この減衰は電子線の可干渉性に大きく依存する．電界放射型の電子顕微鏡は電子線の干渉性がよいため減衰を小さくすることができ，高分解能の構造解析に威力を発揮する．

電子顕微鏡像から三次元構造を解くということはいろいろな方向からの投影像の組から三次元像を回復するという数学の一般的な問題に帰着する．投影像の空間（ラドン空間），実空間，逆空間（フーリエ空間）の間には一対一の関係があり，解法も1つではない．対象が規則的配列である場合にはフーリエ空間での解法が優れている．それは規則性によってその対象を表現する波（フーリエ成分）が限定され規則的な点（格子点）や線（格子線）等の離散的なものになり，それ以外の大部分をノイズとして除くことができるからである．この場合，「対象のある方向への投影像をフーリエ変換したものは，対象の三次元フーリエ変換像の原点を通る一断面になる」こと（中央断面定理）を用いて，フーリエ空間を埋めるよ

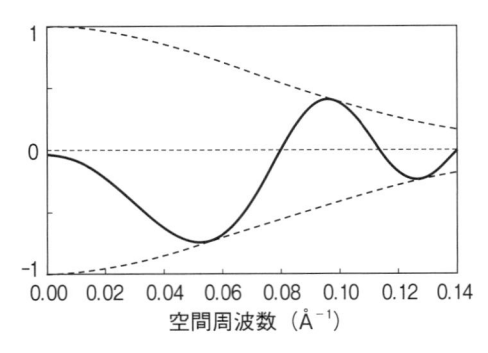

図8.4.1 コントラスト伝達関数の例
コントラスト伝達関数は，基本的に空間周波数の sin 関数であり，正負に振動している．符号の異なるところでは位相が180°違っており，白黒が逆転する．CTFの振動の速さはフォーカスのずれの関数である（この理論曲線は6800Åアンダーフォーカスに対して計算したもの）．種々の理由によって高周波成分に対しては減衰が起こり，それはフォーカスのずれが大きいほど激しい．cos 成分の影響で，空間周波数0でもCTFは0ではない．

うに試料の電子線に対する向き（傾斜角）を変えた像を集めればよい．

　分子が平面に並んでいて，それに垂直な方向には1層しかない二次元結晶の場合，試料のフーリエ変換像は結晶面に垂直な格子線の組になる．1枚の電子顕微鏡像から上記のようにその原点を通る1断面が求まるから，試料を傾斜させて格子線上のデータを集め三次元構造を得ることができる[2]．高度好塩菌のバクテリオロドプシン，高等植物のクロロフィル蛋白質複合体，赤血球の水チャネル等の膜蛋白質の二次元結晶はその理想的な例である．これらの二次元結晶は直径 10 μm 以上の大きさになるものもあり，電子線回折によりCTFの影響を受けない正確なフーリエ振幅を得ることができる．この場合，少ない電子線量で広い領域を照射することにより，高分解能の回折の情報を抽出することができる．電子線回折から得た強度と実像のフーリエ変換から得た位相を組み合わせることで，原子モデルを構築可能な 3〜3.8Å 分解能での構造解析が上記蛋白質でなされている．いちばんの問題は，電子顕微鏡中での傾斜角の制限のため，高傾斜の像のデータを集めることができないことである．一般的に±60°傾斜までのデータが使われるが，データを集められない領域が円錐状に残ってしまう（missing cone）．結果として結晶面に垂直な方向の分解能は悪くなる．

　分子がらせん状に配置したものでは，1枚の画像にいろいろな方向を向いた分子が写っている．繰り返しはらせん軸に沿った方向のみであるから，一次元結晶と考えることができる．そのフーリエ変換像は赤道線に平行にX字型に並んだ線（層線），三次元的には層面の集合になる．電子顕微鏡像のフーリエ変換像から層線上でのフーリエ成分を抜き出し，フーリエ-ベッセル変換後，三次元再構成を行うことで，1枚の電子顕微鏡像からでも三次元像を再構成することができる場合が多い[3]．実際には，分子はことごとく違った方向を向いているため，個々の分子のフーリエ変換像は破壊的に足し合わされ，とくに赤道線方向の高分解能領域では急激に減衰してしまう．信頼性を上げるためには，多くの像の平均が必須になる．筋肉のアクチン繊維，バクテリアのべん毛，タバコモザイクウィルスなどらせん対称性をもつ分子集合体や，アセチルコリンレセプター，Ca^{2+}-ATPase 等の膜蛋白質のチューブ状結晶がこの方法で解析されている．

　単粒子解析法は近年急速に発展した手法で，分散した分子のいろいろな向きの投影像を集めそれを組み合わせて，三次元再構成を行うというものである．その実際は文献[4]に詳しい．最大の長所は試料を結晶化する必要がないということである．また，結晶内での配置に縛られない，自然な構造を解析できる可能性がある．この方法の精度はいかに正確に投影像の向きを決めることができるかによる．分子が電子線に対し（試料支持膜に対し）決まった方向を向いて分散する場合はランダムコニカルティルト法，そうでない場合は common line search 法（angular reconstitution 法ともいう）が用いられる．分子量が大きく分子内の対称性が高い試料では，この作業が容易になる．三次元再構成はコンピュータトモグラフィーと同様に，周波数ごとに重みをつけラドン空間から実空間に逆投影して行う（back projection 法）．初期構造が得られたら，これをいろいろな角度に再投影し個々の像との相関から方位角を精密化し，構造を改良する．

　構造解析ソフトウェアはMRCグループによって開発されたパッケージが標準である[5]．同パッケージには二次元結晶構造解析のほかに，らせん対称性を利用した再構成，および単粒子解析を行うプログラムも含まれるが，完全なセットとはいいがたい．そのため，いろいろな発展形が存在する．ほかに主に単粒子解析を行うものと

してSPIDER/WEB, IMAGIC等がある. フリーのパッケージでGUIがよく整備されたEMANもよく使用されている（主なパッケージについてはhttp://3dem.ucsd.edu/等を参照）.

近年，電子顕微鏡へのエネルギーフィルターの実装が始まった．蛋白質を構成する軽原子と電子線の相互作用では，非弾性散乱される（相互作用によってエネルギーを失う）電子の方が弾性散乱されるものより多い．高分解能の構造情報をもつのは後者のみであり，前者は試料を破壊し結像時にノイズとなる．電子線プリズムであるエネルギーフィルターを用いることで非弾性散乱電子を効率よく除き，像のS/Nを大幅に改善できる．低温電子顕微鏡法と組み合わせた構造解析例はまだ少ないが，今後の進展が期待される．〔米倉功治・豊島　近〕

[文献]
1) 豊島　近：Ice Embedding法, 実験医学 **8**, 433-441, 1990.
2) 藤吉好則, 光岡　薫：電子線結晶学による膜蛋白質の構造解析, 細胞工学 **16**, 1677-1689, 1997.
3) 米倉功治, 豊島　近：膜蛋白質チューブ状結晶の三次元構造解析, 細胞工学 **16**, 1839-1847, 1997.
4) Frank, J.: Three-Dimensional Electron Microscopy of Macromolecular Assemblies, Academic Press, 1996.
5) Carragher, B. and Smith, P.R.: Advances in computational image processing for microscopy, *J. Struct. Biol.* **116**, 1-248, 1996

II. 計算生物物理

8.5 蛋白質立体構造の第1原理からの予測法

前節では生体高分子の立体構造を研究する手段として，さまざまな実験手法が紹介された．本節では，実験ではなく，計算機を使った研究について述べる．このような分野は計算生物物理学と呼ばれる．英語ではcomputational biophysicsという．現在広く使われている計算機の原型は20世紀半ばに発明されたので，生物物理学の誕生の時期と大体同じということができる．そして，生物物理学の研究の歴史のかなり初期の段階から計算機が何らかの形で利用されてきた．21世紀に入った今日では，計算機の能力の画期的な進歩に支えられて，実験に代わる（または補強する）研究手段としての計算生物物理学の重要性がいよいよ増している．本節では，計算生物物理学の分野の中でも大型計算機を使ったシミュレーションによる蛋白質の立体構造予測について述べる．

計算機シミュレーションとは研究対象とする系を模擬的に計算機上に用意して物理現象を調べる手法である．すなわち，実験のように実物の系は扱わず，あくまで計算機だけを使う．古典力学によれば，物理現象を表すのに，各粒子の初期座標と初期速度が与えられれば，後はニュートン方程式を解けば全時間における全粒子の振る舞いがわかる．しかし，多粒子の複雑系ではニュートン方程式の厳密解を求めることができず，計算機によって数値的に近似解を求めなければならない．このよう

に，ニュートン方程式を数値的に解いていくシミュレーション手法を分子動力学法（molecular dynamics：MD）と呼ぶ．一方，各粒子の個々の振る舞いを運動方程式で追うことはせず，乱数等を使って粒子の座標をあるルールに従って変えていって，統計力学における，ある統計集団（たとえば，温度一定のカノニカルアンサンブル）を再現するシミュレーション手法をモンテカルロ法（Monte Carlo：MC）と呼ぶ．これらのシミュレーション手法の詳細については，たとえば，文献[1]の教科書を参照されたい．

蛋白質の立体構造予測問題では以下に詳しく述べるように，計算機シミュレーションが大変重要な役割を果たす．しかし，実はこの問題は大変むずかしく，計算生物物理学における長年の難問とされてきた．蛋白質は細胞内のリボソームで合成される．よって，蛋白質が折りたたまれる過程を計算機シミュレーションで再現しようと思えば，細胞全体（少なくともリボソームとその周辺）の系を考慮する必要があるように思える．それは，模型の大幅な簡略化を行わず，原子・分子のミクロの詳細を取り入れる手法では，現在存在する最速の計算機をもってしても，とうてい不可能である．ところが，幸い，1960年代初頭に，アンフィンゼン（Anfinsen）等がいわゆる試験管内の実験で，折りたたまれた蛋白質に変性剤を加えることにより，ランダムコイルにし，その後，変性剤を除くことにより，元の立体構造に折りたたまれることを示した．ランダムコイルになった時点で，この蛋白質の自然の立体構造がどのようであったかの情報はすべて失われるわけであり，そこから元の形に巻き戻るということは，蛋白質の自然の立体構造は，そのアミノ酸配列の情報（とまわりの溶媒条件）のみに依存していることを意味する．いい換えれば，蛋白質の折りたたみは熱力学の法則に従っており，自然の立体構造が自由エネルギーの最小状態に対応していることを示唆している．すなわち，この実験の結果は，蛋白質の折りたたみを議論するのに，細胞内の諸々の複雑な要素を忘れて，蛋白質1分子とそのまわりの溶媒だけを考慮すればよいことを意味しており，計算機シミュレーションもこれなら何とかやれるのではないかと，多くの計算生物物理学者に希望をもたせたわけである．しかし，40年余り経った現在でも，ランダムコイル状態からの蛋白質の折りたたみシミュレーションに百発百中の確率で成功する手法は存在しない．実際，多くの研究者は最初からこのようなことが不可能という認識のもとに，アミノ酸配列の情報以外に，実験からの統計的な情報を使って構造予測を行っている（たとえば，立体構造未知の蛋白質のアミノ酸配列が，立体構造既知の蛋白質のそれに似ている場合，それらは同じような形をしているであろうと予測してよいであろう）．このような経験的な情報を取り入れる立体構造予測については，次節に詳しい．本節ではあくまでアミノ酸配列の情報のみ使う立体構造予測（第1原理からの構造予測）について議論する．

上に述べたように，蛋白質の立体構造をアミノ酸配列の情報から予測するには，蛋白質1分子（とそのまわりの溶媒）の系のエネルギー最小状態を求める必要がある．厳密にいえば，室温における自由エネルギーの最小状態を求めることになる（よって，エントロピーの寄与も考慮する必要がある）．いずれにせよ，立体構造予測問題は，ある関数の最小値を求めるという最適化問題に帰すわけである．それでは，まず，どのような関数を使えばよいのかという問いが生じる．実は，この問題についてはいわゆる標準というべきものがなく，日々改良されているというのが現状である．実際，1994年から2年ごとに開かれている蛋白質立体構造予測の国際予測コンテストCASP（Critical Assessment of techniques for protein Structure Prediction)[2]）では，参加者が独自のエネルギー関数をもっており，どのエネルギー関数がよいかのコンテストになっているといっても過言ではないであろう（⇨8.6）．よって，ここでは蛋白質のエネルギー関数についての議論はしない．エネルギー関数が与えられたとして，次に用意しなければならないのは，計算機シミュレーションの手法である．蛋白質の立体構造予測問題の困難の最大の要因は，蛋白質のような多自由度の複雑な系にはエネルギー極小状態が無数に存在することである．つまり，従来の手法による，一定温度（室温）における計算機シミュレーションでは，どうしてもそれらのエネルギー極小状態に留まってしまって，最小エネルギー構造の探索が絶望的にむずかしくなるのである．よって，エネルギー極小状態に留まらない，強力なシミュレーション手法を導入することが必要になるわけである．

最適化のシミュレーション手法としていろいろな分野で最も広く知られているのは徐冷法（simulated annealing）であろう．徐冷法は物質の結晶をつくるプロセスにもとづいている．（融点を超える）十分高温でシミュレーションを始め，シミュレーションを通じて徐々に温度を下げていくことによって，最小エネルギー状態（結晶）に到達しようとする方法である．急冷するとエネルギー極小状態に留まってしまうが，熱平衡を保ちながらゆっくりと温度を下げていくと，（最終温度が0Kの極限で）最小エネルギー状態が得られる．実際には計算時間に限りがあるので，熱平衡を保つことを保証することができない．よって，複数の独立なシミュレーションを実行して，最小エネルギー状態が得られたかどうかを判定する必要がある．徐冷法は原理が簡単でしかも使用しやすいのでいろいろな最適化問題に広く使われている．徐冷法の蛋白質の立体構造予測問題への適用については，たとえば，文献3）の解説を参照されたい．

徐冷法とともに現在広く使われ始めている方法に，拡張アンサンブル法（generalized-ensemble algorithm）と総称される手法がある．従来の一定温度のカノニカルアンサンブル上のシミュレーションはボルツマン因子に従って状態を発生させるのに対し，拡張アンサンブル法は非ボルツマン因子にもとづいて，ポテンシャルエネルギー空間上の一次元酔歩（ランダ

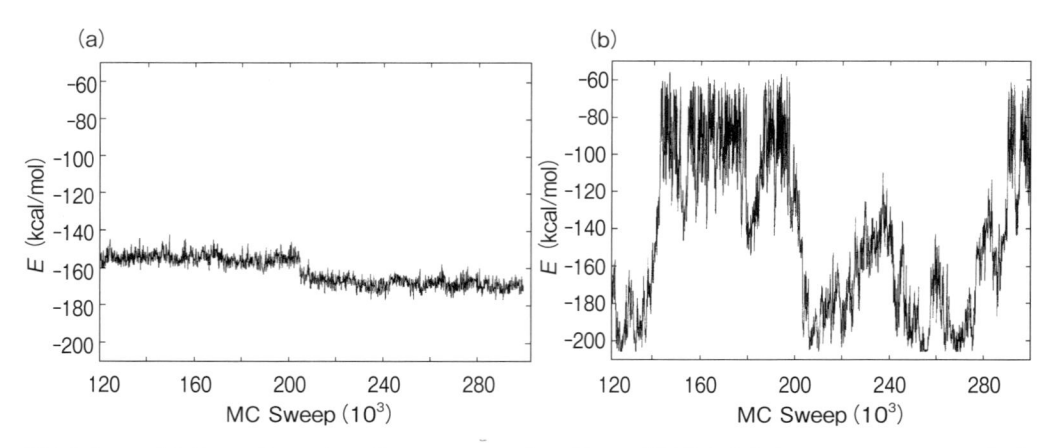

図8.5.1 ペプチドフラグメントのポテンシャルエネルギーの「経時変化」（120～300 MC sweep（10^3）まで）．
(a) 温度 $T=200$ K における従来のカノニカル MC シミュレーション．
(b) マルチカノニカル MC シミュレーション．

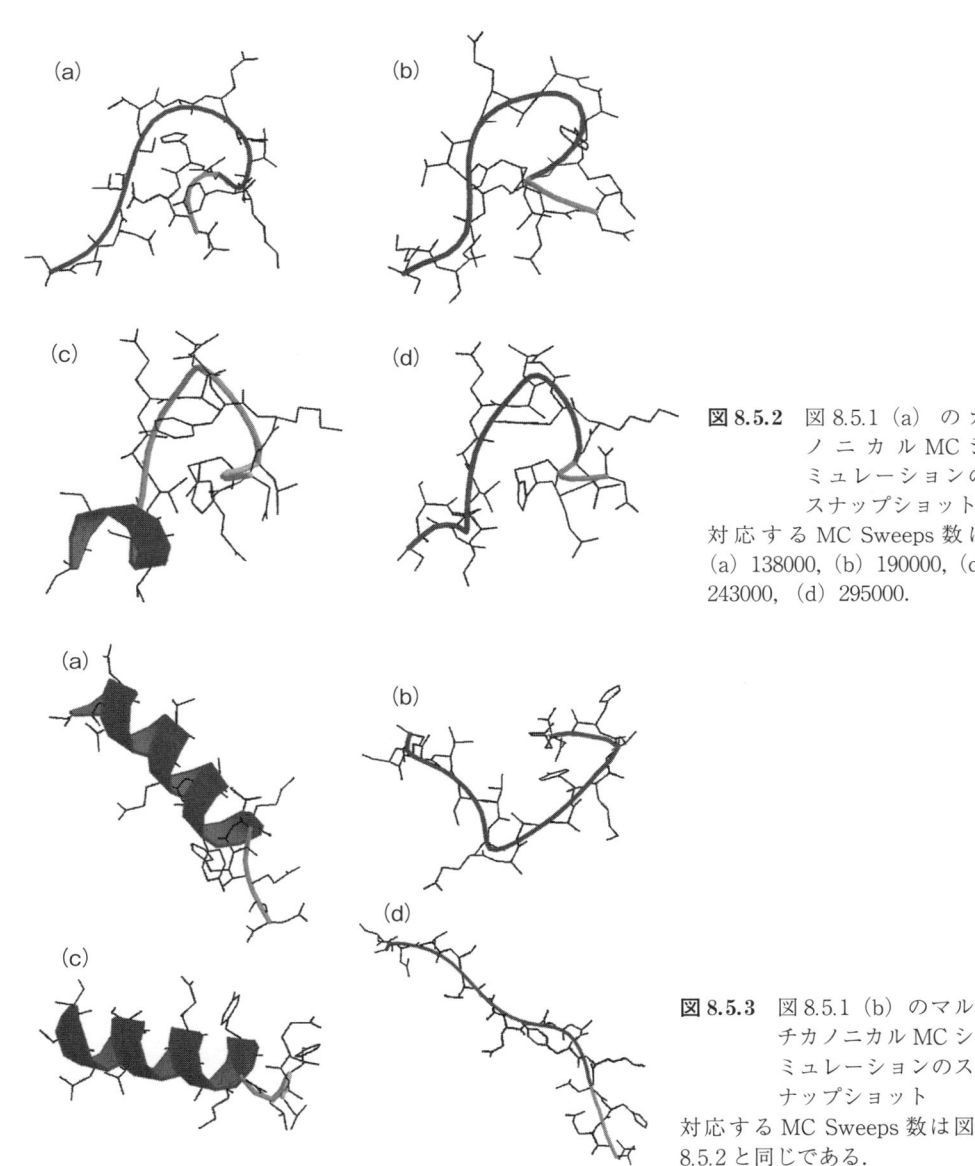

図 8.5.2 図 8.5.1 (a) のカノニカル MC シミュレーションのスナップショット 対応する MC Sweeps 数は (a) 138000, (b) 190000, (c) 243000, (d) 295000.

図 8.5.3 図 8.5.1 (b) のマルチカノニカル MC シミュレーションのスナップショット 対応する MC Sweeps 数は図 8.5.2 と同じである.

ムウォーク) を実現する手法である．ポテンシャルエネルギーがいろいろな値をとっていくので，シミュレーションがどこかでエネルギー極小状態に陥っても，いずれそこから脱出できるわけで，従来の手法よりも，はるかに広い配位空間を探索することができる．この方法では，シミュレーション中のポテンシャルエネルギーを記録することによって，最小エネルギー状態が得られる．さらには，カノニカル分布への再重法を使うことによって，1 回のシミュレーションの結果から，任意の温度における熱力学量を計算することができるという利点がある．蛋白質の立体構造予測ばかりでなく，(ランダムコイル状態から折りたたまれた自然の構造までの幅広い熱力学量を求める必要がある) 蛋白質の折りたたみ問題にとくに適した手法だということができる

であろう．

拡張アンサンブル法の代表的なものには，マルチカノニカル法（multicanonical algorithm），焼き戻し法（simulated tempering），レプリカ交換法（replica-exchange method）などがある．ここでは，例として，実験でα-ヘリックスをとることが知られている17残基のペプチドにおいて，従来のカノニカルアンサンブル上のシミュレーションに比べて，マルチカノニカル法がどれぐらい広く配位空間をサンプルすることができるかを見てみよう[5]．図8.5.1にこれらのシミュレーションにおけるポテンシャルエネルギーの120 MC sweep(10^3)から300 MC sweep(10^3)に至る間の「経時変化」を示す．従来のカノニカルシミュレーションは，なかなか平衡に達しないのに対し，マルチカノニカルシミュレーションでは，ポテンシャルエネルギー空間上の幅広い酔歩を実現していることがわかる．これらのシミュレーションから得られる構造をそれぞれ4個抽出して，図8.5.2と図8.5.3に示した．図8.5.2の従来のカノニカルシミュレーションがエネルギー極小状態に留まってしまっているのに対し，マルチカノニカルシミュレーションでは，図8.5.3 (a)，(b)，(c)，(d)と時間発展するにつれて，α-ヘリックス構造とランダムコイル状態の間を行き来して，幅広い構造空間をサンプルしていることがわかる．

最近，蛋白質の立体構造予測に有効な強力な拡張アンサンブル法が次々と開発されてきた．「究極の拡張アンサンブル法」が完成されつつあると筆者は考えている．拡張アンサンブル法の蛋白質の立体構造予測問題への適用については，たとえば，文献[4,5]の解説を参照されたい． 〔岡本祐幸〕

[文献]
1) 岡崎 進：コンピュータシミュレーションの基礎，化学同人，2000．
2) たとえば，次のホームページを参照．http://predictioncenter.llnl.gov/
3) 岡本祐幸：モンテカルロシミュレーションによる蛋白質の立体構造予測，生物物理 **38**, 10月号，203-207, 1998.
4) 杉田有治，光武亜代理，岡本祐幸：拡張アンサンブル法による蛋白質の折り畳みシミュレーション，日本物理学会誌 **56**, 8月号，591-599, 2001.
5) Mitsutake, A., Sugita, Y., and Okamoto, Y.: Generalized-ensemble algorithms for molecular simulations of biopolymers, Biopolymers **60**, 96-123, 2001.

8.6 蛋白質構造予測法

　天然蛋白質のアミノ酸配列は比較的簡単に決定できるのに比べて，その立体構造を実験的に決定するのは容易でない．蛋白質の立体構造を知りたいという欲求は，配列データに比べて構造データが少ないという知識のギャップから生じるといえる．近年急激に進む種々の生物ゲノムの解明はますますこの格差を拡大するかのようである．このような格差を，部分的にせよ解消しうるのは実用的な構造予測の方法ということになる．

　構造予測にせよ機能予測にせよ，実用的な方法はこれまで相同性（ホモロジー）にもとづく類推の方法に限られてきた．データベースを検索して似たものがあれば，問題の蛋白質もそれと類似した構造や機能をもつだろう，と推定する．もちろん，その裏には分子進化的な背景があり，相同性が認められれば共通起源に由来する同族蛋白質（ファミリー）だという認識がある．ただし，既知の蛋白質と明瞭なホモロジーが認められ，同族であることが明らかな場合は「予測」とはいえない．その限界値は構造予測の場合，配列一致度で30％あたりであり，それ以上の高いホモロジーがあれば構造の類似性は自明とみなされる．

　類推の方法は別の見方をするとデータベースに依存した方法でもある．既知のデータが少ないうちは効果を発揮できないが，データベースの内容が増大すればするほどより効果的になる．史上はじめての実用的な構造予測の方法だといえる「3D-1D法」（スレディング法ともいう）は，立体構造データベース（PDB）の増大を背景として登場した．実際，実験的に決定された立体構造の種類が増えるにつれて，配列ホモロジーは低い（配列一致度20％あるいはそれ以下）にもかかわらず，立体構造の類似する例がいくつも見つかるようになった．分子進化の過程を通じて，配列よりも構造の方が変化しにくく保存性がよいのであれば，配列どうしを比較する通常のホモロジー検索よりも，三次元（3D）の

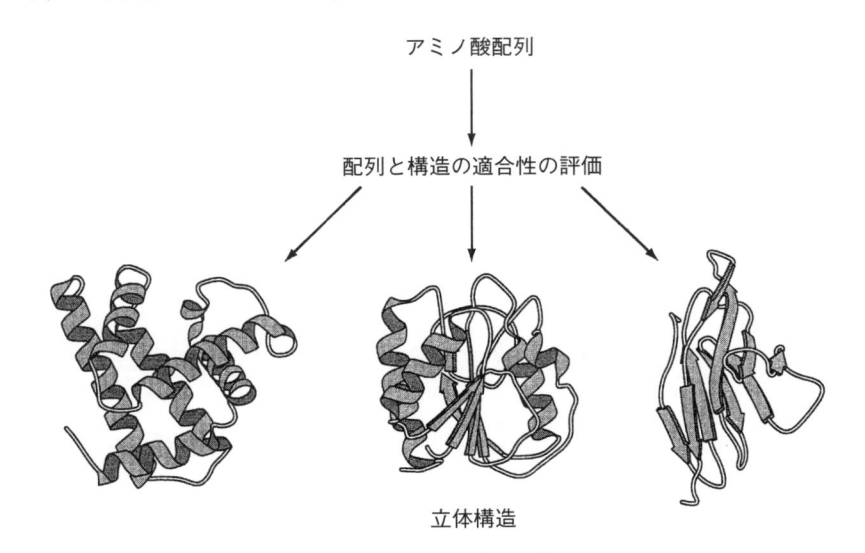

図 8.6.1　3D-1D法の概念図

構造と一次元（1D）の配列を直接比較する方がより遠い類縁関係まで検出できるはずだ，というのが3D-1D法の基本的な考え方である．

3D-1D法のごく一般的な概念図を図8.6.1に示す．予測したい蛋白質のアミノ酸配列（問い合せ配列）を与え，PDB中のすべての既知構造に対し次々と当てはめてみる．配列と構造の適合性は評価関数を用いて定量的に表現すると，問い合せ配列に対し最も適合性のよい（スコアの高い）構造を選別することができる．そのスコアが十分高ければ，未知蛋白質の構造は選ばれた立体構造と類似するはずだ，と予測する．ただし，これはあくまでも大筋の考え方であり，配列を構造にどのように当てはめる（乗せる）のか，評価関数はどう定義するか，という点で具体的な方法論はさまざまなアプローチに分かれる．1つの代表的なアプローチは，図8.6.2のように立体構造を「3Dプロフィール」に還元させてしまう考え方であり，最初にBowie-Eisenberg[1]によって提唱された．このアプローチでは，図8.6.2(a)のように構造中の1つの残基部位に注目して，その部位の二次構造（α-ヘリックス，β-構造，コイルの別）や分子表面への露出度（分子内部に埋もれているか，表面に露出しているか）によって構造的な特徴付けを行う．その上で，そこに20種類のアミノ酸残基をそれぞれ当てはめ，アミノ酸の種類と部位の環境（構造的特徴）に従って両者の適合性をスコアとして表す．この操作をすべての部位について行い結果を表にまとめると，3Dプロフィール（図8.6.2(b)）が得られる．3Dプロフィールの利点は，通常のホモロジー検索で使われるDP（ダイナミックプログラミング）法が適用できることである．図8.6.1に戻ると，あらかじめ既知の立体構造はそれぞれ3Dプロフィールに変換して，ライブラリーとして用意する．あとは問い合せ配列によりDP法を用いてライブラリーに対しサーチを掛ければ，最高のスコアを示す構造のみならず，配列-構造の最適の対応関係（アライメント）も同時に得ることができる．

別のアプローチとしては，問い合せ配列の全体を一挙に構造に当てはめる，いわゆるスレディング（threading：この名称は主鎖構造に沿って配列を通すイメージに由

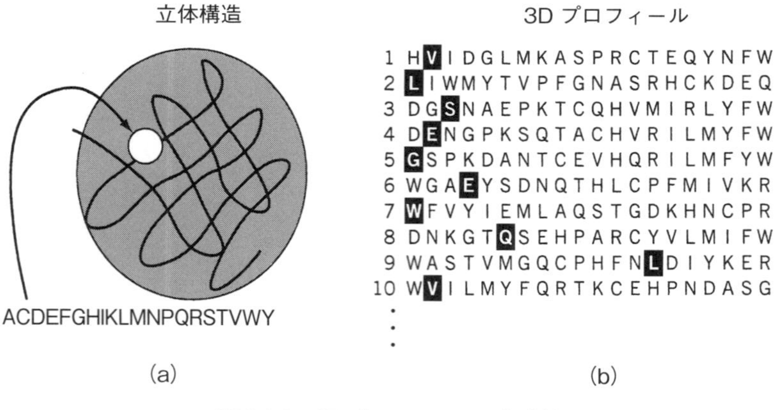

立体構造　　　　　　　　　　3Dプロフィール

```
1  HVIDGLMKASPRCTEQYNFW
2  LIWMYTVPFGNASRHCKDEQ
3  DGSNAEPKTCQHVMIRLYFW
4  ENGPKSQTACHVRILMYFW
5  GSPKDANTCEVHQRILMFYW
6  WGAEYSDNQTHLCPFMIVKR
7  WFVYIEMLAQSTGDKHNCPR
8  DNKGTQSEHPARCYVLMIFW
9  WASTVMGQCPHFNLDIYKER
10 WVILMYFQRTKCEHPNDASG
```

ACDEFGHIKLMNPQRSTVWY

(a)　　　　　　　　　　　　　(b)

図 8.6.2 3Dプロフィールの作成法
(a) 立体構造のあるサイトに穴をあけ，そこに20種類のアミノ酸を次々に挿入してまわりの環境との適合度を測る．この作業を全サイトについて実行する．
(b) 適合度を表にして格納しておく．この例ではアミノ酸を適合度の順に（左から右に）並びかえて表示している（元の数値は示していない）．黒抜きのアミノ酸は天然の配列である．

来する）の方法がある[2]．この方法は，適合性の評価関数として残基間の統計ポテンシャル[3]を無理なく導入できる点が最大の利点であり，配列と構造の適合性はエネルギー計算によって評価される．ただし，残基間の相互作用を表す2体ポテンシャルはDP法とは相性が悪いため，いかにして最適アライメントを求めるかという問題が残る．この問題はモンテカルロ法などを用いて解決できなくもないが，計算時間は膨大になる．このように，2つのアプローチはそれぞれ一長一短があるため，折衷的な方法のさまざまなバリエーションを生むことになった．

蛋白質の構造予測研究において，国際予測コンテスト（CASP）の果たした役割は無視できない．重要な点は，このコンテストが予測者が正解を知らない状態で答えさせる完全なブラインドテスト（盲検法）で行われることだ．出題されるのは未公開の（実験的に構造が決定されてもまだPDBには未登録の）蛋白質であり，アミノ酸配列の情報だけがインターネット上で公開されると，参加者はその立体構造を予測してメールなどで回答するという形で行われる．CASPは3D-1D法の開発競争の高まりを受けて，1994年に第1回目が開催され，その後は2年ごとに開かれており第4回目のCASP4[4]までの範囲でも明らかになった点がいくつかある．1つは，構造未知の蛋白質の立体構造を確かに3D-1D法で予測できること，つまり，3D-1D法は立体構造予測法であることが公認されたことである．それ以前には，配列どうしの相同性検索でホモロジーが検出されない蛋白質は予測（計算）によって立体構造を知る手段はなかったことを思うと，予測法として認知されたことの意義は大きい．ただし，その反面で予測の信頼度が低いことも盲検法によって明白になった．3D-1D法は正解することもあるが間違うことも多く，おそらく5割以上的中すれば上できだと思っ

てよい．さらに，正しい類似構造を予測したとしても，アライメントはそれ以上に間違いやすいことも指摘されている．

3D-1D法の改善が模索される中，思いがけない方面から画期的な方法が現れた．標準的な相同性検索プログラムであるBLASTの発展形として，Altschulら[5]によって開発されたPSI-BLASTである．PSI-BLASTは，それまで3D-1D法でしか検出できないといわれていた20％以下の微弱なホモロジーを的確に見分けることができ，しかも誤りはごく少ない（5％以下）という．PSI-BLASTの優れた性能は，通常の相同性検索では入力した問い合せ配列を使ってそのまま配列サーチを行うのに対し，入力配列の相同配列の情報も加えてサーチする点に由来する．すなわち図8.6.3に示すように，まず相同配列のマルチプルアライメントをつくり，すべての情報を残基部位ごとのアミノ酸保存性に依存するプロフィールの形式にまとめ，このプロフィールを用いて配列サーチを行う．ちなみに，このときのプロフィールは前出の3Dプロフィールと同じ形式のものであるが，立体構造の代わりに多数の相同

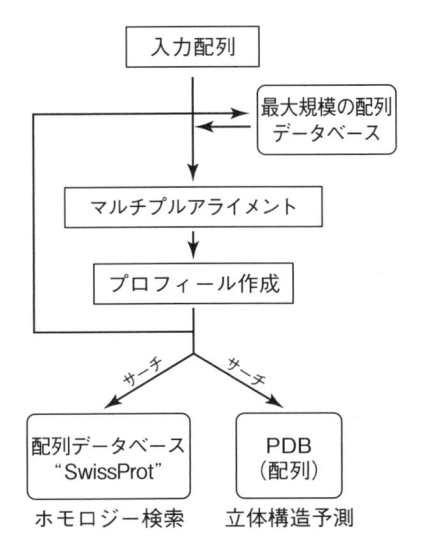

図 8.6.3 PSI-BLAST 法のアルゴリズムの流れ

配列から抽出されたプロフィールになっている．PSI-BLASTの要点は，入力配列に対していかに数多くの相同配列が手に入るかという点にある．もしも相同配列が1つも見つからない場合は，その性能は通常のBLASTと変わらない．そのため相同配列の探索（図8.6.3の最初のステップ）には最大規模の配列データベース（現時点では30万件以上のエントリー数を含む）が用いられる．この点からみて，PSI-BLASTは膨大な量の配列データに含まれる豊富な情報を効果的に生かした方法であることがわかる．

ところで，PSI-BLASTはあくまでも配列どうしを比較するいわゆるホモロジー検索法である．したがって，SwissProtなどの配列データベースに対してサーチを行う（図8.6.3の左下のルート）のが標準的な使い方であり，PDB（ただし，その中の配列データだけが対象）に対してサーチを掛け立体構造予測として用いる（右下のルート）のは特殊な利用法にみえる．ところが，PSI-BLASTはどちらかというと立体構造予測法として用いたときの方がその威力をフルに発揮するのである．このことはPSI-BLASTをゲノム情報解析に適用すると明瞭になる[6]．たとえば，大腸菌ゲノムにコードされた蛋白質は4000個余りあるが，そのうちPSI-BLASTによって立体構造が予測される（対PDBサーチでヒットする）割合は47％（2000個余り）にのぼり，BLASTによるヒットの割合（28.9％）に比べて20％近くも多くなる（図8.6.4）．一方，対SwissProtデータベースに対するホモロジー検索で比較するとPSI-BLAST（76％），BLAST（72％）となり，両者の差は4％にとどまる．ホモロジー検索において両者の差が小さくなるのは，BLASTサーチでSwissProt中に相同配列の見つからない残りの大腸菌蛋白質（24.5％）はもともと既知蛋白質との相同性をほとんどもたないものばかりなので，これらの蛋白

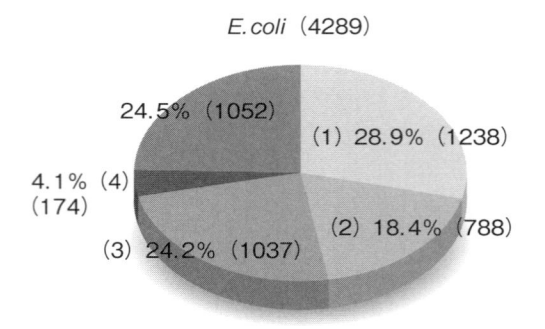

図8.6.4 大腸菌ゲノムに含まれる蛋白質のうち，立体構造予測およびホモロジー検索された蛋白質の割合
(1) BLASTによる立体構造予測，(2) PSI-BLASTによる立体構造予測，(3) BLASTによるホモロジー検索，(4) PSI-BLASTによるホモロジー検索の割合を示す．

質に対してPSI-BLASTを適用しても既述の理由によりその性能はBLAST並みに低下してしまうからである．一方，立体構造予測の対象となる蛋白質では一般にかなりの数の相同配列が見つかるので，PSI-BLAST本来の性能を発揮することができる．

立体構造予測法としてのPSI-BLASTの優秀さは1997年の論文発表[5]と同時にただちに知れわたり，この時期を境にしてそれ以降の実用的な立体構造予測の方法論は完全に様変わりしてしまった．現在，3D-1D法（またはスレディング）と呼ばれている方法論は，すべてPSI-BLASTを下敷きにした上で，スレディング的な立体構造の情報を加えるという手法ばかりである[7]．したがって，大きな観点からすれば，それらはPSI-BLAST法のバリエーションだと捉えることができる．以上のように，ホモロジーにもとづく類推の方法はPSI-BLAST法の一人勝ちという現状にあり，上述のゲノム情報解析など実地の応用面においても威力を発揮している．

最後に指摘しておきたいのは，3D-1D法，PSI-BLAST法を含めて類推の方法には原理的な限界性があるという点である．

その1つは，当然のことながら，類推による予測が可能なのはデータベース中にすでに類似物が用意されている場合だけであり，それ以外の真に新しい対象（構造）の予測はできないという限界である．この点を克服するためには，類推に頼らない「*ab initio* 予測」を指向する必要がある．もう1つの限界性は，類推の方法で得られる解はあくまで未知蛋白質の類似物（構造）であって，真の解（構造）ではないという点である．ホモロジーの高い場合は真の立体構造からのズレは小さく，あまり問題にならないが，PSI-BLASTでようやく検出しうる程度の弱いホモロジーになると，このズレはかなり大きくなる．したがって，PSI-BLAST法による予測構造は大まかな骨格構造レベルにおいて（フォールド予測という）のみ意味をもつと解釈すべきである．このような粗い予測では満足できないとなれば，あとは再び *ab initio* 予測に向かう以外にない．*ab initio* 予測は一切の限界性をもたず，原理的には真の立体構造にまで到達できるはずだからだ．近年は *ab initio* 予測においても「成功」の見通しが得られるようになり，実現可能な方法論への期待が高まっているが，その詳細は本章8.5節にゆずる．　　　　〔西川　建〕

[文献]

1) Bowie, J.U. *et al.*: A method to identify protein sequences that fold into a known three-dimensional structure, *Science* **253**, 164-170, 1991.
2) Jones, D.T. *et al.*: A new approach to protein fold recognition, *Nature* **358**, 86-89, 1992.
3) Sippl, M.J.: Calculation of conformational ensembles from potentials of mean force: An approach to the knowledge-based prediction of local structures in globular proteins, *J. Mol. Biol.* **213**, 859-883, 1990.
4) CASP3 特集号: *Proteins*, Suppl. 3, 1999.
5) Altschul, S.F. *et al.*: Gapped BLAST and PSI-BLAST: a new generation of protein database search programs, *Nucl. Acids Res.* **25**, 3389-3402, 1997.
6) Kawabata, T. *et al.*: GTOP; a database of protein strucutres predicted from genome sequences, *Nucl. Acids Res.* **30**, 294-298, 2002.
7) Jones, D. J.: *J. Mol. Biol.* **287**, 797-815, 1999; Panchenko, A. R. *et al.*: *J. Mol. Biol.* **296**, 1319-1331, 2000; Kelley, L. A. *et al.*: *J. Mol. Biol.* **299**, 499-520, 2000.

8.7 蛋白質の類似度の解析

a. 配列のホモロジー

アミノ酸配列のホモロジー（相同性）とは，祖先遺伝子を共有する配列の類似性を示す．進化の過程で新たな相同な蛋白質が形成される機構としては，種分化と遺伝子重複がある．これらの機構によって分岐した相同配列は，進化の過程でアミノ酸置換，挿入/欠失などの突然変異を受け，配列がお互いに変化する．相同アミノ酸配列を比較することで，その蛋白質の構造や機能，また進化の情報を抽出することができる．

相同配列の比較のため，進化の過程で生じた挿入や欠失を考慮して，対応するアミノ酸残基を並置したものをアライメントと呼ぶ．挿入/欠失に対応して導入される空記号をギャップと呼ぶ．アライメントは，アミノ酸残基の対に対して定義されたスコアとギャップに対応するペナルティを用いて作成される．残基対に対するスコアを三角行列で表したものをスコアテーブルと呼ぶ．代表的なものとしてPAMやBLOSUMなどがある．ギャップペナルティとしてはアフィンペナルティがよく使用されている．2本の配列が与えられたとき，非常に多くの並置の仕方が考えられる．すべての可能な並置の中で，並置に従って得られるスコアの総和から，そこに生じるギャップペナルティを差し引いた得点が最大となるものが最適アライメントとして採択される．配列2本の最適アライメントの探索のためには二次元でのダイナミックプログラミング法（以下DPと略す）

が使用されている．1970年にNeedlemanとWunschによるDPの配列アライメントへの応用が報告されて以来，DPによる配列アライメントに関する多くの理論的研究また応用研究がなされている．

N本の配列の並置をマルチプルアライメントと呼ぶ．二次元DPを拡張したN次元DPは，莫大な計算資源を要することからあまり使用されていない．現時点では，アライメントを1本の配列と見なし，二次元DPによって配列あるいはアライメントを適当な順序で並置するプログレッシブアライメント法がよく利用されている．代表的なものにclustal Wがある．しかし，この方法にはいったん生じたギャップ位置の誤りが修正されないという問題がある．この問題への対処のため，遺伝的アルゴリズム，徐冷法，繰り返し改善法などが開発されている．

配列全長にわたって残基を並置するグローバルアライメントについて上で述べた．しかし，データベース検索のためには2本の配列の間で局所的に類似した領域を検出することが必要となる．これはローカルアライメントと呼ばれる．ローカルアライメントの方法として，二次元DPを用いた方法（Smith and Waterman法，Goad and Kanehisa法）が開発された．その後，検索の高速化のため，語単位でのヒットを利用したFASTAやBLASTが開発された．一方，検出感度を向上させる方法として重み行列法やホモロジープロファイル法など，マルチプルアライメントからサイト特異的スコア行列を作成し，その行列を用いてデータベースを検索する方法が開発された．現時点で最も検出感度が高いとされるPSI-BLASTは，BLASTにさまざまな改良が施されたものだが，改良点の1つとしてサイト特異的スコア行列を利用した繰り返し検索の機能を有する．そのほかに隠れマルコフモデルやプロファイルどうしの比較により，検出感度の向上がはかられて

いる．

相同配列の比較解析は，① データベース検索などによる配列データ収集，② それらのアライメントの作成，③ アライメントからの情報抽出の3つのステップで実行される．アライメントからの情報抽出の方法として，モチーフ同定や抗原性決定部位予測，分子系統樹作成，進化トレース法（evolutionary trace），ホモロジーモデリングなどがある．　　　　　　〔藤　博幸〕

b. 構造のホモロジー

蛋白質立体構造の分類では，進化的共通起源をもつ蛋白質どうしの構造類似性をホモロジー，それ以外の類似性をアナロジーと呼ぶ．ただし現時点では，配列レベルでの類似性が確認できないときに両者を区別することは困難であり，このための取り組みが始まったばかりである．このような理由から，ここではホモロジーとアナロジーを区別せず，蛋白質立体構造類似性の解析方法について述べる．

立体構造比較は，配列比較，すなわち，残基の性質による得点づけ（スコアテーブル）にもとづく文字列比較の問題とは異なり，三次元上での一群の点どうしの位置関係を比較する問題である．そこでは，比較すべき残基（あるいは原子）の対応付けそれ自体が自明ではない．この問題に対しては，周辺残基配置にもとづいて定義される各残基の「環境」どうしの比較を行うダブルダイナミック・プログラミング法（SSAP）や，距離マップの重ね合わせを行うDali，といったアルゴリズムが開発され，計算機による自動的な構造比較が可能となった．これ以降さまざまなプログラムが開発され，まず全体構造の中から比較的短い構造類似断片を見出し，それらの組合せを探索する試み（CE）などいくつかの近似解法が提案されている．残基の対応付けに配列アライメントを利用するアルゴリズム（STAMP）もある．注意すべきは，最適な対応づけは，しばしばアルゴリズムにより異なることである．こうした違いは，各アルゴリズムが蛋白質立体構造のどういった特徴に着目しているかに依存している．

蛋白質間の最終的な立体構造類似性の評価は，こうした対応付けが済んだ後，対応残基（しばしばCα原子等で代表される）位置の自乗平均変位（RMSd）等で与えられる場合が多いが，独自の類似性尺度を用いて評価する場合もある．各残基の「環境」を用いる比較法は，その典型的な例である．一対一の比較からさらに進んで，立体構造のデータベース検索が行われる際には，こうした類似性尺度についての統計的な評価が同時に与えられる場合が多い．

残基や原子のレベルより粗く，二次構造要素どうしの比較を行う場合もある（VAST）．これは，進化の過程で，一般にループ部分よりも二次構造部分の方が保存されやすい傾向にあることが知られているからである．こういった場合には，二次構造要素の類似度について，独自の指標が構築されている．

立体構造比較の結果にもとづいて，蛋白質を分類した結果を蓄積しているデータベースが多数存在している．そうした中で，CATHとSCOPは，蛋白質構造を階層的に分類しており，直観的理解を得やすいであろう．CATHにおける構造分類は，前述のSSAPアルゴリズムによる結果を基礎にしている．一方SCOPは，専門家による分類に基礎を置いている．

ところで，こういった種々の方法で検出される構造の類似性の意味するところは，何であろうか？　全体（あるいはドメイン）構造の類似は，多くの場合比較された蛋白質の進化的な関連を示唆するものと考えられる．それはCATHやSCOPにおいても多くの場合，1つの構造クラスは単一スーパーファミリーから構成されていることからもうかがえる．しかし，いくつかの構造

は複数の蛋白質族により共有されている．たとえばTIM（α/β）バレル型と呼ばれる構造は，その典型である．ほとんどの場合，配列のホモロジーが確認されたならば構造類似性も有すると考えられるが，この例のように，その逆は必ずしも真ではないことに留意したい．

また，全体構造として類似性が見られなくても，局所的には構造類似性が見られることがある．たとえば，ズブチリシンとキモトリプシンの活性部位の類似が代表的な例である．このように，局所構造類似個所は，機能類似性を示す場合が多い．局所構造類似性の探索には，クリークサーチや，構造鋳型によるスクリーニングなどが行われる．局所構造の類似性は，その強固な保存性から，蛋白質機能の類推に結びつく場合が多い． 〔富井健太郎〕

[文献]
1) 金久 實：ポストゲノム情報への招待，共立出版，2001.
2) 中村春木，中井謙太：バイオテクノロジーのためのコンピュータ入門，コロナ社，1995.
3) Ewens W. J., Grant, G. R.：Statistical Methods in Bioinformatics, An Introduction, Springer, 2001.
4) 中村春木，有坂文雄編：蛋白質のかたちと物性（シリーズ・ニューバイオフィジックス1），共立出版，1997.
5) Godzik, A.：The structural alignment between two proteins：is there a unique answer?, *Protein Science* **5**（7）, 1325-1338, 1996.
6) Koehl, P.：Protein structure similarities, *Curr. Opin. Struct. Biol.* **11**（3）, 348-353, 2001.

8.8 エネルギー計算，基準振動解析

a. エネルギー計算

蛋白質やtRNAなどの生体高分子は生理的条件下で特定の安定構造をとる．この構造は構造生物学的な手法で解析できる．生体分子の機能を知る上で立体構造は重要な情報になる．たとえば，PDB（protein data bank）は代表的な構造情報のデータベースである．しかし静的な構造のみならず，動的な側面を忘れてはならないだろう．ネイティブ構造で安定に存在している蛋白質自身は，静止しているのではなく，蛋白質を取り囲んでいる溶媒分子を熱浴として熱平衡状態を保っている．そして，平均構造のまわりを絶えず熱ゆらぎしているのである．たとえば，仮にヘモグロビンが完全に剛体だとすると，立体構造の解析から，酸素結合サイトに酸素分子がアクセスする経路がなく，酸素を結合したり解離したりできないことがわかっている．

さて，蛋白質の動的構造を知る上で考慮すべき特徴の1つは内部運動の時間スケールの幅広さである（表8.8.1）．この幅広い時間スケールが蛋白質反応を豊かなものにしている．これらの分子内運動の例を図8.8.1に図示する．蛋白質分子は小さなものでも数千個の原子から成り立っている．さらに，数多くの溶媒分子に取り囲まれている．このような複雑な系のダイナミクスを調べるには，純粋に理論的な手法では限界がある．計算機の助けを借りたアプローチがどうしても必要になる．計算機実験を用いて分子の運動や性質を調べるのに有用な方法をあげると，① 量子化学計算，

表 8.8.1 蛋白質の運動と時間スケール

時間スケール	振幅	運動の記述
フェムト-ピコ秒 ($10^{-15} \sim 10^{-12}$s)	$0.001 \sim 0.1$ Å	・ボンド伸縮，変角運動
ピコ-ナノ秒 ($10^{-12} \sim 10^{-9}$s)	$0.1 \sim 10$ Å	・メチル基の回転 ・ループの運動，コレクティブな運動
ナノ-マイクロ秒 ($10^{-9} \sim 10^{-6}$s)	$1 \sim 100$ Å	・主鎖と側鎖のふらつき運動 ・ヘリックスコイル転移
マイクロ秒以上 (10^{-6}s～)	$10 \sim 100$ Å	・蛋白質の折りたたみ

②第1原理分子動力学，そして③分子動力学シミュレーションなどがあげられる．量子化学計算を用いると，シュレーディンガー方程式を解いて系の電子状態を求めることができる．量子化学計算には実験データを取り込んだ半経験的分子軌道法と，実験データを一切用いない非経験的分子軌道法がある．十分よい基底関数と計算方法を用いれば，非経験的分子軌道法を用いて小さな分子の結合長や結合角を数パーセントの誤差で再現できることが知られている．しかし，量子化学計算を厳密に用いると，取り扱うことができる系のサイズに限界が生ずる．生体分子のダイナミクス研究に最もよく用いられているのが分子動力学法で

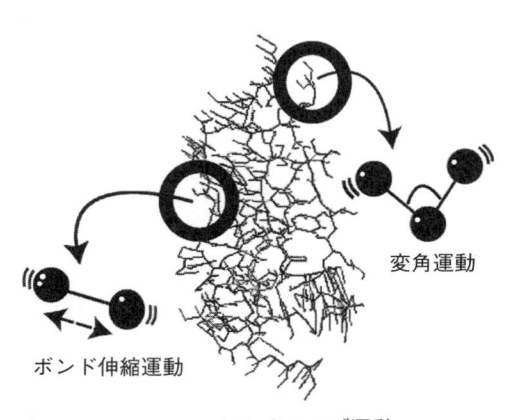

ある．古典力学的に考えると蛋白質中の原子核の運動はニュートンの運動方程式に従う．運動方程式を導くためには，原子核座標の関数として，ポテンシャルエネルギーを与える必要がある．

ここで，蛋白質を構成する原子の座標 $\{r^N\}$ の関数としてエネルギー $E(\{r^N\})$ の値を近似的に与えるのが力場である．分子動力学シミュレーションは力場を用いて分子のダイナミクスや熱ゆらぎを再現する．今日までいろいろな形の力場が提案され，それらの力場は蛋白質の運動方程式を解くプログラムに組み込まれて，分子動力学シミュレーションや基準振動解析に用いられている．代表的ないくつかの力場をあげると，

1) AMBER (Assisted Model Building with Energy Refinement. 参考となるURL：http://amber.scripps.edu/)，

2) CHARMM (Chemistry at HARvard Macromolecular Mechanics. 参考となるURL：http://www.charmm.org/)，

3) GROMOS (GROningen MOlecular Simulation computer program package. 参考となる URL：http://www.igc.ethz.ch/gromos/)

などがあげられる．

図 8.8.1 蛋白質の運動
BPTI の運動．ボンド伸縮運動，変角運動とコレクティブな運動を示す．この場合，5.2 cm^{-1} の振動数に対応する基準振動モードによる各原子の運動の方向ベクトルを描いている．

典型的なエネルギー関数の形状は，$E(\{r^N\})=$（結合エネルギー）＋（結合角エネルギー）＋（二面角エネルギー）＋（ファン・デル・ワールスエネルギー）＋（クーロンエネルギー）＋（その他のエネルギー）という

形で与えられる．ここで，

結合エネルギー $E_r = \sum_{\text{すべてボンド}} \frac{1}{2} k_r (r-r_0)^2$

結合角エネルギー $E_r = \sum_{\text{すべての結合角}} \frac{1}{2} k_\theta (\theta - \theta_0)^2$

二面角エネルギー $E_\phi = \sum_{\text{すべての二面角}} \frac{V_n}{2}(1+\cos(n\phi+\delta))$

である．r, θ, ϕ は結合長，結合角，および二面角の値で，蛋白質立体構造によって決まる内部座標である．また，r_0, θ_0, は平衡の結合角，k_r, k_θ, k_ϕ はボンドエネルギー，結合エネルギー，および二面角エネルギーの力の定数であり，これらの値は結合や二面角を構成している原子のタイプに応じて決まった値をとるように設定されている．また，n と δ は二面角エネルギーの周期と位相である．また，非結合相互作用エネルギーはファン・デル・ワールスエネルギーとクーロンエネルギーから構成される．各原子に特定のファン・デル・ワールス半径を与え，(6-12)型のポテンシャルで記述されるのがファン・デル・ワールスエネルギーで，各原子に部分電荷を配置して，これらの電荷の間の距離 r のマイナス1乗に比例する項の和で表されるのがクーロンエネルギーである．

ポテンシャルエネルギーを定めるパラメータの集合が力場である．生体高分子の計算機実験シミュレーションがはじまってから，力場の改良が絶えず続けられている．異なる力場を用いた場合，計算機実験の結果が異なる場合がある．現在，力場を用いた分子動力学シミュレーションの妥当性が検証されている．分子動力学シミュレーションほど多くの情報を得られる実験手法は存在しない．したがって，分子動力学シミュレーションをその限界を意識しながら注意深く実行するのが現実的な選択であろう．最近は，蛋白質の活性サイトのみ量子化学的に電子状態を計算し，活性サイトを取り囲む inert な部分のみ分子力学的に取り扱う QM/MM 法という手法が開発

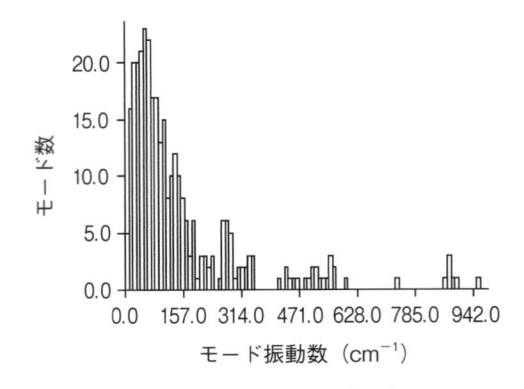

図 8.8.2 蛋白質の振動数分布図

されており，おおいに注目されている．

b. 基準振動解析

生体高分子は自由度が多く，複雑な構造をもっている．そして，そのエネルギー曲面は多数の山や谷が存在し，それらの谷の底にはエネルギーの極小点がある．このような特徴をもつエネルギー曲面のことをエネルギーランドスケープと呼んでいる．室温では分子構造はこれらの山や谷の間を飛び回りながら熱ゆらぎしていると考えられている．分子動力学シミュレーションを用いるとこれらのエネルギー曲面上での生体分子の運動を再現したり，特定の熱力学的な条件下でのアンサンブルを生成することができる．

さて，生体高分子の運動は複雑であるが，基準振動解析という手法を用いると，分子の運動をお互いに独立ないくつかのモードに分割して解析したり，分子運動の振動数分布を解析することができる．以下基準振動解析法の概説を行う．

まず，基準振動解析に先立って，エネルギー極小化という作業を行う．エネルギー極小点の近傍では分子のポテンシャルエネルギーは多自由度のパラボラに近似することができる．i 番目の原子の質量を m_i，位置ベクトルを x_i，とすると質量重みつきデカルト座標 $X_i = m_i^{(1/2)} x_i$ と書ける．エ

ネルギー極小点からの X_i のズレは $\Delta X_i = \sum_{j=1}^{3N-6} w_{ij}\sigma_j$ と書ける．ここで σ_j は j 番目の基準振動変数であり，w_{ij} を (i,j) 行列要素にもつ行列 W は $W^T W = I$ を満たす．このように独立変数としてデカルト座標を用いる方法とは別に，二面角を独立変数として用いる方法もある．図8.8.2にこの方法で求めたBPTIの振動数分布図を示す．また，先ほどの図8.8.1には5.2 cm^{-1}の振動数に対する基準振動モードの分子運動を示した．

〔倭 剛久〕

[文献]
1) 田中他編：計算物理学と計算化学，海文堂，1988．
2) 江口至洋：蛋白質工学の物理・化学的基礎，共立出版，1991．
3) 油谷克英，中村春木：蛋白質工学，朝倉書店，1991．

8.9 蛋白質の電子状態

　第1章で説明されているように，2つのアミノ酸が縮重合してペプチドボンドをつくり，それが次々に連なってフレキシブルなポリペプチドをつくる．生体の蛋白質は，ポリペプチドが固有の形にフォールドしてできている．Szent-Györgyiは1941年に蛋白質が半導体的性質をもっていて，伝導電子帯の電子や価電子帯のホールが蛋白質の機能を高めるのに重要な役割を果たしているであろうと提案し[1]，大きな反響を呼んだ．しかしながら，蛋白質全体の電子状態について実験的研究と理論的研究が実質的に進み出したのは1960年代になってからである．蛋白質の電子状態は3つのステップに分けて考えるとわかりやすい．第1のステップはポリペプチド骨格の周期的構造による電子状態のバンド形成である．第2は20種類のアミノ酸側鎖の寄与がどのようにバンド構造に影響を与えるかである．第3はポリペプチドがフォールドして生じる二次構造間の相互作用によってバンド構造がどのように影響を受けるかである．

　まず，第1のステップ．ポリペプチド骨格の電子状態は直鎖状に伸びたポリグリシンの電子状態で代表させる．ポリペプチド骨格の電子状態の計算は1960年頃から始められた．初期にはペプチドに含まれる4つのπ電子（酸素に1つ，炭素に1つ，窒素に2つ）から3種類の分子軌道を形成し，それを繰り返し単位としてポリペプチドの電子状態を計算した．その結果，3種類のバンドができ，エネルギーの低い2つ

のバンドに電子が充填されて価電子帯をつくる．3番目のバンドが伝導電子帯をつくる．価電子帯と伝導電子帯の間をエネルギーギャップ（ΔE）と呼ぶ．この計算方法はパイ電子近似といわれる．最近では，一重結合に寄与するσ電子も同時に考慮し，かつ電子相関の効果を取り入れたより高度な密度汎関数理論（density functional theory）で計算がされるようになった．その結果，価電子帯の最高レベルの軌道は，π電子近似と同じく，π電子であることがわかった．また，ポリグリシンのΔEは約5eVと見積もられた．この結果はポリペプチドが半導体というよりも絶縁体であることを示す．

第2ステップで異なる側鎖による電子状態への影響を評価する．同じアミノ酸残基をつなげ直鎖状のホモポリペプチドの電子状態を考える．密度汎関数理論で得られた計算結果は次のとおりである[2]．ポリアラニンはポリグリシンと比較してあまり変化がない．ペプチド鎖と平行に配置したバリン残基やスレオニン残基はペプチドと立体障害をもつが，それらのポリバリンやポリスレオニンではΔEが3eV程度に小さくなった．大きな疎水基をもつポリロイシンでは，ロイシン残基がペプチド鎖と平行でも垂直でも，立体障害を回避でき，ΔEは5eV程度になる．ポリセリンやポリシステインでは，ΔEが5eVよりわずかに小さくなる．ポリアスパラギンやポリグルタミンでは，ΔEが3.5eV程度に小さくなる．ポリアスパラギン酸やポリグルタミン酸では，ΔEが4.0～4.5eVになる．次にグリシンとアラニンのランダムなコポリマーについて計算すると，エネルギーギャップは5.5eV程度に大きくなった．このようにアミノ酸の種類によって最大1eV程度の影響がΔEに現れる．また，強い立体障害を与えると2eV程度の影響が出ることが理論的に予測された．

第3ステップとして，蛋白質がフォールディングしたときの影響を調べる．そのために蛋白質丸ごとの電子状態の計算が必要になる．日本のグループは，ウマの心臓にあるチトクロム c の電子状態（バンド構造）を密度汎関数理論によって世界ではじめて計算することに成功した[3]．チトクロム c はヘムを含み，生体内で酸化還元反応に寄与する．計算結果を図8.9.1の上図に示す．縦軸のGDOEはglobal distribution of Kohn–Sham orbital energyであり，実質的な状態密度を表す．横軸は軌道エネルギーで，HOMOは最高占有軌道（highest occupied molecular orbital）レベルを示す．また，チトクロム c の23番目のアミノ酸から52番目のアミノ酸部分を切り出して，その電子状態を計算した結果を図8.9.1の下図に示す．この2つの図を比べてみると，概形がよく似ている．上図はアミノ酸の数が多いため，状態数が多く，そのため下図に比べてゆらぎの幅は小さいが，全体的な形はきわめて似ている．このことは，上図のような状態分布は蛋白質に比較的共通のものであることを推測させる．さて，上図の特徴はHOMOの近傍の状態数が極端に少ない．これは蛋白質のエネルギーギャップ（ΔE）に相当する．下図を見てわかるように，エネルギーギャップは2eV程度である．蛋白質のフォールディングによって，いちじるしくΔEが小さくなったといえる．上図のHOMOおよびその近くの離散的なレベルはヘム鉄のd軌道を主成分とする分子軌道によるものである．このエネルギーギャップを挟んで，価電子帯と伝導電子帯ができる．それぞれの状態密度が最大になるのは−12eVと4eVのところにあり，エネルギー差は16eVになる．注意すべきことは，価電子帯が1つに合体していることである．この大きなエネルギーギャップの途中に小さな状態密度の山が−5eVと2eVのところに位置し，この間のエネルギーギャップは7eV程度である．

これらの計算結果を実験データと比較し

てみよう．実験的には多くの蛋白質の結晶粉末の電気伝導度の温度依存性が指数関数的で，半導体的であることが明らかにされている[4]．その指数関数の勾配より，価電子帯と伝導電子帯の実効的なエネルギーギャップが求められる．結果は，蛋白質の種類に依存して 2.6～3.1 eV となる．たとえば，ヘモグロビンで 2.66 eV，チトクロム c で 2.60 eV，ゼラチンで 3.05 eV である．興味深いことに，変性したヘモグロビンでは 2.89 eV となり，変性前のものより 0.23 eV だけエネルギーギャップが大きくなる．これらを上の密度汎関数理論の計算結果と比較してみよう．チトクロム c についての密度汎関数理論で計算した蛋白質部分のエネルギーギャップ 2 eV 程度という値は上の電気伝導度の実験から得られたエネルギーギャップと比較的よく一致しているといえる．また，変性したヘモグロビンで ΔE が大きくなったのはフォールディングが十分でなくなったためであるといえる．もう 1 つの実験データは溶液中の蛋白質の光吸収スペクトルである．α-ヘリックスや β-シート構造では 200～220 nm（5.6～6.2 eV）のエネルギーギャップに相当する吸収がある．そして，電気伝導度の測定で見られたエネルギーギャップ 2～3 eV（400～600 nm）に相当する吸収はない．これは次のように理解される．電気伝導では電子が伝導電子帯に熱的に励起されるだけで十分なので，最小近くのエネルギーギャップが効いてくる．しかしながら，光吸収では遷移モーメントをもった垂直遷移が必要であるので，使われるエネルギーレベル（状態）が選択される．詳しい解析はまだできていないが，図 8.9.1 で，-5 eV 近傍に状態密度の山をもつレベルから 2 eV 近傍に状態密度の山をもつレベル

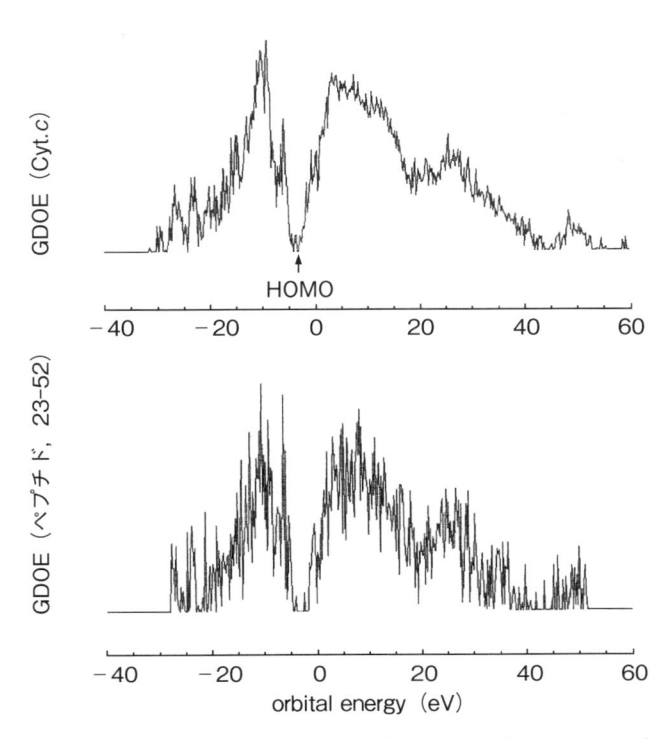

図 8.9.1　チトクロム c（上図）と蛋白質の一部（Gly23…Asn52）（下図）の状態密度分布（文献 1）の図 3 より）

への電子遷移がα-ヘリックスやβ-シートの光吸収に対応しているものと考えられる。　〔垣谷俊昭〕

[文献]
1) Szent-Györgyi, A : The study of energy-levels in biochemistry, *Nature* **202**, 157-159, 1941.
2) Takeda, K. and Shiraishi, K.: Theoretical studies on electronic structures of polypeptide chains, *J. Phys. Soc. Japan* **65**, 421-438, 1996.
3) Sata, F., Yoshihiro, T., Era, M. and Kashiwagi, H.: Calculation of all-electron wavefunction of hemoprotein cytochrome *c* by density functional theory, *Chem. Phys. Letters* **341**, 645-651, 2001.
4) Eley, D. D. and Spivey, D. I.: The semiconductivity of organic substances. Part 6.-A range of proteins, *Trans. Faraday Soc.* **56**, 1432-1442, 1960.

8.10 蛋白質の改変と熱力学的解析

　蛋白質は生物が進化の過程で生み出した数ナノメートル（nm）の特徴的な大きさをもつ分子機械である．生命活動に不可欠であるとともに，分子や原子の大きさの分解能で物質を識別して結合する能力（分子認識能）や常温・常圧という穏やかな条件で特定の化学反応を加速する能力（触媒能）は，工業，医療，農業などさまざまな分野で利用されており，今後もさまざまな新しい分野に拡大されてゆくと考えられる．
　このように生体外で天然蛋白質を使用する場合には，その安定性や機能を改良することが必要となることが多い．経済性を考えれば，何回でも繰り返し使用でき，高温でも低温でも安定で，かつ，より利用目的にあった分子認識能力や触媒能力をもつ蛋白質が求められるようになるのは当然のことであろう．従来は，種の異なる相同蛋白質について安定性や機能を比較し選別することで，このような要請に応えることが行われていた．PCRに用いるDNA合成酵素として，好熱菌のものを用いることで，高い熱安定性を実現し，反応の途中で酵素を補充する手間がなくなったことなどはその好例であろう．
　一方，天然蛋白質のアミノ酸配列を再設計することで，より高い安定性や機能をもたせることが可能であれば，現存する生物のもつ蛋白質レパートリーをもとにして蛋白質の物性を自在に改変して使用できるようになるであろう．天然蛋白質にもとづかずに，まったく新しい構造や物性をもつ蛋白質を創製するのがむずかしい現状では，

天然蛋白質のアミノ酸配列を改変することで物性を改良することが当面最も確実で有力な方法と考えられる．また，このような研究を通して，天然蛋白質の構造安定性や機能発現のメカニズムに関する新たな知見が蓄積できれば，将来の新規な蛋白質の確実な設計につながるとも期待される．

天然の蛋白質は，生物が必要とする安定性や機能をもつように設計されてはいるものの，その機能が必ずしも最適化されているわけではないし，最も高い安定性をもつように設計されているわけでもない．天然の蛋白質を再設計することによって，人間の目的や使用環境に応じて，より高い機能や安定性をもたせることが十分に可能なのである．それでは，どのように再設計してゆけばよいのだろうか．

現在行われている分子設計法は，以下の3種類に大別できる．1つ目が合理的設計法で，蛋白質の立体構造や物理化学的相互作用にもとづいてアミノ酸配列を新規に作成したり天然のアミノ酸配列を改変したりするものである．2つ目は，進化分子工学的手法を用いる方法で，選択した少数のアミノ酸配列にさまざまな変異を導入することで多種類の変異体蛋白質を作成し，そのなかから目的に合ったものを少数選択し，それに新たにアミノ酸変異を導入する，というサイクルを繰り返すものである．1番目の手法は，目的に合った蛋白質に変換させるための方策が明確である場合には，少数の変異体の作成で目的を達成することができるという特長をもつ．2番目はこれと対照的に，改善のための方策がまったく不明な場合や立体構造が不明な場合でも適用できるが，多数の変異体を効率的に作成し選択する方法を確立し使用することが必要となる．3つ目の方法は物理的摂動法と呼ぶ方法で，前2者の中間的な性格をもった再設計法である．すなわち，立体構造にもとづいて，目的の物性に変換される可能性が大きいアミノ酸変異を導入し，その効果を評価することで設計に用いた仮説を検証・改良してゆくというサイクルを繰り返すことで，高安定化や高機能化を実現する．これらの分子設計法の詳細や具体例に関しては文献[1]を参照されたい．

いずれの設計法を用いるにしても改変蛋白質の立体構造安定性や機能を評価することが重要である．たとえ合理的な設計を行ったとしても，蛋白質分子は非常に複雑であり，現状では，アミノ酸置換の効果を100％確実に予測することは不可能だからである．また，進化分子工学的手法では，評価によって変異体が選別されることになり，多数の変異体の中から目的にあったものを迅速にかつ確実に弁別することが必要となる．物理的摂動法では，評価の結果を次のステップの設計に生かすことが必要である，評価の重要性は非常に高い．

蛋白質の立体構造の安定性や機能は，熱力学的に決められている．生命活動も含めて，化学変化は必ずギブス自由エネルギーが減少する方向に進行する．また複数の状態が共存して，平衡に達している場合には，それぞれの標準化学ポテンシャル（モル当たりの標準部分ギブス自由エネルギー）に応じてそれぞれの状態の存在確率が決められる．また，反応速度は，律速過程の遷移状態の存在確率に依存して変化することになる．このように，立体構造安定性や機能を評価する際には，それを決めているギブス自由エネルギー変化（ΔG）あるいは活性化自由エネルギー（$\Delta G^{\ddagger}$）が，アミノ酸の改変によってどのように変化を受けたか（$\Delta\Delta G$または$\Delta\Delta G^{\ddagger}$）を評価することが必要になる．

進化分子工学的手法および物理的摂動法では，異なる部位のアミノ酸置換を組み合わせることで，より目的にあった変異体を作成する[1]．この場合，各部位でのアミノ酸変異の効果（$\Delta\Delta G$または$\Delta\Delta G^{\ddagger}$など）が，多重アミノ酸置換によって，加算的に変化するのであれば変異アミノ酸の選択は容易

であるが，必ずしもそのような例ばかりではない．とくに立体構造上近接した部位のアミノ酸置換の効果は非加算的になる場合が多く，立体構造の情報なしにこのような判断をすることはむずかしい．また立体構造では3 nm程度離れているジヒドロ葉酸還元酵素の2つのループ間のアミノ酸置換が，安定性や触媒能に対して強い非加算性を示すことも報告されている[2]．このような遠く離れた部位の間にどのような直接あるいは間接的な相互作用が働いているのかは，蛋白質の立体構造形成の協同性，あるいは機能発現に伴う立体構造変化の協同性とも関連して重要な研究課題である．

ギブス自由エネルギー G は，より基本的な熱力学量であるエンタルピー H とエントロピー S によって $G=H-TS$ と決められる熱力学量であり（ここで T は絶対温度），ギブス自由エネルギー変化だけを観測しても，それがエンタルピー的な原因によるのかエントロピー的な原因によるのかはわからない．アミノ酸改変による効果を考察するためには，より詳細な熱力学的な解析が必要となる場合がある．

ギブス自由エネルギーの温度依存性を測定することによって，エンタルピーやエントロピーを評価できる．通常ファント・ホッフ（van't Hoff）解析と呼ばれる．これに対して，状態変化に伴う熱の出入りを測定して，直接エンタルピー変化を評価することが行われ，生体分子の立体構造安定性や生体分子・リガンド相互作用などでは，ファント・ホッフエンタルピーよりも高い精度で測定できる．熱測定法については文献[3]を参照されたい．

たとえば，蛋白質は適切な分子内ジスルフィド結合によって立体構造を安定化している．これは，主として変性状態のエントロピーが減少することが原因と考えられている．逆にジスルフィド結合を切断するとエントロピー的に不安定化することが期待されるが，これはギブス自由エネルギーだけを評価したのでは実証できない．ヒト・リゾチームの4本のうち1本の結合について熱測定により評価をしたところ，切断によるギブス自由エネルギーの $\varDelta\varDelta G$ は，変性状態のエントロピーの増加から予想された値と一致したが，実際に測定されたエントロピーはむしろ減少し，エンタルピー的な効果の方が大きいことが報告されている[4]．

〔城所俊一〕

[文献]

1) 城所俊一編：生体ナノマシンの分子設計（シリーズ・ニューバイオフィジックス II-9），共立出版，2001．
2) 月向邦彦，大前英司：生物物理 **44**, 70-74, 2004．
3) 城所俊一：蛋白質・核酸・酵素 **49**, 1720-1726, 2004．
4) Kuroki, R., Inaka, K., Taniyama, Y., Kidokoro, S., Matsumoto, M., Kikuchi, M., Yutani, K.: *Biochemistry* **31**, 8323-8328, 1992．

8.11 蛋白質の人工設計

「蛋白質の人工設計」の目的は意図した立体構造を形成する新規のアミノ酸配列を「設計」することにある．この研究分野は，蛋白質の立体構造構築原理を解明することを目指しているフォールディング研究の一端として1980年代に誕生した．蛋白質の人工設計は，通常のフォールディング研究とは発想が逆であるため，逆フォールディング問題ともいわれている（図8.11.1）．また，この研究は，設計した配列が意図した立体構造を取りうるか否かを実験的に検証することから蛋白質の立体構造構築原理の理解を試す客観的な方法と考えられる．

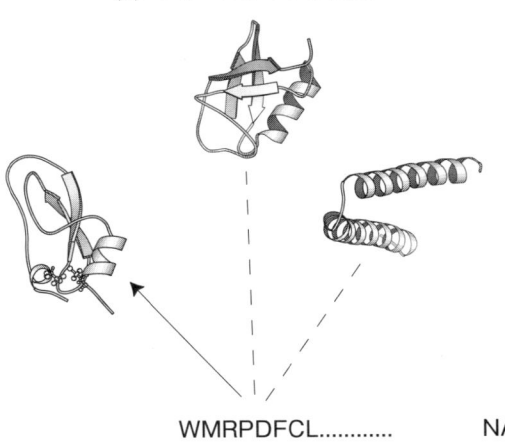

蛋白質の人工設計の研究では，アンフィンセン（Anfinsen）がフォールディングの研究において提唱したように，蛋白質が一義的な天然構造を形成するために必要な情報はすべてそのアミノ酸配列中に書き込まれていることと，その平衡論的に安定な構造のエネルギーは最小値であるとする．すなわち，設計の成功には，意図とした構造を一義的（specificity）かつ，安定に（stability）形成することが条件となる．また，ここでいう「構造」とは「蛋白質の主鎖構造（骨格構造）」のことを意味し，たいていの場合，側鎖の詳細な構造までは設計対象にしていない．

構造特異性（specificity）と構造安定性（stability）の2つの条件を満たす蛋白質の人工設計がむずかしい問題であることは十分想像できる．困難の度合いの定量化として，意図した構造を形成する配列が偶然に発生する確率を見積もってみる．たとえば，各残基で20種類のアミノ酸の組合せが可能と考えると，100残基からなる比較的小さな蛋白質のアミノ酸配列を設計するのにも，$20^{100} \simeq 10^{130}$という莫大な数の配列の中から一配列を選ぶことになる．実際は，複数の類似配列が同じ立体構造を形成するため，20^{100}より10^{50}程度の配列から1配列を選ぶことになると考えられるが，これでも莫大な数である．

人工設計された蛋白質の構造検証においては，X線結晶構造解析やNMRによる高分解能解析が必須である．人工設計され

(a) フォールディング問題　　　(b) 逆フォールディング問題

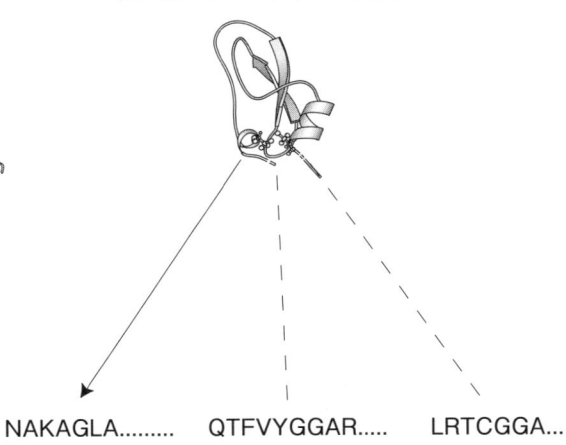

WMRPDFCL............　　NAKAGLA.........　QTFVYGGAR.....　LRTCGGA...

図8.11.1 フォールディング問題および逆フォールディング問題

た蛋白質の構造を円偏光二色性分（CD；circular dichroism）やプロテアーゼによる限定分解で検証することもあるが，これらの方法で検証された構造は天然構造とは限らないことを記しておきたい．また，現在まで設計された蛋白質は機能を保持しないため，活性を利用した検証も難しい．

　初期に人工設計された蛋白質では，CDから求めた二次構造含量から，モルテングロビュール的な構造の多形性が確認されている．その後，1994年頃に人工設計された簡単なヘリックスヘアピンやヘリックスバンドルのNMRや結晶構造解析による立体構造が報告された．これらの設計で，一義的な立体構造を形成する配列を人工設計することが可能であるとはじめて確認された．また，この段階でネガティブデザイン（目的以外の構造の不安定化）や段階的デザイン（安定な二次構造部品の組合せ）の方法が認識された．しかし，これらの設計法はまだ人間の直感に頼る部分が多いため，蛋白質の構築原理を解明する道具としては不完全ともいえる．

　1995年以降は，Mayoらの研究に代表される計算機パワーを重視した理論計算にもとづく設計法と，Hechtらが開発した疎水性/親水性残基の配列パターンのみを特定したバイアスドランダム配列の母集団から安定な構造を形成する蛋白質を実験的にスクリーニングする方法が目立つようになった．最近，これらの方法で設計された配列は意図した主鎖構造を一義的に形成し，その構造がNMRによって解析されたことが報告されている．また，当初，長距離相互作用の影響が大きいため設計がむずかしいとされていたβ-シートを含む構造にもMayoらの設計法は適用可能であることが明らかにされた．

　以上のように，蛋白質の人工設計は，十数年でまったく実現不可能とも思われていた概念から，実際に高分解能構造が確認できる配列の設計がある程度可能になり，構造構築原理を探る道具としても確立されてきた．しかし，最近設計された蛋白質でも，その熱変性による転移の協同性は天然蛋白質のものに比べて低いことが知られている．この現象は，2状態転位を仮定した場合，変性に伴うエンタルピー変化が小さいことを示しており，その解釈としては側鎖構造が完全に特定の構造に固定されておらず，コア部分のパッキングが天然蛋白質のものより緩いためと考えられる．すなわち，小さい分子量の蛋白質の一義的かつ安定な主鎖構造の設計は可能となりつつあるが，天然構造の重要な特徴であるコア部分の密に詰まった側鎖構造の設計はまだ成功していない．今後，急増する蛋白質立体構造を理論解析することで，蛋白質の構造構築に関する新たな知見が見出されるだろう．さらなる人工設計技術の向上により，側鎖の詳細な構造の設計を通じて，結合部位や活性中心部位の設計が可能になることを期待する．

〔黒田　裕〕

[文献]

1) 中村春木，伏見　譲：どこまで進むか？　蛋白質の人工設計（赤坂一之編：蛋白質この絶妙な設計物），吉岡書店，1994.
2) 黒田　裕，中村春木：蛋白質のデザイン（永田恭介，中西義信，白川宏昌編：積み木細工の生物学：蛋白質と遺伝子の機能単位），共立出版，1996.
3) Beasley, J. R. and Hecht M. H. : Protein design : The choice of de Novo sequences, *J. Biol. Chem.* **272**, 2031-2034, 1997.
4) Street, A. G. and Mayo, S. L. : Computational Protein Design, *Structure Fold Des.* **7**, 105-109, 1999.
5) Baker, D., DeGrado, W. : Engineering and Design, *Curr. Opin. Struct. Biol.* **9**, 485-486, 1999.
6) 赤沼　哲，黒田　裕：アミノ酸配列に含まれる情報量の実験的検証：蛋白質立体構造構築原理と分子進化の観点からの考察，生物物理**41**, 224-229, 2001.

7) Jin, W., Kambara, O., Sasakawa, H., Tamura, A. and Takada, S.: De novo design of foldable proteins with smooth folding funnel: automated negative design and experimental verification, *Structure* **11**, 581-590, 2003.
8) Kuroda, Y., Nakai, T. and Ohkubo. T.: Solution structure of a de novo helical protein by 2D-NMR spectroscopy, *J. Mol. Biol.* **236**, 862-868, 1994.

8.12 蛋白質立体構造データベース

　1971年にPDB (Protein Data Bank) と呼ばれる蛋白質立体構造データベースが主にX線結晶学者らの国際協力によって誕生し，米国Brookhaven National Laboratory (BNL) が，その管理・運営を1999年5月まで継続してきた．その後，1999年6月から，ルトガース大学，カルフォルニア大学サンディエゴ校のSupercomupter Center (SDSC), National Institute of Standards and Technology (NIST) の3者が協力して，Research Collaboration for Structural Bioinformatics (RCSB) という組織をつくり，BNLに替わって管理・運営を行っている (http://www.rcsb.org/pdb/). ヨーロッパにおいては，EBI (European Bioinformatics Institute) がMSD (Macromolecular Structure Data-base)を，PDBとは独立したデータベースとして運営している (http://msd.ebi.ac.uk/). ここで収集されたデータは，RCSBに送られてPDBとしても統合されている．日本では，大阪大学蛋白質研究所が，PDBデータベースのアジア・オセアニア地区での公式のアーカイブとして，PDBjと称する組織としてデータベース登録・管理・運営を行っている (http://www.pdbj.org/). 2003年秋には，これらRCSB, EBI-MSD, PDBjの3者が共同してwwPDB (http://www.wwpdb.org) という新たな国際組織を設立し．PDBデータベースの国際的運営を行っている．

　データの量は近年急速に増加し，2005年の時点で，およそ3万2千件の蛋白質・

核酸・糖等の生体高分子立体構造データが登録され，公開されている．登録数は，米国からは約50％，ヨーロッパからは30％，アジアからは20％でその多くが日本からであり，ほぼ12～13％に達する．全データの82％がX線結晶解析によって決定されたもので，15％が核磁気共鳴法（NMR）によるものである．計算機によるモデル構造も別途登録されている．

NMRによって決定された立体構造もPDBには登録されているが，ウィスコンシン大学のJohn L. Markleyによって，各蛋白質中で同定された炭素，窒素，水素の各スピンの化学シフト情報が，BioMagResBank（BMRB）というデータベース（http://www.bmrb.wisc.edu/）に集積されている．このデータベースに対しても，大阪大学蛋白質研究所がミラーサイト（http://bmrb.protein.osaka-u.ac.jp/）として協力している．

PDBでは，BNLによる伝統的なPDBフォーマットと呼ばれるフラットファイル・フォーマットが標準的に用いられてきたが，記述法は必ずしも統一的でない．RCSBでは，国際結晶学会が低分子のデータ記述として確立したCrystallographic Information Format（CIF）を，蛋白質や核酸の高分子用に拡張しMacromolecular Crystallographic Information Format（mmCIF）として利用しており，mmCIF形式のデータがダウンロード可能になっている．wwPDBでは，さらにmmCIFで記述されたPDBデータベースとの整合性をはかりつつ，新しいXMLフォーマットとして，PDBMLを開発し，今後のバイオインフォマティクスへの展開に備えている．これらの新たな記述法に関しては，上記で紹介したウェブサイトに説明があり，またスキーマがあるので，ここでは，フラットファイルについての簡単な紹介を図8.12.1に示す．

蛋白質の原子座標を記したPDBに蓄積された情報を整理する博物学が1995年頃から始まり，インターネットの発展とともに，蛋白質立体構造を考察する強力なツールとなっている．とくに，蛋白質立体構造内のドメインの構造型（内部の二次構造の配置のしかた・トポロジーを意味し，最近ではフォールドという言葉で呼ばれる）の多様性に対する研究が進んでいる．SCOP（http://scop.mrc-lmb.cam.ac.uk/scop/）は，英国MRCのA. Murzinらによって1995年頃に最初に作成・公開された構造分類サイトであり，Class-Fold-Superfamily-Familyの階層に分かれている．このデータベースの特徴は，二次構造の並び方やトポロジーによるfoldの分類が本質的に人間の視覚によっていることである．CATH（http://www.biochem.ucl.ac.uk/bsm/cath/）は，英国University College LondonのJ. M. Thorntonらによって1997年頃に作成，開発され，class（C）-architecture（A）-topology（T）-homologous superfamily（H）の4つの階層に分類される．全体は自動的に分類・整理されているものの，二次構造としてのarchitectureに関しては，いまだ人間が手を入れて編集している．Dali/FSSP（http://www2.ebi.ac.uk/dali/fssp/）は，L. HolmとC. Sanderによってドイツ・ハイデルベルグのEMBLで1996年に作成され，現在はEBIにサーバーがある．FSSP（Fold classification based on Structure-Structure alignment of Proteins）は，Daliと呼ばれる，距離マトリックスから最適な対応をするペアを選び出す立体構造アライメントのプログラムを用いて作成された，完全に自動化されたデータベースである．Entrez/VAST（http://www.ncbi.nlm.nih.gov/Entrez/structure.html）は，米国NCBI（National Center for Biotechnology Information）のS. H. Bryantらによって作成され，もともと文献データベースとしてのEntrezに，VAST（Vector Alignment

```
HEADER     OXIDOREDUCTASE/ELECTRON TRANSPORT      08-MAY-00   1GAQ
TITLE      CRYSTAL STRUCTURE OF THE COMPLEX BETWEEN FERREDOXIN AND
TITLE    2 FERREDOXIN-NADP+ REDUCTASE
COMPND     MOL_ID: 1;
COMPND   2 MOLECULE: FERREDOXIN-NADP+ REDUCTASE;
COMPND   3 CHAIN: A, C;
COMPND   4 SYNONYM: FNR;
COMPND   5 EC: 1.18.1.2;
COMPND   6 ENGINEERED: YES;
COMPND   7 MOL_ID: 2;
COMPND   8 MOLECULE: FERREDOXIN I;
COMPND   9 CHAIN: B;
COMPND  10 SYNONYM: FD;
COMPND  11 ENGINEERED: YES
SOURCE     MOL_ID: 1;
SOURCE   2 ORGANISM_SCIENTIFIC: ZEA MAYS;
SOURCE   3 ORGANISM_COMMON: MAIZE;
SOURCE   4 EXPRESSION_SYSTEM: ESCHERICHIA COLI;
SOURCE   5 EXPRESSION_SYSTEM_COMMON: BACTERIA;
SOURCE   6 EXPRESSION_SYSTEM_PLASMID: PQE60;
SOURCE   7 MOL_ID: 2;
SOURCE   8 ORGANISM_SCIENTIFIC: ZEA MAYS;
SOURCE   9 ORGANISM_COMMON: MAIZE;
SOURCE  10 EXPRESSION_SYSTEM: ESCHERICHIA COLI;
SOURCE  11 EXPRESSION_SYSTEM_COMMON: BACTERIA
KEYWDS     OXIDOREDUCTASE/ELECTRON TRANSPORT
EXPDTA     X-RAY DIFFRACTION
AUTHOR     G.KURISU,M.KUSUNOKI,T.HASE
REVDAT   1   07-FEB-01 1GAQ    0
JRNL       AUTH   G.KURISU,M.KUSUNOKI,E.KATOH,T.YAMAZAKI,K.TESHIMA,
JRNL       AUTH 2 Y.ONDA,Y.KIMATA-ARIGA,T.HASE
JRNL       TITL   STRUCTURE OF THE ELECTRON TRANSFER COMPLEX BETWEEN
JRNL       TITL 2 FERREDOXIN AND FERREDOXIN-NADP+ REDUCTASE
JRNL       REF    NAT.STRUCT.BIOL.              V.   8   117 2001
JRNL       REFN   ASTM NSBIEW  US ISSN 1072-8368
REMARK   1
REMARK   2
REMARK   2 RESOLUTION. 2.59 ANGSTROMS.
:
:
```

	原子番号順	原子名	残基名	鎖名	番号 残基	デカルト座標（Å単位）			占有度	因子温度	記号元素
						X	Y	Z			
ATOM	1	N	GLU	A	19	19.530	31.630	36.975	1.00	73.06	N
ATOM	2	CA	GLU	A	19	20.491	30.713	36.290	1.00	74.29	C
ATOM	3	C	GLU	A	19	21.705	30.372	37.162	1.00	73.66	C
ATOM	4	O	GLU	A	19	21.605	30.341	38.393	1.00	73.41	O
:											
ATOM	2354	OH	TYR	A	314	36.301	10.538	45.185	1.00	31.51	O
ATOM	2355	OXT	TYR	A	314	31.425	8.056	49.876	1.00	28.02	O
TER	2356		TYR	A	314						
ATOM	2357	N	ALA	B	1	0.953	24.188	44.807	1.00	73.30	N
ATOM	2358	CA	ALA	B	1	2.311	24.702	44.475	1.00	74.17	C
ATOM	2359	C	ALA	B	1	3.125	24.967	45.736	1.00	74.57	C
ATOM	2360	O	ALA	B	1	3.923	25.908	45.775	1.00	74.74	O

（ここ以降に原子座標情報がある。）
（A鎖の終了 → TER）

図 8.12.1　蛋白質立体構造データベース（PDB）のフラットファイルの記述例（次頁へつづく）

```
          :
ATOM    3087  CB    ALA B  98      22.265  -8.328  48.055  1.00 115.61      C
ATOM    3088  OXT   ALA B  98      24.371 -10.229  47.551  1.00 115.89      O
TER     3089        ALA B  98
ATOM    3090  N     GLU C  19      27.245  -1.977  14.509  1.00  74.00      N
ATOM    3091  CA    GLU C  19      26.080  -2.480  15.294  1.00  73.96      C
          :
ATOM    5442  CZ    TYR C 314       2.563   2.768   3.645  1.00  19.88      C
ATOM    5443  OH    TYR C 314       2.193   3.888   4.354  1.00  20.44      O
ATOM    5444  OXT   TYR C 314       2.552  -0.739  -1.313  1.00  30.80      O
TER     5445        TYR C 314
HETATM  5446  AP    FAD   320      30.908  -2.037  47.057  1.00  34.53      P
HETATM  5447  AO1   FAD   320      30.799  -3.516  47.037  1.00  36.30      O
          :
HETATM  5555  O3P   FAD   321      -6.638  -4.495   0.933  1.00  36.17      O
HETATM  5556  O     HOH     1      27.504  19.131  57.259  1.00  37.32      O
HETATM  5557  O     HOH     2      36.977  21.373  25.507  1.00  37.58      O
          :
HETATM  5687  O     HOH   132       1.127  23.187  54.863  1.00  48.86      O
HETATM  5688  O     HOH   133      18.038  14.156  33.491  1.00  44.90      O
CONECT  2693  5500
CONECT  2711  5499
          :
CONECT  5555  5503  5552
MASTER   331    0     3  19  31   0   0  6 5685   3  112   58
END
```

→ 蛋白質・核酸以外のヘテロ分子の情報
→ ヘテロ分子データの終了
→ ヘテロ分子の共有結合

Search Tool）と呼ばれる，内部の二次構造単位の型や相対配置の類似性を高速に調べるアルゴリズムを用いた立体構造比較プログラムに，立体構造データベース（MMDB：Molecular Modelling DataBase）を加えて，"Structure Neighbors" が高速に検索されるシステムとなっている．これら SCOP, CATH, Dali/FSSP は，それぞれ人間の介入するしかたに違いがあるが，客観的な比較によって，その 2/3 はまったく同一であることが調べられている．また，これらの分類・構造データベースにアクセスすることによって，既存のフォールドとの一致，不一致を探索することがただちにできるようになっている．

さらに，国内では木下・中村によって，蛋白質機能に関連づけを行った分子表面のデータベース（eF-site）が，二次データベースとして開発・公開されている（http://www.pdbj.org/eF-site/）．そのほかにも多くの二次データベースが開発されているが，それらはまとめられて，PDB あるいは PDBj の Web page からたどれるようになっている． 〔中村春木〕

[文献]
1) Bernstein, F. C. *et al.*: *J. Mol. Biol.* **112**, 535-542, 1977.
2) Bhat, T. N. *et al.*: *Nucleic Acid Res.* **29**, 214-218, 2001.
3) Bourne, P. E. *et al.*: *Meth. Enzymol.* **277**, 571-590, 1997.
4) 木下賢吾，中村春木：生物物理 **42**, 20-23, 2002.
5) 中村春木，伊藤暢聡，楠木正己：蛋白質・核酸・酵素 **47**, 1097-1101, 2002.
6) 中村春木：蛋白質・核酸・酵素 **49**, 673-676, 2004.
7) Westbrook, *et al.*: *Bioinformatics* **21**, 988-992, 2005.

第9章 生物物理化学・方法論

9.0 〈総論〉生物物理的手法

生物物理の重要な側面として，新しい観測手法を開発することや従来の測定法を改良することなどがある．実際，物理的な観測技術が成熟して，生物（生体物質）に適用されるようになることが，非常に多い．各種の顕微鏡技術，NMRを始めとした分光技術なども，そのような歴史をたどっている．生物に適用される技術は非常に多いので，本書でもさまざまな技術が登場する．したがって，生物物理的手法を簡単にまとめることは，一見とてもむずかしいように見える．しかし，さまざまな観測技術の本質を抽象化してみると，利用している自然現象はそれほど複雑ではない．ここでは総論として，生物物理的観測技術を分類してみよう．

a. 触ってみる（走査型プローブ顕微鏡等）

分子や超分子，細胞などの構造・形・姿を知ることは，非常に大きな情報を与えてくれる．そのため，生体の分子を見る技術がいろいろと開発されてきた．比較的最近開発された方法に，直接分子に触りながら形を見る方法がある．原子間力顕微鏡（AFM）である．これはさまざまな走査型プローブ顕微鏡の1つである．走査型プローブ顕微鏡は近視眼的に形を見ていく方法で，最初は調べる物体と針の間に流れるトンネル電流を測り分子の形状を観測する走査型トンネル顕微鏡（STM）から始まった．その後，まさに分子の表面を触る原子間力顕微鏡が開発され，今では分子の触り方にもさまざまな工夫がなされ，いろいろなタイプの走査型プローブ顕微鏡が開発されている．分子レベルの触診である．

b. 跳ね飛ばす（光散乱法，質量分析法等）

粒子を飛ばし，それが跳ね飛ばされる様子を調べる方法がある．粒子や標的である分子（物体）をどう使うかによっていろいろな方法が考えられている．

まず，性質のよくわかった粒子を飛ばし，標的分子の性質を調べる方法の1つに光散乱法がある．もちろん飛ばす粒子は，性質が十分わかっていればよく，波長の違う電磁波であるX線，電子，中性子などを用いることもできる．跳ね飛ばすときの相互作用は粒子と標的分子によるが，一般

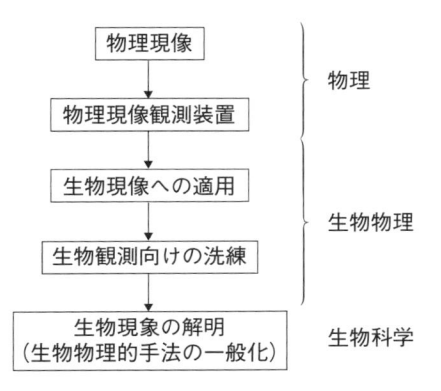

図9.0.1 物理から生物科学へ

に標的分子の大きさや形状の情報が得られる．また，工夫しだいで標的分子がどのように動いているかについてのダイナミックな形状の情報も得られる．

一方，標的としてよく制御された電磁場を用い，荷電した分子を飛ばせば，分子の動き方から分子の質量を求めることができる．これが質量分析法である．原理は非常に簡単で，古くから使われているが，生体物質に対して体系的に用いられるようになったのは最近である．生体高分子でもよくコントロールして飛ばすことができるようになったことと，分子量測定の分解能が非常に高くなったことから，この方法が大きく発展してきた．質量分析法と，分子のデータベースを組み合わせることにより，分子構造の推定もできる．

c. 押したり引いたりする（超音波技術，分光法等）

大きな鐘でも，大きな棒でつく必要はない．その鐘の共振周波数で周期的に押すと，振幅が次第に大きくなり，音が発生する．指1本でも鐘を鳴らすことができるのである．このような共振（あるいは共鳴）が起こるのは，大きな鐘だけではない．小さな分子では，共振周波数が非常に高くなるが，それに合わせて押したり引いたりすれば，大きな振動を誘起できることは同じである．ばねの両端に重りがついていれば，ばねの強さと重りの質量によって共振周波数が決まるが，分子の場合も結合の強さと両端の基の大きさで共鳴の周波数が決まる．多くの分光法では，このことを利用して，分子の性質を調べているといってよい．

分光法では，押したり引いたりする指の役割をするのが光である．光は電磁波なので，物質の中にある電子（負電荷）は電磁波の周期的な電場変化によって，周期的に揺さぶられる．そして，電子は分子の結合をになう粒子でもあり，電子を揺さぶれば，分子のいろいろな部分の性質を観測することができる．分子内にはさまざまなモードのばねがあるので，それに伴いさまざまな分光測定が開発されている．

もっと大きな物体を押したり引いたりする手法として超音波測定がある．超音波測定で用いられるメガヘルツ領域では波長がミリメートル程度となるので，マクロな物質が等方的な収縮拡大を繰り返すことになる．力学的な変形は物体の硬さと粘性によって決まる．硬い物質は応力に対して速く応答するので，音速は大きくなる．また，粘性があると，応答は時間的に遅れるようになるので，それを測定すれば，物質のもつ粘性を求めることができる．

分光法や超音波測定は波で分子や物質を揺らして応答を測定するのであるが，直接1個の分子や超分子を押したり引いたりする技術が最近開発されている．1分子測定の技術である．蛋白質や超分子を非常に細い棒の先に結合させて引いたり，球状粒子を結合させてそれをレーザートラップで引いたりする．ばね定数がわかっていれば，蛋白質や超分子側で発生する力を測定することができる．

d. 波を重ねる

光やX線などの電磁波を分子や物質に当てると散乱される．電磁波のように散乱される粒子が波動性をもっていて，たくさんの分子や物質で散乱されると，波どうしの干渉が起こる．とくに，結晶など周期的な配置をした分子による散乱では，非常に強い干渉が起こる．それによって得られる散乱パターンは，分子の構造を反映するので，逆に散乱パターンを測定すると，分子の立体構造を決定することができる．

e. 液体を流す

クラシカルな粘度計と泳動技術がある．

要するに，生物物理的手法は，考え方は単純だが，非常にミクロなレベルで行える

ようにしたり，時間・空間分解能を上げるような工夫が行われている．そして，つねに新しい手法の開発・改良が行われているのが生物物理である． 〔美宅成樹〕

[文献]
1) 野田春彦：生物物理化学，東京化学同人，1990.
2) 京極好正，月原冨武編：構造生物学とその解析法（シリーズ・ニューバイオフィジックス）共立出版，1997.

I. 顕微鏡法
—1分子の構造と機能を見る

9.1 分子計測，微小操作

蛋白質分子を水溶液中で自由に操作することで，その動きを高精度で計測したり，他の分子との相互作用により発生する微小な力を測定したりする技術は，ここ10年の間に飛躍的な進展を遂げている．これらを構成する要素技術自体は，光学や半導体工学，各種顕微鏡技術など数多くの分野から生まれてきたものであるが，それらを統合し，生命科学研究に応用できる形へと成熟させてきたのはまさに生物物理学である．ここでは，現在，生命科学研究で用いられている，さまざまな分子計測・微小操作法の長所・短所について概説する．

a. ナノメートルの動きを測る—ナノメトリー

蛋白質などの生体分子機械が働く世界の大きさであるナノメートル（nm）のスケールで起こる現象を水溶液中でリアルタイムに追跡するためには，光学顕微鏡による観察が必須である．しかしながら，蛋白質自身は数 nm の大きさしかないので，そのままでは光学顕微鏡で見ることもその動きを観察することもできない．そこで，一般的には，蛋白質分子にガラスニードルやビーズ，金コロイドなどのサブマイクロメートル〜マイクロメートルオーダーの大きな目印をつけ，その動きを観察することで蛋白質の動きを追跡するという方法がとられる．確かにこのような大きな目印をつけれ

ば，その動きは見えるであろうが，小さなナノメートルの動きを追跡することは可能であろうか？　答えはyesである．光学顕微鏡では，収差を考えない理想的な光学系でも，光の波動性のために，1点から発した光は1点に集まらず，ある分布をもったぼやけた像になるので，光学顕微鏡の分解能は最大でも光の半波長程度（200〜300 nm）に限られる，とたいていの光学の教科書には記述されている．ところが，これは隣り合う2点を分離して解像する場合の話であって，1点の動きを追跡する場合は，その中心位置を時々刻々追跡することで，ナノメートル程度の小さな変位を検出することが可能なのである（図9.1.1）.

以下では，ナノメートルレベルの動きを検出する代表的な方法を2つ紹介する．

(1) ビデオ解析による方法

ビーズや金コロイドを位相差顕微鏡や微分干渉顕微鏡，暗視野顕微鏡などの光学顕微鏡法によって可視化し，ビデオ画像の解析によって対象物の重心位置を時々刻々求める方法である．この方法では，像の状態にもよるが，数nm〜数十nmの分解能で変位を検出することができる．さらに，パターンマッチングや相互相関法などの解析方法を用いれば，1〜2 nmの変位を検出することも不可能ではない．また，ビデオ画像を解析するため，視野内にある複数の対象物の変位を同時にかつ長距離（数 μm 以上）にわたって測定することができるという利点がある．最近では，顕微鏡観察から画像解析までをシステム化した製品などもあり，比較的簡便で導入しやすい方法である．ただし，CCDカメラなどの通常のビデオカメラを使う限り時間分解能はビデオのフレームレート（1/30秒＝33ミリ秒）に限られてしまう．高速カメラを用いれば1 ms以上の時間分解能で計測することができるが，これは大変高価な装置である．

(2) フォトダイオードを用いる方法

ナノメートルオーダーの動きを検出するもう1つの方法は，分割フォトダイオードと呼ばれる，光を電流に変換する光電素子を用いる方法である．実際には，ビーズやガラスニードルを光学顕微鏡で1000倍程度に拡大し，その拡大像を2分割あるいは4分割フォトダイオードの中心に投影する．拡大像の位置が変化すれば，それにしたがって各フォトダイオードに入る光の強度に差ができる．この差を増幅して電気的に記録することで，サブナノメートルすなわちオングストロームの分解能で変位を測定することが可能である（図9.1.2）．2分割フォトダイオードは一次元の，4分割は二次元の変位を測定するときに用いられる．拡大率を10万倍程度にまで高めると（1 nm×10万＝0.1 mm），肉眼でもナノメートルの変位を見ることができる．

時間分解能は主に対象物の大きさによって決まるが，それはビーズなどの微小な物体の時間応答が溶液から受ける粘性抵抗によって制限されるからである．物体が大きくなって粘性抵抗が大きくなると，変位を与えても実際の応答は緩和によって遅れてしまう．そのため，サブナノメートルの空間分解能のもとでは，直径1 μm のビーズで0.1 ms，0.2 μm のビーズで10 μs の時間分解能が実現可能である．この方法は基本的に1つの対象物の変位を計測するものであり，サブナノメートルの空間分解能で

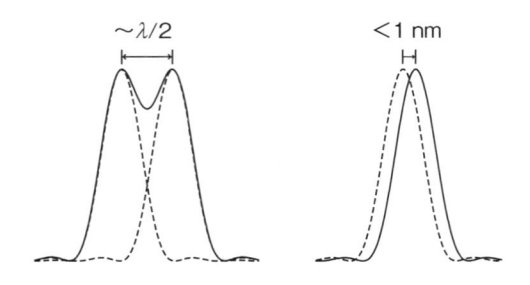

図9.1.1　ナノメートルの動きを測定する
光学顕微鏡で2点を分解する場合，その分解能は光の半波長程度に制限されるが（左），1点の動きはサブナノメートルの分解能で検出することが可能である（右）．

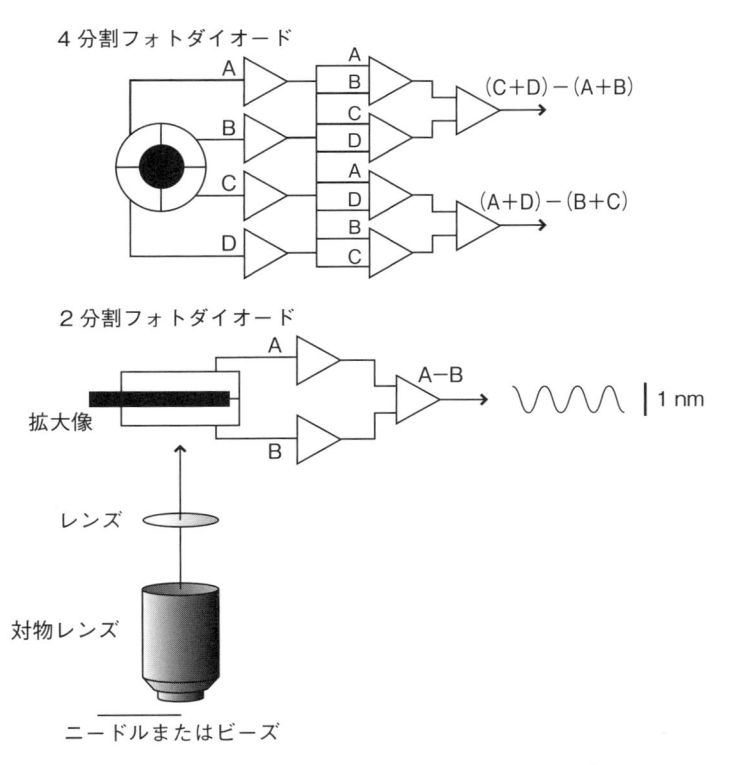

図 9.1.2 ナノメートルの動きを検出する測定装置の模式図

測定できる変位の範囲（ダイナミックレンジ）は，数百 nm 程度である．つまり，1点のごくわずかな動きを高時間・空間分解能で計測したい場合に向いている方法であるといえる．装置としては，顕微鏡，分割フォトダイオードとその増幅回路，データを記録するためのコンピュータなどがあればよく，特別高価なものは必要としない．

b. ナノメートルで分子を操る・ピコニュートンの力を測る

次に，ガラスニードルやビーズをナノメートルの精度で操作する方法について説明する．

(1) ガラスニードルを用いる方法

ガラスニードルは，まず電気生理用のピペットプラー等でガラス棒を熱して柔らかくし，勢いよく引っ張る．すると，柔らかくなった部分が繊維状に細く引き伸ばされ

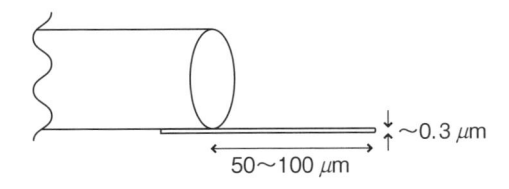

図 9.1.3 ガラスニードルの模式図

る．この細くなったガラス繊維を任意の長さに切って使うことで望みのばね定数をもったガラスニードルをつくることができる（図 9.1.3）．ガラスニードルの大きさは，長さ 50〜100 μm，直径は約 0.3 μm で，最も柔らかいガラスニードルでは，ばね定数が 0.01 pN/nm のものをつくることが可能である．このガラスニードルを圧電（ピエゾ）アクチュエーター*が組み込まれたマニピュレーターに取り付けることで，ナノメートルの精度で三次元的に自由に操作することができる．

0.1 pN/nm のばね定数をもつガラスニードルの場合，先に説明したように 1 nm の変位を測定することができるので，測定できる最小の力は 0.1 pN/nm × 1 nm = 0.1 pN ということになる．1 個の蛋白質分子間相互作用である，数ピコニュートン～数十ピコニュートンの力は，容易に測定することができる．また，ガラスニードルは，目的に応じて長さや太さを調節することで広い範囲でばね定数を変えることが可能であり，0.1 ピコニュートンの小さな力から数百ピコニュートンの大きな力までを測定することができるという利点がある．反面，ガラスニードルは手作業で作成するため，製作に熟練を要する，歩留まりが悪く実験効率が悪い，などの難点がある．将来，ナノ加工技術を応用することなどによって，製作過程の自動化・効率化がなされることが望まれる．

(2) ビーズや金コロイドを操作する方法

ビーズや金コロイドを操作する場合は，「光ピンセット」という方法を用いる．光ピンセットとは，集光したレーザー光によって水中の微小物体を非接触的に捕捉する方法であり，「レーザートラップ」とも呼ばれている．レーザー光をレンズで絞ると，焦点付近に光強度の急な勾配ができる．直径 1 μm 程度の，水よりも屈折率の大きなラテックスビーズ（誘電体）をそこに近づけると，レーザー光は屈折率の大きいビーズの表面で屈折されて進行方向が変わる．1 個の光子（フォトン）は h/λ（h：プランク定数，λ：光の波長）の運動量をもっているため，レーザー光の進行方向が変化することでフォトンの運動量が変化し，放射圧がビーズにかかることになる．ビーズ内部を通るすべてのレーザー光による放射圧の合力は，つねにレーザー光の焦点方向に向かう．すなわちビーズが上下左右どちらの方向にずれても，屈折の角度が変わり，ビーズを焦点に引き戻す力がはたらくことになる．この力の大きさは焦点位置からのずれの大きさに比例することから，光ピンセットにトラップされたビーズは「光のばね」ということができる（図 9.1.4）．

直径 1 μm のラテックスビーズの場合のトラップの力の大きさは，実験室で通常使われる数百 mW のレーザーで数十ピコニュートンになり，ばね定数としては 0.1 pN/nm 程度になる．ガラスニードルの場合と同様，1 分子の蛋白質分子間相互作用の力を測定するには十分な分解能をもっ

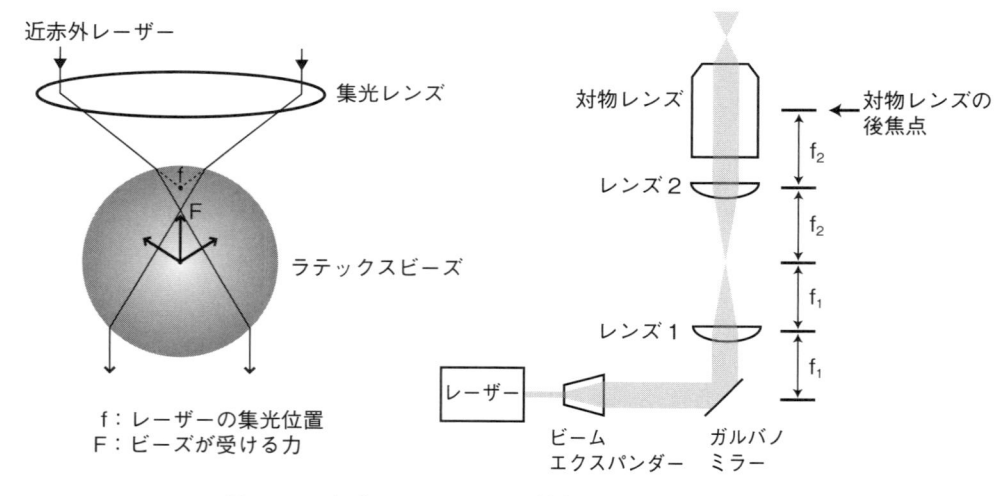

図 9.1.4 光ピンセットの原理（右）と装置の概略図（左）

ているといえる．近赤外レーザー（たとえば波長 1064 nm）を使えば，蛋白質や生体に与える影響はほとんどない．トラップされたビーズは，レーザーの集光位置，あるいは顕微鏡の試料ステージを走査することで，自由にナノメートルの精度で操作することができる．

光ピンセットは，対象物を非接触で操作するので実験操作が容易であるということが最大の利点である．また，ガラスニードルに比べてビーズ自身の大きさが小さいため，溶液から受ける粘性抵抗も小さく，応答時間が短く時間分解能に優れている．一方，光ピンセットはビーズが回転する方向には力を及ぼさないので，ビーズは捕捉されていても自由に回転してしまう．精密な力学計測において，この回転が問題になってしまうことがある．また，装置の構成が複雑で，自分で組み立てる場合にはある程度の光学についての知識が要求される．

このほかにも，蛋白質をナノメートルで操作する方法として，原子間力顕微鏡（AFM）が盛んに用いられ多くの成果をあげているが，これについては本章 9.3 節を参照されたい．

おわりに

蛋白質分子をナノメートルの精度で計測・操作する方法が威力を発揮しその有用性を示した研究の一例として，生体分子モーターのナノメートル計測があげられる．生体分子モーターは動きそのものが生理機能であり，動きを精密に計測することが分子メカニズムの理解に直結する例である．光ピンセットやガラスニードルを用いた1分子計測・操作によって，生体分子モーターであるミオシンやキネシン1分子が発生する力や単位ステップが計測されている．また，RNA ポリメラーゼが DNA 上を滑るモーターであることや，F_1-ATPase が回転モーターであることが直接的に証明されるなど，1分子計測・操作技術を使った研究からきわめて重要な知見が次々と報告されている（分子モーターについては第6章を参照）．これら分子モーターの研究が試金石となって，今後，1分子計測・操作技術が，さまざまな生体分子機械，ひいては細胞などのより複雑で高次な系を解析するための強力な手段として，さらなる進化を遂げていくものと期待される．

〔喜多村和郎〕

* 電場によって誘電体に誘起される歪（ひずみ）を利用するセラミックアクチュエーター．最近は，変位センサーを内蔵しているものが市販されており，数十 μm の変位を 1 nm 以下の精度で制御することが可能．

[文献]

1) 柳田敏雄，石渡信一編：ナノピコスペースのイメージング，吉岡書店，1997.
2) 曽我部正博，臼倉治郎編：バイオイメージング（シリーズ・ニューバイオフィジックス 7），共立出版，1998.
3) 船津高志編：生命科学を開く新しい光技術（シリーズ・光が拓く生命科学 7），共立出版，1999.

9.2 多機能光学顕微鏡

生命活動は，大変複雑な分子間の相互作用から成り立っている．多機能光学顕微鏡（蛍光イメージング，細胞断層像，ケージド（カゴメ）物質の分解などを行う顕微鏡）はミクロな視点から，細胞の部分構造や分子間の相互作用の様子を調べる有力な研究の道具である．

従来の顕微鏡は透過照明による標本の形態観察が主流であったのに対して，多機能光学顕微鏡は，新しい光技術（蛍光，細胞断層像，ケージド物質の分解など）を総合して研究を行うための顕微鏡である．最初に物質の分布を観察する落射蛍光顕微鏡，共焦点顕微鏡，多光子励起蛍光顕微鏡について説明する．次に，空間分解能が100 nm以下の特性をもつ特殊な観測系である近接場光学顕微鏡について説明する．最後に観察対象に対して生理活性物質を薬理学的に作用させる方法（ケージド物質のフラッシュフォトリシス）について述べる．上記の測定法は複数組み合わせて用いられマルチ計測顕微鏡と呼ばれる．マルチ計測顕微鏡についても触れる．

a. 蛍光顕微鏡

細胞や組織の中にある特定の分子を蛍光分子でラベルすることで，細胞や組織の中での物質の分布を調べることができる．またカルシウムイオンと結合することで蛍光変化を起こすプローブを細胞内へ導入することで細胞内のカルシウムイオン濃度を測定することもできる．このようなプローブにはNa, pH, Mgなどさまざまなものが用意されている．以上のような目的に使われる顕微鏡として落射蛍光顕微鏡，共焦点顕微鏡，多光子励起蛍光顕微鏡がある．

蛍光顕微鏡では観察対象に蛍光物質を結合させて励起光を当て，そこから発生する蛍光を顕微鏡で観察する（図9.2.1）．これによって，細胞表面あるいは細胞内での物質の分布を調べることができる．物質の標識には抗体が用いられる場合や蛍光を発する蛋白質分子（green fluorescent protein：GFP）を観察対象の分子に遺伝子工学の手法でつけておき細胞の中で発現させる場合などがある．抗体は抗原に特異的に結合するので，抗体に蛍光分子を結合させ細胞に導入すると特定の分子を蛍光で標識できる．GFPの場合は観察対象の蛋白質分子にGFPが連結したものを細胞に遺伝子導入し蛋白発現を待って蛍光顕微鏡で観察する．蛍光物質に物質固有の波長の光（励起

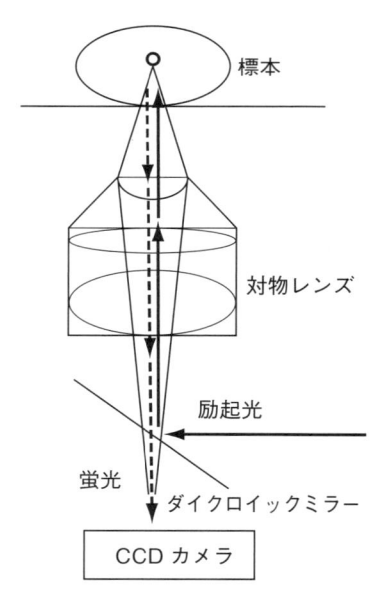

図9.2.1 蛍光顕微鏡の基本構成
励起光はダイクロイックミラーで反射し標本に照射される．蛍光はダイクロイックミラーを透過してCCDカメラなど画像取得装置に導入される．ダイクロイックミラーは一般にある特定の波長より短い光を反射し長い光は透過する．

光）を当てると蛍光が発生する．蛍光の波長は励起光の波長よりも通常長い．紫外光で励起すると青色（あるいは緑），青色で励起すると緑，緑色で励起すれば赤色の蛍光が観察される．このような性質を使うと複数の蛍光物質とそれぞれに最適な励起光を組み合わせることで，多種類の分子の分布を同時に調べることができる（多重蛍光像）．ここで蛍光について注意しなければならないことは，蛍光の強度から物質の量について定量的に評価することが一般に困難なことである．蛍光分子は光を当てると徐々に消光してしまうので，蛍光像からは，蛍光分子の相対的な分布を知ることができるが，その絶対的な量を推定することはできない．以下で述べる近接場光などの光源を用いると一分子蛍光分子像が得られる．この場合も，この一分子蛍光像から，蛍光を発生する蛍光分子の数を定量することはできるが，その陰に隠れたすでに消光してしまった蛍光分子については定量が困難であり，蛍光像から物質の量を定量することには限界がある．

b. 共焦点レーザー顕微鏡と二（多）光子顕微鏡

蛍光物質の分布を蛍光顕微鏡よりも正確に評価するために，共焦点レーザー顕微鏡

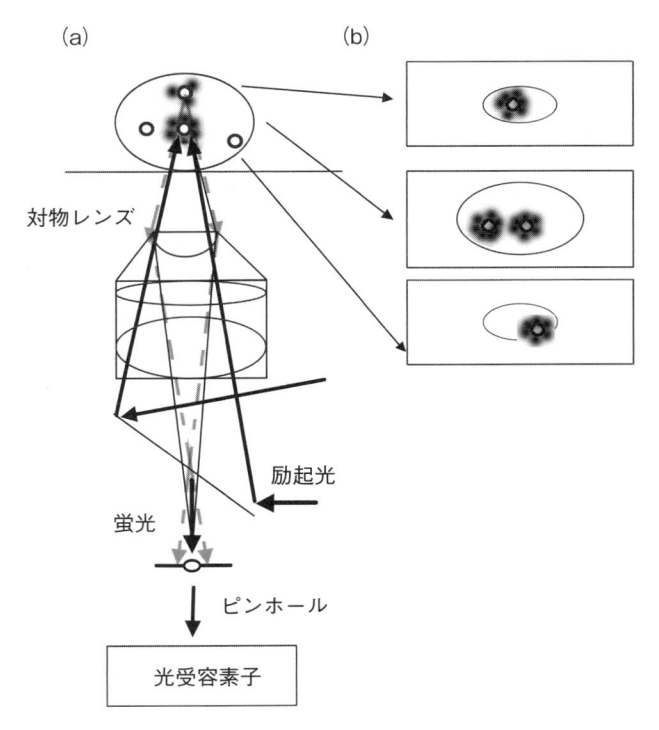

図 9.2.2　共焦点レーザー顕微鏡の構成
レーザー光を標本の一点に集光して，その場所から発する蛍光（にじみのあるドットで表示）をピンホールを通して受光素子で測定する．焦点からはずれた場所からも蛍光は発生するが，それら蛍光の大半は，ピンホールを透過することはない（灰色の破線で示す）(a)．レーザー光の集光点をx軸y軸に沿って走査することでそのピント面での蛍光強度分布を得ることができ，ピント面をz軸に沿って移動することで別の断層像が得られる．標本の上，中，下それぞれの断面像を模式的に表示する (b)．

や，二光子（あるいは多光子）顕微鏡が考え出された．これらの顕微鏡装置は観察対象のあるピント面での断層像をつくる．通常の蛍光顕微鏡では，ピント面以外からの蛍光も観察像に入ってくるために，あるピント面での蛍光の強度分布は，その面での物質の分布を正確に反映しているとは限らない．それに対して共焦点レーザー顕微鏡や二光子顕微鏡で得られる断層像では，面内での物質の分布を正確に測定することができる．

共焦点レーザー顕微鏡は，レーザー光を標本の一点に集光して，その場所から発する蛍光のみをピンホールを通して受光素子で測定する．レーザーの集光点は三次元の空間の中の一点である．レーザー光の集光点を観察対象上の x 軸 y 軸に沿って走査することで，あるピント面における蛍光強度分布を得ることができる（図 9.2.2）．さらにピント面を z 軸に沿って移動することで，高さの異なるピント面での蛍光分布を得ることができる．これら断面像を合成することで，三次元的な物質の分布をコンピュータで再構成することができる．二光子顕微鏡でもレーザー光を一点に集光するが，700 nm から 1000 nm の強力な赤外パルスレーザーを用いる．この範囲の波長では通常の蛍光物質の励起はできないが，焦点の光子密度が十分に高い領域では二光子がほぼ同時に蛍光分子に作用して励起が起こり蛍光が発生する．そのときの光のエネルギーは波長を半分にしたこととほぼ等価である．蛍光物質の励起が光子の密度の高い焦点に限られるために，ピンホールを用いなくとも焦点外からの蛍光の混入がない．また焦点外での無駄な蛍光励起が起こらない．二光子顕微鏡では，励起光が長波長であるため生体組織の中に深く侵入し，組織の奥深く（～300 μm）の蛍光断層像を得ることができる．これら走査型レーザー顕微鏡は高い解像度の蛍光像による立体構築以外に，多重蛍光像や透過像の同時測定，あるいは局所走査を用いた退色とその回復過程の測定などの蛍光像の定量的・経時的測定が容易にできる利点がある．

c. 近接場光学顕微鏡

近接場（ニアフィールド）光を用いた顕微鏡観察について簡単に原理とその構成を紹介する．図 9.2.3 は，ガラスの内部を伝わってきた光が，ガラスと空気の境界に入射している様子を示している．光は境界面において反射と屈折を起こす．一部の光子は屈折し，残りの光子は反射する（図 9.2.3 (a)）．ここで光線の傾きを大きくしていくと，ある限界の角度（臨界角と呼ばれる）よりも大きな入射角で光線が入ってくる場合には，屈折光はなくなり，光線はすべて反射される (b)．全反射条件では入射光は全部反射するが，反射面の向こう側に光の粒子の侵入あるいは"しみだし"が存在する．この"しみだした"光は近接場（エバネッセント）光と呼ばれる（図中の灰色の帯）(c)．(d) にはプリズムによる近接場照明と観察用レンズの配置を示す．(e) はグラスファイバーの前端に光開口がある場合の近接場光のイメージを図示する．近接場光は灰色で示す（開口の大きさは 30 nm 程度）．

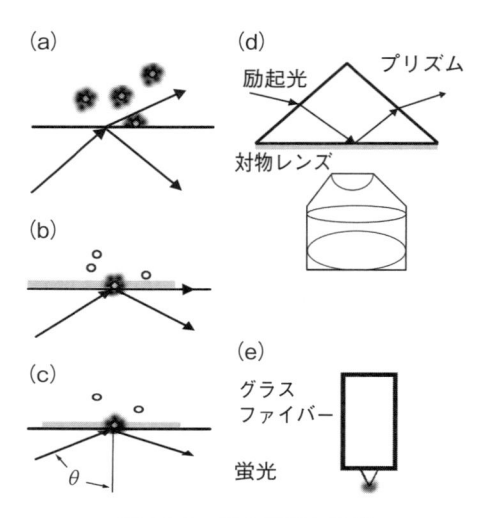

図 9.2.3 光の反射と屈折

ていくと，ある限界の角度（臨界角と呼ばれる）よりも大きな入射角で光線が入ってくる場合には，屈折光はなくなり（図9.2.3(b)），光線はすべて反射される（図9.2.3(c)）．全反射は入射光を全部反射するが，反射面の向こう側に光の粒子の侵入あるいは"しみだし"が存在する．この"しみだした"光は近接場（エバネッセント）光と呼ばれる．もう少し一般的に述べると，光は粒子であると同時に波動であり，空間を伝播する．しかし，屈折率が減少する境界面に大きな角度で入射される場合や，波長より小さい微小開口に遭遇したとき，光の伝播は起こらずに減衰が起きる．この減衰の起きる空間は光の波長よりも小さくニアフィールド光（近接場光）の存在する領域と呼ばれる．全反射面における近接場光の強度は全反射面からの距離に対してほぼ指数関数で減衰する．この減衰は100 nmほどで起こる．この急峻な光の減衰は，光がきわめて狭い領域に存在することを意味している．この性質を巧みに応用することで，生きている細胞の中の微細な構造や蛍光分子を観察することができる．生命科学において使われる近接場光学顕微鏡は大きく分けて2つのタイプがある．1つは全反射面にできるエバネッセント光を用いて対象をイメージングするものである（全反射蛍光顕微鏡，total internal reflection fluorescence microscope：TIRFM）．この方式は，構成が簡便なため広く使われている．もう1つは，先端の尖ったグラスファイバーを用いて対象の表面を走査して画像を得るタイプのもの（走査型近接場光学顕微鏡，scanning near-field optical microscope：SNOM）である．グラスファイバーの先端に生ずる近接場光のイメージを図9.2.3(e)に示す．

以下では全反射型の近接場光学顕微鏡の構成について述べる．近接場光を励起光として観察対象に照射する．近接場光は全反射面の近傍にのみ存在するので，溶液中の分子集合の中から，近接場光の照らす場所の分子だけが励起を受け蛍光を発する（図9.2.3(c)）．この蛍光を通常の顕微鏡（レンズで標本像を結像する顕微鏡）で観察する．図9.2.3(d)に全反射蛍光顕微鏡の構成を示すように，プリズムに直接レーザーを照射し全反射の起きている場所を通常の蛍光顕微鏡で観察する（プリズムエバネッ

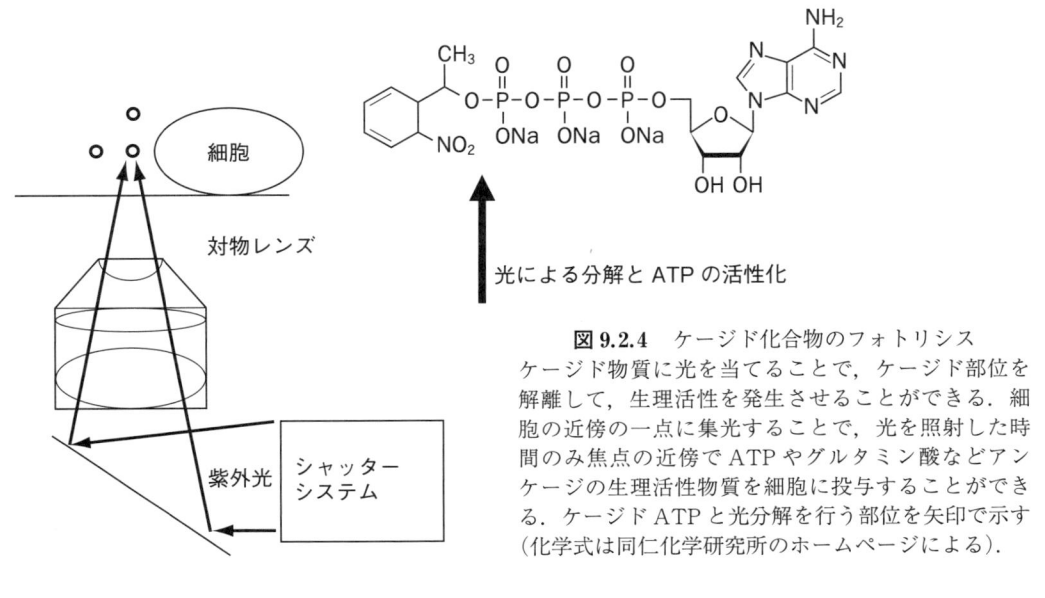

図9.2.4 ケージド化合物のフォトリシス
ケージド物質に光を当てることで，ケージド部位を解離して，生理活性を発生させることができる．細胞の近傍の一点に集光することで，光を照射した時間のみ焦点の近傍でATPやグルタミン酸などアンケージの生理活性物質を細胞に投与することができる．ケージドATPと光分解を行う部位を矢印で示す（化学式は同仁化学研究所のホームページによる）．

セント法).別の全反射型の近接場光学顕微鏡の構成として,対物レンズ(開口数1.4以上)にレーザーを導入して全反射をつくり出すものもある(対物エバネッセント法と呼ぶ).近接場光のしみ込み深さ D_p を数式で表すと

$$D_p = \lambda/(4\pi n_1)\sqrt{(\sin^2\theta - (n_2/n_1)^2)}$$

のようになる.ここで λ は光の波長,n_1 と n_2 はガラスと水の屈折率である.θ は入射角である.

d. ケージド化合物のフォトリシス(光化学分解)

ケージド物質には伝達物質(グルタミン酸,ATP)や細胞内情報伝達物質(カルシウム,c-AMP,GTP)などがある.これらケージド物質は生理活性物質にケージド部位を付加し不活性化したもので,ケージド物質に光を当てることで,ケージド部位を解離して,生理活性を発生させることができる(図9.2.4).たとえば,ケージドグルタミン酸を使えば,細胞の近傍の一点に集光することで,瞬時に(数ms程度で)焦点の近傍のグルタミン酸を活性化し細胞に投与することができる.集光点を移動することで,グルタミン酸の投与部位を移動することもできる.ケージド物質のフォトリシスにはキセノンフラッシュランプを使う場合や,紫外のパルスレーザーを使う場合や連続発振の紫外レーザーとシャッターを組み合わせて照射する場合がある.最近は二光子顕微鏡を用いてケージド物質の分解も行われている.

e. マルチ計測顕微鏡

これまで述べてきた多様な顕微鏡の機能を同時に組み合わせて用いることで,さらに効果的に研究に利用することができる.このように同時にさまざま観察法やケージド物質のフォトリシス(あるいは光ピンセットなど)を組み合わせて用いる顕微鏡をマルチ計測顕微鏡と呼ぶ.たとえば,細胞にケージドグルタミン酸を投与し,細胞内カルシウムイオン濃度の上昇を観察し,それに伴うシナプス伝達の効率変化をパッチクランプ電流測定により検討する実験を行う場合である.これらを同時に計測することによって,複雑な生命現象のなかの要素間の因果関係を研究することができる.最近の顕微鏡システムはマルチ計測顕微鏡として用いるための基本的な構成を取りつつある.コンピュータコントロールによってシャッターやダイクロイックミラーの切替え,画像取得を自動的に行うことができる.

〔辰巳仁史〕

[文献]

イメージング全般
1) 曽我部正博,臼倉治郎編:バイオイメージング(ニューバイオフィジックス7),共立出版,1998.
2) 船津高志編:生命科学を拓く新しい光技術(光が拓く生命科学),共立出版,1999.

近接場顕微鏡
3) 辰巳仁史:近接場顕微鏡,「感覚器官と脳内情報処理」(御子柴克彦,清水孝雄編),p.180-191,共立出版,2002.
4) Yanagida, T., Tamiya, E., Muramatsu, H., Degenaar, P., Ishii, Y., Sako, Y., Saito, K., Ohta-Iino, S., Ogawa, S., Marriott, G., Kusumi, A. and Tatsumi, H.: Near field microscopy for biomolecular systems. Kawata, S., Ohtsu, M. and Irie, M. (eds.): Nano-Optics, Springer-Verlag, Heidelberg, 2002.
5) Uma Maheswari, R., Mononobe, S., Tatsumi, H., Katayama, Y. and Ohtsu, M.: Observation of subcellular structures of neurons by an illumination mode near-field optical microscope under an optical feedback control. *Optical Review* **3**, 463-467, 1996.
6) Tatsumi, H., Katayama, Y. and Sokabe, M.: Attachment of growth cone on substrate observed by multi-mode light microscopy. *Neuroscience Research* **35**, 197-206, 1999.

ケージド試薬
7) Hoshino, M., Tatsumi, H., and Sokabe, M.: *In vitro* reconstitution of signal transmission from a hair cell to the growth cone of a chick vestibular ganglion cell. *Neuroscience* **120**,

993-1003, 2003.
8) Matsuzaki, M., Honkura, N., Ellis-Davies, G. C. and Kasai, H.: Structural basis of long-term potentiation in single dendritic spines 1. *Nature* **429**, 761-766, 2004.
9) 同仁化学研究所のホームページよりケージド物質のカタログへ
http://www.dojindo.co.jp/index.html

マルチ計測顕微鏡（近接場，反射干渉，微分干渉，共焦点）

10) Kawakami, K., Tatsumi, H., Sokabe, M.: Dynamics of integrin clustering at focal contacts of endothelial cells studied by multimode imaging microscopy. *J. Cell Science*, **114**, 3125-3135, 2001.

9.3 走査型プローブ顕微鏡

走査型プローブ顕微鏡（scanning probe microscope：SPM）とは次のような共通装置構成および原理をもつさまざまな顕微鏡の総称である．装置に共通の基本要素は試料ステージ，プローブ，スキャナー，検出器である（図9.3.1）．スキャナーのZ方向の移動により試料とプローブを接近あるいは接触させ，そのときプローブに現れる何らかの物理量の変化（ΔI）を検出器で捉える．スキャナーにより試料ステージもしくはプローブをXY面に走査して，試料各点でのΔIを計測し，求めたΔIをZ軸に，走査各点をXY軸にとってグラフにすると，試料の性状が画像として再現される．捉えるべき試料の性状と検出する物理量に応じて，異なるプローブが使用され，

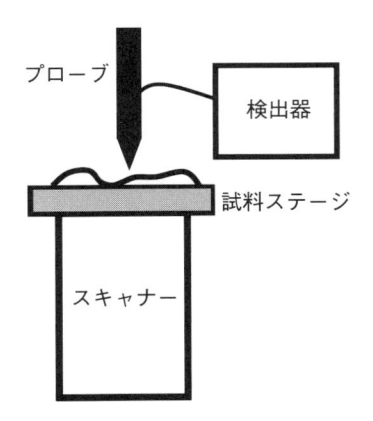

図 9.3.1 SPM の原理図
どのようなタイプのSPM装置でも基本的にはここに示す要素を含む．プローブで感知する物理量を変えることで，ここで紹介していないさまざまなSPMをつくることが可能である．各要素の働きは本文を参照．

さまざまなタイプのSPMが存在する．代表的なものとして，試料・プローブ間に流れるトンネル電流にもとづき画像を得る走査型トンネル顕微鏡（scanning tunneling microscope：STM），試料・プローブ間に働く力にもとづき画像を得る原子間力顕微鏡（atomic force microscope：AFM），光・試料間の相互作用にもとづき画像を得る走査型近接場光学顕微鏡（scanning near-field optical microscope：SNOM），プローブ・試料間で起こる電気化学反応にもとづく電気化学STMなどがある．力にもとづくものであっても，磁気力，静電気力などに特化したものには，それぞれに別称が与えられている．

a. STM

STMではプローブとして先端を尖らせた白金イリジウムやタングステン探針，あるいはカーボンナノチューブ（CNT）が用いられる．導電性の試料ステージと探針との間に仕事関数Φより低いバイアス電圧（V_B）をかけて探針と試料を数十Å以下の距離まで近づけていくと，電子はポテンシャル障壁をトンネルし，トンネル電流J_Tが流れる．トンネルする電子は探針先端に局在する原子を通ると考えられ，それゆえ，STMはXY方向については原子解像度をもちえる．J_Tは探針と試料表面間の距離zに対して$J_T \approx \exp(-2z/\lambda)$のように変化する．ここで減衰距離$\lambda$は電子質量$m$と$\Phi$の関数で，$\lambda = \hbar/\sqrt{2m\Phi}$と表される．通常の金属では$\Phi$は1〜5 eVであるので，$\lambda$は1 Å前後となり，$J_T$は$z$にきわめて敏感になる．したがって，STMは$Z$方向については0.01 Åオーダーの解像度をもちえる．通常XY走査中にJ_Tを一定に保つようにzを変化させる定電流モードが用いられる．試料各点でV_Bを変化させJ_T-V_B特性を求め，表面の電子状態密度を反映した像を求めることもできる．STMの原理から明らかなように，試料は導電性でなければならないし，電解質溶液中の試料を観察できないという制約がある．それゆえ，導電性材料表面の電子特性の研究に広く用いられている．生体高分子に利用されることは少ないが，DNAの高解像観察にも用いられている．DNA自身が導電性であるという報告もあるが，トンネル電流が実際どこを流れているのかは不明である．

b. AFM

AFMのプローブは一般にカンチレバー（片持ち梁）と呼ばれ，柔らかいレバーの先に先端の尖った針が付いたものである（図9.3.2）．試料とこの針との間に働く力によりレバーがたわむので，たわみ量を計測することで，針・試料間に働く力を求めることができる．それゆえ，AFMは顕微鏡としてばかりでなく，微弱な力の計測器としても用いられている（後述）．最も単純な走査モードであるコンスタントハイト（CH）モードでは，試料ステージとカンチレバー支持部の間の高さを一定にして試料をXY走査する．このとき針先端は試料をなぞるのでレバーは試料の凹凸に応じてたわむ．たわみの計測には一般に光テコ光学系が採用されている（図9.3.3）．たわみ量をZ軸に，XY走査各点をXY軸にとると，試料の凹凸像（トポグラフィー）が再現される．したがって，AFMは基本的には試料の凹凸像を撮る顕微鏡といえる．AFMの空間解像度は針先端の曲率半径，針と試料にかかる力の大きさ，および，試料の弾性で決まり，通常XY方向で数nm以下，Z方向で1 nm程度以下である．単層CNTを針として利用するとXY方向の解像度は1 nm程度まで改善される可能性がある．きわめて平滑な硬い試料の場合には原子解像度をもつ．上記の凹凸像形成の原理から明らかなように，AFMでは試料が導電性でも絶縁性でもかまわないと同時に，試料の環境（真空中，大気中，液中）を選

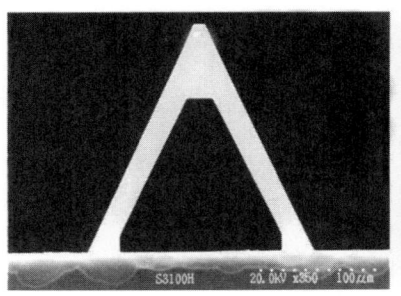

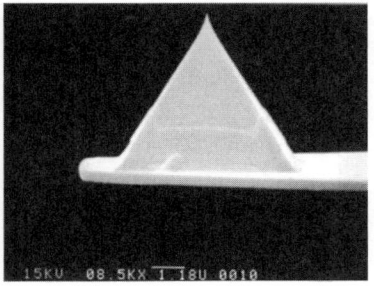

図 9.3.2 カンチレバーの電子顕微鏡写真

カンチレバーには左図のように三角形をしたものと短冊形のものが市販されている．長さは $100 \sim 200\ \mu m$，レバーの幅は $10 \sim 20\ \mu m$ のものが多い．片面あるいは両面は通常金またはアルミコートされている．ばね定数は $6\ pN/nm \sim 10\ nN/nm$，共振周波数は $10 \sim 1\ MHz$ のものがある．一般に柔らかいものは窒化シリコン製で DC 走査モードに利用され，比較的硬いものは窒化シリコンあるいはシリコン製で，AC 走査モードに利用される．針先端の曲率半径は通常 $10 \sim 15\ nm$ 程度であるが（右図），$2\ nm$ 程度のものも市販されている．最近ではカーボンナノチューブを針先端に付けたものも市販されている．高速 AC 走査用の特殊なものでは，大きさは通常の $1/10$ 以下で，共振周波数は $1.4\ MHz$ にもなる．

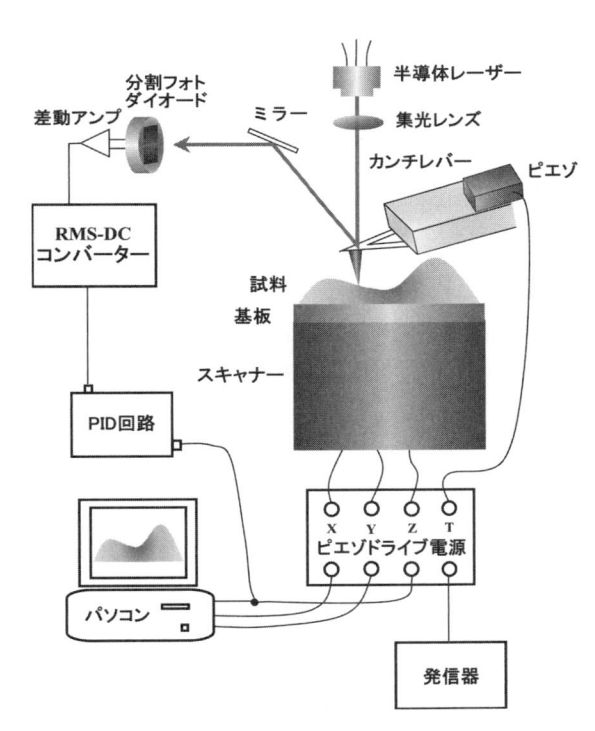

図 9.3.3 AFM 装置のシステム構成

カンチレバーに半導体レーザーの光を当て，反射光を 2 分割フォトダイオードに導く．カンチレバーがたわむと反射光位置が変わり，上のフォトダイオードと下のフォトダイオードに当たる光量の差が変わる．この差を差動アンプで検出する．この方法を光テコ法と呼ぶ．AC 走査モードでは差動アンプ出力を RMS-DC コンバーターに入力し，振幅値に変換する．DC 走査モードでは RMS-DC は使わない．PID（比例・積分・微分）制御回路は，目標とするカンチレバーのたわみ，あるいは，振幅値に対応する電圧と，実際に入力される電圧との差をゼロにするような信号を Z 走査用のピエゾドライブ電源に出力する．これにより，Z ピエゾが変移し，試料ステージの高さが変わる．その結果，試料とカンチレバーにかかる力が目標とする大きさに保たれる．そのため，PID からの出力は試料の高さに比例することになる．したがって，PID の出力を XY 走査各点に対応させることにより，試料の凹凸像がパソコン上で再現される．発信器およびカンチレバーホルダーに接するピエゾはカンチレバーを励振させるために用いられる．

ばないという優れた特徴を有する．それゆえ，AFM は生体試料に最も利用されている SPM である．走査モードには大別して，カンチレバーのたわみを計測する DC モードと，励振させたカンチレバーの振幅を計測する AC モードがある．DC モードには，CH モードのほかに，コンスタントフォース（CF）モードがある．CF モードでは，XY 走査中にカンチレバーのたわみが一定（したがって，試料にかかる力が一定）になるように試料ステージもしくはカンチレバー支持部を Z 方向に調節する．この

調節量が試料の凹凸情報となる．DC モードの弱点としては，針・試料（基板）間に XY 方向の力も働いてしまい，それによってカンチレバーはたわむので高さ情報は必ずしも正確ではない．また，試料が基板に弱く吸着している場合には，この XY 方向の力で試料が移動してしまうことも起こりうる．それに対して，AC モードではカンチレバーはつねに Z 方向に振動しているので，XY 方向の力はかなり軽減される．カンチレバーの励振は一般にピエゾ素子によって行われる（カンチレバーを磁化して交流磁場で振動させる方法もある）．カンチレバーの共振周波数付近でピエゾ素子を振動させ，その振動をカンチレバーに伝える．液中観察では，この振動は液を振動させ，それがカンチレバーに伝わる（音響の伝播）経路が主要である．AC モードのもう1つの長所は，計測すべき周波数帯域が狭く，それゆえノイズや検出器（光テコ法では分割フォトダイオード）の位置などのドリフトに強い点である．AC モードでは，振動するカンチレバーの各スウィングの底で針は試料をたたく（それゆえ，タッピングモードとも呼ばれる）．それにより，カンチレバーの振動振幅は減少する．試料が柔らかい場合には針は試料を押し込むので減少量は小さい．この減少量を一定に保つように試料ステージを Z 方向に移動させる．この移動量が試料の凹凸情報となる．液中ではダンピングのために振動の Q 値（相対的共振周波数帯域を表す量で，狭いほど大きい値をもつ）は小さい．大気中では Q 値が大きく，カンチレバーの共振周波数および位相は針と試料間に働く力の Z 方向の勾配に敏感になる．それゆえ，凹凸情報以外の情報（試料の弾性，静電気力など）を得ることができる．液中でも，Q コントロールという手法（ダンピングの力を打ち消すような力を励振信号に載せる）で Q 値を大きくすることが可能で，この場合には凹凸情報以外の情報を得ることが可能

である．なお，AFM の走査速度を上げることで，液中にある試料の動きを 10 コマ/秒以上の速さで映像として捉えることも可能になっている．

力検出器としても AFM は広く活用されている．試料ステージとカンチレバーとの間の Z 方向の距離に対してカンチレバーに働く力をプロットしたものをフォース－ディスタンス（F-D）カーブと呼ぶ．近づけていった場合と遠ざけていった場合では異なるカーブとなる（ヒステリシス）．これは試料・探針間のポテンシャルとカンチレバーの弾性エネルギーの和が2つの極小位置をもちえるために起こる．この F-D カーブ計測から種々の情報を引き出す代表的な例として，① 基板に吸着させた分子とカンチレバー探針に固定した分子との間に働く力（たとえば蛋白質－蛋白質間，あるいは，蛋白質－基質間の遠達力，近達力，破断力）の計測，② 同一の蛋白質分子を基板・探針両方に固定し，基板から探針を引き離すあるいは再度近づけることで，蛋白質が解ける過程および逆に折れたたまる過程を調べる研究，などがある．F-D カーブ計測を XY 各点で行い，試料の弾性や特定分子の局在位置の画像化なども行われている．

カンチレバーの片面だけに分子を吸着させると，表裏の表面張力の差によりカンチレバーはたわむ．ある分子（A）を片面に吸着させておき，その分子と特異的に結合する分子（B）を液に加えると，A-B の結合量に応じてカンチレバーのたわみ度が異なる．これを利用して A-B の結合反応の定量を行うことができる．

c. SNOM

可視光の波長は数百 nm であり，回折効果により光学顕微鏡の空間分解能はせいぜい数百 nm に制限される．波長より短い微小開口に光を入射したり，光を全反射させると物質境界面のきわめて近傍（ニア

フィールド）にだけ光が局在するようになる（エバネッセント光）．このニアフィールドに試料を置くと，その局在した光は試料と相互作用し，遠くに伝播する光に変換される（散乱光）．この現象を試料走査と組み合わせた顕微鏡が照明タイプのSNOMである．検出されるファーフィールドの光の強度が一定になるように走査すると，その走査は試料形状をなぞったことになる．試料が蛍光色素で染色されている場合には，形状と同時に蛍光像を得ることができる．通常の光で試料を照明した場合でも試料近傍にはエバネッセント光が生ずる．そこに微小開口を置くと，開口の反対側に伝播光が生ずる．これを利用したSPMが集光タイプのSNOMである．いずれのタイプでもSNOMのXY方向の空間分解能は現在のところせいぜい50 nm前後である．AFMのカンチレバー探針先端を微小開口とする仕方でAFMとSNOMを組み合わせた装置もある．〔安藤敏夫〕

[文献]
1) 森田清三：走査型プローブ顕微鏡のすべて，工業調査会，1992．
2) 安藤敏夫：原子間力顕微鏡とその応用，細胞工学 **17** (3), 458-468, 1998．
3) Weisendanger, R.: Scanning Probe Microscopy and Spectroscopy, Cambridge University Press, 1994.
4) Fisher, T.E., *et al.*: Topical Review (The micro-mechanics of single molecules studied with atomic force microscopy), *J. Physiol.* **520**, 1, 5-14, 1999.
5) Ando, T., *et al.*: A high-speed atomic force microscope for studying biological macromolecules, *Proc. Natl. Acad. Sci. USA* **98** (22), 12468-12472, 2001.

9.4 電子顕微鏡

　電子顕微鏡は拡大して物を見るためにつくられた道具という意味では光学顕微鏡と基本的に同じである．しかし，顕微鏡の分解能が光源の波長によって制限されてしまう（アッベ（Abbe）の分解能限界）ことから，波長の短い電子線を光源とする実用的なレンズをもつ透過型電子顕微鏡の原型が，1931年にルスカ（E. Ruska）らによってつくられた．光源となる電子を加速する電圧（加速電圧）が100 kVのときの電子線の波長は0.037 Åと原子間距離より十分短いが，電子顕微鏡では実用的な凹レンズができないので，光学レンズに比べると非常に悪い性能のレンズを使うことになる．このために電子線の波長に比べると分解能は桁違いに悪くなる．しかし，100 kVより高い加速電圧でも比較的容易に実現できるので電子線の波長は非常に短くなり，電子顕微鏡はÅレベルの分解能を容易に達成できる．さらに重要な特徴は，電子線と物質との相互作用が大きいことである．この特徴は，電子顕微鏡の長所としても短所としても働いている．相互作用が大きいことから，極微量の試料や，局所的な情報を直接得ることができる．それゆえ，薄くて小さい試料を観察するには電子顕微鏡は最適で，多くの観察がなされている．逆に電子線の透過性が低いので厚い試料の観察にはさまざまな工夫が必要である．また，相互作用が大きくてわずかな試料から情報を取り出すことができるという長所の裏には，電子線による損傷という大きな問題が存在する．金属や無機材料においては電子線の

損傷は比較的深刻ではないが，生物試料を観察する場合にはこの電子線による損傷が最大の困難として横たわることになる．電子線損傷とともに物質との相互作用が大きいことからくるもう1つの深刻な問題は，電子線の通り道を真空に排気しなければならないことである．生物試料を観察する場合には試料を真空の中に入れるために乾燥して，水を含む構造とは大きく変わってしまう．これらの問題を回避したり解決したりして，相互作用が大きいという長所を生かし電子顕微鏡は発展してきた．

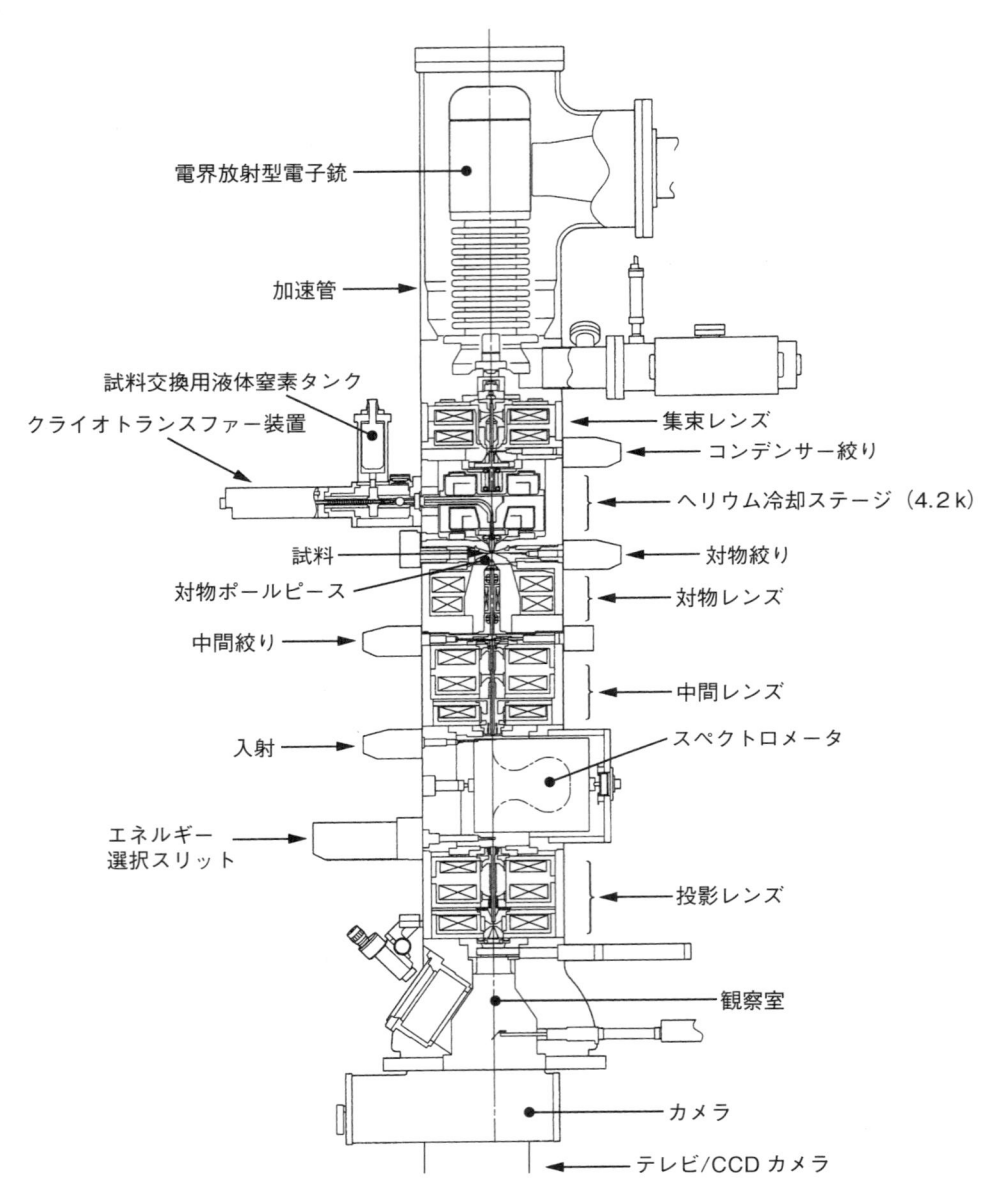

図9.4.1 電子顕微鏡の断面図．最新の極低温電子顕微鏡（3100FFC）の構造
電界放射型電子銃，極低温電子顕微鏡ステージ，クライオトランスファー装置，スペクトロメータ，CCDカメラなどが装備されている点が通常の電子顕微鏡と異なる．

電子顕微鏡は，透過型電子顕微鏡（TEM）と走査型電子顕微鏡（SEM）と大きく2つに分けられることが多いが，透過型にも走査透過型電子顕微鏡（STEM）と呼ばれるものも開発されている．SEMは試料に照射した電子がつくる二次電子を検出して像を描くタイプの電子顕微鏡であることから，反射型とも呼ぶことができる．一方，STEMは電子線を試料の上にできる限り細く絞って照射して，これを走査させて像をつくるという意味ではSEMと同じであるが，二次電子ではなく透過した電子を検出して像を描かせるという意味で2つの電子顕微鏡はまったく異なっている．最も普通に高分解能の像を撮影できる透過型電子顕微鏡の断面図を図9.4.1に示す．図9.4.1は，最新の極低温電子顕微鏡である．光源が上にある（図9.4.1では電界放射型電子銃を備えている）ことからわかるように，普通の光学顕微鏡を倒立させたような構成になっている．電子顕微鏡が光学顕微鏡と最も異なる点はレンズで，電子顕微鏡のレンズはガラスでできているのではなく，磁場でつくられている．レンズの収差を最少にするにはできる限り大きな磁場を局所的な場所に制限してつくることであるが，ポールピースと呼ばれるものがルスカによって開発されて，高い倍率や高分解能の像が撮影できるようになった．磁場によるレンズであるために，倍率を変えると像が回転するが，レンズを組み合わせてこれを最少にするなど，分解能の向上とともに使いやすさも飛躍的に向上してきた．最初に電子顕微鏡で分子構造が観察できることは，塩化フタロシアニン銅を用いて証明された．図9.4.2に示すように，化学式とぴったりと合う像が撮影された[1]．

電子顕微鏡の応用は，生物分野でも非常に広範囲にわたっており，細胞や組織に関する詳細な構造をわれわれが知っているのは，電子顕微鏡が開発されたからである．最初に述べたように，電子線は透過性が低いので厚い試料を観察することはできないし，鏡体内部は真空に排気されているので，細胞や組織は固定して超薄切片を作製することによって観察される．また，凍結割断レプリカ法と呼ばれる方法もある．これは，急速に凍結した試料を割って，その断面に金属を蒸着し，このレプリカ（金属で影づけをした上に薄いカーボンを蒸着して試料を溶かして写し取る方法）で表面の凹凸を可視化する方法である（図9.4.3(a)参照）．単離した試料では，酢酸ウラン等の重金属溶液によって染める方法がある．放射性の問題などで染色にはリンタングステン酸（PTA）等を使うこともあるが，コントラストや解像度の良さなどからすると，酢酸ウランが最も優れている．染色法によるコントラストの付き方を図9.4.3(b)に示す．

電子線による損傷の問題を解決するために，多くの電子顕微鏡学者がいろいろな試みを行った．たとえば，一部の電子顕微鏡学者の中でいまだに誤解されている例を紹介する．生物試料の電子線損傷は主に非弾性散乱（試料に照射された電子線の波長が長くなるような散乱）電子によって生じて

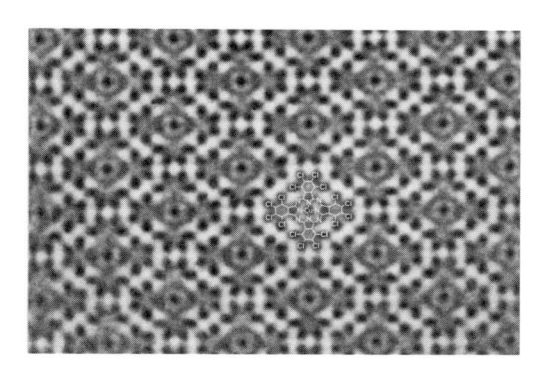

図9.4.2 電子顕微鏡で撮影された塩化フタロシアニン銅の像

像に重ねて示されている塩化フタロシアニン銅の分子構造と一致した像が観察されていることがわかる．中心の銅原子，ポルフィリン環，塩素原子が分離して見える．電子顕微鏡で分子像が直接観察された最初の例．

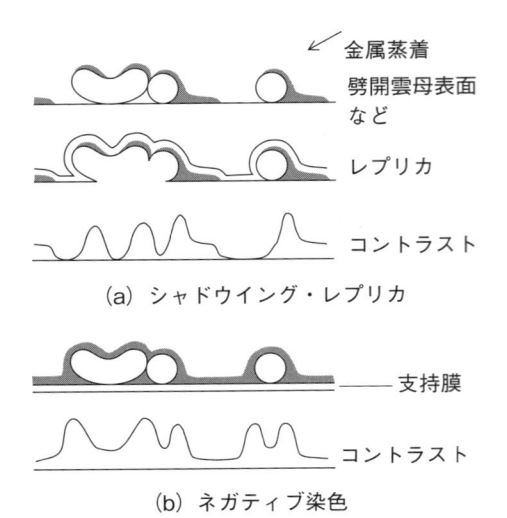

図 9.4.3 凍結割断レプリカ法の模式図とこの方法で得られるコントラストを示す（a）．染色法によるコントラストの付き方の模式図とそのコントラストを示す（b）．

いる．この非弾性散乱電子は，加速電圧を高くすると少なくなる．このために，加速電圧を上げると電子線損傷を減らすことができるということで，高い加速電圧の電子顕微鏡（超高圧電子顕微鏡と呼ばれる）が電子線損傷を減らすという名目でつくられた．しかし，加速電圧を高くすると非弾性散乱断面積は小さくなるが，同時に弾性散乱断面積も小さくなって像を形成する電子が減少してしまう．それゆえ，結像に必要な電子線を一定とすると高い加速電圧では非弾性散乱電子が増加してしまうので，超高圧の電子顕微鏡で電子線損傷の問題は解決できない．電子線損傷を大きく軽減できる方法としては，まず，無駄な電子線を照射しないことである．電子顕微鏡の像を撮影するときには焦点をできる限り正確に合わせる必要があるが，この焦点合わせの電子線で試料は損傷を受けてしまう．この問題を解決するために，MDS（minimum dose system）が開発された[2]．これは，撮影する試料近傍で焦点を合わせて，撮影する試料部分には必要最小限の電子線だけを照射して像を撮影できるシステムである．また，本質的に電子線損傷を軽減するには試料を低温に冷却することである．試料の温度を 100 K（絶対温度 100 度，すなわち，マイナス 173.15℃）では，試料が損傷を受けるまでに室温の 4 倍の電子を照射できる．さらに低温にして，20 K 以下では 10 倍の電子を照射でき，8 K 以下に冷却すると室温の 20 倍の電子線を照射しても損傷を受けない．このために，試料を極低温に冷却してなおかつ高分解能の像を撮影できる極低温電子顕微鏡が開発された[3]．このような低温電子顕微鏡は，もう 1 つの問題である，試料の乾燥の問題を解決した．生体高分子やウイルスなどを 1000 Å 程度の薄い水の層に分散させた状態で，液体エタン中に落下させて急速に凍結する．このようにして薄い非晶質の氷に試料を包埋して無固定無染色で直接観察できる[4]．この手法を用いて単離精製した蛋白質やウイルス等の像を撮影し，単粒子解析という方法で解析すると，蛋白質等の立体構造を解析することができる．解析できる立体構造の分解能は，平均化できる粒子の数で決まるが，一般には原子モデルができるような構造解析は困難である．電子顕微鏡を用いた構造解析の方法としては，電子線結晶学と呼ばれる方法がある．図 9.4.1 の極低温電子顕微鏡を用いると，重要な膜蛋白質の構造が分子モデルができる分解能で解析できるようになったので，膜蛋白質の構造研究の有力な方法として注目されている．

〔藤吉好則〕

[文献]

1) Uyeda N. *et al.*, *Chemica Scripta*. **14**, 47-61, 1978/79.
2) Fujiyoshi Y. *et al.*, *Ultramicroscopy* **5**, 459-468, 1980.
3) Fujiyoshi Y. *et al.*, *Ultramicroscopy* **38**, 241-251, 1991.
4) Adrian M. *et al.*, *Nature* **308**, 32-36, 1984.

9.5 X線顕微鏡

X線は波長が10^{-12}mから10^{-7}m程度の電磁波で，可視光に比べて波長が短く，分解能の限界が小さくなるので顕微鏡への応用が望まれてきた．しかしながら，通常の物質に対する屈折率は1に近く，光学顕微鏡のような屈折光学系を使うことができないので，実用的な顕微鏡の開発が遅れていた．しかし近年，光源・光学系・検出装置の発達により顕微鏡としての性能が急激に向上してきている．

X線はその透過力の違いから波長約1nm以上の軟X線と，それ以下の波長の硬X線に大まかに区別されている．軟X線ではとくに酸素と炭素のK吸収端の間に相当する波長2.3nmから4.4nmの領域が「水の窓（water window）」と呼ばれ，炭素を主とする蛋白質の吸収が水より大きくなるので，生物試料の観察に向いているとされている．しかし，この領域でも水の線吸収計数は波長2.4nmで約1000cm^{-1}もあり，図9.5.1に示すように30μmより試料が厚いとX線はほとんど透過できなくなってしまう．また空気中でも数mmしか伝播しないので，光学系のほとんどは真空中に置くことになる．硬X線では空気中に置いた厚い試料が観察できるという特徴があるが，吸収によるコントラストが小さいので，場合によっては位相差によるコントラストを使う必要がある．

a. X線光源

顕微鏡用のX線光源としては，シンクロトロン放射光，電子線励起，レーザープラズマなどがある．シンクロトロン放射光は輝度が高く，広い範囲の波長を発生できる特徴がある．最近は加速した電子を，周期的に極性が交代する磁石列を通して蛇行させ，放射光を発生させるアンジュレータにより，より高輝度でコヒーレントなX線が得られるようになった．放射光は大規模な施設が必要で，国内でも数ヵ所にあるだけである．電子線励起X線光源は収束させた電子線を金属標的に照射して発生させる．比較的簡単な装置でX線を得られる．レーザープラズマ線源は高出力パルスレーザー光を集光し，固体標的に照射して生成される数百万度の高密度プラズマから発生するX線である．アンジュレータに匹敵する高輝度のX線がナノ秒以下のパルスとして得られる特徴がある．

顕微鏡の方式としては，大まかに結像型，投影型，密着型がある．結像型はシンクロトロン放射光，投影型は電子線励起，密着型はレーザープラズマを光源に使うのが一般的である．

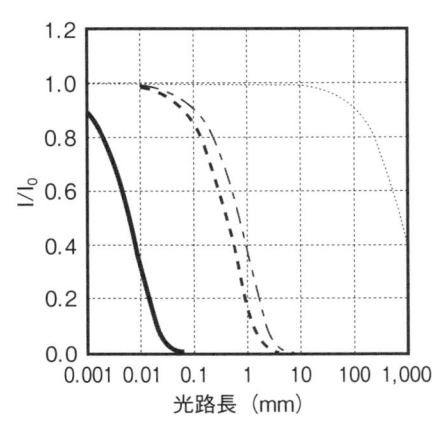

図9.5.1 空気中と水中での光路長とX線の透過率

波長2.4nmの軟X線の水中（実線）と空気中（破線）での減衰，および波長0.15nmの硬X線の水中（1点鎖線）と空気中（点線）での減衰を示す．

b. 顕微鏡装置
(1) 結像型 X 線顕微鏡

これは文字どおり X 線を光学素子で結像させて拡大像を得る方式である．光学系として主流になっているのはフレネルゾーンプレート (FZP) である．同心円の輪帯により回折してきた X 線が，ある 1 点で強め合うように輪帯の径を決めれば凸レンズとして作用することを利用している（図 9.5.2)．最外殻円環の幅で分解能が決まるので，輪帯は超 LSI 製造で発達した微細加工技術（電子線リソグラフィー）によりつくる．FZP の集光効率は悪いので，高輝度光源であるシンクロトロン放射光を使わなくてはならず，実験ができる施設が限られる．高い分解能を得るには分子のブラウン運動を抑え，また X 線による損傷も防がなければならないので，電子顕微鏡と同様に試料を液体窒素温度以下に凍結して観察するクライオ法をとる必要がある．位相差顕微鏡や集光した X 線で試料を走査する走査顕微鏡などの方式も試みられている．

FZP 以外の光学系としてはウォルター型反射鏡（斜入射光学系）やシュバルツシルト型反射鏡（多層膜球面反射鏡）があるが，加工精度や反射率の問題から軟 X 線の領域で使用されている．小さな屈折レンズを連結させた連成屈折レンズ (compound refractive lens) もあまり分解能を必要としない硬 X 線トモグラフィーなどの応用に使われる（図 9.5.2)

(2) 投影型 X 線顕微鏡

ほとんど点光源とみなせる X 線源の直下に試料を置き，線源から広がる X 線によって拡大された「影絵」を得る手法である．数社から市販されている「X 線顕微鏡」はマイクロフォーカス X 線管を線源とした投影型 X 線顕微鏡である．線源の大きさで分解能が決まるので，この場合の分解能は数 μm である．電子顕微鏡を改造して電子線を数十 nm ほどに絞り，厚さ 1 μm 以下の金属標的に照射することにより分解能の高い顕微鏡をつくることができる．電子線を細く絞っても金属内で散乱して広がるので，現在のところ分解能は 100 nm 程度である．光学系を使っていないので焦点深度が深く，厚さ数 mm の試料全体に焦点が合った像を得ることができる．線源の強度が弱いので露光に 10 分程度の時間がかかるが，近年の CCD カメラの発達により動画の撮影も可能になった．主に硬 X 線領域で使われる（図 9.5.3)．

(3) 密着型 X 線顕微鏡

試料をレジストの上に直接置き，X 線で露光したのち現像して，走査型電子顕微鏡や走査型原子間力顕微鏡 (AFM) で観察する．レーザープラズマによる X 線源を使えば瞬時に露光できるので，速い運動の瞬間を観察することができる．分解

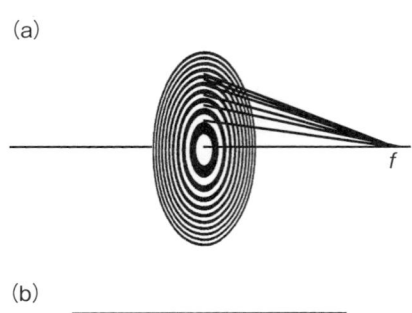

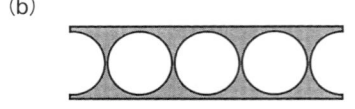

図 9.5.2 フレネルゾーンプレート (FZP) および連成屈折レンズ (CRL)
(a) FZP の透明な輪帯で回折した光が焦点 f でお互い強めあうように半径を決める．中心の部分が開いているポジ型と不透明になっているネガ型がある．分解能は最外殻の輪帯の幅を S_n として $1.2 S_n$ となる．現在の限界は約 30 nm である．
(b) 軽元素に対する X 線の屈折率は 1 より 10^{-6} 程度小さいだけであるので，小さなレンズを数十個連結させてレンズとする．屈折の方向が可視光とは逆なのでアルミニウムなどの素材に空洞が開いたものがレンズとなる．

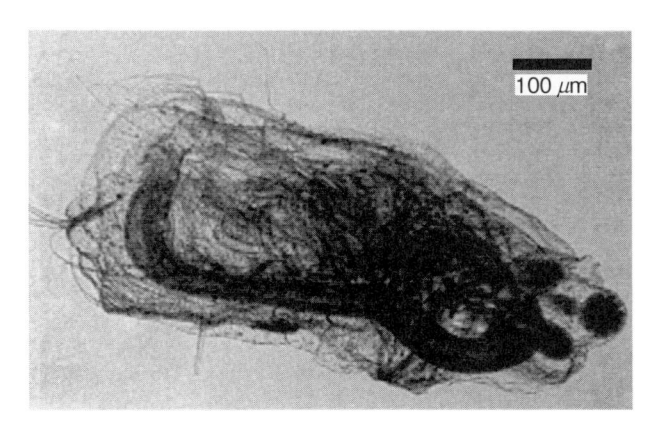

図 9.5.3 投影型 X 線顕微鏡で撮影したタマミジンコ
10 keV に加速した電子線を厚さ 3 μm のアルミニウム標的に照射して X 線を発生させた．アルミニウム K_α 線（$\lambda=0.8$ nm）が主な波長成分となるので空気による吸収を軽減するためヘリウムガス中で撮影．電子顕微鏡フィルム（KODAK4489）に露光時間 15 分で記録．試料は臨界点乾燥をほどこした（撮影：明治大学高田秀和）．

能はレジストの性能で決まり，電子線リソグラフィーに用いる PMMA（poly methyl methacrylate）で 10 nm ほどが得られるといわれている．

c. X 線検出装置

X 線像を記録する方法は長い間，写真フィルムしかなかったが，現在はイメージングプレート（IP）や CCD カメラなどに置き換えられつつある．IP は高感度で広いダイナミックレンジ（4 桁以上）があるが，1 ピクセルの大きさが一般的なもので 50 μm あり，顕微鏡で拡大した実像を記録するには不利になる．CCD カメラは X 線を直接検出するタイプとシンチレーターで X 線を可視光に変えて CCD で検出する方式がある．直接検出するタイプは長時間の露光を可能にするため素子を冷却して使用する．シンチレーターを使うと，よりダイナミックレンジが広く解像度がよいが，実時間観測はできない．また，素子の X 線によるダメージも考慮しなければならない．

X 線顕微鏡の開発は，周辺装置の発達で最近加速されてきたが，生物試料の作成法などは，乾燥，固定，染色法もしくはクライオ法など電子顕微鏡の手法に習っているところが大きい．今後は X 線に適した方法を開発し，X 線顕微鏡でなければできないような研究が待たれている．

〔吉村英恭〕

[文献]
1) Shinohara, K. *et al.* (eds.): X-ray Microscopy in Biology and Medicine, Japan Scientific Societies Press, 1990.
2) Meyer-Ilse, W. *et al.* (eds.): X-ray Microscopy, AIP, 1999.
3) 菊田惺志：X 線回折・散乱技術（上），東京大学出版会，1996.

9.6 バイオイメージング

　バイオイメージングとは，生体の構造や機能を二次元あるいは三次元の画像情報として捉える技術の総称である．光学顕微鏡によって細胞が発見され，電子顕微鏡によって細胞内微細構造やウイルスの構造が明らかになるなど，「見る技術」の開発によって生命科学の研究が発展してきた．最近では光学系の改良と画像処理技術の発展により，生きた細胞内で特定の分子の動きや働きを捉えることができるようになっている．また，個体の脳神経活動をポジトロン断層撮影法や磁気共鳴撮像法を用いて画像化できるようになった点は，特筆に値する．このように，バイオイメージングの計測対象は，生体分子，細胞内小器官，細胞から個体へと広範囲に及ぶが，ここでは生体分子と細胞機能の画像化を中心にして解説する．

　生体分子の形態や機能をイメージングするためには顕微鏡法が有効である．電子顕微鏡は，電子線の波長が原子よりも小さいことを利用して試料を高分解能で観察するのに使用される（⇨9.4）．また，走査型プローブ顕微鏡では生体試料の近傍を先端が鋭利な探針で二次元的に走査することにより，生体試料表面の物理的性質や形状をナノメートルの分解能で観察する（⇨9.3）．これらの顕微鏡法は高い分解能を有しているが，水溶液中や細胞内で働いている分子の動態をイメージングすることは困難である．このため，生体分子や細胞の機能解析には光学顕微鏡が多用されている．微分干渉顕微鏡や位相差顕微鏡などを用いて細胞や細胞内小器官の動態が観察できるが，光学顕微鏡の分解能は約 $0.2\,\mu m$ が限界なので，光の波長よりも小さい生体分子の観察は困難である．この問題を克服するため，生体分子に蛍光分子を結合させ，その蛍光を検出することにより生体分子をイメージングできるように工夫したのが蛍光顕微鏡法である．蛍光とは，色素分子が光のエネルギーを吸収して励起状態になり，再び基底状態に戻るときに発する光である．一般に，吸収する光の波長よりも放射する蛍光波長のほうが長いので，励起光を光学フィルターで除いて蛍光のみを検出することにより高感度な検出が可能である．蛍光顕微鏡法では，暗闇の背景の中で見たい物だけを見ることができるので，細胞のようにさまざまな生体分子が高密度で存在している場合でも，特定の生体分子の挙動を選択的にイメージングできるという利点を有している．

　現在，最も普及している蛍光顕微鏡法は落射蛍光顕微鏡法である．この方式では，励起光をダイクロイックミラーに反射させて対物レンズを通して試料を励起し，蛍光をダイクロイックミラーと光学フィルターで分離して検出する．蛍光を冷却CCDカメラや光増強機能のついた高感度ビデオカメラで撮影することにより，1分子の蛍光色素をイメージングすることも可能である．蛍光を結合させることにより任意の生体分子を可視化することができるので，1分子蛍光イメージング法は，さまざまな研究に応用されている．生物分子モーターの運動や，1分子の酵素（化学）反応がイメージングされているほか，光ピンセットやプローブ顕微鏡と組み合わせ，1分子を観ながら操作する研究も可能になっている．

　1分子の生体分子の機能を蛍光色素でイメージングするためには，背景光を抑えるために，観察したい領域の蛍光色素のみを局所的に励起する必要がある．精製した生体分子や細胞膜付近の生体分子の機能をイ

メージングする場合には，ガラスと水溶液の界面でレーザーを全反射させたときに発生するエバネッセント場を利用して励起する方法が有効である．エバネッセント場は，界面から深さ方向に指数関数的に減衰する局所場なので，波長よりも短い領域を照明することができる．蛍光のみを伝播光として検出できるので，背景光がきわめて小さく，1分子の蛍光色素の観察に適している．

組織や細胞などの三次元的な画像を撮る場合は次の2つの方法が用いられる．1つは，顕微鏡の焦点を段階的に変えながら二次元像を集め，デコンボリューション法と呼ばれるコンピュータ演算処理を施して非焦点情報を除去する方法である．もう1つは共焦点レーザー顕微鏡や二光子励起顕微鏡を使う方法である．共焦点レーザー顕微鏡では，厚みのある試料の1点にレーザー光を集光し，この点から出た蛍光のみをピンホールに通過させて検出する．ピンホールが非焦点情報を排除する光学系となっている．レーザー光を走査することにより二次元像が得られ，さらに上下方向に段階的に焦点をずらして撮影して立体像を構築できる．二光子励起顕微鏡は，試料の1点に赤外パルスレーザーを照射し，1個の蛍光色素分子が2個の光子を同時に吸収して励起する現象を利用している．励起効率がレーザー強度の2乗に比例するので，励起される蛍光色素は焦点領域に限定される．そのため観察試料の光損傷が少なく，共焦点光学系と同様の断層効果を得ることができる．共焦点レーザー顕微鏡の検出部分に分光装置を組み込むことにより，二次元画像だけでなく，各画素の蛍光スペクトルの情報を得ることも可能である．共焦点光学系を搭載していない通常の蛍光顕微鏡ではフーリエ分光器を搭載することにより同様に二次元のスペクトル情報を得ることができる．これを用いると光学フィルターで分離することが困難な複数の蛍光色素による多重染色が可能である．

蛍光によるバイオイメージングのために，近紫外から近赤外にいたるさまざまな吸収・蛍光スペクトルをもつ蛍光分子が合成され市販されている．これらには生体分子に化学結合させるための反応基がついており，たとえば蛋白質の場合，システインやリジンに共有結合させるのが一般的である．蛍光分子は，単に位置情報を与えてくれるだけではなく，微小環境をモニターする道具としても利用できる．たとえば，H^+やCa^{2+}などのイオンと結合することにより蛍光スペクトルが変化する蛍光色素を用いれば，pHやCa^{2+}濃度を計測することが可能である．また，蛍光の量子収率（励起した分子が蛍光を発して基底状態に戻る割合）は温度の上昇とともに低下する．この性質を利用してマイクロメートルの微小領域の温度を測定することも可能である．また，2種類の蛍光色素を用いて蛍光分子間の距離を測ることもできる．2種類の蛍光色素（供与体と受容体）が近接して存在する場合，供与体の蛍光スペクトルと受容体の吸収スペクトルに重なりがあると，励起状態にある供与体のエネルギーが，ある確率で輻射によらずに受容体に移動し，受容体が蛍光を発することがある．この現象を蛍光共鳴エネルギー移動という．エネルギー移動効率は，分子間距離が離れると減少し，50％となる距離（2〜5 nm）の前後で大きく変化するので，蛍光色素間の距離をナノメートルの精度で測定する「ものさし」として利用できる．この手法を用いて，生体分子の構造変化や結合解離の動態が，リアルタイムで解析されている．

有機蛍光色素に代わるものとして，量子ドットが注目を集めている．量子ドットは原子が数千個集まった直径数nmの半導体であり蛍光を発する．量子ドットに閉じ込められた電子のエネルギー準位は量子ドットのサイズに応じて変化するので，材質とサイズを変えることにより蛍光波長を青から近赤外まで選択できる．CdSeをZnSで

被覆した量子ドットはすでに市販され，生体分子の標識に使われている．また，Siの量子ドットも開発されている．量子ドットは広い吸収スペクトルをもち，一方，蛍光のスペクトル幅は狭い．このため，1色の励起光で多色の量子ドットを同時に励起することが可能である．量子ドットは量子効率が30〜50%と高く，非常に明るい．また，有機色素よりも約100倍光に対して安定である．このため，細胞内で単一の量子ドットを長時間にわたって観察することも可能である．

人工の蛍光色素や量子ドットを使った蛍光標識のほか，遺伝子工学的手法でGFP (green fluorescent protein) との融合蛋白質を作製して蛋白質を蛍光標識する方法が多用されるようになった．GFPはオワンクラゲから単離された蛍光蛋白質である．GFPは蛍光を発するための特殊な発光素や補因子を必要とせず，ペプチド自身の構造変化によって発色団を形成する．1991年にGFPの遺伝子配列が明らかになると，個体や細胞の遺伝子発現の様子を生きたままGFPの蛍光によって容易に捉えることができるため，細胞生物学の分野で急速に利用されるようになった．GFPの1分子イメージングも可能であり，*in vitro* の研究だけでなく，生きた細胞の表面でGFP標識した1分子の受容体の観察などが行われている．〔船津高志〕

[文献]

1) 石川春律，鈴木和男，中西　守，猪飼　篤編集：見る技術—分子・細胞のバイオイメージング，共立出版，1998.
2) 船津高志編集：生命科学を拓く新しい光技術，共立出版，1999.
3) 楠見明弘，小林　剛，吉村明彦，徳永万喜洋編集：バイオイメージングでここまで解かる，羊土社，2003.

9.7　脳機能イメージング

前節のバイオイメージングにひきつづき，ここでは「脳活動を見る技術」について概説する．

まず，ヒト脳を対象とするイメージングでは，被験者の安全性の確保が優先されることから，非侵襲性が重要である．一方，十分な時空間分解能を得るためには，測定条件と被験者にかかる身体・精神的負担とのバランスにも留意しなくてはならない．

ついで，脳のイメージングは形態画像と機能画像に大別される．形態画像はいわゆる解剖学的構造をイメージングするための画像または方法論そのものを指しており，高い空間分解能が要求される．広く実用に供されているものに，X線CT (computer assisted tomography) (Cormack and Hounsfield, 1979年ノーベル生理学・医学賞) とMRI (magnetic resonance imaging) (Lauterbur and Mansfield, 2003年ノーベル生理学・医学賞) がある．CT (コンピュータトモグラフィーともいう) の概念は，数学者Randonが提唱した「二次元，三次元の物体はその投影データの無限集合から一意的に再生可能である」との定理にもとづいており，これがさらに物質密度（生体組織では比重に相当）の違いによるX線の吸収（X線CT）や励起スピンの共鳴周波数信号の時定数の違い（MRI）を表すパラメータを用いて平面（断面）画像を再構成するという画期的着想へと結びついた．

そして機能画像とは，従来，核医学的検査における賦活試験や代謝画像などを指し

表 9.7.1 非侵襲脳機能イメージング法

脳の形態画像(構造画像)
1. X線コンピュータ断層法(CT:computer assisted tomography)
2. 磁気共鳴画像法(MRI:magnetic resonance imaging)

脳の機能イメージング(機能画像および計測法)
A. トレーサー検索法(核医学検査)
1. 陽電子放出断層法(PET:positron emission tomography)
2. 単光子放出断層法(SPECT:single photon emission computed tomography)
3. キセノンX線コンピュータ断層法(Xe-CT)
B. 磁気共鳴画像法
1. 機能的磁気共鳴画像法(fMRI:functional magnetic resonance imaging)
2. 磁気共鳴スペクトロスコピー(MRS:magnetic resonance spectroscopy)
3. 拡散テンソル画像法(DTI:diffusion tensor imaging) & tractography
4. 体積計測法(volumetry)
C. 電気生理学的方法
1. 脳電図(EEG:electroencephalography)
2. 脳磁図(MEG:magnetoencephalography)
3. 経頭蓋的磁気刺激法(TMS:trans-cranial magnetic stimulation)
D. 光学的(または超音波)計測法
1. 近赤外分光法(NIRS/I:near-infrared spectroscopy and imaging)
2. ドップラー計測法(TCD:trans-cranial Doppler, TCCFI:trans-cranial color-flow imaging, TCCD/TCCS:trans-cranial color-coded duplex/sonography)

表 9.7.2 代表的な計測法における比較

	fMRI	PET	MEG	NIRS/I
検出信号	rCBF(血行動態)+α?	rCBF(血行動態) O_2代謝,Glu代謝 シナプス伝達関連物質	ECD(等価電流双極子)	rCBF(血行動態)
検出範囲	頭部全体(深部も可)	頭部全体(深部も可)	チャネル数による (局所〜全頭型あり) 皮質〜皮質下(浅部)	チャネル数による 頭蓋表面に面した 皮質のみ(浅部)
侵襲性	なし(騒音大)	有(被曝,静脈注射,動脈採血)	なし	なし
空間分解能	高(μm〜mm)	低(4 mm〜cm)	断層画像不可	トポグラフィ(cm)
時間分解能	高(msec〜sec)	低(min)	高(μsec〜msec)	高(msec)
装置	普及,大規模	特殊,大規模	特殊,大規模	小型,移動可
拘束性	厳密(頭部固定)	厳密	厳密(頭部固定)	低い
問題点	騒音,磁化率の異なる部位測定困難	反復測定不可,操作の特異性(医療行為)	解剖学的定位情報なし,MRIに重畳の必要性,法線方向のdipoleおよび深部の測定不能	検出範囲,空間分解能,検出ノイズ

示す用語であった.今日では,機能マッピングなどといった表現とともに,fMRI(functional MRI)等も含め,脳機能イメージングとほぼ同義で用いられる場合も少なくない.表9.7.1に主な脳機能計測法をあげ,このうち代表的な計測法の特徴についての比較を表9.7.2にまとめた.

a. 核医学的検査法－陽電子放出断層法（PET）および単光子放出断層法（SPECT）

これらはトレーサー（標識）となる放射性同位体を体内に投与し，その分布動態をCTの概念によって断面画像に再構成するという方法である．ポジトロン（陽電子）核種は崩壊するときにβ^+線（ポジトロン）を放出するが，単独で不安定なポジトロンはごく短い飛距離で電子と衝突し，その際に消滅放射線と呼ばれるγ線を放出する．消滅放射線は電子の質量に相当する511 keVのエネルギーをもつ1対の光子で，図9.7.1のように相対する180°方向へ飛び出す．この1対の消滅放射線（γ線）を対向する2ヵ所のカメラで同時計数することによって，それらを結ぶ直線上にトレーサーの存在位置を推定することが可能となる．一方，SPECTで用いられる核種は壊変時に特性X線またはγ線を放出するが，それらのエネルギーは消滅放射線に比べると小さく，光子の放出も一方向のみである．このためトレーサーの位置推定精度はPETに比べてやや劣る．

（1） 脳循環・代謝の測定

脳の血流（液）量の測定には，PETでは^{15}O-H$_2$O（水）や^{15}O-CO$_2$（二酸化炭素），SPECTでは^{123}I-IMP，^{99m}Tc-HMPAOおよび^{99m}Tc-ECDなどの脂溶性の高い蓄積型トレーサー（retention tracer）が用いられる．^{133}Xeなどの希ガスは拡散型トレーサー（diffusible tracer）と呼ばれ，いったん組織内に拡散した後の洗い出し過程から脳血流量の絶対値を算出するのに用いられる．さらにPETでは^{15}O$_2$ガスの吸入によって脳内の酸素代謝を測定し，酸素摂取率（OEF：oxygen extraction fraction）の脳内分布を画像化することもできる．^{18}F-FDGを用いたグルコース代謝画像は臨床の分野（脳循環障害，癌などの診断）において広く利用されている．

（2） 賦活試験（activation study）

脳活動の増加に伴って糖代謝や局所脳血流（rCBF：regional cerebral blood flow）が増加することは知られている[7]．そこである課題の遂行に伴って局所的にCBFが増大する部位を時系列画像に対する統計処理によって抽出し，その課題の処理過程に関連すると考えられる機能要素の局在を同定する方法をとくに賦活試験という．賦活試験におけるCBFの変化量は，一次領域（一次運動・感覚野，一次視覚野など）でおおよそ20〜30%，高次領域（認知，記憶，言語など高次機能をつかさどる領野や連合野など）では数%程度といわれている．

（3） 分子イメージング（図9.7.2参照）

神経伝達関連物質およびそれらの受容体の合成放射性リガンドを用いて，結合親和性や受容体占拠率などを定量する方法を最近では分子イメージングというようになった．分子レセプターイメージングは，痴呆やその他の精神神経疾患に対する分子レベルの病態解明や向精神薬の薬効評価と創薬研究にも広く役立つものと考えられ，現在，しのぎをけずって研究が行われている分野でもある．

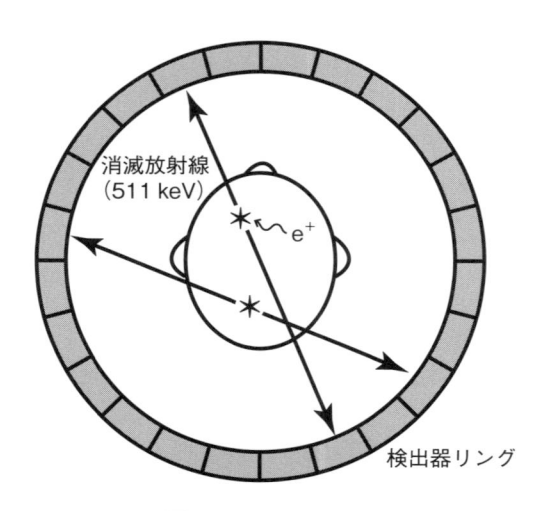

図 9.7.1 PETの原理

図9.7.2 分子イメージングの例
(^{18}F-DOPAを用いた実験より)

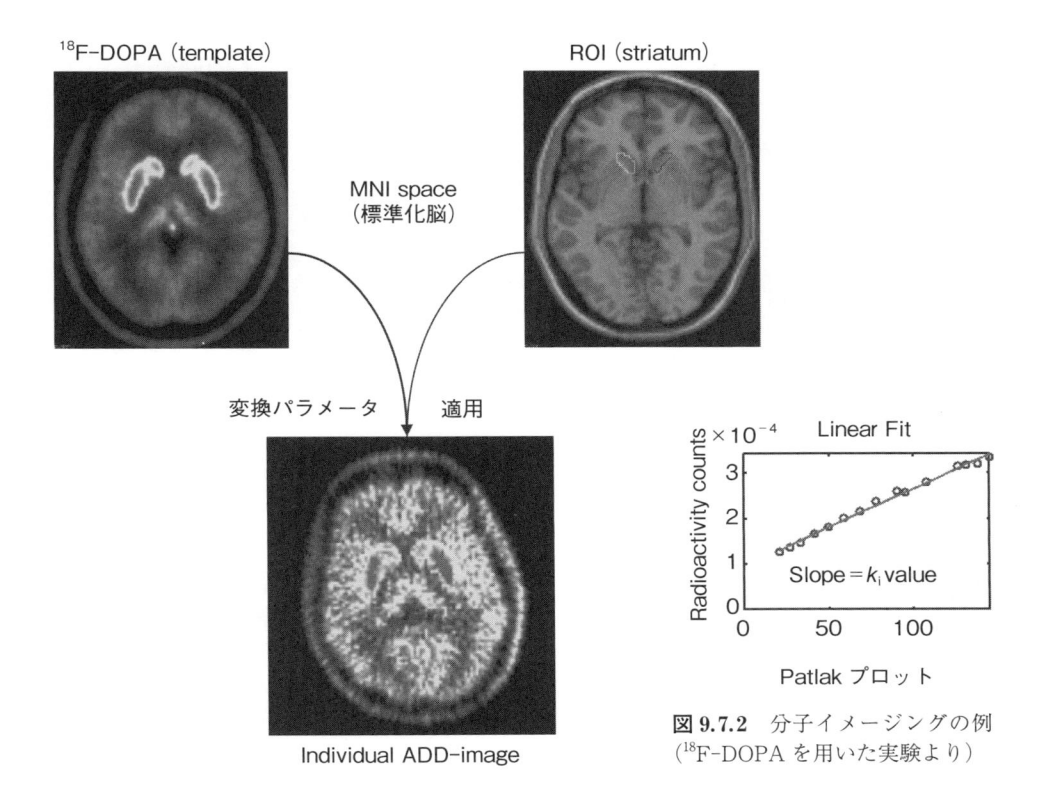

b. 磁気共鳴画像法—機能的磁気共鳴画像法(fMRI),磁気共鳴スペクトロスコピー(MRS),拡散テンソル画像法(DTI),体積計測法(volumetry)

(1) 機能的磁気共鳴画像法(fMRI)

fMRIの語源はおそらく1990年,Belliveauらにより行われたガドリニウム(Gd)造影剤を用いた賦活試験においてfunctional rCBV(regional cerebral blood volume)あるいはfunctional mappingといった表現を用いたところにあると考えられる.MR信号が生理的変化を捉えうることの可能性については,1936年にPaulingとCoryellが血液中のヘモグロビンの酸素化率が磁化率に影響を与えることを発見し,1982年,Thulbornらが in vitro で還元型ヘモグロビンを T_2^*(みかけの横緩和時間)の信号変化によって検出可能であるとした報告にまでさかのぼる.そしてBelliveauらに時を同じくして,Ogawa(小川)らが動物実験により脳血流の酸素化率の違いをイメージングすることに成功し,これをBOLD(blood oxygenation level dependent)効果と名づけた[5](図9.7.3).

fMRIの実際の測定法としては,T_2^*の変化を捉えるのに適したグラディエントエコー(GRE:gradient echo)法を用い,傾斜磁場の高速反転により連続エコーを発生させるエコープレイナーイメージング(EPI:echo planar imaging)法を用いるのが一般的である.また,適当なS/N(信号対雑音)比を得るためには,通常の構造画像よりも粗いマトリクス 64×64 matrix(1 pixel=〜4 mm)を選択し,断面画像のスライス厚は5〜7 mm程度が妥当と考えられる.刺激課題を呈示するパターンはエポック型(epoch or state-related)と事象関連型(event-related design)に大別され,事象関連型を用いればサブ秒ごとのBOLD信

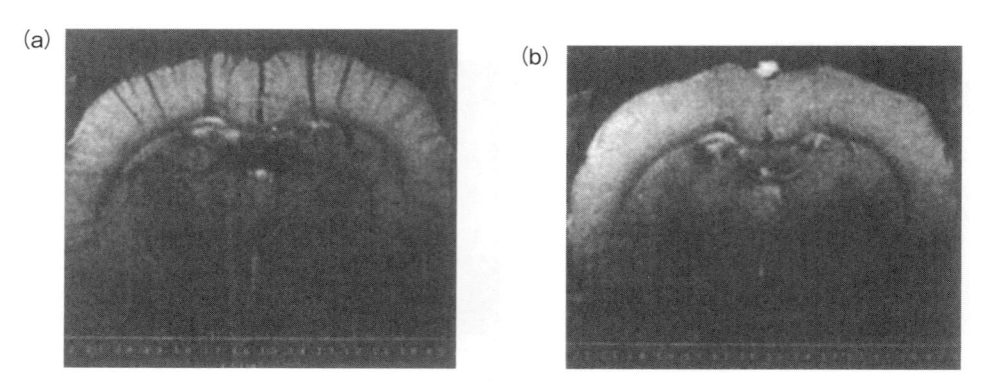

図 9.7.3 BOLD 効果
(a) インスリン，グルコース投与による代謝亢進時のラット大脳皮質の断面像．(b) グルコース代謝を低下させたときのもの[6]．

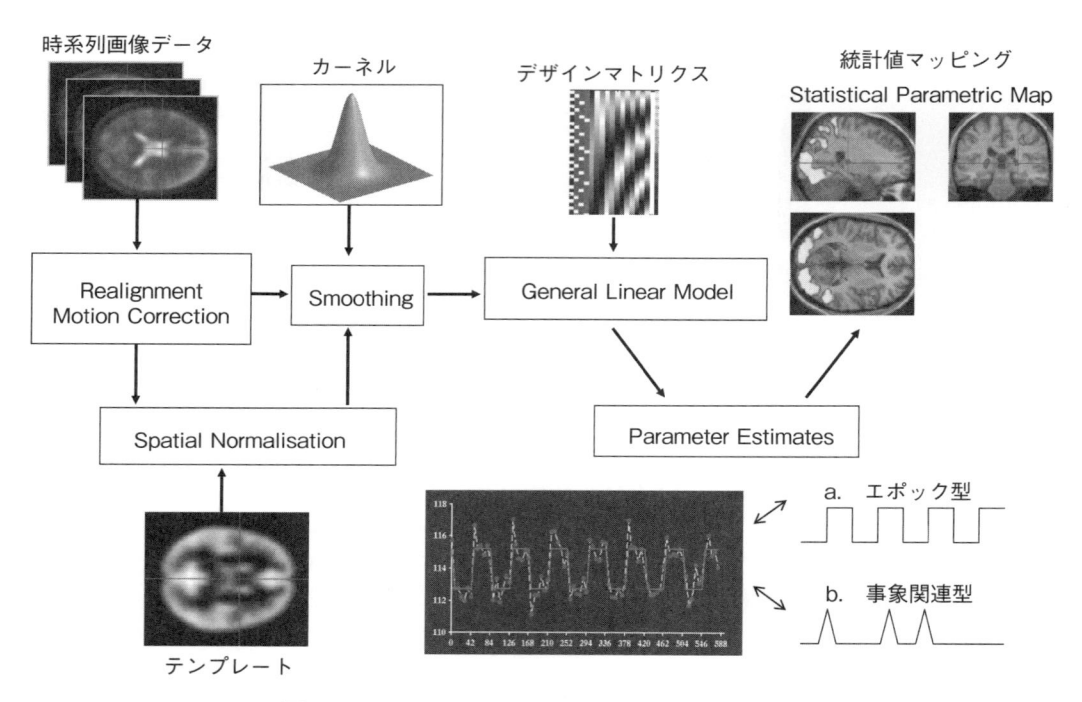

図 9.7.4 fMRI 画像解析法の流れ（文献1より改変）

号変化を追うことも理論上可能である（図9.7.4）．解析方法としては，断面における時系列データ（画像）に対して刺激課題との相関をとり，定めたピクセル（ボクセル）ごとに統計的変数をカラーグラデーションで表現し，それらをさらに脳の3次元構造に重畳するというのが一般的である．

SPM（statistical parametric mapping）というソフトはこうした一連の解析を支援する代表的なツールであり，無償で配布されることにより広くニューロイメージングにかかわる研究者間でのコンセンサスを得ながら，日々改良が重ねられ，機能画像解析法のゴールデンスタンダードとしての地位

を確立しつつあるといえる．

fMRIは，PETやSPECTなどの核医学的方法に比べると放射線被曝の影響を心配する必要がなく，時間・空間分解能ともに優れているという点などから，近年，医学研究ばかりでなく，心理学，教育学，経済学，ロボット工学など，ヒトにかかわるあらゆる分野で広く利用されるようになってきた．しかし，神経細胞（ニューロン）の（電気的）活動とMRIで捉えられる信号変化との生理的対応関係においては未解決の問題も残されている．

また，時系列画像解析に共通する問題として，測定中を通しての被験者の微妙な動きが各時系列画像間での位置ズレとなり（motion artifact），それがとくに輪郭領域で深刻なノイズ源（partial volume effect）となる点があげられる．

(2) 磁気共鳴スペクトロスコピー（MRS）

MRSは，NMRの原理によって生じるケミカルシフトを利用して，化合物の同定と分子量推定までを行う，いわゆる in vivo 生化学検査に値するものと期待が寄せられている．NMR核種となりうるのは，陽子と中性子のいずれもが偶数であるような原子核以外のすべてとされるため，あらゆる物質の定量が可能と考えられるが，水素原子核を除いては測定感度がきわめて小さく，実用化に至るまでの課題も多い．現時点ではNAA（n-アセチルアスパラギン酸），グルタミン酸およびGABAなどの代謝測定や，フッ素化合物を用いた抗精神病薬剤の代謝解析などが可能となっている．てんかんおよび脳腫瘍に対する病態解析にも応用が広がっている．

(3) 拡散テンソル画像（tractography）および体積計測法（volumetry）

上記のほか，脳の局在性機能と解剖学的な形態形成，または体積変化との関係を調べるための方法論が新たに確立されつつあるので簡単に触れる．

組織内の水分子の拡散速度と異方性の情報を強調するDWI（diffusion weighted imaging）と呼ばれる撮像法を用いた拡散テンソル画像では，神経線維束を抽出し（tractography），それらの形態的特徴と領域相互間の機能連関について調べるためのツールとして期待が膨らむ．

また，MRI装置の高～超高磁場化による解像度の向上にともなって，関心領域の体積計測（volumetry）の信頼度も高まった．これにより，脳のさまざまな領域において，解剖学的形態と疾病の発症あるいは症状経過，さらには遺伝子多型などとの因果関係について統計学的に検討を行うといった研究も盛んに行われている．

c. 電気生理学的計測法
(1) 脳磁図（MEG）

生体からの発生磁場を測定する試みとしては，1963年にBauleとMcFeeが200万回も巻いた2個のコイルを用いて心臓から発生する磁場を捉えたのが初めといわれ，その約10年後には超伝導量子干渉装置（SQUID：superconducting quantum interference device）を用いた超高感度磁束計による生体磁場計測の研究が一気に本格化した．

超伝導とは電気抵抗が0の状態であり，超伝導リングに外部から磁場を加えることによって誘導される超伝導電流は電圧を発生しない．ところが，このリングの一部にジョセフソン接合と呼ばれる不連続部（細くなった部分）をつくることによって，微弱電流がその部分を流れる際に超伝導状態が崩れて電圧を発生するようになる．これがSQUIDによる超高感度磁束計の原理である（図9.7.5参照）．

脳磁場の発生源は主に錐体細胞と呼ばれる大型ニューロンの尖樹状突起内の興奮性シナプス後電位（EPSP）であるといわれている．この電位はつねにシナプス直下がactive sink（シンク電流が流れる）となる

9.7 脳機能イメージング

図 9.7.5 MEG 装置[5]

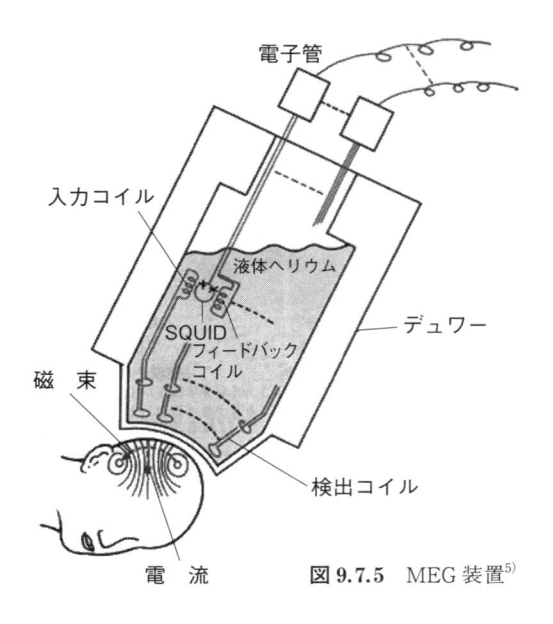

向きに電流を発生し，それは細胞膜を貫通して細胞外電流となって閉鎖ループを形成しながら広く頭部全体へ分布する．EEGで測定する近接電場電位はこの細胞外電流の頭皮上を流れる電流成分と頭皮抵抗の積である．ヒト頭部の生体組織は導電率の異なる組織が複雑な形状で分布しているため，細胞外電流の空間密度分布も不均一できわめて複雑である．導電率の高い髄液とすぐ外側の頭蓋骨による短絡（シャント）効果はより遠くまで電位を伝えやすくする働きがある．樹状突起の形状やシナプスの位置によって生じる非対称の電流モーメント（$I \times d$）のベクトル和を等価電流双極子（ECD：equivalent current dipole）と呼び，MEG で測定する磁場はこのまわりに発生する磁場の頭部外成分であると考えられている．透磁率は導電率とは異なり，空気や生体組織を通しほぼ一定とみなされるため，等価電流双極子のまわりにできる磁場の分布にはほとんど歪みがない．しかし，磁場強度は距離の2乗に反比例して減衰するため，電流発生源が脳の深部にある場合や頭蓋表面に対して法線方向に発生する電流双極子については検出が困難となる．

一般に，脳の活動により発生する磁場は地磁気の約1億分の1といわれているため，さまざまな環境要因による磁場擾乱を遮蔽する目的で，測定は通常シールドルーム内で行われる．

現在，世界最多チャネル数（440 ch）の全頭型 MEG 装置の開発がわが国で行われており，より精密な電流源推定への期待が寄せられている．

d. 近赤外分光法（NIRS）（図 9.7.6）

近赤外光（波長：750〜1400 nm）は皮膚，骨などを透過し，血液中のヘモグロビン，ミオグロビンおよびミトコンドリア内チトクロームオキシダーゼによって吸収される特性がある．また，それらの酸素化状態によって吸光係数が異なる．真空状態における光の吸収と散乱物質の関係を示すランバート–ベール（Lambert-Beer）則は，生体のように散乱体の多い不均一な系においても近似的に適用することが可能であるとされ，複数の近赤外光を用いることによって光路上の各 Hb（oxy-Hb および deoxy-Hb）濃度の相対的変化量が求められる．これを応用したものが機能的近赤外光計測（fNIRS：functional near-infrared spectroscopy），または近赤外光イメージング（NIRI：near-infrared imaging）などと呼ばれるもので，2波長（またはそれ以上）の近赤外光を光ファイバーを通して頭皮上に照射し，生体内を透過して出てくる光を再び別のファイバーで受光して分光計測する．近赤外光の透過域はシミュレーションなどにより照射部と受光部との間を結ぶバナナ形状の領域と想定されており，実際には測定対象組織（大脳皮質）の深さに応じて照射部と受光部の間隔を調整しなければ良好な信号/雑音（S/N）比が得られない．一般に，照射プローブと受光プローブの間隔は，成人で 2.5〜3.5 cm，乳幼児や新生児では 1.5 cm 程度が妥当であるとされている．近赤外光計測では検出深

前頭部型プローブ装着時

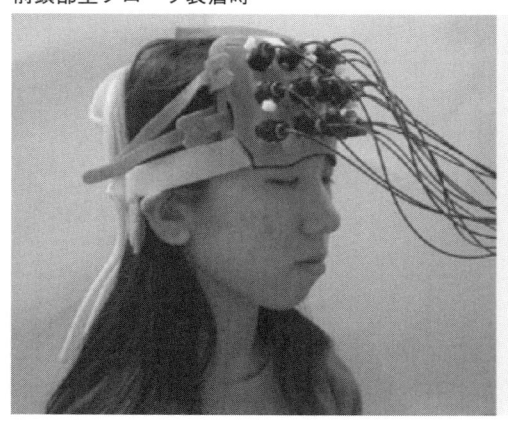

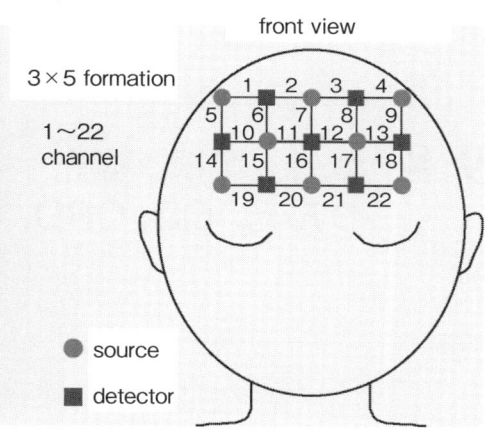

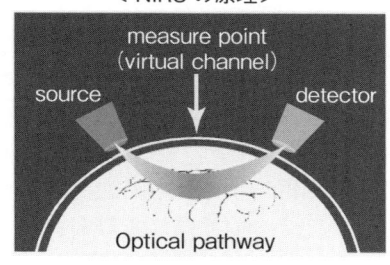

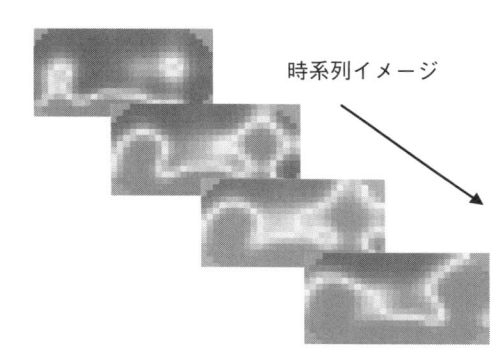

front view
3×5 formation
1~22 channel

● source
■ detector

< NIRS の原理 >
measure point (virtual channel)
source　detector
Optical pathway

時系列イメージ

図 9.7.6　近赤外光計測（光トポグラフィー）の概要

度があいまいで，しかも脳表面に限られてしまうことから，定量性や空間分解能等の点で課題も多いといわれているが，一方で，他の非侵襲計測に求めることのできない低拘束性や簡便性に期待が寄せられている．ベッドサイド測定や新生～乳幼児における非侵襲計測など，臨床分野における実用指向の装置開発が進められている．

今後もこの分野では，さらに飛躍的な展開が進むと思われるが，ここに記した原理と実際に観測される現象は不変である．脳機能イメージングを概観される際，あるいは測定原理から見直す際の一助となることを願ってやまない．　　　　〔喜多村祐里〕

[文献]
1) Frackowiak, R. S. J., Friston, K. J., Frith, C. D., Dolan, R. J. and Mazziotta, J. C.: Human Brain Function, Academic Press, 1997.
2) Toga, A. W. and Mazziotta, J. C.: Brain Mapping The Methods, Academic Press, 1996.
3) 西村恒彦編：最新脳 SPECT/PET の臨床，メジカルビュー社，1996.
4) 甘利俊一，外山啓介編：脳科学大事典，朝倉書店，2000.
5) 高倉公朋，大久保昭行編：MEG－脳磁図の基礎と臨床，朝倉書店，1994.
6) Ogawa, S., et al.: Brain magnetic resonance imaging with contrast dependent on blood oxygenation, Proc. Natl. Acad. Sci. USA **87**, 9868-9872, 1990.
7) Fox, P. T., Raichele, M. E., Mintun, M. K. and Dence, C.: Nonoxidative glucose consumption during focal physiologic neural activity, Science **241**, 462-464, 1988.

II. 分 光 法
―多分子の平均的性質を探る

9.8 紫外，可視，蛍光，りん光，CD, ORD

a. 紫外・可視吸光法

紫外・可視域の吸収スペクトルは高精度に測定できるので，生体物質の同定および濃度決定に利用される．また，吸収スペクトルや吸収異方性の時分割測定により，生体高分子の状態変化や動的構造の解析も可能である．

(1) 基本原理

分子に光を当てると，光の電場に反応して分子内の電子が揺り動かされる．揺動が小さければ光散乱のみが起こる．しかし，光の振動数によっては共振が起こり，電子軌道が大きく変わってしまうこともある．これを量子力学では，別の電子状態（励起状態）に遷移する，という．電子遷移は時間をかけてゆっくり進むのではなく，瞬時に起こる．この一瞬だけ，光の粒子性があらわに出る．すなわち，振動数 ν の光は，$E=h\nu$（h はプランク定数）の関係式で与えられる一定量のエネルギーをもつ粒子（光量子）として振る舞い，光量子1個分のエネルギーが丸ごと分子に乗り移る．光を粒子として取り扱うことにより，吸光法の基本法則も容易に理解される．すなわち，溶液中の色素分子を小さい球（モル吸光係数の2乗根に比例する半径をもつ）に見立てて，球にぶつかることなく光量子が通り抜ける確率を計算すると，光強度が伝播距離とともに指数関数的に減少すること（ランバートの法則），光強度の減衰率が色素の濃度に比例して大きくなること（ベールの法則）を示すことができる．ランバート－ベールの法則を式で表すと，次のようになる．

$$I = I_0 \cdot 10^{-\varepsilon cd}$$

ここで，I は透過光強度，I_0 は入射光強度，d は溶液の厚さ (cm)，c は色素濃度（M $= \mathrm{mol} \cdot l^{-1}$），$\varepsilon$ はモル吸光係数（単位は $\mathrm{cm}^{-1}\mathrm{M}^{-1}$）である．$\varepsilon$ は光の波長に依存し，その依存性（吸収スペクトル）は各色素に固有のものである．吸光度 A は，I_0/I の対数として定義され，$A = \varepsilon cd$ の関係が成立する．

(2) 分光光度計

分光光度計の光学系は，光源，分光器，試料室，光検出器からなる．市販の自記分光光度計では，2種類の光源（ハロゲンランプと重水素ランプ）が自動的に切り替わり，広い波長域（800 nm から 200 nm）の吸収スペクトルが測定できるようになっている．分光器で単色化された光は，回転チョッパーで2つの光路に分けられ，一方は試料セル，他方は参照セルに導かれる．それらの透過光は同じ光電子増倍管で検出され，検出器の出力電流は電圧信号に変換されたのち，並列に置かれた2つのサンプルホールド回路に送られる．これらの回路では，信号読み取りのタイミングが半周期分ずれていて，測定光が試料セルを通ったときの信号と参照セルを通ったときの信号とが選別される．最終段の回路で，参照セルの透過光と試料セルの透過光の強度比（$I_\mathrm{sample}/I_\mathrm{ref}$）が計算される．この比を波長に対してプロットしたのが透過率スペクトルであり，その対数表示が吸収スペクトルである．

特殊な測定系では，分光器を試料セルの後に設置することもある．その典型が，白色光を試料に照射し，透過光のスペクトルを多素子型光検出器 (optical multi-channel analyzer) で瞬時に読み取る装置である．これは，吸収スペクトルの時間変

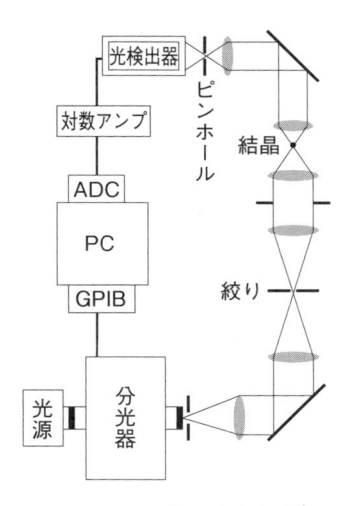

図 9.8.1　顕微分光光度計[4]

化を調べるのに用いられる．

(3) 顕微分光法

蛋白質結晶などのように小さい試料の吸収スペクトルの測定には，分光光度計と光学顕微鏡を合体した装置を用いる．図9.8.1に，蛋白質構造解析用X線ビームラインに設置された低温顕微分光装置の概略を示す．結晶は，測定光とX線ビームが交差するところに置き，冷窒素ガスを吹き付けて冷やす．コンデンサーレンズの手前の絞りと光検出器の手前のピンホールを微調整し，結晶の中心を透過してきた測定光のみを検出するようにする．光検出器の暗電流および室内安全ランプ由来の光の寄与を差し引くため，吸光度の算出には次式を用いる．

$$A = \log\{(I_{cryst} - I_D)/(I_{ref} - I_D)\}$$

ここで，I_{cryst}, I_{ref}, および, I_D は，それぞれ，結晶の中心を光軸と合わせたとき，結晶を横にずらして測定光から外したとき，および，測定光を分光器の出口でブロックしたときの検出器の出力電流である．光学系を精密に組むことで，光学密度の高い（OD～5）結晶でも歪みのない吸収スペクトルを測定することができる．この装置は，X線損傷の影響を調べるのに威力を発揮している．

(4) 時間分解吸収測定

フラッシュフォトリシス法（閃光分解法）は，試料にパルス光を照射し，その後の吸収変化を測定する方法で，光化学反応を行う蛋白質の反応中間体の生成・減衰過程を解析するのに用いられる．マイクロ秒の時間分解能であれば，カメラに用いられているフラッシュを利用して装置を自作することもできる．短いほうになると，フェムト秒パルス光を用いた測定装置が開発されており，超高速事象の解析に用いられる．

ストップドフロー法は，2種類の溶液を急速に流し，混合した時点でその流れを停止させ，以後の反応の経時変化を観測する方法で，サブミリ秒から秒の時間域で起こる生化学反応を追跡するのに用いられる．

(5) 吸収異方性の測定

光吸収による分子の遷移確率は，分子の遷移電気双極子（吸収双極子ともいう）μ と光の電場ベクトル E の内積の2乗（$|\mu \cdot E|^2$）に比例する．配向試料では，光の偏光面（電場の振動面）の方向に依存して吸光度が変化するので，吸収異方性の測定から，色素の配向状態を解析できる．また，偏光パルス光で光化学反応を惹起し，その後の吸収変化の異方性を測定することで，色素の回転緩和を求めることができる．吸収異方性の時間分解測定法は生体高分子の動的構造解析に用いられる．

b. 蛍光法

分子が電子励起状態から基底状態に戻るとき放射する光を蛍光という．蛍光は高感度で測定できるので，微量物質の同定・定量に使われる．また，蛍光物質をプローブ（探り針）として用い，生体高分子の局所的な部位の状態を探るのに利用される．さらに，蛍光エネルギー移動法や蛍光偏光解消法を適用することにより，生体高分子の立体構造や動的構造を解析することもできる．

(1) 蛍光の基本原理

光の吸収過程はきわめて速く（10^{-15} 秒），励起直後における原子核の座標は基底状態における座標と同じままである．これをフランク–コンドン状態という．ここから原子核の振動緩和が急速に起こり，数ピコ秒（10^{-12} 秒）で電子励起状態の最低エネルギー準位に至る．この準熱平衡状態から基底状態に落ちるときに放たれる光が蛍光として観測される．蛍光の発光極大波長は吸収帯より長波長側に観測される．極性溶媒中では，まわりの極性分子の再配置により電子励起状態と基底状態の間のエネルギーギャップが小さくなり，発光極大波長のさらなる赤方シフト（ストークスシフトという）が観測される．溶媒効果は，電気双極子モーメントが電子遷移に伴い大きく変化する色素において顕著である．

基底状態に戻る過程には，光を放出する過程（輻射過程）以外に，励起エネルギーをまわりの溶媒に熱として散逸する過程（無輻射過程），近くにいる色素分子に励起エネルギーを無輻射的に渡す過程（励起エネルギー移動過程）がある．また，三重項励起状態（後述）へ移行する過程（項間交差）もある．これらの過程の速度定数の総和の逆数が観測される蛍光寿命（τ）である．輻射過程の速度定数の逆数は自然蛍光寿命（τ_0）と呼ばれ，第1励起状態と基底状態の間の遷移許容度に逆比例する．多くの蛍光色素は数ナノ秒ないし数十ナノ秒の蛍光寿命をもつ．数百ナノ秒の長い寿命をもつものもある．

光を吸収した分子が再び光を放射する確率を蛍光量子収率（Q）という．$Q = \tau/\tau_0$ の関係式が成立する．光を吸収する分子は蛍光を発するが，多くは蛍光量子収率がきわめて低く，ほとんど観測できない．溶媒のラマン光より弱い蛍光しか発しない色素は，他に理由がなければ，蛍光測定法の対象にはしない．

(2) 蛍光スペクトルの測定

蛍光光度計の光学系は，光源，励起波長選択器，試料室，発光波長選択器，光検出器の5つの部分からなる．個々の光学部品は，用途により異なる種類のものが使われる．蛍光スペクトルを測定するのに用いられる定常励起分光蛍光光度計では，光源として，紫外・可視域で強い連続スペクトル光を放射するキセノンランプが用いられ，回折分光器が励起側と発光側の両方に置かれる．光検出器には，光電子増倍管が用いられる．

励起波長は固定し，発光波長を変えて観測される蛍光強度のスペクトルを発光スペクトルといい，逆に，発光波長は固定し，励起波長を変えて観測される蛍光強度のスペクトルを励起スペクトルと呼ぶ．励起光の強度（光量子の流束）があらゆる波長で一定のとき得られる励起スペクトルを「真」の励起スペクトルという．観測された蛍光強度を励起光強度で割った値を励起波長に対してプロットすることにより得られる．単一種の蛍光色素を含む希釈溶液（吸光度0.05以下）の場合，「真」の励起スペクトルは吸収スペクトルと形がほぼ一致する．発光スペクトルについても，標準ランプまたは光量子計を用いて検出系の感度補正を行うことにより，「真」の発光スペクトルが求められる．これは，蛍光量子収率やストークスシフトの大きさを求めるのに必要となる．

(3) 蛍光量子収率の測定

蛍光量子収率が既知の色素の発光強度と比較することで求める相対測定法と，蛍光量子計を用いた絶対測定法とがある．相対測定法では，「真」の発光スペクトルの積分値（正確には，すべての波長，すべての方位に放たれた蛍光の総和に比例する全蛍光強度）を求め，これを励起波長での試料の吸光度および励起光の強度で割る．参照試料で同様にして求めた値と比較して，蛍光量子収率が計算される．

(4) 蛍光寿命の測定

蛍光寿命測定法には，① 単一光子計測法，② 光シャッター法，③ 位相法，の3種類がある．① では，高い頻度で発光するパルス光源と，光量子を1個ずつ検出できる超高感度の検出器（高電圧をかけた光電子増倍管）が用いられる．1回のパルス励起当たりの光量子の検出確率が数パーセントになるように蛍光強度を調整し，励起時刻と蛍光光量子の検出時刻との時間差を計測する．励起を何百万回と繰り返したのち，時間差のヒストグラム（横軸が時間差，縦軸が検出回数）をプロットすると，蛍光強度の減衰曲線が得られる．② の方法では，パルスレーザーからの強いパルス光で試料を励起し，励起時刻から時間 t だけ遅れた時刻に光シャッターを瞬間的に開き，シャッターを通り抜けてくる蛍光の強度を測定する．光シャッターの開く時刻（遅延時間）を少しずつ変え，観測される蛍光強度を遅延時間に対してプロットすれば，蛍光強度の減衰曲線が得られる．③ では，光強度が正弦関数的に振動する光を励起光として使う．蛍光強度の振動の様子（蛍光寿命に依存して変化する振動の位相の遅れ）を分析して，蛍光寿命を求める．

(5) 蛍光エネルギー移動法

励起状態にある蛍光分子（供与体）の近くに別の色素（受容体）が存在すると，励起エネルギー移動が起こる．すなわち，供与体が基底状態に戻り，受容体が励起状態になる．受容体も蛍光性であれば，受容体の蛍光が観測されることになる．励起エネルギー移動の速度は，供与体・受容体間の距離（R）の6乗に逆比例し，次式で与えられる．

$$k_{ET} = (1/\tau)(R_0/R)^6$$

ここで，τ は受容体が存在しないときの供与体の蛍光寿命，R_0 は供与体の蛍光寿命が半減するときの供与体・受容体間距離である．R_0 の値は，供与体の発光スペクトル $f(\lambda)$ と受容体の吸収スペクトル $\varepsilon(\lambda)$ の重なり積分 $J(=\int f(\lambda)\varepsilon(\lambda)\lambda^4 d\lambda)$ を用いて次のように求められる．

$$R_0 = \sqrt[6]{8.785 \cdot 10^{-25} \cdot n^{-4} \cdot Q \cdot J}$$

ここで，Q は受容体が存在しないときの供与体の蛍光量子収率，n は溶液の屈折率である．蛍光エネルギー移動法に用いる供与体には明るい蛍光色素，つまり，蛍光量子収率が1に近い値をもつものが選ばれるので，R_0 は供与体の発光波長における受容体のモル吸光係数で決まる．受容体が有機分子の場合，R_0 は 3 nm ないし 6 nm の値をとる．蛋白質の異なる部位にラベルした蛍光色素間の蛍光エネルギー移動を測定すると，結合部位の間の距離が求められ，三角測量法を適用すれば，蛋白質の立体構造が推定できる．また，異なる蛍光色素をラベルした蛋白質の混合液における蛍光エネルギー移動を分析すれば，蛋白質間の結合定数などについての知見が得られる．

(6) 蛍光偏光解消法

蛍光偏光度の測定には，励起側と発光側の両サイドに偏光板を挿入する．通常は，試料容器として4面透明の石英セルを用い，励起光の直角方向に放射される蛍光を検出する方式（側面測光方式）が採用される．励起光の偏光面を鉛直方向に向けた状態で，発光の鉛直偏光成分 I_V と水平偏光成分 I_H を測定し，次式を用いて蛍光異方性を求める．

$$r = (I_V - I_H)/(I_V + 2I_H)$$

偏光パルス光で励起し，蛍光異方性の時間変化を測定すると，時刻 t での蛍光異方性は次のように表される．

$$r(t) = r_0 \exp(-t/\Theta)$$

ここで，r_0 は励起直後の蛍光異方性の値で，蛍光色素の吸収双極子と発光双極子とのなす角度に依存する．Θ は色素の回転相関時間で，蛍光色素が球状蛋白質に結合している場合，次の関係式が成立する．

$$\Theta = \eta v/k_B T$$

ここで，v は蛋白質の有効体積，η は溶媒の粘度，T は絶対温度，k_B はボルツマン

定数である．蛍光異方性の減衰曲線の測定から，蛋白質の有効体積を正確に知ることができる．

定常励起光を用いて観測される蛍光異方性は，$r(t)$ の時間平均（蛍光強度の重みをつけた平均値）で，次式で与えられる．
$$1/r = (1/r_0)\cdot[1+(k_BT\tau/\eta)\cdot(1/v)]$$
ここで，r_0 は溶液の粘度 η が無限に高いときに観測される蛍光異方性，τ は蛍光分子の励起寿命である．r の逆数を $k_BT\tau/\eta$ に対してプロット（ペランプロット）したとき，直線関係が得られれば，その直線の勾配から有効体積 v が求まる．$k_BT\tau/\eta$ を変えるには，① 温度を変える，② ショ糖などを添加して粘度を変える，③ 消光剤を添加して励起寿命を変える，の3つの選択肢がある．ペランプロットからでも，条件さえ揃えば，蛋白質の有効体積 v を数十％の誤差で決定できる．

(7) りん光

りん光の寿命は蛍光寿命と比べると数桁も長い．偏光解消法では，色素の励起寿命と同じ時間域で起こる回転緩和過程が測定対象となる．りん光プローブを用いると，マイクロ秒域の遅い回転緩和を解析することができる．

(8) りん光の測定原理

蛍光とりん光との違いは，電子スピンの概念を通して理解される．電子は自転（スピン）しており，磁気双極子をもっている．分子の1つの電子軌道には2個の電子までが入りうるが，2個の電子はそれぞれ反対方向に自転している（パウリの排他原理）．多くの分子では，各電子軌道に2個の電子が対になって収まっており，各電子からの磁場は互いに打ち消しあわされ，総和の磁気モーメントがゼロの状態になっている．これを一重項状態という．光を吸収すると，1個の電子が高いエネルギー準位の電子軌道に移り，低いエネルギー準位の電子軌道には1個の電子が取り残される．このとき電子スピンの反転は起こらないので，一重項状態は保たれる（一重項励起状態）．しかし，ある種の分子では，励起状態において，電子スピンの反転（分子内項間交差）が高い確率で起こり，その結果，高いエネルギー準位にいる電子と低いエネルギー準位に取り残された電子が同じ方向に自転している状態が生じる．これを三重項励起状態という．一重項励起状態から基底状態に戻るときに放射される光を蛍光と呼ぶのに対して，三重項励起状態から基底状態に戻るときに放射される光をりん光と呼ぶ．ちなみに，三重項励起状態に移行した後，再び一重項励起状態に戻り，そこから基底状態に落ちるときに放たれる光は遅延蛍光と呼ばれる．

三重項励起状態の自然寿命（無輻射過程がないと想定したときの励起寿命）は，一重項励起状態の自然寿命と比べるとはるかに（数桁以上）長い．無輻射過程が相対的に速く起こるので，りん光の量子収率は室温ではきわめて低い．定常励起光を用いてりん光を観測しようとしても，微弱なりん光成分は蛍光スペクトルの裾野に埋もれてしまう．正確なりん光スペクトルを測定するには，励起側と発光側の両方に設置した回転チョッパーを同周期で回し（光を通す穴の位置はずらす），短寿命の発光成分を遮り，長寿命の発光成分のみを通すようにする．無輻射過程が抑えられる低温では，りん光の量子収率に顕著な増大がみられる．この場合，定常励起蛍光分光光度計に低温試料ホルダーを取り付けて測定すれば，りん光スペクトルの情報が得られる．りん光は蛍光より長波長側に現れるので，両者は容易に区別される．

りん光の偏光解消の時間分解測定は，調べる時間領域が異なることを除けば，基本的に蛍光の偏光解消測定と同じで，測定装置も共有できる．

c. 円二色性，旋光分散

光学活性をもつ分子は左右円偏光に対し

て異なる吸光度・屈折率をもつ．円二色性（circular dichroism：CD），および旋光分散（optical rotary dispersion：ORD）の測定では，左右円偏光に対する吸光度，および屈折率の差の波長依存性（スペクトル）が分析される．主に，蛋白質の二次構造や，生体高分子内に含まれる色素の配置に関する構造情報を得るのに利用される．

(1) 旋光分散・円二色性の測定原理

光は電磁波の一種であり，変動する電場と磁場とが互いに相手を誘導しあいながら空間を伝播する．自然光（電場ベクトルの方向を特定できない光）を偏光板に通すと，電場ベクトルが1つの面内で振動する光（直線偏光）が得られる．電場の振動面を偏光面と呼ぶ．光が真空中を伝播するとき偏光面の方向は不変である．しかし，光学活性分子を含む溶液中では偏光面の回転が起こる．これを旋光性という．旋光性の大きさ（旋光度）は偏光面の回転角 α を用いて表す．

直線偏光は，同じ振動数の右円偏光と左円偏光からなると考えることもできる．円偏光の電場ベクトルの先端は，右円偏光では右らせんを，左円偏光では左らせんを描く．同じ強度の右円偏光と左円偏光とを重ね合わせると，合成電場ベクトルは1つの面内で振動する．その振動方向は，右円偏光と左円偏光との位相関係により決まる．位相のずれは偏光面の回転を伴う．屈折率が右偏光と左偏光に対して異なった値を示す物質中では，光の伝播速度は屈折率に依存（逆比例）するので，伝播距離に比例して位相のずれが大きくなり，結果として，偏光面の回転が生じる．したがって，旋光性は，物質の屈折率が左右円偏光で異なるために生じる，といいかえることもできる．

直線偏光を円偏光に変換するには，1/4波長板（結晶軸に平行に研磨した水晶の平行平面板）を用いる．偏光面が水晶板の結晶軸 a と $45°$ の角をなすように，直線偏光を水晶板に垂直に入射する．入射光の電場ベクトルを結晶軸 a に平行な成分とそれと直交する成分とに分解して考えると，結晶軸の方向により屈折率が違うので，2つの電場成分は異なる速度で伝播する．2成分の間で位相差が生じるので，合成電場ベクトルの先端は，光の進行方向から観察すれば，時計回りないし反時計回りに回転する．位相差が $\pm 90°$ のとき，左円偏光または右円偏光が得られる．逆に，右偏光または左偏光を1/4波長板に入射すると，透過光は直線偏光となる．

左右円偏光に対して吸光度に違いがあることを円二色性という．円二色性の物質に直線偏光を通すと，その透過光は楕円偏光となる．つまり，電場ベクトルの先端は，光の進行方向から見ると，直線ではなく，楕円を描くようになる．円二色性の大きさ（円二色度：CD）は，次式で定義される楕円率 ϕ を用いて表される．

$\tan \phi = b/a$ （楕円の短軸/長軸の比）

旋光分散測定では，旋光性の大きさの波長依存性（ORDスペクトル）を分析する．一方，円二色性測定では，左右円偏光に対する吸光度の差（CDスペクトル）を調べる．一般に，物質の吸光度と屈折率とはクラマース-クローニッヒ（Kramers-Kronig）の変換式で関連づけられており，片方のスペクトルが全波長領域で測定されれば，もう一方も計算で求めることができる．旋光度と円二色度との間にも同様の変換式が適用できる．実際，吸光度の高い波長域で屈折率の異常分散が見られるように，円二色度（の絶対値）が大きな値を示す波長域で，旋光度の異常分散（コットン効果）が観測される．CDの極大（または極小）波長より少し短波長側に最小値（または最大値）が，少し長波長側で最大値（または最小値）が観測される．

(2) 旋光性・円二色性の基本原理

右手袋と左手袋は，そのままでは重ならないが，片方の鏡映をとると，もう一方の形と完全に一致する．このような関係にあ

る2種類の分子は光学異性体と呼ばれる．人工的条件でつくり出される化学物質は，右手系のものと左手系のものとが同量ずつ含まれるのが普通で，このときには旋光性は観測されない．それに対して，生体中では，片方の光学異性体のみが合成される．たとえば，蛋白質はL型アミノ酸のみから構成される．各アミノ酸（グリシンを除く）は単独でも光学活性を示す．蛋白質構造解析の観点から見て興味深いのは，ポリペプチド鎖が α-ヘリックス，β-シート，あるいはランダムコイルを形成すると，それぞれの二次構造に特有な CD・ORD スペクトルを示すことにある．

 α-ヘリックスの場合，旋光性の遠因はポリペプチド鎖のらせん形状に隠されている．らせん軸が入射光の電場に平行なとき，旋光性が最も顕著になると期待される．このとき，振動電場によって誘起される電子の振動が，らせんに沿って一様に起こるものとする（実際には，ペプチド結合の吸収双極子の方向に沿って起こるのであり，この方向を反映した別の仮想的ならせんを想定することにより正解が得られる）．電子振動をらせん軸に平行な成分と垂直な成分に分解して考えると，前者は，らせん軸と平行な誘導電場（$E_{\parallel}$）を発生し，後者（円周に沿った振動）は，らせん軸と平行な誘導磁場（$B_{\parallel}$）を発生する．$B_{\parallel}$ は，らせん軸と直交する方向に振動する電場（$E_{\perp}$）を誘導する．誘導電場 $E_{\perp}$ は $E_{\parallel}$ と同位相なので，$E_{\parallel}$ と $E_{\perp}$ の合成ベクトル（$E_{\parallel}+E_{\perp}$）は，らせん軸から傾いた方向に振動することになる．溶液中に存在する多数の蛋白質を波源とする光波を重ね合わせると，入射光と同一方向に進行する平面波となるが，その偏光面は入射光の偏光面とは一致しない．透過光の偏光面は，溶液の厚さおよび蛋白質濃度に比例する角度だけ，ある方向に回転する．もし，ポリペプチド鎖が左巻きらせんを形成していると（D型アミノ酸から合成できる），らせん軸に沿って振動する電子によりつくられる磁場は，右巻きらせんの場合と比べると180°向きが違っており，したがって，光の偏光面の回転も逆方向になるであろう．右巻きらせんと左巻きらせんとが等量含まれる溶液だと，2種類のらせんの作用が互いに打ち消し合うので，偏光面の回転は観測されない．

 光学活性を示さない色素でも，複数個の色素がプロペラ状に配置されると，旋光性・円二色性を示すようになる．ORD・CD スペクトルの形状および高さを分析することにより，色素間の距離や配向についての情報が得られる．

〔神山　勉〕

[文献]

1) 木下一彦，御橋広真編：蛍光測定：生物科学への応用，学会出版センター，1983.
2) 西川泰治，平木敬三：蛍光・りん光分析法，共立出版，1984.
3) 中嶋暉躬他編：新基礎生化学実験法5. 高次構造・状態分析，丸善，1989.
4) Sakai, K., et al.: Optical monitoring of freeze-trapped reaction intermediates in protein crystals. J. Appl. Cryst. 35: 270-273, 2002.

9.9 赤外・ラマン分光法

　赤外分光法，ラマン分光法はいずれも分子内の原子間振動に関する情報を提供する振動分光法である．分子内の振動は調和振動として考えた場合の基準振動によって記述することができ，100アミノ酸からなる蛋白質が1600程度の原子から構成されるとすると，4800ほどの基準振動モードをもつことになる．さまざまな振動モードはその分子構造を鋭敏に反映して特徴的な振動数領域に現れる．振動のエネルギー準位に相当する電磁波が赤外線であり，一般的に2.5～25 μmの波長の光をさす．赤外光と可視光の間に位置する波長750 nm～2.5 μmの光が近赤外光である．ただし波長はエネルギーと反比例した量であるので，振動分光において一般に用いられる単位は1 cmあたりどれだけの波の数が存在するのか，という波数（cm^{-1}）である．この場合，赤外光の領域は4000～400 cm^{-1}になる．さまざまな基準振動は，原子の重さと結合の強さによって特定の振動数をもち，たとえばC-H伸縮は2900 cm^{-1}，C=C伸縮は1600 cm^{-1}，C-C伸縮は1000 cm^{-1}，C-S伸縮は600 cm^{-1}あたりの振動数に現れる．蛋白質の骨格構造に由来するN-H伸縮（amide-A）は3300 cm^{-1}，C=O伸縮（amide-I）は1650 cm^{-1}，N-H変角（amide-II）は1550 cm^{-1}付近でその二次構造を反映した振動数を与える．逆にいうとこれらの振動数の値からヘリックスやシートといった二次構造を推定することができる．

　赤外分光法は試料の赤外線吸収にもとづく分光法であるが，ラマン分光法は1928年にラマン（C. V. Raman）が発見したラマン効果を測定原理としている．ラマン効果とは，光が物質によって散乱される際に入射光と同じ波長のレイリー散乱光に加えて波長が異なる微弱な散乱光が観測される現象である．入射光とラマン光のエネルギー差は分子の振動準位に相当するため，赤外分光と同様に分子の振動状態に関する情報を得ることができる．基準振動のうち選択則によって許容なものだけがスペクトルとして観測され，赤外分光法とラマン分光法では選択則が異なるが，実際にはさまざまな振動モードが複雑に共役している生体分子の場合，多くの振動モードがいずれの分光法によっても観測される．ラマン分光法には輝度の高い紫外・可視光（ほとんどの場合レーザー）が用いられるが，電子遷移が入射光のエネルギーと一致する発色団をもつ場合，共鳴効果によって発色団のラマン散乱強度がいちじるしく増大する．これが共鳴ラマン散乱であり，ヘムやレチナールなどの発色団や紫外域に吸収をもつ芳香族アミノ酸の側鎖に関する振動情報を特異的に抽出することができる．

　生体分子の計測において赤外分光法の問題点は水の大きな吸収であり，これをどのように克服するかが鍵となる．たとえば透過法で測定するには試料の厚さを10 μm以下にする必要があり，このためATR（attenuated total reflection）法などの反射法が利用されることもある．この点，水のラマン散乱は弱いので，ラマン分光法は水溶液系での測定に適している．ただし，ラマン散乱光の強度は蛍光と比較してかなり弱いので，試料中に微量含まれる不純物の蛍光によってラマン散乱が妨害を受ける可能性もある．このような長短があるが，近年の装置の発展は赤外・ラマンそれぞれの分光法に新たな可能性をもたらすことになった．装置の発展とは具体的に，①干渉計を用いたフーリエ変換分光器の登場，

②時間分解能の向上，③空間分解能の向上があげられる．

フーリエ変換分光器は，干渉計を用いて測定したインターフェログラムをコンピュータでフーリエ変換することによりスペクトルを得る手法であり，回折格子を用いる分散型の分光器と比較して波数の精度が高く，スペクトルの同時測定が可能であること，高いスペクトル分解能が得られることなども併せて，とくに赤外分光法で主流となっている（Fourier-transform infrared：FTIR法）．さらに干渉計はふつう固定鏡と移動鏡を用いるため時間分解計測に向かないように思われるが，移動鏡を段階的に移動させたり，固定鏡を微小振動させることによって時間分解スペクトルを得ることも可能であり（ステップスキャン法），ナノ秒領域までの時間分解能をもった赤外分光測定が実現している．また生命科学の分野では微小試料を取り扱う場合が多いが，顕微鏡をベースとした顕微赤外分光装置によって $10 \sim 100 \mu m$ の空間分解能の測定が可能である．一方，ラマン分光法の発展にはレーザー技術の進展が大きく寄与した．このため汎用的な装置としてフーリエ変換分光器を用いたFTラマン分光なども実用化されているが，分散型の分光器とレーザーを組み合わせた高い時間分解能や空間分解能の計測こそがラマン分光法の特長である．現実にピコ秒以下の時間分解能の測定や $1 \mu m$ 程度の空間分解能をもった顕微ラマン測定が可能である．

それでは上記のような計測技術の進展がみられる赤外・ラマン分光法を用いて，生物物理学の分野でどのような新しい知見が得られているのであろうか？振動分光法はX線結晶構造解析法やNMR法と違って生体分子の立体構造を決定することはできないが，生体分子が機能する際に行う構造変化を捉えるための解析ツールとして大きな期待がある．たとえば酵素がそうであるように，生体分子は特定の立体構造を適度に変形させることで機能を生み出すものと考えられる．その過程で準安定状態である中間体を経由するため，中間体の構造解析こそが構造機能相関の研究において本質的である．そこで生体分子に適当な刺激を与え，振動分光の特長である高い時間分解能を用いて中間体の挙動を追跡することが考えられる．たとえば，リガンドの添加を端緒として構造変化の過程を解析したり，蛋白質のフォールディングや変性における構造変化を変性剤の希釈や添加によって解析できる．このような測定をX線回折の試料である結晶中で行うことは困難である．刺激に光を使うことができれば，さらに高い時間分解能を達成することが可能になるが，このような高速分光計測にはNMR法は向かない．光を使った実験対象としては，ロドプシンや光合成反応中心などの光受容蛋白質，COの光解離が可能なヘム蛋白質，系に光誘起酸化還元反応やケージド化合物を加えた生体分子などが考えられる．

赤外・ラマン分光法を用いた生物物理学研究の最先端として，最後にバクテリオロドプシンの研究例を紹介する．バクテリオロドプシンは光駆動プロトンポンプとして光エネルギーを使ってプロトンの能動輸送を行う膜蛋白質であり，光を吸収するための分子としてレチナールをもつ．光がレチナール分子に吸収されると何が起こるのか，といった問題について共鳴ラマン散乱分光法を用いた研究が行われ，光異性化反応がフェムト秒からピコ秒の時間領域で起こることが明らかになった．一方，中間体を経過する過程でカルボン酸の解離状態の変化が赤外分光法によって検出され，その結果として蛋白質の内部をプロトンが通過する経路が明らかになったのである．さらにバクテリオロドプシンの研究では，適度に水和した膜フィルム試料であれば正常な蛋白質の構造変化を行うことから，水の含量を制御した試料を用いて測定系を最適化

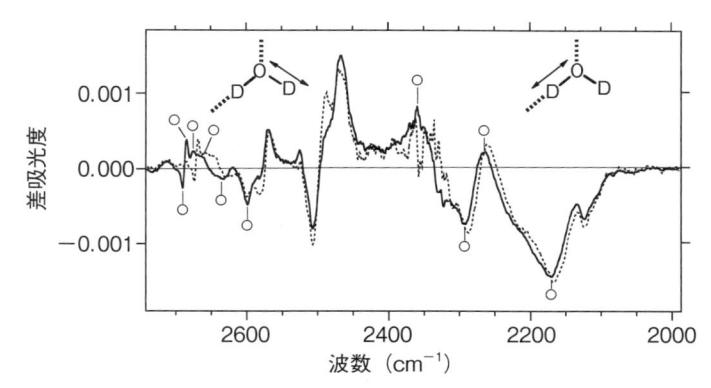

図9.9.1 バクテリオロドプシンにおける光誘起赤外スペクトル変化
膜試料のフィルムをD_2O（実線），$D_2^{18}O$（点線）で水和し，77 Kにおいて光照射後から照射前のスペクトルを引いた差を示す．この振動数領域には重水素置換したO-D, N-D伸縮振動が現れる．スペクトルシフトが観測されたバンド（○印で示す）が水分子のO-D伸縮振動であり，2700～2600/cm^{-1}の振動は水素結合の弱い環境，<2400/cm^{-1}振動は水素結合がきわめて強い環境下の水分子に相当する．蛋白質に結合した1個程度の水分子の水素結合変化が捉えられている．

した赤外分光法により赤外の全波数領域でのスペクトル変化の測定が可能になり，その結果新しい情報が得られるようになった．図9.9.1はバクテリオロドプシンの赤外スペクトル変化をD_2O中と$D_2^{18}O$中で比較したものであり，同位体によるスペクトルシフトが観測される振動バンドを水のO-D伸縮と帰属できる．このようにして疎水的な蛋白質内部で能動輸送に役立っていると考えられていた水分子を赤外分光法を用いて直接捉えることが可能になったのである．これまでの赤外分光においては生体分子に不可分の水のスペクトルの寄与をどのように排除するのか，というのが課題であった．この研究例は，精度の高い計測を行うことによって蛋白質に結合した1個の水分子の変化を捉えることができるようになった事実を示す．水分子に限らず4000～1800 cm^{-1}の振動数領域からは，蛋白質の機能発現に重要な役割を果たす水素結合の情報が得られ，能動輸送のメカニズムを明らかにするため，同位体標識蛋白質などを用いた実験が行われているところである．

さまざまな研究手法における発展としては「深まり」と「広がり」があり，最後に紹介したバクテリオロドプシンの例などは他の生体分子の系に応用しにくいという点で前者の典型ということができるかもしれない．しかしながら，バクテリオロドプシンの研究によって明らかになってきた分子ポンプの作動機構は一般のポンプやトランスポーターのメカニズムにも適用されようとしている．さらなるポテンシャルをもつ赤外・ラマン分光法が，今後の生物物理学研究をどのように深め，どのように広げていくのか期待したい．

〔古谷祐詞・神取秀樹〕

[文献]
1) 水島三一郎，島内武彦：赤外線吸収とラマン効果（共立全書129），共立出版，1958．
2) 北川禎三，Tu, A. T.：ラマン分光学入門，化学同人，1988．
3) 尾崎幸洋，岩橋秀夫：生体分子分光学入門，共立出版，1992．
4) Skoog, D. A., Leary, J. J.: Principles of Instrumental Analysis, 4th ed. Harcourt Brace College, 1992.
5) Kandori H.: *Biochim. Biophys. Acta* **1460**, 177-191, 2000.

9.10 高速分光法

　高速分光法とは，フェムト秒からピコ秒領域において起こる物理現象や化学反応，たとえば，光吸収，励起エネルギー移動，蛍光発光，電子緩和，光化学反応，光異性化などの反応を光によって実時間で解析する方法をいう．励起や緩和に伴って起こる吸収の変化を測定する方法と，励起状態からの発光を測定する方法の2つに大別される．このほかにも時間分解振動分光法がある．

　吸収変化は，反応を誘起する励起光と反応をモニターするプローブ光の組合せで測定を行う．光源はともにレーザーからのパルス光を用いる．励起光は測定対象の吸収特性に応じて特定の波長を使うことが多い．プローブ光には，特定の波長だけを使う場合と，ある波長範囲の光を使う場合がある．不確定性原理に基づき，パルスの時間が短くなると波長範囲が広がるため，白色光をプローブ光として使う場合もある．信号の検出には光電子増倍管などを使う．励起光を照射しないときの吸光度を基準として，励起光によって引き起こされた変化を観測する．時間分解能は，励起光やプローブ光の幅や，検出器の性能によるが，最近では10フェムト秒よりも短い測定も可能となった．

　検出している信号（吸収変化）には，励起による基底状態にある分子の減少，励起状態にある分子の増加，また励起状態にある分子からの誘導放出などが重なり合って

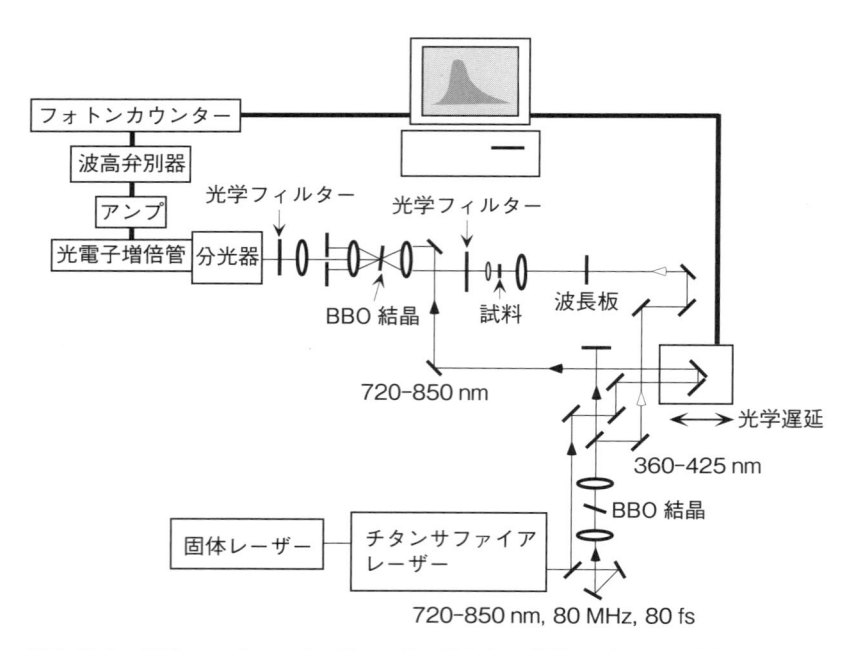

図 9.10.1 蛍光アップコンバージョン法で使われる装置のブロックダイアグラム
この場合，試料の励起にはBBO結晶（右下）で得た倍波の光（白矢印）を使い，光学遅延をかけた基本波（黒矢印）と蛍光をBBO結晶（中央）に導いて和周波を得る．それをフォトンカウンティング法で計測する．

いるので，それぞれの成分に分解する作業が必要となるが，測定対象が複雑な場合には分解がむずかしいこともある．

一方，励起状態からの蛍光発光を直接観測する方法は励起分子を選択的にモニターすることになり，解析は吸収変化に比べると容易である．光源としてパルスレーザーを使い，励起された分子からの発光を観測する．定常状態では低い蛍光収率しか示さない物質は励起寿命が短いために観測がむずかしいのであって，パルス光を使って励起した直後の蛍光発光量は十分のものがあり，観測は困難ではない．時間分解能は主として検出器の性能によって決まり，光電子増倍管では100ピコ秒，マイクロチャネルプレート光電子増倍管では数十ピコ秒，シンクロスキャンストリークカメラで数ピコ秒，が得られている．近年，蛍光アップコンバージョン法（図9.10.1）が開発され，蛍光を過渡吸収法と同じ時間分解能で測定することが可能となった．これは，蛍光とゲート光を同時に非線形光学結晶中（図9.10.1のBBO結晶）に導入し，発生した和周波を検出する方法で，その時間分解能は約30フェムト秒まで短縮された．

高速分光法の実例として，蛍光アップコンバージョン法を用いた光合成アンテナ系でのエネルギー移動過程の解析例を示す．

渦鞭毛藻では共役二重結合と共役するケトカルボニル基を含むカロテノイド分子，ペリディニンがアンテナとして機能しており，吸収した光エネルギーをクロロフィルa分子にきわめて高い効率で渡すことが知られている．このエネルギー移動過程がカロテノイド蛋白質であるペリディニン・クロロフィル・蛋白質（PCP，PDBデータ：1PPR）（⇨7.10）について詳細に解析された．

カロテノイドは分子の対称性から，第1励起準位（S_1）への1光子による遷移は禁制で，第2励起準位（S_2）への遷移が許容である．一方，エネルギー受容体となるクロロフィルa分子は，カロテノイドのそれぞれのエネルギー準位の下にエネルギー準位があり，カロテノイドからクロロフィルaへのエネルギー移動経路として，$S_2 \to S_2$，$S_1 \to S_1$の2つの可能性がある（図9.10.2）．ペリディニン分子の有機溶媒中でのS_2，S_1状態の励起寿命はおのおの約190フェムト秒，約100ピコ秒である．時間分解能30フェムト秒の蛍光アップコンバージョン法によって，エネルギー移動過程を直接に測定した結果，PCP中ではペリディニンはS_2状態へ励起された後，有機溶媒中と同じ時定数（約195フェムト秒）で内部転換をしてS_1状態へ緩和し，その後S_1状態から3ピコ秒よりも短い時間でクロロフィルへエネルギー移動を起こすことが判明した．これは，S_2状態内での速い緩和，S_2状態からS_1状態への速い内部転換，さらに長いS_1状態での寿命と競争するエネル

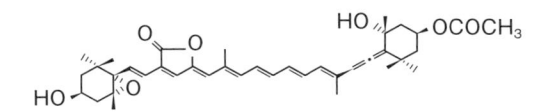

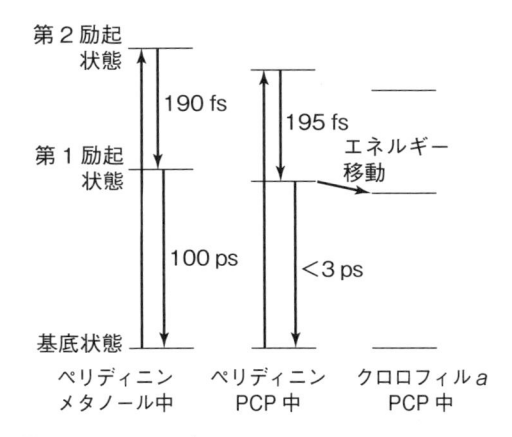

図9.10.2 PCP内でのペリディニンからクロロフィルaへの励起エネルギー移動過程を示すエネルギーダイアグラム

メタノール中とPCP中で第2励起状態からの緩和時間は同じであるが，PCP中では第1励起状態からの緩和時間がいちじるしく短くなっている．これはエネルギー移動が起こっていることを示す．

ギー移動（速度定数 $k=3\times10^{11}$/sec 以上）などにより実現されていることが判明した．

このほかにも，レチナール蛋白質での発色団の異性化，光合成反応中心での電子移動などの過程が高速分光法で解析されている．

〔三室　守〕

[文献]

1) 垣谷俊昭，三室　守編：電子と生命・新しいバイオエナジェティックスの展開（シリーズ・ニューバイオフィジックス2），共立出版，2000.
2) 三室　守，秋本誠志，山崎　巌：ピコ秒領域時間分解蛍光スペクトル法の応用による光合成アンテナ系でのエネルギー転移過程の解析レーザー研究31巻, p.212-218, 2003.
3) 矢島達夫，霜田光一，稲場文男，難波　進編：新版レーザーハンドブック，朝倉書店，1989.
4) 秋本誠志，木場隆之，横野牧生，三室　守，山崎　巌：アップコンバージョン法によるフェムト秒時間分解蛍光スペクトルの全自動測定．分光研究54巻, p.18-22, 2005.

9.11　磁気共鳴法

a.　NMR

NMR は，核磁気共鳴 nuclear magnetic resonance の略．原子核の磁気モーメントが磁場中で示す離散的エネルギー順位間での遷移を利用するラジオ波領域（数〜数百 MHz）の分光法である．

他の分光学（電子遷移や振動分光）と比べて飛び抜けて低エネルギーで緩和時間が長いため（ミリ秒・秒），① 高い分解能の要件である狭い線幅，② 緩和時間内に複数の遷移を起こさせる多次元分光学，③ 緩和時間の測定による構造やダイナミクスの情報，④ 無侵襲性など，非常に重要な特徴がある．その一方で，生体高分子への適用には，信号強度が弱い，速い（ミリ秒以下）の反応には適用が困難，適用対象となる分子の大きさ（分子量）に強い限界，などの欠点もある．溶液，固体，イメージングの大きく3つの対象分野がある．近年，超伝導磁石の開発による感度の向上と安定度の向上，コンピュータ化によるパルスフーリエ変換法と多次元NMR測定（Ernst, 1991年ノーベル化学賞），蛋白質の安定同位体標識の進展，などによって高度に発展し多様化した．

b.　磁気共鳴信号

磁気共鳴現象を古典力学的に理解すると以下のとおりである（対応した量子力学的理解はもちろん可能である）．原子核の多く（^{1}H，^{13}C，^{15}N，^{31}P，^{23}Na など）や電子は自転にもとづく角運動量（スピン）と磁気モーメントを合わせもつが，そのままでは

磁気モーメントは全体として打ち消し合って，試料全体の磁化はゼロである．① これに静磁場をかけると磁気モーメントが磁場中で示す離散的エネルギー順位間での占有率の違い（ボルツマン分布）から磁気モーメントの打ち消し合いは完全ではなくなり，マクロな磁気モーメント（＝磁化）が生じる．② 次に，適当な周波数のラジオ波磁場をパルス的に働かせると磁化は静磁場から一定角度傾く．③ 原子核の磁気モーメントはそれ自身自転（スピン）の角運動量をもつため，傾いた磁気モーメントは静磁場との相互作用で生じるトルク（回転力）によって，静磁場のまわりに自由に回転運動（歳差運動）を行う．④ ファラデーの電磁誘導を利用して，この運動により検出器のコイルに生じる起電力を増幅したものが，NMR や ESR の「時間域での信号」（free induction decay：FID）である[1]．一般に化学的に異なる部位にある原子核の磁気モーメントは，内部磁場の違いにより異なる周波数で歳差運動するので，この信号はいろいろな周波数成分を含んでいる．通常これをフーリエ変換してそれぞれの周波数成分を「化学シフト」として分離し，それぞれの強度を周波数軸にプロットして「周波数領域での信号」（スペクトル）として表す．スペクトル上で読みとる情報は，化学シフト，信号強度，J結合による分裂，それに線形と線幅である．

c. 二次元 NMR の基本原理

分子を構成する複数の原子核の磁気モーメントは，結合電子を通じての相互作用（J結合）により，あるいは空間を通じての双極子相互作用により，また時には異なる化学環境の間を実際に原子が移動すること（化学交換）によって，互いに磁気的に結合していることが多い．また磁場勾配，温度，圧力，光，ストレスなどの外部摂動によって，異なる磁気的環境の間で磁化を移動させることも（技術的困難は別として）可能である．第1の原子核の磁気モーメントをその歳差運動の周波数で標識しておき，磁気的な結合を通じて，突然これと結合する第2の原子核の磁気モーメントとして素早く（緩和時間以内に）移すことができれば，その磁気モーメントは次の瞬間には第2の周波数で歳差運動を始める．最後に検出される信号は最初の原子核のもつ周波数と後の原子核のもつ周波数の2つの周波数で変調を受ける時間信号 $s(t_1, t_2)$ となる．これを二次元フーリエ変換した周波数域の信号 $S(f_1, f_2)$ を二次元表示すると，最初の核の歳差運動周波数と最後の核の歳差運動周波数の交差するところに信号が現れる．これが二次元 NMR スペクトル上での「交差ピーク」である[2]．蛋白質のように，多くの核がそれぞれ相手の核と互いに磁気的に結合した系では，多くの交差ピークが1つの二次元 NMR スペクトル上に出現することになる．どの磁気結合を利用して二次元 NMR を測定するかは目的に応じて実験者が選ぶことになる．さらに結合の核のそれぞれにどの核種（^1H, ^{13}C, ^{15}N など）を選ぶのかの選択と，二次元から多次元への拡張によって，ラジオ波パルス系列の種類は実に多種多様である．

二次元 NMR はさまざまに利用することができる．① まず二次元展開することによって，一次元スペクトル上での信号の重なりが解消される（信号の分離）．② 一方の原子核の歳差運動周波数（化学シフト）が既知であれば，交差する他方の原子核の信号の歳差運動周波数（化学シフト）がわかる（信号の帰属）．③ 磁化を移動させるための磁気的相互作用の種類を選ぶ（パルス系列を選ぶ）ことによって，知りたい情報（たとえば化学結合の相手とか相互の原子間距離とか）を選択することができる．これが立体構造の決定に結びつく．

二次元 NMR をより的確に理解するには，量子力学的密度演算子法を用いる[2]．

d. 磁気緩和

磁気モーメントの静磁場に平行な成分の緩和時間を縦緩和時間（またはスピン-格子緩和時間）T_1 という．縦緩和は（歳差運動の周波数＝NMR 測定周波数）程度の速い分子運動によって起こる．これに対して，磁気モーメントの静磁場に垂直な成分の緩和時間を横緩和時間（またはスピン-スピン緩和時間）T_2 という．T_2 は遅い分子運動に対して敏感であるが，単なる分子運動だけでなく，化学シフトの異なる構造間の遅い（ミリ秒程度の）ゆらぎに対しても敏感である．交換速度は回転系でのスピン緩和（T_{1low}）を測定することによって測定可能な場合がある[1]．

e. 分子運動の解析

蛋白質の分子運動はその周波数域がきわめて広く，その運動モードはきわめて多彩であるため，NMR 測定から，その全貌を明らかにすることは容易ではない．一般的に行われているのは ^{15}N 核で均一標識した蛋白質について，二次元 NMR によりたとえば ^{15}N 原子核の信号をアミノ酸残基ごとにすべて分離し，それぞれの ^{15}N 原子核についてスピン緩和時間を測定する方法である．まず，スピン緩和から得られる情報はせいぜいミリ秒以下程度の速い運動に関するもののみである．次に，運動モードに関しては，分子全体の回転拡散運動（＞10 ns）をそれより速い内部運動（＜1 ns）と分離することができるが，後者の詳しい運動モードの解析はあきらめて，これをオーダーパラメータというもので置きえて表す方法（Lipari and Szabo の model free analysis）[3] が最も標準的なものとして使用されている．

f. 溶液中での立体構造決定

二次元 NMR に必要な磁化の移動を，磁気-双極子相互作用によって行う方法を NOESY と呼んでいる．この場合，交差ピークの強度はプロトン間距離の -6 乗の関数であり，5 Å 以上で急速に低下する．そこで 2.5～5 Å の距離の情報が得られるが，これを制限要件とする分子動力学計算，とくに徐冷法（simulated annealing，高温から始めてしだいに温度を下げてゆく）のアルゴリズムに取り入れて構造を計算する（Wüthrich，2002 年ノーベル化学賞）．核間距離情報以外に，二面角情報や重水素交換情報も補助的に使用される[4]．NOESY は ^1H-^1H 間の双極子相互作用によるのだが，最近は蛋白質分子を磁場中で若干配向させて ^{15}N-^1H 間双極子相互作用の磁場方向依存性を新たな情報として取り入れることも行われ始めた．これらの方法のアルゴリズムにおける限界の1つは，唯一のフォールド構造が仮定されていることである．

解析のスキームとして，まず主鎖，それから側鎖の ^1H, ^{13}C, ^{15}N など観測できる各原子の化学シフト帰属を行う．次に，化学シフト帰属をもとに，NOE 帰属を行い，構造計算に進める．最近，化学シフト自動帰属ソフトウェアや，とくに NOE 自動帰属ソフトウェアも開発され，構造決定過程が短縮されつつある．

g. 構造のゆらぎの解析

溶液中の蛋白質は結晶中よりも大きな構造のゆらぎをもつことは周知の事実であり，変性構造はもちろん，フォールド構造の多形中間体構造の存在は機能との関連でますます重要となっている．これらの大きな構造のゆらぎのタイムスケールはミリ秒より遅いことが多く，スピン緩和実験ではこれに有効に対処できない．スピン緩和を越えた部位特異的な構造ゆらぎに対処できる有効な方法の1つはアミド水素の重水素交換反応を利用するものである（重水素交換法）[5,6]．とくにこれとフォールディング途中でのパルス重水素ラベルとの組合せは中間体構造の捕捉に有効である．もう1つ

の方法は最近急速に発展している圧力摂動を利用する方法（高圧 NMR）[7,8] である．これらの方法についての詳細はそれぞれの総説に譲る．

h. EPR（ESR）の原理と応用

electron paramagnetic resonance（electron spin resonance）の略．核磁気共鳴と一対の現象で，電子の磁気モーメントが磁場中で示す離散的エネルギー順位間での遷移を利用するマイクロ波領域（GHz～）の分光法．最近は高磁場化により周波数は赤外領域も利用される．また，NMR と同じようなパルス FT 法が利用されるようになった．電子スピン共鳴（ESR）は電子磁気モーメントをもつ物質（ラジカル，3重項電子状態，または常磁性金属）を含む固体および溶液が対象となる．電子磁気モーメントは核磁気モーメントと比べて3桁程度大きいため，緩和時間は短く（＜マイクロ秒），線幅は広いが，NMR より感度は高いため，最近では生体系から直接 NO・ラジカルや脂質の過酸化ラジカルを検出することが行われる．生体高分子ではヘム鉄などの蛋白質の金属の電子状態の解析やスピンラベル法（安定な nitrooxide ラジカルで生体高分子を標識する）による運動性の研究や比較的長距離（～数十 Å）相関の測定に利用される． 〔赤坂一之〕

[文献]

1) Farrar, T. C. and Becker, E. D.: Pulse and Fourier-transform NMR. Introduction to Theory and Methods, Academic Press, 1971；赤坂一之，井元敏明訳：パルスおよびフーリエ変換 NMR，吉岡書店，1976.
2) Ernst, R. R., Bodenhausen, G. and Wokaun, A.: Principles of Nuclear Magnetic Resonance in One and Two Dimensions, Clarendon Press, Oxford, 1981；永山他訳：エルンスト2次元 NMR，吉岡書店．
3) Lipari G., and Szabo, A.: *J. Am. Chem. Soc.* **104**, 4546-4548；4559-4570, 1982.
4) Wuthrich, K.: NMR of Proteins and Nucleic Acids, Wiley, New York, 1986.
5) Woodward, C., Simon, I. and Tuechsen, E.: *Mol. Cell. Biochem.* **48**, 135-260, 1982.
6) Englander, S. W. and Mayne, L.: *Annu. Rev. Biophys. Biomol. Struct.* **21**, 243-265, 1992.
7) Akasaka, K. and Yamada, H.: Methods Enzymol. **338**, pp. 134-158, Academic Press, 2001.
8) Akasaka, K.: *Chem. Rev.* **108**, 1814-1835, 2006.

9.12 回折法

生体高分子の立体構造を高分解能で解析するために用いられる方法で，X線，電子線，中性子線等が使われる．これらの放射線が物質と相互作用すると，その波動としての性質により回折と干渉が起こり，物質の立体的密度分布に依存して散乱強度分布が決まる．そこで，散乱強度分布を計測し解析することで物質の立体構造を決めることができる．原子や分子が周期的に並んだ物質では特定の方向だけ散乱が強められ，その他の方向では散乱強度がゼロになって離散的な散乱強度パターンとなる．繊維構造など周期性が一次元の場合は等間隔に並ぶ層線となり，二次元あるいは三次元の周期性をもつ結晶の場合は斑点となる（図9.12.1）．解析結果として得られる構造の分解能の限界は使用した波長によって決まる．蛋白質や核酸といった生体高分子の動作機構を解明するためには，それらの構造について原子の立体配置を解析することが望ましい．そのような高分解能での構造解析には，1Å程度あるいはそれ以下の波長を使用する．

回折法のうち，単結晶にX線を照射し構造解析する手法がX線結晶解析法で，実験装置，解析ソフトともに，最もよく確立した方法である（⇨8.4）[1]．リゾチームのような比較的低分子量のものから，リボソームや球状ウイルスといった巨大な超分子複合体にいたるまで，サイズが0.1 mm程度で高分解能の回折反射を生じる良質の単結晶さえ得られれば，立体構造を高精度かつ高分解能で決定することが可能である．一般に結晶化の困難なチャネル，ポンプ，リセプターなどの膜蛋白質では，二次元配列を形成しやすい性質を利用して二次元結晶を作成し，電子線結晶解析法によって構造解析された例も多数ある[2]．電子線は物質との相互作用がX線に比べて10万倍も強いため，サイズが1 μm程度の二次元結晶からでも回折強度データが収集できる．細胞骨格や筋細胞を構成する繊維，繊毛や細菌のべん毛（⇨6.17），棒状ウイルスなどの蛋白質が重合した繊維構造は，細長すぎるか長さがそろわず結晶化が不可能

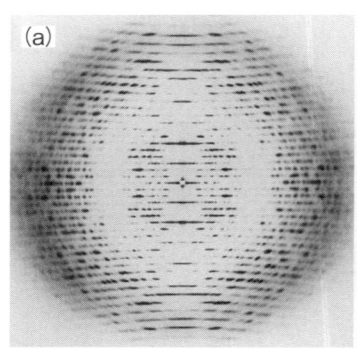

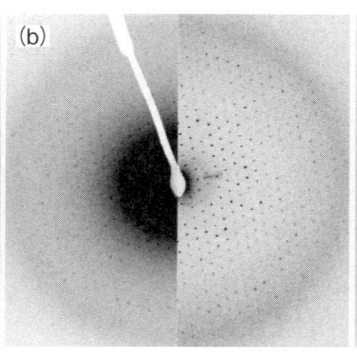

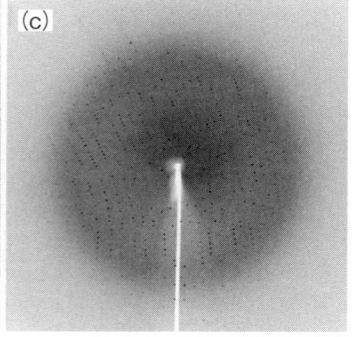

図9.12.1　さまざまな回折像
(a) タバコモザイクウイルス配向液晶からのX線繊維回折像[7]．
(b) バクテリオロドプシン二次元結晶からの電子線回折像．エネルギーフィルターによる非弾性散乱電子の除去の効果を右半面に示す[8]．
(c) 細菌べん毛フック蛋白質コアフラグメント三次元結晶からのX線回折像（F. A. Samatey氏提供）．

であるため，配向液晶化してX線を照射し，層線回折強度を計測するX線繊維回折法が用いられる[3]．中性子線は物質との相互作用が弱いため1 mm程度の大きな結晶や配向液晶が必要である[4～6]．

使用する線種によって得られる物質の構造情報は少しずつ異なる．X線は電子によって散乱されるため，得られるのは電子密度である（図9.12.2 (a)）[1]．電子線は原子核とそれを取り巻く電子雲によりつくられる静電ポテンシャルによって散乱されるため，得られるのは静電ポテンシャル密度である．電子密度と大差はないが，アミノ酸側鎖などの荷電状態を区別できるという報告がある[2]．中性子は原子核により散乱されるため，得られるのは核密度となる．X線や電子線の散乱強度は原子番号の増大に伴って大きくなるのに対し，中性子散乱は原子番号に依存せず，水素のような小さな原子も炭素，窒素，酸素原子と同程度の散乱能をもつため，酵素の活性部位に存在するアミノ酸残基や水和水分子などの，蛋白質の動作機構や立体構造構築原理の解明にとって重要な水素位置を特定できるのが特徴である（図9.12.2 (b)）[6]．生体分子の立体構造は，このような電子密度分布，静電ポテンシャル密度分布，核密度分布に原子モデルを当てはめることによって得られる．

X線源としては，実験室では銅の回転対陰極型高輝度X線発生装置に全反射ミラーあるいは多層膜ミラー集光光学系を用いて，波長1.54 Å（CuKα）のX線を用いるのが一般的である．しかし最近はシンクロトロン放射光の超高輝度X線が利用可能になり，実験室のX線源に比べて強度が1000倍以上で単色性も高いため，回折強度計測が高速化するとともに精度も格段に向上した．しかも波長が0.3～2.0 Å程度の範囲で可変である特徴を活かした多波長異常分散法による位相決定法が適用できるため，より高分解能の立体構造解析が短時間で実現可能になった．回折像を計測するための二次元X線検出器には，写真フィルムに代わって画素サイズ50～100 μm，画素数2000×2000～4000×4000のCCDやイメージプレートなどが使われる．ダイナミックレンジもS/Nもきわめて高く，データ読みとり時間もCCDで1秒，イメージプレートでも1分程度と高速になり，データ収集のハイスループット化が実現されている．凍結結晶を100 K以下に冷却し

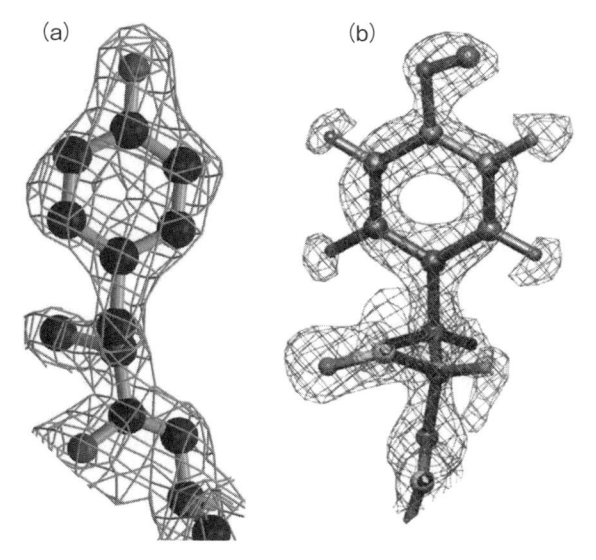

図9.12.2 X線回折と中性子回折によって得られる構造情報の比較（口絵参照）
(a) X線回折法により1.9 Å分解能で構造解析された，細菌べん毛蛋白質HAP3コアフラグメントTyr134付近の電子密度図（今田勝巳氏提供）．(b) 中性子回折法により1.5 Å分解能で構造解析された，ルブレドキシンTyr10付近の核密度図[8]．
正の密度を青で，負の密度を赤で示す（口絵参照）．中性子回折では重水素が正の散乱能をもつのに対し，水素は負の散乱能をもつため（散乱により位相が180°変化する），それぞれ核密度図で正と負のピークとして現れる．この構造は，溶媒の水を重水置換して得られた結晶を解析したもので，酸素に結合しプロトンとして乖離しやすい水素原子だけが，重水素に置換されて正の核密度をもつ．

て照射損傷を軽減する方法や，さまざまなデータ処理および解析ソフトの進歩も重要な役割を果たしている．比較的低分子量の蛋白質結晶から放射光施設でデータ収集を行うと，1個の結晶から位相決定に必要な多波長のデータ収集を約10分で行い，数時間後には電子密度分布が得られ，その日のうちに原子モデルの構築まで完了することも，場合によっては可能になっている．

電子線を使用する場合は加速電圧100〜400 kV の電子線源をもつ電子顕微鏡が用いられ，電子線回折像から回折強度データを，電子顕微鏡像のフーリエ変換像から位相データを収集し，両者を組み合わせることで三次元像の再構成を行う．試料を急速凍結してガラス状の氷に蛋白質を包埋し，液体窒素冷却ステージの 100 K，あるいは液体ヘリウム冷却の 4 K で試料に電子線照射することにより照射損傷を低減することが，S/N および分解能の高いデータ収集に必須である．電界放射型の電子線源より得られる輝度と干渉性の高い電子線を利用し，エネルギー分光装置によって高いバックグラウンドノイズとなる非弾性散乱電子を除去することにより，データのS/Nの改善を図ることも重要である（図9.12.1(b)）[8]．回折データの二次元検出器としては画素数 2000×2000〜4000×4000 の CCD が利用可能である．しかし，高エネルギー電子線を光に変換する際に二次散乱で像がぼけるため画素サイズを 15 μm 以下にできず，高分解能電子顕微鏡像の記録には現在でも写真フィルムを用い，5〜10 μm ステップで光学スキャンして像データを計算機に取り込み画像解析を行う．そのためデータ収集のハイスループット化が遅れており，高解像度の CCD 検出器の出現が待たれている．

中性子線源としては原子炉で発生する中性子を使用するのが一般的である．ただし，グルノーブルのラウエ-ランジュバン研究所（ILL）など世界にも数ヵ所しか実験施設がなく，国内では茨城県東海村の日本原子力研究所に1ヵ所あるだけである[6]．物質との相互作用が弱い上に線源強度が低いため，1 mm 程度の蛋白質結晶からのデータ収集に1ヵ月近くかかる．回折データの二次元検出器としてはワイヤー型検出器や中性子線専用イメージプレートが利用可能である．現在のところ後者はオフライン読みとりしかないが，個々の回折像の記録に必要な時間が長いため，あまり問題にならない．別の中性子線源として，陽子加速器で加速されたパルス陽子線を金属などのターゲットに当てることによって生じるパルス中性子がある．現状では原子炉の方が線源としての強度は高いが，国内を含め世界各国数個所で建設が進められている大強度線形陽子加速器によるパルス中性子源が数年後に稼働すると線源強度が一桁以上向上し，データ収集の高速化に加えて，より小さな結晶や試料からのデータ収集が可能になると期待される．　　　〔難波啓一〕

[文献]
1) ドレント, J.（竹中章郎，勝部幸輝，笹田義夫訳）：蛋白質のX線結晶解析法．シュプリンガー・フェアラーク東京，1998.
2) 藤吉好則，光岡 薫：電子線結晶学による膜蛋白質の構造解析－原子座標を決定できる分解能での構造研究．細胞工学 16, 1677-1689, 1997.
3) 難波啓一，山下一郎，長谷川和也：X線と電子線による細菌べん毛フィラメントの構造解析．日本結晶学会誌 39, 408-415, 1997.
4) 新村信雄：中性子回折．回折（日本化学会編：実験化学講座10), pp. 481-548, 丸善，1992.
5) Niimura, N.: Neutrons expand the field of structure biology. *Curr. Op. Struct. Biol.* **9**, 602-608, 1999.
6) 新村信雄，田中伊知朗，栗原和男，茶竹俊行, Ostermann, A.：原研中性子構造生物学の現状．構造生物 **7**, 1-17, 2001.
7) Namba, K., Pattanayek, R., Stubbs, G.: Visualization of protein-nucleic acid interactions in a virus. Refined structure of intact tobacco mosaic virus at 2.9 Å resolution by X-ray fiber diffraction. *J. Mol. Biol.* **208**, 307-325, 1989.

8) Yonekura, K., Maki-Yonekura, S., Namba, K.: Quantitative comparison of zero-loss and conventional electron diffraction from two-dimensional and thin three-dimensional protein crystals. *Biophys. J.* **82**, 2784-2797, 2002.

9.13 光散乱法

　密度の不均一や，屈折率のゆらぎがあるところに光が入射すると，光は散乱される．空が青く夕焼けが赤いのは，空気の分子により散乱が起こり散乱光強度が波長の4乗に反比例して変化し（レイリーの4乗則），そのスペクトルが変化してくるためである．粒子のサイズが大きくなると，1つの粒子の中のいろいろな場所からの散乱光が互いに干渉しあうので，その強度は散乱角にも依存する．溶液や粒子分散系では，溶質粒子のブラウン運動のために，密度（したがって，屈折率）のゆらぎがあり，散乱が観測される．この散乱光を観測することにより，散乱粒子の大きさ（回転半径），形状，質量（分子量），粒子の（分子量）分布，粒子間の相互作用（第2ビリアル係数）といった散乱粒子の物理化学的な特性を特徴づける量が求められる．これが一般に，（静的）光散乱法と呼ばれるものである．一方，動的光散乱法は，準弾性光散乱法とも呼ばれるもので，媒体中の粒子がブラウン運動することにより，散乱光強度が時間的に変動することを利用し，その変化のしかたから粒子の拡散係数（流体力学的半径）や分子内の運動（回転拡散係数）などの動的な特性量を求める方法である．光散乱法は，非接触で，かつ，平衡条件下で測定できるという，ほかにはない大きな特徴がある．光源として可視光を用いることから，数十から数百nm程度の大きさのものに対して精度よく測定でき，生体試料の中でも比較的高分子量のものや，集合体，超分子などを対象とした研究に適し

た方法である．データ解析において，分子量の決定には示差屈折率が別個に必要であるが，サイズ・形状の評価には不要である．また，流体力学的半径の決定には溶媒の粘度も必要となる．

動的光散乱において測定される散乱光強度の時間的な変化（時間相関関数）は一般に，ある時定数（ゆらぎの緩和時間）をもった指数関数の和の形になるので，この相関関数から時定数の分布を決定することができる．時定数は粒子の形状・サイズなどの関数なので，静的光散乱と動的光散乱を組み合わせることにより，粒子の形状・大きさ・サイズのみならず，それらの分布や，成分間の反応・解離・会合などについても評価ができる．生体試料（とくに，蛋白質）の場合，球状，あるいは，剛直棒状など形状の決まっているものが多く，形状（の変化）などから粒子間の相互作用についての詳しい知見が求められる．

相関関数は，散乱光強度をフォトンカウンティング方式の光電子増倍管で測定すれば簡単に求められ，そのための装置（相関計）も市販されている．検出器側の光学的設定（検出器の前の散乱領域の体積や散乱角の許容度を決定するピンホールのサイズ）を変更することにより，静的光散乱も同一の装置で測定できる．光源には，測定精度を考えると，それなりのパワーのレーザーが必要である．散乱光強度の強弱にも依存するが，数分程度で拡散係数を求めることができ，沈降速度測定に比べきわめて短時間である．光散乱測定でいちばん障害となるのは，試料中のゴミ（ほこり）であり，生化学的な測定では問題とならないものであっても散乱光強度（とくに，相関関数）には大きく影響してくる．そのための十分な光学的精製（遠心機，または膜フィルターにより行われる）がされていなければ，いくらでも間違った結果が出てきてし

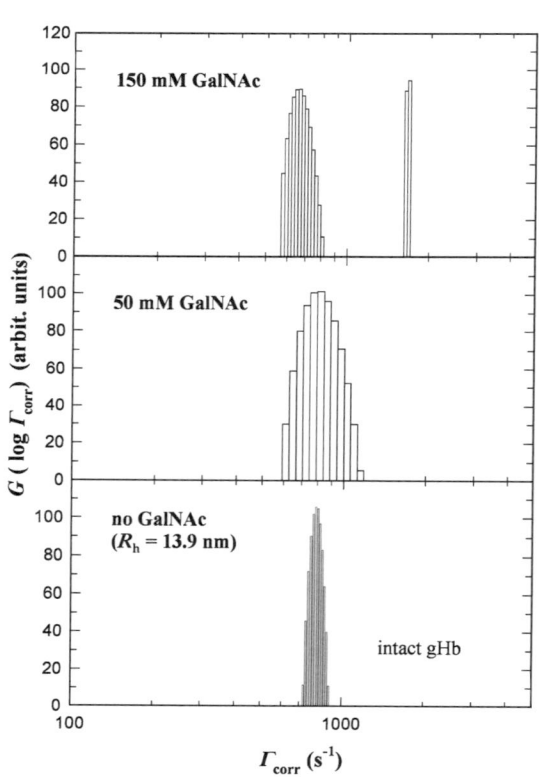

図 9.13.1　ゴカイの巨大ヘモグロビンの減衰速度分布

散乱光強度の相関関数を逆ラプラス変換することにより，減衰速度 $\Gamma(=Dq^2)$ の分布が求まる．分布は，この減衰速度をもつような成分（あるいは，緩和モード）の強度を表しており，これから分子量分布なども求めることができる．$\Gamma_{corr} = D_{corr} q^2$ は，溶媒の粘度の補正を行った上での緩和速度で，観測粒子の流体力学的半径に対応する．Intact では，きわめてシャープで単分散なサイズ分布である．これに N-アセチルガラクトースアミン（GalNAc）という糖が添加されると，高次構造が崩れ階層的に解離していくことがわかる．図では，50 mM, 150 mM と GalNAc を添加することにより，巨大ヘモグロビンの構造が，ゆるくなり，ついで，部分的に解離が起こることを示している．

まうところが光散乱法のむずかしいところである．

時刻 t で位置 r_j のところに j 番目の粒子がいると，検出器で観測される散乱光の電場は，$A\exp[i(\boldsymbol{k}_i-\boldsymbol{k}_s)\cdot\boldsymbol{r}_j]=A\exp[i\boldsymbol{q}\cdot\boldsymbol{r}_j]$ に比例する．ここで A は粒子の散乱光電場の大きさを表す定数，$\boldsymbol{k}_i, \boldsymbol{k}_s$ は入射光・散乱光の波数ベクトルで，その方向は入射光・散乱光の方向（その間の角度が散乱角 θ）で，大きさが $2\pi/\lambda$（λ は媒質中の波長）である．$\boldsymbol{q}=\boldsymbol{k}_i-\boldsymbol{k}_s$ は散乱ベクトルで，大きさは $(4\pi/\lambda)\sin(\theta/2)$ である．観測領域中に多数の粒子があれば散乱光電場の大きさ $E(t)$ は $A\Sigma_j\exp[i\boldsymbol{q}\cdot\boldsymbol{r}_j(t)]$ となるので，散乱光強度 $\langle I(t)\rangle$ は $\langle I(t)\rangle = \langle|E(t)|^2\rangle = A^2\langle|\Sigma_j\exp[i\boldsymbol{q}\cdot\boldsymbol{r}_j(t)]|^2\rangle = A^2\langle\Sigma\Sigma_{jj'}\exp\{i\boldsymbol{q}\cdot[\boldsymbol{r}_j(t)-\boldsymbol{r}_{j'}(t)]\}\rangle$ となる．粒子のブラウン運動（拡散運動）の結果，粒子間距離 $\boldsymbol{r}_j(t)-\boldsymbol{r}_{j'}(t)$ が変化するので強度も時間的にゆらぐことになる．動的光散乱では，時刻 t と時刻 $t+\tau$ での散乱光強度 $I(t)$ と $I(t+\tau)$ の積の期待値（相関関数）$\langle I(t)I(t+\tau)\rangle = G^2(\tau)$ を測定する．理論的な取り扱いは，電場の相関関数 $G^1(\tau)(=\langle E^*(t)E(t+\tau)\rangle)$ に対して行われるが，$G^2(\tau)$ と $G^1(\tau)$ との間には $G^2(\tau) = \langle I\rangle^2[1+\beta|G^1(\tau)/G^1(0)|^2]$ の関係（Siegert の関係，β は装置定数）がある．なお，$G^1(0)=\langle I(t)\rangle$ であり静的光散乱で測定される散乱光強度に等しい．

小さな球形粒子の希薄溶液の場合，$G^1(\tau)$ は $A^2\langle\Sigma\Sigma_{jj'}\exp\{i\boldsymbol{q}\cdot[\boldsymbol{r}_j(t)-\boldsymbol{r}_{j'}(t+\tau)]\}\rangle = NA^2\langle\exp\{i\boldsymbol{q}\cdot\Delta\boldsymbol{r}_j(\tau)\}\rangle$ となる．$\Delta\boldsymbol{r}_j(\tau)=\boldsymbol{r}_j(t)-\boldsymbol{r}_j(t+\tau)$ は，時間差 τ の間での散乱粒子の変位を表すが，これはランダムに変化する量であるので，$\langle\exp\{i\boldsymbol{q}\cdot\Delta\boldsymbol{r}(\tau)\}\rangle = \exp[-(1/6)q^2\langle\Delta r(\tau)^2\rangle]$ と書け，$\langle\Delta r(\tau)^2\rangle = 6D\tau$ の関係から，$G^1(\tau) = NA^2\exp(-Dq^2\tau)$ となる．ここで，N は粒子数，A は定数である．したがって，散乱光強度の相関関係 $G^2(\tau)$ の測定から並進拡散係数 D が求まり，$D=k_BT/6\pi\eta R_h$ より粒子の流体力学的半径 R_h が決定できる．現在の相関計の性能では，数 nm の粒子のサイズも精度よく決定できる．

一般に，相関関数は $G^1(\tau)=\int A(\Gamma)\exp(-\Gamma\tau)d\Gamma$ と書ける（$\Gamma=Dq^2$）ので，$A(\Gamma)$ はサイズ分布（あるいは，分子量分布）を表す．$G^1(\tau)$ と $A(\Gamma)$ の関係は数学的にはラプラス逆変換であるが，ノイズを含んで測定された有限個の $G^1(\tau)$ のデータから $A(\Gamma)$ をユニークに決めるのは困難で，適当な制約条件を含めた方法（CONTIN 法など）により決められる．

電荷をもった粒子分散系では，電場を作用させることにより粒子は電場の方向に移動し，その移動速度からゼータ電位（荷電量）が評価できる（電気泳動光散乱）．移動速度の測定には，ヘテロダイン方式の相関関数測定を用いた動的光散乱法が用いられる．

典型的な解析例を示す．たとえば，粒子凝集系での解離の問題などでは，溶媒条件の変化等に応じて解離がどの程度まで進んでいるのかが相関関数の緩和時間分布の解析から検討できる．Γ の分布の変化から，ゴカイの巨大ヘモグロビン（gHb，グロビン単位が階層的に凝集した超分子）の凝集構造が，糖の添加の影響で変化していくプロセスを評価することができた（図 9.13.1）．四次構造をもつ超分子の構造変化の解析など，応用範囲は広い．

剛直な棒状粒子では，$\Gamma/q^2 = D_0 + (L^2/12)\Theta f_1(qL)-(D_3-D_1)(1/3-f_2(qL))$ の関係が得られている．粒子の長さ L，（平均の）並進拡散係数 D_0，回転拡散係数 Θ，並進拡散の異方性 D_3, D_1（棒の長軸，短軸方向への拡散係数）などが評価できる．$f_1(qL), f_2(qL)$ は棒の長さと散乱角とで決まる定数で，数値計算から求められる．TMV のような剛直棒状粒子の解析で用いられた．棒が柔らかさをもってくると，分子内の屈曲運動に起因する項が上の式に付け加わってくる．実験値との比較から，棒の曲げのかたさ（柔らかさ）が評価でき，

アクチンやミオシン等，フィラメント状の蛋白の解析に利用できる． 〔窪田健二〕

[文献]
1) 高分子学会編：高分子の構造（2）散乱実験と形態観察（新高分子実験学6），共立出版，1997.
2) Brown, W. (ed.)：Light Scattering, Clarendon Press, Oxford, 1996.
3) Brown, W. (ed.)：Dynamic Light Scattering, Clarendon Press, Oxford, 1993.

III. 緩和測定法

9.14 ストップトフロー法

a. 原理と装置

酵素反応，生体分子間相互作用，ポリペプチド鎖のフォールディングなどの過程はマイクロ秒，ミリ秒の時間域で進行する．これらの高速反応の研究にはフロー法，ジャンプ法などが用いられる．フロー法は2つの溶液を混合して反応を開始する方法で，連続フロー法，ストップトフロー法，迅速停止法がある．ジャンプ法は平衡にある系において温度，圧力などを急激にジャンプさせ，新たな平衡に近づく緩和過程を追跡する方法である．このうち，ストップトフロー法は必要な試料量が少なく，不可逆反応の観測も可能であるなどの利点をもち，適用範囲が最も広い．ストップトフロー装置の概要を図9.14.1に示す．混合器で2種類の溶液を迅速に混合して反応を開始し，溶液の流れを止めた後，反応に伴う変化をセルを通して経時的に観測する．変化の検出法としては吸光度や蛍光を利用する場合が多いが，旋光性，円二色性（CD），電気伝導度，熱，pH, ESR, NMRなどを利用する場合もある．混合の際の溶液の送液法としてはガス駆動式とピストン駆動式があり，試料容量が数十μlでも計測可能なマイクロストップトフロー装置も開発されている．

混合器で2種類の溶液が混合されてから観測セル部に達するまでは反応は観測できない．この間の時間を不感時間（dead time, t_d）と呼び，これはストップトフロー

法で測定できる反応の速さの上限を決める最も重要な要素である．速度定数 $k\,(\sec^{-1})$ の一次反応を不感時間 t_d の装置で測定するとき，実際に観測される変化量 y_{obs} と全変化量 y_{tot} との比は反応の半減期を $t_{1/2}$ として次のように表される．

$$\frac{y_{\mathrm{obs}}}{y_{\mathrm{tot}}} = \left(\frac{1}{2}\right)^{t_d/t_{1/2}}$$

解析には10％程度以上の変化量を観測するのが望ましく，また市販の装置の不感時間はおよそ1 msecであるので，速度定数が決定できる最も速い反応は半減期0.5 msec程度である．

反応が一次反応として扱える場合，観測値 y は見かけの一次反応速度定数を k_{app} として

$$y = A_1 + A_2\exp(-k_{\mathrm{app}}\cdot t)$$

と表され，反応終了時の y を $y_\infty\,(=A_1)$ として $\ln|y-y_\infty|$ の時間 t に対するプロットの勾配から k_{app} が求まる．また，観測された反応曲線に対してコンピュータによるカーブフィッティングを行い，ただちに k_{app} を求めることもできる（図9.14.2）．

b. 酵素反応解析

酵素と基質を混合した瞬間からの酵素–基質複合体の濃度変化をミカエリス–メンテン（Michaelis-Menten）の機構を元に描くと図9.14.3のようになる．曲線1は基質濃度が酵素濃度に比べ十分高い場合で，前定常状態と呼ばれる短い時間を経て定常状態に達する．一方，曲線2は基質濃度が酵素濃度と同程度の場合で，定常状態は現れない．このような非定常状態と先の前定常状態を合わせて遷移相と呼ぶ．定常状態の速度論は全反応の速度のみを対象とするのに対し，遷移相の速度論は秒以下の時間域で起こる酵素自体の状態の変化などの反応の素過程をより直接的に観察しようとするもので，定常状態の速度論よりはるかに詳細な知見が得られる．

酵素 E がリガンド S（基質など）と結合する過程の解析例を以下に示す．結合が単純な1段階反応

$$(\mathrm{i})\quad \mathrm{E} + \mathrm{S} \underset{k_{-1}}{\overset{k_{+1}}{\rightleftarrows}} \mathrm{ES}$$

の場合，[ES]の時間変化を表す速度式は
$$d[\mathrm{ES}]/dt = k_{+1}[\mathrm{E}][\mathrm{S}] - k_{-1}[\mathrm{ES}]$$

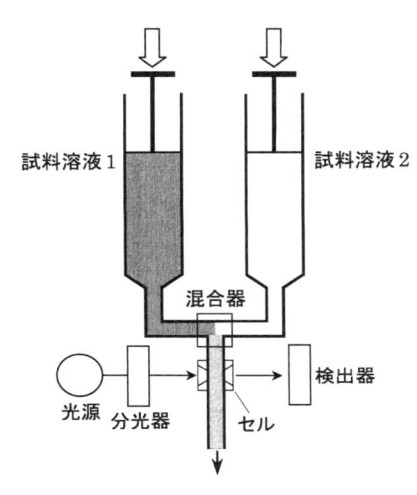

図 9.14.1 ストップトフロー法の原理
2種類の試料溶液は混合器で迅速に混合され，観測セル部に送られる．その後流れを止め，観測セルを通して反応の測定を始める．

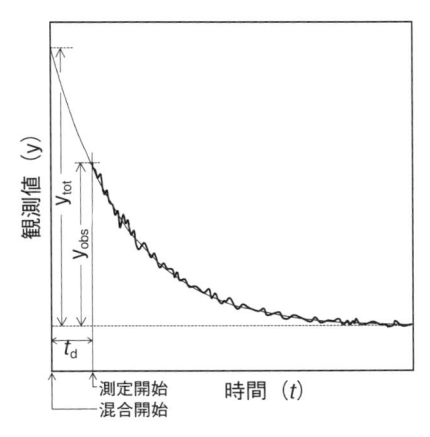

図 9.14.2 反応曲線とカーブフィッテング
測定は混合を開始してから不感時間 t_d 経過後より開始される．細い実線で描かれた曲線は一次反応として計算された適合曲線を示す．

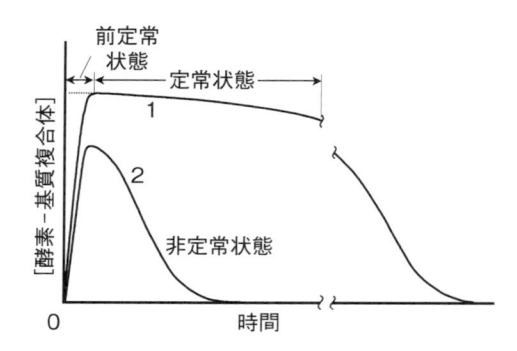

図9.14.3 酵素反応における定常状態と遷移相

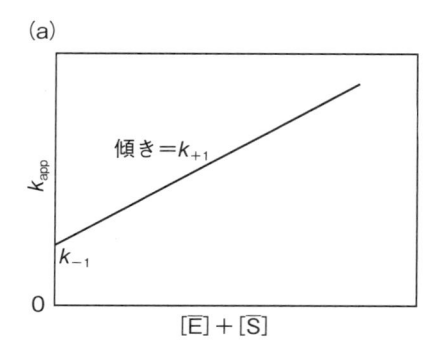

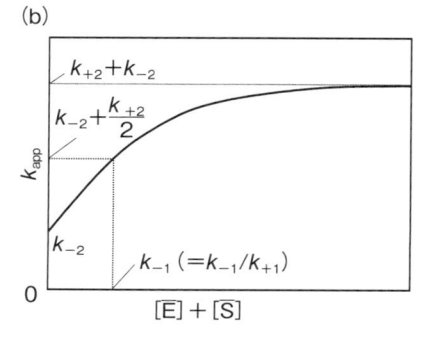

図9.14.4 酵素・リガンド結合反応の見かけの速度定数の濃度依存性
(a) 機構 (i), あるいは機構 (ii) において観測される速いほうの見かけの速度定数の濃度依存性.
(b) 機構 (ii) における遅いほうの見かけの速度定数の飽和曲線型の濃度依存性.
ただし, 機構 (ii) については (a), (b) とも2分子過程が十分速い場合を仮定している.

である. 平衡状態における $[E]$ を $[\overline{E}]$ とし, $\Delta[E] = [\overline{E}] - [E]$ とする. 同様に $\Delta[S]$ と $\Delta[ES]$ も定義し, 保存則 $\Delta[E] = \Delta[S] = -\Delta[ES] \equiv \Delta c$ を当てはめると

$$-d\Delta c/dt = \{k_{+1}([\overline{E}] + [\overline{S}]) + k_{-1}\}\Delta c - k_{+1}\Delta c^2$$

となる. 反応が平衡に近づいたところ ($\Delta c \ll [\overline{E}] + [\overline{S}]$) では一次反応として近似でき, そのみかけの速度定数 k_{app} は

$$k_{app} = k_{+1}([\overline{E}] + [\overline{S}]) + k_{-1}$$

と表される. したがって k_{app} を種々の濃度の $[\overline{E}] + [\overline{S}]$ に対してプロットすることにより, k_{+1} と k_{-1} が求められる (図9.14.4 (a)). 反応の初期で平衡から遠い場合でも, 酵素反応で通常行われるリガンドが酵素に比べ大過剰という条件では $[\overline{E}] + [\overline{S}] \fallingdotseq [S]_0 \gg \Delta c$ となるため, k_{app} の $[S]_0$ に対してのプロットより k_{+1} と k_{-1} を求めることができる.

観測された見かけの速度定数 k_{app} の濃度依存性が飽和曲線を示す場合がしばしば認められる (図9.14.4 (b)). これは (i) の機構では説明できず,

(ii) $\quad E + S \underset{k_{-1}}{\overset{k_{+1}}{\rightleftarrows}} ES \underset{k_{-2}}{\overset{k_{+2}}{\rightleftarrows}} ES'$

で表される2段階機構で, 第1段の2分子結合過程が十分に速く, それに続く1分子異性化過程が遅い場合に期待される特徴である. その反応曲線から求められる2つの見かけの速度定数のうち (つねに2つとも求められるわけではない), 速いほうを k_{app1}, 遅いほうを k_{app2} とすると,

$k_{app1} = k_{+1}([\overline{E}] + [\overline{S}]) + k_{-1}$
$k_{app2} = k_{-2} + \{k_{+2}([\overline{E}] + [\overline{S}])\}/\{K_{-1} + ([\overline{E}] + [\overline{S}])\} \quad (K_{-1} = k_{-1}/k_{+1})$

となる. k_{app1} の濃度依存性は機構 (i) の場合と同じであるが, k_{app2} の濃度依存性は飽和曲線となる.

一方,

(iii) $\quad \begin{array}{c} E + S \underset{k_{-1}}{\overset{k_{+1}}{\rightleftarrows}} ES \\ k_{+2} \updownarrow k_{-2} \\ E' \end{array}$

のように酵素が E と E' という2つの形の

平衡にあり，リガンドSがその一方に選択的に結合するという機構（iii）において，Eの異性化が十分遅いとした場合には，観測される遅いほうの見かけの速度定数 k_{app2} が[S]の増加に伴い減少する傾向を示す．このように反応の見かけの速度定数 k_{app} の濃度依存性を調べることで（i）～（iii）の機構を識別することができる．（ii）は多くの酵素反応において認められる機構であり，（iii）の機構はアロステリック酵素やある種の抗原抗体結合反応などでその実例が見られる．

c. 高次構造変化の解析

ストップトフロー法は蛋白質の高次構造変化の速度論解析にも有効な方法である．代表的な例として蛋白質のリフォールディング反応があげられる．リフォールディングはアンフォールディングさせた蛋白質溶液とフォールディングに適した緩衝液を迅速に混合することで開始される．反応は吸光度や蛍光などでも追跡されるが，とくにCDを用いるとコンフォメーション変化を敏感に観測できる．これまでにストップトフローCD法によりさまざまな蛋白質のリフォールディング反応が調べられている．その結果，多くの蛋白質において遠紫外領域のCDスペクトル変化の相当量が反応初期のごく短い時間内に起きるのに対して，近紫外（芳香族）領域のCDスペクトル変化はより長い時間スケールで起こることが明らかとなった．これは，二次構造はほとんど完成しているが三次構造は不完全な状態であるフォールディング中間体が反応初期に形成されるということの証拠となった．また β-ラクトグロブリンを用いた実験では，フォールディング反応初期に天然状態にはない α-ヘリックス構造が過渡的に形成されることが見出されている．

検出法にNMR測定を用いると，CDや蛍光などを利用した場合に比べ，より詳細な情報が得られる．低分子量の蛋白質であれば，数百ミリ秒で高分解能の一次元NMRスペクトルを測定することができ，ストップトフローと組み合わせて数分の1秒程度の時間スケールで起こるフォールディング過程をアミノ酸残基レベルで追跡することができる．この手法を用いることにより，リフォールディングに伴う蛋白質の"協同的"な構造変化を直接的に捉えることができた． 〔加藤晃一・栗本英治〕

[文献]

1) 廣海啓太郎：酵素反応解析の実際，講談社，1978.
2) 廣海啓太郎：酵素反応，岩波書店，1991.
3) 大西正健：酵素反応速度論実験入門（生物化学実験法 21），学会出版センター，1987.
4) ペイン，R. H. 編（崎山文夫監訳）：タンパク質のフォールディング 第2版，シュプリンガー・フェアラーク東京，2002.

9.15 温度ジャンプ法

a. 原理と装置

　溶液内の高速反応の研究法としての化学緩和法のなかに，溶液の高速加熱法を利用した温度ジャンプ法がある．その加熱法にはジュール加熱，レーザー加熱，マイクロウェーブ加熱さらには熱交換式加熱等がある．これらの方法を駆使することにより数秒から数十ピコ秒にわたる広範な高速反応を時間的に断片的ではなく連続的に観測可能であることが温度ジャンプ法の大きな特徴といえる．マイクロウェーブ加熱および熱交換式加熱法は，それぞれ温度上昇が少ないこと，昇温時間が遅いことから特殊な場合のみ使用されている．その詳細については他書に譲り，ここでは温度ジャンプ法の主流として利用されているジュール加熱法とレーザー加熱法について述べる．温度ジャンプ法も他の化学緩和法（たとえば，圧力ジャンプ法，超音波吸収法，電場パルス法，濃度ジャンプとしてのストップトフロー法等）と同様に，熱力学的平衡系に外部から摂動を与え，新しい平衡への移行過程の時間変化を追跡することによって，反応速度論的あるいは動力学的情報を得ようとするものであり，外部摂動として温度変化を利用するものである．したがって取り扱う系が状態間でエンタルピー差ΔHをもっていれば温度ジャンプ法による研究の対象になり，次式に従って温度による摂動を受けるのである．

$$(\partial \ln K/\partial T)_p = \Delta H/RT^2$$

ここでKは平衡定数，Tは温度，Rは気体定数である．平衡系が受ける温度による摂動効果の大きさはΔHに比例するので，対象とする反応系が研究手法として温度ジャンプ法に適しているかどうかの判断基準はΔHの大きさとなる．ほとんどの反応がΔHをもっていることからほとんどすべての反応が温度ジャンプ法を用いた研究対象となりうるといえる．反応の検出法は，研究目的および反応系に応じて分光学的方法を中心に非常に多くの検出法（たとえば，可視－，紫外－，赤外－吸光度，蛍光，散乱，濁度，旋光，CD，X線小角散乱，ラマンスペクトル法等）が適用されている．

(1) ジュール加熱法

　温度ジャンプ法のなかで最も広範に利用されているのがジュール加熱法である．装置の原理を図9.15.1に示す．この方法はコンデンサーに蓄積した大電気量をイオン強度の高い試料溶液に，短時間で流し，ジュール熱によって溶液全体の温度を上昇させるものである．コンデンサーの容量をC，試料セル内の溶液抵抗をR，放電電圧をV_0，試料セルを流れる電流をIとし，

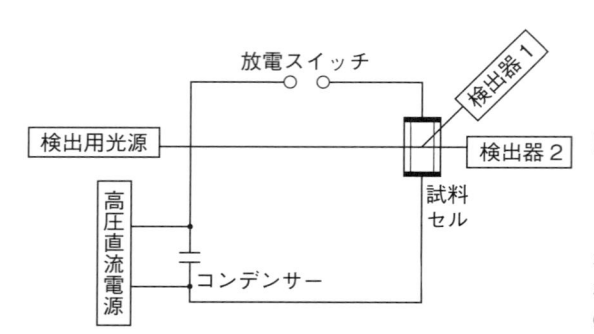

図9.15.1 ジュール加熱型温度ジャンプ法装置の原理図
コンデンサーに蓄積された高圧電気を放電ギャップスイッチを通して試料セルに大電流を流す．検出器1は蛍光，散乱，濁度の検出に利用され，検出器2は可視，紫外，赤外光の吸収，旋光，CD，さらにはX線小角散乱測定に使用される．

溶液の定圧比熱，密度および試料セル内の体積をそれぞれ C_p, ρ, v とすると，試料セルを流れる電気量 Q の時間変化すなわち電流 $I(t)$ は式 (1) で示される．さらに，試料セル内の温度上昇の時間変化 (dT/dt) は式 (2) で与えられ，したがって，放電開始時 ($t=0$) から時刻 t までの溶液の温度上昇 $\delta T(t)$ は式 (3) となる．

$$I(t) = dQ/dt = (V_0/R)\exp(-t/RC) \quad (1)$$
$$dT/dt = I^2 R/4.18 C_p \rho v = V_0^2 \exp(-2t/RC)/4.18 RC_p \rho v \quad (2)$$
$$\delta T(t) = V_0^2 C\{1-\exp(-2t/RC)\}/8.36 C_p \rho v \quad (3)$$

実際の実験条件は，試料セルの形状，試料のイオン強度等によって若干異なるが，一例として $R=50\,\Omega, v=2\,\mathrm{cm}^3, C=0.1\,\mu\mathrm{F}, V_0=30\,\mathrm{kV}$ とすると，昇温時間 ($RC/2=$) $2\sim3\,\mu\mathrm{s}$，温度上幅 ($\delta T(\infty)=$) 約 5℃ となる．ジュール加熱法でさらに速い反応を観測するための改良型として，コンデンサーの代わりに高圧同軸ケーブルを利用し，それを試料セルに直結させた方法がある．この方法の原理は同軸ケーブルと試料セルとのインピーダンスを一致させることにより，同軸ケーブルに蓄えられた電気量を単一矩形波として一度に溶液に放電するものである．矩形波のパルス幅は同軸ケーブルの長さに比例し，たとえば 5 m の同軸ケーブルに 100 kV の電圧をかけ，同軸ケーブルのインピーダンス 50 Ω に一致させた試料セルに電流を流すと，50 ns の間に 10 度の温度上昇を得ることも可能である．

ジュール加熱温度ジャンプ法では，試料溶液中に電流を流すためにイオン強度を高くする必要がある．生理条件下での実験を要求される生体試料の場合には，溶液のイオン強度は約 0.15 M となり，ジュール加熱法には適した実験系といえる．一方，イオン強度を高くできない試料溶液に対する温度摂動法としては，ジュール加熱法の代わりに次に述べるレーザー加熱法が有効である．

(2) レーザー加熱法

この方法は溶媒である水分子の振動のエネルギー準位を励起することにより試料溶液の温度上昇を得るものである．たとえばレーザー光として Nd:YAG のパルスレーザー（波長=1.064 μm）を利用する場合には，高圧水素ガスあるいは液体窒素を利用したラマンシフターを通し，レーザー光の波長を水の吸収係数の高い 1.5〜2 μm に変換し，試料溶液へ照射することによって温度を上昇させるものである（図 9.15.2）．一方，可視光レーザーの場合には溶液に生体試料と相互作用をしない色素を溶かし，色素の吸収波長に近いパルスレーザーを照射し，試料溶液の温度を上昇させる方法もある．

(3) ストップトフロー温度ジャンプ法

この方法は前節で述べたストップトフロー法と温度ジャンプ法を結びつけたもので，2 つの反応溶液を混合した後，観測セルが温度ジャンプの試料セルになっているもので，非可逆反応の高速な反応中間体形成の機構解明に応用されている．この方法

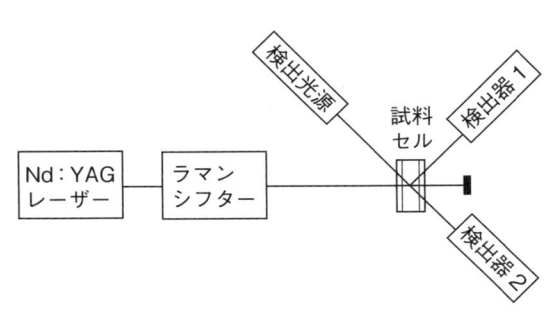

図 9.15.2 レーザー加熱型温度ジャンプ法装置の原理図
Nd:YAG レーザー光をラマンシフターにより溶液が吸収しやすい波長に変化したパルスレーザー光を試料セルに照射する．
検出器 1 は蛍光，散乱，濁度，さらには蛍光偏光解消の検出に利用し，検出器 2 は可視，紫外，赤外光等の吸収，旋光，CD 変化の検出に用いられる．

にはストップトフロー法だけではなく連続フロー法と温度ジャンプを結合した装置もある．

  (4) 高圧温度ジャンプ法

　これは通常のジュール加熱法あるいはレーザー加熱法の試料セル部分を加圧した状態で温度ジャンプを行うものである．一般に，数千気圧程度の加圧により圧力効果が観測されている．最近種々の分野で注目を集めている超高圧下の臨界状態での温度ジャンプ実験により臨界状態の動力学的情報の取得が期待される．

 b. 何がわかるか

　温度ジャンプ法からどのような情報が得られるかについて，簡単にまとめると，実験から直接得られる情報として次の4つがある．

　① 観測した時間領域，② 緩和現象の数，③ 緩和時間，④ 緩和強度

　このなかで，①と②からは観測領域での「素反応の数」と「速さ」を知ることができ，③と④の濃度依存性（反応種濃度依存性）から素過程の「反応機構」と「速度定数（さらには素過程の平衡定数）」と「反応のエンタルピー」を得ることができる．さらに③と④の温度および圧力依存性の実験から「活性化パラメータ（エンタルピー，エントロピー，体積変化）」を得ることができ，これをもとにして「活性化状態についての考察」が可能となる．これら得られる情報の多くは化学緩和法に共通するところであるが，温度ジャンプ法の特徴は素過程のエンタルピー ΔH に関する情報が得られることである．

 c. 応用例

　温度ジャンプ法の歴史は古く，1967年に化学緩和法の開発でノーベル化学賞を受賞したM. Eigen（独）が1959年に開発したジュール加熱温度ジャンプ法が始まりである．多くの研究はこのジュール加熱法を利用したものであり，研究対象は生体関連反応だけ列挙しても次のようなものがある．酸塩基反応，分子間プロトン移行反応，ミセル形成反応，リン脂質2分子膜の相転移，高分子間相互作用，ポリペプチドのヘリックスコイル転移，蛋白質と低分子の相互作用，酵素反応，蛋白質の変性，ヘム蛋白質のスピン緩和等々非常に多岐にわたっている．これらの個々の研究内容については文献としてあげた総説に詳しい．

　最後に最近の温度ジャンプの応用例として蛋白質のフォールディング反応の速度論的研究を紹介する．この研究の独創的な点は低温変性を利用した点である．すなわち，一般に温度を上げると蛋白質はアンフォールディングの方向へ変化する．しかもフォールディング状態（F）からアンフォールディング状態（U）へ進むときに大きな活性化障壁を有する中間体（I）が存在する場合には，温度を上げて反応をUの方向へ移行させた場合には，中間体（I）からUへの活性化障壁が低いので，Iの寿命はきわめて短く，その検出はきわめて困難である．したがって，Uの状態から「温度ジャンプアップ」ならぬ「温度ジャンプダウン」を高速で行えば中間体（I）の検出は可能となろうが，現在のところ高速な「温度のジャンプダウン」を得ることは不可能である．したがって，温度ジャンプ法でフォールディング過程の詳細を速度論的に研究することは不可能かと思われた．しかしここで新たな展開があった．すなわち，球状蛋白質は水溶液中で低温変性（低温アンフォールディング）を起こすことが発見され，しかも低温変性と高温変性の熱的安定性は同じであることも明らかにされたのである．このことは低温下，すなわち蛋白質のU状態において温度ジャンプをすれば，上述の「温度ジャンプダウン」と同じように，UからFへの移行の際に中間体（I）の検出が可能であることを意味している．これに着目して温度ジャンプを利用した

フォールディングの速度論的実験が行われた．リボヌクレアーゼの阻害剤であり，分子量が 10 kDa の蛋白質であるバルスターのフォールディング過程についてのジュール加熱法を利用した速度論的研究の結果，10℃ではUから中間体（I）の形成は1ミリ秒以内に起こり，その後のフォールディング構造の形成は 500 ミリ秒以内に起こることが明らかとなった．またレーザー加熱法を利用した研究としてはミオグロビンのフォールディングの初期過程が7マイクロ秒であること，さらには 28 残基からなるペプチドのヘリックスコイルのフォールディングの速度定数が 28℃で 6×10^7 s であることが明らかにされている．

〔佐野孝之〕

[文献]
1) Eigen, M. and DeMayer, L.: Techniques of Chemistry, vol. VI, Part II, John Wiley & Sons, 1974.
2) Bernasconi, C. E.: Relaxation Kinetics, Academic Press, 1976.
3) 石村　巽他：生体系の高速反応，化学同人，1979.
4) 木原　裕他：時間領域から見た生命現象，共立出版，1985.
5) Noelting, B.: Protein Folding Kinetics, Springer-Verlag, 1999.

9.16　誘電緩和法

物質の誘電率は交流電場の周波数に依存して変化する．これを誘電分散という．外部電場の変化に対する溶液中のイオン分布の変化や分子双極子の配向には有限時間が必要であり時間遅れが生じる．正弦波状外部電場に対する誘電応答を，同位相で応答する誘電率成分（実部 ε'）と 90°遅れた成分（虚部 ε''）に分解し，複素誘電率 ε^* によって誘電率の大きさと位相遅れを表す．$\varepsilon^*(\nu) = \varepsilon'(\nu) - j\varepsilon''(\nu)$．$\varepsilon'$ と ε'' の値を横軸周波数 ν に対して表示したものが誘電スペクトルである．誘電スペクトルは実部の誘電分散スペクトル（dielectric dispersion spectrum）と虚部の誘電吸収スペクトル（dielectric absorption spectrum）からなる[1~3]．実部はエネルギーの蓄積に関係し，虚部はエネルギー損失の程度を表す．たとえば水溶液中でイオン伝導だけがエネルギー損失の原因であればイオン伝導度を σ とすると，$\varepsilon'' = \sigma/\omega$ となる．粘性液体中で，電場の方向に双極子分子が配向回転するときの粘性によるエネルギーロスもこの虚部に含まれる．

赤外吸収（$\nu = 0.1\sim4\times10^{14}$ Hz）は誘電応答の共鳴吸収スペクトルに相当する．その共鳴吸収は原子核の質量と化学結合のばね定数で決まる共鳴周波数で起こる．通常，誘電スペクトルの範疇にはこれを含めず，より低周波数で起こる誘電緩和現象を対象にすることが多い．緩和現象は，ある系を平衡状態からわずかだけ急激にずらしたとき，系が新たな平衡状態に至る過程を意味し，運動方程式においては原子質

量にもとづく慣性力項が他の摩擦力項やばね力項等に比べて無視できる低周波数域（10^{11} Hz 以下）が対象となる．したがって外部変動に対する応答は振動的ではなく単調減衰的になる．

　測定法にはピコ秒で立ち上がるステップパルス発信器を用いた時間領域反射法（time domain reflectometry：TDR 法）[4]と連続波の掃引発信器を用いたインピーダンスアナライザー（10 MHz 以下）あるいはネットワークアナライザー（10 MHz〜数 10 GHz）による方法がある．TDR 法では被測定物質に当てる入射パルスと反射パルスを同時に取り込み，フーリエ変換して複素誘電率の周波数依存性を求める．一方後者の方法では，入射波と被測定物質からの反射波を同時に取り込みヘテロダイン検波により被測定素子のゲインと位相変化すなわち伝達関数が得られる．これより複素誘電率の周波数依存性を求める．測定周波数によって用いる試料測定セルの構造は異なり，とくにマイクロ波域で用いるセルおよびケーブルでは，測定中の機械的変形・熱膨張などが起こらないよう特段の注意がはらわれる．また，TDR におけるパルス発信器の時間軸変動や，ネットワークアナライザーの発信器等の出力変動は極力少なくなるよう注意がはらわれる．もっとも単純な誘電緩和現象は，デバイ型の緩和で次の形をもつ．

$$\varepsilon^*(\nu) = \varepsilon_\infty + (\varepsilon_s - \varepsilon_\infty)/[1 + j(\nu/\nu_c)],$$
$$\varepsilon'(\nu) = \varepsilon_\infty + (\varepsilon_s - \varepsilon_\infty)/[1 + (\nu/\nu_c)^2],$$
$$\varepsilon''(\nu) = (\varepsilon_s - \varepsilon_\infty)(\nu/\nu_c)/[1 + (\nu/\nu_c)^2]$$

純水（20℃，20 GHz 以上は予想値））の例を図 9.16.1 に示す．実部 ε' は図 9.16.1（a）のように $\log\nu$ に対して単調減少関数であり $\nu = \nu_c$ において最も急勾配で減少する．虚部 ε'' は $\nu = \nu_c$ において緩和ピークを示す．このピークはなだらかで，その変化が起こる周波数幅は 2 桁を越え

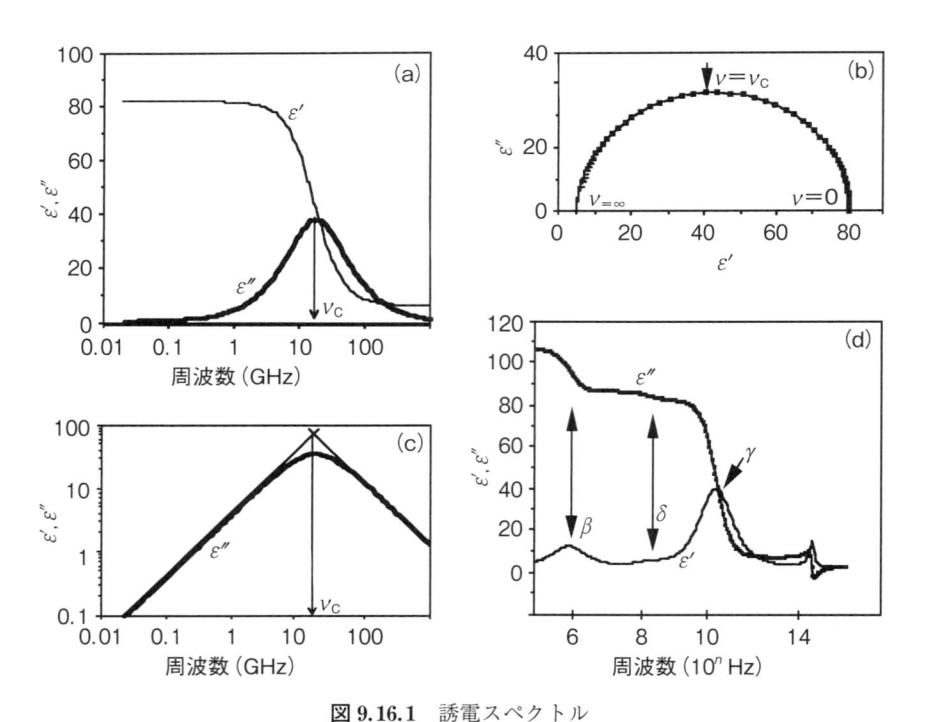

図 9.16.1　誘電スペクトル
（a）純水，（b）純水の誘電スペクトルの Cole-Cole プロット，（c）誘電吸収スペクトルの $\log\varepsilon'$ vs. $\log\nu$ 表示，（d）蛋白質水溶液の誘電スペクトル模式図．

る．誘電スペクトル上にこの特徴的な形が現れたとき1つの緩和過程があるとみなせる．縦軸をε''として横軸をε'として低周波数から高周波数にわたってプロットしたものをCole-Coleプロット（図9.16.1(b)）と呼び，デバイ型の場合は上半円となる．そのとき虚部の誘電損スペクトルを図9.16.1(c)のように両対数（$\log\varepsilon''$ vs. $\log\nu$）で表すと低周波数域では傾きが1で高周波数域では傾きが-1の接線が引けるので，2直線の交点（ピーク）から正確に緩和周波数 ν_c（したがって緩和時間 $t_c=1/2\pi\nu_c$）が求まる．

図9.16.1(d)は球状蛋白質水溶液の誘電スペクトルの模式図である．ここでは4つの分散ピーク（低周波数側3つを順にβ分散，δ分散，γ分散という）を示している．β分散は蛋白分子全体としてもつ電気双極子が電場に配向する緩和過程，γ分散は水分子の電気双極子が電場に配向する緩和過程，δ分散はピークの大きさは小さいが蛋白分子の水和情報[5〜7]や蛋白分子の屈曲運動[8,9]等の重要な情報を含んでいる．10^{14} Hz 以上の変化は C=O や O-H 結合等の赤外吸収による分散を模式的に示している[1]．

水中に分散した球状蛋白の水和[5]や疎水性アミノ酸の水和[7]が測定されている．それによるとアルキル基など疎水基の水和は緩和周波数が 5 GHz に現れ，溶媒接触表面積（ASA）に比例した水和数（1個/0.09 nm^2）が観測されている．また球状蛋白分子の水和数は，表面に露出した極性原子に接触する水分子数と，表面に露出した疎水性原子に接触する水分子数をあわせた数とほぼ等しい水和数が観測される．これは蛋白分子の水和第1層の水分子の数になる．

このほかに，水に細胞を分散させた液の誘電スペクトルでは，10^6 Hz 前後にマクスウェル-ワグナー（Maxwell-Wagner）効果と呼ばれる緩和ピークが見られる．これは，膜を介して交流電場が加えられたとき膜内外のイオン濃度が膜表面で変化し濃度分極効果が現れるため起こる[3,10]．また 10^3 Hz 以下では電極表面にイオンが蓄積して大きな分極効果が現れる．そのため低周波数域では，バルク溶液の特性と電極表面の分極特性を区別するための工夫が必要になる．

〔鈴木　誠〕

[文献]

1) Pethig, R.: Dielectric and Electronic Properties of Biological Materials, John Wiley & Sons, 1979.
2) Takashima, S.: Electrical Properties of Biopolymers and Membranes, Adam Hilger, Philadelphia. 1989.
3) 花井哲也：不均質構造と誘電率，吉岡書店，2000.
4) Mashimo, S. et al.: J. Chem. Phys. **97**, 6759-6765, 1992.
5) Yokoyama, K. et al.: J. Phys. Chem. B, **105**, 12622-12627, 2001.
6) 永山國昭編：水と生命，第3章1，共立出版，2000.
7) Suzuki, M. et al.: J. Phys. Chem. B. **101**, 3839-3845, 1997.
8) Hayashi, Y. et al.: Biophys. J. **79**, 1023-1029, 2000.
9) Kamei, T. et al.: Biophys. J. **82**, 418-425, 2002.
10) Asami, K. et al.: Bioelectrochemistry and Bioenergetics **40**, 141-145, 1996.

9.17 超音波技術

　医者が打診をして体の状態を調べたり，八百屋がスイカをたたいて善し悪しを調べたりするのは，一種の超音波測定に当たる．そういう意味で，超音波測定は決して新しい手法ではないが，独特の物理的性質がわかることから，生物物理的手法の1つにあげることができる．まず，超音波の伝播には，2つのパラメータが関係する．超音波の速度と減衰（吸収）の度合いである．そして，超音波の音速はそれが伝わる媒質の弾性率と，吸収は媒質の粘性率（粘度）と直接関係している．つまり，超音波測定からは，物質の力学的性質がわかるのである．

　次に指摘しなければならないことは，物質の力学的変形には多くの形があり，それに対応して超音波の伝播にもいろいろなモードや異方性が見られる．たとえば，物質の状態（気体，液体，固体，液晶）によって，超音波の伝播挙動に大きな違いが見られる．気体や液体ではずれの弾性率がゼロなので，横波超音波は伝播しないのに対して，固体ではずれの弾性率が有限の値をもつので，横波超音波が伝播する．つまり，固体では並進の秩序があるが，それは分子の並進運動に対する復元力があり，それが秩序を生み出しているからである．そして，それがずれの弾性率をも発生させている．このことは液晶物質において顕著で，一次元秩序をもつスメクティック液晶（膜が積み重なった構造）では，その秩序の方向に一定の角度をもった方向だけに横波が伝播する．一般に，生体物質には，気体，液体，固体，液晶などさまざまな状態のものがあるが，超音波測定ではそれら生体物質の秩序あるいは状態を見分けられるということを示している．現実には，横波の測定はかなりむずかしく，主にモデル的なサンプルについて測定が行われているのだが，潜在的には非常にユニークな生体物質の性質を測定できる測定手法である．

　さて，超音波測定というと，普通は縦波超音波をさしており，それを特徴づける弾性率は，体積弾性率（圧縮率の逆数）である．すべての物質は体積弾性率をもつので，縦波超音波はすべての物質で伝播する．そして，さまざまな生体物質についても超音波測定が行われてきた．生体組織の測定では，蛋白質と脂質の含量によって音速の体系的な変化が見られている．脂質は柔らかく，蛋白質は比較的硬いので，蛋白質の含量が高いほど音速が早いのである．このことは精製された生体膜の試料でも見られている．非常に蛋白質含量が高いハロバクテリアの紫膜では，音速が速く（体積弾性率が高く），脂質膜では遅い．そして，他の膜でも音速が蛋白質含量にほぼ比例している．

　超音波は力学的な応力の波である．蛋白質や膜などの生体物質では，超音波による周期的な応力の変化に対して普通は大きな構造変化が起こらないので，その測定によって得られる弾性率などは物質の固有の性質と考えてよい．しかし，特殊な条件下では，応力変化によって大きな構造変化が起こり，それによって物質が異常に柔らかく見える場合がある．脂質膜の相転移に伴う臨界現象がその典型的な場合である（図9.17.1）．脂質膜は，脂質分子の炭化水素鎖が秩序を示すゲル相とその配置がくずれた液晶相の間で相転移（ゲル–液晶相転移）を示す．そして，相転移点近傍の温度で，脂質膜は異常に音速が低い（弾性率が小さい）状態を示す．これは脂質膜がゲル相と液晶層の間で大きくゆらいでおり，外から

の応力に対する復元力が非常に小さいということを示している．

臨界現象は，非常に一般的な物理現象であって，気体−液体相転移や磁性体の相転移など多くの相転移の転移点近傍で観測されている．そして，そこではゆらぎの緩和時間が異常に長くなるスローイングダウンも見られる．実際に，超音波の周波数を変えて測定すると，音速の分散と吸収の増大の様子から緩和時間の測定ができる．実際に脂質膜のゲル−液晶相転移点の近傍で緩和測定を行うと，異常に緩和時間が長くなることがわかる．生体関連の物質で，これほど顕著な臨界現象を示すものはない．同じ膜のゲル−液晶相転移点近傍でさまざまな測定を行ったとき，超音波測定と同じくらい鋭い異常な変化を示す物性量は熱測定による比熱の異常くらいである．このことからも超音波測定のユニークさがわかる．

最後に，超音波測定の測定装置に関して，若干コメントしておかねばならない．超音波測定の原理としては，大別すると3種類のものがある．振動子を用いてパルス的な超音波を送波し，試料を伝播してきた超音波を別の振動子で受波すれば，その時間遅れから音速が，信号の大きさから吸収係数が求められる（パルス法：図9.17.2(a)）．平行に置いた振動子の間で超音波の共鳴条件を求め，共鳴周波数から音速を，共鳴ピークの幅から吸収を求めることもできる（共鳴法あるいは共振法：図9.17.2(b)）．最後に，ギガヘルツの高周波領域では，フォノンによる光の散乱を測定することによって音速吸収を求めることができる（ブリルアン散乱法）． 〔美宅成樹〕

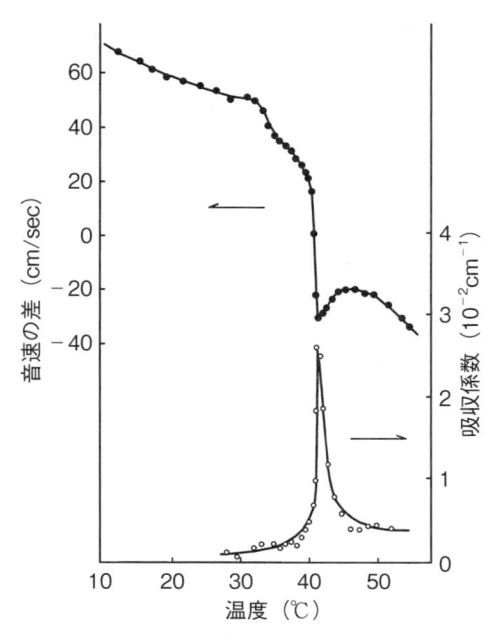

図9.17.1 脂質膜相転移に伴う超音波の音速と吸収係数の温度依存性
相転移点付近で鋭い音速の谷と吸収係数の山があり，臨界現象による膜のゆらぎを示している．

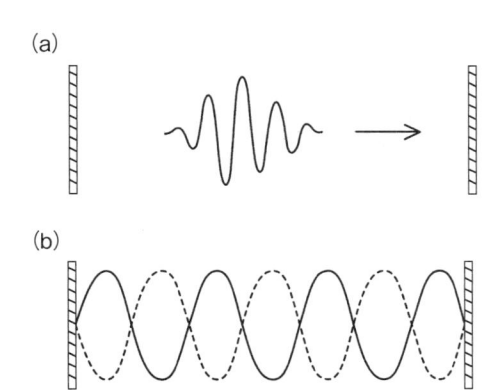

図9.17.2 超音波測定の2つの方法
パルス伝播を測定する方法（a）と定在波の共振を利用する方法（b）．超音波の音速と吸収係数が得られるが，それらは物性としては弾性率と粘性率に対応している．

[文献]
1) 超音波便覧編集委員会編：超音波便覧，丸善，1999．
2) Mitaku, S. Jippo, T. and Kataoka, R.: *Biophys. J.* **42**, 137, 1983.

IV. 物理化学的方法

9.18 超遠心分析法

超遠心分析は，測定する粒子（分子あるいは複合体）を溶質として含む溶液を大きな遠心力場におき，その溶質の挙動にもとづいて沈降係数（s 値），拡散係数，分子量を求める方法で，不均一系においては分子量分布，解離会合系においては平衡定数も求めることができる．

a. 原理と装置系

超遠心分析機の装置の外観と測定のための光学系を図 9.18.1 に示してある．回転中のセル内の溶質の濃度勾配は紫外・可視の吸収またはレイリー干渉系で測定される．レイリー干渉系は吸収のないものや高濃度の蛋白質で紫外吸収が使えない場合の測定などに利用される．セルは図 9.18.2 に示したように溶液を入れるセクター形の穴のあいたセンターピースの上下をウイン

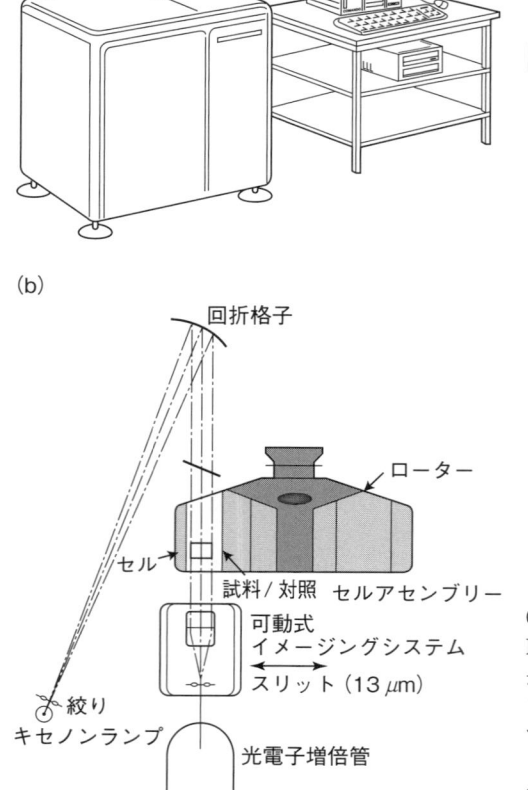

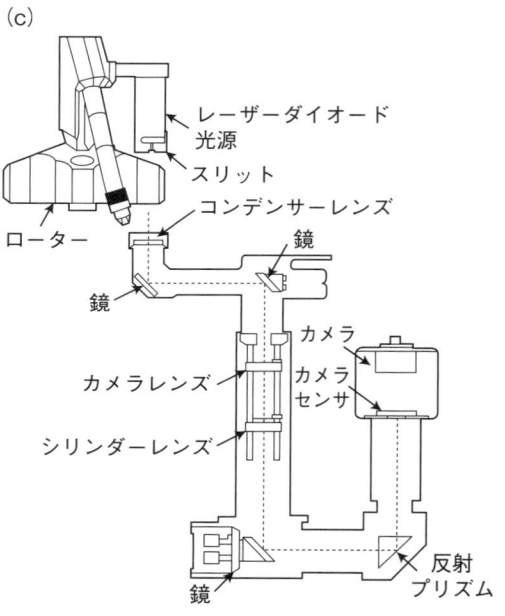

図 9.18.1 超遠心分析機
(a) 外観：左側に超遠心分析機本体（Beckman-Coulter XL-I），右側に制御およびデータ解析用 PC が見える．(b) 光学系：モノクロメーター（波長 190〜800 nm）から出た紫外線または可視光はローターに設置されたセルを通って下部のフォトマルに到達する．フォトマルは半径方向に内側から外側に向かって移動しながらシグナルを検知してPCに送る．(c) レイリー干渉光学系．

b. 沈降速度法

ローターを十分速い速度で回転させると，溶質が沈降して溶質のなくなった部分と残っている部分との間に境界面ができ，その境界面が沈降していく．粒子の沈降速度，すなわち境界面の沈降速度は回転中心からの距離 r と回転角速度 ω の2乗に比例し，沈降係数はその比例定数として定義される．

$$v = \frac{dr}{dt} = sr\omega^2 \qquad (1)$$

この式の r を境界面の位置 r_b と考え，$\ln(r_b)$ を t に対してプロットすると，傾きから沈降係数が求められる．沈降係数 s は分子量 M，摩擦係数 f と以下の関係にある．

$$s = \frac{M(1-\bar{v}\rho)}{Nf}, \quad f = \frac{RT}{ND} \qquad (2)$$

ここで，$\bar{v}$ は溶質の偏比容，ρ は溶媒の密度，N はアボガドロ数，f は摩擦係数，D は拡散係数である．溶質固有の s 値は温度と溶媒の粘度について補正を行って20℃，水中における値を求め，$s_{20,w}$ と書く．さらに，沈降係数は一般的には濃度に依存するので，濃度を0に外挿し，$s^0_{20,w}$ と記す．

非平衡熱力学を用いた輸送過程の解析をセクター形をしたセルに適用すると，ラム（Lamm）の方程式が導かれる．

$$\left(\frac{\partial C}{\partial t}\right)_r = \frac{1}{r}\left\{\frac{\partial}{\partial r}\left[s\omega^2 r^2 C - Dr\left(\frac{\partial C}{\partial r}\right)_t\right]_t\right\} \qquad (3)$$

この方程式は超遠心分析の基礎となるもので，多分散系にも拡張され，沈降係数や拡散係数の濃度依存性を考慮すると非理想溶液にも適用できる．この方程式は解析解をもたないので，いくつかの近似解が提案され，用いられてきた．しかし最近は，s および D をパラメータとして数値解を求め，最小2乗法を用いて実験データに当てはめることによって沈降係数 s および拡散係数 D を求め，これから下記のスベドベリーの式（Svedberg equation）

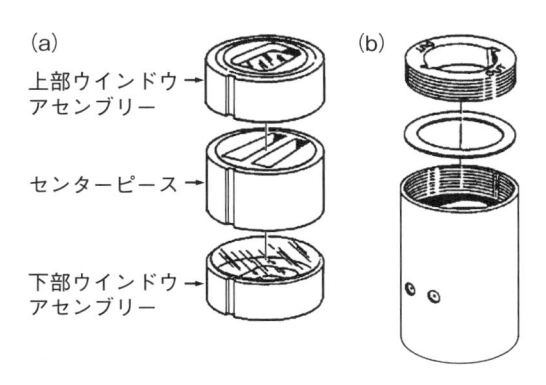

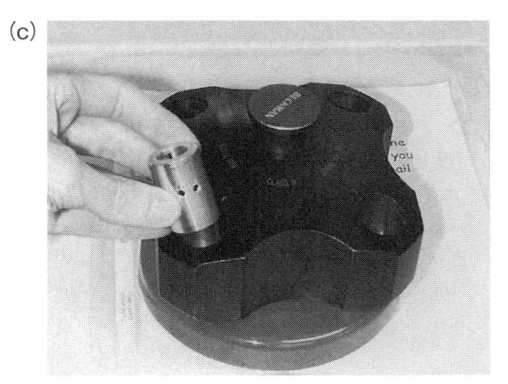

図 9.18.2 超遠心分析機のセルとローター
センターピースを石英またはサファイアのウインドウで挟んでハウジングに入れ，端をスクリューを用いて一定圧力で締める．紫外吸収では紫外線をよく透過する石英，レイリー干渉系には圧力によるゆがみの小さいサファイアを用いる．セルを組み立てた後で溶液と対照の緩衝液を横の穴から注入する．ネジでふたをしてローターに装填する．

ドウで挟んでハウジングと呼ばれるアルミ製の容器に納めて一定の圧力で締める．セクター形の穴を用いることによって沈降する粒子が側壁に衝突するのを防いでいる．センターピースはふつうダブルセクターセルを用い，一方に試料溶液，他方に緩衝液（透析外液が望ましい）を入れる．光学系は試料溶液と緩衝液の吸収（または屈折率）の差をアウトプットとして出力する．遠心機と光学系は PC（personal computer）によって制御され，アウトプットは直接 PC に転送されて記録される．

$$\frac{s}{D} = \frac{M(1-\bar{v}\rho)}{RT} \quad (4)$$

を用いて分子量を求める方法も用いられるようになった．ここで，R は気体定数である．この方法をさらに解離会合系に拡張することも行われている．ただし，分子量に関しては平衡法のほうが精度が高い．

c. 沈降平衡法

比較的低い回転速度では，粒子が沈降していく界面は観測されず，沈降と拡散が次第に釣り合って平衡に達する（図 9.18.3）．

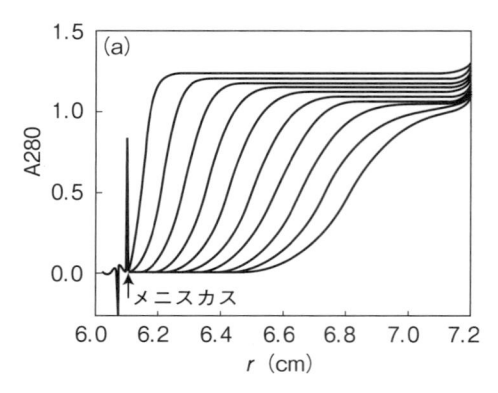

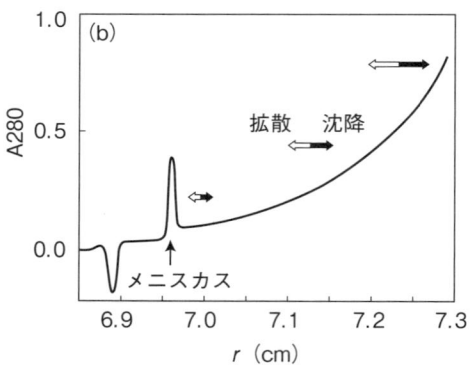

図 9.18.3　沈降速度法と沈降平衡法
(a) 沈降速度法で境界面が沈降する様子．プラトーの濃度が時間が経つにつれて下がってくることに注意．これはセルがセクター形をしているためで，半径方向希釈（radial dilution）と呼ばれる．境界面の沈降速度から沈降係数が求められ，境界面における濃度変化の経時変化は拡散係数に依存する．(b) 沈降平衡における濃度分布．沈降と拡散が平衡に達している．

平衡に達する時間は主として溶液の容量と拡散係数の大きさによるが，通常の方法では分子量数万の蛋白質で 20 時間程度である．均一な粒子が低濃度で理想溶液とみなせる場合には，平衡状態での濃度分布は次式に従う．

$$\frac{d(\ln C)}{d(r^2)} = \frac{\omega^2 M(1-\bar{v}\rho)}{2RT} \quad (5)$$

そこで，分子量は $\ln C$ を r^2 に対してプロットして傾きから求めることができる．多分散系の場合には上式の M は重量平均の分子量を表す．この式には，摩擦係数や拡散係数は含まれていない．すなわち，沈降平衡法で求められる分子量は分子の形に依存しない．分子量を正確に求めるために，溶質分子の濃度，回転数を変えて複数の条件下で測定を行い，これをグローバルフィッティングによって理論式に当てはめることも行われる．

なお，沈降平衡法を複数の条件，すなわち溶液の濃度および回転数を変えて行うことによって，混在する複数の分子量の分子の間に解離会合の平衡があるのかないのかを決定することができる．また，分子が解離会合の平衡にある場合には，単純な平衡であれば理論式を最小 2 乗法で当てはめることによって平衡定数を決定できる．

分子量を求める場合には式 (5) または式 (4) からわかるように偏比容を求める必要がある．これを実験によって求めるには精密密度計によって溶液の密度の濃度依存性を求め，式 (6) にもとづいて密度を濃度に対してプロットしてその直線の傾きから求める．しかし，この方法は多量の溶質を必要とし，現実的でない場合が多い．

$$\rho = \rho_0 + (1-\bar{v}\rho_0)C \quad (6)$$

そこで，蛋白質の場合は，各アミノ酸残基の偏比容の値を用い，その蛋白質のアミノ酸組成をもとにして重量平均から偏比容を求めることが行われる．

平衡法では通常，上記のように溶質分子が形成する濃度勾配を観測するが，塩化セ

シウムなどの濃度勾配を利用して溶質分子の密度によって分離する方法を超遠心分析でも行うことがある．この方法は主として核酸などの測定に用いられる．Meselson and Stahl（1958）はこの方法によって核酸の半保存的複製を証明した．

〔有坂文雄〕

[文献]

1) 野田春彦：生物物理化学，東京化学同人，1990．
2) Van Holde, K.E., Johnson, W.C. and Ho, P. S.：Principles of Physical Biochemistry, Prentice-Hall, 1998.
3) Cantor, C.R. and Schimmel, P.R.：Biophysical Chemistry, Part II, W. H. Freeman and Co., 1980.
4) Meselson, M. and Stahl, F. W.：*Proc. Natl. Acad. Sci., USA* **44**, 671-682, 1958.

9.19 熱測定法

熱測定（カロリメトリー）とは，物質系の熱の出入りを定量的に測定することであり，実験熱力学における最も基本的な研究方法である．生命科学諸分野では，主に反応熱（エンタルピー変化，ΔH）評価を目的として一定温度で行われる等温熱測定と比熱（熱容量，C_p）評価を目的として温度を一定速度で変化させて行う走査熱測定が行われる．いずれの場合も，mJ以下の微小熱量を高確度・高精度で測定できる熱量計（カロリメータ）が市販されている．このほかに，反応経過を追跡することを目的とした反応熱の経時変化の測定も行われる．これは反応熱が正確に反応進行度に比例することにもとづいており，目的に応じた熱量計が開発されている．

等温熱測定では，一定温度に保たれた熱量計の観測室（セル）の中で反応を行わせ，反応系が放出または吸収した熱量をセル温度の上昇または下降として温度センサー[*1]によって検出する．セルとその周囲の熱交換[*2]を実際上無視できるように設計してある装置（断熱型）と熱交換を積極的に行わせ，交換される熱量を観測する熱伝導型の装置がある．また，反応溶液のセル内への導入や反応開始のための混合様式の違いによって，装置はバッチ型（2種の反応溶液をセルの2つのコンパートメントに別々に入れておいて，温度平衡後に混合して反応を開始する），フロー型（2種の反応溶液を一定速度で混合装置を経由してセルに送り込んで，熱交換シグナルが一定値に達したときの値から反応熱を評価する），滴

定型(2種の反応溶液の一方をあらかじめセルに入れておき,もう一方の反応溶液を少量ずつ逐次送り込む)に大別される.

走査熱測定では,セル内の試料温度を一定速度で上昇または下降させながら,その温度を単位温度だけ変化させるために必要なエネルギー,すなわち,物質の熱容量の測定を行う.生体分子溶液の熱測定用の装置は試料セルと溶媒のみを入れる比較セルを備え[*3],試料溶液と溶媒との熱容量差(過剰熱容量)を示差的に測るように設計されている(示差走査熱測定,DSC).昇温の途上で熱の出入りがあれば,それを打ち消すように補償用ヒーターで熱補償して(このとき記録される補償熱流が試料と溶媒の熱容量差に対応する),2つのセルが同一温度になるように制御されている.

熱測定では,反応にプロトンの出入りが伴う場合には,必ずpH緩衝液のプロトンの授受が共役して起きることに注意すべきである.すなわち,測定された見かけの熱変化にはこの緩衝液のプロトン授受による熱変化が含まれている場合がある.たとえば,プロトン解離(イオン化)エンタルピー変化ΔH_iの緩衝液中で反応系がnモルのプロトンを放出するとき($n>0$),真のΔHと見かけのΔH_{obs}との関係は次式で与えられる.

$$\Delta H = \Delta H_{obs} + n\Delta H_i$$

nをpHスタットなどの方法で直接求めて補正することもできるが,ΔH_iの異なる緩衝液を用いて同じ反応を測定すれば,nとΔHが同時に決定できる上に,反応への緩衝液の影響のチェックもできる.

ギブスエネルギー変化ΔGが既知の反応[*4]について,等温熱測定によってΔHが評価されると,熱力学の第2法則から導かれる式$\Delta G = \Delta H - T\Delta S$を用いて,エントロピー変化$\Delta S$を見積もることができる.さらに,$\Delta H$は温度によって異なることが多く,その温度係数が熱容量変化ΔC_pを与える.

$$\Delta C_p = \frac{\partial(\Delta H)}{\partial T}$$

種々の非共有結合的な相互作用はΔS,ΔC_pに対して特有の寄与をすることが知られているので,これらの熱力学量の評価は生体分子系,とくに蛋白質の構造変化の考察を行う上できわめて重要である(表9.19.1).さらに,平衡定数Kの温度依存性から次のファント・ホッフ(van't Hoff)式を用いてΔH(ΔH_{VH})を間接的に求め,熱測定で直接求めたΔHとの比較による協同現象の解析も行うことができる.

$$\frac{\partial(\ln K)}{\partial(T)} = \frac{\Delta H_{VH}}{RT^2} \quad (1)$$

走査熱測定は,生体高分子の熱的に誘起される転移現象の熱力学的解析を目的として行われる.とくに蛋白質の熱変性のDSCは,遺伝子工学的に改変した蛋白質の熱安定性の評価,ドメイン構造の推定,サブユニット間相互作用などの研究における重要な解析法である.図9.19.1は蛋白質のDSC測定の一例であるが,熱変性過

表9.19.1 蛋白質の構造と変化に起因する熱力学量変化の符号

構造変化	ΔH	ΔS	ΔC_p
疎水性残基の分子表面への露出	−	−	+
イオン性残基の分子表面への露出	+or−	+	−
水素結合の形成	−	−	+
ファン・デル・ワールス相互作用	−	−	−
分子内運動の自由度の増加	+	+	+
等エネルギー構造の状態数の増加	+	+	0

(蛋白質・核酸・酵素 33(4), 309-319, 1988)

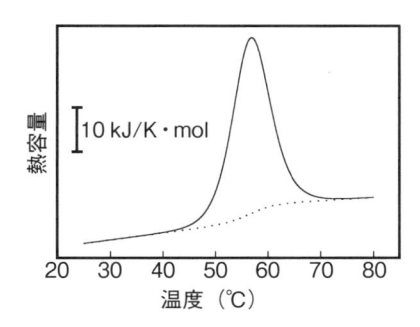

図 9.19.1 蛋白質の DSC 測定の例

程が吸熱ピークとして現れることを示している．このピーク面積が変性エンタルピー変化（ΔH_{cal}）を与える．また，変性前状態（ネイティブ状態，N）と変性状態（D）の熱容量に差がある．この熱変性に伴う熱容量変化 ΔC_p は蛋白質の熱安定性を規定する重要な要因となっている．ピークを温度に関して積分すれば，全分子のうち変性分子種の占める割合 α の温度変化を表す曲線が得られる．各温度で N, D 状態が平衡であれば（N$\rightleftarrows$D），その平衡定数 K（= [D]/[N] = $\alpha/(1-\alpha)$）について（1）と同じファント・ホッフ式が成立する．したがって，熱変性についても ΔH_{cal} と ΔH_{VH} の比較を行うことができる．分子が N 状態から D 状態に一挙に転移する場合（完全な 2 状態転移）にのみ $\Delta H_{cal} = \Delta H_{VH}$ が成立する．図 9.19.1 はこの 2 状態転移の例であるが，分子量が大きい（>20,000）蛋白質では，吸熱ピークが 2 つ以上に分かれるものや肩を示すものが多い．そのような場合には，$\Delta H_{cal} > \Delta H_{VH}$ あるいは $\Delta H_{cal} < \Delta H_{VH}$ となるが，詳細な解析を行うことにより，分子間，分子内ドメイン間相互作用に関する情報が得られる．〔児玉孝雄〕

*1 サーミスターやサーモパイルなどが用いられる．
*2 反応によって生じた熱は観測セル内に閉じ込めておくことはできず，ニュートンの冷却則に従って周囲へ逃げる．
*3 等温熱量計と同様に，セルの断熱制御を行う型と非断熱型の装置がある．
*4 ΔG は次式によって計算することができる．

$$\Delta G = -RT \ln \frac{K}{Q}$$

ここで，R, T はそれぞれ気体定数，絶対温度であり，Q, K はそれぞれ反応系の非平衡時の質量作用比と平衡時の質量作用比（平衡定数）である．蛋白質のリガンド結合のような平衡系の場合は滴定型熱量計を用いると ΔH と K が同時に求められる．滴定熱測定が不可能な場合には，別の平衡解析的な方法で K の評価が行われる．

[文献]
1) 高橋克忠編：特集 生体系のカロリメトリー．蛋白質・核酸・酵素 **33**（4），1988.
2) 祖徠道夫編：熱・圧力（実験化学講座 4），丸善，1992.
3) Johnson, M. L. and Ackers, G. K. (eds.): *Methods Enzymol.*, **259**, 1995.
4) Ladbury, J. E. and Chowdhry, B. Z. (eds.): Biocalorimetry, John Wiley & Sons, 1996.
5) 深田はるみ：蛋白質・核酸・酵素 **42**, 2108-2112, 2559-2565, 1997.
6) Fukada, H. and Takahashi, K.: *Proteins* **33**, 159-166, 1998.

9.20 質量分析法

質量分析法は，分子の質量を測定する技術である．重さと異なり質量は環境の影響を受けない，物質に固有の性質である．1個1個の分子の質量を測定するために，試料分子をバラバラにし，電荷を帯びさせることで（イオン化と呼ぶ），電場や磁場を利用して試料分子を操作できるようにする．大気圧中では窒素や酸素分子と衝突するので，自由に動かすことがむずかしいし，試料分子が分解してしまう．したがって質量分析では，「真空中」で「電荷を帯びた」試料分子を操作し，その質量を測定する．試料分子をどのようにイオン化し，どのように質量を測定するか，この2つの技術が質量分析に必要である．

1980年代の終わりに，エレクトロスプレーイオン化（electrospray ionization：ESI）法とマトリクス支援レーザー脱離イオン化（matrix-assisted laser desorp-tion ionization：MALDI）法が開発され，分子量数十万以上の蛋白質や核酸など極性の高分子をイオン化することが可能となった[1,2]．エレクトロスプレー現象は細い金属管（キャピラリー）に溶液を送り込み，対抗電極との間に高電圧（3000～5000 V）をかけると，金属管の先端で溶液が細かい霧状になる現象である（図9.20.1 (a)）．試料を揮発性の酸を含む溶媒（0.1％程度のギ酸や酢酸を含むメタノールやアセトニトリルなど）に溶かし，金属管に正の高電圧をかけると，試料は正の電荷を帯びる．エレクトロスプレー現象により生じた水滴から溶媒が蒸発し，水滴のサイズがどんどん小さくなると，陽イオンどうしの間の静電的な反発力が強くなり，試料イオンは

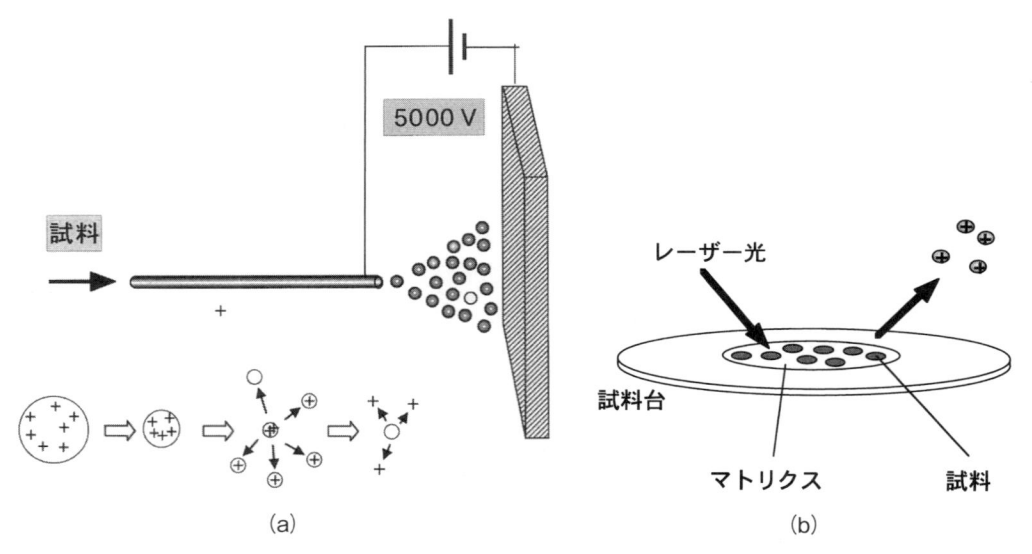

図9.20.1 イオン化法の原理
(a) エレクトロスプレーイオン化法では，エレクトロスプレー現象により生じた微少の液滴から試料イオンが飛び出す．(b) マトリクス支援レーザー脱離イオン化法では，低分子のマトリクスと試料を混合し，そこにレーザーを照射する．

やがて水滴から飛び出してしまう．一方，MALDI法は，マトリクスと呼ばれる紫外領域に吸収をもつ低分子に試料を混ぜ，平面上の試料台上で乾固する．そこにマトリクスが吸収する波長のレーザー光を当てると，光エネルギーはマトリクス分子に吸収され，さらに試料分子に伝わる（図9.20.1(b)）．レーザー光が照射された狭い範囲で高温になり，小規模な爆発が起こることで試料分子とマトリクス分子が気化すると考えられている．ガス化した状態で，マトリクス分子から試料分子への電荷の移動が起こり，試料分子がイオン化される．

このようにしてイオン化した試料分子の質量を測定する装置（質量分析計）にはさまざまな原理のものがある[3]．四重極型（quadrupole）質量分析計は，4本の平行電極が特定の質量/電荷比（m/z）をもつイオンだけを選択的に通すマスフィルターとしての性質をもつことを利用する．飛行時間型（time of flight：TOF）質量分析計は，文字どおり試料イオンが特定の長さの飛行チューブの中を飛ぶのに要する時間を測定する．運動エネルギーは$1/2 \times mv^2$（m：質量，v：速度）で表されるから，すべての試料イオンに一定の運動エネルギーを与えると，飛行速度は，質量の平方根に反比例する．その他，イオントラップ型質量分析計や，フーリエ変換イオンサイクロトロン型質量分析計（FT-ICR-MSまたはFT-MS）などが用いられる．2種類のイオン化法はさまざまな質量分析計に組み合わせることが可能である．高性能の装置であれば，分子量10万程度の蛋白質の質量を±数ダルトン程度の高精度で測定することが可能である．問題は，すべての蛋白質，ペプチドが効率よくイオン化できるとは限らないことである．夾雑する緩衝液などの塩をできるだけ除く必要もある．疎水性の強い膜蛋白質の測定も，溶媒の選択などの解決すべき点が残されている．

さらに質量分析法では，タンデムマス（MS/MS）と呼ばれる方法で，蛋白質，ペプチドのアミノ酸配列情報が求められる．第1段目の質量分析部をマスフィルターとして使用し，混合物から希望する試料イオンだけを選び出す．衝突室でアルゴンなどの重いガスと衝突させ，衝突エネルギーにより試料分子を開裂させる（衝突誘起解離：collision-induced dissociation, CID）．2段目の質量分析部で生じた断片イオンを分析する．ペプチドをCIDにより開裂させると，アミノ酸どうしをつなぐペプチド結合と側鎖の結合が影響を受ける（図9.20.2(a)）．衝突条件を適当に選べば，ランダムにどこか1ヵ所のペプチド結合で開裂する状況をつくり出すことができる．側鎖の相違によってそれぞれのアミノ酸は固有の質量差を示す．したがって断片イオンをそれぞれ順番にたどっていくことで，アミノ酸配列が読み取れることになる（図9.20.2(b)）．通常の20種類のアミノ酸以外に，アミノ酸の側鎖にさらにさまざまな修飾基が付加された場合でも，基本的には同じ手

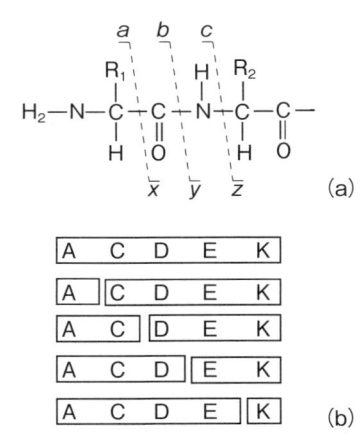

図9.20.2 MS/MS法によるアミノ酸配列解析
(a) ペプチド結合の1ヵ所で開裂すると，N末端側とC末端側の2つの断片イオンが生じる．
(b) 1残基ずつ長さの異なるイオンの質量差からアミノ酸配列を読み取る．

法を用いて解析できる．

　このような質量分析法は蛋白質の同定や構造解析，とくにその大規模な解析に有効な手段となっている．生体や細胞がもつすべての遺伝子の集合をゲノム（genome＝gene＋ome）と呼ぶのにならって，細胞に発現しているすべての蛋白質の集合をプロテオーム（proteome＝protein＋ome）と呼ぶ．ヒトをはじめとする多くの生物種でゲノム解析がすでに終了し，また進行している．ゲノム配列と実際に発現している蛋白質（プロテオーム）を結びつけ，蛋白質を網羅的に解析することをプロテオーム解析，プロテオミクスと呼ぶ．特性がはっきりしたプロテアーゼで分解すると，配列に応じて特定の質量をもつペプチドの組合せが得られる．データベース中の遺伝子配列から理論上得られるペプチドの質量の組合せと比較することで，蛋白質を同定することができる（ペプチドマスフィンガープリンティング法：PMF法）．またペプチドのMS/MSのデータと配列を比較することで同定するシークエンスタグ法はより精度の高い方法である．従来のエドマン分解を使用したプロテインシークエンサーによるアミノ酸配列決定法に比較して，感度が1桁以上（フェムトモル），速度が1桁以上（数分）と優れている．これらの利点が細胞に含まれるすべての蛋白質を解析対象とするプロテオーム解析，プロテオミクスを可能とし，質量分析はその中心的な手段になっている[4]．　　　　　　　〔谷口寿章〕

[文献]
1) Fenn, J. B. *et al.*: *Science* **46**, 64-67, 1989.
2) Hillenkamp, F. and Karas, M.: *Methods Enzymol.* **93**, 280-289, 1990.
3) 谷口寿章：蛋白質・核酸・酵素 **45**, 1865-1871, 2000.
4) 伊藤隆司, 谷口寿章編：プロテオミクス（ポストシークエンスのゲノム科学3），中山書店，2000.

第10章　概念，アプローチ，方法

10.0 〈総論〉
生物物理学の新生
―新しい科学パラダイムの上に

「情報概念は物理学では扱えない」というのが筆者のテーゼである．もしそうだとしたら生物物理は生物の最も面白いところ（生物らしさ）を扱えないことになる[1]．この問題について社会学者吉田民人の提唱する新しい学術パラダイム論[2]に沿って考察し，生物物理の課題と諸概念の整理を行いたい．

吉田のパラダイムシフト論は次の2点に要約される．

1) 情報学的自然観：生命の発生とともに記号（遺伝コード）が生まれ，エネルギー代謝の開始とともに情報処理が始まった．生物とは自己保存すなわち個体と種族の保存のためにエネルギー処理と情報処理を行う系である．

2)「自己組織システム」の科学観：事象に関する法則を定立し，定立された法則をもって事象を説明・予測・改変する，という正統的な科学観は，「非自己組織システム」の科学―物理科学―に固有のものである．一方「自己組織システム」の科学―生物科学や社会科学―の場合には，まず，システムの「秩序プログラム」―遺伝情報や文化情報―なる「規則」を解明し，ついで「秩序プログラム」の生成と動作と保持と変容に関する「法則」を定立する．そして，それらの規則と法則をもって事象を説明・予測・改変する．

従来は法則によると解されてきた事象が，じつは，遺伝的・文化的なプログラム（＝規則，ルール）によるものであるという発見は，因果法則の定立を第一義とする古典的科学パラダイムを根底から突き崩すもので，根底的な科学観のシフトである．

社会学者吉田の主張を自然科学の言葉で整理すると次のようになる．

生命系の最も根源的かつ簡明な定義はアイゲン（M. Eigen）のダーウィン系の3要素である[3]．①自己複製，②代謝（自己維持），③変異（複製エラー）．そしてこの3要素のある系には必ず"情報"的なものが生まれ，その蓄積を通じて進化が生まれた．吉田の科学論におけるプログラム科学はこのダーウィン系の科学を指す．したがってプログラム科学が従来の法則定立科学と独立であると主張することは2つの科学―物理科学と生物科学―が原理的に独立であると主張することと等価である．もちろん生物が物質でできている以上，生物学は物質科学と隣接している．しかし「生物らしさ」を問う学問は吉田の主張するプログラム科学の方法論に従うことになり，物理科学と独立ということになる．

吉田はさらにプログラム科学である生物科学は物理科学よりむしろもう1つのプログラム科学である工学と似ているといっている．驚くべきことにこの主張は，生物物理学会の創始者故小谷正雄の「2つの技術論」の主張と完全に符合している[4,5]．古

くはバイオニクス，最近では遺伝子工学，蛋白質工学，細胞工学，組織工学，再生工学，発生工学，進化工学など，現在バイオテクノロジーとして隆盛を誇る多くの工学分野が生物学から生まれた．これは単なる偶然ではなく，科学としての近さを物語っているのかもしれない．

表面化学から科学哲学へと転身したポランニー（M. Polanyi）は，1968年に生命は物理化学法則に還元されないとして二重制御理論を提出した[6]．すなわち生物のしくみは機械と同じであり，次の2つの制御のもとで働くという．① 物理化学法則による制御，② 前件条件（境界条件や初期条件．たとえば構造や設計図）による制御．しかもこの2つは独立であると主張する．蛋白質立体構造の生成はまさにこの典型である．アミノ酸配列情報が前件条件で，構造選択を行う自由エネルギー最小則が物理化学法則にあたる．この考えはいわゆる物理における説明形式「法則＋境界/初期条件」の拡張だが，物理では二義的と考えられていた境界/初期条件を法則と同等に置き，かつそれを独立な制御（指令）としたところに新しさがあった．

吉田の新科学論はポランニーの議論をさらに深化させたものといえる．すなわち二重制御理論を図10.0.1のように拡張し，自然の階層構造と対応させる学問論を展開した．

ここで物質世界，生物世界，人間世界の三層構造において，今までは前件条件と考えられていたもの，遺伝情報プログラムそして言語情報プログラム，を物質世界の法則に代わる秩序原理と認定し，下位の階層をむしろ前件条件としたのである．これはまさに大文字の第二次科学革命と呼ぶにふさわしい，大きな認識の転回である．

自然には3層があり，それらは各階層が獲得した新しい秩序原理を中心にすえて，二重制御的に機能をしている．その際，下位の階層が前件条件（境界/初期条件）を与えている．生物物理はこうした新科学体系の中で物質世界と生物世界との橋渡しを行うという意味で重要な位置を占める．ただしゲノム情報とその解釈に終始すればそれは分子生物学と大差なく，またゲノム情報を離れて物理法則のみを議論すれば物質科学と大差はない．

吉田理論と小谷の考えを受け，筆者は生物と物理の橋渡しを次のように考えたい．

1) 物質世界と生物世界にはシグナル性プログラム（ゲノム）の有無によるきわめて大きな断絶がある．

2) しかし生物世界と人間世界の間にはダーウィン系としての共通性があり，それが生物および人間の「2つの技術」の進化に現れている．

3)「2つの技術」の共通特性は新しいメカニズム（技術）の創発にある．

法則定立科学：　　　　"物質法則＋境界/初期条件"　　　　：物質世界
（物理学，化学）

シグナル性
プログラム科学：　　　"プログラム（ゲノム）＋境界/初期条件"　：生物世界
（生物学，医学）

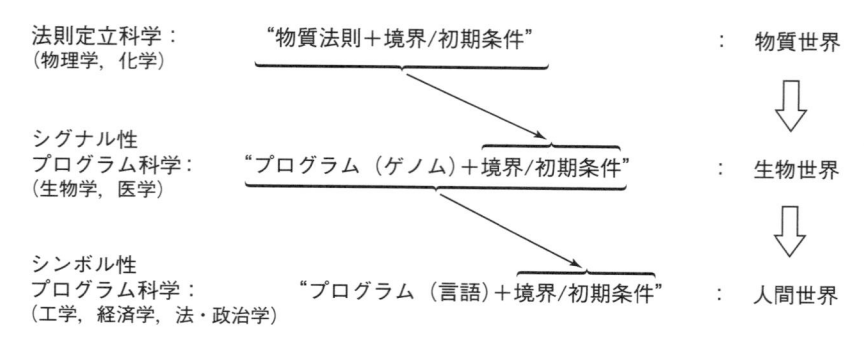

シンボル性
プログラム科学：　　　"プログラム（言語）＋境界/初期条件"　：人間世界
（工学，経済学，法・政治学）

図10.0.1　新科学論（学術の階層）

4）生物物理学のテーマはこの新しいメカニズムの解明（技術の創発と技術の仕組みに関する）にある．

5）さらに実践性を重視する立場から「2つの技術」を融合する実践的生物物理学（生物工学）が橋渡しを完結する．

この提案は従来の生物物理学のジレンマ「生物における新しい物理法則の探究」を3つの契機で乗り越えている．

第1はゲノムというプログラム秩序の認定．第2に物理が生物の分子メカニズムの解明に最強のツールであることの認識．そして第3が「生物の技術」と「人間の技術」の融合を通じて生物物理は完結するとの主張．以上の議論を視覚化し生物物理学を隣接科学と関係づければ図10.0.2のようになる．

図10.0.2では生物工学を実践生物物理学と考え，生物物理学と地続きで捉えている．今までは認識的側面を強調するあまり（確かに生物系には未知が多すぎた）実践的立場は意識されなかった．しかし物質過程として生物の技術がわかれば，それは必ず応用の局面をもつはずである．たとえば進化分子工学のように[7]．

法則定立科学の物質科学とプログラム科学としての生物科学のインターフェイスに生物物理学は棲息する．物理空間（体）と情報空間（遺伝）の出会うところにはまだ多くの未知の探究がある．たとえば生命の起源，細胞の起源，多細胞生物の起源，知能の起源など．また分化・発生，遺伝情報の一次元から三次元への発生過程などは物質法則と情報規則の新しいシナジェティクスとして，いままでと異なる角度から捉え直すことができるはずだ．たとえば細胞表面蛋白質と遺伝子には細胞種ごとの分化対応があるが，こうした「多対多」対応の複雑系をどう扱っていくのか．そして分子モーターの生物物理的解明は新しい物理パラメータを生む契機を秘めている[8]．生物物理の諸概念をこうした新しい学問パラダイムの中で捉え直す作業も決して無駄ではない．

〔永山國昭〕

[文献]
1) 矢原一郎：生物科学について最近の話題から．科学 **71**, 442-445, 2001.
2) 吉田民人：俯瞰型研究の対象と方法：「大文字の第二次科学革命」の立場から．学術の動向 2000. 11, 36-45, 2000.
3) Eigen, M.: Steps Towards Life, Oxford Univ. Press, 1992.
4) 小谷正雄：生物学と工学．生物物理 **8**, 141-142, 1968.
5) 永山国昭：巻頭言，二つの工学，二つの選択．生物物理 **34**, 177, 1994.
6) Polanyi, M.: Life's irreducible structure. *Science* **160**, 1308-1312, 1968.
7) 伏見 譲：進化分子工学とは．化学と生物 **37**, 678-684, 1999.
8) 柳田敏雄：化学エネルギーを運動に変える仕組み．生体分子モーターの仕組み（石渡信一編：シリーズ・ニューバイオフィジックス4），共立出版, pp. 187-207, 1997.

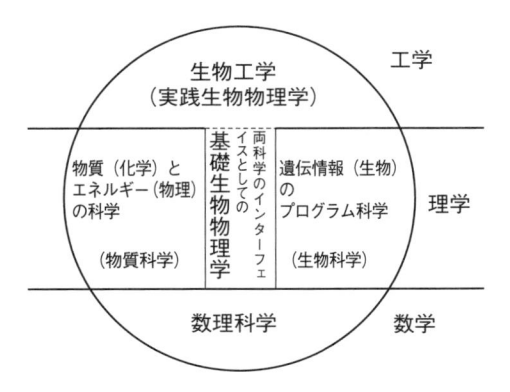

図 **10.0.2** 生物物理学と隣接科学との関係

I. 生物物理の諸概念

10.1 非線形・非平衡

a. 秩序形成と非線形・非平衡

　生物はあらゆる部分においてきわめて高度に発達した秩序構造を有している．また，部分ごとの秩序を統合し，さらに大きなスケールで調和のとれた体制を築き上げる．物質的体制化のみならず機能・規範の面においても「部分と全体」が不可分に連携して自律的創造的に行為するところにいちじるしい特徴がある．分子レベルから個体レベル，社会集団レベルまで広がる生物の秩序階層性の深い内容は生物科学・生命科学が有する関心のひとつである．生命の物質的過程を具体的に明らかにすることなしに，この遠大な秩序性の由来を解明することはできないが，それには分子機序の特異性の探究と過程論的な普遍性の探究が協力し合うことが必要なことのように思われる．

　秩序形成過程は生物・生命科学だけが注目するテーマではないが，生物への関心がその中核になっていることは否定できない．物理学がそれに注目し始めたのはそれほど古いことではない．システム物理としての側面から生物理解の重要性を明確に指摘したのはベルタランフィー（L. von Bertalanffy）に遡るだろう[1,2]．また熱力学の原理的側面から，生物体の秩序形成に目を向け始めたのは，それからしばらく後のプリゴジヌ（I. Prigogine）らの仕事であろう[3,4]．「巨視的な秩序を築き上げる物質の自己組織化能力は非平衡状態においていちじるしく発揮される」というプリゴジヌらの考え方は，「巨視的な系は無秩序で不活性な熱平衡状態に向かって緩和する」という熱力学第二法則に関する，正しいが固定的な観念を破ったものであった．非平衡状態における秩序は，プリゴジヌらの命名に従って散逸構造と呼ばれている．生物体がつねに非平衡の外環境に生き，また自ら非平衡の内環境を生み出しているという事実は生物・生命現象の非平衡過程の研究を強く促すことになった．

　非平衡状態において物質系が見せる構造の多様性は平衡状態のそれをはるかに圧倒している．非線形な物理化学的過程が，ある場合にはさらに非線形のしかたで結合し合うことによって，自由エネルギーの散逸を担う微視的ゆらぎの不安定化を誘起し，巨視的構造（散逸構造）への遷移を多様なものにしている．非平衡熱力学と非線形力学を基盤にした散逸構造論が生物・生命のもつ高度な機能的秩序の理解にいかに貢献するか，今後の検討も必要であろう．しかし，少なくとも非線形・非平衡現象の理論的解析法と，それが達成した普遍的理論の枠組みは生物・生命過程の分析にも大きく寄与するものと思われる．

　生物・生命現象に限らず，自然の法則と現象の多くは非線形であるといっても過言ではない．基準状態から微小なずれの限られた領域でのみ線形法則は成立する．そこから次第に離れ，秩序形成や自己組織化という大域構造の探究に向かうとき，自然法則にもともと内蔵されている非線形性や非平衡性が必然的に現象の主役になってくる．以下には，非平衡熱力学の立場と非線形力学の立場を示し，非線形・非平衡現象の典型的な側面を紙面の許す範囲で解説する．

b. 非平衡状態の熱力学原理
（1） 熱力学の流れ－力関係

　非平衡状態において温度や圧力など熱力

学的諸量は，時間と場所の関数である（局所平衡の仮定）．たとえば場所ごとに温度が違えば，温度の空間勾配に比例し，高温側から低温側へ不可逆的に熱エネルギーが流れる（フーリエの法則）．また，化学ポテンシャルの空間勾配に対しても，同様に物質の拡散流が生じる（フィックの法則）．不可逆過程は，このような流れと力（空間勾配に比例）の関係で特徴づけられる．また，流れと力の積は，その不可逆過程によって生じるエントロピー生成速度を与える．流れ（J）と力（X）が微小な量である場合，両者の間には線形の関係式が成り立つ：

$$J = LX \tag{1}$$

L は行列で，その成分はオンサガー係数と呼ばれ，複数の不可逆過程の間の交差効果の強さを表し，平衡近傍では対称行列である．またオンサガー係数は，微視的ゆらぎの減衰の時定数の逆数に比例する量である（ゆらぎの崩壊過程）．エントロピーの生成速度（P）は熱力学の第二法則に従って

$$P = J \cdot X = X \cdot LX \geq 0 \tag{2}$$

である．さらにエントロピー生成速度の時間変化に対しては，力の変化に帰因する部分について書けば，

$$d_x P = J \cdot dX \leq 0 \tag{3}$$

が成立している．

基準状態が熱平衡状態でない定常状態の場合にも，そこからのずれを改めて，力－流れとすることによって剰余エントロピーの生成速度について同様の関係が示される．それらはエントロピー生成極小の原理（principle of minimum entropy production）および一般的発展規準（general evolution criterion）と呼ばれている[3,4]．具体的な例は，次の反応拡散系の項で示す．

(2) オンサガー相反則の破れ

微視的ゆらぎがエルゴード性と可逆性（時間反転対称性）をもつ熱平衡近傍では，オンサガー法則の対称性は成立する．しかし，平衡から遠ざかるにつれ定常状態からのずれに対するオンサガー行列に反対称成分が出現する場合がある．反対称成分はエントロピー生成には寄与しない微視的ゆらぎが振動的減衰（oscillatory damping）を繰り返していることを示している．たとえば2成分の流れ–力関係（J_1, J_2, X_1, X_2）の場合，対応するゆらぎは互いに有限の位相差をもって生成－消滅していることになる．オンサガー係数の反対称成分が発散する場合に定常状態が不安定化し，巨視的な時間周期的現象（リズム）が発生することは後のブラッセレータの例で示す．

(3) 非線形領域での熱力学的状態

平衡状態から離れるに従って，流れ－力関係は非線形になるが，はじめに出現する構造は一般的に時間的変動を伴わない定常状態である．これは平衡状態に連続的につながる定常不可逆過程の領域である．さらに平衡から離れると，定常状態が不安定化し，別の定常状態や，あるいは時間変動を伴う非平衡状態に遷移する．このとき出現する巨視的状態を散逸構造と呼ぶ．エントロピー生成極小の原理や一般的発展規準の破れに伴って散逸構造は発生すると考えられている．新しく発生した散逸構造の安定性は改めてそこを基準状態にとった流れ－力関係等によって議論される．しかし，規則的な振動（リズム）や不規則振動（カオス）を伴う散逸構造の安定性に関する熱力学原理の拡張はまだ完成しておらず，非線形力学の理論（分岐解析）によらなければならない状況である．

c. 反応拡散系の場合
(1) 化学反応の熱力学

化学反応は自由エネルギーの差によって駆動される非線形現象である．k 種物質の濃度 n_k，化学ポテンシャル μ_k，温度 T，反応の化学量論的係数を ν_k（簡単のため1つの反応過程とする）とすれば親和力は $A = -\Sigma \mu_k \nu_k / T$ で反応によるエントロピー生成量は $(d_i S)_R = A d\xi$ である．ξ は反応の

進行を表す内部自由度である．式 (1) との対応をみれば，A が熱力学的力で $d\xi/dt$ が熱力学的流れである．反応による温度，圧力の変化を簡単のため省略すると，エントロピー生成速度式 (2) は，

$$\left(\frac{d_iS}{dt}\right)_R = \left(\frac{\partial A}{\partial \xi}\right)_{T,P}(d\xi)^2 \geq 0 \qquad (4)$$

であり，$d\xi = \nu_R^{-1} dn_k$ と自由エネルギーの関係

$$\mu_k = \left(\frac{\partial G}{\partial n_k}\right)_{T,P}$$

で書き換えれば

$$\sum_{i,j}\left(\frac{\partial^2 G}{\partial n_i \partial n_j}\right)_{P,T} dn_i dn_j \geq 0 \qquad (5)$$

である．これは熱力学的安定性の条件にほかならない．

拡散流（J_k）によって化学物質が運ばれることも考慮すると，拡散によるエントロピー生成速度は $(d_iS)_D = -\nabla \mu_k J_k/T$ である．ρ 種の反応が同時に進行する場合，それぞれの反応進行度 ξ_ρ，親和力 A_ρ，化学量論的係数を $\nu_{k\rho}$ とおけば，エントロピー生成速度 P は，容器の体積で積分して

$$P = \frac{d_iS}{dt} = \int dV\left[\left(\frac{d_iS}{dt}\right)_R + \left(\frac{d_iS}{dt}\right)_D\right]$$
$$= \int dV\left[\sum_\rho A_\rho \frac{d\xi_\rho}{dt} + \sum_k \frac{1}{T}\nabla\mu_k \cdot J_k\right]$$
$$\geq 0 \qquad (6)$$

である．

保存則（連続の式），

$$\frac{\partial n_k}{\partial t} = -\nabla J_k + \sum_\rho \nu_{k\rho}\left(\frac{\partial \xi_\rho}{\partial t}\right)_{T,P} \qquad (7)$$

を使えば，式 (3) に対応する

$$\frac{d_xP}{dt} = -\int dV \sum_{kk}\left(\frac{\partial \mu_n}{\partial n_k}\right)_{T,P}\left(\frac{\partial n_k}{\partial t}\right)\left(\frac{\partial n_k}{\partial t}\right)$$
$$\leq 0 \qquad (8)$$

が導かれる．これもやはり基準状態の熱力学的安定性の結果であることがわかる．

式 (7) で流れ J_k と共役な力（$-\nabla\mu_k/T$）に線形の関係，$J_k = -D\nabla n_k$ を仮定すれば

$$\frac{\partial n_k}{\partial t} = \sum_f \nu_{k\rho}\left(\frac{\partial \xi_\rho}{\partial t}\right)_{T,P} + D\nabla^2 n_k \qquad (9)$$

のように最も簡単な反応拡散方程式が得られる．

(2) 振動化学反応

外界からの物質やエネルギーの流入・流出を伴う開放系でない場合には，十分長い時間の経過後には反応は停止し，ただ1つの平衡状態に落ちつく．しかし，開放系の場合や，仮に閉鎖系であってもタイムスケールの違う複数の反応が結合する場合には，巨視的状態に時間的変動が安定に出現することがある．ベロソフ−ジャボチンスキー（BZ）反応ではマロン酸による Ce イオンの酸化還元反応が数分間の周期で生じ，数時間にもわたって振動が継続する[5]．化学振動（chemical oscillation）の出現は，減衰振動を繰り返す微視的ゆらぎが，非平衡環境の変化に伴って振幅方向に不安定化を生じることに由来している．

BZ 反応の場合には，中間生成物が数十種類にものぼることが知られており，上に述べた微視的描像を確かめることはむずかしいが，そのメタファーモデルとして提案された反応系（ブラッセレータ）によって近似的に確かめることができる[4]．

ブラッセレータでは初期物質（A, B）が最終物質（D, E）に変化する際の中間生成物（X, Y）について変化を考える．反応速度式は，

$$\begin{cases} \dfrac{dx}{dt} = a - x - bx + x^2y \\ \dfrac{dy}{dt} = bx - x^2y \end{cases} \qquad (10)$$

である．定常状態 $(x, y) = (a, b/a)$ は，$b = b_c = 1 + a^2$ で不安定化して規則的振動（リズム）反応が生じる．微視的ゆらぎについての詳しい計算[6]によってオンサガー係数（行列）の反対称成分 L^a は

$$L^a = \frac{-1}{b-b_c}\begin{pmatrix} 0 & 1 \\ -1 & 0 \end{pmatrix} \qquad (11)$$

となり，転移点（$b=b_c$）で発散することがわかる．化学振動の発生直後の振幅は $\sqrt{b-b_c}$ に比例する．

拡散効果も含めた反応拡散モデルでの転移点直後の挙動は分岐理論によって詳しく解析され，基準状態からのずれを複素量 W と表すと，一般に，

$$\frac{\partial W}{\partial t} = W + (1+ic_1)\nabla^2 W - (1+ic_2)|W|^2 W \tag{12}$$

となることが遞減摂動法（reductive perturbation method）により導かれている[7]．分岐した解の振幅がほぼ変わらずに振動数 ω_0 に対する位相の変調として記述できる場合には，$W=|W|\exp[i\omega_0(t+\psi)]$ とおいて，時間と空間のスケールを取り直したものを改めて $\partial/\partial t, \nabla$ と表すと，

$$\frac{\partial \psi}{\partial t} = (1+c_1 c_2)\nabla^2 \psi + \omega_0(c_2-c_1)(\nabla\psi)^2 \tag{13}$$

と書ける．さらにこれを位相の空間微分について書き換えたものは燃焼過程にも顔を出す方程式で，蔵本–シバシンスキー方程式と呼ばれる．$1+c_1 c_2<0$ の場合，波長の長いゆらぎの成長を抑制できず，ψ の拡散による化学反応パターンの不安定化（位相乱流）を誘起する．

反応拡散系は化学反応に適用されるだけでなく，生物系の形態形成，個体集団の生態的挙動，植生パターンなど多くの生物系理論モデルと関連して研究されている．反応拡散系においては，時間的空間的スケールの異なるゆらぎが転移点において取捨選択され大域的に成長することによって，たとえばターゲットパターンやスパイラルパターンのような規則的波動ばかりでなく，フラクタル的パターン，乱流パターン，さらに成長分裂を繰り返す局在パターンなど条件に応じて多様な散逸構造を形成する．

d. 典型的な非線形・非平衡現象

散逸構造論では，力学系の理論やゆらぎの理論によって系の大域的挙動を調べ，秩序化や自己組織化の内容を明らかにしようとする．それらは実験や観察，シミュレーションと協力することによって，いっそう精密なモデルの構築に寄与するとともに，もっと大切なことであるが，秩序形成過程の概念装置をより豊かなものにするのに貢献するだろう．以下では非線形・非平衡の典型的な現象を整理する．

(1) 分　岐

力学系の変数の集合（相空間）の中で，長時間後に変数が落ち着く先の相空間の部分をアトラクター（吸引領域）という．一般に相空間には複数の（無限個の場合もある）アトラクターが共存しており，どのアトラクターに落ち着くかは初期値に依存し（双安定性），それぞれのアトラクターごとに巨視的状態は異なる．外部からの刺激に対して非線形系が閾値現象を示すのも双安定性と関係している．力学系が外部から制御できるパラメータを含んでいる場合には，パラメータの制御によって，アトラクターが別のアトラクターに変化したり消滅したりする．アトラクターのそのような急激な変化を分岐現象という．先のBZ反応で示した $b=b_c$ での変化は，相空間の固定点アトラクター（定常状態）からリミットサイクル（LC）アトラクター（振動状態）への変化でホップ分岐と呼ばれている．ホップ分岐が繰り返すと，多重周期的振動が出現する．

連続時間の軌道の流れに交差する面（ポアンカレ断面）上では，軌道は再帰する時間を再帰回数 n として離散時間で表すと写像力学系として記述できる；

$$\boldsymbol{X}_{n+1} = f(\boldsymbol{X}_n, \mu) \tag{14}$$

ポアンカレ断面の方法は実験データの解析にも使われ，パラメータ μ の変化に伴う分岐の様子が詳しく解析できる利点がある．たとえば，写像力学系の固定点アトラクター（時間連続の力学系のLCアトラクターに対応する）が本質的に一次元方向に不安定化を生じる一次元写像力学系の場合，周期が2倍に増加する周期倍分岐が生じたり，あるいは固定点アトラクターが別

の不安定固定点（リペラーと呼ぶ）と衝突して双方が消滅するサドル・ノード型分岐が生じる．パラメータの変化に伴って周期倍分岐が無限回遂次発生する場合には，分岐点でのパラメータ値が一定の比率（ファイゲンバウム比）を満たすことがわかっている．また，サドル・ノード型分岐で固定点アトラクターが消滅した後に，軌道の乱れが短時間に突発的に発生する間欠的現象が観測されることが多い．固定点アトラクターが二次元以上の方向で不安定化する場合には，先のホップ分岐やさらに複雑な軌道が発生する[8]．

(2) カオス

決定論的力学に従いながらいちじるしく不安定で予測不可能な挙動を示す軌道は一般にカオスと呼ばれている．カオスはポアンカレの三体問題の研究で最初に発見された．ポアンカレのカオスは不可逆過程を含まないハミルトン力学系におけるもので，その分野の研究は近年いちじるしく発展しているがここではエントロピー生成を伴う散逸力学系に限ることにする．散逸系カオスの発見はローレンツの熱対流系の研究が最初である[8]．

カオスはアトラクターの一種であり，ストレンジアトラクターと呼ばれる．相空間の次元を m とすれば，ストレンジアトラクターの次元 D は m より小さいことは無論であるが，D は非整数値（カントール集合のように）をもつことが最大の特徴である．カオス軌道は，ストレンジアトラクターの中でも不安定性を示し，確率論的に振る舞う一種のエルゴード的運動である．次元 D のほかに，軌道の不安定性の指数（リャプノフ数）やエルゴード論的な特性量（エントロピーや相関関数など）によってカオスを特徴づける研究が進んでいる．また，分岐現象との関係も明らかになってきている．

カオスは決して例外的な現象ではなく，生物系を含む非線形系においては普遍的に存在する運動形態の1つである．連続時間の力学系では3変数以上の系で，また写像力学系では1変数であってもカオスは出現する．カオスが現在ほどよく知られていなかった頃は，複雑な時系列が実験データから得られると，すぐに原因のはっきりしない雑音（ノイズ）の効果として解釈される場合が多かった．しかし，詳しく解析してみると，それはカオスである場合も多いわけである．カオスは複雑な現象であるがゆえに，そこには非常に豊富な情報が含まれている．カオス的な時系列は精密なモデルを構築する上で大事な役割を果たすことができるのである．ターケンス（F. Takens）は，与えられた時系列データからカオスと雑音とを区別し，カオスの場合にはリャプノフ数や次元を確定できることを明らかにした[9]．ターケンス埋め込みの方法を基礎にして複雑な系のカオスが多数発見されている．

(3) 同　期

環境を通して外部から周期的に刺激を加えて，その周期にシステムの挙動を同調させることができる場合がある．これを外部同期という．一方，外部からの強制された同期ではなく，複数のリミットサイクル型の振動子が相互作用することによっておのおのが同じ振動数で振動し始める現象がある．これを相互同期という．同期現象への関心は古くライプニッツの時代まで遡る．ホイヘンスは時計の原理への関心からこの現象を研究したといわれている．

同期現象は，ブラッセレータのところで見たようにホップ分岐に伴うゆらぎの性質を考察することによって容易に理解できる．LCアトラクターでは振動の振幅方向へのゆらぎの増大は強く抑制されている．一方，これに対して位相方向のゆらぎには抑制力が働かず（中立安定），その結果として容易に位相は拡散することができ，自分の位相を相手に合わせて調整することができる．そのようにして，安定な位相が双

方に実現した場合に相互同期が出現する．実現できない場合には位相滑りが生じ，間欠的に同期が破れる現象（脱同期）が発生する．

同期はLCアトラクターどうしだけに発生する現象ではない．たとえばカオス系とLCアトラクター系の相互作用やカオス系どうしの相互作用によって，両方の系の振舞いに強い相関が生じ，2つの系に共通の時間的な秩序が形成されることがある．たとえば，異なる2つのカオス系を連結すると，互いに位相関係を調節して新しい共通のカオス状態（カオス同期）を実現することがある．多数の能動的要素の集団が共通の時間情報を共有して，さらに高度な体制を築いてゆく上で同期は大切な働きをしている．生物系の現象においてもはたしてそう考えられるであろうか．もう一方の考え方として，外界の変動には容易には同期しないところに生物らしい自律性があるという見方もあるだろう．同期と非同期の複雑な関係を示す例として，ローレンツカオスに周期的外力（$A\cos(Bt)$）を加えた場合

のアトラクターの相図を(A, B)面で描いた結果を図10.1.1に示そう．白い部分はそれぞれのLCアトラクターで，グレーの部分はローレンツカオスが変形したストレンジアトラクターである．カオスとLCアトラクターの境界には周期倍分岐やサドル・ノード型分岐が発生し，トポロジーの異なるLCアトラクターが入れ替わる領域にはつねにストレンジアトラクターがあることがわかる[10]．

(4) パターン形成

反応拡散系のように空間分布系では，場所ごとの局所的反応が空間方向への中立的な物質の拡散を抑制し，拡散の勾配効果が反応にフィードバックすることによって，先に指摘したように多様なパターンとパターンダイナミクスを生み出す．

パターン形成は生物系の問題から考えれば，発生や分化，再生，成長などに伴う形態形成の問題群と密接に関係していることが予想されている．生物の形態形成には位置情報の担い手としてのモルフォーゲン（形態形成因子）の反応場への関与が重視されている．生物は位置情報をどのように用意しているのか．反応物質が閾値を越せば自動的に形態形成反応がスイッチオンするという考え方（サイフォンモデル）だけでは十分でないかもしれない．位置情報と時間情報の統合過程は重要なポイントになるだろう．

細胞性粘菌のライフサイクルは，そのような統合過程が明確に現れている対象である[11]．個々のアメーバ細胞は化学振動によりcAMPを数分の周期で細胞外に放出する．そして溶液中に拡散したcAMPの濃度差を他の細胞が感知して互いに引き合うように運動し，集合して移動体（slug）を形成する．そしてさらに子実体（fruiting body），胞子形成へと進む．移動体の形成過程は，反応・拡散・運動系（reaction-diffusion-motility system）の理論モデルによって解析されている[12, 14]．これによる

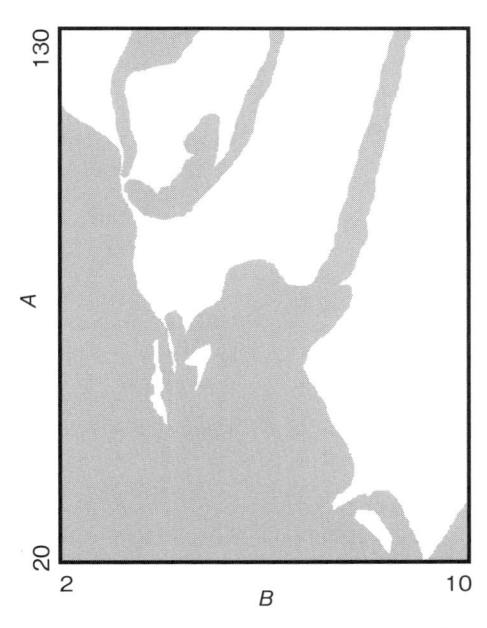

図 10.1.1 ローレンツカオスの強制振動[10]

と，もともと短い周期で振動する細胞が移動体の先頭になり，長い振動周期であった細胞は尾部になることが示されている．1つの移動体をつくることによってもともとは周期の違う細胞が同一の振動数に同期することによって移動体は有限の速度で運動することができる．さらに移動体の運動速度は同期と非同期の境界で最大になることが計算から予想されている．この理論モデルの結果は実験結果と定性的に一致する点も少なくないが，遺伝形質発現系の機構も含めて形態形成の問題とパターン形成の理論との間の大きな溝を埋めてゆくのはこれからの課題であろう．

(5) スケーリング則

生物系の各部分組織は互いに調和のとれた関係にある．このことは部分秩序と全体的秩序とが双方向的に強い相関をもちつつ，歴史的拘束の下に発生することを意味している．また先にふれた位置情報，時間情報の生成も系の局部的メカニズムだけから理解すべきではなく，部分と全体の同時形成 (local-global linkage) 過程の中で，少なくとも理論的には追求されなくてはならない課題である．

部分どうし，あるいは部分と全体が相互に拘束しあうメカニズムは非線形・非平衡関係の下で議論すべきことのようである．非線形であることによって，単なる重ね合わせを越えて，相互の分離不可能な連携の仕方が見えてくる．また，分離不可能であるがゆえに，新たな創造的過程が生み出されてくると考えられる．生命過程における創造性と全体性に関する概念装置については，残念ながら今までのところ生物物理学からの貢献はあまり多くはなかったようである．部分と全体の同時形成過程は，古くは線形過程の重ね合わせとして理解されていた[2,13]．たとえば2つの特性量 (x, y) の成長が $dx/dt = k_x(x-x_c)$, $dy/dt = k_y(y-y_c)$ のように線形法則で生じるとすれば，それぞれの解から時間 t を消去することによって

$$y - y_c \propto (x-x_c)^d \quad (d=k_y/k_x) \quad (15)$$

の関係が成立する（相対成長の仮定）．x を全体的特性量，y を部分的特性量とすれば，式 (15) は部分情報と全体情報の関係を示すもので，生物学では非比例関係あるいはアロメトリー則として議論されている．"部分の集合体としての全体" というそのような見方は，要素還元論としても不十分であり，部分と全体の同時形成過程の本質理解を閉ざしてしまっているように思われる．

アロメトリー則の非線形非平衡説は，まだ仮説の段階であるが，高分子重合反応モデルの具体的な例を示そう[14]．反応容器に一定濃度でモノマーを注入し，その重合反応過程を考える．容器内で生じたポリマーの分子量がある一定値 S 以上になったものはただちに容器外に流出させることにする．S を数千ほどのオーダーまであげると長さの違う多数のポリマー群が容器内に形成されることになる．反応速度式としてはスモルコフスキー型重合反応の非線形方程式を仮定し，さらに時間構造も調べるための工夫としてダイマーの反応にブラッセレータ型の自己触媒反応を仮定する．これによって各ポリマーの個数（あるいは濃度）が時間周期 T で振動する LC アトラクターが出現する．このとき，時間平均をしたポリマーの全質量を M, 他の特性量（たとえばエントロピー生成速度やポリマーの輸送速度など）を X とすると，

$$X - X_c \propto (M-M_c)^{\alpha_x} \quad (16)$$

のようにきれいなアロメトリー則に従うことが計算によって示されている（図 10.1.2）．さらに振動周期 T についても，

$$T - T_c \propto (M-M_c)^{\alpha_T} \quad (17)$$

のように時間アロメトリー則が成立している（図 10.1.3）．これらのアロメトリー則が成立する原因は，それらの特性量 (M, X, T) が，力学系のパラメータ S の関数として，

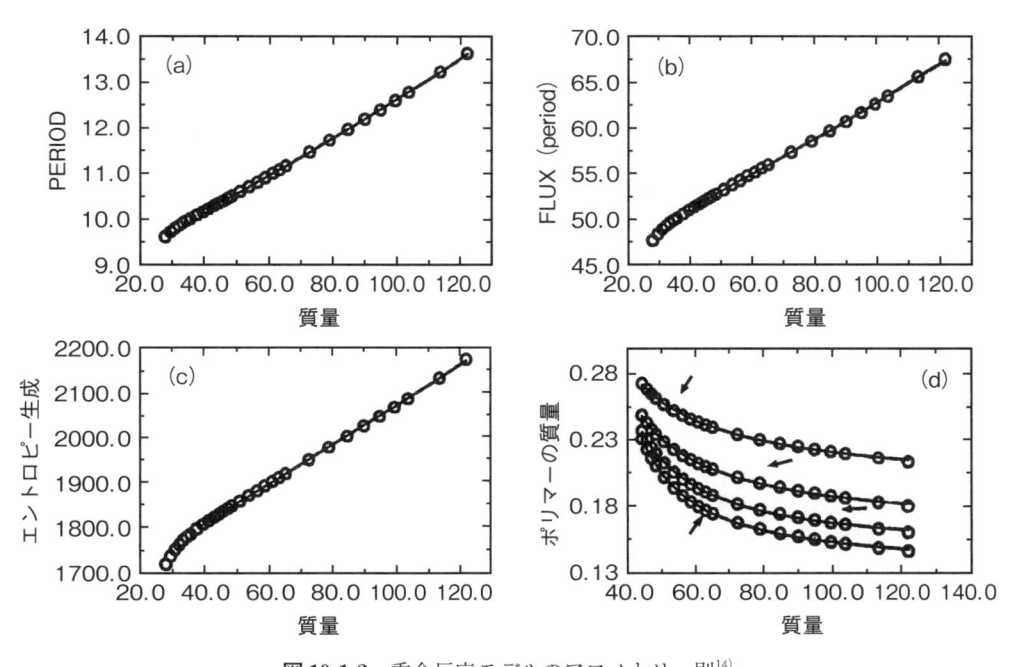

図 10.1.2 重合反応モデルのアロメトリー則[14]
(a) Mass-Period のアロメトリー則, (b) Mass-Flux のアロメトリー則, (c) Mass-Entropy Production のアロメトリー則, (d) サイズごとのポリマー量の分布

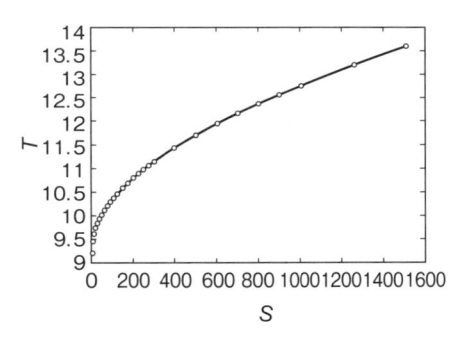

図 10.1.3 時間アロメトリー則（式 (18)）

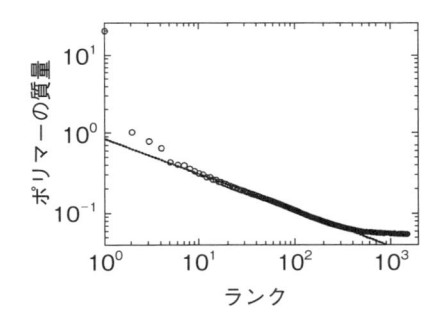

図 10.1.4 ジップ則（式 (19)）

$$M - M_c \propto (S - S_c)^{\beta_M}, \quad X - X_c \propto (S - S_c)^{\beta_X},$$
$$T - T_c \propto (S - S_c)^{\beta_T} \quad (18)$$

のようにスケールされていることが直接の原因になっている．この重合反応モデルにおいて，さらに注目すべき結果として，長さ i のポリマーの総量 m_i を，総量の大きさの順番 $n(=1, 2, 3\cdots)$ に並べたとき，

$$m_n \propto n^{-\xi} \quad (19)$$

というスケール則に従っていることがわかる（図 10.1.4）．これは，ランク (n) - サイズ (m_n) 関係として，古くジップによって指摘された法則（ジップ則と呼ばれる）にほかならない[15]．これまで，アロメトリー則とジップ則は独立に議論されてきたが，これら2つのスケーリング則が巨大システムの非線形非平衡メカニズムを介して，共通の土台の上で成立する可能性を示唆したところにこの重合反応モデルの意味があるだろう．

(6) ノイズ効果

微視的ゆらぎ（内部ノイズ）は散逸構造の発生点（分岐点）においていちじるしく増大し，新しい秩序状態の形成へと導く．秩序構造が誕生する過程（核形成）はゆらぎのダイナミクスと秩序パラメータのダイナミクスとが不可分に結合して生じる．

一方，非線形力学系に外部からランダム外力（外部ノイズ）を加える場合にも，ノイズと非線形性との相乗効果によって，系の大域的挙動がいちじるしく変化する場合がある．つまりノイズによって新しいタイプの秩序が誘起されるのである．そのような現象の1つが確率共鳴現象である．一般に，周期的外力に同期して，系がいちじるしい応答性を示すとき，これを共鳴現象という．しかし，周期的外力だけでは十分な共鳴が得られない場合に，それに加えて何らかの外部ノイズを印加することによっていっそう明確な共鳴現象が実現するとき，これを確率共鳴（stochastic resonance）と呼ぶ[16]．

確率共鳴だけでなく，非線形性とノイズのいちじるしい相乗効果は秩序形成や自己組織化過程におけるノイズの新しい役割を再認識させるものである[17]．これまでノイズは秩序を壊し，混濁させるものとして暗々裡に考えられていた．ノイズが隠れていた秩序を活性化し，顕在化するという考え方は新しい．生物系は多くのリズム的現象を内蔵しているが，確率共鳴によって顕在化しているのかもしれない．ゆらぎの測定・評価も合わせて，実際に生物が生きている機能的状態での確率共鳴の確認はこれからの課題であろう．　〔相澤洋二〕

〔文献〕

1) von Bertalanffy, L.（長野　敬，飯島　衛訳）：生命，みすず書房，1954.
2) von Bertalanffy, L.（長野　敬，太田邦昌訳）：一般システム理論，みすず書房，1973.
3) Glansdorff, P. and Prigogine, I.（松本　元，竹山脇三訳）：構造．安定性．ゆらぎ，みすず書房，1977.
4) Nicolis, G. and Prigogine, I.（小畠陽之助，相沢洋二訳）：散逸構造，岩波書店，1980.
5) 三池秀敏，森　義仁，小口智彦：非平衡系の科学 III，講談社，1997.
6) Tomita, K., Ohta, T. and Tomita, H.: *Prog. Theor. Phys.* **52**(6), 1744-1765, 1974.
7) Kuramoto, Y. and Tsuzuki, T.: *Prog. Theor. Phys.* **55**(2), 356-369, 1976.
   Kuramoto, Y.: Chemical Oscillation, Waves and Turbulence, Springer, 1984.
8) Berge, P., Pomeau, Y. and Vidal, Ch.（相澤洋二訳）：カオスの中の秩序，産業図書，1993.
9) Takens, F.: Lecture note in Mathematics 897, Springer, 1981.
   Mayer-Kress, G. (ed.): Dimensions and Entropies in Chaotic Systems, Springer, 1986.
10) Aizawa, Y. and Uezu, T.: *Prog. Theor. Phys.* **68**(6), 1864-1879, 1982.
11) 前田みね子，前田靖男：粘菌の生物学，東京大学出版会，1978.
12) Sawai, S. and Aizawa, Y.: *J. Phys. Soc. Japan* **67**(8), 2557-2560, 1998.
13) Huxley, J. S.: Problems of Relative Growth, Johns-Hopkins Univ. Press, 1932.
14) Aizawa, Y.: Unbroken Wholeness in Nonlinear Processes, International Journal of Computing Anticipatory Systems, vol. 2, pp. 235-249, 1998.
15) Zipf, G. K.: Human Behaviors and Principle of Least Efforts, Adison-Wesley, 1949.
16) Gammaitoni, L., Hangg, P., Jung, P. and Marshesoni, F.: *Rev. Mod. Phys.* **70**(1), 223-287, 1998.
17) Freidlin, M. I. and Wentzell, A. D.: Random Perturbation of Dynamical Systems, 2nd ed. Springer, 1998.

10.2 自己組織化

　生物は，自らの体を自ら創り出すことにより，生命活動を営んでいる．このような生命の特質を表す言葉として「自己組織化（self-organization）」といった術語がよく用いられてきた．現代化学の中で主要な位置を占めている有機化学は，もともと生命体（living organism：直訳すると「生きている組織体」）を構成している分子を対象とする学問として，19世紀前半に成立した．有機化合物（organic compounds）は，それ自体，生命力（vital force）を有していると当時は考えられた．19世紀半ば以降，糖や脂質さらには，より複雑な分子である酵素の構造が次第に明らかにされ，20世紀に入ると蛋白質・酵素の構造と機能を調べる学問である生化学（biochemistry）が誕生し，20世紀半ばにはDNAに代表される遺伝物質を対象とする学問，分子生物学（molecular biology）が産声を上げた．現代に至って，生命体を構成している多種多様な分子に関する知見が急増してきている．しかしながら，生体から分離・抽出した"化学物質"を試験管に戻して混ぜ合わせても生命は発生しない．生命を理解するためには，それから取り出した個々の分子の性質を知るだけでは不十分である．このような問題意識のもと，多数の分子種が秩序構造を自発的につくり出す現象をさして，「自己組織化」と呼ぶことが多い．

　「自己組織化」は，必ずしも学問的に明確に定義された述語ではなく，研究者の興味の対象やバックグラウンドに依存して，次のような異なった意味で用いられている．

1) 自由エネルギー最小の状態に落ち込むことにより，何らかの秩序が自発的に出現すること．「平衡論の立場」．
2) 何らかの時間経過により，空間的な秩序構造が生成するような現象．「速度論的立場」．
3) 非平衡開放条件下で生じる，時空間構造（spatio-temporal structure）．「非線形ダイナミクス」の一側面としての自己組織化．
4) 脳での神経細胞のネットワークにおいて，細胞間の信号の伝達の特性が，それまでの入・出力関係の履歴によって自ら変化し，それが連想記憶などの動的機能をつくり出しているとするモデル．「ニューラルネット」の自己組織化．

以下，これらについて順次説明したい．

a. 平衡論

　熱平衡状態の特徴をランダウ（Landau）流の相転移の理論の助けを借りることにより考察しよう．

　多数の原子や分子からなるような集合体を考える．それらの配列や密度を特徴づけるようなパラメータ η（秩序パラメータ）があるとしよう．$\eta=\eta(\boldsymbol{r})$，$\boldsymbol{r}$ は空間座標．簡単のため，$\eta=0, 1$ の2つの状態が自由エネルギーの極小をとるとする（一次相転移）．以下では自由エネルギーのプロフィルについて，細かい点は問題にしないで，大局的な性質についてのみ議論する．

　$\boldsymbol{r}$ の位置での自由エネルギー $f(\eta(\boldsymbol{r}))$ は，次式で表される．a は正の定数．$k>0$ のときは $\eta\cong0$，$k<0$ のときは $\eta\cong1$ が最も安定な状態となる．

$$f(\eta) = a\eta^2(\eta-1)^2 + k\eta \qquad (1)$$

集合体の空間的な広がりにわたって積分をとることにより，全自由エネルギー F が求まる（F は汎関数）．

$$f \cong \int d\boldsymbol{r}(f(\eta) + b|\nabla\eta|^2) \quad (2)$$

右辺の被積分関数の第2項は $\eta=0$ と1との界面（境界）による不安定化（自由エネルギーの増加）を示しており，b は正の定数．式（2）は秩序パラメータの異なる状態の間に生じる界面の面積が小さい方が自由エネルギーがより低くなることを意味している．異なる状態，あるいは異なる相は，おのおののサイズがより大きく成長する方が全体としての界面の面積は減少し，系は安定化する．このため，ミクロなスケールの相分離構造は一般に不安定であり，より大きなスケールへと変化する．生物においても，界面エネルギーを下げることにより，ミクロなレベルでの秩序構造がつくり出されているような現象を見出すことができる．たとえば，真核・原核細胞を問わず，すべての細胞はリン脂質分子が自己集合してできる2分子膜構造をその基本としている．リン脂質は，界面活性剤としての性質をもつため図10.2.1に示したように，分子の特徴的なサイズに依存した立体構造（この場合は2分子膜）を，形成することができる．これと関連した実験系として近年，異なる性質をもつ分子鎖をつなぎ合わせた合成高分子（ブロックポリマー）では，ラメラや水玉などのミクロ構造が自発的に生成することが報告されてきている．

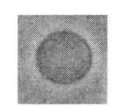

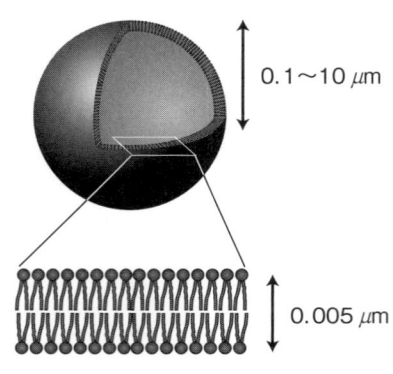

b. 速度論

外部とは化学物質の出入りがなく，しかも各化学種の分子数が保存するような閉鎖系を考えてみよう．

秩序パラメータを $\boldsymbol{r}$ の位置での化学成分の濃度とすると，保存則は $\boldsymbol{J}$ を秩序パラメータの流れとすることにより，式（3）で表される．

$$\frac{\partial \eta}{\partial t} + \mathrm{div}\boldsymbol{J} = 0 \quad (3)$$

線形非平衡の熱力学の枠組みに従い，$\boldsymbol{J} = D\,\mathrm{grad}\,X(\boldsymbol{r})$．（$X(\boldsymbol{r})$ は熱力学的力，D は拡散係数）とおき，次式が成り立つとする．

$$X \cong -\frac{\delta F}{\delta \eta} \quad (4)$$

一方，式（2）の自由エネルギーの汎関数微分をとると，

$$\frac{\delta F}{\delta \eta} = f'(\eta) - 2b\nabla^2\eta \quad (5)$$

以上の関係より，秩序パラメータの時間発展は，

$$\frac{\partial \eta}{\partial t} \cong D\nabla^2(f'(\eta) - 2b\nabla^2\eta) \quad (6)$$

空間的に一様であるときの秩序パラメータの値を η_0 とし，η_0 からのずれについて，線形安定性解析を行うと，次のような条件のときには空間的に一様な解は不安定になることがわかる．

すなわち $f''(\eta_0) < 0$ であるとき，$0 < k < k_c = \sqrt{-(f''(\eta_0)/2b)}$ の波数のゆらぎは不安定，すなわち時間的に成長する．最も成長速度の大きい波数は，

$$k = k_c/\sqrt{2} \quad (7)$$

このことから，適当な条件下では空間的に

図10.2.1 "平衡論"と"速度論"
リン脂質を水に溶かすと，平衡構造としての2分子膜が自発的に生じる．μmスケールのリポソームの形成には，"速度過程"，いいかえると，実験の操作手順が最終的な形態を決定する．

一定の波数をもつような周期構造が自発的に生成し，成長することがわかる．以上で説明したのは，スピノーダル分解と呼ばれている凝縮相の成長の機構に対応している．このような周期構造の自己生成は，過渡的なものであり，成長が終わると周期構造も消失する．しかしながら粘性の急激な増大など，空間構造をフリーズ（固定化）する何らかの因子があると，周期的なパターンが存続できるようになる．

上記のような成長構造以外にも，樹枝状の構造（雪の結晶を思い起こされたい）やフラクタル構造など，多様なパターンが速度論的なメカニズムにより生成することが知られている（図10.2.2）．一般的に結晶格子のスケールで見ると"平衡構造"をとっているものであっても，μm 程度のスケールでは"速度論的"に構造が決定されているものが多い．リン脂質2分子膜（図10.2.1）の場合にも，細胞のスケール（μm 程度）になると試料の調製方法に応じて，多様な構造（球形，チューブなど）をとることが知られている．生化学や分子生物学の実験のプロトコルに，試料の調製手順が詳しく規程されていることも，"速度過程"が状態を決めるのに本質的に重要な役割を果たしていることを示唆していると考えてよい．

c. 非平衡開放系での時空構造

上記 a, b 項の例では，いずれも空間的に生じた秩序構造であった．熱力学的に非平衡開放条件下では，時間並進対称性の破れが起こり，時間軸上に周期性が現れる．このことを次のような反応拡散方程式により考えてみよう．

$$\begin{cases} \dfrac{\partial u}{\partial t} = f(u, v) + D_u \nabla^2 u \\ \dfrac{\partial v}{\partial t} = g(u, v) + D_v \nabla^2 v \end{cases} \quad (8)$$

ここで，D_u, D_v はそれぞれ u と v の拡散係数，∇^2 はラプラス演算子（三次元では，$\nabla^2 \equiv \partial^2/\partial x^2 + \partial^2/\partial y^2 + \partial^2/\partial z^2$）．式(8)は，何らかの物理量 u, v（たとえば化学物質の濃度）の時間変化（左辺）が，反応項 $f(u, v)$, $g(u, v)$ と拡散項 $D_u \nabla^2 u$, $D_v \nabla^2 v$ の和（右辺）によって記述されることを意味している．なお，物理量 u, v に対して，u を活性化因子，v を制御因子として例をあげると，神経興奮現象では u は膜電位，v は膜を介してのイオン電流に，ベロゾフ-ジャボチンスキー（BZ）反応では u は $HBrO_2$，v は $Fe(phen)_3^{3+}$（鉄-フェナントロリン錯体）の濃度に相当することが知られている．

ここで式中に出てくる反応と拡散，おのおのが果たす役割について見てみよう．「反応」を表す項 $f(u, v)$, $g(u, v)$ については，ともに線形である場合には時間の並進性に関する対称性は保たれるが，どちらかが高次の非線形性をもつと時間並進対称性を破

拡散の速度過程が支配的なときにできる
フラクタル・パターン
(diffusion limited aggregation：DLA)

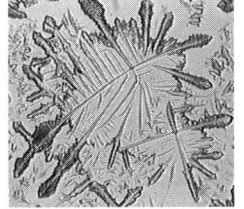

ゆっくりと乾燥　　　速く乾燥
NaCl の結晶（速度過程による違い）

図 10.2.2　速度過程に依存した自己組織化構造の例

ることができ，自発的なリズム（リミットサイクル振動）が生まれる．実際には，現実の化学反応は非線形性をもつことが多いことに注目したい．一方，「拡散」は通常は空間における濃度などの「不均一性」を打ち消し，系を均一にする作用をもつ．しかし以下に述べるような，ある条件下では「負の拡散」の効果が生じることによって空間対称性が破れ，不均一性が生まれることがある．

参考までに拡散係数に注目して具体的な現象と照らし合わせてみよう．拡散定数が $D_u \gg D_v$ のときには，神経細胞を伝播する電気興奮現象のモデル式となる．また $D_u \approx D_v$ では BZ 反応に見られるような同心円やらせんパターンなどの時間発展を記述できる方程式となる．$D_u \ll D_v$ の条件下ではストライプや水玉のような空間的に静止したパターンが自然に生成し，パターンを乱すような摂動がかかっても自己修復する機能も示す．このような定常的なパターンについては，チューリングが理論的にその存在の可能性を予想していた．最近になって熱帯魚の縞模様が，このようなチューリングパターンのメカニズムにより説明できることが，近藤らによって報告されている（Kondo, S. and Asai, R.: *Nature* **376**, 765-768, 1995）．

d. ニューラルネットの自己組織化

脳では外部からの刺激やネットワーク内の活動状態に応じて，神経細胞内のシナプス結合を変化させることにより，自らその構造・機能をつくり出している．ニューラルネットの研究分野では，これを自己組織化と呼ぶ．これについての詳細は第5章を参照されたい．　　　　　〔吉川研一〕

[文献]

1) 吉川研一：非線形科学－分子集合体のリズムとかたち，学会出版センター，1992.
2) 沢田康次：非平衡系の秩序と乱れ，朝倉書店，1993.
3) 北原和夫，吉川研一：非平衡系の科学 I，講談社，1994.
4) 吉川研一，楠見敏則：自己組織化（都甲　潔，松本　元編），朝倉書店，1995.
5) 三池秀敏，森　義仁，山口智彦：非平衡系の科学 III，講談社，1997.
6) 山口智彦：ナノ材料科学（横山　浩編），オーム社，2004.

神経パルス　$D_u \gg D_v$

BZ 反応の化学波　$D_u \approx D_v$

チューリングパターン　$D_u \ll D_v$

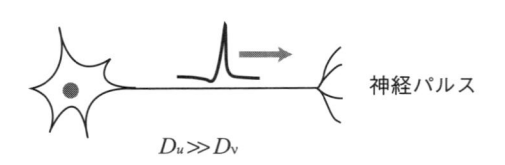

図 10.2.3　非線形非平衡系での"自己組織化"

10.3 複雑系

「複雑系」は，人により異なった意味に用いられている．まず，とにかく，いろいろな要因が絡んでいてこみいっている系を総称する場合がある．英語でいえば complicated system にあたる．この解説では complex system という意味での複雑系を考えたいので，その立場はとらないが，この違いは認識する必要がある．

実際，生命現象に多くの要因が絡んでいることはいうまでもない．そこで，とにかく，その要因や要素を枚挙し，それを組み合わせて生物の記述をしようという立場がある．近年，ゲノムから始まり，プロテオーム，メタボローム，…と続く「枚挙主義」の研究である．いかに上手に枚挙して組み合わせていくかが，この場合の研究方向であり，complicated system の立場といえる．しかし，枚挙するだけでは「理解」には至らない．多くの過程を列挙しているだけでは，「生命システムとは何か」の答えにはならない．

では，単に枚挙するというのではない方法論があるだろうか．複雑系では，要素を集めるだけでなく，各要素と全体の間の関係に着目する．つまり，要素の集団が全体の性質を与える一方で，全体の性質が個々の要素に影響を与えて，各要素の性質を変えるという循環である（たとえば細胞と個体の関係を思い浮かべればよい）．

この「部分と全体」は，その間のスケールが違えばミクロとマクロといいかえてもよい．これまでの物理学では，マクロレベルで現象を表現する「熱力学」という普遍的な体系があり，ミクロスケールの現象とマクロ現象を分離して記述することに成功している．その後，ミクロとマクロの間の関係を論じる統計力学が発展した．とくに，個々の要素の性質が相互作用により揃い出すという協同現象は，ミクロからマクロの振舞いが現れるしくみの理解を与えてきた．ただし，こうした研究は平衡状態やその近傍の研究に限られている．一方，生物システムは，時間的に変化し続ける，ないしは変化しうる可能性をもっている．さらに，その要素には非常に大きな内部自由度があって（細胞と原子を比較してみればよい），それにより，全体の性質が内部状態に埋め込まれうる．そこで，要素と全体の関係が一定におちつくという形の従来の統計力学ではうまく表現できない．また，熱力学のようにミクロレベルと切り離された形のマクロレベルの現象論の構築も困難であろう．そこで，要素と全体のダイナミックな関係を追いながら，そこにみられる普遍的な性質を探り，それとの関連で生命システムをとらえる―そういう試みが始まっている．おおざっぱにいって，これを「複雑系としての生命」の研究といってもよいだろう．

こうした研究が興ってきた研究の背景を簡単に触れよう．1940 年代にウィーナー（N. Wiener）によりサイバネティクスが提唱され，「システム」理論の先駆となった．とくにフィードバックの概念は広く使われるようになり，システムの安定性を負のフィードバックとして理解する考え方が成立した．ただし，生命システムには自分を増やす傾向があり，一般には，正のフィードバック過程を含む（たとえば自己触媒反応を考えられたい）．そのもとでの安定性をどう捉えるかは，複雑系研究の課題として残されるに至る．

70 年代から非平衡現象，とくにパター

ン形成や時間的リズムの形成の研究が進んだ．こうした研究は，形態形成を化学反応と拡散からなる系で扱ったチューリング（A. M. Turing）の研究に遡る．一方で，そうしたパターン形成をゆらぎまで含めて非平衡相転移として捉える研究も進んできた（⇨10.1, 10.2）．他方，連続状態ではなくオンオフの状態をもつ離散的な要素を用いた系のダイナミクスが論理システムと関連づけて議論されてきた．フォンノイマンに始まる自己複製をする論理システムの構築などである（⇨10.8）．細胞分化に対して，このようなアプローチをしたものとしてはカウフマンのブーリアンネットワークモデルがある．相互に関係しあった遺伝子のオンオフの時間発展を扱うモデルであり，複数ある状態の落ち着き先を，分化した細胞タイプとみなすことで，遺伝子数と細胞タイプ数の関係などが論じられた．

　80年代に至りカオスの研究が大衆化した．カオスは少数変数の微分方程式や差分系での時間発展において小さな差が増幅してマクロレベルに至るもので，決定論と確率論の関係を再考させた．カオスの時間発展は非周期的な振舞いを示し，簡単な規則から複雑な振舞いが現れることを浸透させた．ここで「複雑」といっても，軌道は状態空間上のある領域（アトラクター）に引き込まれている．ただし，そのアトラクターは，幾何学的には，点や線や面でなくその細部を拡大するとまた同じ構造が続く，フラクタルと呼ばれる自己相似構造を示す．その後，カオスは多くの非線形システムの時間発展が示す普遍的な現象として認識され，それゆえ，生物に関連した時系列でも見出されている．ある状況での神経電位の変化，脳波や心臓リズム，生化学反応での濃度の変動等々である．

　以上は，少数の変数で記述されるケースであるが，自由度の大きい系でのカオスの研究も進んだ．1つは，パターンが時間的に複雑な振舞いを起こす現象を偏微分方程式，coupled-map-lattice，セルオートマトンなどで調べるものである．関連して，もう1つの方向として，内部にダイナミクスをもった要素が相互作用したときに集団として示す振舞いが研究された．とくに，簡単な振動子やカオスを結合した系が集団として示す現象の研究である．要素の振動の同期現象，異なる振動に分かれるクラスター化等々の現象が見出され，解析された．こうした系では各要素の関係がダイナミックに変化し，それに応じて要素の性質も分化したり，集団としての秩序運動が現れたりもする．その意味では，複雑系研究のためのステップとなった．

　ただし，以上の研究は基本的には「力学系の研究」である．つまり，状態がある時間発展規則で変化していく様子の基本型を求め，その機構を状態空間での軌道の性質として表現するものであり，それ自体が複雑系研究というわけではない．もちろん，ダイナミックに変化する現象を扱う上では有力な手法であるから多く用いられ，また，力学系での新しい現象の発見や概念の導入は複雑系研究の進展に大きな影響を与えている．

　その1つの例がカオス的遍歴である．これは，状態がある安定した構造をつくり，しばらくそれを維持し，時間がたつと，ある方向に対して不安定になって，その状態から飛び出し，乱れた変動を示し，そこからまた別なほぼ安定した状態へと遷移し，また壊れ，…が繰り返されていく現象である．このカオス的遍歴は自由度の大きい系ではしばしばみられ，それによって状態間の遷移の規則が生成される．たとえば，ある遺伝子が発現したら，そのあとで別な遺伝子が発現し，という順序関係が見られる場合，そのようにプログラムされているからだ，という見方がしばしばとられるが，カオス的遍歴ではあらかじめプログラムしておかなくてもダイナミクスから遷移の規則が生じうる．さらに，この規則は，環境

などの条件が変わると状況に依存して柔軟に変わりうるので，生命システムの記述にも適していると考えられる．

一方，複雑系生物学の実験的方法論としては構成的手法が提唱されている．ある世界をわれわれの側から構築し，その中で何が普遍的であり，必然であるかを明らかにする方法である．従来の生物学の研究では，多くの場合，それを取り除くとシステムが働かなくなるような重要な分子を探っていた．つまり，生物機能の「必要条件」を探っていた．この立場では，当然，生物が生物たるゆえんの「十分条件」は求められない．それを求めるには，こちら側でつくりあげた条件でシステムを構成し，それによってどのレベルの生物機能が現れるかを探求するのがよいだろう．そこで，現実に合うような詳細なモデル世界をつくるのでなく，最低限の過程の条件を設定して，そこで必然的に現れる現象のクラスとして現実世界を捉え直す構成的生物学が提唱された．この研究は，計算機モデルだけではなく，（ほんものの）実験においても進められている．

以上，システムのダイナミクスと構成的生物学の方法論をふまえて，複雑系として生命を捉える研究について述べた．この方向の研究は理論，実験ともに進んできている．たとえば

1) 細胞は多くの化学成分が互いに触媒しあって増えてゆく．なぜ多くの成分の絡んだ状態が再帰的に複製できるのか，そのために触媒反応ネットワークがみたす性質は何か？
2) そのような反応ネットワークの中から遺伝情報の役割をになう成分が分離してくるか，遺伝子型と表現型はいかに分かれ，その関係が形成されるのか．
3) 細胞間相互作用から細胞分化が生まれ，いかにしてゆらぎの中で安定した発生過程が生成されるのか．その際に各細胞は，細胞集団の性質をどのように「知る」のか．
4) 発生初期にあった細胞の全能性は順次減っていき，幹細胞を経て，細胞分化が決定されて自己複製しかできなくなる．この不可逆性はどのように現れるのか．一般に，状態の可塑性のダイナミクスはどのような性質をもつか．
5) 細胞内の反応ネットワーク系，あるいは生態系において，多様性と安定性はどう関係するのか．
6) 個体間相互作用や表現型の可塑性と進化はどのように関係するか．

などが議論され生命システムのダイナミクスの普遍的性質が見出されてきている．また，複雑系の立場からの脳の研究も進められている（⇒第5章）．

システムとして生命を捉えようとすると，デジタルな記号（シンボル）と連続的なパターンの両面の関係をさぐっていかねばならない．if-thenの組合せで書ける論理規則とアナログでダイナミックな振舞いの両面である．現在の分子生物学ではシンボル側からパターン側を説明するのに重点が置かれている．たとえば細胞の異なる状態はしばしば遺伝子の発現といった「記号系」と結びつけられて理解されている．これに対し，複雑系としての生命研究では，ダイナミックな振舞いの中からの規則の生成，そしてシンボル的表現とダイナミクスの相補的な関係に注目する．その立場から，生命システムの多様性，安定性，可塑性，情報表現などへの新しい視点が開かれつつある．

〔金子邦彦〕

［文献］
1) 金子邦彦，津田一郎：複雑系のカオス的シナリオ，朝倉書店，1996．
2) 金子邦彦，池上高志：複雑系の進化的シナリオ―生命の発展様式，朝倉書店，1998．
3) 金子邦彦編：複雑系のバイオフィジックス，共立出版，2001．

4) 金子邦彦：生命とは何か：複雑系生命論序説，東京大学出版会，2003.

10.4　形態形成モデル

　生物の形づくりを理解したい．できれば高倍率の顕微鏡でなければ見られないような形や特殊な生物の形ではなく，日頃見なれている多細胞動物や植物の個体や器官，組織の形づくりを理解したい．今のところこの願いはかなえられないのだが，せめて研究対象としている形やパターンが，生物の形づくり全体の中でどのような位置づけにあるのかは知っておきたい．このような立場で，形態形成モデルを概観する．

　植物と動物では形づくりは大きく異なっている．植物は成長するに従い，古いものを遺しながら新しいものを付け足していく．これは植物体の上端，下端および茎の太さ方向で行われる．すでに存在する枝の先端に新しい枝が付け足されて分岐体が成長してゆく（たとえば樹木の分岐モデル，文献1）の第4-1章）．また，既存の幹や枝ではその周囲に付加成長が起こって，年輪をつくりながら太っていく．植物のような成長は，細胞増殖をもたらす分裂組織が植物体の限られた部域（上端，下端および茎の周囲）に局在しているからである（葉や花，果実の形づくりは魅力的なテーマであるが，これらは使い捨て器官であり，植物本体とは別に考えてよい）．

　一方，動物の体は閉じた袋と考えてよい[2]．上皮組織と呼ばれる，細胞が敷き詰まってできたシート状組織（上皮シート）が全体として袋になっている（図10.4.1）．上皮シートは皮膚として身体の外表面を構成し，口から体内に入り込んで消化管の内表面となり，肛門でふたたび外表面とつな

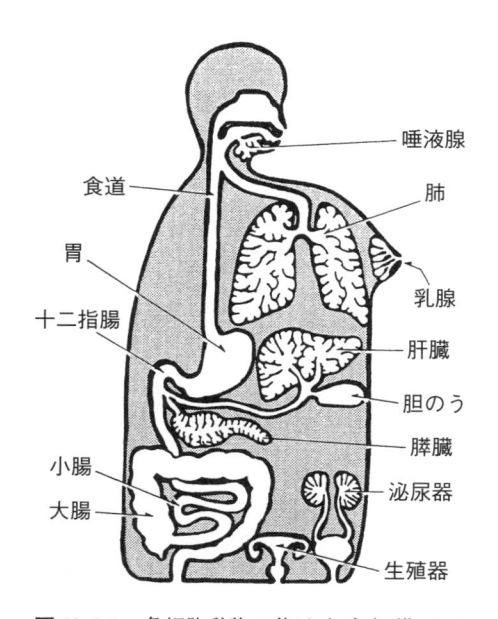

図 10.4.1 多細胞動物の体は上皮組織でできた上皮シートでおおわれている。上皮シートは口から肛門まではトンネルになっていて，ドーナツ型の穴がある袋であることになる．また，肺や肝臓などは行き止まりの袋小路である．（文献2)の図2-9による）

がっている．消化管はトンネルであり，トンネルを穴とみなすと身体表面の上皮シートは全体としてドーナツ型の構造である．

多細胞動物の形づくりのはじめは，上皮シートでできた中空のボールのような形をした胞胚か，またはこれに相当する盤状の胚盤胞である．この上皮シートがさまざまな変形を起こしながら成体ができる．一般には上皮シートの裏側である基底膜側には結合組織があり，シートは厚みのある構造をつくっているが，大きく全体を見れば二次元の層構造と考えてよい．すなわち，多細胞動物の形づくりは，はじめは特徴のない二次元に広がったシートだったものに部域的な特異化が起こることである．部域により，細胞分裂頻度に違いが起こり，表面積が余ったところでは窪みや突起ができる．こうして部域ごとに将来が決まる．

生物体は細胞とその分泌物からできているのだから，いま述べた形態形成は細胞が自分たちで行っている．細胞は分裂して増殖するのだが，細胞集団の三次元の塊がまずは層構造であるシートを形成した後（この形態形成のモデルは最近，哺乳類胚盤胞形成について我々がつくった．未発表），(a) シート上の同等な細胞が分化して多様化することと，(b) 異なった細胞の並び替わりにより部域の特異化が進められる．

a. 同等の細胞が多様化してパターンができる

必ずしも細胞に限らなくてもよいのだが，ある単位の集まりがあって，互いに連絡しあっている．単位にはいくつかの取りうる状態があって，このうちのどの状態を取るかはこの単位間の連絡（通信）で決まると考える．さて，この単位の集団が全体としてどのようなパターンをつくることができるか．これがセルオートマトンモデルの本質である．生物の発生や成長への適用を考えて，単位が増加していくセルオートマトンも考えられている．これはLシステムと呼ばれ[3] 図10.4.2に一例を示す．植物の成長にも相応しいオートマトンである．単位間の通信で状態を決めるルールにはいろいろなものが考えられる．セルオートマトンは形態形成のプロセスの枠組みであり，そこで働くメカニズムは何であってもよい．

はじめは何の特徴もない同等な単位の集まりであったものに，単位に分化が起こり全体として特徴あるパターンをつくる．これが形づくりの始まりである．このメカニズムの1つとして提案されたのがチューリングモデルである（文献[1]の第1-3章）．単位は分化を進める物質A (activator) とそれを抑える物質I (inhibitor) の影響を受けてどっちつかずの状態にいる．このとき何かのきっかけでAが少し増えたとする．この単位ではAによってさらにAを

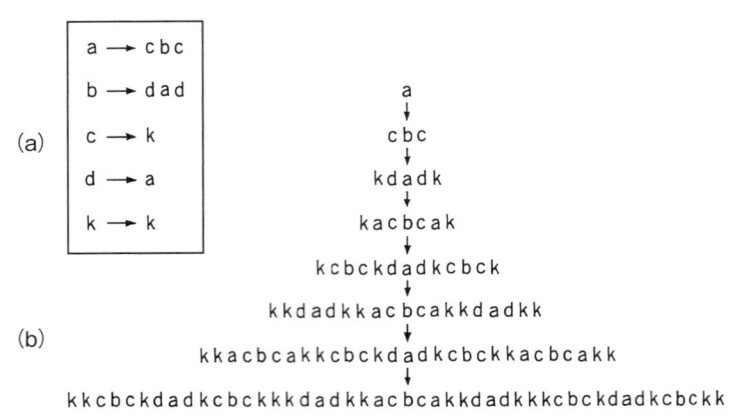

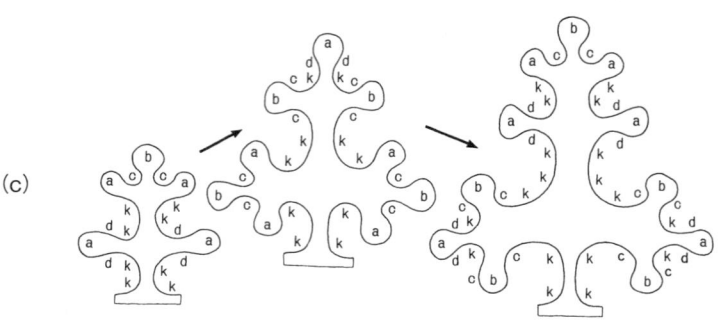

図 10.4.2 セルオートマトン L システムの一例[3]
セルと呼ばれる単位には a, b, c, d, k の 5 つの状態がある．時間が 1 ステップ進むと単位は図（a）に示したようなルールに従って増殖したり状態が変化したりする．時間の経過に従って図（b）のような配列ができる．単位の状態 a, b, c, d, k に凸や凹などの形を与えると図（c）のようなパターンが形成されていく．このセルオートマトンでは単位どうしの連絡（通信）は考えられていないにもかかわらず，このような興味深い過程が現れる．（文献 2）の図 4-23 および 24 による）

産生し，その A がまた A を産生するという正のフィードバックが起こる．同時にこの単位では A が抑制物質 I も産生する．A と I は隣の単位にも運ばれ，さらにその隣にも運ばれる．このとき，A よりも I の方が速く運ばれるとする．さて，どんなことが起こるだろうか．はじめに A を増やした単位から離れたところにある単位ではどっちつかずの状態にあるのだが，そこへ速く進んだ I が行くことになる．このためこの離れた単位は分化しない方に決まってしまう．はじめに A が増えた単位とその周辺では分化する方に決まり，そこから離

れたところでは分化しない方に決まるのである．両者の間に分化するしないの境界が明瞭にできる．これらからはるか離れたところでも自発的に同じことが起こる．最終的には分化するところとしないところと，どちらかにすべてが仕分けられたパターンができる．前もっては，同じ単位が用意されていること以外何も決まっていないのにパターンができる．しかも物質 A のたまたまの濃度の違いで事が進むのだから，結果のパターンが毎回同じになるとは限らない．このチューリングモデルは応用範囲の広いモデルである．物質 A と I の移動と

して普通は液体中の分子の拡散が考えられているが，隣接する細胞間の膜蛋白質（リガンドおよびリセプター）によるシグナルの伝達であってもよい．また，チューリングモデルは必ずしもはじめに完全な同等性を前提にしなければならないわけではない．体軸に沿って何かの極性や勾配がすでにある領域で考えてもよい．このような場で平行の縞模様などができる例が知られている．

先のチューリングモデルに比べてミクロなものであるが，同等な細胞の配列中に分化した細胞が点在したパターンがある．この形成機構として細胞分化のラテラル抑制が知られている（図10.4.3）．胞胚期のハエに神経芽細胞ができるとき，どの細胞が分化するとそれに隣接する細胞には抑制がかかって分化しない．他の，抑制がかかってない細胞が分化し，かつそのまわりの細胞分化を抑制する．早い者勝ちルールである（文献1）の第2-2章）．これは細胞単位で分化するしないの領域が仕切られたチューリングモデルであると考えられる．隣接した細胞間の抑制シグナルは，細胞膜にあるリガンド分子 Delta およびリセプター分子 Notch によって行われていることが知られている．

チューリングモデルの働いている例としては，ヒョウやシマウマの体表の斑点や縞模様が考えられているが物質的裏付けはまだない．できあがって固定したパターンでなく，縞模様のある魚が成長とともに縞が変化する様子がチューリングモデルによりうまくシミュレートされている．

b. 細胞が並び変わってパターンができる

2種類の細胞を混合しておくと，同種の細胞どうしが寄り集まる細胞選別と呼ばれる現象を起こすことがある．これは同種細胞どうしの細胞間接着力が異種細胞どうしの接着力より大きいとすれば理解できる（differential cell adhesion hypothesis, 文献1）第2-1章）．これをモデル化したコンピュータシミュレーションでも確かめられ，また細胞接着分子を人為的に発現させた細胞を使った実験でも実証されている．接着力差の概念により，肢などの軸をもったものの形態形成の理解に魅力的な仮説が示された（図10.4.4）．細胞が2種類でなく A, B, C, …と多種である場合を考える．細胞間接着力が A-A, B-B, C-C の順に強いとしよう．いま二次元シートでの細胞集合を考えると，A, B, C は同心円状に配置することになる．ここでトポロジカルな変形を考える[4]．A を先端とした円錐や円柱を考えると，肢の先端から基部にかけて細胞接着力の勾配があることになる．軸に沿って何かの勾配があることは，細胞が位置価を感じて自分の位置を知るという位置情報理論[5]からしても魅力的である．軸に沿っての細胞接着の勾配とは別に軸に沿っての細胞間反発力の勾配によって位置価を維持する機構が提案されている[6]．

シート状に並んだ上皮細胞は多角形パターンを呈している．この多角形パターンの細胞境界にはマイクロフィラメント束

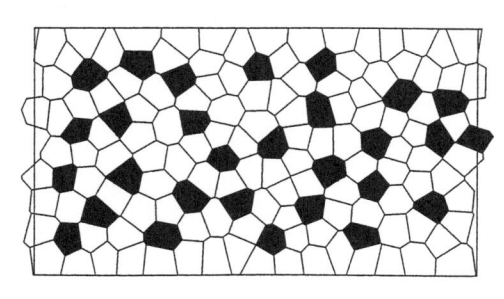

図10.4.3 細胞分化のラテラル抑制によってできたパターン

どの細胞も同等で同じように分化できる（分化したものを黒で示す）．分化を進める物質がたまたま少し早く出現した細胞では正のフィードバック的に分化が進む．この細胞は周辺細胞に分化抑制のシグナルを出し，まわりの細胞を分化させない．この結果，分化した細胞どうしは隣り合わない，また分化しない細胞は一部で必ず分化細胞と接することになる．（Honda, et al.: Development, **110**, 1349-1352, 1990 にもとづく）

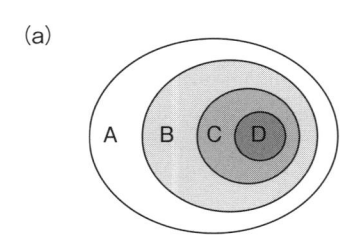

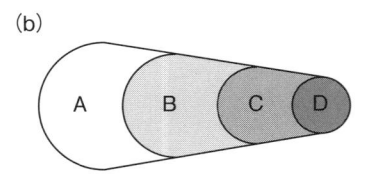

図 10.4.4　細胞接着力分布のトポロジー
(a) 細胞 A どうしの接着力よりも細胞 B どうしの接着力の方が強ければ細胞選別を起こし，細胞 B は細胞 A に取り囲まれる．さらに，接着力の強い細胞 C や細胞 D があれば何重もの同心円のパターンができる．
(b) 図 (a) のパターンがトポロジカルな変形をして円錐や円柱になったとすれば，先端の細胞どうしは接着力が最強であることになる[4]．接着力の強弱でなく，細胞間の反発力でこのようなパターンが実現するモデルも提案されている[6]．

があって境界を収縮している．この事実をふまえた細胞の幾何学モデルがつくられ，細胞のハチの巣型パターンや市松パターン形成などが説明されている（文献[1]の第 2-2 章）．この細胞境界短縮モデルは最近，物理学の合金や泡の研究で使われているバーテックスダイナミクス（vertex dynamics）を使ってより現実に近い細胞パターンの動きを表すモデルになっている[7]．このモデルは細胞の三次元多面体モデルにまで発展している[8]．

生物の形は主に遺伝子が決めているのであるが，遺伝子は直接に形を決めるのではない．多細胞生物の場合，遺伝子は細胞にいくつかの能力を与え，細胞は集まっておのおのその能力を発揮し全体の形を自動的につくっている．形態形成モデルはこの過程の具体的なプロセスを解明するためのものである．生物の形づくりをこのように細胞の自己構築と見ることについては別の書物に詳しい[1]．　　　〔本多久夫〕

[文献]
1) 本多久夫編：生物の形づくりの数理と物理（日本生物物理学会編：シリーズ・ニューバイオフィジックスⅡ 6）共立出版，2000.
2) 本多久夫：シートからの身体づくり，中央公論社，1991.
3) Lindenmayer, A.: *J. Theor. Biol.* **54**, 3-22, 1975.
4) Mittenthal, J. and Mazo, R. M.: *J. Theor. Biol.* **100**, 443-483, 1983.
5) Wolpert, L.: *J. Theor. Biol.* **25**, 1-47, 1969.
6) Honda, H. and Mochizuki, A.: *Devel. Dynamics* **223**, 180-192, 2002.
7) Nagai, T. and Honda, H.: *Philos. Mag.* B**81**, 699-719, 2001.
8) Honda, H., Tanemura, M. and Nagai, T.: *J. Theor. Biol.* **226**, 439-453, 2004.

10.5 生物のパターン形成と情報機能 —反応拡散カップリング

a. バクテリアのコロニーパターン

枯草菌は，長さ数ミクロン，桿（棒）状のバクテリアである．1匹1匹は独立して生活する．バクテリアべん毛（⇨6.17）の回転運動により遊泳移動する．寒天に栄養を溶かした直径9 cmのペトリ皿を準備する．この無菌培地の中央部に1匹のバクテリアを置く．バクテリアは活発に細胞分裂して，細胞集団（コロニー）をつくる．栄養の濃度と寒天の硬さを変えると，樹状，同心円波状，密にあるいは疎に詰まった円板状といった特徴的なパターンが形成される（図 10.5.1（A））．このようにバクテリアは，あたかも多細胞生物の組織体のように振る舞う．

現象の要点をまとめる．① 栄養は寒天の中に含まれ，拡散する．② 栄養はバクテリアに食われ消失し，バクテリアは栄養を摂取することにより細胞分裂をして数を増す．③ バクテリアは寒天の中に潜り込めず，パターンは二次元的である．④ バクテリアの遊泳は，寒天の硬さに強く依存する．柔らかければ溶液中と同じようにランダムな移動をする（拡散的）し，硬ければほとんど動くことができない．⑤ バクテリアは，活発に細胞分裂し激しく動く活性型と，ほとんど何もせずじっとしている非活性型の2種類に分けられる．非活性型から活性型細胞へ変換することはない．

数理モデルをつくろう．まず，コロニーという集団のパターンを考えるのだから，

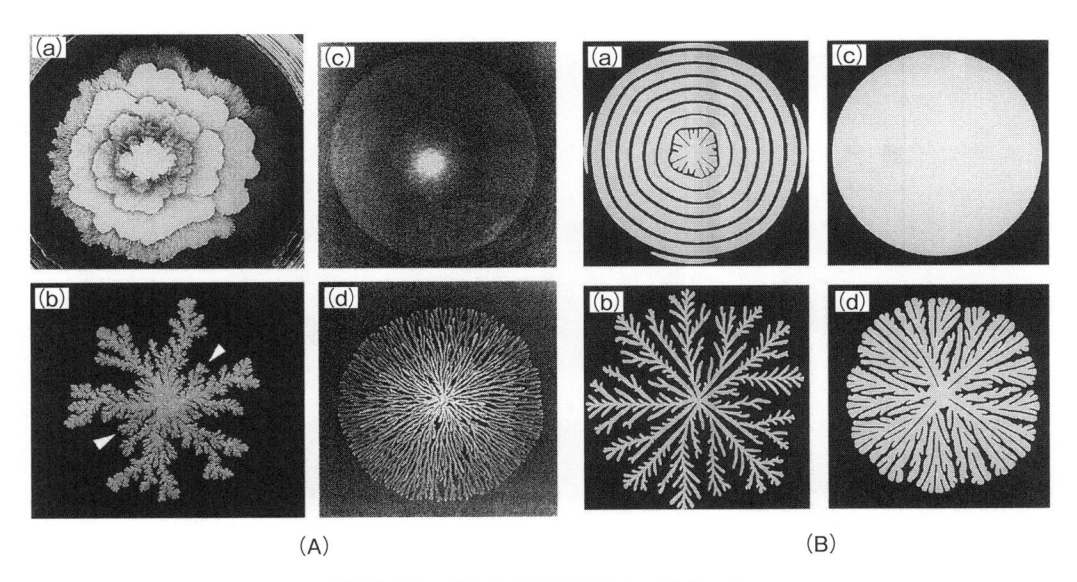

図 10.5.1 バクテリアのコロニーパターン
（A）寒天の硬さ，餌の濃度を変えたときにみられる枯草菌のさまざまなコロニーパターン（松下貢：文献[1]より改変）
（B）シミュレーションによるコロニーパターン（三村昌泰：非線形現象の数理 冬の学校 '97 の講義ノートより改変）
（a）（b）（c）（d）は（A）（B）いずれの場合も，それぞれ同心円状，樹状，密な円板状，疎な円板状パターンである．

バクテリアを1個1個と数えずに，個体群の密度で計り，栄養濃度と同様に連続変数とする．時刻 t，場所 x での活性型および非活性型細胞密度，ならびに栄養濃度をそれぞれ $u(t, x)$, $w(t, x)$, $v(t, x)$, とすると，次の反応拡散方程式が成り立つ．

$$\frac{\partial u}{\partial t} = \nabla(d\nabla u) + uv - a(u, v)u$$

$$\frac{\partial v}{\partial t} = \Delta u - uv$$

$$\frac{\partial w}{\partial t} = a(u, v)u$$

これを，境界条件として，境界の外向きの法線ベクトルはゼロ：$u_n = v_n = w_n = 0$, 初期条件として，活性型のバクテリアを一点に置き，栄養は一様に分布し，非活性型細胞はない：$u(0, x) = u_0(x)$, $v(0, x) = v_0$, $w(0, x) = 0$ という条件下で解く．寒天の硬さ d，初期の栄養濃度 v_0 に対して，図

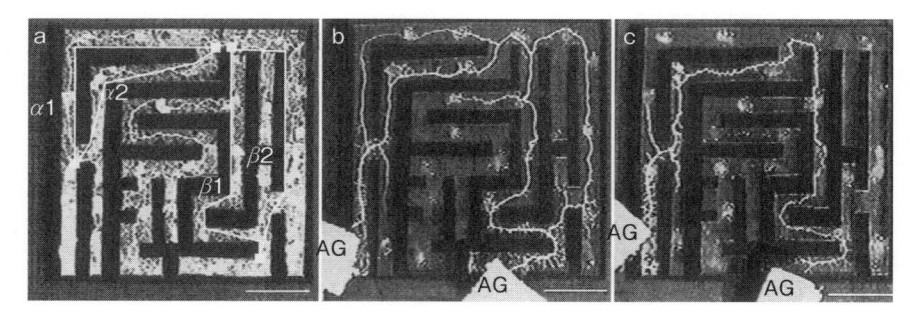

図10.5.2 迷路を解く粘菌
a：粘菌を迷路内に入れ，ほぼ一様に広がった状態．
b：餌を置いて数時間後に，袋小路では粘菌がいなくなり，複数の経路に管ができた状態．
AG：栄養を含む寒天．
c：最終的に，2つの餌を結ぶ最短コースのみが残った状態．
（中垣俊之他：*Nature* **407**, 470, 2000 より改変）

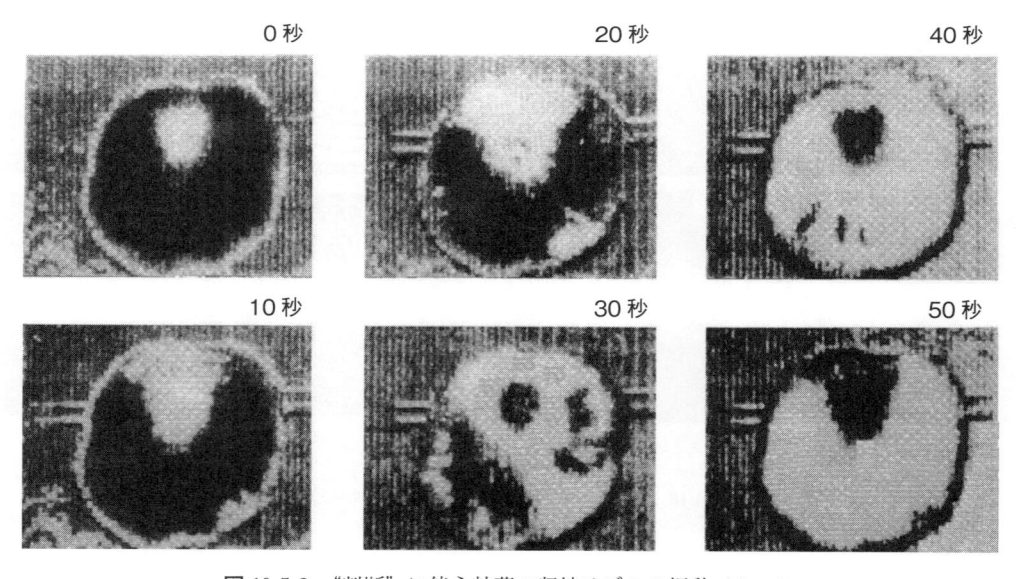

図10.5.3 "判断"に伴う粘菌の収縮リズムの振動パターン
シート状に広がる粘菌の，厚み振動の位相パターン．暖かい温度の局所的な刺激後，10秒ごとに振動パターンを示す．（松本健司他：*J. Theor. Biol.* **122**, 339, 1986 より）

10.5.1 (B) に示すように実験とそっくりの特徴的なパターンが出現する．

b. "計算"する粘菌

真性粘菌変形体は，多核の巨大な裸の原形質の塊で，シート状に広がり，血管状の管のネットワークをつくり，アメーバ運動により移動する．管の中では，ゾル状の原形質が激しい往復の流動をしている．いま粘菌を迷路の中に入れる（図 10.5.2）．最初は出口と入口を閉じておく．すると粘菌は袋小路内をくまなくほぼ一様に広がった状態をとる (a)．出口と入口に餌を置く．最初，行き詰まりとなっている場所から粘菌がいなくなり，出口と入口が繋がっている経路に管が形成される．経路が 2 つあるときは，とりあえずどちらにも管ができる (b)．その後，長い方の管が消失し，短い方の管が残る．最終的に，入口と出口を最短コースで結ぶ管が形成される (c)．このように，粘菌は"迷路問題"を解く．

c. 好き・嫌いを"判断"する粘菌

粘菌は，グルコースやオートミール，暖かさなどに対しては誘引行動を，紫外線，青色光，冷たさ，苦味物質などに対しては忌避行動をとる．いま，粘菌の一部を刺激すると振動の位相が反転し，好ましい刺激に対しては，波は刺激部位から遠ざかる方向に，逆に嫌いな刺激に対しては，刺激部位へ向かって伝播する（図 10.5.3）．刺激を振動的に与えると，粘菌の固有振動はこの外部振動に引き込まれる．たとえば低温刺激は嫌いであるが，低温で速く振動させると，誘引行動を引き起こすことができる．このとき，位相波は刺激部位から遠ざかる方向に伝播している．このように，好き嫌いの"判断"は，振動パターンというダイナミックな場の量と対応する．

反応拡散モデルは，貝殻・魚やシマウマなど生物の模様，細胞性粘菌，カサノリ，ヒドラ，昆虫の発生分化など生物の形態形成の理解に重要な概念である．文献を下にあげる．
〔上田哲男〕

[文献]

1) Shapiro, J. A. and Dworkin, M. (ed.) : Bacteria as Multicellular Organisms, Oxford Univerisity Press, 1997.
2) Murray, J. D. : Mathematical Biology, Springer-Verlag, 1993.
3) 都甲 潔, 松本 元編著：自己組織化－生物にみる複雑多様性と情報処理, 朝倉書店, 1996.
4) 金子邦彦編：複雑系のバイオフィジックス, 共立出版, 2001.
5) Rensing, L. (ed.) : Oscillations and Morphogenesis, Marcel Dekker, 1993.

10.6 数理生態学

生態学は，ある地域に生息する生物集団が示す特徴（個体数，齢構造，性比，社会構造，空間分布）やその動的な変化を，個体のもつ生物学的な特性や出生・増殖・死滅のプロセス，さらには生息地の物理的環境条件との関連において研究する分野である．

生態学は，さらに，個々の種に注目するのか，複数種の種間関係に注目するのか，物理的環境を含めた生態系に注目するのかにより，それぞれ個体群生態学，群集生態学，システム生態学に分類される．

最近では，こうした切り口とは別に，空間スケールや時間スケールを上げていくと新たに見えてくるさまざまな現象に関心が寄せられている．たとえば，環境問題と関連して急速に進んでいる空間生態学や景観生態学では，比較的大きな空間スケールを対象にして，種の空間分布やその多様性が人間活動による環境攪乱（農地・宅地開発や森林伐採などによる生物の生息環境の分断化や縮小化）によりどのような影響を受けるのかが中心課題になる．一方，時間スケールを十分大きく取ると，進化の問題を考慮しなければならなくなる．生態学に進化の問題を組み入れた進化生態学や行動生態学はここ20年の間に一大発展を遂げてきた．

数理生態学の主要な目的は，こうした生態学や進化生態学に現れる諸現象を数理モデルを用いて理論的に理解し，また，現象の背後にあるメカニズムを明らかにすることにより，将来予測や環境問題の提言を行うことにある．

以下では，上にあげた生態学におけるいくつかの代表的な分野において，数理モデルがどのようにかかわり発展してきたか，また，今後とくに重要な進歩を遂げるであろうテーマについて，例示的に紹介する．

a. 個体群生態学 (population ecology)

個体群生態学は，ある地域に生息する1つの種に注目し，その個体数や年齢構成の時間変動を研究する分野である．数理モデルとのかかわりはマルサス（T. R. Malthus）(1798) がその著書「人口論」の中で，人口が幾何級数的に増加する傾向があることを示唆した時点までさかのぼることができよう．その後，ベルハルスト（P. F. Verhulst）(1845) によって，人口が高密度になると増殖率が低下する効果を取り入れたロジスティック方程式（微分方程式）が提唱され，以後，人口の推移を予測する数理モデルはさまざまな形で展開されている．なかでも，個体の生存率や出生率の年齢依存性を組み入れたレスリーモデル（マトリクスモデル）は，人間の集団に限らず，動・植物の個体数変動を推定する有用な手法となっている．

また，昆虫などの世代が重ならない生物の個体群動態はロジスティック方程式において時間を差分化した式が用いられる．ちなみに，メイ（R. May）はこの方程式がカオスを発生することを発見し，その後の物理・数学におけるカオス研究隆盛の基をつくった．

生物の生息環境の劣化や生息域の縮小化によって，多くの野生生物が絶滅の危機にさらされていることから，絶滅リスクを推定するさまざまな数理モデルが提唱されている．絶滅に瀕した集団では個体数が小さくなっているため，ちょっとした環境変動や，あるいは環境は一定であっても，確率的効果により絶滅することがある．絶滅確率を推定する理論として，確率過程にもと

づいた数理モデルが中心的役割を果たしている．

一方，生物は人間の生存を支える貴重な再生資源である．漁業や林業において生物資源を枯渇させないで，しかも経済的に見合う持続的収穫を維持するには，どのような資源管理をすればよいか，といった問題が最適原理や動的プログラミングを用いて研究されている．

b. 群集生態学（community ecology）

ある地域に生息する動物や植物の集まりを群集と呼ぶ．群集生態学はそこにおける種間関係の構造やそのダイナミクスを研究する分野である．種間関係の典型的な例として，互いに住場所や餌を求めて競争している関係，食う食われるの関係，互いに助け合う共生関係，宿主内で増殖する宿主・寄生関係などがある．このような種間相互作用が互いの個体数変動にどのような影響を与えるのかという問いに最初に答えたのは，ロトカ-ボルテラモデルである．たとえば，2種競争系では，種間競争が種内競争より大きければ両種は共存できないこと，また，被食・捕食者系では，捕食者が被食者を追っかける形で両者の個体数が振動することが示されている．その後，ロトカ-ボルテラモデルを基本にして，より現実的な種間関係を組み込んださまざまなモデルが提出されている．これらのモデルの多くは連立微分方程式で記述されており，解の安定性解析により，多種共存が起こるための条件や，逆に，種の絶滅や系がカタストローフを起こす条件などが調べられている．とくに，生態系の多様性維持には食物連鎖中で上位を占める特定の捕食者の存在が大きく寄与する場合が多く，そのような種をキーストン種と呼ぶ．

c. 空間生態学（spatial ecology）

上記の個体群生態学や群集生態学は，どちらかというと局所的な一地域で起こる現象に焦点を当てたものが多い．しかし，注目する領域を広げていくと，生物の生息地は一様ではなく，パッチ状に点在するようになり，内部の地域的な変化が見えてくる．このようにパッチ状に生息する個体群の集まりを，個体群の集合体という意味でメタ個体群と呼ぶ．メタ個体群における個々のパッチの大きさは，近年増え続けている人為的攪乱によってますます縮小しており，上記 a. で述べた確率効果により絶滅の可能性が高くなっている．しかし，仮に近傍のパッチに生息する個体が移動してくれば，再生するチャンスがあるため，全体として個体群は生き延びやすい．それでは，どのような大きさのパッチがどのように空間的に分布し，また，パッチ間にはどの程度の交流があれば種が存続できるのであろうか．こうした，パッチ間のネットワークを考慮にいれた種の存続問題が，拡散方程式，格子モデル，セルオートマトンモデル，個体ベースモデルなどを用いて，現在，盛んに研究されている．

空間の広がりを考慮に入れなければならない問題として，外来種が新天地に侵入し分布域を拡大していく過程がある．侵入種は増殖と分散を繰り返しながら広がっていくため，数理モデルとして，拡散増殖方程式や積分・差分方程式が用いられ，多くの侵入の事例の説明に成功している．また，この問題はペストや狂犬病，森林の疫病の広がりなどに応用され，流行を抑えるための予防や対処の方法が提言されている．

さらに，温暖化などの環境変動に対して，植生帯がどのような地理的移動をとげうるかを予測することが，今後の大きな課題となっている．

d. システム生態学（system ecology）

システム生態学は一地域に棲息する生物とその物理的環境を含めてシステムとして捉え，そこに流れる物質循環やエネルギーを指標にして，生態系のグローバルな構造

や機能，さらにはその変化を研究する分野である．たとえば，太陽エネルギーが植物によって取り込まれ，それを食べる草食動物，さらにそれを食べる肉食動物へと受け継がれていくなかで，各レベルの生物量が一般に上に行くほど少なくなるピラミッド構造をしていることなどの経験法則を理論的に説明することが目指されている．最近では，とくに，生態系の多様性が系の機能（生産性や生物量）を強化しているという観察結果に注目が集まり，その理論的な説明が強く求められている．

e. 進化生態学（evolutionary ecology）

進化生態学では，アリやハチに典型的にみられる社会構造や，また，種に特有な個体の形態や行動様式は，自然選択によって各個体の繁殖成功度（生涯にわたって残す子供の数）が最大になるように進化したことの結果であると考える．理論的アプローチとして，餌の選び方，繁殖時期のタイミング，配偶者の選択行動などを適応戦略モデルによって定式化し，最適制御理論等を用いて解析を行う．さらに，経済学や社会学で発展してきたゲーム理論が動物の行動に応用され，たとえば，囚人のジレンマゲームにおける「裏切るか協力するか」といった行動の選択に自然選択のルールを組み込むことにより，協力をする個体が進化的に安定に存続することが示されている．このように進化生態学は人間の行動を対象にするところまで踏み込みつつある．

〔重定南奈子〕

[文献]
1) 巖佐 庸：数理生物学入門—生物社会のダイナミックスを探る，共立出版，1998.
2) ホッフバウアー，J.，シグムント，K.（竹内康博訳）：生物の進化と微分方程式，現代数学社，1990.
3) 重定南奈子：侵入と伝播の数理生態学（UPバイオロジー），東京大学出版会，1992.

10.7 細胞シミュレーション

細胞は数多くの代謝反応が絡み合った複雑な系であることはいうまでもないが，1つ1つの代謝反応（酵素反応，蛋白のDNA結合，複合体形成，膜輸送，遺伝子の転写翻訳等）はコンピュータ上でモデル化することがさほど困難ではない．よって，細胞内の全代謝反応をリストアップして，それぞれをモデル化して並列に実行すれば，細胞内の複雑な活動をシミュレートできることになる．

「E-CELL プロジェクト」は細胞内の代謝をまるごとシミュレーションすることを目的として，慶應義塾大学湘南藤沢キャンパスにおいて1996年に発足した．まず，細胞シミュレーションのための汎用のソフトウェア「E-Cell システム」を開発し，1997年にはこのソフトを用い，マイコプラズマ菌（*Mycoplasma genitulium*）をモデルにした「バーチャル細胞」を完成させた．マイコプラズマ菌のゲノムは既知の生物の中で最も短く（58万塩基対），500足らずの遺伝子しかもっていない．われわれはこの遺伝子セットの中から，自己維持のために最低限必要な127個の遺伝子を選び出し，それらの遺伝子機能をすべてモデル化することによって「バーチャル細胞」を構築したのである（図10.7.1）．

この細胞は，遺伝子発現のための転写機構（RNAポリメラーゼ等）および翻訳機構（リボソーム等）をもち，各遺伝子からそれぞれ蛋白質を合成する．蛋白質は時間とともに自然分解するようにモデル化してあるので，蛋白質をつくり続けないと細胞

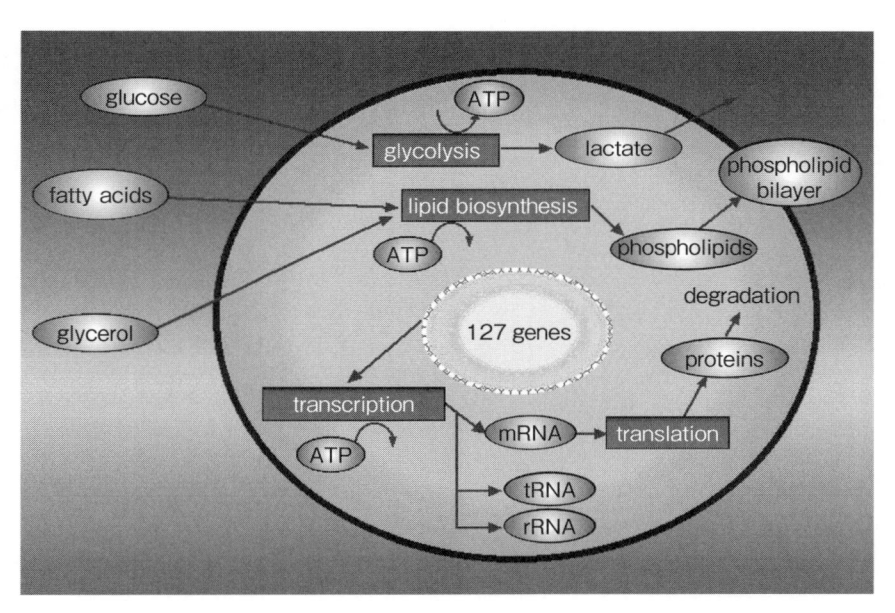

図 10.7.1 E-CELL システムを用いて構築した「バーチャル自活細胞」

は死んでしまう．蛋白質を合成し続けるためにはエネルギー（ATP）が必要であるので，膜外からグルコースを取り込んでそれを解糖系によって分解し ATP を生産する．また，細胞膜も時間とともに自然分解するので，細胞膜生成のためのリン脂質合成系をもち，脂肪酸とグリセロールを取り込んでホスホチジルグリセロールを合成しこれが細胞膜となる．

E-CELL システムを用いてこのバーチャル細胞のシミュレーションを始めるとこれらの酵素反応がすべて並列（実際には擬似並列）に実行され，「代謝活動」を始める．グラフィックインターフェイスを通じて，細胞内のさまざまな物質の増減を観察したり操作することができる．たとえば細胞外のグルコースの量をゼロにすると，細胞は ATP が生産できなくなって飢えはじめる．その際ただちにグルコースを補給すれば復活するが，補給が遅すぎるともはやグルコースを取り込むことさえできなくなって，やがて死んでしまう．

1999 年には E-CELL システムを用いてヒトの赤血球細胞のシミュレーションも完成させた（図 10.7.2）．このモデルは解糖系，ペントースリン酸経路，核酸代謝経路，膜輸送系などの細胞内代謝システムのみならず，浸透圧による体積の変化や，pH による活性変化などの物理的作用も表現している．このモデルを用いてグルコース-6-リン酸脱水素酵素の先天的欠損症のシミュレーションを行い，酸化ストレスによって貧血に至る細胞内の逐次的状況が再現されるなど，興味深い結果を得ることができた．

将来，免疫 T 細胞や神経細胞などをコンピュータ上に構築できれば，創薬や医療のためのさまざまな仮想実験が可能になる．シミュレーション結果から得られた予測は，実際の実験系の効率をいちじるしく向上させることができ，またその実験結果は E-CELL モデルにもフィードバックされ，モデルが改良される．このことを繰り返せば，実験結果とより適合したモデルができ上がってゆく．このようにコンピュー

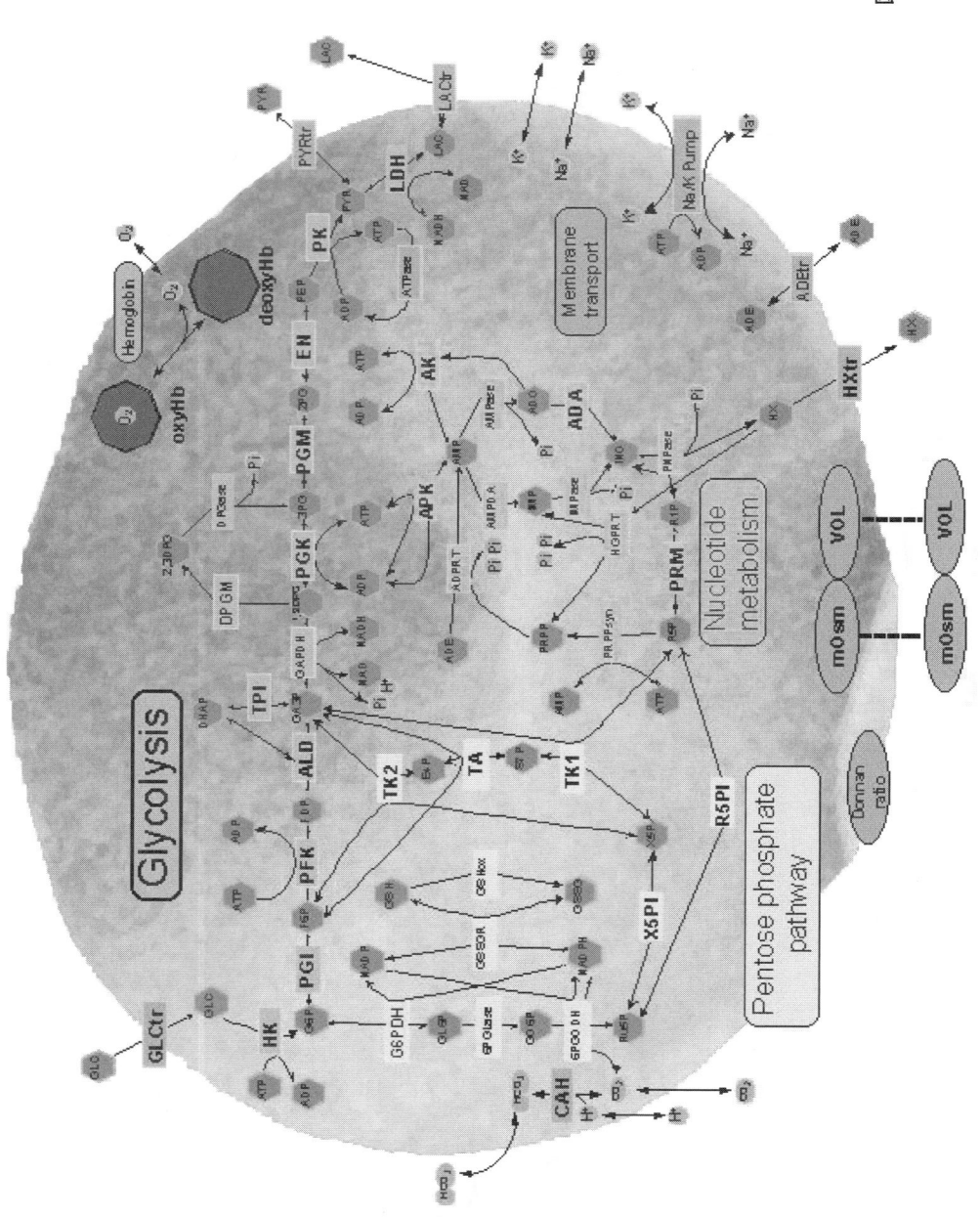

図 10.7.2 E-CELL システムを用いて構築したヒト赤血球モデル

タを駆使した"in silico biology"が21世紀の生命科学の中心になるのではないだろうか.　　　　　　　　　　〔冨田　勝〕

[文献]
1) Takahahi, K., Kaizu, K., Bin, H. and Tomita, M.: A multi-algorithm, multi-timescale method for cell simulation, *Bioinformatics* **20**(4), 538-546, 2004.
2) Takahashi, K., Yugi, K., Hashimoto, K., Yamada, Y., Pickett, C. and Tomita, M.: Computational challenges in cell simulation: A software engineering approach, *IEEE Intelligent Systems* **17**(5), 64-71, 2002.
3) Tomita, M.: Whole cell simulation: A grand challenge of the 21st century, *Trends in Biotechnology* **19**(6), 205-210, 2001.
4) Tomita, M., Hashimoto, K., Takahashi, K., Shimizu, T., Matsuzaki, Y., Miyoshi, F., Saito, K., Tanida, S., Yugi, K., Venter, J. C. and Hutchison, C.: E-CELL: Software environment for whole cell simulation, *Bioinformatics* **15**(1), 72-84, 1999.

10.8 人工生命

「人工生命」とは80年代の終わりにアメリカのコンピュータ科学の研究者,クリス・ラントン(C. Langton)らによって提唱された「新しい生物学」の分野である.それはコンピュータの中で生命的な振る舞いをつくり出し,その現象論をつくりあげるというアプローチである.物理的な制約をはずしたときの可能な生命の形について研究を重ね,生命とは何かの究極の問いに答えようとする.したがって必然的に,モノ(物質)としてではなく,コト(プロセス)としての生命の理解が追求される.

もともと生命とは何か,という問いに対する挑戦は生物学に限定されたものではない.物理学者は共同現象の数理として,化学者は非線形非平衡現象として,生命現象を捉えようとし,哲学者は生命認識論的な側面とその可能な形式を議論する.生物学は,DNAの発見とともに分子生物学という分子のつくる精密なシステムとしての生命の理解,という巨大な分野を構築するにいたっている.

こうした流れの中で,しかし綿々として続いているのが,動物行動学や博物学・分類学の世界である.それは個々の研究者の長年の観察から生まれる生命を記述する伝統的な試みである.そして興味深いことに,人工生命の研究はコンピュータとともに生まれた,新しい形の動物行動学であり博物学であるといえる.

人工生命は,コンピュータの発見法的な手法により,生命の基本と思われる諸性質;遺伝子,突然変異,進化,自己複製,

細胞，創発といったものを，新しいメタファーと方法論によって書き換え始める．その中で生命とはなにか，にまつわる新しい問いが発せられるようになっていく．もともとコンピュータの基本原理を考えたフォン・ノイマン（J. L. von Neumann）やチューリング（A. M. Turing）の問題意識の中に当初から，生命とは何か，という問いが発せられていた．20世紀前半のフォン・ノイマンの自己複製するオートマトン，チューリングの反応拡散系としての形態形成やインターフェイスとしての知性（チューリングテスト）がそれである．人工生命の研究により新たにたてられた問いには次のようなものがある．

1) 終わりなき進化（open-ended evolution）を保証するモデルとその基本的性質とは何か．

2) エマージェンス（emergence）の論理とダイナミクスは何か．

これらの問いがコンピュータのモデルのシミュレーションの中で追求される．いままでの物理や数学のモデルと比べてどう違うかといえば，それはモデルのもつ非線形性にあるといえる．もはや解析的な解をもつことができないような，抽象度の高い複雑なモデルが試される点にある．そうしたモデルを研究することは少なくともコンピュータが発達するまでは，まったく手も足もでなかったのである．

コンピュータはモデルの視覚的な表現を得意とする．そのため抽象的で複雑なモデルの振る舞いも，別の形の理解が可能となる．このように，解析的に理解するのではなくコンピュータの中に構成することによって理解する手法，を構成論的な理解と呼ぶ．人工生命はまさにこの構成論的な生命の理解というものであった．次にライフゲームをもとに構成論的な生命のわかり方を説明する．

コンウェイ（J. H. Conway）によって提案されたライフゲームは，セルオートマトンといわれる時間発展するシステムの一種である．しかしそのモデルの単純さからは想像できない複雑な世界をもっている．時間発展のルールは碁盤のます目の上に0と1の状態をおき，自分のまわりの8つのます目の上のパターンに応じて，自分の状態を時間的に変更していくものである．次の時間に自分の状態が1になるのは8つのうち2つか3つが1の場合で，それ以外は0になる．これだけの規則であるが，その時間発展の末に出現するパターンは実際にプログラムを走らせないとわからない．

ある空間パターンは自分を形を回転させながら移動する移動体（グライダー）である．このグライダーを生成しつづけるパターンが発見され，かつそれはグライダーから構成される．それをもとに複雑なライフゲームの世界が探索されている．ライフゲームがその簡単なルールにもかかわらず，その時空間の振る舞いは予測できない多様性と複雑さを出現させる．これをエマージェンスといい，このことが人工生命研究の契機ともなった．

ライフゲームの状態数を増やしたり，その発展規則を変更することで（いろいろな方程式を試すように）いろいろな研究がなされた．その1つが自己複製と進化の問題である．フォン・ノイマンからラントンそして，テンペスティ（Tempesti）や佐山へと続くオートマトンの自己複製の研究は，DNAのように情報を複製できる複製子の研究である．しかしオートマトンの発展規則をいじって複製や進化からその上の構造である社会性やコミュニケーションというものを議論する上では，発展規則が抽象すぎて扱いにくい．それは計算機の機械語のようなもので，われわれの思考形式とは異なっている．これをある意味で高級言語へと発展させたのが，たとえばコンピュータのメモリ領域を取りあうコアウォーズ（core wars）である．それはやがてトーマス・レイ（Thomas Ray）のティエラコー

ドへと発展させられる．ティエラをもとに宿主や寄生，社会的寄生の出現などが議論され，より複雑な生命現象がコンピュータの中で構成できるかどうかが，人工生命の中心テーマであった．

しかし90年代も後半にさしかかると，研究対象の複雑化（たとえば言語現象や認知など）とともにモデルも複雑になり，研究も2極3極と分離するようになった．1つは単純なモデルへの回帰であり，より解析的にもわかりやすい方向が探られるようになり，またロボット実験などコンピュータの中の世界にとどまらなくなってきた．さらには，実際の生物や化学を使ったウェットウェアと呼ばれる構成論的実験も始まっている．2000年の8月に開かれた第7回人工生命国際会議では，今後10年の問題への提言が行われた（Bedau, et al., 2000）がそれを見ると，人工生命立ち上げ時からあった問題の多くが現在までもち越されていることがわかる．生命現象は分子原子への還元的な方法論では語り尽くせない，システム論的な複雑さを秘めている．そうしたサイバネティクス以来の新しいシステム論の構築（生命理解のための新しい情報理論・生命の1ビット）が，人工生命の研究には求められている． 〔池上高志〕

[文献]
1) Bedau, et al.: Open problems in artificial life, Artificial Life **6**, 363-376, 2000.

II. 工学的アプローチ

10.9 蛋白質工学

遺伝子操作技術は，分子（遺伝子）クローニングとDNA組換え技術を基礎に1980年代から今日に至るまで飛躍的な発展をとげつつある．その遺伝子操作技術を基礎にして，蛋白質を改変することが容易に行われるようになった．遺伝子を改変し，改変した遺伝子を発現して，その変異型蛋白質を解析する．これによって，蛋白質の機能や構造に関するアミノ酸レベルの知識を効率よく得ることができるようになった．Ulmerは1983年にこうした方法を，蛋白質工学（protein engineering）と名づけた．

a. 遺伝子の改変

研究対象とする蛋白質のアミノ酸配列を研究目的に応じて改変するために，クローニングした遺伝子の塩基配列を改変する．塩基配列の改変は部位特異的変異導入法と呼ばれている．これまでに多くの方法が考案されているが，なかでも2つの代表的な方法が利用されている．その1つは，一本鎖DNAを鋳型として，変異型配列を含む合成短鎖DNAを用いて変異を導入する方法である．なかでもクンケル（Kunkel）の考案した方法が頻繁に実施されてきた（クンケル法）．もう1つは，PCRを用いた方法で，近年はこちらの利用頻度が高まってきている．

(1) クンケル法

まず，対象とする蛋白質の遺伝子を挿入したベクターの一本鎖DNAを調製す

る．その一本鎖の鋳型 DNA と変異導入用の短鎖（オリゴ）DNA を対合（アニール）させる（図 10.9.1）．一本鎖 DNA は M13 ファージか，ファージミドをベクターとして用いることにより容易に準備することができる．変異導入用のオリゴ DNA は，元のアミノ酸のコドンを目的のアミノ酸のコドンに変換するように設計する．アミノ酸置換を行いたい部位の両側を含むように変異導入用のオリゴ DNA を人工合成する．図 10.9.1 で，＊印の塩基が変異を行う部位で，鋳型の配列と対合しない塩基（ミスマッチング）となっている．

DNA ポリメラーゼを用いて，変異導入オリゴ DNA をプライマーとして DNA の複製を行う．一本鎖 DNA を鋳型として二本鎖 DNA ができあがる．この二本鎖 DNA の片側（図の内側）は元の野生型の配列であり，もう一方（外側）は変異型の配列となっている．この二本鎖 DNA で大腸菌を形質転換すると，大腸菌細胞中で，野生型と変異型のプラスミドがほぼ等量増幅してくる．プラスミドを取り出して，そのプラスミドで新たに大腸菌を形質転換することにより，約 50% の確率で目的とする変異型の遺伝子をもつ大腸菌クローンを得ることができる．変異型の確認は，いくつかのプラスミドクローンの塩基配列を決

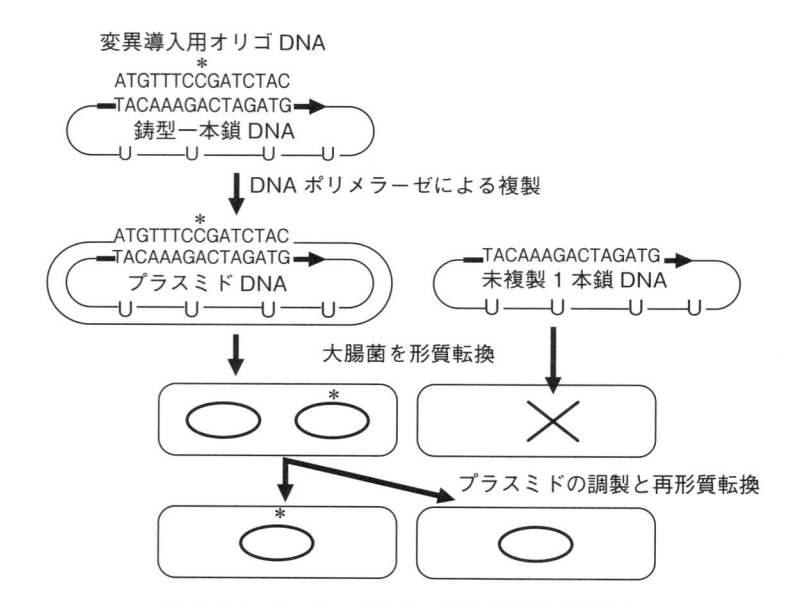

図 10.9.1 クンケル法による部位特異的変異導入

鋳型となる一本鎖 DNA と変異導入オリゴ DNA を対合させる．鋳型は部分的にデオキシウリジン（図中の U）を含むものを用いる．DNA ポリメラーゼによって二本鎖とし，大腸菌を形質転換する．未複製の一本鎖 DNA はデオキシウリジンをもつために大腸菌細胞内で分解され，増幅しない．いったんプラスミドを回収して，そのプラスミドで新たに大腸菌を形質転換する．＊印は変異導入部位を示す．初期の方法では，変異導入効率は 0.1% 以下ときわめて低かった．それは，未複製の一本鎖 DNA が大量に残り，これが大腸菌を形質転換するので大部分の形質転換株のもつプラスミドが野生型となるためであった．クンケル法ではデオキシウリジンを含む一本鎖 DNA を用いる．デオキシウリジンを含む一本鎖 DNA は野生型大腸菌細胞中で分解されてしまう．これにより，ほぼ 50% の変異導入効率を得られるようになった．

定するか，変異によって制限酵素の認識部位ができるように（あるいはなくなるように）変異を設計することによって行う．

(2) PCRを用いた部位特異的変異導入法

PCR（ポリメラーゼ連鎖反応）を用いた変異導入法も，さまざまな工夫が行われ，効率のよりよい方法が次々と発表されている．しかし，その基本原理はいずれも同じであるので，最も基本的な方法を図10.9.2に示した．この方法では上述のクンケル法と同様に設計合成した変異導入オリゴDNAのほかに2本のオリゴDNA（プライマー）を用いる．2本のプライマーは目的の遺伝子の上流と下流の配列をもち，DNA複製の方向が遺伝子の内側を向くように設計する（図の上流プライマーおよび下流プライマー）．まず，変異導入オリゴDNAともう1つのプライマー（図では下流プライマー）を用いて鋳型DNAのPCR増幅を行う．このPCR反応により，変異をもつ下流領域の配列が合成される．これに，鋳型DNAと上流プライマーを加えて2回目のPCRを行う．第1回目のPCRによってできたDNAが長いプライマー（long primer）として働き，変異をもつ遺伝子全領域が増幅される．最後に，できあがった遺伝子を上流および下流プライマーを用いて増幅することにより，多量の目的変異型DNAを得る．得られたDNA断片は通常のPCR断片と同様にベクターにクローニングする．

b. 変異型蛋白質の大量発現と精製

変異型の遺伝子を大量発現することによって蛋白質を得る．大量発現の方法に関してもさまざまな方法が開発されている．そのなかで，最も頻繁に利用されているのは大腸菌を用いたシステムである．プロモーターやリボソーム結合部位などをもち，効率よく蛋白質を発現するように設計されたプラスミドベクター（発現ベクター）が用いられる．目的の遺伝子を発現ベクターのクローニング部位に結合し，大腸菌を形質転換して，大腸菌中で発現させる．

効率のよい発現を得るためには，強力なプロモーター，適切なリボソーム結合部位が重要である．また，発現した蛋白質を効率よく精製するために，タグと呼ばれるペプチド鎖を目的蛋白質と融合させることもしばしば行われる．タグのペプチド配列に特異的に吸着するカラムを通すことによって融合蛋白質を吸着し，効率的に精製することができる．さまざまな工夫を行った大量発現用のベクターが開発され市販されている．

発現しようとする蛋白質の種類や塩基配列によって，簡単に可溶性の蛋白質として発現する場合と，発現しない場合，発現し

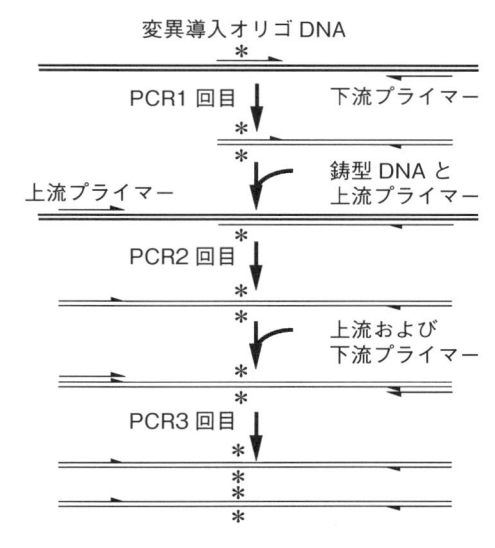

図10.9.2 PCRを用いた部位特異的変異導入法
鋳型となるDNAを変異導入オリゴDNAと下流プライマーによって増幅する（1回目のPCR）．これに，鋳型DNAと上流プライマーを加えて増幅する（2回目のPCR）．ここで生成するDNA量は少ないので，最後に上流および下流のプライマーを加えて遺伝子全体を増幅する（3回目のPCR）．＊印は変異導入部位を示す．目的の変異部位が遺伝子の上流付近にある場合には，逆向きの変異導入オリゴDNAと上流プライマーを用いて第1回目のPCRを行う．

てもインクルージョンボディと呼ばれる不溶性画分となってしまう場合がある．発現量が低い場合には，発現ベクターの種類を変えたり，遺伝子の塩基配列（その一部）を変える．あるいは工夫された（大腸菌で不足している tRNA を増強した）大腸菌株を用いるなどのさまざまな方法が用いられる．しかし，現時点ではいずれの方法も万能ではなく，試行錯誤の域を出ていない．

インクルージョンボディを形成する蛋白質に関しては，大腸菌中で発現させるときの発現効率をむしろ抑えるとよい場合もある．あるいは，インクルージョンボディをいったん尿素などの蛋白質変性剤によって完全に変性可溶化した後に，巻き戻すことによって天然型の蛋白質を得る方法も用いられている．大腸菌以外では，枯草菌，酵母などのほか，無細胞蛋白質合成系も，目的や蛋白質の種類に応じて蛋白質大量発現のために利用されている．大量発現した蛋白質は通常精製してさまざまな実験に用いられるが，精製法に関しては本章 10.14 節に述べられている．

c. 変異型蛋白質のデザイン

蛋白質工学では，蛋白質の工業的利用を目的として，あるいは蛋白質の研究のためにさまざまな変異を導入する．その研究対象としては，① 蛋白質の安定性（耐熱性），② 酵素の活性や反応機構，③ 酵素の基質特異性，④ さまざまなリガンドへの結合，⑤ 蛋白質・蛋白質相互作用，⑥ 蛋白質の生体（細胞）内での生物活性などがある．こうした研究の具体例は本書の各章とりわけ第 1 章に詳しく述べられている．

〔山岸明彦〕

[文献]
1) 三浦謹一郎，京極好正，菊池正和，松浦良樹編：蛋白質工学の進展－蛋白質の設計をめざして．蛋白質・核酸・酵素，臨時増刊 **37** (3), 1992.
2) 郷 信宏，大島泰郎，油谷克英，猪飼 篤編：蛋白質の時代－構造・物性・機能研究の新局面，蛋白質・核酸・酵素，臨時増刊 **39** (7), 1994.
3) 渡辺公綱，小島修一：蛋白質工学概論，コロナ社，1995.
4) 野島 博：遺伝子工学の基礎，東京化学同人，1996.
5) 谷口武利編：PCR 実験ノート，羊土社，1996.
6) 加藤昭夫編著：タンパク質工学～生命科学系分野のための～，医学出版，2003.

10.10 進化分子工学

分子進化工学，進化工学，人工進化法，directed evolution, *in vitro* evolution, SELEX, molecular breeding とも呼ばれる．ダーウィン進化の原理を生体高分子に適用し，実験室内でそれを超高速に進化させることにより，生体高分子の機能と情報の創出原理を明らかにし，その応用を行う工学，あるいは，合成生物学．機能分子の創製という福祉・産業応用と，生命の起源や生体高分子論という純粋研究とを車の両輪として発展している．S. Spiegelman らによる Qβ レプリカーゼを用いた RNA 分子の試験管内ダーウィン進化実験（1967）を源流とし，M. Eigen らが RNA 複製を基礎とするものを提唱し（1984），J. W. Szostak らが PCR 増幅を基礎として具体的に立ち上げた（1990）．

ダーウィン進化は，「変異」と「淘汰」の繰り返しで起こる．ここで，変異が無方向であることが基本である．つまり，変化の素過程にはインテリジェンスはいらない．「変異」とは，点突然変異導入，相同組換え，エキソンシャフリングなど，さまざまな分子多様性作出法のことである．また，出発分子として，DNA ランダム合成などにより作出したライブラリーを用いることも多く，この初期分子多様性作出法も高速化にとって重要である．一方，自然淘汰の原理が共重合高分子系に働く条件を吟味してみると，ある特定の環境下の非平衡開放系に自己触媒反応する高分子を置けばよいことがわかる．もしも，遺伝子型（伝達可能な暗号文だがそれだけでは意味不明；DNA 的分子の上にある）と表現型（暗号文の意味を表す何らかの機能だが，伝達不能；蛋白質的分子の上にある）が異なる分子に乗っている場合は，両者の対応づけを行うプロセスも必要となる．このような変異と淘汰を行う実験系を進化リアクターと呼ぶ．ダーウィン進化では分子進化の過程を，盲目の歩行者が，自然淘汰の原理という羅針盤をもって，適応度の山を登るというイメージで捉える．適応度（fitness）とは，淘汰における強さの指標である．集団遺伝学での定義を一般化し，たとえば，酵素の進化分子工学での適応度とは，反応遷移状態自由エネルギーの下げ幅である．ランダム突然変異も淘汰も非平衡開放系での自発過程であるから，ダーウィン進化自体が自発過程である．進化リアクターは適切な環境設計を行うことによって，自発的に生体高分子を望む方向に進化させることができる（directed evolution）．

途中で変異導入プロセスのない場合は淘汰工学と呼べる．あるいは，コンビナトリー化学のバイオ版である．初期にすべての配列を含む DNA 集団をリアクターに投入できれば淘汰工学は有効である．しかし，たとえば，長さ 134 の DNA 配列の総数は 10^{80} であり，これは宇宙の全原子数に匹敵するから，この仮定は非現実的である．進化工学は，初期には存在しなかった配列空間の領域を，変異により探査するのである．たくさんつくってその中から選ぶという淘汰工学は決定論的過程であるが，進化工学は，配列空間の一部しか探査せずに最適点（候補）に達しようとするもので，非決定論的過程である．

これまでの成果の例をあげる．Bartel らは，RNA 連結活性をもつ RNA 分子を試験管の中で進化的に創出した．この RNA 製 RNA リガーゼの活性は，天然の蛋白質製 RNA リガーゼに匹敵する．さらに，連結鎖の長さを 1 ヌクレオチドまで小さくすることにより，RNA 製の RNA 複製酵素

を創出した(2001).このように,進化分子工学は,RNA分子のもつ潜在能力を開花させることに成功すると同時に,RNAワールド仮説に現実性を与え,生命の起源の実験的研究に新局面を開いた.同様の手法で,酵素活性のある一本鎖DNA(デオキシリボザイム)を進化させることができた.デオキシリボザイムは天然には発見されていない.進化分子工学は,地球上の生物進化史という歴史の1回性から,生体高分子の研究を解放することに成功したといえる.

蛋白質進化の場合は,遺伝子型表現型対応づけ戦略を工夫する必要がある.これには,自然界と同様に,ウイルス型,細胞型,外部知性型がある.ウイルス型は,ちょうど単純なウイルスのように,遺伝子型分子と表現型分子を単に結合するという戦略であって,ファージ提示法や in vitro ウイルス法(mRNA提示法ともいう)がある.細胞型は,両者を1つの囲みに入れるという戦略であり,単細胞生物の細胞膜,クローニング用試験管などがその囲みとなる.外部知性型とは,実験者がマイクロ操作で対応づけるもので,DNAチップなど,バイオコンビナトリー化学の多くを含む.Szostakらは in vitro ウイルス増幅を基礎として,ランダムペプチドから出発して,ATP結合蛋白質を新規創出した(2001).一方,P. StemmerはDNAシャフリング法(sexual PCR法ともいう)を開発し(1994),有性生殖の保証付き分子多様性作出効果を生物種を越えて極度に拡大することに成功した.これを用いて,さまざまな蛋白質や代謝経路の高速分子育種を実現している.進化分子工学は,遺伝的アルゴリズムなどの進化的計算のウエットウエア版ともいえる例である.

生体高分子が試験管中で超高速進化するという事実は,配列空間上の適応度地形が都合のよい形状をしているからだろう.現実的な地形理論とその上の適応歩行の理論が発展している.配列空間における中立ネットワーク地形の存在は,木村資生の分子進化の中立説を進化分子工学にもち込んだ.適応度地形はその高分子の物性で,進化能(evolvability)の1つといえる.さらに,核酸や蛋白質は配列を適当に選ぶことにより,任意の分子の分子表面形状を模擬できるようだというデータが蓄積している.実際に進化してきた実績をもつ蛋白質や核酸は,この意味で高い進化能をもつと期待できる.一般の共重合高分子に対しても外部知性型対応づけを行えば,進化分子工学が適用できるはずである.蛋白質や核酸より進化能の高い合成高分子があれば面白い.

高機能生体高分子を取得する上での進化分子工学の優位性は,①まったく新しい機能をもつ蛋白質や核酸が設計できた,②生物種をまたぐ分子育種により,天然からは得られない高機能分子が取得できた,③非天然分子要素を導入できる,④分子コンピュータなどの生物以外のものに応用する分子を創出できる,などがあげられる.

〔伏見 譲〕

[文献]
1) 伏見 譲編:生命の起源と進化の物理学(シリーズ・ニューバイオフィジックスⅡ-8),共立出版,2002.
2) Arnold, F. H. (ed.):Evolutionary Protein Design (Advances in Protein Chemistry 55), Academic Press, 2000.

10.11 抗体工学

　抗体（免疫グロブリンともいう）は脊椎動物の免疫系において産生され，ウイルスのような外来侵入物の感染を防御したり中和したりするのに重要な役割を果たす糖蛋白質であり，外来分子（これを抗原と呼ぶ）に対して特異的にまたしばしば強く結合する．抗原抗体相互作用の特徴は，抗原に対する抗体の高い特異性と親和性にあり，その特性を生かして，基礎科学研究における利用はいうまでもなく，臨床検査薬，治療薬への応用，ある物質を感知できるようなバイオセンサーへの利用など，その応用範囲は広い．

　抗体は5種類（IgA, IgD, IgE, IgG, IgM）が知られているが，最も汎用される抗体はIgGである．IgGの基本分子構造は2つの同じ軽鎖（L鎖）と重鎖（H鎖）からなり，それぞれはジスルフィド結合で結ばれている（図10.11.1）．L鎖は2個，H鎖は4個の，およそ100アミノ酸残基からなるドメインからなり，そのおのおのはほとんど独立でかつ同じ構造（イムノグロブリンフォールド）している．また，アミノ末端側のドメインにとくに可変的なドメインがあり（可変領域またはV領域と呼ぶ），それ以外のドメインは定常的なドメイン（定常領域またはC領域と呼ぶ）である．さらに，可変領域の中でも，変化に富む領域は限られており（これを超可変領域あるいは相補性決定領域（CDR）と呼ぶ），この領域のアミノ酸残基を変化させることにより，抗原認識能を創出している．各ドメインは，可変領域で9つ，定常領域で7つの逆平行β-シートからなるβ-バレル構造をしており，これを枠組領域（フレームワーク領域）と呼ぶ．一方，6個のCDRループは立体構造上，可変領域の一部に集中して存在し，抗原認識領域を構成する．CDRのとるループ構造はいくつかの範疇に限られ，これをカノニカル構造と呼ぶ．

　IgGは通常2つの同じ抗原結合部位をもつ（二価と呼ばれる）．この2つの部位両方による結合は単独の部位による結合よ

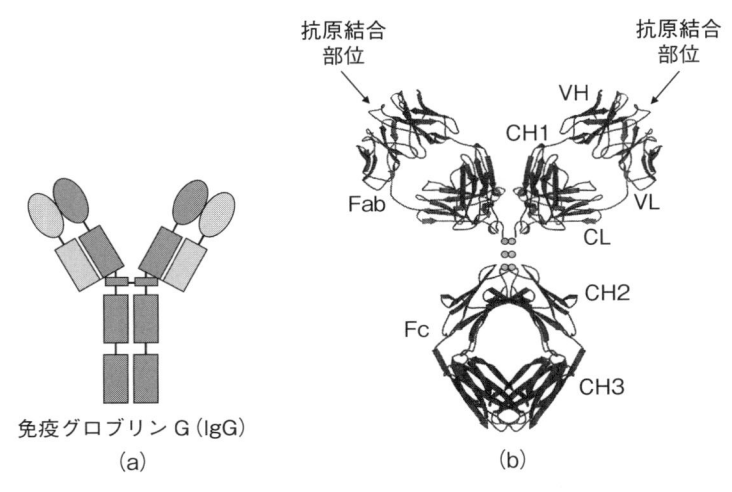

図10.11.1　抗体IgGの模式図（a）とIgGの立体構造（b）．FabとFcの解析結果を合わせたものとして示している．

りも見かけ上高い親和性（avidityと呼ぶ）を示し，単独の結合部位の親和性（affinity, intrinsic affinityと呼ぶこともある）と区別する．

1975年のMilsteinらによるモノクローナル抗体作製法の確立は，抗体分子の有用性を一気に高めることになった．この作製は，マウスなど実験動物の免疫化，脾臓由来のリンパ球の抽出，ミエローマ細胞との融合による細胞株（ハイブリドーマ）樹立からなる．今なおこの手法は汎用され，さまざまな分子に対する抗体が作製されている．最近では，抗体遺伝子再編成機構が解明されたこと，PCRにより抗体遺伝子の増幅が可能になったこと，微生物を用いた抗体分子の調製が可能になったこと，そしてファージディスプレイ法などの進化分子工学的手法が確立したことなどから，抗体研究は蛋白質工学の観点から急速に進展している．

免疫系において，抗体を産生するB細胞表面には，その細胞のもつおのおの特有の遺伝子と対応した抗体分子が提示され，多数のレパートリーを免疫系が用意している．すなわち細胞のもつ遺伝子型と，細胞表面に提示されている抗体分子（表現型）が完全に一致している．このB細胞のシステムを真似ることができれば，人工的に抗体分子を選択・調製できるようになる，と考えられる．遺伝子工学技術の発展に大きな寄与を果たしてきた繊維状ファージを利用して，その表面蛋白質に目的の蛋白質を提示させる技術（ファージディスプレイ）はこのシステムを模倣するに最もふさわしいものであった（図10.11.2）．免疫していないマウスあるいはヒトから遺伝子を抽出増幅，ファージ表面にディスプレイ（提示）し，標的物質に対する親和性で選択するわけである．このような選択をバイオパンニングという．この手法に人工的変異導入を加えることで，ハイブリドーマ法では作製できないような，自己抗原，糖鎖等を特異的に認識する抗体分子の調製が可能となっている．

構造情報にもとづいて部位特異的総変異，あるいは無作為変異により，人工抗体遺伝子ライブラリーを構築，ファージディスプレイとバイオパンニングにより，1つの抗体分子に対して，機能の改良（親和性の向上）や改変（特異性の変換）が可能である．抗体の特異性は基本的にはCDRの高次構造と抗原との形状特異性に依存している．しかしながら，変異導入の効果の多くは，エンタルピー－エントロピー補償則によりその結果をほとんど打ち消されることが多いこと，また数多くの抗原抗体複合体の結晶構造解析から，変異導入の効果は分子全体に及ぶこと，さらに高い可塑性の中に存在する鍵となるアミノ酸残基（これをホットスポット（hot spot）と呼ぶ）との相互作用により特異性が創出されること，が明らかになっている．分子認識機構に関する情報をさらに蓄積することを通じて，分子設計の指針の普遍則を導いていくことが重要である．

抗体可変領域の安定化を図るため，可変領域の片方のC末端と別鎖のN末端をポリペプチドリンカーで結合させた一本鎖抗体（single-chain Fv：scFv）の構築も試みられている．最近では，2つの一本鎖抗体のドメインを入れ替えた二重特異性抗体（diabody）がつくられ，癌免疫療法への応用が報告されている．より汎用性の高い調製法の確立が望まれている．

ヒト抗体の調製は，バイオ医薬などの観点から要請が高いものの，一般的には困難である．そこで，マウス抗体由来のCDRをヒト抗体に移植（これをCDR-graftingと呼ぶ）することで，ヒト型化抗体の調製が行われており，すでに臨床応用へ発展している分子も増えている．また，ヒト抗体遺伝子ライブラリーからバイオパンニングにより得られた人工抗体にも大きな期待がかけられている．

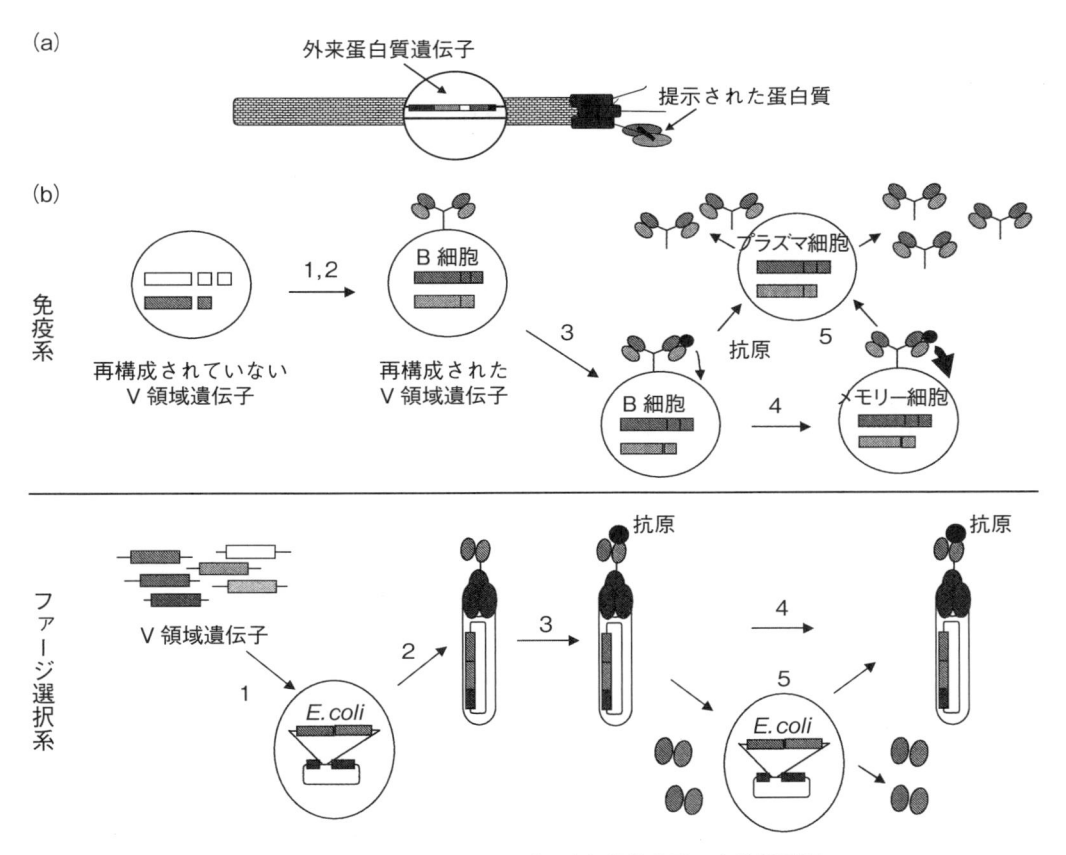

図10.11.2 ファージディスプレイと抗体分子の生体外選択
(a) ファージディスプレイ．ファージが含む遺伝情報と，ファージの表面にある蛋白質のアミノ酸配列が対応している．
(b) 抗体分子の生体外選択．免疫系での抗体産生系と比較して示している．1：遺伝子の再編成，2：細胞やファージ表面へのディスプレイ，3：抗原による選択，4：特定クローンの増幅，5：可溶性分子の発現．

現在まで抗体分子は主にハイブリドーマや真核細胞を用いて調製されてきた．しかしながら手間，時間がかかることに加えて培養などのコストが高いことから，自由自在な分子設計や他分子との融合などによる多機能化，高機能化に限界があった．微生物を用いた抗体分子の作製は，従来の細胞を用いた調製法に比べ手間がかからず，しかも，容易に人工的な変異導入を加えたり，産業的需要がきわめて高い酵素や免疫賦活剤との融合により，複数の機能を付与した抗体断片の作製も，従来の化学的方法に比して，高効率でかつ容易に行える．

〔熊谷　泉・津本浩平〕

[文献]
1) 熊谷　泉，金谷茂則編：生命工学，共立出版，2000.
2) Winter, G. et al.: Making antibodies by phage display technology, *Annu. Rev. Immunol.* **12**, 433-455, 1994.
3) Padlan, E. A.: X-ray crystallography of antibodies, *Adv. Protein Chem.* **49**, 57-133, 1996.
4) Hudson, P. J.: Recombinant antibody fragments, *Curr. Opin. Biotechnol.* **9** (4), 395-402, 1998.
5) Plueckthun, A. et al.: *In vitro* selection and evolution of proteins, *Adv. Protein Chem.* **55**, 367-403, 2000.

10.12 バイオセンサー，バイオエレクトロニクス

バイオエレクトロニクスは生体のもつきわめて多様な機能を電子工学技術と組み合わせた新しいデバイスということができる．したがって，バイオセンサーはバイオエレクトロニクスに包含されるべきものと思われるが，ここでは生物材料自体が有している認識能力を利用して，主として分析装置として使用するものをバイオセンサーと呼び，生物のもつ巧妙な分子機械技術（電子伝達，エネルギー変換，神経系における情報処理など）を学び，それを利用あるいは模倣して，将来，分子スイッチや演算素子，人工知能として利用するデバイスをバイオエレクトロニクスと呼ぶことにする．

a. バイオセンサー

生体内では情報伝達や物質輸送などを行う際に化学物質を用いることが多い．その際，生体膜にある受容体は化学物質の認識を厳密に行う必要がある．このような生体膜上での化学物質の識別機能を工学的に利用したのがバイオセンサーである．実用上，受容体を高分子膜のような基板に固定することがきわめて重要で，① 吸着（物理吸着，表面処理），② 架橋法（グルタルアルデヒド，アミノシランなどの架橋試薬で共有結合固定），③ ゲルへの包括（ポリアクリルアミド，ポリビニルアルコール）などの方法がすでに開発されている．もう1つのポイントは信号の取り出し方法で，通常，電気信号で取り出すのが便利で，受容体とそれを認識する化学物質が結合したときの変化を電気信号に変換する信号変換器（トランスデューサー）が必要となる．この信号の変換方式の工夫がポイントで，数多くの変換方式がバイオセンサーの実用化に寄与している（表10.12.1）．典型的なバイオセンサーの模式図を図10.12.1に示し，以下に代表的バイオセンサーについて信号変換器の観点から簡単に特徴を紹介する．

(1) 電　極

電極を信号変換器として用いる方式は最も一般的で，酵素センサーがその典型である．酵素を固定した膜上では特定物質の化学反応生成物を検出できる．グルコースを

表10.12.1　バイオセンサーの特性

センサー	受容体	信号変換	検出対象
酵素センサー	グルコースオキシダーゼ	酸素電極 白金電極（H_2O_2）	グルコース グルコース
	リパーゼ	pH電極	中性脂質
	アミノ酸オキシダーゼ	白金電極（H_2O_2）	アミノ酸
	ウレアーゼ	アンモニア電極 ISFET	尿素 尿素
微生物センサー	微生物	酸素電極 酸素電極	資化糖 BOD
		アンモニア電極	グルタミン
免疫センサー	抗体（IgG）	表面プラズモン共鳴 圧電素子	抗原 抗原

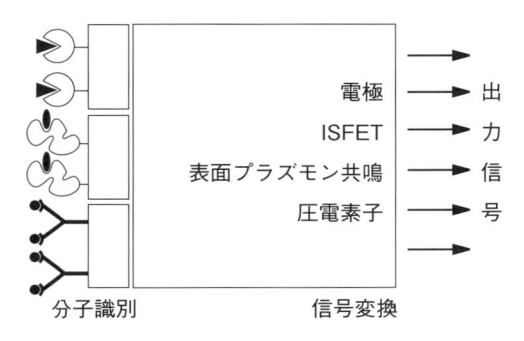

図 10.12.1　バイオセンサーの基本構成

検出する場合，酵素としてグルコースオキシダーゼ（GOD）を用いる．GODを高分子膜に固定すると，GODはさまざまな夾雑物の中からグルコースのみを認識して結合し，以下の反応式に従って，グルコノラクトンと過酸化水素が生成する（$C_6H_{12}O_6 + O_2 \rightarrow C_6H_{10}O_6 + H_2O_2$）．この反応では酸素が消費され，過酸化水素が発生する．したがって，信号変換器に酸素電極を用いると酸素の減少を，過酸化水素電極を用いると過酸化水素の増加をそれぞれ検出できるセンサーを構成できる．

酵素は一般に高価であることと，固定化の際，失活する割合が高い等の理由で，酵素の代わりに微生物自身を固定する例も多い．微生物の呼吸活性は酸素電極や二酸化炭素電極で，代謝産物はイオン選択性電極でそれぞれ検出が可能であり，BODのほか，さまざまな物質の測定に用いられる（表 10.12.1）．

(2) ISFET（イオン感応性電界効果型トランジスター）

トランジスターのゲート表面上をイオン透過膜で覆い，水中で膜を透過してきたイオンが吸着することによって発生する表面電位を検出できるようにしたのがISFETで，基本的にはpH電極である．しかし従来のガラス電極に比べて，応答速度が速い，微小化が可能，集積化できるなどのメリットがある．

(3) 表面プラズモン共鳴

プリズム表面に蒸着した金属薄膜に抗体を固定化し，結合した抗原によるレーザー光の屈折率変化を検出する方式で，光の反射が界面の屈折率に影響されることを利用している．主に免疫センサーに用いられ，抗原が結合したときとそうでないときの光の反射率の変化として検出される．

(4) 圧電素子

水晶振動子の表面に抗体を固定し，抗原との特異的な結合に伴う質量変化を検出する方法で2種類ある．1つは質量変化に伴う振動数の変化を測定する方式（ATカット水晶振動子素子）で，もう1つは質量変化に伴う表面弾性波の伝達周波数特性の変化を測定する方式（表面音響波素子）である．両方式とも抗原抗体反応に伴う質量変化を直接測定でき，感度が非常に高いのが特徴で，免疫センサー，匂いセンサーなどに利用され，最近では環境ホルモンの検出手段として注目されている．

これ以外にも，レーザーネフェロメトリー，光ファイバー，光ダイオード，サーミスターなどの多数の変換器が提案されていると同時に，変換器の微小化，他種類同時分析など多目的センサーの開発も進んでいる．この分野で最も研究が盛んなのはμ-TAS (micro-total analysis system) と呼ばれる集積化化学分析システムで，すべての生化学分析機器を1枚のチップ上に集約させ，サンプルの調製，生化学反応，検査の3段階を一体にし，微量試料で医療分析を可能にしようというものである．

b. バイオエレクトロニクス

バイオエレクトロニクス（バイオ素子）は半導体の微細加工技術の寸法限界が見え始めた1970年代後半に提唱された．エレクトロニクスが生物を手本とする理由は，素子単位の微小さと，電子伝達系や神経情報処理の巧妙で効率的なからくりにある．たとえば呼吸鎖や光合成系におけるミトコ

ンドリア膜もしくはチラコイド膜における電子伝達系では複数の素子(蛋白質)が個々の役割を担っており，共同作業で機能発現している．このような機能発現には，個々の蛋白質が最適な三次元配置をとる必要があることは光合成細菌の反応中心蛋白質の結晶解析結果をみれば明らかである．したがって，バイオ素子実現のためには基板上に複数の蛋白質の配向固定化が必須技術となる．現段階では，このような三次元構築技術の未確立がバイオセンサーと比べて進展が遅れている理由の1つとなっている．

　三次元構築の困難さに遭遇し，1分子で機能する蛋白質が注目されている．バクテリオロドプシン(BR)は高度好塩菌の細胞膜に二次元結晶状に発生する色素蛋白質で，光駆動プロトン輸送機能と可逆的なフォトクロミズム機能を有する．この蛋白質が工学分野の多くの研究者の関心を集めた理由は，BRが単独で機能する分子機械であることと蛋白質自身のきわめつきの安定さにある．BRが可視光を吸収すると，一連の光反応サイクル中(約10 ms)にプロトンを細胞内から細胞外へ能動輸送する．このプロトン放出と取り込みが電極表面に電気応答を誘起することから，視覚情報処理への応用が研究されており，網膜の神経節細胞を模倣したイメージセンサーも試作されている．また，フォトクロミックな性質を利用した動的ホログラフィックメモリーや画像情報処理のための空間変調素子，さらに将来のコンピュータに利用可能な三次元メモリーなどの応用が提案されている．

　バイオエレクトロニクスは21世紀の重要な科学技術分野の1つとみなされているが，初期に目論まれた半導体技術と生命科学との融合(集積化)はほとんど実現していない．しかしながら，ナノ技術の展開とともに将来，大きな可能性を秘めている分野であることもまた確かである．

〔小山行一〕

[文献]
1) 化学工学会編：生体工学(化学工学の進歩32)，槇書店，1998.
2) 軽部征夫，民谷栄一：バイオエレクトロニクス(先端科学技術シリーズC2)，朝倉書店，1994.
3) Vsevolodov, N.: Biomolecular Electronics, Birkhäuser, 1998.
4) 小山行一：現代化学，7月号，24-31, 1995.
5) 岡田佳子：パリティ 10 (10), 26-37, 1995.

10.13 DNA コンピューティング

　DNA コンピューティングとは，DNA や RNA などの核酸分子の反応を利用して計算を行うことである．このような計算が可能であるのは，核酸分子の反応を利用して，計算機のモデルであるチューリングマシンがつくれるからである．核酸分子は，相補的塩基対結合による特異性の高い分子認識が可能である．また，塩基配列を認識して特異的に作用する蛋白質も存在する．これらの性質を利用すると，核酸分子でチューリングマシンのテープを，DNA ポリメラーゼや制限酵素などの蛋白質，あるいは別の核酸分子でチューリングマシンのヘッドをつくることができる．そして，核酸分子の反応で記述されたプログラムに従って計算を実行できる．

　DNA コンピューティングによる計算は，電子回路による計算とは異なる，いくつかの特徴を有する．計算のためのハードウェアは，電子回路のように「ドライ」ではなく，「ウェット」である．同時並行で進む分子反応による超並列計算が可能である．大部分が熱で失われる電子回路による計算とは違い，化学エネルギーを効率よく使い，少ない消費エネルギーで計算が実行できる．分子は非常に小さく，計算に伴う発熱も少ないので，細胞の中に組み込めるくらいに小さな計算装置や超小型の記憶装置をつくることができる．さらに，分子に対する直接的なインターフェイスをもつので，分子をそのままデータとして取り込んで計算を行うことや，計算結果を分子として出力することも可能である．これらの特徴を活用すると，電子回路による計算が原理的に困難な問題の解決に，DNA コンピューティングが利用できる．

　DNA コンピューティングによる計算は，超並列計算への利用から始まった．電子回路による計算速度には光速による物理的限界がある．CPU を構成する電子回路の配線を短くしても，電流が回路を流れる時間の制約で，毎秒 100 億回程度の命令を実行する CPU しかつくれない．それ以上の計算速度を実現するには，多数の CPU を用いた並列計算機が必要である．しかし，何百万個という CPU を用いた超並列計算機を実現することは容易ではない．ところが，DNA コンピューティングを利用すれば，この程度の超並列計算機は容易に実現できる．DNA コンピューティングで普通に使われている $100\,\mu M$ の DNA 分子溶液 $1\,ml$ の中には 6 京個の DNA 分子が存在する．これらの分子の反応を利用すれば，命令を実行する反応に 100 秒かかったとしても，毎秒 600 兆回の命令を並列に実行できる．

　分子反応の超並列性に着目し，1994 年，情報科学者の Leonard M. Adleman は，DNA コンピューティングによりハミルトン経路問題の小さな例題を解く実験を行った．これが，DNA コンピューティング研究の発端となった．ハミルトン経路問題は，NP 完全という，CPU が 1 つしかないフォン・ノイマン型の電子計算機では解くことが非常に困難なクラスに属する問題である．組合せ的に増える解の候補をしらみつぶしに調べないと解が求まらないので，計算のステップ数は問題のサイズに対して指数関数的に増加する．したがって，大きな NP 完全問題を解くには天文学的な計算時間が必要である．Adleman は，莫大な数の DNA 分子による超並列計算を利用することにより，問題のサイズに比例する計算ステップ数で NP 完全問題が解ける可能性を示したのである．

超並列計算から始まったDNAコンピューティングであるが，現在では，分子に対する直接的なインターフェイスをもつという特徴を活用して，バイオテクノロジーやナノテクノロジーの分野における利用をめざした研究が中心に行われている．

　バイオテクノロジーの分野における利用としては，ハイブリッドDNAコンピュータという汎用性をめざしたDNAコンピュータを用いて，遺伝子の発現解析，SNPタイピング，転写因子の解析などを行うことが試みられている．大量の電子化された情報の処理において電子コンピュータが有効であるように，大量の電子化されていない生体分子情報の処理にはDNAコンピュータが有効である．また，細胞内でも動作できる自律型DNAコンピュータの研究も進んでいる．細胞内の遺伝子発現パターンを調べて病気の状態を診断し，その結果にもとづいて病気を治療するための遺伝子を制御する，安全で確実な遺伝子治療を行うための道具として期待されている．さらに，進化分子工学，遺伝的アルゴリズムや遺伝的プログラミングをDNAコンピューティングにより実装する研究も行われている．DNAコンピュータはもともと生命体という分子コンピュータからつくられた人工的な分子コンピュータである．したがって，それを生命体の諸問題の解決に利用することは，きわめて自然なことであろう．

　ナノテクノロジーの分野における利用としては，DNAタイルを用いて，ナノテクノロジーにおける中心課題の1つである，プログラム可能なボトムアップ的自己集合を実現することが試みられている．DNAタイルは，Wangタイルという四辺が色分けされた正方形のタイルを模した，DNA分子でつくられたナノ構造体である．隣り合う辺が同色になるようにWangタイルを並べる計算はチューリングマシンと同等の計算能力をもつので，タイリング計算によりさまざまな二次元パターンを形成することができる．したがって，DNAタイルも用いたDNAコンピューティングにより，ナノスケールでさまざまなパターンを描くことができる．DNAタイルにトランジスターや配線の役割をもつ分子素子を結合しておくと，DNAタイルを足場にして分子素子をボトムアップ的に自己集合させ，分子エレクトロニクスのための回路を構築することなどができると考えられる．自動車や家電製品などの組立て工場では，電子コンピュータが組立てラインを制御している．分子部品を組立てて電子回路や機能性材料，ナノマシンをつくる工場では，DNAコンピュータが組立てラインを制御するであろう．

　将来，DNAコンピュータは，バイオやナノテクノロジーの分野において，電子コンピュータを補完する新しいコンピュータとして活躍すると期待されている．

〔陶山　明〕

[文献]

1) エイドルマン，L. M.：DNAコンピューターで問題を解く，日経サイエンス，11月号，20-29，1998．
2) 萩谷昌己，横森　貴編：DNAコンピュータ，培風館，2001．
3) 陶山　明：生命の謎を解く次世代コンピュータ"DNAコンピュータ"（7回連載），細胞工学 **21**，1346-1349，2002：**22**，75-79，2003：**22**，348-352，2003：**22**，570-572，2003：**22**，882-886，2003：**22**，1244-1249，2003：**23**，241-246，2004．

III. 実 験 法

10.14 蛋白質精製法

蛋白質の単離, 精製は蛋白質の実験的研究の第1歩である. 生化学的手段を用いた蛋白質の機能研究, 物理化学的手段を用いた物性研究, 構造機能相関を追求する構造生物学的研究と多岐にわたる蛋白質の研究分野で, よく精製された蛋白質標品は不可欠のものとなっている.

蛋白質精製では, 目的の蛋白質を多量に含む出発材料を使い, 蛋白質の性質の違いを利用して夾雑蛋白質を除きながら純度の高い蛋白質標品を得る. 分離に利用できる蛋白質の性質とそれを利用する分離法のおおまかな分類は,

1) 大きさ: ゲル濾過カラム, 遠心分離, 電気泳動
2) 荷電状態: 等電点沈殿, イオン交換カラム, 電気泳動
3) 疎水性: 硫安分画, 疎水性カラム
4) 特異的部位の存在: 色素カラム, Niカラム等のアフィニティカラム
5) 集合体の形成: 再結晶化, 特異的または非特異的な多量体形成を利用した遠心分離

となる.

高純度の精製は多くの場合カラムクロマトグラフィーに依存するが, その場合の実際の手続きは, ①破砕, ②前処理, ③カラムクロマトグラフィーによる精製, ④精製度の検討, の順となる (図10.14.1). 紙数の制約から, 以下精製の要点のみを述べる. 詳細については文献[1~3]を参照されたい.

図 10.14.1 蛋白質精製の手続き

精製にはカラムクロマトグラフィーを用いるのが一般的であるが, カラムを使わず再結晶化と硫安沈殿だけで結晶化に適した標品を得るチトクロム c 酸化酵素[4]の例もある. なお膜蛋白の場合は, ①の段階で界面活性化剤で可溶化したあとの②以下は可溶性蛋白の扱いと基本的には同様と考えられる. 精製に用いる材料には天然の系 (例: 筋肉, 血液) と人工的につくった大量生産系 (例: 遺伝子操作でつくった大腸菌, 昆虫細胞, また無細胞蛋白質合成系) とがある. たとえば筋蛋白ミオシンは筋肉100 gから数百mg精製蛋白が得られるし, 大腸菌を使った多くの大量生産系は培養液リッターあたり1~50 mg精製蛋白が得られる. 高純度の蛋白質標品を得ようとすれば, 効率のよい大量生産系の利用が必須である.

以下精製の各段階を簡単に述べる.

(1) 大量生産細胞の破砕

無細胞の系を除いては, 供給源の細胞を適当な成分をもつ適量の溶液に懸濁した後破砕する. 混在する蛋白質分解酵素の働きを抑えるため, 蛋白分解酵素阻害剤や高めの濃度のキレート剤を存在させることも含めて目的の蛋白質が安定な溶液条件を選ぶが, また破砕時の温度にも配慮する. 細胞破砕には超音波, フレンチプレス, ワーリングブレンダーなどから適したものを選び, 細胞の破壊の程度が目的の蛋白を取り出すのに必要かつ十分な程度に起こるよう注意する. 通常の冷却遠心機, ときには超遠心機を使って抽出液と破砕滓とを分ける. なお膜蛋白の場合は抽出液に可溶化のための適当な非イオン性界面活性化剤を含ませる.

（2） 前処理

抽出液の前処理は，ときとして大きな効果を示すことがある．たとえば，抽出液に含まれる大量の核酸をプロタミン沈殿法等で除くと後続のカラムの負担を少なくしそのパフォーマンスを向上させることができる．硫安分画，DMSO 分画等による夾雑蛋白質の除去も同様な効果をもつ．また，たとえば大腸菌で発現させた好熱菌由来の蛋白質の精製では大腸菌由来の蛋白を選択的に除く熱処理が有効である．このようにケースごとに有効な前処理を行うこともよい考えである．

（3） カラムクロマトグラフィーによる精製

高度の精製には通常カラムクロマトグラフィーを用いる．これはカラム樹脂をつめたカラムに，被精製標品を適当な溶液条件下で流入させ，その後カラム樹脂と蛋白質との相互作用の違いによって分離し，目的の蛋白質を多く含む画分を得る操作である．カラム樹脂の種類によって蛋白質がカラム樹脂に吸着する多くの場合と，吸着しない場合とがある．

前者はイオン交換（蛋白質の電荷とカラム樹脂の電荷の間の相互作用の違いを利用），疎水（蛋白質とカラム樹脂との疎水性相互作用の違いを利用），アフィニティ（蛋白質のリガンド結合部位や付加したヒスチジン・タグ等の特異的部位と，カラム樹脂上の活性基との特異的相互作用の違いを利用）等に大きく分類される．吸着する条件で目的の蛋白質をカラムにつけ，相互作用が弱くなるよう溶液条件をしだいに変えていき，目的の蛋白質を溶出するのが一般的なやり方である．逆に目的の蛋白質だけが吸着しないような場合も有効な分離ができるのは自明であろう．

後者はゲル濾過と呼ばれ，分子の大きさによって蛋白質集団を分離する．カラム樹脂の表面の微細な凹凸に蛋白質が流入することを多数回繰り返す結果，分子の大きさによってカラム滞在時間が異なる（大きいものほど速く流出する）ことを利用して分離を行う．吸着がないため脆弱な蛋白質の分離に適している．

クロマトグラフィーでは，分離能はカラム樹脂の大きさ，均一性，送液の一様性に大きく依存する．目的の蛋白質と混在する蛋白質の挙動が大きく違うときには実験室で詰めたオープンカラムで十分であるが，そうでない場合には粒径の小さいカラム樹脂を均一に詰めて高分解分離を可能にするプレパックの市販品を使うのが一般的である．その使用に際しては，高い送液能力をもつポンプを備えた高価な装置が必要となる．このような装置はグラディエント形成

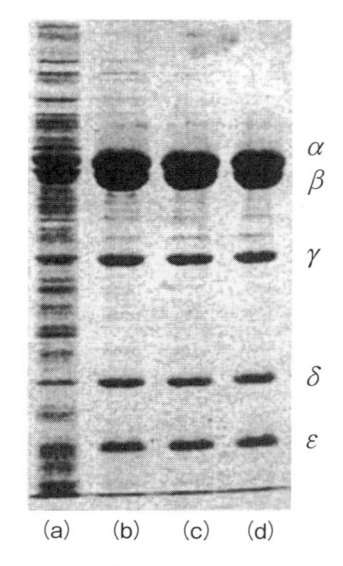

図 10.14.2 精製例：好熱菌 F_1-ATPase を好熱菌膜から精製した場合の各段階での標品の SDS 電気泳動パターン

(a) 菌体からとった膜をクロロホルム処理をしたもの．破砕の段階に相当．以下 (b) 疎水カラム，(c) 陰イオン交換カラム，(d) 色素カラムをかけたときのもの．F_1-ATPase は $\alpha \sim \varepsilon$ までの5種のサブユニットからなっている．(b) の疎水カラムが大きく精製に寄与している．(c) と (d) では純度的な差はないが，(d) の標品の方が結晶化に適している．

のための多液混合機能を含めた多くの機能を備えている．

(4) 精製の評価，純度の点検

精製の進行は，比活性の測定，電気泳動等でモニターする．比活性の測定には蛋白定量が必要となるが，これには UV 吸収（芳香族の側鎖をもつアミノ酸残基の吸収に依存した OD280 またはペプチド鎖の吸収に依存した OD205）を利用する．または色素への結合を用いるブラッドフォード（Bradford）法も簡便である．電気泳動は蛋白質をイオン性界面活性化剤で変性させて泳動する SDS 電気泳動が標準的に用いられる．変性させずに泳動するネイティブ電気泳動はサブユニットからなる複合体の検出に有効であり SDS 電気泳動の与える情報を補う．結晶化のように高純度精製が要求される場合電気泳動を用いた純度の点検は重要である．　　　　　〔白木原康雄〕

[文献]
1) スコープス，R. K.：新蛋白質精製法－理論と実際，シュプリンガー・フェアラーク東京，1995．
2) 髙橋健治他編：蛋白質 I 分離・精製・性質（新生化学実験講座 1），東京化学同人，1990．
3) 中嶋暉躬，三浦謹一郎編：抽出・精製・分析 I（新基礎生化学実験法），丸善，1988．
4) Yoshikawa, S. et al.: An infrared study of CO binding to heart cytochrome c oxidase and hemoglobin A. Implications re O_2 reactions, J. Biol. Chem. **252**, 5498-5508 1977.

10.15　蛋白質分析法

蛋白質の構造は階層性をもち，一次構造から四次構造に分類される．一次構造はアミノ酸配列を含む共有結合にもとづく構造，二次構造は α-ヘリックスや β-構造などポリペプチド主鎖の水素結合によって形成される局所的な規則構造，三次構造は側鎖を含めた立体構造，四次構造は複数の蛋白質分子が集合した集合体における構成蛋白質分子（サブユニット）の数や配置をいう．

a. 一次構造分析法

一次構造は蛋白質をコードしている遺伝子（cDNA）の塩基配列から推定できるが，直接決定するためにはエドマン分解を行う．エドマン分解では蛋白質に PITC（phenylisothiocyanate）を反応させ，N 末端から 1 残基ずつ切り離して PTH アミノ酸としてから高速液体クロマトグラフィーで同定する．これを自動的に行うのがプロテインシーケンサーである．なお，ジスルフィド結合，糖鎖その他の翻訳後修飾は別途決定しなくてはならない．

b. 二次構造分析法

詳細な二次構造は X 線結晶構造解析や NMR によって立体構造を決定することによって決定されるが，二次構造含量はいくつかの方法で推定することができる．その 1 つは遠紫外 CD（circular dichroism：円偏光二色性）スペクトルの測定である．測定した CD スペクトルから二次構造含量を推定する方法がいくつか提案されている．

CDスペクトルまたは適当な波長における円二色性（楕円率）は溶液条件による蛋白質の二次構造変化の指標として用いられる．

c. 三次構造分析法

三次構造はX線結晶構造解析やNMRによって決定されるが，前者の方がより大きな分子量の構造を決定することができる．X線結晶解析では蛋白質の結晶をつくり，これにX線を照射して回折像を撮る．この回折像は元の蛋白質の電子密度分布のフーリエ変換なので，原理的には回折像の逆フーリエ変換を行うことによって電子密度分布を得，この電子密度分布に既知の一次構造情報をあてはめることによって蛋白質の立体構造が決定される．実際には測定された回折像では位相の情報が失われているので，位相を別の測定から求めなくてはならない．そのためには重原子同型置換法や多波長異常分散法（MAD）が用いられる．また，一次構造がよく似た蛋白質の三次構造が既知の場合にはこの構造を利用して分子置換法によって位相を求めることもある．NMRでは溶液で測定を行うことができ，オーバーハウザー効果によって各原子間の距離を求め，この距離情報を満たす空間配置として立体構造が求められる．

d. 四次構造分析法

四次構造もX線結晶構造解析によって決定できるが，サブユニットの種類や数，おおまかな配置などはより簡便な方法で決定できる．すなわち，SDS電気泳動または二次元電気泳動によってサブユニットの種類，おおよその分子量とモル比を決定できる．さらに超遠心分析などによって求めた絶対分子量からサブユニットの化学量論を決定できる．四次構造をもつ複合体分子の形状については後述の「f. 形にかかわる測定」の項参照．

e. 分子量の測定

分子量はふつう共有結合で結合した化合物について定義されるが，生体高分子の場合には非共有結合によって集合した複合体についても「複合体の分子量」といういい方をする．以下，蛋白質の分子量の測定に用いられる方法について述べる．

最も簡便に蛋白質（ポリペプチド鎖）の分子量を推定する方法にSDS電気泳動がある．SDS電気泳動（SDS-disc-polyacrylamide gel electrophoresis：SDS-PAGEと略す）は蛋白質とSDS（sodium dodecyl sulfate）との複合体をポリアクリルアミドゲル中で電気泳動するもので，蛋白質-SDS複合体の摩擦係数の違いによって分離する．SDSは蛋白質1gにつき約1.4g結合し，線状らせん複合体を形成する．SDS-蛋白質複合体のポリアクリルアミドゲル内での移動度は，複合体の摩擦係数と電場の大きさに依存し，ある範囲で分子量の対数と直線関係にあることが経験的に知られているので，標準蛋白質にもとづく検量線を用いて分子量を推定することができる．この方法では蛋白質を変性させてしまうので，天然のコンフォメーションの蛋白質をそのまま測定することはできない．また，膜蛋白質やアミノ酸組成に偏りがあるものなどでは検量線からかなりはずれるものがあることも知られている．

ゲル濾過クロマトグラフィー（gel filtration chromatography＝ゲル浸透クロマトグラフィー gel permeation chromatography）も分子量測定に用いられる．この方法は天然の状態の分子を測定できる利点があるが，原理的にはストークス半径（Stokes radius）の違いによって分離するもので，分子の形に依存し，同じ分子量でも非対称でストークス半径の大きな分子は見かけ上より大きな分子量の値を示す．

質量分析は現在最も精度の高い分子量測定装置で少量の資料で測定できるのが特徴である．最近，質量分析機の進歩によっ

て分子量数十万の分子も測定できるようになったが，非共有結合で結合した会合体全体の分子量を測定するのには向いていない．

これに対して，超遠心分析（⇨9.18）や光散乱法では溶液中，すなわち天然の状態で形に依存しない絶対分子量が求められる．超遠心分析ではふつう分子量測定には沈降平衡法が用いられる．光散乱法ではふつう分子量は散乱角と溶質濃度をゼロに外挿して求める（ジム（Zimm）プロット）が，最近はレーザーの利用などによって低角度の散乱強度が測定できるようになり，外挿によらず直接分子量を求めることが行われている．なお，拡散係数を求めるために光準弾性散乱がよく用いられる．光準弾性散乱法では散乱強度の自己相関関数（autocorrelation funciton）を求めることによって拡散係数を決定することができるので，この値と超遠心分析で求められる沈降係数を組み合わせると，スベドベリー（Svedberg）の式から分子量を求めることができる．この場合も超遠心沈降平衡法と同様に形に依存しない絶対分子量が得られる．

f. 形にかかわる測定

原子レベルで分子や集合体の形を求めるにはX線結晶構造解析またはNMR（核磁気共鳴法）が用いられる．ただし，分子量が2万ないし3万を越える場合にはもっぱら前者が用いられる．現在では，分子量が100万を越えるウイルスなども結晶構造解析が行われるようになった．しかし，X線結晶構造解析には，結晶化と位相の決定という2つの大きなハードルがあり，大きな複合体ほど構造決定は困難で，蛋白質の性質によっては結晶化ができない場合もある．これに対して，電子顕微鏡は分解能は低いが，結晶化を必要とせずに大きな複合体の形を簡便に観察することができるのでよく利用される．また，複数の角度から観察した電子顕微鏡画像にもとづいて，三次元像を再構成する手法が知られている．この方法によってリボソーム，筋肉のアクチンフィラメントや各種ウイルスなどの立体構造が求められている．電子顕微鏡画像からの三次元像再構成法によって複合体の低分解能（15～20Å）の立体構造を求め，複合体の各構成成分の高分解能（2～3Å）の構造をX線結晶解析によって求めてから，これを前者にあてはめることによって全体の高分解能の構造を求める方法が用いられることがある．電子顕微鏡画像からの三次元像再構成には，最近ではもっぱらクライオ電子顕微鏡法が用いられる．この方法ではグリッドに支持膜を使用せず，穴に溶液を添加して表面張力によって保持させ，これを液体エタンなどで急速に凍結させる．急速に凍結させることによって蛋白質複合体をガラス状の氷に包埋させてから観察を行う．

比較的大きな構造体では電子顕微鏡が形を求めるのに便利であるが，電子顕微鏡では観察が困難なより小さな単量体またはオリゴマー蛋白質分子では，超遠心分析，光散乱法，X線小角散乱などを用いて複合体の構造のおおまかな形を見積もることができる．超遠心分析では沈降速度法で摩擦係数を求め，同じ分子量の球状蛋白質の摩擦係数との比（摩擦比 f/f_0）から対象複合体分子を回転楕円体などに近似したときの軸比が求められる（表10.15.1）．光散乱法で

表10.15.1　摩擦比

形	f/f_0	R_e
偏長楕円体	$\dfrac{P^{-1/3}(P^2-1)^{1/2}}{\ln[P+(P^2-1)^{1/2}]}$	$(ab^2)^{1/3}$
円盤楕円体	$\dfrac{(P^2-1)^{1/2}}{P^{2/3}\tan^{-1}[(P^2-1)^{1/2}]}$	$(a^2b)^{1/3}$
長い円筒	$\dfrac{(2/3)^{1/3}P^{2/3}}{\ln 2P - 0.30}$	$\left(\dfrac{3b^2a}{2}\right)^{1/3}$

$P=a/b$（a は長軸または円筒の長さの半分，b は短軸または円筒の半径），R_e は回転楕円体または円筒と同じ容積の球の半径で $f_0=6\pi\eta R_e$
(Van Holde, *et al.*：Physical Biochemistry, 1998 より)

は散乱強度の角度依存性（粒子散乱因子 $P(\theta)$）から分子量と組み合わせて回転半径が求められる．回転半径 R_g は

$$R_g^2 = \frac{\sum m_i r_i^2}{\sum m_i}$$

と定義される．同様な情報がX線小角散乱法によっても求められる．　〔有坂文雄〕

[文献]

1) 野田春彦：医学生物学のための物理化学，朝倉書店，1971.
2) Van Holde, K. E., Johnson, W. C. and Ho, P. S.: Principles of Physical Biochemistry, Prentice Hall, 1998.
3) Cantor, C. R. and Schimmel, P. R.: Biophysical Chemistry, Part II, W. H. Freeman and Co., 1980.

10.16　分子生物学/遺伝子工学的手法

　遺伝子工学は，1970年代の制限酵素の発見と，それを使った組換えDNA技術の確立により成立した．そして，それまで，ファージなどの単純な生命体を対象に分子のレベルで生命現象を解明する，という意味で用いられた分子生物学とは別に，遺伝子工学を使って行われる生命現象解明の研究が，新たな分子生物学として考えられるようになった．

　核酸は，細胞核にある酸性色素で染色される物質として，1889年，ミーシャによりサケの精子から単離された．そして，この核酸が遺伝子の本体DNAであることは，1953年のワトソン-クリックの二重らせんモデルが発表されることで確立された．以後，DNAからDNA，DNAからRNA・蛋白質へ，という，複製・転写・翻訳の研究がセントラルドグマ（中心命題）と称され，分子生物学の研究の主流となった．この遺伝子工学の確立と，分子生物学の発展をめぐる一連の流れに関しては，名著『遺伝子の分子生物学』[1] に詳しい．

　遺伝子工学では，目的の遺伝子を組み込み，操作できるようにする，宿主-ベクター系が必須である．宿主-ベクター系とは，目的の遺伝子を含む生物（供与体）からDNAを調製し，染色体DNAとは独立に複製されるプラスミドやファージ（ウイルス）ベクターの中に目的遺伝子（DNA）の断片を組み込み，そのベクターを維持できる生物（宿主）に導入して，外来遺伝子を利用できるようにするシステムのことを指す．先に述べたように，1970年代は，

遺伝子工学が確立された時代である．そのはじめ，1970年に，マンデル（Mandel）とヒガ（Higa）は，高濃度のカルシウム処理を施した大腸菌は，外来DNAを取り込みやすくなることを発見した．それまで，DNA取り込み能力（コンピテンシー）は，枯草菌や，アベリーが形質転換実験で用いた肺炎双球菌などの，ごく限られた細菌にだけ観察される現象であった．現在では，電気で細胞に穴をあけてDNAを注入する方法（エレクトロポレーション法）や，金粒子にDNAを付着させ，その金粒子を圧縮ガスで細胞に打ち込む方法（パーティクルガン法）など，形質転換頻度をさらに高めた方法も開発されている．しかし，マンデルとヒガによって発見された，特別な装置も必要とせず，ただカルシウム処理を施すだけという，この簡易な方法が，いかに組換えDNA技術の発展や，遺伝子工学の確立に寄与したかは想像にかたくない．これと同時進行的に，特定の配列を認識してDNAを切断するエンドヌクレアーゼ（制限酵素）を用いて，ベクターに供与体DNAを組み込む技術が開発された（図10.16.1）．特定の配列を認識してDNAを切断するといった制限酵素の存在は，ファージが細菌に感染して増殖する際に感染効率を低下（制限）させる現象から予測されていた．そして，1970年にインフルエンザ菌（*Haemophilus influenzae* d）から精製した制限酵素 *Hind*II が，特定の塩基配列を切断することが明らかになり，DNAを切るハサミとしての制限酵素の利用が考えられるようになった．また，これと並行して，薬剤耐性因子RIを含んだ大腸菌（*Escherichia coli*）から6塩基認識制限酵素である *Eco*RI が精製された．制限酵素 *Hind*II と制限酵素 *Eco*RI のDNA

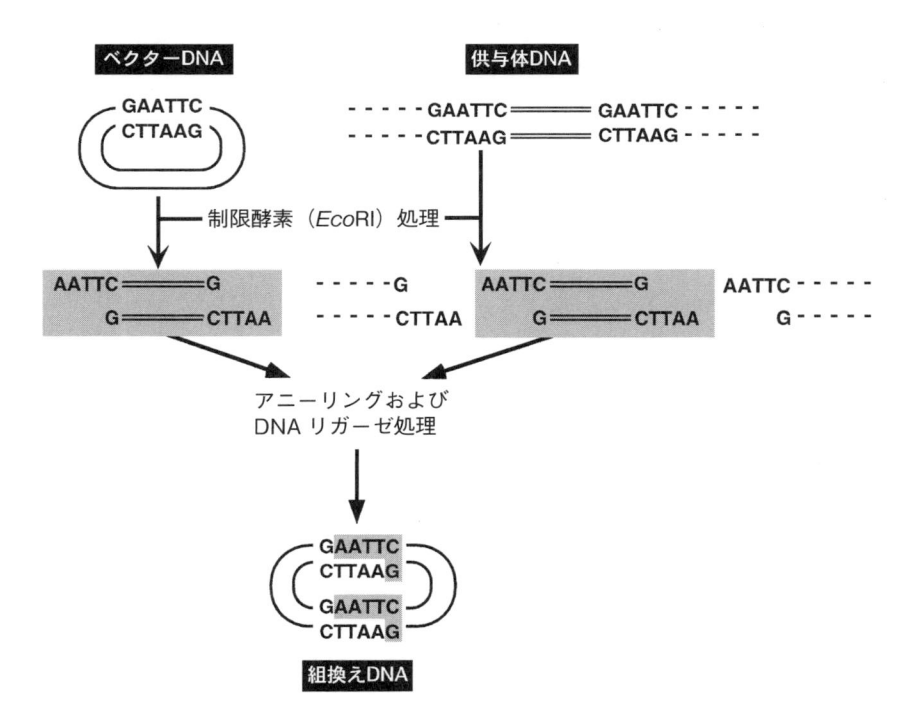

図10.16.1 制限酵素による組換えDNA作成
*Eco*RIによりDNAを切断し，ベクターDNAに供与体DNAを組み込み，DNAリガーゼと呼ばれる酵素により結合させる．

配列の認識部位と切断パターンの例を図10.16.2に示す.

1973年，コーエン（Cohen）らは上記の技術をまとめる形で，pSC101と呼ばれるプラスミドに，制限酵素 EcoRI を用いて特定の遺伝子を含むDNAを結合した組換え体を作成し，マンデルとヒガが確立したカルシウム法を用いて大腸菌の組換え体を形質転換することに成功した．その後，プラスミドの改良や，多くの異なった認識部位をもつ新たな制限酵素の発見により，若干の変更は見られるものの，コーエンらが確立したこの宿主-ベクター系は，EK系と呼ばれ，現在でも広く用いられている．この一連のシステムの成立は，遺伝子クローン化の成功と，遺伝子工学の確立を示す瞬間でもあった．しかしながら，この技術によって，理論的には，大腸菌に病原生物の遺伝子を発現させることができることとなり，非常に危険な新種の生命体をつくってしまう可能性が憂慮された．このような危険性への懸念と，倫理的な配慮を反映して，研究者自ら，計画していた組換え

DNA実験を中止しようとする動きが生じ，1975年には，組換えDNA実験を研究者自ら制限しようという目的を掲げた「アシロマ会議」が開催された．これがきっかけとなって各国で「組換えDNA安全指針」ができ，毒性や病原性のある生物のDNAを異種生物に導入する場合には，組換え体の厳重な封じ込めが，研究者自身に求められている（その後，我が国では，この指針は「遺伝子組換え生物等の使用等の規制による生物の多様性の確保に関する法律」に代わった）．ただ，このような指針や，研究を行う上での厳重な規制があるものの，研究者の安易な計画や姿勢によっては，映画で取り上げられるような，人類を滅亡に導く新種の病原体が出現する可能性を未だに否定できないのも実情である．

前述したような危険性と問題点とをはらみながらも，現在の，ゲノミクス研究と，それに続くプロテオミクス研究は，DNA組換え技術，および，遺伝子のクローン化なしには存在しえない．次に，遺伝子クローン化の基本的な方法を図10.16.3に示す．遺伝子のクローン化は，宿主細胞のベクターに，目的の遺伝子を含むDNA断片を1つ1つ繋いだ組換え体をつくることに始まる．研究当初には，細菌に対して毒素を産生するColEI（コリシンEI）と呼ばれるプラスミドをベクターとして用いていた．このColEIは，コピー数が多くDNAを調製しやすいが，クローン化実験に利用できる制限酵素部位が EcoRI と SmaI の2種類しかないことや，プラスミドが導入された菌体をコリシン耐性で選択しなくてはならないなどの欠点もあり，決して便利なベクターではなかった．他方，コーエンがはじめて用いたpSC101プラスミドは，プラスミドが導入された菌体をテトラサイクリン耐性で選択できるという利点はあったものの，クローン化できる制限酵素部位が少ない上に，プラスミドのコピー数が少ないという欠点があった．これらColEI

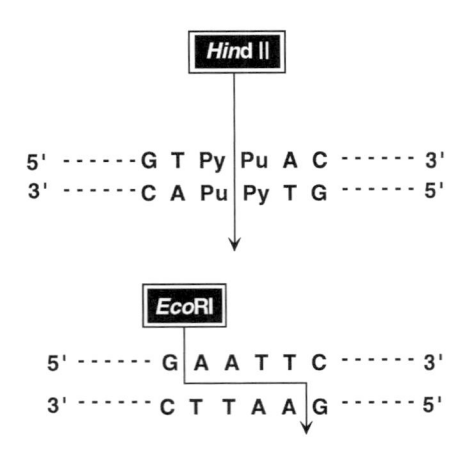

図10.16.2 制限酵素によるDNA切断
HindII は平滑末端になるようにDNAを切断する．一方，EcoRI は5'末端が突出した状態で切断する．HindII の切断認識はあまく，Pu（プリン塩基：AまたはG）あるいは Py（ピリミジン塩基：TまたはC）でも切断をゆるす．

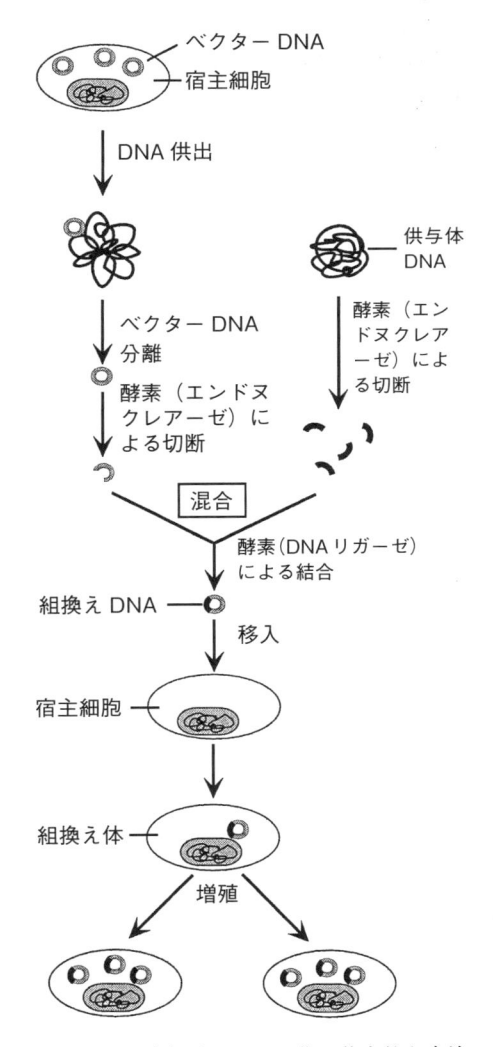

図 10.16.3　遺伝子クローン化の基本的な方法
宿主からのベクター DNA とクローン化したい遺伝子を含む DNA を精製後，制限酵素で切断し，図 10.16.1 で行ったのと同様に組換え DNA を作成する．続いて，宿主細胞に DNA を導入し組換え体を得る．適宜の方法によって，目的の遺伝子を含んだ細胞を選択する．

と pSC101 の特性が明らかになった時点で，個々の長所のみを生かすべく，両者を組換え DNA 技術を用いて改良することで，研究目的にあった新たなベクターが開発されることになった（図 10.16.4）．つまり，アンピシリン耐性・テトラサイクリン耐性と，コリシン由来の DNA 複製 ori をもつ pBR322 や，ori は pBR322 と同じであるが，アンピシリン耐性と多くの制限酵素部位（マルチクローニングサイト）が挿入された lacZ 領域をもっている pUC18/pUC19 の2つのベクターが構築されたのである．ことに，pUC18/pUC19 は，ジデオキシ法（サンガー法とも呼ばれる）による DNA シークエンシングに適し，IPTG と X-Gal を含むプレートで，外来 DNA の挿入の有無を容易に判別できること，加えて，lac プロモーターを利用した外来遺伝子の発現も可能といった，非常に便利なプラスミドベクターである．ベクター系の特徴として，一度その原理が確立されてしまえば，酵母，動物細胞，昆虫細胞などを宿主にした系への応用も容易であり，必要に応じて，新たなベクター系が開発されていくことになった．

PCR 法は，遺伝子工学の改良に最も大きく貢献した技術である．まず，プライマーと鋳型 DNA を混ぜて温度を上げることにより DNA の二本鎖を一本鎖へと変性させ，続いて，温度を下げることで鋳型 DNA にプライマーを結合させる．その後，DNA ポリメラーゼを加えて DNA を複製する．ふたたび，複製した DNA を高温変性し，先に加えたプライマーと結合させ，新たに DNA ポリメラーゼを加えて再度 DNA を複製する．以上のように，初期 PCR 法は，新たに DNA ポリメラーゼを加えながら複製 DNA をつくる操作を繰り返すことにより，DNA を増幅するものであった．この PCR 法そのものは，DNA 複製系があれば容易にでき，かつ，高温変性してしまう DNA ポリメラーゼを毎回加えればよい，という誰でも考えつきそうな手法である．しかし，このままでは DNA の増幅率はきわめて低く，手間がかかりすぎて実用的ではない．この状況を一変させたのが，Taq ポリメラーゼという高温で活性のある酵素の発見と，温度上昇と下降を迅速に行える機器の改良である．そ

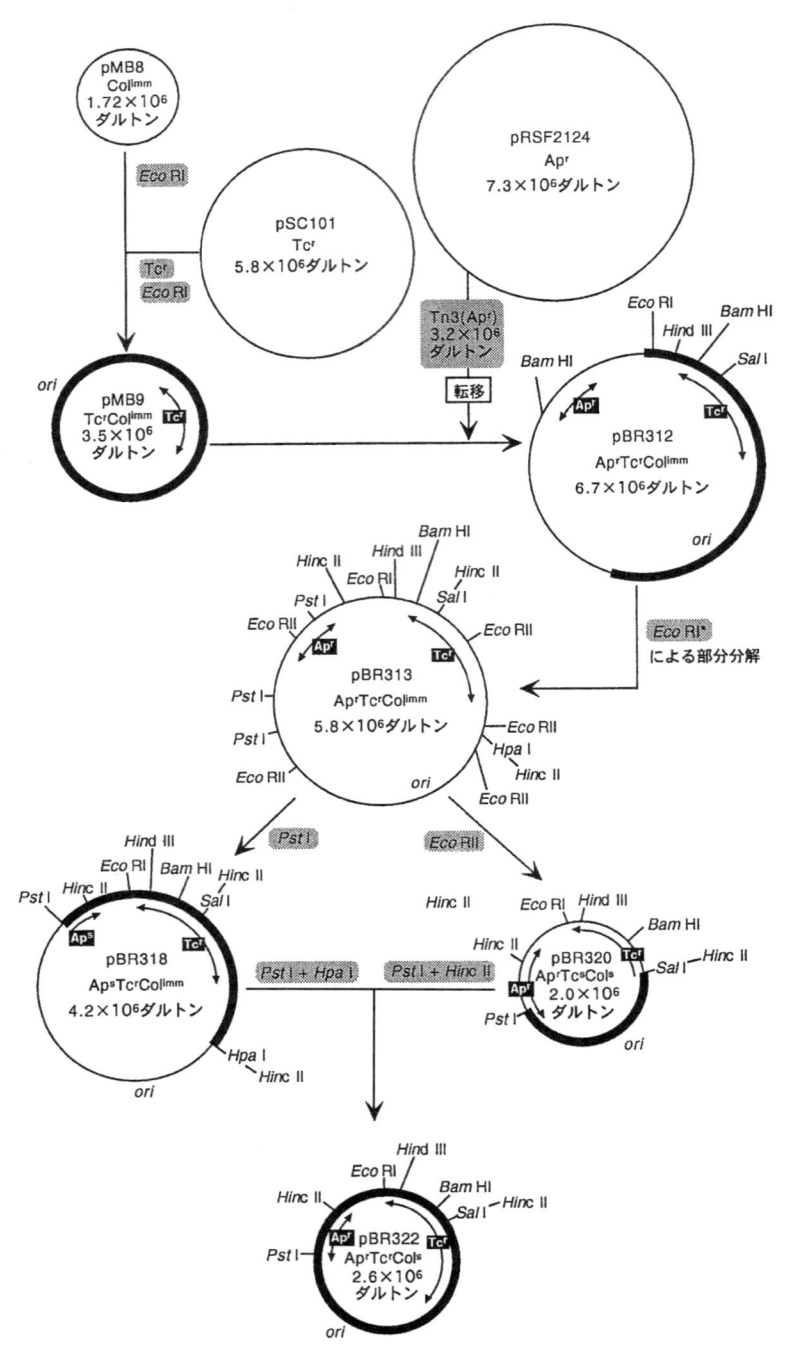

図 10.16.4 ベクターの改良

コリシン E1 プラスミドによく似た pMB1 の複製部位をもつベクター pMB8 を基に, pSC101 のテトラサイクリン耐性遺伝子 (Tc^r) と, pRSF2124 のトランスポゾン由来のアンピシリン耐性遺伝子 (Ap^r) をマーカーとして加え, 使用しやすいようにサイズを小さくしていったものが, pBR322 である.

の後，Taqポリメラーゼ以上に，より長いDNAを正確に迅速に増幅する酵素が開発され，PCR法の進歩を助けた．同じく，このPCR技術の発展をサポートしたものに，DNAプライマー合成の低価格化があげられる．1980年代には，分子生物学研究を行う場所には，必ずといっていいほどDNA合成装置が設置されていた．しかし，合成装置には，研究者や技官による操作と，高い試薬が必要なため，多くの手間とコストとが要求された．一方，合成を外部企業に発注した場合，一残基あたり数千円というコストがかかり，こちらもDNA合成を気軽に頼めるような状況ではなかった．ところが，現在では，プライマー合成の低価格化により，かつての10分の1以下の価格で外注することが可能となり，多くのDNAプライマーを活用できる状況になっている．なお，このPCR法に関しては，遺伝子診断，DNA配列決定，遺伝子クローン化など，その応用範囲は広く，紹介しきれないので，末尾に参考文献として，PCR法に関する本を紹介しておく．

　PCR法の確立とともに，DNA配列決定スピードの高速化が急激なゲノミクス研究の進展をもたらしたのはいうまでもない．DNA配列決定法としては，いずれも開発者の名前を冠した，マクサム–ギルバート法とサンガー法の2種類がある．前者は，化学的な切断の選択性を利用したものであり，後者は，酵素合成時に反応を停止する基質（ジデオキシヌクレオチド）を加える方法である．どちらも，一塩基の長さの違いを検出できるようなゲル中で，DNA断片を電気泳動させ，その切断点や反応停止点での塩基の種類を認識することで配列を決定する．マクサム–ギルバート法による配列決定は，DNA構造に影響されにくいため，信頼性が高い．しかし，切断条件の設定や，長いDNA配列の決定が困難なことから，しだいに，サンガー法が配列決定の主流を占めるようになる．その後，特殊ポリマーの開発により，DNAのサイズ分離をキャピラリーカラムで実施できるようになり，さらに蛍光試薬の開発が進んだことで，自動DNA配列決定装置が一般的に普及するようになった．この装置がDNA配列決定の困難さを根底から覆し，専門技術や知識のない一般人でも，DNA配列決定を行えるようにしたのである．すなわち，この装置の開発が，DNA合成反応や遺伝子クローン化技術の改良を飛躍的に押し進め，かつてはまったくの夢物語であったヒトゲノム配列決定計画でさえも，短期間に現実のものとしたのだといえよう．この際，コンピュータ技術の進展もDNA配列決定スピードの高速化に不可欠な要因であったことを忘れてはならない．

　しかしながら，このような装置を駆使し遺伝子配列を解明しただけでは，生命体の単なる設計図を手に入れただけに等しい．なぜなら，生命体は，この設計図を基にRNAや蛋白質を制御，作成することによって生存しているからである．これらの要素を直接的に研究するという点では，RNAはハイブリダイゼーションにより，蛋白質は抗体により検出される．もし，さらにエレガントな分子生物学分野の手法を用いるならば，オペロン融合体や蛋白質融合体の活性を測定することで蛋白質翻訳量やRNA転写量を推定する方法もある．その際，融合酵素の代表例として，β–ガラクトシダーゼがある．遺伝子のクローン化の項で述べたpUCベクターで用いられ，遺伝子内にDNA断片が挿入されることでβ–ガラクトシダーゼの活性がなくなることを目安にした，ブルーホワイト選択もこの応用例である．また，融合物を，β–ガラクトシダーゼからルシフェラーゼという発光蛋白質に変えると，特定の発現場所が特定の時期に光る植物や動物をつくることが可能となり，動植物の発現過程を生きたままで追跡できるようになる．あるいは，GFP（グリーン蛍光蛋白質）を融合物とし

た場合，活性のある光る融合蛋白質を発現させることができ，細胞内での局在やその動きを，光を目安に直接観察することができる．これまでは，こういった遺伝子の発現制御や転写の解析を個々に行っていたが，近年では，一度に数千もの遺伝子発現を調べることを可能にしたマイクロアレイ法が開発され，遺伝子研究のさらなる発展に寄与している． 〔本間道夫〕

[文献]
1) ワトソン，J. D.（松原謙一他監訳）：遺伝子の分子生物学 上・下（第4版），東京電機大学出版局，2001.
2) 飯野撤夫：新しい遺伝子像，中央公論社，1983.
3) 高木康敬編著：遺伝子操作実験法，講談社サイエンティフィック，1980.
4) 谷口武利編：PCR実験ノート，羊土社，1997.
5) リューイン，B.（菊池韶彦他訳）：遺伝子 上・下（第6版），東京化学同人，1999.

10.17 細胞工学的手法

a. 培養細胞の種類

細胞は実験動物から単離して直接用いることもあるが，株化された細胞を培養して用いることも多い．現在では，多種多様な培養細胞株が樹立されており，実験の目的に応じて細胞を比較的自由に利用することができる．細胞株を選ぶ1つの方法は，細胞バンクを活用することである．国内外にはいくつもの細胞バンクがあり，そのホームページから細胞株などの検索ができる．主なものとしては，米国のアメリカン・タイプ・カルチャー・コレクション（American Type Culture Collection：ATCC），また，国内では理化学研究所細胞開発銀行や厚生労働省研究資源バンク（JCRB細胞バンク）がある．各種の哺乳動物由来の細胞株に加え，ヒトの細胞についてもかなりの種類のものが手に入るようになっている．

b. 細胞培養法

細胞の培養などの操作はクリーンベンチ内で行う．滅菌ピペットと滅菌培地を使って，クリーンベンチ内で無菌的に操作を行う．浮遊性の細胞は適度に培地で希釈して培養を続ければよいが，接着性の細胞はラバーポリスマンやトリプシン処理により培養フラスコから剥がして，細胞数を希釈して培養を継続する．培養は通常CO_2インキュベータ内で行う．CO_2インキュベータは一般的には37℃，5% CO_2に保ち，湿度が飽和した状態にしておく．細胞の継代の際には，培養を続けるうちに細胞の性質が

変わる可能性があることを注意する．たいていの細胞は液体窒素中で凍結して保存しておくことができる．通常，2〜3ヵ月細胞を継代培養したら，新しい細胞を解凍して実験に使用する．

c. 細胞融合法

性質の異なる2種類の細胞をポリエチレングリコールの存在下で混ぜ合わせると，細胞どうしの融合が起こり，それぞれの細胞の性質を併せもった雑種細胞（ハイブリッド細胞）ができる．このような細胞融合法は，モノクローナル抗体の作製の際に，抗体産生ハイブリドーマを得るのに利用できる．免疫した動物（マウス）から単離したB細胞は，抗体は産生するが増殖能はない．そこで，増殖能をもつミエローマ細胞と融合させることにより，抗体産生能と増殖能を併せもつ抗体産生ハイブリドーマを得ることができる．ハイブリドーマはスクリーニングやクローニングを繰り返してモノクローン化した後，マウスの腹腔に投与する．2〜3週間後に腹水を採取してモノクローナル抗体を精製する．

d. 遺伝子導入

細胞に外来遺伝子を導入する方法は大きく2つに分けられる．1つは細胞に電気パルスをかけることによって一過的に膜に孔をあけて遺伝子を導入する方法（電気穿孔法（エレクトロポレーション））で，もう1つはベクターを使って細胞に遺伝子を送り込む方法である．前者は細胞に対する損傷が大きく，死んでしまう細胞も多いが，蛋白質を安定発現させやすいので培養細胞への遺伝子導入によく用いられる．後者のベクター法にはウイルスベクター法と非ウイルスベクター法がある．ウイルスベクター法はウイルスのもつ感染能を利用したもので，非ウイルスベクター法は脂質やリポソームのもつ物理化学的性質を利用したものである．いずれも培養細胞への遺伝子導入だけでなく，遺伝子治療用のベクターとして使用できる．一般に導入効率はウイルスベクター法の方が高いが，操作の簡便性や安全性などの点から，非ウイルスベクター法も利用されている．通常，細胞膜が負電荷を帯びているため，非ウイルスベクターとしては，正電荷コレステロールや正電荷脂質を用いた正電荷リポソームが用いられている（図10.17.1）．効率のよい遺伝子導入のためには，① エンドサイトーシスにより細胞に多くの遺伝子を取り込ま

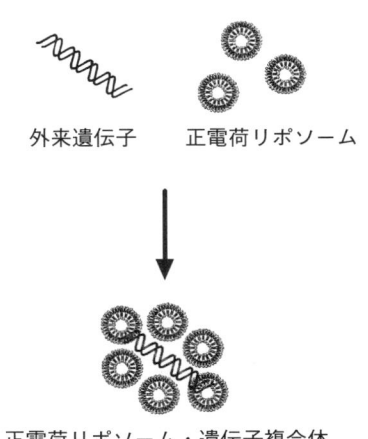

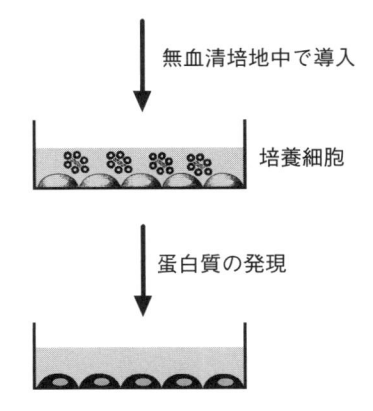

図10.17.1 正電荷リポソームによる細胞内遺伝子導入の模式図

外来遺伝子と正電荷リポソームの複合体を作製し，無血清培地中で細胞に4時間導入する．その後，血清入りの培地に換えて培養を続けると，1〜2日後には導入遺伝子に由来する蛋白質が発現する．

せること，② 細胞内で遺伝子をベクターから解離させること，③ 解離した遺伝子を核に送達させることが重要である．これらの過程の効率を向上させるために，リポソームを形成する脂質やコレステロールの修飾や，リポソームに糖脂質やバイオサーファクタントを加える試みがなされており，安全で簡便で導入効率の高い非ウイルスベクターの開発が進められている．

〔古野忠秀・中西　守〕

[文献]

1) 渡邊利雄：すくすく育て 細胞培養（バイオ実験イラストレイテッド6），秀潤社，1996.
2) 日本組織培養学会編：組織培養の技術（第2版），朝倉書店，1988.
3) 長宗秀明，寺田　弘：単クローン抗体（化学と生物 実験ライン8），廣川書店，1990.
4) 中西　守他：リポソームによる遺伝子導入とその分子機構，蛋白質・核酸・酵素 **44**, 1590-1595, 1999.
5) Nakanishi, M.: New strategy in gene transfection by cationic transfection lipids with a cationic cholesterol, *Curr. Med. Chem.* **10**, 1289-1296, 2003.

10.18　免疫学的手法

生物物理学の実験で抗体は特異性の高い有機試薬として使われ，抗原抗体反応を利用すると蛋白質の相互作用がアミノ酸の側鎖レベルで解析できる．抗原と産生された抗体を用いた実験について概略する．抗原刺激を受け選択された細胞クローンから特定の抗体，IgG, IgM が生産される．成書 1, 2) に基礎の解説が，操作は実験書 3, 4) が役立ち，解析例は文献 5) にある．

(1)　抗体の構造と機能

抗体分子は2本ずつの軽鎖と重鎖がジスルフィド結合でできた四量体からなり，軽鎖と重鎖は可変領域と定常領域に分かれる（図 10.18.1 (a)）．抗原との反応は軽鎖と重鎖で構成された抗体分子の可変領域の鋳型構造で決まる（図 10.18.1 (b)）．抗体の多様性は重鎖遺伝子の分節 V (1000), D (12), J (4) と軽鎖遺伝子の分節 V (300), J (4) の再構築により決まり，その組合せは最低 5×10^7 になる．免疫は生物が外界の異物（抗原）に対する防御（抗体）反応で，脊椎動物でとくに発達している．

(2)　抗体（ポリクローナル，モノクローナル）の作製

動物に注入された抗原は体内の B 細胞で認識され，細胞分化を経たプラズマ細胞から抗原と特異的に反応する抗体 IgM, IgG が産生される．抗原量は多くて精製されている方がよいが，実験目的によりいろいろ可能である．免疫動物としてウサギを使う場合は 0.1〜1 mg 程度が必要で，マウスなど小型動物を使う場合は 1〜100 ng 程度でも可能である．SDS-PAGE の後，色

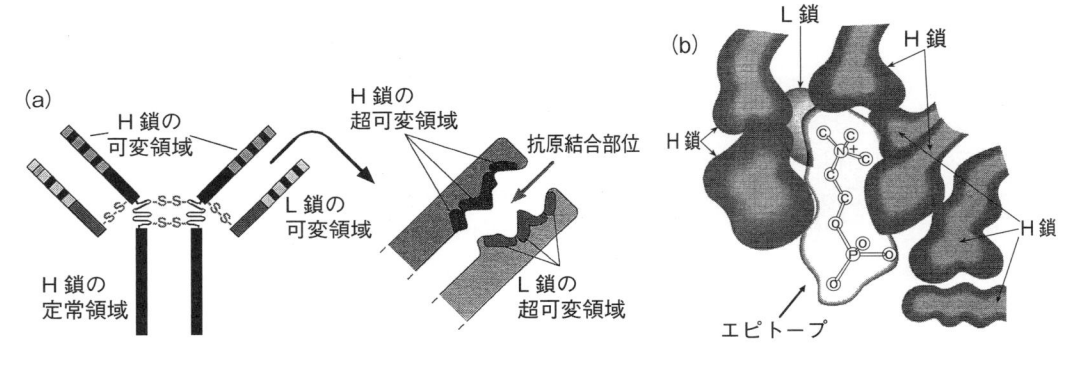

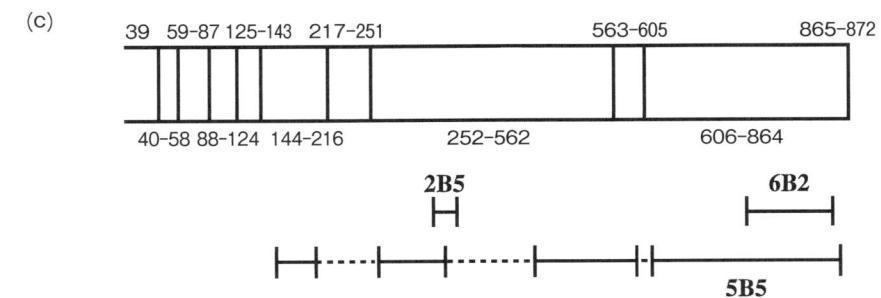

図 10.18.1　抗体の抗原認識
(a) 抗体分子の構造．(b) エピトープは抗体の軽鎖と重鎖の超可変部分の鋳型で認識される．
(c) 3 種の抗パラミオシン・モノクローナル抗体（2B5, 5B5, 6B2）が認識するパラミオシン上の認識部位（Gengyo-Ando and Kagawa, 1991）．上の棒はパラミオシン分子，数字はアミノ酸残基番号，縦線はイントロンの位置を示す．

素で染色し，分画された目的のバンドを切りだし砕いて皮下，筋肉や腹腔などに注射する（図 10.18.2）．べん毛など抗体産生力の強い抗原の場合は数回静脈注射して，最終注射から 1 週間後に力価の高い抗血清が得られる．水溶性抗原の場合は，動物の体内に長く留まり持続刺激が可能なように，市販のアジュバンド（細菌の死体と機械油）と一緒に超音波処理したエマルジョンを皮下，筋肉に注射する．数週間後に試採血して力価を調べて全採血する．ウサギをネンブタール（1 ml/kg）などで麻酔し，頸動脈からゆっくり採血すると溶血することなく 1 羽のウサギから 50〜150 ml の血液が得られ，血餅を取り除けば抗血清として使用できる．30%飽和の硫安でアルブミンを除くとグロブリンからなる抗体分画が得られる．さらに精製が必要な場合にはカラムやメンブレンを用いる．

モノクローナル抗体は抗原刺激を受け抗体産生するようになったマウスの脾臓を細胞融合により分裂し続けるようにした細胞から得られる．1 種類の抗体を分泌するので抗体濃度も高く，特異性も高い．抗体認識領域が限定されるほか融合細胞の培養に高価な血清や培養品が必要なことが特徴である．

(3) 大腸菌で発現した cDNA の産物に対する抗体作製

融合プラスミドの産物を用いると目的領域に対する抗血清が得られモノクローナル抗体より簡便に特定領域に対する抗体が得られる．得られた抗体がウエスタン（Western）解析，免疫組織学に使えるか

どうか等，実験目的に応じて詳細に検討する必要がある．

(4) 抗体の精製と特異性

抗体の精製方法は確立されており，日々改新されている．抗体は4℃で数ヵ月，-20℃では10年は安定である．凍結融解の繰り返しを避けるため，適当量分注して凍結保存する．保存薬を入れると細菌増殖を防げるが，反応の妨げになることがあるので気をつける．抗体はクローン選択説により1細胞から1種類つくられる．抗体産生細胞は5×10^8以上あり，蛋白質抗原の場合複数個所に対して抗体がつくられるので，特定の部位についてのみ解析する場合はモノクローナル抗体が必要になる．抗体は蛋白質の5-7アミノ酸残基を認識し，1アミノ酸置換で反応性が激変するものもある（図10.18.1（c））[5]．離れたペプチドで構成される立体構造を認識する抗体は，注射された抗原が動物内でもその構造が細胞に分子認識されないといけないので，まれである．

(5) 免疫沈降法

免疫沈降法は大量で比較的特異的な反応性のときに使われる．目的の蛋白質に対する抗体があるとき，抗原抗体反応物を免疫沈降させて，さらに抗原と結合している蛋白複合体を単離する目的でもよく使われる（図10.18.3（a））．抗原抗体反応は弱い多数の結合により成り立ち，結合定数は10^5～10^{10}/Mで特異性が高いが可逆的である．

(6) ウエスタン解析

ウエスタン解析は広範に使われている方法でSDS-PAGEなどで分画した蛋白質をナイロン膜などにブロットして，抗体を反応させ，さらに抗体と反応する標識抗体を使って増感し（図10.18.3（b）），目的蛋白質の定量，発生時期や組織特異的な蛋白質の検出に用いられる．この解析に用いられる増感間接抗体法は抗原に結合する抗体を酵素や同位元素などで修飾して，発光や酵素反応により検出感度を上げる．

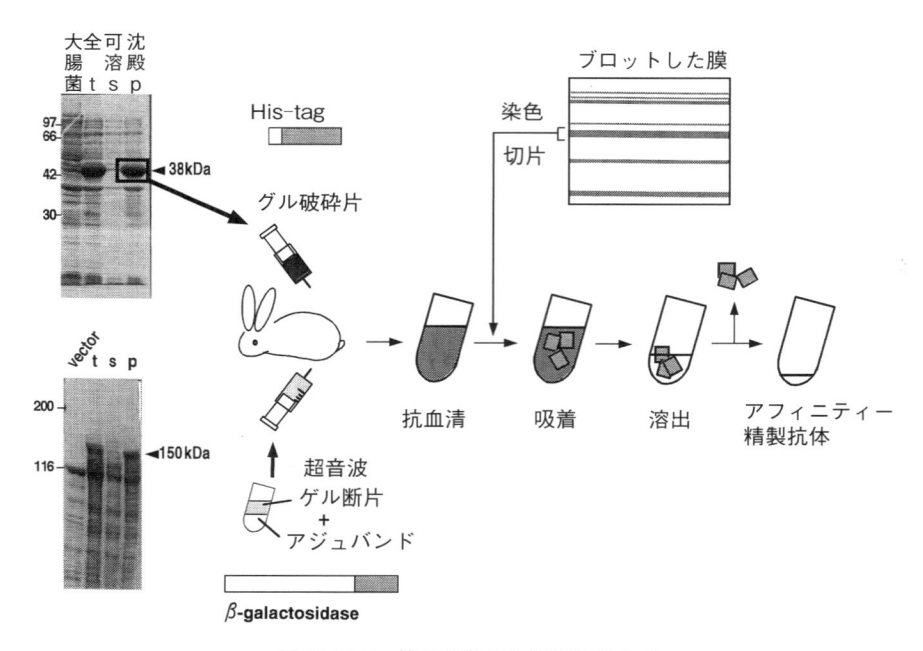

図10.18.2 抗原刺激から抗体精製まで
大腸菌で産生した融合蛋白質を切りだしてウサギを免疫して得られた抗血清から抗体を精製する．

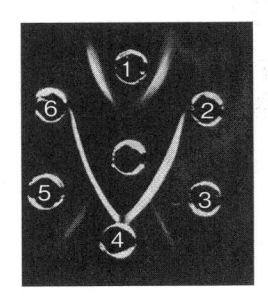

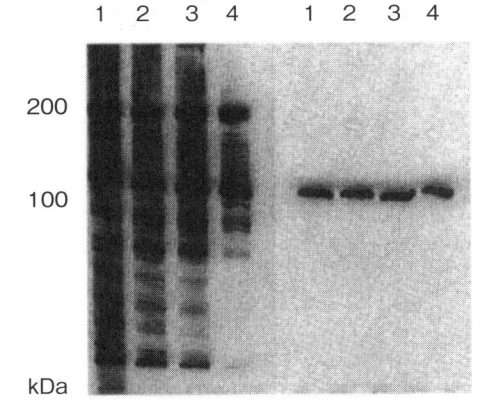

図10.18.3 抗原抗体反応の検出
(a) 免疫沈降:抗血清と抗原との沈降反応が見られる.
(b) ウエスタン解析:パラミオシンに対する抗血清とモノクローナル抗体.一次抗体(1〜4;500,1000,2000,5000倍希釈)と反応させ二次抗体で検出した.

(7) 免疫組織学的実験

抗体染色法は組織免疫法とも呼ばれ,細胞や組織を軽く固定して,抗体と反応させて抗原の存在場所を検出する方法である.抗原の量や溶解性,抗体の浸透性や特異性を検討する必要がありウエスタン解析と同様に抗体を増感して検出する.細胞や生物個体を扱うので実験操作の過程で何が起こっているかを考えながら実行する必要がある.市販の抗体を使う場合はどの動物でつくられたか,どのタイプの抗体か,二次抗体の増感系を検討する必要がある.最近では,目的とする蛋白質を *1acZ* やGFPとの融合蛋白質として発現させ,β-ガラクトシダーゼ活性による染色や蛍光で検出することも多い.この場合,さらに,β-ガラクトシダーゼやGFPの抗体を使って検出する間接組織免疫法を用いる場合もある.抗原の存在形態をよく考えて前処理することが必要になり,対照実験が必ず必要である.固定と染色は相関しているので,試料の厚さや抗体の濃度と反応温度などを検討して実験することが大切である.

将来の課題

分子レベルで抗原や抗体の立体構造も順次決定されており,蛋白質相互作用がアミノ酸側鎖あるいはナノメートルレベルで理解される.ポストゲノムプロジェクトの蛋白質立体構造決定研究で,配列から構造予測の解析が容易になる.細胞レベルでも検出感度が上がり微量で短時間の分子反応を検出できるような生物物理学実験法の飛躍的な進展が望まれる. 〔香川弘昭〕

[文献]

1) 木庶 佑編:生命体のまもり方(岩波講座 分子生物科学11),岩波書店,1991.
2) アルバーツ,B.他著(中村桂子他監訳):細胞の分子生物学(第4版),ニュートンプレス,2004.
3) 東大医科研制癌研究部編:新細胞工学実験プロトコール,秀潤社,1993.
4) Harlow, E. and Lanc, D.: Using Antibodies. A Laboratory Manual, Cold Spring Harbor Laboratory Press, 1999.
5) Gengyo-Ando, K. and Kagawa, H.: *J. Mol. Biol.* **219**, 429-441, 1991.

索　引

ア

アイオドプシン　446
アイオノマー　54
アイソロドプシン　442
亜鉛原子　79
亜鉛フィンガー蛋白　75
アカリオクロリス　423
アクアポリン1　211
アクセサリー　425
アクセプター　110, 409
アクチビン　239
アクチン　19, 212, 232, 296, 343, 366, 380, 403
アクチンオン・オフ説　379
アクチンキャッピング蛋白質 CapZ　376
アクチンコメット　393
アクチンフィラメント（繊維）　197, 338, 346, 366, 372, 387, 403
アクチン様蛋白質 MreB　376, 378
アクティベーター　120
アクトミオシン　337
アサインメント　457
足場蛋白質　371
アジュバンド　635
アシル酵素中間体　89
アスコルビン酸　98
アストロバイオロジー　7
アスパラギン酸カルバモイルトランスフェラーゼ　66
アセチル基転移酵素　139
アセチルコリン　238, 285
アセチルコリン受容体　272, 291
アセチルコリン受容体チャネル　262
アダプター蛋白質　267
圧電素子　617
アッベの分解能限界　513
アデアー定数　67
アデニン　109
アデニンデアミナーゼ　274
アデノシルコバラミン　75

アデューシン　212
アドヘレンスジャンクション　234
アトラクター　579, 581, 590
アドレナリン　238
アナロジー　481
アニオン交換輸送体　211
アニーリング　108
アピカル面　228
アフィニティカラム　621
アプタマー　111
アボーティブイニシエーション　120
アポトーシス　102, 210
アマクリン細胞　310
アミノアシル tRNA 合成酵素　85
アミノアシル tRNA シンテターゼ　130
アミノアシル化　130
アミノ酸　5, 31, 74
アミノ酸残基　31
アミノ酸置換　49
アミノ酸配列　103, 140, 480
アミノ酸変異　489
　　――の効果　489
アミノ末端　31
アミロイド蛋白質　459
アミロイド病　93
アメーバ運動　382, 599
アメフラシ　318
アライメント　142, 476, 480
2-アラキドノイルグリセロール　157
アラキドン酸　154
アラニンスキャニング　60
アルカリ加水分解　110
アルキル鎖　152, 201
アルゴリズム　333
アルコール　170
α-サブユニット　263
α-ヘリックス　34, 39, 72, 172, 459, 536
アレスチン　233, 437
アロステリック効果　65, 77

アロステリック酵素　66
アロステリック制御機構　364
アロステリック阻害　66
アロステリック定数　68
アロステリック転移　68
アロメトリー則　582
　　――の非線形非平衡説　582
アンキリン　212
暗視野光学顕微鏡法　178
アンチ SD 配列　130
安定性の熱力学　48
安定同位体　455
アンテナ色素　419
アンテナ色素蛋白質複合体　444
アンテナペディア　78
アンフィンゼンドグマ　225
アンフォールディング　42

イ

イエロープロテイン　415
イオン化　570
イオン感応性電界効果型トランジスター　617
イオン凝縮　54
イオン交換カラム　621
イオンジャンプの速度定数　181
イオン性界面活性剤　152
イオン選択性　276
イオン選択フィルター　265
イオンチャネル　22, 173, 276
イオンチャネル型グルタミン酸受容体　309
イオンチャネル型受容体　237, 290
イオン透過性　217
　　選択的な――　258
イオントラップ型質量分析計　571
イオン濃度　217
鋳型依存　104
筏モデル　228
閾膜（値）電位　259
異常分散差　465
移相エネルギー　41
位相固定性　301

位相コントラスト 468
位相差顕微鏡 367
移相自由エネルギー 14
位相滑り 581
位相法 533
位相問題 464
位相乱流 579
一酸化窒素 296
一次構造分析法 623
一次視覚野 311
一重項 428
一重項励起状態 534
位置情報 581
位置情報理論 595
1分子イメージング 353
1分子蛍光イメージング法 520
1分子計測 344
1分子滑り運動系 341
1分子生理学 339
1分子操作 353
一列拡散 270
一般的発展規準 577
一般的分泌経路 401
一本鎖抗体 614
遺伝暗号 7
遺伝子 142
　　──の機能 140
遺伝子型 454, 591, 611
遺伝子機能ネットワーク 145
遺伝子機能予測 144
遺伝子クローニング 137
遺伝子工学 626
遺伝子操作 607
遺伝子地図 2
遺伝子同定 143
遺伝子導入 633
遺伝情報 101, 574
遺伝的浮動 9
遺伝法則 2
イノシトール1,4,5-三リン酸 157
イノシトール三リン酸受容体 245
イノシトールリン脂質 280
イミド酸中間体 220
意味認知ニューロン 329
イムノグロブリンフォールド 613
イメージングプレート 519
インクルージョンボディ 610
インターディジテイテッド構造

170
インテグリン 96, 235
インデューサー 120
イントロン 103, 122
インピーダンスアナライザー 560
インフルエンザ菌 627

ウ
ウイルス型 612
ウイルスベクター法 633
ウイングド・ヘリックス蛋白質 79
ウエスタン解析 635
ウェットウェア 607
ウォルター型反射鏡 518
ウシ・α-ラクトアルブミン 43
内向き整流性 K^+ チャネル 262
旨味受容体 298
裏打ち構造 405
裏打ち細胞骨格 277
ウラシル 109
運動 312
運動学習 314

エ
泳動技術 498
エキサイプレックス 428
エキシマー 428
液晶相 163
液相線 166
エキソサイトーシス 191, 229, 287
エキソン 52, 103, 122
液体秩序相 148
液体無秩序相 147
液胞 194
エコープレイナーイメージング法 525
エズリン 212
X線 517
X線CT 522
X線結晶解析法 37, 463, 546
X線結晶学 218
X線源 547
X線小角散乱 625
X線繊維回折 369
エドマン分解 623
エネルギー移動 541
エネルギーギャップ 486
エネルギーギャップ則 410

エネルギー計算 482
エネルギー極小化 484
エネルギー生産系 408
エネルギー地形 46
エネルギーフィルター 470
エネルギー変換 20
エネルギー変換効率 342
エネルギーランドスケープ 484
エバネッセント光 434, 513
エバネッセント場 521
エピジェネティクス 138
エピソード記憶 320
エピトープ 635
エフェクター 66
エマージェンス 606
エラスチン 97
エリプソイド 448
エルゴード的運動 580
エレクトロスプレーイオン 570
エレクトロスプレー現象 570
エレクトロポレーション 633
塩基 101
塩基除去修復 117
塩基性アミノ酸 32
塩基性領域 80
塩基対 77
塩基配列 103, 140, 142
エングレイルド 78
塩酸グアニジン 42
エンジン 25
円錐晶体 433
塩析 41
エンタルピー 490, 567
エンタルピー-エントロピー補償 60, 614
エンドサイトーシス 192, 200, 232, 288
エンドソーム 192, 194, 233
エンドヌクレアーゼ 627
エントロピー 15, 490, 580
エントロピー生成極小の原理 577
円二色性 43, 108, 535, 552
エンハンサー 120
円板膜 436
円偏光 535
円偏光二色性 623
塩溶 41

オ
横紋構造 366

岡崎断片　113
オキシダーゼ　76
オキシルシフェリン　431
オジギソウ　384
オートファゴソーム　194
オートファジー　195
オートマトン　606
オーバーシュート　259
オピオイド　286
オーファン受容体　95
オプシンシフト　414
オーミック研究　30
オルガネラ　189, 205, 225
オルタナティブスプライシング　124
終わりなき進化　606
音源定位　303
オンサガー係数　577
オンサガー法則　577
温度ジャンプ法　556
温熱受容器　307

カ

開始コドン　103, 130
開始反応　130
開始複合体　132
開状態　269
快情動　325
外節　447
回折強度　464
回折波　464
回折法　546
外側膝状体　310
回転運動　213, 399
回転エコー二重共鳴　462
回転拡散測定　213
回転共鳴　462
回転モデル　359
海馬　293, 319
海馬体　326
外部同期　580
開放系　578
外包膜　196
外膜　195
界面活性剤　150
界面電位　182, 187
外有毛細胞　301
解離因子　133
解離性両親媒性薬物　278
カオス　580, 590, 600
　　ポアンカレの——　580

カオス的遍歴　590
カオス同期　581
化学エネルギー　407
化学緩和法　556
化学シナプス　282, 289
化学シフト　456, 543
化学自由エネルギー　20
化学進化　5
化学振動　578
化学浸透圧説　214
化学的(静電的)相補性　60
化学励起　429
可逆的化学修飾　23
蝸牛　301
蝸牛管　307, 384
蝸牛基底板　301
蝸牛神経繊維　301
蝸牛内直流電位　301
蝸牛マイクロフォン電位　301
架橋結合　98
架橋構造　368
核　193
核医学的検査法　524
核因子　409
核オーバーハウザー効果　456
核外輸送　82
核酸　626
拡散型トレーサー　524
拡散強調画像法　527
拡散係数　202, 549, 564
拡散電位　184, 185, 259
拡散電気二重層　186
拡散テンソル画像法　527
拡散方程式　578
核磁気共鳴　455, 542
核質　194
学習　23, 318
学習・記憶のメカニズム　256
学術パラダイム論　573
核小体　194
拡張アンサンブル法　472
核内受容体　79
核内低分子 RNA　124
核分裂　385
核膜　194, 385
角膜　433
隔膜形成体　388
核膜孔　194
隔離　115
確率共鳴　584
隠れマルコフモデル　143

囲い込み　202
過酸化水素電極　617
加算的　489
ガスセンサー蛋白　77
ガストデューシン　298
画素　434
加速電圧　513
可塑性　591
カタストローフ　601
片持ち梁　510
カタラーゼ　76
価値評価ニューロン　329
活性化　263
活性化自由エネルギー　410, 489
活性酸素　208, 407
活性中心　88
活性部位　88
活動電位　258, 283
滑面小胞体　194, 226
価電子帯　485
過渡吸収法　541
カノニカル構造　613
過分極　259
過分極性　438
カベオラ　147, 233
カベオリン　232
可変領域　613
カーボンナノチューブ　510
カーボンマイクロフォン説　301
ガラクトース　86
ガラスニードル　501
カラムクロマトグラフィー　621
カルシウムイオン　167, 296
カルシウム調節　370
カルジオリピン　155
カルシニューリン　243, 296
ガルバニの実験　337
カルボキシル末端　31
カルモジュリン　244, 296
カロテノイド　407, 412, 420
カロテノイド蛋白質　444
カロテン　413
カロリメータ　567
カロリメトリー　567
感桿　433
感桿分体　433
環境攪乱　600
管腔ネットワーク　200
ガングリオシド　156
還元力　419
幹細胞　591

癌細胞　97, 103
感作　319
間接抗体法　636
環状 DNA　107
干渉顕微鏡　367
杆状体視細胞　446
慣性半径　466
関節受容器　306
桿体　309
カンチレバー　510
眼点　445
環電流効果　456
眼杯　446
γ-アミノ酪酸　286
甘味受容体　298
眼優位性カラム　311
癌抑制の転写因子　81
緩和周波数　561
緩和ピーク　560

キ

記憶　138, 318
記憶・学習の素過程　293
機械刺激受容チャネル　276
機械受容器　304
ギガシール　261
器官形成　96
記号系　591
キサントフィル　413
基質　88
基質結合部位　88
基準振動　537
基準振動解析　484
擬相分離モデル　153
帰属　457
基底状態　428
基底膜　97
キネクチン　391
キネシン　20, 348, 373, 386, 390
　　——のネック　350
キネシン様蛋白質　386
キネティクス　268
キネマティクス　26
機能性 RNA　111
機能性アミノ酸　81
機能的磁気共鳴画像法　525
機能ドメイン　51
機能マッピング　523
キノシリア　308
キノン　17
キノン還元　216

キノンプール　17
忌避行動　599
ギブスエネルギー変化　568
ギブス自由エネルギー　489
ギブスの吸着式　157
基本転写因子　79
逆行性伝達物質　297
逆行性輸送　390
逆行輸送　228
逆転写　119
逆転写酵素　103, 134
逆フォールディング問題　491
逆平行(アンチパラレル)β-シート　35
逆ヘキサゴナル相　166
キャップ構造　133
ギャップジャンクション　289
キャップ蛋白質　402
吸引領域　579
球形嚢　307
嗅細胞　299
給餌性リズム　317
吸収異方性　531
吸収極大波長　451
吸収スペクトル　530
　　紫外可視領域の——　40
嗅覚　299
キュービック相　166
強化学習　314
共焦点レーザー顕微鏡　506
共振法　563
競争阻害　66
協調性　294
協同現象　589
協同作用　65, 68
協同性　294
恐怖条件付け　320
共鳴法　563
共鳴ラマン散乱　537
共鳴ラマン分光法　218
供与体　110
局所脳血流　524
極性脂質　155
極低温電子顕微鏡　516
巨大ヘモグロビン　551
許容遷移　412, 541
筋原繊維　367
筋収縮　361
　　——の滑り説　366
　　——の分子機構　361
筋収縮系　337

筋鞘　367
筋小胞体　279, 364
禁制遷移　412, 541
近赤外分光法　528
筋節　367
近接場(ニアフィールド)光　506
筋繊維　366
金属酵素　75
金属蛋白質　75
筋長効果　365
筋肉　376
筋肉関連分化転写因子　80
筋肉収縮　19
筋フィラメント　361, 366
筋紡錘　306

ク

グアニン　109
空間学習　320
空間生態学　601
クエン酸回路　208
首振り運動　362
クマル酸　408
組換え　77
組換え修復　117
クライオ電子顕微鏡法　625
グライダー　606
クラスター化　590
クラスタシアニン　444
クラスリン　232
クラスリン被覆小胞　195
クラスリン被覆ピット　233
グラディエントエコー法　525
グラナ　196
クラフト点　158
蔵本-シバシンスキー方程式　579
グリオキシソーム　196
繰り返し構造　103
グリケーション　98
グリコーゲンホスホリラーゼ　66
グリコフォリン　211
グリシン　274
グリシン受容体　238, 272
クリステ　195
グリセリン処理筋　367
グリセロ脂質　155
グリセロリン脂質　155
クリプトクロム　408
クリューヴァー-ビューシー症候群　326
グルコース　616

グルコース-6-リン酸脱水素酵素　603
グルコースオキシダーゼ　617
グルコーストランスポーター　211
グルタチオンペルオキシダーゼ　252
グルタミン酸　285, 317
グルタミン酸受容体　238, 272, 291
グルタミンシンセターゼ　66
クロスブリッジ　362
クローバ葉型構造　130
グローバルアライメント　480
黒膜　175
クロマチン構造　139
クロマトグラフィー　622
クロロフィル　75, 407, 412, 415
クーロンポテンシャル　467
クンケル法　607
群集　601
群集生態学　601

ケ

景観生態学　600
蛍光　40, 429, 531
蛍光アップコンバージョン法　541
蛍光異方性　533
蛍光エネルギー移動　379, 533
蛍光共鳴エネルギー移動　61, 521
蛍光顕微鏡　504, 520
蛍光寿命　533
蛍光スペクトル　532
蛍光偏光解消法　533
蛍光法　531
蛍光量子収率　532
軽鎖　343, 365
計算機シミュレーション　470
計算生物物理学　470
計算論　333
形質転換　628
継承　138
形状の相補性　59
形態形成　96, 592
ケージド化合物　508
結合性軌道　427
結合線毛　447
結合定数　57
欠失　480

結晶化キット　464
結晶相　166
血漿フィブロネクチン　98
結像型X線顕微鏡　518
ゲーティング　258
ゲーティング機構　262
ゲート電流　270
ゲノム　4, 27, 102, 142, 572, 574
ゲノムインプリンティング　138
ゲノム解析　142
ゲノムプロジェクト　140
ケーブル方程式　284
ゲル-液晶相転移　562
ゲル相　163, 166
ゲル濾過　622
ゲル濾過クロマトグラフィー　624
嫌悪系　327
原癌遺伝子産物　80
原形質　599
原形質流動　19, 382
言語情報　574
原子間力顕微鏡　497, 510
顕微分光法　531

コ

コアウォーズ　606
コアクティベーター　120
高圧NMR　545
高圧温度ジャンプ法　558
高安定化　489
硬X線　517
光化学分解　508
効果器　436
効果器細胞　258
光学異性体　536
光学顕微鏡の分解能　500
光学的計測法　302
後過分極電位　268
項間交差　429
後期A　386
後期B　386
高機能化　489
抗血清　635
抗原　613
抗原抗体反応　634
抗原提示　69
交差ピーク　543
交差分極　461
光散乱法　625
光受容物質　446

光準弾性散乱法　625
甲状腺ホルモン　79
光情報伝達系　408
紅色光合成細菌　413
構成的生物学　591
構成輸送　191
厚生労働省研究資源バンク　632
酵素　88
構造安定性　491
構造形成　81
構造ゲノム科学　453
構造構築原理　492
構造生物学　3, 453
構造蛋白質　459
構造特異性　491
構造ドメイン　51
構造のゆらぎ　544
構造プロテオミクス　453
構造予測法　475
酵素・基質複合体　88
酵素共役受容体　238
高速微小振動　398
高速分光法　540
酵素受容体　238
酵素センサー　616
酵素番号　88
酵素名　88
抗体　613
────の精製　636
抗体認識領域　635
高電位活性型　266
行動生態学　600
高頻度発火ニューロン　268
興奮現象　588
高分子電解質　54
興奮収縮連関　246, 280
酵母ツーハイブリッド法　59
合理的設計法　489
V型コラーゲン　99
呼吸系　216
国際生化学連合　88
国際予測コンテスト　477
鼓室階　301
ゴーシュ構造　201
枯草菌　597
固相線　166
個体群生態学　600
骨格筋　343, 366
コットン効果　535
骨誘導因子　239
固定　8

ゴードーカネヒサアルゴリズム　142
コドン解読反応　130
コドンフレーム　123
コネキシン　289
コネクチン　365, 371
コミュニティデータベース　141
コラーゲン　39, 97
コラーゲン型ヘリックス構造　34
コラーゲンゲル　97
コラーゲン繊維　98
コリシン EI　628
コリプレッサー　120
コリンーハーキンスの関係　152
ゴルジ腱器官　306
ゴルジ体　193, 194, 225
コルチ器　301
コレステロール　148
コレステロールエステル　155
コレラ毒素　439
コロイド　157
コロニー　597
混合性　166
混合ミセル　153
コンスタントハイトモード　510
コンスタントフォースモード　511
コンタクトオーダー　47
コントラスト　467
コントラスト伝達関数　467
コントラスト変調法　466
コンドロイチン硫酸　97
コンパートメント　202
コンピテンシー　627
コンピュータ形態計測法　527
コンピュータトモグラフィー　522
コンフォメーション依存 ^{13}C 化学シフト　459
コンフォメーションシフト　456
コンフォメーション病　45
コンプレキシン　231

サ

細菌型光合成　419
再構成　11
最高被占軌道　75
歳差運動周波数　543
最低空軌道　75
最適音圧　302
最適軌道　26

最適原理　601
最適制御理論　602
最適予測　23
サイトカイン受容体　239
サイトーシス　190
サイト特異的スコア行列　480
サイバネティクス　23, 589, 607
細胞　101
　――の機械刺激受容能　276
細胞外基質　234
細胞外マトリクス　96, 234
細胞株　614
細胞間接着　234
細胞間接着力　595
細胞間反発力　595
細胞境界短縮モデル　596
細胞形質膜　200
細胞骨格　179, 200, 385
細胞質　194
細胞質ダイニン　350
細胞質分裂　387
細胞質膜　193
細胞周期　69, 115
細胞性粘菌　581
細胞接着　96
細胞接着斑　96
細胞選別　595
細胞体　447
細胞内情報伝達分子　147
細胞内バクテリア運動　393
細胞内物質輸送　389
細胞分化　103, 591
細胞膜　189, 200, 447
細胞融合法　633
細胞老化　102
在来型キネシン　348
サイレンサー　120
サイレントシナプス　275, 292, 296
サーカディアンリズム　315
サドル・ノード型分岐　580
サブゲル相　163
サブドメイン　377
サブユニット　624
散逸構造論　579
酸化還元電位　75
酸化還元反応　214
酸化的ストレス　251
サンガー法　631
三次元再構成　469
三次構造分析法　624

三重項励起状態　534
3_{10} ヘリックス構造　34
三状態転移　43, 45
三状態モデル　379
酸性アミノ酸　32
酸性脂質　169
酸性リン脂質膜　170
酸素化型　219
酸素親和性　66
酸素摂取率　524
酸素担体　76
酸素電極　617
酸素発生　423
酸素発生型光合成　415, 419
三本鎖　98
散乱　498
散乱断面積　467
散乱波　463, 465
三量体 G 蛋白　240

シ

ジアシルグリセロール　157
シアノバクテリア　415, 423
ジェット推進　25
シェブロンプロット　46
ジオキセタノン　430
ジオキセタン　430
視覚　407
　――の情報処理　414
視角度　434
時間アロメトリー則　582
視感覚　408
時間差検出部位　303
時間周期的現象　577
時間分解振動分光法　540
時間分解能　500
時間分解法　408
時間並進対称性の破れ　587
時間領域反射法　560
色覚　449
磁気緩和　544
磁気共鳴スペクトロスコピー　527
色素分子　407
磁気ビーズ　354
軸糸　396
軸糸ダイニン　350
時空間構造　585
シークエンスタグ　572
軸索　282, 389
軸索内輸送　390

シグナルアンカー　205
シグナル伝達因子　235
シグナル伝達系　240, 436
シグナル認識粒子　205
シグナル配列　205, 401
シグナル分子　203
シグナルペプチダーゼ　205
σ因子　251
試験管内分子進化　112
資源管理　601
視交叉　310
視交叉上核　316
自己触媒反応　589
自己スプライシング　122, 126
自己制御　114
自己切断　128
自己相関関数　625
自己組織化　576, 585
　　ニューラルネットの——　588
自己組織システム　573
自己複製　590
視細胞　308, 433, 436, 446
示差走査熱量測定　167
脂質　154
脂質ドメイン　204
脂質二重層　160
脂質二重層膜　16
脂質分子二重層膜　178
脂質平面膜　175
脂質膜　163, 562
四重極型質量分析計　571
糸状仮足　392
視床下部　326
視床下部外側野　327
視床説　326
視床前核　326
自食作用　195
シスゴルジ網　194
システム生態学　600, 601
システムの安定性　589
シストロン　119
ジスルフィド結合　33, 34, 490
耳石器官　307
自然蛍光寿命　532
自然選択　9, 602
　　正の——　9
　　負の——　9
持続長　55
シータ位相歳差　335
シータバースト　294
シータリズム　335

実践生物物理学　575
シッフ塩基　417
ジップ則　583
悉無律　361
質量作用モデル　153
質量分析　570, 624
質量分析法　497
シート　537
シトクロム　421
シトシン　109
シナフィン　231
シナプス　229, 289, 447, 448
シナプス開口放出　287
シナプス小胞　286
シナプス伝達　258, 282, 448
シナプスリボン　448
シナプトタグミンⅠ　230
シナプトファイシン　391
シナプトブレビン　230
自発磁場配向膜　463
ジヒドロピリジンレセプター　279
ジヒドロ葉酸還元酵素　490
視物質　434, 440, 446, 449
脂肪酸　154
脂肪酸不飽和化酵素　168
ジホスファチジルグリセロール　155
紫膜　416
シミュレーティド・アニーリング法　458
ジミリストイルホスファチジルコリン　164
ジムプロット　625
四面体構造　90
車軸藻　382
シャッフリング　52
シャペロン　91, 402
自由エネルギー　585
自由エネルギー摂動法　59
周期倍分岐　579
重金属結合蛋白質　249
重原子同型置換体結晶　465
重原子同型置換法　465, 624
集光型アンテナ蛋白質複合体　424
集光複合体Ⅱ　413
終止コドン　103
収縮環　387
収縮蛋白質　372
重畳　283

修飾塩基　130
囚人のジレンマゲーム　602
重水素交換実験　458
自由度　313
周波数-閾値曲線　301
周波数局在　301
周波数選択性　301
周波数バンド　303
周波数変調方式　256
終板電位　286
修復　77
周辺蛋白質　189
種間関係　601
主嗅覚系　299
宿主-ベクター系　626
主溝　61, 77, 81
主鎖　31
樹状突起　282
受精卵　101
種特異性　25
種の起原　8
シュバルツシルト型反射鏡　518
受容角　434
受容器細胞　258
受容器電位　301, 438
受容体　110, 236
受容体イオンチャネル　272
受容体型チロシンキナーゼ　238
受容野　304, 309
ジュール加熱法　556
順行輸送　227
準弾性光散乱法　549
瞬目反射　319
条件付け　329
小細胞層　310
情動　325
衝突誘起解離　571
小脳　314, 319
小脳パーセプトロンモデル　334
上皮細胞　97
上皮シート　592
上皮組織　592
小胞化　226
情報学的自然観　573
情報規則　575
小胞体　193, 225
小胞体残留シグナル　228
情報変換　20
小胞輸送　225
情報量　23
消滅放射線　524

索　引　645

剰余エントロピー　577
触媒能　488
触媒部位　88
触覚アンテナ　384
鋤鼻器　300
鋤鼻系　299
徐冷法　466, 472, 544
試料損傷　468
しるし　138
自励振動　26, 362
進化　591
　　──の機構　8
侵害受容器　307
真核細胞　137
進化生態学　602
進化速度の一定性　10
進化能　612
進化分子工学　489
進化リアクター　611
心筋　366
シングルスパンニング膜蛋白質　72
シンクロトロン放射光　517
神経回路モデル　335
神経筋シナプス　291
神経興奮　336
神経興奮現象　587
神経コード　24
神経細胞　588
神経軸索　19
神経軸索内輸送　389
神経修飾物質　292
神経終末　447
神経生物物理学　255
神経節細胞　310
神経伝達物質　236, 285, 290
　　──の放出　229
神経伝達物質受容体　290
人工進化法　611
人工生命　605
進行波説　301
人工膜　202
親水基　151
真性粘菌　382
真性粘菌変形体　599
シンタキシン1　230, 288
伸長因子　132
伸長過程　113
シンデカン　98
伸展活性化チャネル　276
振動子強度　413

振動的減衰　577
振動パターン　599
振動分光　537
侵入種　601
心房性利尿ペプチド　239
親和性　613, 614

ス

水酸化　98
水酸基　104
錐状体視細胞　446
推進力　25
水素イオン能動輸送　218
水素結合　42, 49, 110, 172
水素結合クラスター　13
錐体　309, 435
錐体細胞　527
水中油滴型エマルション　160
水平細胞　310
水迷路学習　297
水和　12, 561
　　球状蛋白の──　561
　　疎水性アミノ酸の──　561
水和自由エネルギー　14
スカラー結合　456
スキャナー　509
スケーリング則　582
スコアテーブル　480
ステアリン酸　154
ステップスキャン法　538
ステレオシリア　308
ステロイドホルモン　79
ストア共役型 Ca^{2+} チャネル　247
ストークスシフト　532
ストークス半径　624
ストップフロー　552
ストップフローCD法　555
ストップフロー温度ジャンプ法　557
ストップフロー法　59, 531
ストレス因子　249
ストレス蛋白質　226
ストレスファイバー　198
ストレンジアトラクター　580
ストロマ　196, 423
ストロマラメラ　196
スパイキングニューロン　283
スパイン　282
スーパーオキシドジスムターゼ　252
スーパーコイル　107

スパスモネーム　383
スーパーファミリー　454
スーパーフォールド　37
スピノーダル分解　587
スピン-スピン結合　456
スピンプローブ　167
スピンラベル法　545
スピン量子数　455
スフィンゴ脂質　155, 156
スフィンゴシン　156
スフィンゴシン1リン酸　157
スフィンゴミエリン　156, 161
スプライシング　82, 103, 120
スプライシング反応　123
スプライス部位　123
スプライソソーム　124
スペクトリン　211, 405
スペシャルペア　17
スベドベリーの式　565
滑り運動　397
滑り運動機械　20
スミス-ウォーターマンアルゴリズム　142
スメクティック液晶　562
スレディング　476, 478
スレディング法　475
スローイングダウン　563
スロープコンダクタンス　183

セ

正イオン　169
生化学　585
制限酵素　627
整合性原理　28
静止電位　258
星状体　385
青色覚色素　443
生殖細胞　102
性染色体　136
正則領域　410
生体運動　337
生態学　600
生体高分子　612
生体分子モーター　340
生体防御　413
生体膜　154, 178, 189, 201
成長円錐　389, 392
静的な3D構造　459
静的光散乱　550
静電結合状態　170
静電相互作用　42, 169

生得的学習機構 25
正のフィードバック 594
生物
　　——の運動 25
　　——の技術 575
　　——の通信手段 25
　　——のパターン 597
生物工学 575
生物センサー 25
生物的ストレス 249
生物時計 315, 407
生物発光 427
生物物理学 1
生物物理的観測技術 497
生命 605
　　——の起源 5, 612
生命系 573
生命体 585
生理活性ペプチド 94
整流性 274
セカンドメッセンジャー 436
赤外吸収スペクトル 40
赤外分光法 537
赤色覚色素 443
脊髄後根神経節ニューロン 304
赤道面 385
赤方シフト 532
赤痢菌 393
ゼータ電位 551
絶縁体 486
赤血球膜 211
接合伝達 135
接触感覚 384
絶滅確率 600
絶滅リスク 600
ゼラチン 97
セラミド 156
セルオートマトン 590, 593
セレノメチオニン 465
セレブロシド 156
セロトニン 286
セロトニン受容体 272
前DNA複製複合体 115
遷移状態 90
遷移状態説 46
遷移相 89, 553
遷移双極子モーメント 411
遷移モーメント 487
全か無かの法則 259, 361
前件条件 574
閃光分解法 531

旋光分散 535
染色体 77, 101, 136, 194, 385
　　——の腕 137
染色体胞 385
染色分体 385
選択性フィルター 270
選択的スプライシング 101, 124
線虫 384
頭頂葉 321
前庭階 301
前庭器官 307
前庭動眼反射 307
蠕動運動 25
前頭葉 321
前頭葉眼窩皮質 327
セントラルドグマ 2, 103
セントロメア 102, 137
全能性 591
全反射蛍光顕微鏡 507
繊毛 396
　　——の運動 350

ソ

相関計算 24
双極細胞 309
双極子-双極子相互作用 411, 456
走光性 415, 445
相互同期 580
走査型近接場光学顕微鏡 507, 510
走査型電子顕微鏡 515
走査型トンネル顕微鏡 497, 510
走査型プローブ顕微鏡 497, 509
走査透過型電子顕微鏡 515
走査熱測定 568
層状核 303
増殖因子レセプター 235
相図 166
双星状体 385
層線 469
相対成長の仮定 582
相転移 562
相同性 475
相同性（ホモロジー）検索 454
相同染色体 136
挿入 480
相分離 166
僧帽細胞 300
相補鎖 110
相補性 102

相補性決定領域 613
阻害剤 88
素過程 190
側鎖 31
側坐核 326
側頭葉 321
速度定数 553
速度論 586
速度論的安定性 50
側方拡散運動 168
側方遮蔽 434
側毛 399
疎水基 14, 151
疎水効果 14
疎水性 98
疎水性カラム 621
疎水性原理 189
疎水性相互作用 42, 49, 154, 172
粗面小胞体 194
ゾル 599

タ

第1水和水 12
大細胞層 310
代謝回転 69
代謝回転数 89
代謝型グルタミン酸受容体 309
代謝活動 603
帯状回 326
タイチン 365, 371
タイトカップリング 21, 341
タイトカップリング説 400
タイトジャンクション 234
ダイナミクス 26
ダイナミックインスタビリティ 403
ダイナミックプログラミング 476, 480
ダイナミン 233
第二次科学革命 574
ダイニン 19, 350, 396
大脳基底核 314
大脳皮質 314
大脳辺縁系 327
大量生産細胞 621
ダーウィン系 573
ダーウィン進化 611
多型変換 400
タキキニン 286
多機能光学顕微鏡 504
タグ 609

ターケンス埋め込みの方法　580
蛇行運動　25
多重膜リポソーム　178
多種共存　601
多成分平面膜　164
多素子型光検出器　530
脱感作　275, 438
脱水和　270
脱同期　581
ダットンプロット　411
タッピングモード　512
脱分極　259
脱ユビキチン化酵素活性　71
縦緩和時間　544
多波長異常分散法　465, 624
多様性　591
多量体型イムノグロブリン受容体　228
タリン　212
単一光子計測法　533
単一チャネルコンダクタンス　180
単光子放出断層法　524
単純型細胞　311
単純脂質　154
淡色効果　107
耽溺　332
タンデムマス　571
断熱型示差走査熱量計　41
蛋白質　27
　——の大きさ　39
　——の折りたたみ問題　473
　——の屈折率　40
　——の構造変化　417
　——の大量発現　609
　——の熱変性　48
　——のばね定数　40
　——の光吸収スペクトル　487
　——の分極　40
　——の分子量　39
　GPIアンカー型の——　228
蛋白質間相互作用　59
蛋白質工学　607
蛋白質サブユニット　426
蛋白質進化　612
蛋白質精製　621
蛋白質リガンド相互作用　57
蛋白質立体構造データベース　454
蛋白質立体構造予測　144
蛋白定量　623

単分子　467
単分子追跡法　162
単毛　399
短絡（シャント）効果　528
単粒子解析法　469
単粒子追跡法　213

チ

チェックポイント調節　115
遅延回路　303
遅延整流性Kチャネル　269
蓄積型トレーサー　524
秩序パラメータ　585, 586
秩序プログラム　573
チップリンク　277, 308
チトクロム bc_1 複合体　17
チトクロム c　75
チトクロム c オキシダーゼ　18
チトクロム酸化酵素　218
チミン　109
チャネル　175, 180
　——の状態遷移　261
チャネル病　268
中央階　301
中央空胞系　194
中央断面定理　468
中間区画　227
中間径フィラメント（繊維）　197, 403
抽出液の前処理　622
中心教義　103
中心空洞　270
中心小体　385
中心体　385
中枢パターン発生器　313
中性子散乱　547
中性子線源　548
中脳辺縁ドーパミン経路　327
チューブ状結晶　469
チューブリン　348, 385, 392, 403
チューリングパターン　588
チューリングモデル　593
超遠心分析　564
超音波技術　498
超音波測定　562
聴覚　301
聴覚皮質　303
聴覚路　302
長期増強　293, 321
長期抑圧　319, 321
超高圧電子顕微鏡　516

超高次構造　104
超好熱菌　6
超好熱菌蛋白質　50
超小型機械　21
超潤滑　401
調節性分泌　229
調節輸送　191
超伝導　527
超伝導量子干渉装置　527
聴ニューロン　302
跳躍　25
跳躍伝導　285
超らせん　107
直接挿入法　177
直線偏光　535
直列処理　24
チラコイド膜　196
チロシンキナーゼ　296
沈降係数　564
沈降速度法　565
沈降平衡法　566

ツ

対イオン　63
ツリガネムシ　383

テ

定圧熱容量変化　44
低閾値活性化型　266
低温変性　44
逓減摂動法　579
テイーサックス病　160
定常状態　88, 553
ディスタンス・ジオメトリー計算　458
ディスプレイ　614
定電場仮説式　259
定電流モード　510
低分子量G蛋白質　235, 388
低密度リポ蛋白質受容体　228
デオキシヌクレオシド-5'-三リン酸　113
デオキシリボ核酸　101
デオキシリボース　101, 109
適応　23
適応戦略モデル　602
適応度　611
デコンボリューション法　521
デスモゾーム　234
テタヌス刺激　293
データベース検索　480

鉄・硫黄蛋白　75
鉄道虫　432
鉄ポルフィリン　75
鉄ポルフィリン錯体　75
テトラヒメナ細胞　168
デバイの式　40
デバイーヒュッケル近似　54
デヒドロゲナーゼ　18
デフォーカス　468
デマチン　212
デルマタン硫酸　97
テロメア　102, 137
テロメア構造　113
テロメア蛋白質　78
テロメラーゼ　102
電圧固定　268
電位依存性　268
電位依存性 Ca チャネル　263, 265
電位依存性 Na チャネル　263
電位依存性カルシウム放出　280
電位依存性ドメイン　267
電位依存性陽イオンチャネル超遺伝子族　267
電位差　214
電位センサー　265
転位反応　132
電位非依存性 K チャネル　268
電荷リレー系　90
電気泳動　623
電気泳動光散乱　551
電気化学エネルギー　15
電気化学活動度　187
電気化学ポテンシャル　214
電気化学ポテンシャルエネルギー　20
電気学説　255
電気シグナル　437
電気シナプス　282, 289, 310
電気穿孔法　633
電気双極子　40
電気双極子モーメント　412
電気伝導度　487
電子移動　407
電子移動反応速度定数　409
電子因子　409
電子供与体　409
電子顕微鏡　513, 625
電子受容体　409
電子受容体クロロフィル a　422
電子状態　75

電子スピン共鳴　545
電子線回折　469
電子線二次元結晶解析　37
電子線リソグラフィー　518
電子担体　75
電子伝達　75
電子伝達系　218
電子密度　467
転写　77, 101, 103, 119
転写因子　77, 103, 251
転写活性化蛋白質　78
転写機構　602
転写制御　103
テンセグリティ　198
伝達機構　25
伝達物質放出確率　296
テンダミスタット　47
伝導電子帯　485
テンペレートファージ　134

ト

等イオン点　39
動因　326
投影型 X 線顕微鏡　518
投影像　468
等温滴定型熱量計　59
等温熱測定　567
透過型電子顕微鏡　515
透過性　180
等価電流双極子　528
同期　580
同期検出ニューロン　303
同期現象　590
同期振動仮説　335
動機付け　326
動機付け行動　327
統計ポテンシャル　477
統計力学　589
統計力学的機械　21
凍結割断電子顕微鏡　167
動原体　137, 386
同時検出器　256
糖脂質　155
淘汰工学　611
到達運動　26
糖蛋白質　86
同調曲線　301
等張性収縮　362
動的計画法　142
動的光散乱　550
動的プログラミング　601

動的平衡　385
等電沈殿　41
等電点　39
等分裂　385
特異性　613
特異的形質導入　134
特異的認識　64
特異的ブロッカー　278
特徴周波数　301
時計遺伝子　316
ドッキング　288
ドッキングシミュレーション　59
突然変異　9
突然変異生成　117
ドナー　110, 409
ドーナツ型構造　593
ドナン電位　185
ドーパミン　286
ドーパミン D2 受容体ノックアウトマウス　332
ドーパミン神経　327
トポグラフィー　510
トポロジー形成　207
ドメイン　11, 169, 267
────の起原　11
ドメインシャッフリング　11, 51
トラフィッキング　296
トランス構造　201
トランスゴルジネットワーク　228
トランススプライシング　125
トランスデューシン　436, 441
トランスファー RNA　111
トランスフェリン受容体　228
トランスフォーミング増殖因子　239
トランスポゾン　135
トランスロコン　207
トリアシルグリセロール　155
トレーサー　524
トレッドミリング　403
トレッドミル機構　381
トロイダル型ポア形成　173
トロポニン　244, 370, 378
トロポミオシン　212, 370, 378
トロポミオシン-トロポニン　22
トロポモジュリン　212, 371, 376
トンネル電流　510

ナ

内在性蛋白質　189

――の拡散　190
　内耳　301
　内節　447
　内側前脳束　327
　ナイドジェン　99
　内部転換　541
　内包膜　196
　内膜　195
　内有毛細胞　301
　ナノマシン　620
　ナノメトリー　499
　ナマコ精子　383
　慣れ　23, 319
　軟X線　517

ニ

匂い受容　299
匂いセンサー　617
二原子酸添加酵素　77
二光子顕微鏡　506
ニコチン性アセチルコリン受容体　237
二次元NMR　543
二次元結晶　467
二次元電気泳動　624
二次構造　34, 537
二次構造分析法　623
二次シフト　456
二次情報伝達体　436
二重鎖DNA　105
二重制御理論　574
二重らせん構造　105
二状態アロステリックモデル　67
二状態転移　43
日内リズム　315
二値論理　24
ニードルマン-ヴンシュアルゴリズム　142
二面角　456
入力特異性　294
ニューロフィラメント蛋白質　392
ニューロン　255
二様効果　148
尿素　42
二量体　80
二量体形成ドメイン　78
認知　321

ヌ

ヌクレオチド除去修復　117

ネ

ネイティブ結晶　465
ネガティブデザイン　492
ネックコイルドコイル　348
ネックリンカー　348
熱交換式加熱法　556
熱ショック応答　250
熱ショック蛋白質　91, 250, 377
熱測定　490, 567
ネットワーク　59
ネットワークアナライザー　560
熱ノイズ　21
熱変性　41, 44
熱ゆらぎの平均エネルギー　21
熱容量　567
熱力学　589
　化学反応の――　577
　線形非平衡の――　586
熱力学第二法則　577
熱力学的安定性　43
熱力学的解析　42
熱量計　567
ネブリン　376
ネルンスト電位　259
ネルンスト-プランクの拡散の式　185
粘菌　599
粘度計　498
年輪　592

ノ

ノイズ効果　583
脳機能計測法　523
脳磁図　527
濃色効果　108
能動輸送　416
能動輸送　538
脳時計　318
脳内自己刺激　327
脳梁　302
ノルアドレナリン　286

ハ

バイアスドランダム　492
バイオイメージング　520
バイオインフォマティクス　4
バイオエレクトロニクス　616
バイオセンサー　616
バイオ素子　617
バイオパンニング　614

配偶者の選択行動　602
排除体積効果　55
背側経路　311
パイ電子近似　486
ハイドロキノン　17
ハイパーカラム　311
ハイパーサイクル　7
ハイブリダイゼーション　108
ハイブリドーマ　614, 633
培養細胞　632
配列解析　142
配列ドメイン　51
配列モチーフ　51
ハウジング　565
バクテリア　597
バクテリアべん毛　399
バクテリアべん毛モーター　19, 399
バクテリオクロロフィル　413, 415, 420
バクテリオファージ　134
バクテリオロドプシン　216, 408, 414, 460, 538, 618
場所学習　332
場所細胞　320
バースト　267
パーセプトロンモデル　334
バソプレシン　316
バソラテラル面　228
バソロドプシン　442
パターン形成　581
バーチャル細胞　602
波長識別　451
発火頻度順応　268
バックドア酵素　374
発現型　454
発現ベクター　609
発光キノコ　427
発光クラゲ　427
発光効率　431
発光ゴカイ　432
発光バクテリア　427
発光巻貝　432
発色団　412, 440, 450
発色団レチナール　441
発生　96
パッチクランプ法　175, 261, 436
パッチニ小体　304
波動　397
パドリング　25
バニロイド受容体　273

パピローマウイルス　80
ハミルトン経路問題　619
速い不活性化　264
張り合わせ法　176
パリンドローム　80
バルジ構造　35
パルス法　563
パルミチン酸　154
半規管　307
バンクロフトの規則　160
半径方向希釈　566
反結合性軌道　427
繁殖成功度　602
半チャネル　289
バンド3　211
バンド4.1　212
半導体的性質　485
バンド構造　137
反応・拡散・運動系の理論モデル　581
反応拡散方程式　598
反応拡散モデル　599
反応機構　558
反応性　104
反応速度　489
反応中間体　89
反応中心　17, 413
反応中心複合体　424
反応熱　567
半保存的複製　112

ヒ

非B型DNA　106
ヒアルロン酸　97
非イオン性界面活性剤　153
非ウイルスベクター法　633
ピエゾ　501
ビエルム長　54
光異性化　416
光異性化反応　414, 538
光エネルギー　214, 407
光回復酵素　408
光化学反応　428
光化学反応中心　444
光駆動イオンポンプ　414
光駆動プロトンポンプ　416
光合成　419
光合成系　407
光合成細菌　16, 420, 423
ヒカリコメツキ　432
光近接場顕微鏡　506

光サイクル　414
光散乱法　497
光シグナル　437
光シャッター法　533
光障害　407
光情報伝達　414
光センサー　407
光退色後蛍光回復時間　162
光テコ光学系　510
光トポグラフィー　528
光のばね　502
光ピンセット　352, 502
光ピンセット法　213, 345, 349
光捕捉蛋白質複合体　424
光誘起電荷分離反応　17
光レセプター　408
引き込み　313
非極性基　14
ピケット効果　202
飛行　25
飛行時間型　571
ビシナル結合　456
微絨毛　384, 433
微小管　19, 197, 348, 385, 403
微小管形成中心　194
微小管重合中心　386
微小電極　258
微小電極法　302
ヒストン　78, 138
非生物的ストレス　249
非線形光学結晶　541
非線形振動系　26
非線形振動子　313
ビタミンA　79
ビタミンC　98
ビタミンD　79
左巻きらせん　399
非弾性散乱　470, 515
ビデオ増強微分干渉顕微鏡法　390
ヒト型化抗体　614
非特異的認識　64
ヒト血清応答因子　80
ヒト・リゾチーム　490
ヒドロキシリジン　98
非二重層構造　165
比熱　41, 567
非比例関係　582
被覆小胞　195
非平衡開放系　587
非平衡現象　590

非平衡相転移　590
非平衡熱力学　576
百日咳毒素　439
比容　39
氷塊　41
表現型　591, 611
標準化学ポテンシャル　489
標準自由エネルギー変化　43
標準部分ギブス自由エネルギー　489
表層　405
氷包埋法　467
表面過剰吸着量　157
表面電位　182, 186
表面プラズモン共鳴　59, 617
ピリジノリン　98
ピリミジン塩基　104
ヒル係数　67
ヒルプロット　67
ビルレントファージ　134
ビンキュリン　395
品質管理機構　69

フ

ファイゲンバウム比　580
Φ値解析法　46
ファゴサイトーシス　200, 232
ファゴソーム　233
ファージ提示法　612
ファージディスプレイ　614
ファジー論理　24
ファーストメッセンジャー　240
ファネルモデル　46
ファロイジン　376
不安定固定点　579
ファン・デル・ワールス力　42
ファント・ホッフ解析　490
ファント・ホッフの関係　44
フィコビリゾーム　419
フィコビリン蛋白質　419
フィックの法則　577
部位特異的変異導入法　607
フィトクロム　408
フィードバック制御　26
フィードバック阻害　66
フィードフォワード制御　26
フィブリノーゲン　98
フィブロネクチン　96
フィロポディア　199
フェルスターの式　411
フェロモン　300

フェンス効果　202
不応期　268
フォース-ディスタンスカーブ　512
フォトクロミズム機能　618
フォトダイオード　500
フォトダイナミックセラピー　408
フォトライシス　508
フォドリン　212
フォトロドプシン　442
フォトン　502
フォールディング　28, 91, 225, 552
　　——の速度論　46
フォールディング研究　491
フォールディング反応の速度論　558
フォールド　37, 454
不快情動　325
不可逆性　591
賦活試験　524
不活性化　269, 587
不感時間　552
不規則振動（カオス）　577
複眼　433
　　ショウジョウバエの——　439
副溝　62, 77, 81
複合脂質　154
複雑型細胞　311
複雑系　589
副次的サブユニット　264
複製　77, 102
複製開始過程　113
複製開始蛋白質　113
複製開始複合体　115
複製起点　113
複製終結部位　113
複製制御　115
複製分岐　112
腹側経路　311
腹側被蓋野　327
複素誘電率　559
符号化　255
不斉の起源　6
負染色法　368
物質循環　601
物質法則　575
物理化学的相互作用　489
物理的摂動法　489
太いフィラメント　372

不等分裂　385
負の拡散　588
部分と全体の同時形成　582
普遍的形質導入　135
不飽和脂肪酸　154
プライマー　113, 609
プライマーゼ　113
プライミング　288
ブラウン運動　201, 400, 549
ブラウン運動シミュレーション　59
フラクタル　587, 590
フラクタル次元　466
フラジェリン　399
プラズマローゲン　156
プラスミド　608
フラッシュフォトリシス法　531
ブラッセレータ　578
フランク-コンドン因子　410
ブーリアンネットワークモデル　590
フーリエ空間　468
フーリエの法則　577
フーリエ変換　469
フーリエ変換イオンサイクロトロン型質量分析計　571
フーリエ変換分光器　537
プリオン　93
フリージング　320
ブリッグス-ホールデン機構　89
フリッパーゼ　162
フリップ・フロップ　161, 190
ブリルアン散乱法　563
プリン受容体　272
フルクトース-1, 6-ビスホスファターゼ　66
ブルーシフト　40
フレネルゾーンプレート　518
フレームワーク領域　613
不連続複製　113
プログラム科学　573
プロスタグランジン　156
プロセッシビティ　349
ブロッブ　311
プロテアソーム　70
プロテインキナーゼA　296
プロテインキナーゼC　157, 296
プロテインシーケンサー　623
プロテインジスルフィドイソメラーゼ　227
プロテインホスファターゼ　296

プロテオグリカン　97
プロテオミクス　572, 628
プロテオーム　572
プロトン　455
　　——の浸透圧　16
　　——の能動輸送　75
プロトン解離エンタルピー変化　568
プロトン化シッフ塩基レチナール　414
プロトン駆動力　400
プロトンポンプ　218, 221, 417
プロトン輸送反応　417
プロペラ　25
プロモーター　119
分化　96
分化関連転写因子　79
分割フォトダイオード　500
分岐体　592
分極率　445
分光学的方法　407
分光感度　433
分光吸光度計　530
分光法　498
分子機械　19, 30, 488
　　——のスイッチング　22
分子軌道　427
分子系統樹　451
分子コンピュータ　620
分子シャペロン　45, 226
分子進化　10
分子進化工学　611
分子生物学　585
分子置換法　465, 624
分子動力学法　471
分子時計　10
分子内振動　40
分子認識能　488
分子ポンプ　416, 539
分子モーター　339, 340
分子量　564
分配係数　182
分泌顆粒　194
分泌装置　401
分泌蛋白質　191
文脈恐怖条件付け　320
分裂装置　385, 388

へ

平滑筋　369
平衡　489

平衡斑　307
平行（パラレル）β-シート　35
平衡胞　308
平衡論　585
平衡論的安定性　48
閉鎖系　578
閉状態　269
並進運動　213
ヘイフリックの限界　103
平面二重層膜　163
平面膜法　175
並列処理　24
ペインティング法　176
ヘキサゴナルⅡ　173
ヘキソキナーゼ　377
ベクター　134
ベクター法　633
ベクトル的電子移動　19
ベシクル融合法　177
β-ガラクトシダーゼ　637
β-カロテン　444
β-シート　35, 39, 77, 170, 172, 459
β-ストランド　34
β-ヘリックス　173
ヘブ性　275
ヘテロオリゴ糖　86
ヘテロクロマチン　139
ヘテロトロピック効果　65
ヘパラン硫酸　97
ヘパリン結合　97
ペプチジルトランスフェラーゼ　132
ペプチド　94
ペプチド結合　31, 571
ペプチド重合反応　130
ペプチドマスフィンガープリンティング法　572
ペプトン　94
ペーペッツの情動回路　326
ヘム蛋白質　75
ヘム-銅末端酸化酵素スーパーファミリー　221
ヘモグロビン　53, 66, 76
ヘリカーゼ　113
ヘリックス　77, 537
ヘリックス-ターン-ヘリックス　62
ヘリックス-ターン-ヘリックスモチーフ　77
ヘリックスバンドル　173

ヘリックス-ループ-ヘリックス構造　80
ペルオキシソーム　196
ペルオキシダーゼ　76
ヘルムホルツの3原色　449
ベロソフ-ジャボチンスキー反応　578, 587
変異　611
変異導入　129
変換電流　301
変性　42
変性状態　42
ベンゾジアゼピン類　274
扁桃体　320, 326
偏比容　39, 566
べん毛（細菌）　399
鞭毛（真核生物）　396
　　──の運動　350
べん毛モーター　217, 399

ホ

ポア　173, 262, 268
ポアソン-ボルツマン方程式　54
ポアドメイン　267
ポアンカレ断面　579
方位選択性カラム　311
報酬系　327
紡錘糸　194
紡錘体　194, 385
法則定立科学　573
胞胚　593
飽和脂肪酸　154
飽和度　57
補欠分子族　75
歩行　25
補酵素　88
保護色　444
ホジキン-カッツ-ゴールドマンの式　185
ホジキン-カッツの式　181
ホジキン-ハクスレーモデル　270
ポジトロン核種　524
ホスファチジルイノシトール　155, 161
ホスファチジルエタノールアミン　155, 161
ホスファチジルグリセロール　155
ホスファチジルコリン　155, 161
ホスファチジルセリン　155, 161
ホスファチジン酸　155

ホスホジエステラーゼ　436
ホスホフルクトキナーゼ　66
ホスホリパーゼC　439
ホタル　431
ホタルイカ　427
ホタルルシフェラーゼ　431
ホタルルシフェリン　431
ホットスポット　60, 614
ホップ分岐　579
ポテンシャルエネルギー　484
ポテンシャル面　430
ホメオスタシス　241
ホメオドメイン　78
ホモトロピック効果　65
ホモロジー（相同性）　475, 480
ホモロジー検索　143
ホモロジープロファイル　480
ホモロジーモデリング　144
ポリエン　444
ポリ構造　133
ポリプロリンヘリックスⅡ型　34
ポリペプチド　31, 34, 172, 485
ポリメラーゼ・連鎖反応　609
ポリモーダル侵害受容器　307
ポリリジン　170, 173
ポールピース　515
ボルンエネルギー　172
ポンプ　175
翻訳　103, 130
翻訳機構　602
翻訳後修飾　225

マ

マイクロウェーブ加熱　556
マイクロエマルション　160
マイクロドメイン　163
マイコプラズマ菌　602
マイスナー小体　304
膜間腔　208
膜間スペース　208
膜貫通ヘリックス　72
膜貫通領域　264
膜間部　195
膜結合糖蛋白質　87
膜骨格　202, 405
膜骨格フェンス　213
マクサム-ギルバート法　631
膜小胞による輸送　204
マクスウェル-ワグナー効果　561
膜蛋白質　72, 459, 460

索　引

膜電位　173, 184
膜電位感受性　303
膜電位センサー　262
膜電位変化　215
膜透過停止配列　207
膜動輸送　190
膜内アンテナ蛋白質複合体　419
膜ペプチド　459
膜融合　173, 230, 288
膜容量　259
マクロ双極子　173
摩擦係数　565
摩擦比　625
マジック角回転　461
マススペクトル法　59
末梢説　326
末梢時計　318
末端小粒　137
末端抑制　311
マッチング条件　410
マトリクス　96, 195, 208, 571
マトリクス支援レーザー脱離イオン化　570
マルチカノニカル法　474
マルチ計測顕微鏡　508
マルチスパニング膜蛋白質　72
マルチプルアライメント　477
マンノース　86

ミ

ミエリン鞘　282
ミオイド　448
ミオグロビン　76
ミオシン　19, 343, 345, 366, 372
ミオシンサブフラグメント　372
ミオシンフィラメント　366
ミオシン分子の首振り説　21
ミオシンロッド　372
ミカエリス定数　88
ミカエリス–メンテン機構　89, 553
ミカエリス–メンテンの式　88
味覚　297
右巻きらせん　399
ミクロボディ　196
水
　——の物性定数　13
　——の分解系　423
　——の窓　517
水チャネル　211, 469
水分子　12

ミセル　150
三つ組み構造　247
密着型 X 線顕微鏡　518
密度汎関数理論　486
ミトコンドリア　18, 193, 195, 208, 218
ミトコンドリアマトリクス　208
μ-TAS　617
味蕾　297

ム

無髄軸索　282
無輻射失活　428

メ

迷路問題　599
メカニズム(技術)の創発　574
メカノケミカルカップリング　365
メタ個体群　601
メタロドプシン　443
メチル基転移酵素　139
メッセンジャー RNA　111
メラトニン　317
メリチン　173
メルケル盤　304
免疫グロブリン　613
免疫グロブリン様　80
免疫センサー　617
免疫沈降法　59, 636

モ

毛包受容器　306
網膜　308, 446
網膜下腔　446
モエシン　212
モジュールのシャッフリング　53
モジュレーター　66
モーター蛋白質　341, 372
モーター蛋白質ダイニン　386
モータードメイン　348, 372
モーター分子　200
モダリティ　523
モチーフ検索　143
モノクローナル抗体　635
モノクローン　633
モリブドプテリン　75
モルテングロビュール　44, 492
モル分極　40
モンテカルロ法　471

ヤ

焼き戻し法　474
薬剤耐性遺伝子　135
薬物依存　332
夜光虫　427
ヤリイカ巨大神経軸索　336

ユ

誘因　326
誘引行動　599
有機過酸化物　429
融合孔　231
有糸分裂　385
有芯顆粒　286
有髄軸索　282
誘電緩和　559
誘電吸収スペクトル　559
誘電スペクトル　559
　純水の——　560
誘電分散スペクトル　559
誘電率　559
誘導脂質　154
誘導適合　59
有毛細胞　307
油中水滴型エマルション　160
油滴　435, 448
ユビキチン　70
ユビキチン化　70
ユビキチン化修飾　232
ユビキチン活性化酵素　70
ユビキチン結合酵素　70
ユビキチンリガーゼ　70
ユビキチンレセプター　70

ヨ

陽イオン選択性フィルターポア　262
溶液 NMR　37
溶液散乱法　465
溶解度　40
葉状仮足　392
陽電子放出断層法　524
溶媒再配置エネルギー　410
溶媒接触表面積　44, 561
溶媒露出表面積　41
容量性 Ca^{2+} 流入　247
葉緑体　16, 193, 196, 415
四次構造　36
四次構造分析法　624
読み枠　130

ラ

ライフゲーム　606
らせん　467
らせん運動　25
ラディキシン　212
ラテラル抑制　595
ラドン空間　468
ラフト　147, 162, 203
ラマチャンドランプロット　36
ラマン効果　537
ラマン分光法　537
ラミニン　97
λファージ　134
ラムの方程式　565
ラメラ・ゲル相　163
ラメリポディア　199
ランヴィエ絞輪　285
卵形嚢　307
ランダム・コイル　42
ランバート-ベール則　528, 530

リ

リアノジン受容体（レセプター）　245, 246, 279, 280
理化学研究所細胞開発銀行　632
リガーゼ　113
リガンド制御型イオンチャネル　272
リクルートメント　120
リサイクリング　289
リステリア　393
リソソーム　69, 191, 194
リソソーム酵素　228
リゾチーム　43
リゾホスファチジン酸　157
リゾリン脂質　161, 278
立体構造　489, 546
立体構造比較　481
立体構造変化　220
立体構造予測　45
立体障害機構　364
立体障害説　379
リップル相　163, 166
リノール酸　154
リノレン酸　154
リピート　264
リフォールディング反応　555
リプレッサー　120
リプレッサー蛋白質　78
リーフレット　160
リペラー　579
リボ核酸　103
リボザイム　7, 111, 126
リボース　103, 109
リボソーム　85, 103, 111, 130, 161, 178
リボソームRNA　111
リボソーム再生因子　133
リミットサイクル　579
リミットサイクル振動　588
リャプノフ数　580
流体力学的半径　549
流動相　166
流動モザイクモデル　147, 162, 201
量子的放出　286
量子ドット　521
両親媒性分子　150, 172, 189
良性新生児てんかん　268
緑色硫黄細菌　415
緑色覚色素　443
臨界アクチン濃度　380
臨界現象　563
臨界充填パラメータ　158
臨界脱分極　259
臨界ミセル濃度　150, 157
りん光　429, 534
リン酸エステル転移反応　128
リン酸化　404
リン酸骨格　77
リン脂質　155, 178, 201
　　──の拡散　190
　　──の二分子層膜　189
リン脂質ジパルミトイルホスファチジルコリン　163
リンパ球エンハンサー結合因子　81

ル

類別化　321
ルシフェラーゼ　427
ルシフェリン　427
ルシフェリン-AMP誘導体　431
ルスカ　513
ループ　77
ルフィーニ終末　304
ルミロドプシン　443
ルースカップリング　19, 21, 344
ルースカップリング説　401

レ

励起一重項　428
励起移動　411
励起移動速度定数　411
励起エネルギー移動　444
励起三重項　428
励起寿命　541
励起状態の失活過程　428
励起スペクトル　532
冷光　431
レーザー加熱法　557
レーザートラップ　502
レーザープラズマ線源　517
レスリーモデル　600
レセプター　22, 236
レセプターイメージング　524
レチナール　407, 416, 436, 450
レチナール蛋白質　444, 542
レチノイド　412
レトロウイルス　134
レトロポゾン　136
レバーアーム説　21, 344, 373
レビンタールパラドックス　45
レプリカ交換法　474
レプリコン　135
レール蛋白質　341
連合野　321
連鎖帰属　457
連成屈折レンズ　518
連想記憶　24

ロ

ロイコトリエン　156
ロイシンジッパー　62
ロイシンジッパー構造　80
ろう　155
ローカルアライメント　480
ロジスティック方程式　600
ロスマンフォールド　36
ロトカーボルテラモデル　601
ロドプシン　407, 414, 436, 440
ロドプシンキナーゼ　443
ロールモデル　284
ローレンツの熱対流系　580

ワ

枠組領域　613
ワトソン-クリック型　77

欧文索引

16SrRNA　130
23SrRNA　130
3_{10}-ヘリックス　173
3D-1D 法　475
3D プロフィール　476
5HT　286
5-hydroxytryptophane　286
5S RNA　130
9+2 構造　396

A

AAA ATPase　350
AAA ファミリー　350
AAA モチーフ　351
aaRS　85, 130
ab initio 法　144
ab initio 予測　479
abiotic stress　249
accessible surface area　49
ACh　285
ActA　393
actin depolymerizing factor　199
activation　263
activation study　524
activator　593
Actor-Critic モデル　335
adaptor protein　267
addiction　332
adenosine triphosphate　15, 431
ADF　199
adherens junction　234
A-DNA　106
ADP　222
ADP リボシル　439
AE1　211
affinity　614
AFM　497, 510
AJ　234
Akt キナーゼ　235
alamethicin　173
alanine scanning　60
all-or-none law　361
allosteric　364
allosteric inhibition　66
AMBER　483
American Type Culture

Collection　632
AMPA 型グルタミン酸受容体　241
AMPA 受容体　291
AMPPNP　224
angular reconstitution 法　469
anion exchanger 1　211
ANN　143
annealing　108
ANP　239
anterograde　390
AP-2 複合体　232
apo AI　173
AQP1　211
Arc リプレッサー　81
ARIA-CNS　458
Arp2/3　394
ARS　130
ASA　561
A:T 塩基対　110
ATCC　632
atomic force microscope　510
ATP　15, 209, 222, 431
ATP 合成　359
ATP 合成酵素　222
ATP 分子の加水分解　20
atrial natriuretic peptide　239
ATR 法　537
attenuated total reflection　537
autocorrelation funciton　625
avidity　614
axonal transport　389

B

ball-and-chain model　265
barrel-stave　173
B-DNA　106
B'-DNA　106
BIAcore　59
BIND　59
BindingDB　59
biochemistry　585
BioMagResBank　494
biotic stress　249

Bip/GRP78　227
BK チャネル　247
black lipid membrane　175
BLAST　143
BLM　175
blood oxygenation level dependent　525
BMP　239
BMRB　494
BOLD　525
bone morphogenetic factor　239
boundary potential　182
BR　618
bristle　384
Bzd　274

C

C 末端　31
C リング　401
C ロッド　401
C. elegans　384
CA1　293
Ca^{2+} ウエーブ　247
Ca^{2+} オシレーション　247
Ca^{2+} 過負荷　274
Ca^{2+}／カルモジュリン依存性キナーゼ II　296
Ca^{2+} シグナル　244
Ca^{2+} スパーク　247
Ca^{2+} チャネル　261
Ca^{2+} 透過性　274
Ca^{2+} による Ca^{2+} 放出機構　246
Ca^{2+} ポンプ　244
Ca^{2+}-induced Ca^{2+} release mechanism　246
CaM　296
CaMKII　296
cAMP　299
CAO 遺伝子　415
CAP　78
CapZ　371
cardiac muscle　366
CASP　471, 477
categorization　321
CATH　481, 494
CB　362

CBF 524
CCA 配列 130
CCD 547
CD 48, 535, 552, 623
CD44 98
Cdc7 蛋白質 115
Cdk 蛋白質 115
cDNA 103
CDR 613
CDR-grafting 614
CE 481
cell cortex 405
central pattern generator 313
cerebral blood flow 524
cGMP 309
CH ドメインスーパーファミリー 212
chaperone 91
Chara 382
charge-relay system 90
CHARMM 483
chemical oscillation 578
chemiexitation 429
CICR 279
circular dichroism 535, 623
CMC 151, 157
CNT 510
COG 141
coincidence detector 256
Cole-Cole プロット 561
ColEI 628
collision-induced dissociation 571
common line search 法 469
community ecology 601
competitive inhibition 66
complementary DNA 103
complex system 589
complicated system 589
compound refractive lens 518
computational biophysics 470
cone 446
cone pedicle 448
connecting cilium 447
connexin 289
constitutive secretion 229
contextual fear conditioning 320
CONTIN 法 551
contractile ring 387
conventional kinesin 348
COP I 小胞 227

COP I 被覆小胞 195
COP II 小胞 227
COP II 被覆小胞 195
corralling 202
counterion 63
counterion condensation 理論 64
coupled-map-lattice 590
CP 461
CP-MAS 法 461
CPU 619
c-Rel 80
critical micelle concentration 150
CRL 518
cross polarization 461
crossbridge 368
CT 522
CTF 467
CYANA 458
cybernetics 24
cyclic AMP 240
cyclic GMP 240
Cys2His2 型 Zn フィンガー 79
Cys4 型 80
cytosis 190

D

DA 286
Dali 481
Dali/FSSP 494
DAM 466
DD-MAS 法 461
dead time 552
denatured 48
dense cored vesicle 286
density functional theory 486
deoxyribonucleic acid 101, 104, 109
desmosome 234
DHPR 280
diabody 614
diacylglycerol 240
dielectric absorption spectrum 559
dielectric dispersion spectrum 559
diffusible tracer 524
diffusion control 60
diffusion tensor imaging 527
DIG 148

DIP 59
dipalmitoylphosphatidylcholine 166
directed evolution 611
disc membrane 447
DMPA 170
DMPC 164
DMSO 170
DNA 77, 101, 104, 109, 353
DNase I 377
DNA 結合蛋白質 77
DNA 合成酵素 112
DNA コンピューティング 619
DNA シャフリング法 612
DNA 修復 116
DNA タイル 620
DNA 二重らせん 77, 81
DNA 複製酵素 113
DNA ポリメラーゼ 102, 608
DNA ポリメラーゼ Y ファミリー 118
DNA モーター 353
DP 476, 480
DPPC 163, 166
DP 法 142
DRF 148
DRG ニューロン 304
drug dependence 332
DS 234
DSC 48
DTI 527
dummy atom model 466
DWI 527

E

E2 蛋白質 80
EBI 493
EC 88
ECD 528
E-CELL プロジェクト 602
echo planar imaging 525
EEG 323
effector 66
eF-site 496
EF-Ts 132
EF-Tu 132
EK 系 628
electroencephalogram 323
electron paramagnetic resonance 545
electron spin resonance 545

electrospray ionization 570
ellipsoid 448
emergence 606
Ena/VASP ファミリー蛋白質 395
end-plate potential 286
endocytosis 192
Entrez/VAST 494
entropy-enthalpy compensation 60
enzyme code 88
EPI 525
EPP 286
EPR 545
EPSP 290
equivalent current dipole 528
ERGIC 194
ERP 323
ER-ゴルジ中間区画 194
ESI 570
ESR 167, 545
Ets 79
event related potential 323
evolutionary ecology 602
evolvability 612
excitatory postsynaptic potential 290
exit site 227
exocytosis 191
eye cup 446

F

F アクチン 380
F 因子 135
F_1-ATPase 356
F_1ATP アーゼ 20
F_1F_0ATP 合成酵素 20
F_1F_0 プロトンポンプ 20
F_1 の構造 223
F_1 モーター 356
FAK 236
fast inactivation 264
FASTA 143
fear conditioning 320
feedback inhibition 66
FID 543
filopodia 382
filopodium 392
fitness 611
flexural rigidity 198
fluid 166

fluid mosaic model 201
fluorescence recovery after photobleaching 162, 213
fluorescence resonance energy transfer 61
fMRI 256, 322, 525
FM コーディング 256
fNIRS 528
focal adhesion kinase 236
Fos 80
Fourier-transform infrared 538
F_0 モーター 356
Frank-Starling の法則 365
FRAP 162
FRAP 測定 213
free induction decay 543
freezing 320
FRET 61
FRET 法 379
FT-ICR-MS 571
FTIR 法 538
FT-MS 571
functional magnetic resonance imaging 256
functional mapping 525
functional near-infrared spectroscopy 528
functional rCBV 525
fusion pore 231
FZP 518

G

G アクチン 380
G 蛋白質 232, 373, 436
G 蛋白質共役型受容体 238, 290, 443
G 蛋白質共役型情報伝達系 438
G-protein coupled receptor 443
GABA 237, 286
GABA 受容体 238
GAL4 80
GAP ドメイン 375
gating 258
G:C 塩基対 110
G-DNA 106
GDOE 486
gel filtration chromatography 624
gelsolin 377
GEM 148

general evolution criterion 577
generalized-ensemble algorithm 472
genetic helix 377
genome 572
genotype 454
geometrical complementarity 59
GFP 504, 522
GFP 法 637
gigaseal 261
Glu 285
GOD 617
GPCR 443
GPVI 98
gradient echo 525
gramicidin 173
GRE 525
green fluorescent protein 504, 522
GRK(K) 437
GroEL 91
GROMOS 483
growth cone 382
GSP 401
GTPase activating protein 375
GTPase-activating protein 388
GTP 結合蛋白質 298
guanine nucleotide exchange factor 388

H

hand-over-hand モデル 349
HAT 139
HDAC 139
heat shock factor 251
heat shock protein 91, 250
heat shock response 250
HERG チャネル 268
Hfr 135
Hfr 株 135
high-voltage activated 266
highest occupied molecular orbital 427
histone acetyltransferase 139
histone deacetylase 139
histone methyltransferase 139
HMG ドメイン 81
HMM 143
HMTase 139
HNF-3 γ 79

hnRNA　82
HOMO　75, 427, 486
hot spot　614
hRap1　78
HSC 70　377
HSF　251
HSP　91, 250
HTH 変異体　78
HTH モチーフ　77
HVA　266
hybridization　108
hydrophobic mismatch　175
hyperchromism　108
hypochromism　107

I

IF-2　132
IgG　613
i-motif　106
in vitro ウイルス法　612
in vitro 運動系　351
in vitro 選択法　126
in vitro evolution　611
induced fit　59
induced local folding　62
inherit　138
inhibitor　593
inhibitory postsynaptic potential　290
inner segment　447
interfacial potential　187
intermediate compartment　227
intracranial selfstimulation　327
intrinsic affinity　614
iodopsin　446
ionotropic receptor　290
IP　519
IP$_3$ 受容体（セプター）　248, 279, 280
IP$_3$R　279
IPSP　290
IRF-1　78
IS　136
ISFET　617
isotonic contraction　362
IUB　88

J

J 結合　456
JAK　239
Janus kinase　239

JCRB 細胞バンク　632
Jun　80

K

K$^+$ チャネル　261
Karplus の式　456
KcsA K チャネル　281
KcsA チャネル　270
KDEL 受容体　227
KEGG　141, 145
key enzyme　65
KH ドメイン　84
kinectin　391
kinesin　390
kiss-and-run　231
Kyoto Encyclopedia of Genes and Genomes　145

L

L 型　130
L システム　593
lamellipodium　392
lateral filtering　434
LC　579
LDL 受容体　228
LexA 蛋白質　252
LH2　419
LH-I　426
LH-II　426
light chain　365
light harevesting protein 2　419
limbic system　327
liquid-disordered phase　147
liquid-ordered phase　148
living organism　585
local-global linkage　582
long-pitch helix　377
long-term depression　293, 319
long-term potentiation　293, 321
low density lipoprotein receptor　228
low-voltage activated　266
lowest unoccupied molecular orbital　428
LTD　293, 319, 321
LTP　293, 321
LUMO　75, 428
LVA　266

M

M 期　115

M 線　367, 370
macromolecular crowding　61
MAD　624
MADS ボックス　80
MAD 法　465
magainin 2　173
magic angle sample spinning　461
magnetoencephalogram　323
major groove　61
MALDI　570
Man　86
Man-6-P 受容体　228
MAP キナーゼ　235, 239
MARCKS　172
marginal stability　49
MAS　461
matrix　96
matrix-assisted laser desorption ionization　570
Max　80
MBGD　141
MC　471
Mcm 蛋白質複合体　113
MD　471
MDS　516
mechanosensitive　276
MEG　323, 527
melittin　173
metabotropic receptor　290
Met リプレッサー　81
MFB　327
Mg^{2+}　274
mGluR6　309
micro-total analysis system　617
microtubule organizing center　386
minimum dose system　516
minor groove　62
miscibility　166
missing cone　469
mitogen activated protein kinase　239
MLV　178
mmCIF　494
MMP　97
mode switching　266
model free analysis　544
modulator　66
molecular biology　585

molecular breeding 611
molecular dynamics 471
molecular orbital 427
Monte Carlo 471
motility assay 351
motion artifact 527
MreB 384
MRI 522
mRNA 130
mRNA 提示法 612
mRNA 編集 274
MRS 527
MS 276
MS チャネル 276
MS/MS 571
MSD 493
MST 野 311
MT 野 311
MTOC 386
multicanonical algorithm 474
multilamellar vecicle 178
Munc-13 230
Munc-18 230
muscle fiber 366
mutation 129
MWC モデル 68
Myb 78
Myb ドメイン 78, 81
Myc 80
MyoD 80
myofibril 367
myofilament 366
myoid 448

N

N-アセチルガラクトサミン 86
N-アセチルグルコサミン 86
N 末端 31
N 末端則 71
NA 286
Na^+ チャネル 261
Na^+/Ca^{2+} 交換機構 244
NADH 18
NAG 86
native 48
Ncd 348
negative cooperativity 65
neurofilament proteins 392
NF-κB 80
NF-κB 蛋白質 252
nicotinamide-adenine dinucleotide 18
NIRS 528
Nitella 382
NMDA 型グルタミン酸受容体 241
NMDA 型受容体（レセプター） 243, 296
NMR 455, 542, 552
　固体の—— 459
NOE 456
NOESY 458, 544
NSF 230
nuclear magnetic resonance 542
N-WASP 395

O

OB フォールド 84
OEF 524
oil droplet 448
oligosaccharide oligonucleotide binding 84
OmpR 79
open-ended evolution 606
opioid 286
optical multichannel analyzer 530
optical rotary dispersion 535
optical topography 528
Orc 蛋白質複合体 113
ORD 535
ORF 130
organic compounds 585
oscillatory damping 577
outer segment 447
overshoot 259
oxygen extraction fraction 524
OxyR 蛋白質 252

P

p-クマル酸 415
P ループ 351, 373
P1 ファージ 134
P450 77
p50 80
p53 81
p60 80
PACAP 317
partition coefficient 182
pathway model 411
PCR 609, 629
PDB 454, 475, 482, 493
PDB フォーマット 494
PDBj 493
PDE 436
PDI 227
PDT 409
peptide 94
pepton 94
Period 316
persistence length 55, 108
PEST 配列 71
PET 256, 322, 524
phase separation 166
phenotype 454
phenylisothiocyanate 623
PhoB 79
phosphatidylinositol 280
photoactive yellow protein 408
photodynamic therapy 409
photoreceptor cells 446
phragmoplast 388
Physalum polysephalum 382
PI 280
PI ターンオーバー 233
PI3 キナーゼ 235
PID 制御回路 511
PITC 623
pituitary adenylate cyclase activating polypeptide 317
place cell 320
PMF 法 572
population ecology 600
positive cooperativity 65
positron emission tomography 256
PP1 243
principle of minimum entropy production 577
processivity 351
profilin 377
protein data bank 454, 482
Protein Data Bank 493
protein engineering 607
protein phosphatase 1 243
proteome 572
pseudo-phase separation model 153
PSI-BLAST 477
PTase 132
PTH アミノ酸 623
PYP 408

Q

Qコントロール 512
Q値 512
QM/MM法 484
Q/R部位 274

R

R因子 135
radial dilution 566
Rap1 78
RCSB 493
reaction-diffusion-motility system 581
rearrangement 11
RecA蛋白質 252
receptor tyrosine kinase 238
recognition motif 84
Recordの理論 64
REDOR 462
reductive perturbation method 579
regional cerebral blood volume 525
regulated secretion 229
reinforcement learning 314
renewal 448
replica-exchange method 474
replication banding法 137
retention tracer 524
retina 446
retrograde 390
RF1 133
RF2 133
rhodopsin 446
RhoGAP 388
RhoGEF 388
ribonucleic acid 103, 109, 126
ribozyme 126
RMSd 481
RNA 84, 103, 109
RNAウイルス 103
RNAキャッピング 120
RNA結合蛋白質 82
RNA複製酵素 612
RNAポリメラーゼ 103, 353
RNAポリメラーゼコア酵素 119
RNA輸送 82
RNAワールド 7, 129
rod 446
rod spherule 448
Rossmann fold 36
*rpo*H遺伝子 251
RR 462
RRF 133
RRMドメイン 84
RTK 238
Rubisco結合蛋白質 91
RyR 279

S

S期 115
S1 372
SA 276
sarcolemma 367
sarcomere 367
sarcoplasmic reticulum 364
scanning near-field optical microscope 507, 510
scanning probe microscope 509
scanning tunneling microscope 510
Scatchard plot 57
scFv 614
SCOP 481, 494
SD配列 130
S-DNA 106
SDS-disc-poly-acrylamide gel electrophoresis 624
SDS-PAGE 624
SDS電気泳動 624
SELEX 611
self-organization 585
SEM 515
sexual PCR法 612
SH2ドメイン 239
sham rage 326
shedding 447
short-term potentiation 294
signal recognition particle 205
signal transducer and activator of transcription 239
simulated annealing 466, 472, 544
simulated tempering 474
single-chain Fv 614
single channel recording 261
single-particle tracking 162
singlet 428
skeletal muscle 366
Skn 80
SMAD 239
small nuclear RNA 82
small nucleolar RNA 82
small unilamellar vesicle 178
smooth muscle 369
SNAP 230
SNAP receptors 288
SNAP-25 230, 288
SNARE 288
SNOM 507, 510
snoRNA 82
snRNA 82
SOC 247
sodium dodecyl sulfate 624
solvent-accessible surface area 44
soma 447
SOS応答 118, 250, 252
SoxR 252
SPARC 99
spatial ecology 601
spatio-temporal structure 585
specificity 491
SPECT 524
spike frequency adaptation 268
spike-timing dependent plasticity 295
SPM 509
SPOC 362
spontaneous oscillatory contraction 362
spontaneous transient outward current 247
SPT 162
SQUID 527
SR 364
src homology domain 239
SRP 205
SSAP 481
stability 491
STAMP 481
STAT 239
STDP 295
STEM 515
stereo cilia 384
steric block 364
STM 497, 510
STOC 247
stochastic resonance 584
Stokes radius 624
store-operated Ca^{2+} channel 247

STP 294
stretch activation 365
structural biology 453
structure based drug design 454
subretinal space 446
superconducting quantum interference device 527
superexchange 機構 410
superfamily 221
surface active agent 150
surfactant 150
SUV 178
SVM 143
SwissProt 478
synapse 447
synaptic vesicle 286
synaptophysin 391
system ecology 601

T

T 管系 246
T 管膜 279
T ドメイン 81
tachykinin 286
TATA 結合蛋白質 81
TBP 81
TD 334
T-DNA 104
TDR 法 560
TEM 515
temporal difference 334
tensegrity 199
tethered particle motion 法 353
TFIIE ベータ 79
TGF-β 239
TGF-β 受容体 239
thick filament 366
thin filament 366
threading 476
Ti プラスミド 135
TIFF 148
tight junction 234
time domain reflectometry 560
time of flight 571
tip link 384
TIRFM 507
TJ 234
TLS DNA ポリメラーゼ 118
TMS の理論 184
TnC 378
TnI 378
TnT 378
TOF 571
toroidal 173
total internal reflection fluorescence microscope 507
TPM 353
transforming growth factor β 239
translesion DNA synthesis polymerase 118
translocation 132
TRF1 78
tRNA 130
tRNA イントロン 122
TROSY 457
Trp チャネル 247
tubulin 392

V

V4 野 311
VAMP 230, 288
VAST 481
V-ATPase 231
VGCC 263
VGNC 263
VICR 280
video-enhanced DIC microscopy 390
VirG 393
visual pigment 446
vital force 585
voltage-gated Ca channel 263
voltage-gated Na channel 263
voltage-induced Ca^{2+} release 280

W

Wang タイル 620
water window 517
Wnt 238

X

X 染色体 102

Y

Y 染色体 102
YAC 137
yeast artificial chromosome 137

Z

Z 線 367
Z-DNA 106
Zn 79
Zn-フィンガー 62

編者略歴

石渡信一
1945年 山梨県に生まれる
1974年 名古屋大学理学系大学院博士課程単位取得退学
現　在 早稲田大学理工学部物理学科・教授
　　　　理学博士

桂　勲
1945年 神奈川県に生まれる
1973年 東京大学大学院理学系研究科博士課程修了
現　在 国立遺伝学研究所構造遺伝学研究センター・総合研究大学院大学・教授
　　　　理学博士

桐野　豊
1944年 愛媛県に生まれる
1972年 東京大学大学院薬学系研究科博士課程修了
現　在 徳島文理大学・学長
　　　（徳島文理大学）香川薬学部・教授
　　　　東京大学名誉教授
　　　　薬学博士

美宅成樹
1949年 三重県に生まれる
1976年 東京大学大学院理学系研究科博士課程単位取得退学
現　在 名古屋大学大学院工学研究科マテリアル理工学専攻・教授
　　　　理学博士

生物物理学ハンドブック

2007年4月25日　初版第1刷
2009年4月30日　　　第2刷

編者　石　渡　信　一
　　　桂　　　　　勲
　　　桐　野　　　豊
　　　美　宅　成　樹
発行者　朝　倉　邦　造
発行所　株式会社　朝　倉　書　店
　　　　東京都新宿区新小川町6-29
　　　　郵便番号　162-8707
　　　　電　話　03(3260)0141
　　　　FAX　03(3260)0180
　　　　http://www.asakura.co.jp

〈検印省略〉

© 2007〈無断複写・転載を禁ず〉　　　中央印刷・牧製本

ISBN 978-4-254-17122-8　C 3045　　　Printed in Japan

前お茶の水大 太田次郎他編

生物学ハンドブック

17061-0 C3045　　　　A5判 664頁 本体23000円

生物学全般にわたって，基礎的な知識から最新の情報に至るまで，容易に理解できるよう，中項目方式により解説。各項目が，一つの読みものとしてまとまるように配慮。図表・写真を豊富にとり入れて，簡潔に記述。生物学，隣接諸科学の学生や研究者，関心をもつ人々の座右の書。〔内容〕細胞・組織・器官(45項目)／生化学(34項目)／植物生理(60項目)／動物生理(49項目)／動物行動(47項目)／発生(45項目)／遺伝学(45項目)／進化(27項目)／生態(52項目)

東大 東江昭夫・東大 徳永勝士・名大 町田泰則編

遺 伝 学 事 典

17124-2 C3545　　　　A5判 344頁 本体13000円

遺伝学および遺伝子科学の全体を見渡すことができるように，キーとなる概念や用語を，中項目主義で解説した事典。第一線の研究者が，他の項目との関連に留意して，わかりやすく執筆したもので，遺伝およびバイオサイエンスに興味・関心のある学生，研究者・教育者に好適。
〔内容〕I. 古典遺伝学(細胞遺伝学)，II. 分子遺伝学／分子生物学，III. 発生，IV. 集団遺伝学／進化，V. ヒトの遺伝学，VI. バイオテクノロジーの6編により構成

P.シングルトン・D.セインズベリー編
前お茶の水大 太田次郎監訳

微生物学・分子生物学辞典

17091-7 C3545　　　　A5判 1268頁 本体48000円

微生物学・分子生物学の近年の急速な進展により新しい術語と定義が過剰になった。また，旧来の術語でも異なる意味で用いられることが少なくない。本辞典では，雑誌やテキストで実際に使われている用法を集め，旧来の意味や同意語なども明記して，最近のこの分野の情報の流れを形成している術語や語句に明確な最新の定義を与えることに努めた。また関連分野である生体エネルギー論や生化学分野などからも，詳細かつ包括的で，連結した情報を収録している。日本語訳五十音配列

前埼玉大 石原勝敏・前埼玉大 金井龍二・東大 河野重行
前埼玉大 能村哲郎編集代表

生物学データ大百科事典

〔上巻〕17111-2 C3045　　　　B5判 1536頁 本体100000円
〔下巻〕17112-9 C3045　　　　B5判 1196頁 本体100000円

動物，植物の細胞・組織・器官等の構造や機能，更には生体を構成する物質の構造や特性を網羅。又，生理・発生・成長・分化から進化・系統・遺伝，行動や生態にいたるまで幅広く学際領域を形成する生物科学全般のテーマを網羅し，専門外の研究者が座右に置き，有効利用できるよう編集したデータブック。〔内容〕生体構造(動物・植物・細胞)／生化学／植物の生理・成長・分化／動物生理／動物の発生／遺伝学／動物行動／生態学(動物・植物)／進化・系統

T.E.クレイトン編
前お茶の水大 太田次郎監訳

分子生物学大百科事典

17120-4 C3545　　　　B5判 1176頁 本体40000円

21世紀は『バイオ』の時代といわれる。根幹をなす分子生物学は急速に進展し，生物・生命科学領域は大きく変化，つぎつぎと新しい知見が誕生してきた。本書は言葉や用語の定義・説明が主の小項目の辞典でなく，分子生物学を通して生命現象や事象などを懇切・丁寧・平易な解説で，五十音順に配列した中項目主義(約450項目)の事典である。
〔主な項目〕アポトーシス／アンチコドン／オペロン／抗原／抗体／ヌクレアーゼ／ハプテン／B細胞／ブロッティング／免疫応答／他

理科大 鈴木増雄・大学評価・学位授与機構 荒船次郎・理科大 和達三樹編

物 理 学 大 事 典

13094-2 C3542　　　　B5判 896頁 本体36000円

物理学の基礎から最先端までを視野に，日本の関連研究者の総力をあげて1冊の本として体系的解説をなした金字塔。21世紀における現代物理学の課題と情報・エネルギーなど他領域への関連も含めて歴史的展開を追いながら明快に提起。〔内容〕力学／電磁気学／量子力学／熱・統計力学／連続体力学／相対性理論／場の理論／素粒子／原子核／原子・分子／固体／凝縮系／相転移／量子光学／高分子／流体・プラズマ／宇宙／非線形／情報と計算物理／生命／物質／エネルギーと環境

上記価格(税別)は2009年3月現在